U0925768

醒世恒言

中国古典文学名著丛书

[明]冯梦龙 著

華夏出版社
HUAXIA PUBLISHING HOUSE

目　录

第一卷 两县令竞义婚孤女

风水人间不可无，也须阴骘①两相扶。

时人不解苍天意，枉使身心着意图。

话说近代浙江衢州府，有一人，姓王名奉，哥哥姓王，名春，弟兄各生一女：王春的女儿名唤琼英，王奉的叫做琼真。琼英许配本郡一个富家潘百万之子潘华。琼真许配本郡萧别驾②之子萧雅。都是自小聘定的。琼英年方十岁，母亲先丧，父亲继殁。那王春临终之时，将女儿琼英托与其弟，嘱咐道："我并无子嗣，只有此女。你把做嫡女看成。待其长成，好好嫁去潘家。你嫂嫂所遗房奁衣饰之类，尽数与之。有潘家原聘财礼置下庄田，就把与他做脂粉之费。莫负吾言！"嘱罢，气绝。殡葬事毕，王奉将侄女琼英接回家中，与女儿琼真做伴。

忽一年元旦，潘华和萧雅不约而同到王奉家来拜年。那潘华生得粉脸朱唇，如美女一般，人都称玉孩童。萧雅一脸麻子，眼眍齿龅，好似飞天夜叉模样。一美一丑，相形起来，那标致的越觉美玉增辉，那丑陋的越觉泥涂无色。况且潘华衣服炫丽，有心卖富，脱一通换一通。那萧雅是老实人家，不以穿着为事。常言道：佛是金装，人是衣装。世人眼孔浅的多，只有皮相，没有骨相。王家若男若女，若大若小，哪一个不欣羡潘小官人美貌，如潘安再出，暗暗地颠唇簸嘴，批点那飞天夜叉之丑。王奉自己也看不过，心上好不快活。不一日，萧别驾卒于任所。萧雅奔丧，扶柩而回。他虽是个世家，累代清官，家无余积，自别驾死后，日渐消索，潘百万是个暴富，家事日盛一日。王奉忽起一个不良之心，想道："萧家甚穷，女婿又丑。潘家又富，女婿又标致。何不把琼英琼真暗地兑转，谁人知道。也不教亲生女儿在穷汉家受苦。"主意已定，到临嫁之时，将琼真充做侄女，嫁与潘家；哥哥所遗衣饰庄田之类，都把他去。却将琼英反为己女，嫁与那

---

① 阴骘（zhì）——阴德，即暗中对人做好事。

② 别驾——官名。宋、明、清时叫"通判"，是州、府长官的副手，职务大体和汉代的别驾类似，所以后来用"别驾"做了"通判"的别称。

飞天夜叉为配，自己薄薄备些妆奁嫁送。琼英但凭叔叔做主，敢怒而不敢言。谁知嫁后，那潘华自恃①家富，不习诗书，不务生理，专一嫖赌为事。父亲累训不从，气愤而亡。潘华益无顾忌，日逐②与无赖小人，酒食游戏。不上十年，把百万家资败得罄尽③，寸土俱无。丈人屡次周给他，如炭中沃④雪，全然不济。结末迫于冻馁，瞒着丈人，要引浑家去投靠⑤人家为奴。王奉闻知此信，将女儿琼真接回家中养老，不许女婿上门。潘华流落他乡，不知下落。那萧雅勤苦攻书，后来一举成名，直做到尚书地位；琼英封一品夫人。有诗为证：

目前贫富非为准，久后穷通未可知。

颠倒任君瞒昧做，鬼神昭鉴定无私。

看官，你道为何说这王奉嫁女这一事？只为世人但顾眼前，不思日后；只要损人利己，岂知人有百算，天只有一算。你心下想得滑碌碌的一条路，天未必随你走哩。还是平日行善为高。今日说一段话本，正与王奉相反，唤做《两县令竞义婚孤女》。这桩故事，出在梁唐晋汉周五代之季。其时周太祖郭威在位，改元广顺。虽居正统之尊，未就混一之势。四方割据称雄者，还有几处，共是五国三镇。哪五国？

周郭威　南汉刘晟　北汉刘旻⑥

南唐李昪⑦　蜀孟知祥

哪三镇？

吴越钱镠　湖南周行逢　荆南高季昌

单说南唐李氏有国，辖下江州地方，内中单表江州德化县一个知县，姓石名璧，原是抚州临川县人氏，流寓建康⑧。四旬之外，丧了夫人，又无

---

① 恃(shì)——倚仗。

② 日逐——每日。

③ 罄(qìng)尽——没有剩余。罄，尽的意思。

④ 沃(wò)——浇。

⑤ 投靠——封建社会里，穷苦人无法生活，投向有钱人家做奴仆，叫“投靠”。

⑥ 旻(mín)。

⑦ 昪(biàn)。

⑧ 建康——我国古都之一，即今南京市。

儿子，止有八岁亲女月香，和一个养娘①随任。那官人为官清正，单吃德化县中一口水②。又且听讼明决，雪冤理滞，果然政简刑清，民安盗息。退堂之暇，就抱月香坐于膝上，教他识字，又或叫养娘和他下棋，蹴踘③，百般玩耍。他从旁教导。只为无娘之女，十分爱惜。一日，养娘和月香在庭中蹴那小小球儿为戏。养娘一脚踢起，去得势重了些，那球击地而起，连跳几跳的溜溜滚去，滚入一个地穴里。那地穴约有二三尺深，原是埋缸贮水的所在。养娘手短揽他不着，正待跳下穴中去拾取球儿。石璧道："且住！"问女儿月香道："你有甚计较④，使球儿自走出来么？"月香想了一想，便道："有计了！"即教养娘去提过一桶水来，倾在穴内。那球便浮在水面。再倾一桶，穴中水满，其球随水而出。石璧本是要试女孩儿的聪明。见其取水出球，智意过人，不胜之喜。

闲话休叙。那官人在任不上三年，谁知命里官星不现，飞祸相侵。忽一夜仓中失火，急去救时，已烧损官粮千余石。那时米贵，一石值一贯五百。乱离之际，军粮最重。南唐法度，凡官府破耗军粮至三百石者，即行处斩。只为石璧是个清官，又且火灾天数，非关本官私弊。上官都替他分解保奏。唐主怒犹未息，将本官削职，要他赔偿。估价共该一千五百余两。把家私变卖，未尽其半。石璧被本府软监，追逼不过，郁成一病，数日而死。遗下女儿和养娘二口，少不得着落牙婆⑤官卖，取价偿官。这等苦楚，分明是：

屋漏更遭连夜雨，船迟又遇打头风。

却说本县有个百姓，叫做贾昌，昔年被人诬陷，坐⑥假人命事，问成死罪在狱。亏石知县到任，审出冤情，将他释放。贾昌衔保家活命之恩，无

---

① 养娘——婢女。有时也泛称女仆。

② 单吃德化县中一口水——《晋书》载晋代邓攸作吴郡太守，自己带着米上任，俸禄无所受，只喝所任县内的水而已，也就是绝不搜刮当地民财。这里用来形容廉洁不贪污的意思。

③ 蹴踘（cùjū）——蹴，用脚踢。踘，用皮子包着毛的皮球。蹴踘，就是一种踢球的游戏。

④ 计较——办法。

⑤ 牙婆——古代进行人口买卖、从中取利的妇女。

⑥ 坐——因为。

从报效。一向在外为商,近日方回。正值石知县身死,即往抚尸恸哭,备办衣衾棺木,与他殡殓。合家挂孝,买地茔葬。又闻得所欠官粮尚多,欲待替他赔补几分,怕钱粮干系,不敢开端惹祸。见说小姐和养娘都着落牙婆官卖,慌忙带了银子,到李牙婆家,问要多少身价。李牙婆取出朱批的官票来看:养娘十六岁,只判得三十两。月香十岁,判了五十两。却是为何?月香虽然年小,容貌秀美可爱;养娘不过粗使之婢,故此判价不等。贾昌并无吝色,身边取出银包,兑足了八十两纹银,交付牙婆,又谢他五两银子,即时领取二人回家。李牙婆把两个身价,交纳官库。地方①呈明石知县家财人口变卖都尽。上官只得在别项挪移赔补,不在话下。

却说月香自从父亲死后,没一刻不啼啼哭哭。今日又不认得贾昌是什么人,买他归去,必然落于下贱。一路痛哭不已。养娘道:"小姐,你今番到人家去,不比在老爷身边,只管啼哭,必遭打骂。"月香听说,愈觉悲伤。谁知贾昌一片仁义之心,领到家中,与老婆相见,对老婆说:"此乃恩人石相公的小姐。那一个就是伏侍小姐的养娘。我当初若没有恩人,此身死于缧绁②。今日见他小姐,如见恩人之面。你可另收拾一间香房,教他两个住下,好茶好饭供待他,不可怠慢。后来倘有亲族来访,那时送还,也尽我一点报效之心。不然之时,待他长成,就本县择个门当户对的人家,一夫一妇,嫁他出去,恩人坟墓也有个亲人看觑。那个养娘依旧教他伏侍小姐,等他两个做伴,做些女工,不要他在外答应。"月香生成伶俐,见贾昌如此吩咐老婆,慌忙上前万福道:"奴家卖身在此,为奴为婢,理之当然。蒙恩人抬举,此乃再生之恩。乞受奴一拜,收为义女。"说罢,即忙下跪。贾昌哪里肯要他拜,别转了头,忙教老婆扶起道:"小人是老相公的子民,这蝼蚁之命,都出老相公所赐。就是这位养娘,小人也不敢怠慢,何况小姐!小人怎敢妄自尊大。暂时屈在寒家,只当宾客相待。望小姐勿责怠慢,小人夫妻有幸。"月香再三称谢。贾昌又吩咐家中男女,都称为石小姐。那小姐称贾昌夫妇,但呼贾公贾婆,不在话下。

原来贾昌的老婆,素性不甚贤慧。只为看上月香生得清秀乖巧,自己

---

① 地方——地保。大体相当于后来的保甲长之类。

② 缧绁(léixiè)——捆绑犯人的绳索。引申为囚禁。

无男无女,有心要收他做个螟蛉①女儿。初时甚是欢喜,听说宾客相待,先有三分不耐烦了。却灭不得石知县的恩,没奈何依着丈夫言语,勉强奉承。后来贾昌在外为商,每得好绸好绢,先尽上好的寄与石小姐做衣服穿。比及回家,先问石小姐安否。老婆心下渐渐不平。又过些时,把马脚露出来了。但是贾昌在家,朝饔②夕餐,也还成个规矩,口中假意奉承几句。但背了贾昌时,茶不茶,饭不饭,另是一样光景了。养娘常叫出外边杂差杂使,不容他一刻空闲。又每日间限定石小姐要做若干女工针指还他。倘手迟脚慢,便去捉鸡骂狗,口里好不干净。正是:

人无千日好,花无百日红。

养娘受气不过,禀知小姐。欲待等贾公回家,告诉他一番。月香断然不肯,说道:"当初他用钱买我,原不指望他抬举。今日贾婆虽有不到之处,却与贾公无干。你若说他,把贾公这段美情都没了。我与你命薄之人,只索忍耐为上。"忽一日,贾公做客回家,正撞着养娘在外汲水,面庞比前甚是黑瘦了。贾公道:"养娘,我只教你伏侍小姐,谁要你汲水?且放着水桶,另叫人来担罢。"养娘放了水桶,动了个感伤之念,不觉滴下几点泪来。贾公要盘问时,他把手拭泪,忙忙的奔进去了。贾公心中甚疑。见了老婆,问道:"石小姐和养娘没有甚事么?"老婆回言"没有"。初归之际,事体多头,也就搁过一边。又过了几日,贾公偶然到近处人家走动,回来不见老婆在房,自往厨下去寻他说话。正撞见养娘从厨下来,也没有托盘,右手拿一大碗饭,左手一只空碗,碗上顶一碟腌菜叶儿。贾公有心闪在隐处看时,养娘走进石小姐房中去了。贾公不省得这饭是谁吃的,一些荤腥也没有。那时不往厨下,竟悄悄的走在石小姐房前,向门缝里张时,只见石小姐将这碟腌菜叶儿过饭。心中大怒,便与老婆闹将起来。老婆道:"荤腥尽有,我又不是不舍得与他吃。那丫头自不来担,难道要老娘送进房去不成?"贾公道:"我原说过来,石家的养娘,只教他在房中与小姐做伴。我家厨下走使的又不少,谁要他出房担饭!前日那养娘噙着两眼泪在外街汲水,我已疑心,是必家中把他难为了。只为匆忙,不曾细问得。

① 螟蛉(mínglíng)——一种绿色小虫,蜾蠃捕螟蛉喂它的幼虫,古人误解,以为它养螟蛉为子,所以一般称养子为螟蛉。

② 饔(yōng)——熟食,有时专指早饭。

原来你恁地无恩无义！连石小姐都怠慢。现放着许多荤菜，却教吃白饭，是甚道理？我在家尚然如此，我出外时，可知连饭也没得与他们吃饱。我这番回来，见他们着实黑瘦了。”老婆道：“别人家丫头，哪要你恁般疼他。养得白白壮壮，你可收用他做小老婆么？”贾公道：“放屁！说的是什么话！你这样不通理的人，我不与你讲嘴。自明日为始，我教当值的每日另买一份肉菜供给他两口，不要在家火中算账，省得夺了你的口食，你又不欢喜。”老婆自家觉得有些不是，口里也含含糊糊的哼了几句，便不言语了。从此贾公吩咐当值的，每日肉菜分做两份。却叫厨下丫头们，各自安排送饭。这几时，好不齐整。正是：

人情若比初相识，到底终无怨恨心。

贾昌因牵挂石小姐，有一年多不出外经营。老婆却也做意修好，相忘于无言。月香在贾公家，一住五年，看看长成。贾昌意思要密访个好主儿，嫁他出去了，方才放心，自家好出门做生理。这也是贾公的心事，背地里自去勾当。晓得老婆不贤，又与他商量怎的。若是凑巧时，陪些妆奁嫁出去了，可不干净，何期姻缘不偶。内中也有缘故：但是出身低微的，贾公又怕辱没了石知县，不肯俯就；但是略有些名目的，哪个肯要百姓人家的养娘为妇，所以好事难成。贾公见姻事不就，老婆又和顺了，家中供给又立了常规，舍不得担搁生意，只得又出外为商。未行数日之前，预先叮咛老婆有十来次，只教好生看待石小姐和养娘两口。又请石小姐出来，再三抚慰，连养娘都用许多好言安放。又吩咐老婆道：“他骨气也比你重几百分哩。你切莫慢他。若是不依我言语，我回家时，就不与你认夫妻了。”又唤当值的和厨下丫头，都吩咐遍了，方才出门。

临歧费尽叮咛语，只为当初受德深。

却说贾昌的老婆，一向被老公在家作兴①石小姐和养娘，心下好生不乐。没奈何，只得由他。受了一肚子的腌臜②昏闷之气。一等老公出门，三日之后，就使起家主母的势来。寻个茶迟饭晏③小小不是的题目，先将厨下丫头试法，连打几个巴掌，骂道：“贱人，你是我手内用钱讨的，如何恁

---

① 作兴——苏湘皖鄂一带方言，有敬重、爱好、流行的意思。这里是娇纵之意。

② 腌臜(āzā)——这里是别扭、不痛快的意思。

③ 晏(yàn)——迟。

地托大！你恃了哪个小主母的势头，却不用心伏侍我？家长在家日，纵容了你。如今他出去了，少不得要还老娘的规矩。除却老娘外，哪个该伏侍的？要饭吃时，等他自担，不要你们献勤，却担误老娘的差使！”骂了一回，就乘着热闹中，唤过当值的，吩咐将贾公派下另一份肉菜钱，干折进来，不要买了。当值的不敢不依。且喜月香能甘淡薄，全不介意，又过了些时，忽一日，养娘担洗脸水，迟了些，水已凉了。养娘不合哼了一句。那婆娘听得了，特地叫来发作道：“这水不是你担的。别人烧着汤，你便胡乱用些罢。当初在牙婆家，哪个烧汤与你洗脸？”养娘耐嘴不住，便回了几句言语道：“谁要他们担水烧汤！我又不是不曾担水过的，两只手也会烧火。下次我自担水自烧，不费厨下姐姐们力气便了。”那婆娘提醒了他当初曾担水过这句话，便骂道：“小贱人！你们先担得几桶水，便在外面做身做分，哭与家长知道，连累老娘受了百般呕气。今日老娘要讨个账儿。你既说会担水，会烧火，把两件事都交在你身上。每日常用的水，都要你担，不许缺乏。是火，都是你烧。若是难为了柴①，老娘却要计较。且等你知心知意的家长回家时，你再啼啼哭哭告诉他便了，也不怕他赶了老娘出去。”月香在房中，听得贾婆发作自家的丫头，慌忙移步上前，万福谢罪，招称许多不是，叫贾婆莫怪。养娘道：“果是婢子不是了！只求看小姐面上，不要计较。”那老婆愈加忿怒，便道：“什么小姐，小姐！是小姐，不到我家来了。我是个百姓人家，不晓得小姐是什么品级，你动不动把来压老娘。老娘骨气虽轻，不受人压量的。今日要说个明白。就是小姐，也说不得费了大钱讨的。少不得老娘是个主母。贾婆也不是你叫的。”月香听得话不投机，含着眼泪，自进房去了。那婆娘吩咐厨中，不许叫“石小姐”，只叫他“月香”名字。又吩咐养娘，只在厨下专管担水烧火，不许进月香房中。月香若要饭吃时，待他自到厨房来取。其夜，又叫丫头搬了养娘的被窝到自己房中去。月香坐个更深，不见养娘进来，只得自己闭门而睡。又过几日，那婆娘唤月香出房，却教丫头把他的房门锁了。月香没了房，只得在外面盘旋，夜间就同养娘一铺睡。睡起时，就叫他拿东拿西，役使他起来。在他矮檐下，怎敢不低头。月香无可奈何，只得伏低伏小。那婆娘见月香随顺了，心中暗喜，蓦地开了他房门的锁，把他房中搬得一空。凡丈夫一向

---

①　难为了柴——这里是说糟蹋柴、多烧了柴的意思。

寄来的好绸好缎,曾做不曾做得,都迁入自己箱笼,被窝也收起了不还他。月香暗暗叫苦,不敢则声。

忽一日,贾公书信回来,又寄许多东西与石小姐。书中嘱咐老婆:"好生看待,不久我便回来。"那婆娘把东西收起,思想道:"我把石家两个丫头作贱够了。丈夫回来,必然厮闹。难道我惧怕老公,重新奉承他起来不成?那老亡八把这两个瘦马①养着,不知作何结束!他临行之时,说道'若不依他言语,就不与我做夫妻了',一定他起了什么不良之心。那月香好副嘴脸,年已长成。倘或有意留他,也不见得。那时我争风吃醋便迟了。人无远虑,必有近忧。一不做,二不休,索性把他两个卖去他方,老亡八回来也只一怪。拚得厮闹一场罢了,难道又去赎他回来不成?好计,好计!"正是:

眼孔浅时无大量,心田偏处有奸谋。

当下那婆娘吩咐当值的:"与我唤那张牙婆到来,我有话说。"不一时,当值的将张婆引到。贾婆教月香和养娘都相见了,却发付他开去。对张婆说道:"我家六年前,讨下这两个丫头。如今大的忒②大了,小的又娇娇的,做不得生活,都要卖他出去。你与我快寻个主儿。"原来当先官卖之事,是李牙婆经手。此时李婆已死,官私做媒,又推张婆出尖了。张婆道:"那年纪小的,正有个好主儿在此,只怕大娘不肯。"贾婆道:"有甚不肯?"张婆道:"就是本县大尹③老爷复姓钟离,名义,寿春人氏,亲生一位小姐,许配德安县高大尹的长公子,在任上行聘的。不日就要来娶亲了。本县嫁妆都已备得十全,只是缺少一个随嫁的养娘。昨日大尹老爷唤老媳妇当官吩咐过了。老媳妇正没处寻。宅上这位小娘子,正中其选。只是异乡之人,怕大娘不舍得与他。"贾婆想道:"我正要寻个远方的主顾,来得正

---

① 瘦马——旧时扬州一带,有些人买小女孩养着,教他吹弹歌唱,长大以后卖给人家做姨太太或娼妓,这种女孩子被称为"瘦马"。这个名称来源于唐朝诗人白居易的《有感》诗:"莫养瘦马驹,莫养小妓女;后事在目前,不信君看取。"把"瘦马驹"和"小妓女"相提并举,后来人们就称小妓女一类的人为"瘦马"。

② 忒(tuī)——方言,太的意思。

③ 大尹——县令的别称。

好！况且知县相公要了人去，丈夫回来，料也不敢则声。”便道：“做官府家的陪嫁，胜似在我家十倍，我有什么不舍得。只是不要亏了我的原价便好。”张婆道：“原价许多？”贾婆道：“十来岁时，就是五十两讨的。如今饭钱又丢一主在身上了。”张婆道：“吃的饭是算不得账。这五十两银子在老媳妇身上。”贾婆道：“那一个老丫头也替我觅个人家便好。他两个是一伙儿来的。去了一个，那一个也养不住了。况且年纪一二十之外，又是要老公的时候，留他甚么！”张婆道：“那个要多少身价？”贾婆道：“原是三十两银子讨的。”牙婆道：“粗货儿，值不得这许多。若是减得一半，老媳妇倒有个外甥在身边，三十岁了，老媳妇原许下与他娶一房妻小的。因手头不宽展，挨下去。这倒是雌雄一对儿。”贾婆道：“既是你的外甥，便让你五两银子。”张婆道：“连这小娘子的媒礼在内，让我十两罢。”贾婆道：“也不为大事。你且说合起来。”张婆道：“老媳妇如今先去回复知县相公。若讲得成时，一手交钱，一手就要交货的。”贾婆道：“你今晚还来不？”张婆道：“今晚还要与外甥商量，来不及了。明日早来回话。多分①两个都要成的。”说罢，别去，不在话下。

却说大尹钟离义到任有一年零三个月了。前任马公，是顶那石大尹的缺。马公升任去后，钟离义又是顶马公的缺。钟离大尹与德安高大尹原是个同乡。高大尹生下二子，长曰高登，年十八岁；次曰高升，年十六岁。这高登便是钟离公的女婿。自来钟离公未曾有子，止生此女，小字瑞枝，年方一十七岁，选定本年十月望日②出嫁。此时九月下旬，吉期将近。钟离公吩咐张婆，急切要寻个陪嫁。张婆得了贾家这头门路，就去回复大尹。大尹道：“若是人物好时，就是五十两也不多。明日库上来领价，晚上就要进门的。”张婆道：“领相公钧旨。”当晚回家，与外甥赵二商议，有这相应的亲事，要与他完婚。赵二先欢喜了一夜。次早，赵二便去整理衣褶，准备做新郎。张婆到家中，先凑足了二十两身价，随即到县取知县相公钧帖，到库上兑了五十两银子，来到贾家，把这两项银子交付与贾婆，分疏③得明明白白。贾婆都收下了。少顷，县中差两名皂隶，两个轿夫，抬着一

① 多分(fèn)——多半，有很大成分。

② 望日——每月农历十五日叫望日。

③ 分疏——一样一样分别交代。

顶小轿，到贾家门首停下。贾家初时都不通月香晓得。临期竟打发他上轿。月香正不知教他哪里去，和养娘两个，叫天叫地，放声大哭。贾婆不管三七二十一，和张婆两个，你一推，我一扨，扨他出了大门。张婆方才说明："小娘子不要啼哭了！你家主母，将你卖与本县知县相公处做小姐的陪嫁，此去好不富贵！官府衙门，不是耍处，事到其间，哭也无益。"月香只得收泪，上轿而去。轿夫抬进后堂。月香见了钟离公，还只万福。张婆在旁道："这就是老爷了，须下个大礼！"月香只得磕头。立起身来，不觉泪珠满面。张婆教他拭干了泪眼，引入私衙，见了夫人和瑞枝小姐，问其小名，对以"月香"。夫人道："好个'月香'二字！不必更换，就发他伏侍小姐。"钟离公厚赏张婆，不在话下。

可怜宦室娇香女，权作闺中使令人。

张婆出衙，已是酉牌时分。再到贾家，只见那养娘正思想小姐，在厨下痛哭。贾婆对他说道："我今把你嫁与张妈妈的外甥，一夫一妇，比月香倒胜几分。莫要悲伤了！"张婆也劝慰了一番。赵二在混堂内洗了个净浴，打扮得帽儿光光，衣衫簇簇，自家提了一碗灯笼①前来接亲。张婆就教养娘拜别了贾婆。那养娘原是个大脚，张婆扶着步行到家，与外甥成亲。

话休絮烦。再说月香小姐自那日进了钟离相公衙内，次日，夫人吩咐新来婢子，将中堂打扫。月香领命，携帚而去。钟离义梳洗已毕，打点早衙理事，步出中堂，只见新来婢子呆呆的把着一把扫帚，立于庭中。钟离公暗暗称怪。悄地上前看时，原来庭中有一个土穴，月香对了那穴，汪汪流泪。钟离公不解其故。走入中堂，唤月香上来，问其缘故。月香愈加哀泣，口称不敢。钟离公再三诘问，月香方才收泪而言道："贱妾幼时，父亲曾于此地教妾蹴球为戏，误落球于此穴。父亲问妾道：'你可有计较，使球自出于穴，不须拾取？'贱妾言云：'有计。'即遣养娘取水灌之。水满球浮，自出穴外。父亲谓妾聪明，不胜之喜，今虽年久，尚然记忆。睹物伤情，不觉哀泣。愿相公俯赐矜怜，勿加罪责！"钟离公大惊道："汝父姓甚名谁？你幼时如何得到此地？须细细说与我知。"月香道："妾父姓石名璧，六年前在此做县尹。为天火烧仓，朝廷将父革职，勒令赔偿，父亲病郁而死。

---

① 一碗灯笼——古时灯笼里面用碗盛油，加上灯捻点燃照明，所以把一个灯笼叫做"一碗灯笼"。

有司将妾和养娘官卖到本县贾公家。贾公向被冤枉，感我父活命之恩，故将贱妾甚相看待，抚养至今。因贾公出外为商，其妻不能相容，将妾转卖于此。只此实情，并无欺隐。”

今朝诉出衷肠事，铁石人知也泪垂。

钟离公听罢，正是兔死狐悲，物伤其类：“我与石璧一般是个县尹。他只为遭时不幸，遇了天灾，亲生女儿就沦于下贱。我若不闻不见，倒也罢了；天教他到我衙里。我若不扶持他，同官体面何存！石公在九泉之下，以我为何如人！”当下请夫人上堂，就把月香的来历细细叙明。夫人道：“似这等说，他也是个县令之女，岂可贱婢相看。目今女孩儿嫁期又逼，相公何以处之？”钟离公道：“今后不要月香服役，可与女孩儿姊妹相称，下官自有处置。”即时修书一封，差人送到亲家高大尹处。高大尹拆书观看，原来是求宽嫁娶之期。书上写道：

婚男嫁女，虽父母之心；舍己成人，乃高明之事。近因小女出阁，预置媵婢①月香。见其颜色端丽，举止安详，心窃异之。细访来历，乃知即两任前石县令之女。石公廉吏，因仓火失官丧躯，女亦官卖，转展售于寒家。同官之女，犹吾女也。此女年已及笄②，不惟不可屈为媵婢，且不可使吾女先此女而嫁。仆今急为此女择婿，将以小女薄奁嫁之。令郎姻期，少待改卜。特此拜恳，伏惟情谅。钟离义顿首。

高大尹看了道：“原来如此！此长者之事，吾奈何使钟离公独擅其美！”即时回书云：

鸾凤之配，虽有佳期；狐兔之悲，岂无同志。在亲翁既以同官之女为女，在不佞③宁不以亲翁之心为心？三复示言，令人悲恻。此女廉吏血胤④，无惭阀阅⑤。愿亲家即赐为儿妇，以践始期。令爱别选高门，庶几两

---

① 媵(yìng)婢——陪嫁的丫头。

② 及笄(jī)——旧时称女子年龄够十五岁为“及笄”，也指女子已到可以出嫁的年龄。笄，古代束发用的簪子。女子到了十五岁就用簪子把头发束起来，表示已成人。

③ 不佞(nìng)——旧时的谦称。佞：有才智。

④ 血胤(yìn)——血脉，后代。

⑤ 阀阅——官宦之家的代称。古代仕宦人家大门外立左右柱，常用来榜贴功状，在左叫阀，在右叫阅，因称仕宦人家为阀阅。

便。昔蘧伯玉耻独为君子，仆今者愿分亲翁之谊。高原顿首。

使者将回书呈与钟离公看了。钟离公道："高亲家愿娶孤女，虽然义举；但吾女他儿，久已聘定，岂可更改？还是从容待我嫁了石家小姐，然后另备妆奁，以完吾女之事。"当下又写书一封，差人再达高亲家。高公开书读道：

娶无依之女，虽属高情；更已定之婚，终乖①正道。小女与令郎，久谐凤卜，准拟鸾鸣。在令郎停妻而娶妻，已违古礼；使小女舍婿而求婿，难免人非。请君三思，必从前议。义惶恐再拜。

高公读毕，叹道："我一时思之不熟。今闻钟离公之言，惭愧无地。我如今有个两尽之道，使钟离公得行其志，而吾亦同享其名；万世而下，以为美谈。"即时复书云：

以女易女，仆之慕谊虽殷；停妻娶妻，君之引礼甚正。仆之次男高升，年方十七，尚未缔姻。令爱归我长儿，石女属我次子。佳儿佳妇，两对良姻。一死一生，千秋高谊。妆奁不须求备，时日且喜和同。伏冀俯从，不须改卜。原惶恐再拜。

钟离公得书，大喜道："如此分处，方为双美。高公义气，真不愧古人。吾当拜其下风矣。"当下即与夫人说知，将一副妆奁，剖为两份，衣服首饰，稍稍增添。二女一般，并无厚薄。到十月望前两日，高公安排两乘花花细轿，笙箫鼓吹，迎接两位新人。钟离公先发了嫁妆去后，随唤出瑞枝、月香两个女儿，教夫人吩咐他为妇之道。二女拜别而行。月香感念钟离公夫妇恩德，十分难舍，号哭上轿。一路趱行，自不必说。到了县中，恰好凑着吉日良时，两对小夫妻，如花如锦，拜堂合卺②。高公夫妇欢喜无限。正是：

百年好事从今定，一对姻缘天上来。

再说钟离公嫁女三日之后，夜间忽得一梦，梦见一位官人，幞头象简③，立于面前，说道："吾乃月香之父石璧是也。生前为此县大尹，因仓粮

---

① 乖——违反情理。

② 合卺(jǐn)——古代结婚仪式之一。把一个瓠瓜分成两个瓢叫卺，作婚礼时用的酒器。婚礼时男女双方各执一瓢，用酒嗽口，故称合卺。

③ 幞(fú)头象简——戴着头巾，拿着象简。

失火，赔偿无措，郁郁而亡。上帝察其清廉，悯其无罪，敕封吾为本县城隍之神。月香吾之爱女，蒙君高谊，拔之泥中，成其美眷，此乃阴德之事。吾已奏闻上帝。君命中本无子嗣，上帝以公行善，赐公一子，昌大其门。君当致身高位，安享遐龄①。邻县高公与君同心，愿娶孤女，上帝嘉悦，亦赐二子高官厚禄，以酬其德。君当传与世人，广行方便，切不可凌弱暴寡，利己损人。天道昭昭，纤毫洞察。"说罢，再拜。钟离公答拜起身，忽然踏了衣服前幅，跌上一交，猛然惊醒，乃是一梦。即时说与夫人知道。夫人亦嗟呀不已。待等天明，钟离公打轿到城隍庙中焚香作礼，捐出俸资百两，命道士重新庙宇，将此事勒碑，广谕众人。又将此梦备细写书报与高公知道。高公把书与两个儿子看了，各各惊讶。钟离夫人年过四十，忽然得孕生子，取名天赐。后来钟离义归宋，仕至龙图阁大学士，寿享九旬。子天赐，为大宋状元。高登、高升俱仕宋朝，官至卿宰。此是后话。

且说贾昌在客中，不久回来，不见了月香小姐和那养娘。询知其故，与婆娘大闹几场。后来知得钟离相公将月香为女，一同小姐嫁与高门。贾昌无处用情，把银二十两，要赎养娘送还石小姐。那赵二恩爱夫妻，不忍分折，情愿做一对投靠，张婆也禁他不住。贾昌领了赵二夫妻，直到德安县，禀知大尹高公。高公问了备细，进衙又问媳妇月香，所言相同。遂将赵二夫妻收留，以金帛厚酬贾昌。贾昌不受而归。从此贾昌恼恨老婆无义，立誓不与他相处；另招一婢，生下两男。——此亦作善之报也。后人有诗叹云：

人家嫁娶择高门，谁肯周全孤女婚？
试看两公阴德报，皇天不负好心人。

第二卷　三孝廉让产立高名

紫荆枝下还家日，花萼楼中合被时。
同气从来兄与弟，千秋羞咏豆萁诗。

这首诗，为劝人兄弟和顺而作，用着三个故事，看官听在下一一分剖。

---

① 遐(xiá)龄——高寿。

第一句说："紫荆枝下还家日。"昔时有田氏兄弟三人，从小同居合爨①。长的娶妻，叫田大嫂；次的娶妻，叫田二嫂。妯娌和睦，并无闲言。惟第三的年小，随着哥嫂过日。后来长大娶妻，叫田三嫂。那田三嫂为人不贤，恃着自己有些妆奁，看见夫家一锅里煮饭，一桌上吃食，不用私钱，不动私秤，便私房要吃些东西，也不方便。日夜在丈夫面前撺掇："公堂钱库田产，都是伯伯们掌管，一出一入，你全不知道。他是亮里，你是暗里。用一说十，用十说百，哪里晓得！目今虽说同居，到底有个散场。若还家道消乏下来，只苦得你年幼的。依我说，不如早早分析，将财产三分拨开，各人自去营运，不好么？"田三一时被妻言所惑，认为有理，央亲戚对哥哥说，要分析而居。田大、田二初时不肯，被田三夫妇内外连连催逼，只得依允，将所有房产钱谷之类，三分拨开，分毫不多，分毫不少。只有庭前一棵大紫荆树，积祖传下，极其茂盛，既要析居，这树归着哪一个？可惜正在开花之际，也说不得了。田大至公无私，议将此树砍倒，将粗本分为三截，每人各得一截，其余零枝碎叶，论秤分开。商议已妥，只待来日动手。次日天明，田大唤了两个兄弟，同去砍树。到得树边看时，枝枯叶萎，全无生气。田大把手一推，其树应手而倒，根芽俱露。田大住手，向树大哭。两个兄弟道："此树值得甚么！兄长何必如此痛惜！"田大道："吾非哭此树也。思我兄弟三人，产于一姓，同爷合母，比这树枝枝叶叶，连根而生，分开不得，根生本，本生枝，枝生叶，所以荣盛。昨日议将此树分为三截，那树不忍活活分离，一夜自家枯死。我兄弟三人若分离了，亦如此树枯死，岂有荣盛之日，吾所以悲哀耳。"田二、田三闻哥哥所言，至情感动："可以人而不如树乎？"遂相抱做一堆，痛哭不已。大家不忍分析，情愿依旧同居合爨。三房妻子听得堂前哭声，出来看时，方知其故。大嫂二嫂，各各欢喜。惟三嫂不愿，口出怨言。田三要将妻逐出。两个哥哥再三劝住。三嫂羞惭，还房自缢而死。此乃自作孽不可活。这话搁过不提。再说田大可惜那棵紫荆树，再来看时，其树无人整理，自然端正，枝枯再活，花萎重新，比前更加烂漫。田大唤两个兄弟来看了，各人嗟讶不已。自此田氏累世同居。有诗为证：

紫荆花下说三田，人合人离花亦然。

---

① 合爨(cuàn)——一锅里吃饭。爨，烧火煮饭。

同气连枝原不解，家中莫听妇人言。

第二句说："花萼楼中合被时。"那花萼楼在陕西长安城中，大唐玄宗皇帝所建。玄宗皇帝就是唐明皇。他原是唐家宗室，因为韦氏乱政，武三思专权，明皇起兵诛之，遂即帝位。有五个兄弟，皆封王爵，时号"五王"。明皇友爱甚笃①，起一座大楼，取《诗经·棠棣》之义②，名曰花萼。时时召五王登楼欢宴。又制成大幔，名为"五王帐"。帐中长枕大被，明皇和五王时常同寝其中。有诗为证：

羯鼓频敲玉笛催，朱楼宴罢夕阳微。

宫人秉烛通宵坐，不信君王夜不归。

第四句说："千秋羞咏豆萁诗。"后汉魏王曹操长子曹丕，篡汉称帝。有弟曹植，字子建，聪明绝世。操生时最所宠爱，几遍欲立为嗣而不果。曹丕衔其旧恨，欲寻事故杀之。一日，召子建问曰："先帝每夸汝诗才敏捷，朕未曾面试。今限汝七步之内，成诗一首。如若不成，当坐汝欺诳之罪。"子建未及七步，其诗已成。中寓规讽之意。诗曰：

煮豆燃豆萁，豆在釜中泣。

本是同根生，相煎何太急。

曹丕见诗感泣，遂释前恨。后人有诗为证：

从来宠贵起猜疑，七步诗成亦可为。

堪叹釜萁仇未已，六朝骨肉尽诛夷。

说话的，为何今日讲这两三个故事？只为自家要说那三孝廉让产立高名。这段话文不比曹丕忌刻，也没子建风流，胜如紫荆花下三田，花萼楼中诸李，随你不和顺的弟兄，听说在下讲这节故事，都要学好起来。正是：

---

① 笃(dǔ)——忠实。

② 取《诗经·棠棣》之义——《诗经》是我国最早的一部诗歌总集，其中《棠棣》篇是劝兄弟友爱的诗。篇中有这样的诗句："棠棣之华(花)，鄂(萼)不韡韡；凡今之人，莫如兄弟。"棠棣，木名，花两三朵为一缀，诗人或因其花朵彼此相依，所以联想比喻兄弟。"鄂(萼)不"即花蒂，也有人解释诗人用花和花蒂的相互依附来比喻兄弟的相亲相爱。

要知天下事，须读古人书。

这故事出在东汉光武年间。那时天下乂安①，万民乐业，朝有梧凤之鸣，野无谷驹之叹②。原来汉朝取士之法，不比今时。他不以科目取士，惟凭州郡选举。虽则有博学宏词，贤良方正等科，惟以孝廉为重。孝者，孝弟③；廉者，廉洁。孝则忠君，廉则爱民。但是举了孝廉，便得出身做官。若依了今日的事势，州县考个童生，还有几十封荐书。若是举孝廉时，不知多少分上钻刺④，依旧是富贵子弟钻去了。孤寒的便有曾参之孝，伯夷之廉，休想扬名显姓。只是汉时法度甚妙：但是举过某人孝廉，其人若果然有才有德，不拘资格，骤然升擢，连举主俱纪录受赏；若所举不得其人，后日或贪财坏法，轻则罪黜⑤，重则抄没，连举主一同受罪。那荐人的，与所荐之人休戚相关，不敢胡乱。所以公道大明，朝班清肃。不在话下。

且说会稽郡阳羡县，有一人姓许名武，字长文，十五岁上，父母双亡。虽然遗下些田产童仆，奈门户单微，无人帮助。更兼有两个兄弟，一名许晏，年方九岁，一名许普，年方七岁，都则幼小无知，终日赶着哥哥啼哭。那许武日则躬率童仆，耕田种圃，夜则挑灯读书。但是耕种时，二弟虽未胜耰锄，必使从旁观看。但是读书时，把两个小兄弟，坐于案旁，将句读⑥亲口传授，细细讲解，教以礼让之节，成人之道。稍不率教，辄⑦跪于家庙之前，痛自督责，说自己德行不足，不能化诲，愿父母有灵，启牖⑧二弟，涕泣不已。直待兄弟号泣请罪，方才起身。并不以疾言倨色相加也。室中

---

① 乂(yì)安——太平无事。乂，安定。

② 朝有梧凤之鸣，野无谷驹之叹——第一句是说朝里有凤凰在梧桐树上叫，表示天下太平。第二句是说朝外没有贤臣不被任用。谷驹，指放在山谷里的一匹很好的马。这两句是用比喻的手法歌赞太平盛世。

③ 孝弟(tì)——敬奉顺从父母叫作孝，敬爱兄长叫作悌。弟，同悌。

④ 钻刺——钻营，托人情，走后门。

⑤ 黜(chù)——罢免，革除。

⑥ 句读(dòu)——也叫“句逗”。文词语意已尽处为句，语意未尽而需要停顿处叫逗。

⑦ 辄(zhé)——总是；就。

⑧ 启牖(yǒu)——启发诱导。

只用铺陈①一副，兄弟三人同睡。如此数年，二弟俱已长成，家事亦渐丰盛。有人劝许武娶妻，许武答道："若娶妻，便当与二弟别居。笃夫妇之爱，而忘手足之情，吾不忍也。"由是昼则同耕，夜则同读，食必同器，宿必同床。乡里传出个大名，都称为"孝弟许武"。又传出几句口号，道是：

阳羡许季长，耕读昼夜忙。教诲二弟俱成行，不是长兄是父娘。

时州牧郡守，俱闻其名，交章荐举，朝廷征为仪郎。下诏会稽郡。太守奉旨，檄下县令，刻日劝驾。许武迫于君命，料难推阻，吩咐两个兄弟："在家躬耕力学，一如我在家之时，不可懈惰废业，有负先人遗训。"又嘱咐奴仆："俱要小心安分，听两个家主役使，早起夜眠，共扶家业。"嘱咐已毕，收拾行装。不用官府车辆，自已雇了脚力登车。只带一个童儿，望长安进发。不一日，到京朝见受职。长安城中，闻得孝弟许武之名，争来拜访识荆②。此时望重朝班，名闻四野。朝中大臣探听得许武尚未婚娶，多欲以女妻之者。许武心下想道："我兄弟三人，年皆强壮，皆未有妻。我若先娶，殊非为兄之道。况我家世耕读，侥幸备员朝署，便与缙绅大家为婚，那女子自恃家门，未免骄贵之气。不惟坏了我儒素门风，异日我两个兄弟娶了贫贱人家女子，妯娌之间，怎生相处！从来兄弟不睦，多因妇人而起，我不可不防其渐也。"腹中虽如此踌论，却是说不出的话。只得权辞③以对，说家中已定下糟糠④之妇，不敢停妻再娶，恐被宋弘所笑。众人闻之，愈加敬重。况许武精于经术，朝廷有大政事，公卿不能决，往往来请教他。他引古证今，议论悉中窾要。但是许武所议，众人皆以为确不可易，公卿倚之为重。不数年间，累迁至御史大夫之职。忽一日，思想二弟在家，力学多年，不见州郡荐举，诚恐怠荒失业，意欲还家省视。遂上疏，其略云：

臣以菲才，遭逢圣代，致位通显，未谋报称，敢图暇逸？但古人云："人

① 辅陈——铺盖。

② 识荆——"荆"指韩荆州，即韩朝宗，当时为荆州长史。唐李白《与韩荆州书》中有一句为"生不愿封万户侯，但愿一识韩荆州"，后来就把"识荆"作为初次见面的敬辞。

③ 权辞——随机说话。

④ 糟糠——贫苦人家所吃的食物，后用来指曾经共过患难的妻子。语出《后汉书·宋弘传》：东汉光武帝刘秀想把他的姐姐嫁给宋弘，暗示宋弘同原来的妻子离婚。宋弘说："贫贱之知不可忘，糟糠之妻不下堂。"拒绝了刘秀。

生百行,孝弟为先。""不孝有三,无后为大。①"先父母早背②,域兆③未修。臣弟二人,学业未立。臣三十未娶。五伦之中,乃缺其三。愿赐臣假,暂归乡里。倘念臣犬马之力,尚可鞭笞,奔驰有日。

天子览奏,准给假暂归,命乘传④衣锦还乡,复赐黄金二十斤为婚礼之费。许武谢恩辞朝,百官俱于郊外送行。正是:

报道锦衣归故里,争夸白屋⑤出公卿。

许武既归,省视先茔已毕,便乃纳还官诰,只推有病,不愿为官。过了些时,从容召二弟至前,询其学业之进退。许晏、许普应答如流,理明词畅。许武心中大喜。再稽查田宅之数,比前恢廓数倍,皆二弟勤俭之所积也。武于是遍访里中良家女子,先与两个兄弟定亲,自己方才娶妻,续又与二弟婚配。约莫数月,忽然对二弟说道:"吾闻兄弟有析居之义。今吾与汝,皆已娶妇,田产不薄,理宜各立门户。"二弟唯唯惟命。乃择日治酒,遍召里中父老。三爵已过,乃告以析居之事。因悉召童仆至前,将所有家财,一一分剖。首取广宅自予,说道:"吾位为贵臣,门宜棨戟⑥,体面不可不肃。汝辈力田耕作,得竹庐茅舍足矣。"又阅田地之籍,凡良田悉归之己,将硗薄⑦者量给二弟。说道:"我宾客众盛,交游日广,非此不足以供吾用。汝辈数口之家,但能力作,只此可无冻馁。吾不欲汝多财以损德也。"又悉取奴仆之壮健伶俐者,说道:"吾出入跟随,非此不足以给使令。汝辈合力耕作,正须此愚蠢者作伴,老弱馈食足矣,不须多人费汝衣食也。"众父老一向知许武是个孝弟之人,这番分财,定然辞多就少。不想他般般件件,自占便宜。两个小兄弟所得,不及他十分之五,全无谦让之心,大有欺

---

① 不孝有三,无后为大——古人认为这样三件事情,都是对父母不孝的,一是曲意阿从,陷亲(父母)于不义;二是亲老家贫,不为禄仕;三是无后,没有儿子。其中第三点又是最重要的。

② 早背——早死。

③ 域兆——墓地。

④ 传——驿站备用的车子。

⑤ 白屋——指用茅草盖的,或用本色木料做成的简陋房子。意指贫贱人家。

⑥ 棨戟——本是武器,后来作为一种仪仗;古代大官员的随从、卫队和守门的人所拿的东西。

⑦ 硗(qiāo)薄——指土地坚硬不肥沃。

凌之意。众人心中甚是不平。有几个刚直老人气忿不过,竟自去了。有个心直口快的,便想要开口,说公道话,与两个小兄弟做乔主张。其中又有个老成的,背地里捏手捏脚,教他莫说,以此罢了。那教他莫说的,也有些见识,他道:"富贵的人,与贫贱的人,不是一般肚肠。许武已做了显官,比不得当初了。常言道:疏不间亲。你我终是外人,怎管得他家事。就是好言相劝,料未必听从,枉费了唇舌,倒挑拨他兄弟不和。倘或做兄弟的肯让哥哥,十分之美,你我又呕这闲气则甚!若做兄弟的心上不甘,必然争论。等他争论时节,我们替他做个主张,却不是好!"正是:

事非干己休多管,话不投机莫强言。

原来许晏、许普,自从蒙哥哥教诲,知书达礼,全以孝弟为重。见哥哥如此分析,以为理之当然,绝无几微不平的意思。许武分拨已定,众人皆散。许武居中住了正房,其左右小房,许晏、许普各住一边。每日率领家奴下田耕种,暇则读书,时时将疑义叩问哥哥,以此为常。妯娌之间,也与他兄弟三人一般和顺。从此里中父老,人人薄许武之所为,都可怜他两个兄弟。私下议论道:"许武是个假孝廉,许晏、许普才是个真孝廉。他思念父母面上,一体同气,听其教诲,唯唯诺诺,并不违拗,岂不是孝;他又重义轻财,任分多分少,全不争论,岂不是廉。"起初里中传个好名,叫做"孝弟许武",如今抹落了武字,改做"孝弟许家"。把许晏、许普弄出一个大名来。那汉朝清议①极重,又传出几句口号,道是:

假孝廉,做官员;真孝廉,出口钱②。假孝廉,据高轩;真孝廉,守茅檐。假孝廉,富田园;真孝廉,执锄镰。真为玉,假为瓦;瓦为厦,玉抛野。不宜真,只宜假。

那时明帝即位,下诏求贤,令有司访问笃行有学之士,登门礼聘,传驿至京。诏书到会稽郡,郡守分谕各县。县令平昔已知许晏、许普让产不争之事,又值父老公举他真孝真廉,行过其兄,就把二人申报本郡。郡守和州牧,皆素闻其名,一同举荐。县令亲到其门,下车投谒,手捧玄纁束帛,备陈天子求贤之意。许晏、许普,谦让不已。许武道:"幼学壮行,君子本分之事。吾弟不可固辞。"二人只得应诏,别了哥嫂,乘传到于长安,朝见

① 清议——社会上清明公正的言论。

② 口钱——即丁口税。15 岁至 56 岁的人每年按规定纳税。

天子。拜舞已毕，天子金口玉言，问道："卿是许武之弟乎？"晏、普叩头应诏。天子又道："闻卿家有孝弟之名。卿之廉让，有过于兄，朕心嘉悦。"晏、普叩头道："圣运龙兴，辟门访落①，此乃帝王盛典。郡县不以臣晏臣普为不肖，有混圣聪。臣幼失怙恃②，承兄武教训，兢兢自守，耕耘诵读之外，别无他长。弟等何能及兄武之万一。"天子闻对，嘉其谦德，即日俱拜为内史。不五年间，皆至九卿之位。居官虽不如乃兄赫赫之名，然满朝称为廉让。忽一日，许武致家书于二弟。二弟拆开看之，书曰：

匹夫而膺辟召，仁宦而至九卿，此亦人生之极荣也。二疏有言③："知足不辱，知止不殆。"既无出类拔萃之才，宜急流勇退，以避贤路。

晏、普得书，即日同上疏辞官，天子不许。疏三上。天子问宰相宋均道："许晏、许普壮年入仕，备位九卿，朕待之不薄，而屡屡求退，何也？"宋均奏道："晏、普兄弟三人，天性孝友。今许武久居林下，而晏、普并驾天衢④，其心或有未安。"天子道："朕并召许武，使兄弟三人同朝辅政何如？"宋均道："臣察晏、普之意，出于至诚。陛下不若姑从所请，以遂其高，异日更下诏征之。或访先朝故事，就近与一大郡，以展其未尽之才，因使便道归省，则陛下好贤之诚，与晏、普友爱之义，两得之矣。"天子准奏，即拜许晏为丹阳郡太守，许普为吴郡太守，各赐黄金二十斤，宽假三月，以尽兄弟之情。许晏、许普谢恩辞朝，公卿俱出郭，到十里长亭，相饯而别。晏、普二人，星夜回到阳羡，拜见了哥哥，将朝廷所赐黄金，尽数献出。许武道："这是圣上恩赐，吾何敢当！"教二弟各自收去。次日，许武备下三牲祭礼，率领二弟到父母坟茔，拜奠了毕，随即设宴遍召里中父老。许氏三兄弟，都做了大官，虽然他不以富贵骄人，自然声势赫奕。闻他呼唤，尚不敢不来，况且加个"请"字。那时众父老来得愈加整齐。许武手捧酒卮，亲自劝

① 辟门访落——辟门即开门，谓广罗贤才之意。访，谋。落，开始。意思是开始做皇帝的时候，就与群臣谋商国事。

② 怙恃(hùshì)——父母的代称。语出《诗经·小雅·蓼莪》："无父何怙，无母何恃！"

③ 二疏——指西汉时的疏广和他的侄子疏受，二人一同在朝做官，又功成身退，一起辞官回家。

④ 林下、天衢(qú)——林下，指乡间。天衢，天路，指朝廷，在朝廷里做官的意思。

酒。众人都道："长文公与二哥三哥接风之酒，老汉辈安敢僭先①！"比时风俗淳厚，乡党序齿②，许武出仕已久，还叫一句"长文公"，那两个兄弟，又下一辈了，虽是九卿之贵，乡尊故旧，依旧称"哥"。许武道："下官此席，专屈诸乡亲下降，有句肺腑之言奉告。必须满饮三杯，方敢奉闻。"众人被劝，只得吃了。许武教两个兄弟次第把盏，各敬一杯。众人饮罢，齐声道："老汉辈承贤昆玉③厚爱，借花献佛，也要奉敬。"许武等三人，亦各饮讫。众人道："适才长文公所谕金玉之言，老汉辈拱听已久，愿得示下。"许武叠两个指头，说将出来。言无数句，使听者毛骨悚然。正是：

斥鷃不知大鹏，河伯不知海若④。
圣贤一段苦心，庸夫岂能测度。

许武当时未曾开谈，先流下泪来。吓得众人惊惶无措。两个兄弟慌忙跪下，问道："哥哥何事悲伤？"许武道："我的心事，藏之数年，今日不得不言。"指着晏、普道："只因为你两个名誉未成，使我作违心之事，冒不韪⑤之名，有玷于祖宗，贻笑于乡里，所以流泪。"遂取出一卷册籍，把与众人观看。——原来是田地屋宅及历年收敛米粟布帛之数。众人还未晓其意。许武又道："我当初教育两个兄弟，原要他立身修道，扬名显亲。不想我虚名早著，遂先显达。二弟在家，躬耕力学，不得州郡征辟。我欲效古人祁大夫内举不避亲⑥，诚恐不知二弟之学行者，说他因兄而得官，误了终身名节。我故倡为析居之议，将大宅良田，强奴巧婢，悉据为己有。度吾弟素

---

① 僭(jiàn)先——超越本分。这里指不肯比自己地位高的人占先。
② 序齿——排年龄，以年龄大小为次序、分先后。齿，年龄。
③ 昆玉——就是"昆仲"，对人兄弟的敬称。
④ 斥鷃不知大鹏，河伯不知海若——斥鷃，小鸟名。大鹏，一种大鸟，一飞冲天几万里。斥鷃不理解大鹏为什么要飞那么远。河伯，河神。海若，海神。河伯开始自以为大，后来当他看见海的时候，才惊叹自己的渺小和海的浩大。这是出自《庄子》的两个寓言。
⑤ 不韪(wěi)——过失，不对。
⑥ 祁大夫内举不避亲——祁大夫，祁奚，春秋晋国人。他做中军尉，告老还家时，晋君问他谁可以接替他的职务，祁奚先推荐了自己的一个仇人，此人在将要立他时死去，祁奚又推荐了自己的儿子，认为这两个人都是合适的人选。他的这种"内举不避亲，外举不避仇"的做法表明了他公正无私的精神。

敦爱敬，决不争竞。吾暂冒贪饕①之迹，吾弟方有廉让之名。果蒙乡里公评，荣膺征聘。今位列公卿，官常无玷，吾志已遂矣。这些田房奴婢，都是公共之物，吾岂可一人独享！这几年以来，所收米谷布帛，分毫不敢妄用，尽数开载在那册籍上。今日交付二弟，表为兄的向来心迹，也教众乡尊得知。”众父老到此，方知许武先年析产一片苦心。自愧见识低微，不能窥测，齐声称叹不已。只有许晏、许普哭倒在地，道：“做兄弟的，蒙哥哥教训成人，侥幸得有今日。谁知哥哥如此用心！是弟辈不肖，不能自致青云之上，有累兄长。今日若非兄长自说，弟辈都在梦中。兄长盛德，从古未有。只是弟辈不肖之罪，万分难赎。这些小家财，原是兄长苦挣来的，合该兄长管业。弟辈衣食自足，不消兄长挂念。”许武道：“做哥的力田有年，颇知生殖。况且宦情已淡，便当老于耰锄，以终天年。二弟年富力强，方司民社②，宜资庄产，以终廉节。”晏、普又道：“哥哥为弟辈而自污。弟辈既得名，又欲得利，是天下第一等贪夫了。不惟玷辱了祖宗，亦且玷辱了哥哥。万望哥哥收回册籍，聊减弟辈万一之罪。”众父老见他兄弟三人交相推让，你不收，我不受，一齐向前劝道：“贤昆玉所言，都则一般道理。长文公若独得了这田产，不见得向来成全两位这一段苦心。两位若径受了，又负了令兄长文公这一段美意。依老汉辈愚见，宜作三股均分，无厚无薄，这才见兄友弟恭，各尽其道。”他三个兀自③你推我让。那父老中有前番那几个刚直的，挺身向前，厉声说道：“吾等适才分处，甚得中庸之道。若再推逊，便是矫情沽誉了。把这册籍来，待老汉与你分剖。”许武弟兄三人，更不敢多言，只得凭他主张。当时将田产配搭三股分开，各自管业。中间大宅，仍旧许武居住。左右屋宇窄狭，以所在粟帛之数补偿晏普，他日自行改造。其童婢，亦皆分派。众父老都称为公平。许武等三人施礼作谢，邀入正席饮酒，尽欢而散。许武心中终以前番析产之事为歉，欲将所得良田之半，立为义庄④，以赡乡里。许晏、许普闻知，亦各出己产相助。里中人人叹服。又传出几句口号来，道是：

---

① 贪饕（tāo）——这里是贪财之意。饕，贪财，贪食。

② 司民社——管理人民和社稷，即当地方官之意。

③ 兀（wù）自——还是，犹在。

④ 义庄——立庄，置田收租，用来救济族中穷苦的人，这种庄称为“义庄”。

真孝廉，惟许武；谁断之？晏与普。弟不争，兄不取。作义庄，赡乡里。呜呼孝廉谁可比！

晏、普感兄之义，又将朝廷所赐黄金，大市牛酒，日日邀里中父老与哥哥会饮。如此三月，假期已满，晏、普不忍与哥哥分别，各要纳还官诰。许武再三劝谕，责以大义。二人只得听从，各携妻小赴任。却说里中父老，将许武一门孝弟之事，备细申闻郡县。郡县为之奏闻。圣旨命有司旌表其门，称其里为孝弟里。后来三公九卿，交章荐许武德行绝伦，不宜逸之田野野，累诏起用，许武只不奉诏。有人问其缘故，许武道："两弟在朝居位之时，吾曾讽以知足知止。我若今日复出应诏，是自食其言了。况方今朝廷之上，是非相激，势利相倾，恐非缙绅之福；不如躬耕乐道之为愈耳。"人皆服其高见。再说晏、普到任，守其乃兄之教，各以清节自励，大有政声。后闻其兄高致，不肯出仕。弟兄相约，各将印绶纳还，奔回田里，日奉其兄为山水之游，尽老百年而终。许氏子孙昌茂，累代衣冠不绝，至今称为"孝弟许家"云。后人作歌叹道：

今人兄弟多分产，古人兄弟亦分产。
古人分产成弟名，今人分产但嚣争。
古人自污为孝义，今人自污争微利。
孝义名高身并荣，微利相争家共倾。
安得尽居孝弟里，却把阋墙①来愧死。

第三卷　卖油郎独占花魁

年少争夸风月，场中波浪偏多。有钱无貌意难和，有貌无钱不可。就是有钱有貌，还须着意揣摩。知情识趣俏哥哥，此道谁人赛我。

这首词名为《西江月》，是风月机关中最要之论。常言道："妓爱俏，妈爱钞。"所以子弟②行中，有了潘安般貌，邓通般钱，自然上和下睦，做得烟花寨内的大王，鸳鸯会上的主盟。然虽如此，还有个两字经儿，叫做帮衬。

① 阋(xì)墙——阋，争吵，争斗。兄弟阋于墙，就是在家里吵架的意思。
② 子弟——嫖客。

帮者，如鞋之有帮；衬者，如衣之有衬。但凡做小娘①的，有一分所长，得人衬贴，就当十分。若有短处，曲意替他遮护，更兼低声下气，送暖偷寒，逢其所喜，避其所讳，以情度情，岂有不爱之理。这叫做帮衬。风月场中，只有会帮衬的最讨便宜，无貌而有貌，无钱而有钱。假如郑元和②在卑田院③做了乞儿，此时囊箧俱空，容颜非旧，李亚仙于雪天遇之，便动了一个恻隐之心，将绣襦包裹，美食供养，与他做了夫妻。这岂是爱他之钱，恋他之貌？只为郑元和识趣知情，善于帮衬，所以亚仙心中舍他不得。你只看亚仙病中想马板肠汤吃，郑元和就把个五花马杀了，取肠煮汤奉之。只这一节上，亚仙如何不念其情。后来郑元和中了状元，李亚仙封为汧国夫人。《莲花落》打出万年策，卑田院只做了白玉堂。一床锦被遮盖，风月场中反为美谈。这是：

运退黄金失色，时来铁也生光。

话说大宋自太祖开基，太宗嗣位，历传真、仁、英、神、哲、共是七代帝王，都则偃武修文，民安国泰。到了徽宗道君皇帝，信任蔡京、高俅、杨戬、朱勔④之徒，大兴苑囿，专务游乐，不以朝政为事。以致万民嗟怨，金虏乘之而起，把花锦般一个世界，弄得七零八落。直至二帝蒙尘，高宗泥马渡江⑤，偏安一隅，天下分为南北，方得休息。其中数十年，百姓受了多少苦楚。正是：

甲马丛中立命，刀枪队里为家。
杀戮如同戏耍，抢夺便是生涯。

内中单表一人，乃汴梁城外安乐村居住，姓莘，名善，浑家阮氏。夫妻

---

① 小娘——这里指妓女。

② 郑元和——唐《李娃传》中故事：书生郑元和因热恋妓女李娃，用尽钱财，以致穷困落魄。后来李娃设法救护他，使他读书做了官。

③ 卑田院——应作悲田（佛教用语，意为以悲悯之心施惠于贫穷的人，则得无量之福）院，后指由公家出钱，寺庙主办的乞丐收容所。

④ 蔡京、高俅、杨戬（jiǎn）、朱勔（miǎn）——都是北宋末年的几个奸臣，《宋史》有传。

⑤ 高宗泥马渡江——高宗（赵构），宋徽宗（赵佶）的儿子，封康王。相传靖康之变后，被金人掳去，后遣还。脱身途中梦神人说金人追赶他，他惊醒后骑了神人为他备的一匹马渡过长江，过江之后，发现所骑的是一匹泥马。

两口，开个六陈铺儿①。虽则粜米为生，一应麦豆茶酒油盐杂货，无所不备，家道颇颇②得过。年过四旬，止生一女，小名叫做瑶琴。自小生得清秀，更且资性聪明。七岁上，送在村学中读书，日通千言。十岁时，便能吟诗作赋。曾有《闺情》一绝，为人传诵。诗云：

朱帘寂寂下金钩，香鸭沉沉冷画楼。
移枕怕惊鸳并宿，挑灯偏恨蕊双头。

到十二岁，琴棋书画，无所不通。若提起女工一事，飞针走线，出人意表。此乃天生伶俐，非教习之所能也。莘善因为自家无子，要寻个养女婿，来家靠老。只因女儿灵巧多能，难乎其配。所以求亲者颇多，都不曾许。不幸遇了金虏猖獗，把汴梁城围困，四方勤王之师虽多，宰相主了和议，不许厮杀，以致虏势愈甚，打破了京城，劫迁了二帝。那时城外百姓，一个个亡魂丧胆，携老扶幼，弃家逃命。

却说莘善领着浑家阮氏，和十二岁的女儿，同一般逃难的，背着包裹，结队而走。

忙忙如丧家之犬，急急如漏网之鱼。担渴担饥担劳苦，此行谁是家乡；叫天叫地叫祖宗，惟愿不逢鞑虏③。正是：宁为太平犬，莫作乱离人！

正行之间，谁想鞑子倒不曾遇见，却逢着一阵败残的官兵。他看见许多逃难的百姓，多背得有包裹，假意呐喊道："鞑子来了！"沿路放起一把火来。此时天色将晚，吓得众百姓落荒乱窜，你我不相顾，他就乘机抢掠。若不肯与他，就杀害了。这是乱中生乱，苦上加苦。却说莘氏瑶琴，被乱军冲突，跌了一交，爬起来，不见了爹娘。不敢叫唤，躲在道旁古墓之中，过了一夜。到天明，出外看时，但见满目风沙，死尸横路。昨日同时避难之人，都不知所往。瑶琴思念父母，痛哭不已。欲待寻访，又不认得路径。只得望南而行。哭一步，挨一步。约莫走了二里之程。心上又苦，腹中又饥。望见土房一所，想必其中有人，欲待求乞些汤饮。及至向前，却是破败的空屋，人口俱逃难去了。瑶琴坐于土墙之下，哀哀而哭。自古道：无

① 六陈铺儿——大米、大麦、小麦、大豆、小豆、芝麻等六种粮食因可以久藏，叫做"六陈"。六陈铺儿，即粮食铺。

② 颇颇——"颇"字的重叠语，就是很、甚的意思。

③ 鞑虏——指金人。

巧不成话。恰好有一人从墙下而过。那人姓卜，名乔，正是莘善的近邻，平昔是个游手游食，不守本分，惯吃白食，用白钱的主儿。人都称他是卜大郎。也是被官军冲散了同伙，今日独自而行。听得啼哭之声，慌忙来看。瑶琴自小相认，今日患难之际，举目无亲，见了近邻，分明见了亲人一般，即忙收泪，起身相见，问道："卜大叔，可曾见我爹妈么?"卜乔心中暗想："昨日被官军抢去包裹，正没盘缠。天生这碗衣饭，送来与我，正是奇货可居。"便扯个谎，道："你爹和妈，寻你不见，好生痛苦。如今前面去了。吩咐我道：'倘或见我女儿，千万带了他来，送还了我。'许我厚谢。"瑶琴虽是聪明，正当无可奈何之际，君子可欺以其方①，遂全然不疑，随着卜乔便走，正是：

情知不是伴，事急且相随。

卜乔将随身带的干粮，把些与他吃了，吩咐道："你爹妈连夜走的。若路上不能相遇，直要过江到建康府，方可相会。一路上同行，我权把你当女儿，你权叫我做爹。不然，只道我收留迷失子女，不当稳便。"瑶琴依允。从此陆路同步，水路同舟，爹女相称。到了建康府，路上又闻得金兀术四太子引兵渡江，眼见得建康不得宁息。又闻得康王即位，已在杭州驻跸②，改名临安。遂乘船到润州，过了苏常嘉湖，直到临安地面，暂且饭店中居住。也亏卜乔，自汴京至临安，三千余里，带那莘瑶琴下来。身边藏下些散碎银两，都用尽了，连身上外盖衣服，脱下准③了店钱，止剩得莘瑶琴一件活货，欲行出脱。访得西湖上烟花王九妈家要讨养女，遂引九妈到店中，看货还钱。九妈见瑶琴生得标致，讲了财礼五十两。卜乔兑足了银子，将瑶琴送到王家。原来卜乔有智，在王九妈前，只说："瑶琴是我亲生之女，不幸到你门户人家④，须是软款的教训，他自然从愿，不要性急。"在瑶琴面前，又说："九妈是我至亲，权时把你寄顿他家。待我从容访知你爹妈下落，再来领你。"以此。瑶琴欣然而去。

---

① 君子可欺以其方——君子这样的人因为很正直，坏人就利用这一点去欺骗他们。方：方正，正直。

② 驻跸——皇帝出行停留暂住叫做"驻跸"。

③ 准——兑换，抵偿。

④ 门户人家——妓院。

可怜绝世聪明女，堕落烟花罗网中。

王九妈新讨了瑶琴，将他浑身衣服，换个新鲜，藏于曲楼深处，终日好茶好饭，去将息他，好言好语，去温暖他。瑶琴既来之，则安之。住了几日，不见卜乔回信。思量爹妈，噙着两行珠泪，问九妈道："卜大叔怎不来看我？"九妈道："哪个卜大叔？"瑶琴道："便是引我到你家的那个卜大郎。"九妈道："他说是你的亲爹。"瑶琴道："他姓卜，我姓莘。"遂把汴梁逃难，失散了爹妈，中途遇见了卜乔，引到临安，并卜乔哄他的说话，细述一遍。九妈道："原来恁地①，你是个孤身女儿，无脚蟹②。我索性与你说明罢：那姓卜的把你卖在我家，得银五十两去了。我们是门户人家，靠着粉头过活。家中虽有三四个养女，并没个出色的。爱你生得齐整，把做个亲女儿相待。待你长成之时，包你穿好吃好，一生受用。"瑶琴听说，方知被卜乔所骗，放声大哭。九妈劝解，良久方止。自此九妈将瑶琴改做王美，一家都称为美娘，教他吹弹歌舞，无不尽善。长成一十四岁，娇艳非常。临安城中，这些富豪公子，慕其容貌，都备着厚礼求见。也有爱清标的，闻得他写作俱高，求诗求字的，日不离门。弄出天大的名声出来，不叫他美娘，叫他做花魁娘子。西湖上子弟编了一只《挂枝儿》③，单道那花魁娘子的好处：

小娘中，谁似得王美儿的标致，又会写，又会画，又会做诗，吹弹歌舞都余事。常把西湖比西子，就是西子比他也还不如！哪个有福的汤④着他身儿，也情愿一个死。

王九妈听得这些风声，怕坏了门面，来劝女儿接客。王美执意不肯，说道："要我会客时，除非见了亲生爹妈。他肯做主时，方才使得。"王九妈心里又恼他，又不舍得难为他。挨了好些时。偶然有个金二员外，大富之家，情愿出三百两银子，梳弄⑤美娘。九妈得了这主大财，心生一计，与金二员外商议，若要他成就，除非如此如此。金二员外意会了。其日八月十

---

① 恁地——如此，这样。

② 无脚蟹——比喻无依靠的女人。

③ 《挂枝儿》——民间歌曲名，内容多半是讲男女爱情的。

④ 汤——挨着，接触。

⑤ 梳弄——旧时妓女第一次接客的意思。从前妓院里处女头发只梳辫子，接客以后就梳髻，叫做"梳弄"。

五日，只说请王美湖上看潮。请至舟中，三四个帮闲，俱是会中之人，猜拳行令。做好做歉，将美娘灌得烂醉如泥，扶到王九妈家楼中，卧于床上，不省人事。此时天气和暖，又没几层衣服。妈儿亲手抱住，欲待挣扎，争奈手足俱软，由他轻薄了一回。

五鼓时，美娘酒醒，已知鸨儿用计，破了身子，自怜红颜命薄，遭此强横。起来解手，穿了衣服，自在床边一个斑竹榻上，朝着里壁睡了，暗暗垂泪。金二员外来亲近他时，被他劈头劈脸，抓有几个血痕。金二员外好生没趣。挨得天明，对妈儿说声："我去也。"妈儿要留他时，已自出门去了。从来梳弄的子弟，早起时，妈儿进房贺喜，行户①中都来称贺，还要吃几日喜酒。那子弟多则住一二月，最少也住半月二十日。只有金二员外侵早出门，是从来未有之事。王九妈连叫诧异，披衣起身上楼，只见美娘卧于榻上，满眼流泪。九妈要哄他上行，连声招许多不是，美娘只不开口，九妈只得下楼去了。美娘哭了一日，茶饭不沾。从此托病，不肯下楼，连客也不肯会面了。

九妈心下焦躁。欲待把他凌虐，又恐他烈性不从，反冷了他的心肠。欲待由他，本是要他赚钱。若不接客时，就养到一百岁也没用。踌躇数日，无计可施。忽然想起，有个结义妹子，叫做刘四妈，时常往来。他能言快语，与美娘甚说得着。何不接取他来，下个说词。若得他回心转意，大大的烧个利市②。当下叫保儿去请刘四妈到前楼坐下，诉以衷情。刘四妈道："老身是个女随何，雌陆贾③，说得罗汉思情，嫦娥想嫁。这件事都在老身身上。"九妈道："若得如此，做姐的情愿与你磕头。你多吃杯茶去，省得说话时口干。"刘四妈道："老身天生这副海口，便说到明日，还不干哩。"刘四妈吃了几杯茶，转到后楼，只见楼门紧闭。刘四妈轻轻的叩了一下，叫声："侄女！"美娘听得是四妈声音，便来开门。两下相见了。四妈靠桌朝下而坐，美娘旁坐相陪。四妈看他桌上铺着一幅细绢，才画得个美人的脸儿，还未曾着色。四妈称赞道："画得好！真是巧手！九阿姐不知怎生样造化，偏生遇着你这一个伶俐女儿。又好人物，又好技艺，就是堆上几千

---

① 行户——其他妓院。

② 烧个利市——商店开张，烧纸敬神，叫做"烧利市"。

③ 随何、陆贾——两人都是秦末汉初有名的说客、辩士。

两黄金，满临安走遍，可寻出个对儿么？”美娘道：“休得见笑！今日甚风吹得姨娘到来？”刘四妈道：“老身时常要来看你，只为家务在身，不得空闲。闻得你恭喜梳弄了。今日偷空而来，特特与九阿姐叫喜。”美儿听得提起梳弄二字，满脸通红，低着头不来答应。刘四妈知他害羞，便把椅儿掇上一步，将美娘的手儿牵着，叫声：“我儿！做小娘的，不是个软壳鸡蛋，怎的这般嫩得紧？似你恁地怕羞，如何赚得大主银子？”美娘道：“我要银子做甚？”四妈道：“我儿，你便不要银子，做娘的，看得你长大成人，难道不要出本？自古道，靠山吃山，靠水吃水。九阿姐家有几个粉头，哪一个赶得上你的脚跟来？一园瓜，只看得你是个瓜种，九阿姐待你也不比其他。你是聪明伶俐的人，也须识此轻重。闻得你自梳弄之后，一个客也不肯相接。是甚么意儿？都像你的意时，一家人口，似蚕一般，哪个把桑叶喂他？做娘的抬举你一分，你也要与他争口气儿，莫要反讨众丫头们批点。”美娘道：“由他批点，怕怎的！”刘四妈：“啊呀！批点是个小事，你可晓得门户中的行径么？”美娘道：“行径便怎的？”刘四妈道：“我们门户人家，吃着女儿，穿着女儿，用着女儿，侥幸讨得一个像样的，分明是大户人家置了一所良田美产。年纪幼小时，巴不得风吹得大。到得梳弄过后，便是田产成熟，日日指望花利到手受用。前门迎新，后门送旧，张郎送米，李郎送柴，往来热闹，才是个出名的姊妹行家。”美娘道：“羞答答，我不做这样事！”刘四妈掩着口，格的笑了一声，道：“不做这样事，可是由得你的？一家之中，有妈妈做主。做小娘的若不依他教训，动不动一顿皮鞭，打得你不生不死，那时不怕你不走他的路儿。九阿姐一向不难为你，只可惜你聪明标致，从小娇养的，要惜你的廉耻，存你的体面。方才告诉我许多话，说你不识好歹，放着鹅毛不知轻，顶着磨子不知重，心下好生不悦，教老身来劝你。你若执意不从，惹他性起，一时翻过脸来，骂一顿，打一顿，你待走上天去！凡事只怕个起头。若打破了头时，朝一顿，暮一顿，那时熬这些痛苦不过，只得接客，却不把千金声价弄得低微了，还要被姊妹中笑话。依我说，吊桶已自落在他井里，挣不起了。不如千欢万喜，倒在娘的怀里，落得自己快活。”美娘道：“奴是好人家儿女，误落风尘。倘得姨娘主张从良，胜造九级浮图。若要我倚门献笑，送旧迎新，宁甘一死，决不情愿。”刘四妈道：“我儿，从良是有志气的事，怎么说道不该！只是从良也有几等不同。”美娘道：“从良有甚不同之处？”刘四妈道：“有个真从良，有个假从良；有个苦从良，有个乐从良；有个趁好的从良，有个没奈何的从良；有个了从良，有个不了的从良。我儿耐心听我分说。如何叫做真从良？大凡才子必须佳人，佳人必须才子，方成佳配。然而好事多磨，往往求之不得。幸然两下相逢，你贪我爱，割舍不下，一个愿讨，一个愿嫁，好像捉对的蚕蛾，死也不放，这个谓之真从良。怎么叫做假从良？有等子弟爱着小娘，小娘却不爱那子弟，本心不愿嫁他，只把个嫁字儿哄他心热，撒漫①银钱。比及成交，却又推故不就。又有一等痴心的子弟，晓得小娘心肠不对他，偏要娶他回去。拚着一主大钱，动了妈儿的火，不怕小娘不肯。勉强进门，心中不顺，故意不守家规。小则撒泼放肆，大则公然偷汉。人家容留不得，多则一年，少则半载，依旧放他出来，为娼接客。把从良二字，只当个赚钱的题目。这个谓之假从良。如何叫做苦从良？一般样子弟爱小娘，小娘不爱那子弟，却被他以势凌之。妈儿惧祸，已自许了。做小娘的，身不由主，含泪而行。一入侯门，如海之深，家法又严，抬头不得。半妾半婢，忍死度日，这个谓之苦从良。如何叫做乐从良？做小娘的，正当择人之际，偶然相交个子弟。见他情性温和，家道富足，又且大娘子乐善，无男无女，指望他日过门，与他生育，就有主母之分。以此嫁他，图个日前安逸，日后出身，这个谓之乐从良。如何叫做趁好的从良？做小娘的，风花雪月，受用已够，趁这盛名之下，求之者众，任我拣择个十分满意的嫁他，急流勇退，及早回头，不致受人怠慢，这个谓之趁好的从良。如何叫做没奈何的从良？做小娘的，原无从良之意，或因官司逼迫，或因强横欺瞒，又或因债负太多，将来赔偿不起，憋口气，不论好歹，得嫁便嫁，买静求安，藏身之法，这谓之没奈何的从良。如何叫做了从良？小娘半老之际，风波历尽，刚好遇个老成的孤老②，两下志同道合，收绳卷索，白头到老，这个谓之了从良。如何叫做不了的从良？一般你贪我爱，火热的跟他，却是一时之兴，没有个长算。或者尊长不容，或者大娘妒忌，闹了几场，发回妈家，追取原价。又有个家道凋零，养他不活，苦守不过，依旧出来赶趁③，这谓之不了的从

---

① 撒漫——挥霍无度、随意花钱的意思。

② 孤老——妓女对长期固定的客人，非正式夫妻关系中的妇女对所结识的男人，都叫做“孤老”。

③ 赶趁——旧时，下等妓女自动到酒楼筵前歌唱，借以获得一点钱物，叫做“赶趁”。

良。”美娘道：“如今奴家要从良，还是怎地好？”刘四妈道：“我儿，老身教你个万全之策。”美娘道：“若蒙教导，死不忘恩。”刘四妈道：“从良一事，入门为净。况且你身子已被人捉弄过了，就是今夜嫁人，叫不得个黄花女儿。千错万错，不该落于此地。这就是你命中所招了。做娘的费了一片心机，若不帮他几年，趁过千把银子，怎肯放你出门？还有一件，你便要从良，也须拣个好主儿。这些臭嘴臭脸的，难道就跟他不成？你如今一个客也不接，晓得哪个该从，哪个不该从？假如你执意不肯接客，做娘的没奈何，寻个肯出钱的主儿，卖你去做妾，这也叫做从良。那主儿或是年老的，或是貌丑的，或是一字不识的村牛，你却不肮脏了一世！比着把你料在水里，还有扑通的一声响，讨得旁人叫一声可惜。依着老身愚见，还是俯从人愿，凭着做娘的接客。似你恁般才貌，等闲的料也不敢相扳。无非是王孙公子，贵客豪门，也不辱莫了你一生。风花雪月，趁着年少受用，二来作成妈儿起个家事，三来使自己也积攒些私房，免得日后求人。过了十年五载，遇个知心着意的。说得来，话得着，那时老身与你做媒，好模好样的嫁去，做娘的也放得你了。可不两得其便？”美娘听说，微笑而不言。刘四妈已知美娘心中活动了，便道：“老身句句是好话。你依着老身的话时，后来还当感激我哩。”说罢，起身。王九妈立在楼门之外，一句句都听得的。美娘送刘四妈出房门，劈面撞着了九妈，满面羞惭，缩身进去。王九妈随着刘四妈，再到前楼坐下。刘四妈道：“侄女十分执意，被老身右说左说，一块硬铁看看熔做热汁。你如今快快寻个覆帐①的主儿，他必然肯就。那时做妹子的再来贺喜。”王九妈连连称谢。是日备饭相待，尽醉而别。后来西湖上子弟们又有只《挂枝儿》，单说那刘四妈说词一节：

刘四妈，你的嘴舌儿好不利害！便是女随何、雌陆贾，不信有这大才！说着长，道着短，全没些破败。就是醉梦中，被你说得醒；就是聪明的，被你说得呆。好个烈性的姑姑，也被你说得他心地改。

再说王美娘才听了刘四妈一席话儿，思之有理。以后有客求见，欣然相接。覆帐之后，宾客如市。挨三顶五，不得空闲，声价愈重。每一晚白银十两，兀自你争我夺。王九妈赚了若干钱钞，欢喜无限。美娘也留心要拣个知心着意的，急切难得。正是：

---

① 覆帐——妓女破身后首次接待客人，叫做“覆帐”。

易求无价宝，难得有情郎。

话分两头。却说临安城清波门外，有个开油店的朱十老，三年前过继一个小厮，也是汴京逃难来的，姓秦名重，母亲早丧，父亲秦良，十三岁上将他卖了，自己在上天竺去做香火①。朱十老因年老无嗣，又新死了妈妈，把秦重做亲子看成，改名朱重，在店中学做卖油生意。初时父子坐店甚好。后因十老得了腰痛的病，十眠九坐，劳碌不得，另招个伙计，叫做邢权，在店相帮。光阴似箭，不觉四年有余。朱重长成一十七岁，生得一表人才，须然②已冠，尚未娶妻。那朱十老家有个侍女，叫做兰花，年已二十之外，存心看上了朱小官人，几遍的倒下钩子去勾搭他。谁知朱重是个老实人，又且兰花龌龊丑陋，朱重也看不上眼。以此落花有意，流水无情。那兰花见勾搭朱小官人不上，别寻主顾，就去勾搭那伙计邢权。邢权是望四③之人，没有老婆，一拍就上。两个暗地偷情，不止一次。后怪朱小官人碍眼，思量寻事赶他出门。邢权与兰花两个，里应外合，使心设计。兰花便在朱十老面前，假意撇清④说："小官人几番调戏，好不老实！"朱十老平时与兰花也有一手，未免有拈酸之意。邢权又将店中卖下的银子藏过，在朱十老面前说道："朱小官在外赌博，不长进，柜里银子，几次短少，都是他偷去了。"初次朱十老还不信，接连几次，朱十老年老糊涂，没有主意，就唤朱重过来，责骂了一场。朱重是个聪明的孩子，已知邢权与兰花的计较，欲待分辨，惹起是非不小。万一老者不听，枉做恶人。心生一计，对朱十老说道："店中生意淡薄，不消得二人。如今让邢主管坐店，孩儿情愿挑担子出去卖油。卖得多少，每日纳还，可不是两重生意？"朱十老心下也有许可之意。又被邢权说道："他不是要挑担出去，几年上偷银子做私房，身边积攒有余了，又怪你不与他定亲，心下怨怅，不愿在此相帮，要讨个出场，自去娶老婆，做人家去。"朱十老叹口气道："我把他做亲儿看成，他却如此歹意！皇天不佑！罢，罢，不是自身骨血，到底粘连不上，由他去罢！"遂将三两银子，把与朱重，打发出门。寒夏衣服和被窝都教他拿去。这也是朱

① 香火——在寺庙里烧香、点火、打杂的人。

② 须然——虽然。

③ 望四——将近四十岁。望，接近。

④ 假意撇清——明明自己不清白，却要表白自己清白、清高，叫做"假撇清"。

十老好处。朱重料他不肯收留，拜了四拜，大哭而别。正是：

孝己杀身因谤语，申生①丧命为谗言。

亲生儿子犹如此，何怪螟蛉受枉冤。

原来秦良上天竺做香火，不曾对儿子说知。朱重出了朱十老之门，在众安桥下赁了一间小小房儿，放下被窝等件，买巨锁儿锁了门，便往长街短巷，访求父亲。连走几日，全没消息。没奈何，只得放下。在朱十老家四年，赤心忠良，并无一毫私蓄。只有临行时打发这三两银子，不够本钱，做什么生意好？左思右量，只有油行买卖是熟间。这些油坊多曾与他识熟，还去挑个卖油担子，是个稳足的道路。当下置办了油担家伙，剩下的银两，都交付与油坊取油。那油坊里认得朱小官是个老实好人。况且小小年纪，当初坐店，今朝挑担上街，都因邢伙计挑拨他出来，心中甚是不平，有心扶持他，只拣窨清②的上好净油与他，签子上又明让他些。朱重得了这些便宜，自己转卖与人，也放些宽。所以他的油比别人分外容易出脱。每日所赚的利息，又且俭吃俭用，积下东西来，置办些日用家业及身上衣服之类，并无妄废。心中只有一件事未了，牵挂着父亲，思想："向来叫做朱重，谁知我是姓秦！倘或父亲来寻访之时，也没有个因由。"遂复姓为秦。说话的，假如上一等人，有前程的，要复本姓，或具札子奏过朝廷，或关白礼部、太学、国学等衙门，将册籍改正，众所共知。一个卖油的，复姓之时，谁人晓得？他有个道理，把盛油的桶儿，一面大大写个秦字，一面写汴梁二字，将油桶做个标识，使人一览而知。以此临安市上，晓得他本姓，都呼他为秦卖油。时值二月天气，不暖不寒，秦重闻知昭庆寺僧人，要起个九昼夜功德，用油必多，遂挑了油担来寺中卖油。那些和尚们也闻知秦卖油之名，他的油比别人又好又贱，单单作成他。所以一连这九日，秦重只在昭庆寺走动。正是：

刻薄不赚钱，忠厚不折本。

这一日是第九日了。秦重在寺出脱了油，挑了空担出寺。其日天气

---

① 孝己，申生——孝己，传说他是殷高宗武丁的太子，很孝顺父母，因后母的谗害，被放逐而死。申生，春秋时晋献公的世子，被献公的小夫人骊姬所陷害，自杀。

② 窨(yìn)清——形容油在地窖里埋藏过后的澄清的颜色。

晴明,游人如蚁。秦重绕河而行。遥望十景塘桃红柳绿,湖内画船箫鼓,往来游玩,观之不足,玩之有余。走了一回,身子困倦,转到昭庆寺右边,望个宽处,将担子放下,坐在一块石上歇脚。近侧有个人家,面湖而住,金漆篱门,里面朱栏内,一丛细竹。未知堂室何如,先见门庭清整。只见里面三四个戴巾的①从内而出,一个女娘后面相送。到了门首,两下手一拱,说声请了,那女娘竟进去了。秦重定睛观之,此女容颜娇丽,体态轻盈,目所未睹,准准的呆了半晌,身子都酥麻了。他原是个老实小官,不知有烟花行径,心中疑惑,正不知是什么人家。方在疑思之际,只见门内又走出个中年的妈妈,同着一个垂发的丫头,倚门闲看。那妈妈一眼瞧着油担,便道:"啊呀!方才我家无油,正好有油担子在这里,何不与他买些?"那丫鬟同那妈妈出来,走到油担子边叫声:"卖油的!"秦重方才听见,回言道:"没有油了!妈妈要用油时,明日送来。"那丫鬟也认得几个字,看见油桶上写个秦字,就对妈妈道:"卖油的姓秦。"妈妈也听得人闲讲,有个秦卖油,做生意甚是忠厚。遂吩咐秦重道:"我家每日要油用,你肯挑来时,与你做个主顾。"秦重道:"承妈妈作成,不敢有误。"那妈妈与丫鬟进去了。秦重心中想道:"这妈妈不知是那女娘的什么人?我每日到他家卖油,莫说赚他利息,图个饱看那女娘一回,也是前生福分。"正欲挑担起身,只见两个轿夫,抬着一顶青绢幔的轿子,后边跟着两个小厮,飞也似跑来。到了其家门首,歇下轿子。那小厮走进里面去了。秦重道:"却又作怪!看他接什么人?"少顷之间,只见两个丫鬟,一个捧着猩红的毡包,一个拿着湘妃竹攒花的拜匣,都交付与轿夫,放在轿座之下。那两个小厮手中,一个抱着琴囊,一个捧着几个手卷,腕上挂碧玉箫一枝,跟着起初的女娘出来。女娘上了轿,轿夫抬起望旧路而去。丫鬟小厮,俱随轿步行。秦重又得亲炙一番,心中愈加疑惑。挑了油担子,洋洋的去。

不过几步,只见临河有一个酒馆。秦重每常不吃酒,今日见了这女娘,心下又欢喜,又气闷,将担子放下,走进酒馆,拣个小座头坐下。酒保问道:"客人还是请客,还是独酌?"秦重道:"有上好的酒,拿来独饮三杯。时新果子一两碟,不用荤菜。"酒保斟酒时,秦重问道:"那边金漆篱门内是

---

① 戴巾的——这里指读书人、做官的人。旧时一般老百姓不准戴巾。

什么人家?”酒保道:“这是齐衙内①的花园。如今王九妈住下。”秦重道:“方才看见有个小娘子上轿,是什么人?”酒保道:“这是有名的粉头,叫做王美娘,人都称为花魁娘子。他原是汴京人,流落在此。吹弹歌舞,琴棋书画,件件皆精。来往的都是大头儿,要十两放光,才宿一夜哩。可知小可的也近他不得。当初住在涌金门外,因楼房狭窄,齐舍人与他相厚。半载之前,把这花园借与他住。”秦重听得说是汴京人,触了个乡里之念,心中更有一倍光景。吃了数杯,还了酒钱,挑了担子,一路走,一路的肚中打稿道:“世间有这样美貌的女子,落于娼家,岂不可惜!”又自家暗笑道:“若不落于娼家,我卖油的怎生得见!”又想一回,越发痴起来了,道:“人生一世,草生一秋。若得这等美人搂抱了睡一夜,死也甘心。”又想一回道:“呸!我终日挑这油担子,不过日进分文,怎么想这等非分之事!正是癞虾蟆在阴沟里想着天鹅肉吃,如何到口!”又想一回道:“他相交的,都是公子王孙。我卖油的,纵有了银子,料他也不肯接我。”又想一回道:“我闻得做老鸨的,专要钱钞。就是个乞儿,有了银子,他也就肯接了,何况我做生意的,青青白白之人。若有了银子,怕他不接!只是哪里来这几两银子?”一路上胡思乱想,自言自语。你道天地间有这等痴人,一个做小经纪的,本钱只有三两,却要把十两银子去嫖那名妓,可不是个春梦!自古道:有志者事竟成。被他千思万想,想出一个计策来。他道:“从明日为始,逐日将本钱扣出,余下的积攒上去。一日积得一分,一年也有三两六钱之数。只消三年,这事便成了。若一日积得二分,只消得年半。若再多得些,一年也差不多了。”想来想去,不觉走到家里,开锁进门。只因一路上想着许多闲事,回来看了自家的睡铺,惨然无欢,连夜饭也不要吃,便上了床。这一夜翻来覆去,牵挂着美人,哪里睡得着。

只因月貌花容,引起心猿意马。

挨到天明,爬起来,就装了油担,煮早饭吃了,匆匆挑了油担子,一径走到王妈妈家去。进了门,却不敢直入,舒着头,往里面张望。王妈妈恰才起床,还蓬着头,正吩咐保儿买饭菜。秦重识得声音,叫声:“王妈妈。”九妈往外一张,见是秦卖油,笑道:“好忠厚人!果然不失信。”便叫他挑担进来,称了一瓶,约有五斤多重,公道还钱,秦重并不争论。王九妈甚是欢

① 衙内——本是掌理禁卫的官职,宋元时代称呼贵家子弟为“衙内”。

喜，道："这瓶油，只够我家两日用。但隔一日，你便送来，我不往别处去买油。"秦重应诺，挑担而去。只恨不曾遇见花魁娘子。"且喜扳下主顾，少不得一次不见，二次见，二次不见，三次见。只是一件，特为王九妈一家挑这许多路来，不是做生意的勾当。这昭庆寺是顺路。今日寺中虽然不做功德，难道寻常不用油的？我且挑担去问他。若扳得各房头做个主顾，只消走钱塘门这一路，那一担油尽够出脱了。"秦重挑担到寺内问时，原来各房和尚也正想着秦卖油。来得正好，多少不等，各各买他的油。秦重与各房约定，也是间一日便送油来用。这一日是个双日。自此日为始，但是单日，秦重别街道上做买卖；但是双日，就走钱塘门这一路。一出钱塘门，先到王九妈家里，以卖油为名，去看花魁娘子。有一日会见，也有一日不会见。不见时费了一场思想，便见时也只添了一层思想，正是：

天长地久有时尽，此恨此情无尽期。

再说秦重到了王九妈家多次，家中大大小小，没一个不认得是秦卖油。时光迅速，不觉一年有余。日大日小，只拣足色细丝，或积三分，或积二分，再少也积下一分。凑得几钱，又打做大块包。日积月累，有了一大包银子，零星凑集，连自己也不识多少。其日是单日，又值大雨，秦重不出去做买卖。积了这一大包银子，心中也自喜欢。"趁今日空闲，我把他上一上天平，见个数目。"打个油伞，走到对门倾银铺里，借天平兑银。那银匠好不轻薄，想着："卖油的多少银子，要架天平？只把个五两头等子与他，还怕用不着头纽哩。"秦重把银子包解开，都是散碎银两。大凡成锭的见少，散碎的就见多，银匠是小辈，眼孔极浅，见了许多银子，别是一番面目，想道："人不可貌相，海水不可斗量。"慌忙架起天平，搬出若大若小许多法马。秦重尽包而兑，一厘不多，一厘不少，刚刚一十六两之数，上秤便是一斤。秦重心下想道："除去了三两本钱，余下的做一夜花柳之费，还是有余。"又想道："这样散碎银子，怎好出手！拿出来也被人看低了！现成倾银店中方便，何不倾成锭儿，还觉冠冕①。"当下兑足十两，倾成一个足色大锭，再把一两八钱，倾成水丝一小锭。剩下四两二钱之数，拈一小块，还了火钱，又将几钱银子，置下镶鞋净袜，新褶了一顶万字头巾。回到家中，把衣服浆洗得干干净净，买几根安息香，薰了又薰。拣个晴明好日，侵早

① 冠冕——体面，有面子的意思。

打扮起来。

虽非富贵豪华客，也是风流好后生。

秦重打扮得齐齐整整，取银两藏于袖中，把房门锁了，一径望王九妈家而来。那一时好不高兴。及至到了门首，愧心复萌，想道："时常挑了担子在他家卖油，今日忽地去做嫖客，如何开口？"正在踌躇之际，只听得呀的一声门响，王九妈走将出来。见了秦重，便道："秦小官今日怎的不做生意，打扮得恁般齐楚，往哪里去贵干？"事到其间，秦重只得老着脸，上前作揖。妈妈也不免还礼。秦重道："小可并无别事，专来拜望妈妈。"那鸨儿是老积年①，见貌辨色，见秦重恁般装束，又说拜望，"一定是看上了我家那个丫头，要嫖一夜，或是会一个房②。虽然不是个大势主菩萨，搭在篮里便是菜，捉在篮里便是蟹，赚他钱把银子买葱菜，也是好的。"便满脸堆下笑来，道："秦小官拜望老身，必有好处。"秦重道："小可有句不识进退的言语，只是不好启齿。"王九妈道："但说何妨。且请到里面客坐里细讲。"秦重为卖油虽曾到王家准百次，这客坐里交椅，还不曾与他屁股做个相识。今日是个会面之始。王九妈到了客坐，不免分宾而坐，向着内里唤茶。少顷，丫鬟托出茶来，看时却是秦卖油，正不知什么缘故，妈妈恁般相待，格格低了头只是笑。王九妈看见，喝道："有甚好笑，对客全没些规矩！"丫鬟止住笑，收了茶杯自去。王九妈方才开言问道："秦小官有甚话，要对老身说？"秦重道："没有别话，要在妈妈宅上请一位姐姐吃一杯酒儿。"九妈道："难道吃寡酒，一定要嫖了。你是个老实人，几时动这风流之兴？"秦重道："小可的积诚，也非止一日。"九妈道："我家这几个姐姐，都是你认得的。不知你中意哪一位？"秦重道："别个都不要，单单要与花魁娘子相处一宵。"九妈只道取笑他，就变了脸道："你出言无度！莫非奚落老娘么？"秦重道："小可是个老实人，岂有虚情。"九妈道："粪桶也有两个耳朵，你岂不晓得我家美儿的身价！倒了你卖油的灶还不够半夜歇钱哩。不如将就拣一个适兴罢。"秦重把颈一缩，舌头一伸，道："恁的好卖弄！不敢动问，你家花魁娘子一夜歇钱要几千两？"九妈见他说要话，却又回嗔作喜，带笑而

① 老积年——有多年的阅历、懂得人情世故的人。

② 会一个房——和妓女发生一次关系。

言道："哪要许多！只要得十两敲丝①。其他东道杂费不在其内。"秦重道："原来如此，不为大事。"袖中摸出这秃秃里一大锭放光细丝银子，递与鸨儿道："这一锭十两重，足色足数，请妈妈收着。"又摸出一小锭来，也递与鸨儿，又道："这一小锭，重有二两，相烦备个小东。望妈妈成就小可这件好事，生死不忘，日后再有孝顺。"九妈见了这锭大银，已自不忍释手，又恐怕他一时高兴，日后没了本钱，心中懊悔，也要尽他一句才好，便道："这十两银子，你做经纪的人，积攒不易，还要三思而行。"秦重道："小可主意已定，不要你老人家费心。"

九妈把这两锭银子收于袖中，道："是便是了。还有许多烦难哩。"秦重道："妈妈是一家之主，有甚烦难？"九妈道："我家美儿，往来的都是王孙公子，富室豪家，真个是'谈笑有鸿儒，往来无白丁'。他岂不认得你是做经纪的秦小官，如何肯接你？"秦重道："但凭妈妈怎的委曲宛转，成全其事，大恩不敢有忘！"九妈见他十分坚心，眉头一皱，计上心来，扯开笑口道："老身已替你排下计策，只看你缘法如何。做得成，不要喜；做不成，不要怪。美儿昨日在李学士家陪酒，还未曾回。今日是黄衙内约下游湖。明日是张山人一班清客，邀他做诗社。后日是韩尚书的公子，数日前送下东道在这里。你且到大后日来看。还有句话，这几日你且不要来我家卖油，预先留下个体面。又有句话，你穿着一身的布衣布裳，不像个上等嫖客。再来时，换件绸缎衣服，教这些丫鬟们认不出你是秦小官。老娘也好与你装谎。"秦重道："小可一一理会得。"说罢，作别出门，且歇这三日生理，不去卖油，到典铺里买了一件现成半新半旧的绸衣，穿在身上，到街坊闲走，演习斯文模样。正是：

未识花院行藏，先习孔门规矩。

丢过那三日不提。到第四日，起个清早，便到王九妈家去。去得太早，门还未开。意欲转一转再来。这番装扮希奇，不敢到昭庆寺去，恐怕和尚们批点。且到十景塘散步。良久又踅转去。王九妈家门已开了。那门前却安顿得有轿马，门内有许多仆从，在那里闲坐。秦重虽然老实，心下倒也乖巧，且不进门，悄悄的招那马夫问道："这轿马是谁家的？"马夫道："韩府里来接公子的。"秦重已知韩公子夜来留宿，此时还未曾别。重

---

① 敲丝——即银子，古代银两都敲印着圆丝纹，叫做"敲丝"。

复转身,到一个饭店之中,吃了些现成茶饭,又坐了一回,方才到王家探信。只见门前轿马已自去了。进得门时,王九妈迎着,便道:“老身得罪,今日又不得工夫了。恰才韩公子拉去东庄赏早梅。他是个长嫖,老身不好违拗。闻得说,来日还要到灵隐寺,访个棋师赌棋哩。齐衙内又来约过两三次了。这是我家房主,又是辞不得的。他来时,或三日五日的住了去,连老身也定不得个日子。秦小官,你真个要嫖,只索耐心再等几日。不然,前日的尊赐,分毫不动,要便奉还。”秦重道:“只怕妈妈不作成。若还迟,终无失,就是一万年,小可也情愿等着。”九妈道:“恁地时,老身便好张主①!”秦重作别,方欲起身,九妈又道:“秦小官人,老身还有句话。你下次若来讨信,不要早了。约莫申牌时分,有客没客,老身把个实信与你。倒是越晏些越好。这是老身的妙用,你休错怪。”秦重连声道:“不敢,不敢!”这一日秦重不曾做买卖。次日,整理油担,挑往别处去生理,不走钱塘门一路。每日生意做完,傍晚时分就打扮齐整,到王九妈家探信,只是不得工夫。又空走了一月有余。

那一日是十二月十五,大雪方霁,西风过后,积雪成冰,好不寒冷,却喜地下干燥。秦重做了大半日买卖,如前妆扮,又去探信。王九妈笑容可掬,迎着道:“今日你造化,已是九分九厘了。”秦重道:“这一厘是欠着什么?”九妈道:“这一厘么?正主儿还不在家。”秦重道:“可回来么?”九妈道:“今日是俞太尉家赏雪,筵席就备在湖船之内。俞太尉是七十岁的老人家,风月之事,已是没分。原说过黄昏送来。你且到新人房里,吃杯烫风酒,慢慢的等他。”秦重道:“烦妈妈引路。”王九妈引着秦重,弯弯曲曲,走过许多房头,到一个所在,不是楼房,却是个平屋三间,甚是高爽。左一间是丫鬟的空房,一般有床榻桌椅之类,却是备官铺的;右一间是花魁娘子卧室,锁着在那里。两旁又有耳房。中间客坐上面,挂一幅名人山水,香儿上博山古铜炉,烧着龙涎香饼,两旁书桌,摆设些古玩,壁上贴许多诗稿。秦重愧非文人,不敢细看。心下想道:“外房如此整齐,内室铺陈,必然华丽。今夜尽我受用。十两一夜,也不为多。”九妈让秦小官坐于客位,自己主位相陪。少顷之间,丫鬟掌灯过来,抬下一张八仙桌儿,六碗时新果子,一架攒盒佳肴美酝,未曾到口,香气扑人。九妈执盏相劝道:“今日

---

① 张主——做主。

众小女都有客,老身只得自陪,请开怀畅饮几杯。”秦重酒量本不高,况兼正事在心,只吃半杯。吃了一会,便推不饮。九妈道:“秦小官想饿了,且用些饭再吃酒。”丫鬟捧着雪花白米饭,一吃一添,放于秦重面前,就是一盏杂和汤,鸨儿量高,不用饭,以酒相陪。秦重吃了一碗,就放箸。九妈道:“夜长哩,再请些。”秦重又添了半碗。丫鬟提个行灯来,说:“浴汤热了,请客官洗浴。”秦重原是洗过澡来的,不敢推托,只得又到浴堂,肥皂香汤,洗了一遍。重复穿衣入坐。九妈命撤去肴盒,用暖锅下酒。此时黄昏已绝,昭庆寺里的钟都撞过了,美娘尚未回来。

玉人何处贪欢耍?等得情郎望眼穿!

常言道:等人心急。秦重不见表子回家,好生气闷。却被鸨儿夹七夹八,说些风话劝酒。不觉又过了一更天气。只听外面热闹闹的,却是花魁娘子回家。丫鬟先来报了,九妈连忙起身出迎。秦重也离坐而立。只见美娘吃得大醉,侍女扶将进来,到于门首,醉眼蒙眬,看见房中灯烛辉煌,杯盘狼藉,立住脚问道:“谁在这里吃酒?”九妈道:“我儿,便是我向日与你说的那秦小官人。他心中慕你,多时的送过礼来。因你不得工夫,担搁他一月有余了。你今日幸而得空,做娘的留他在此伴你。”美娘道:“临安郡中,并不闻说起有什么秦小官人!我不去接他。”转身便走。九妈双手托开,即忙拦住道:“他是个至诚好人,娘不误你。”美娘只得转身,才跨进房门,抬头一看那人,有些面善,一时醉了,急切叫不出来,便道:“娘,这个人我认得他的,不是有名称的子弟。接了他,被人笑话。”九妈道:“我儿,这是涌金门内开段铺的秦小官人。当初我们住在涌金门时,想你也曾会过,故此面善。你莫识认错了。做娘的见他来意志诚,一时许了他,不好失信。你看做娘的面上,胡乱留他一晚。做娘的晓得不是了,明日却与你赔礼。”一头说,一头推着美娘的肩头向前。美娘拗妈妈不过,只得进房相见。正是:

千般难出虔婆口,万般难脱虔婆手。
饶君纵有万千般,不如跟着虔婆走。

这些言语,秦重一句句都听得,佯为不闻。美娘万福过了,坐一侧首,仔细看着秦重,好生疑惑,心里甚是不悦,默默无言。唤丫鬟将热酒来,斟着大钟。鸨儿只道他敬客,却自家一饮而尽。九妈道:“我儿醉了,少吃些么!”美儿哪里依他,答应道:“我不醉!”一连吃上十来杯。这是酒后之酒,醉中之醉，自觉立脚不住。唤丫鬟开了卧房，点上银釭，也不卸头，也不解带，躧脱了绣鞋，和衣上床，倒身而卧。鸨儿见女儿如此做作，甚不过意。对秦重道："小女平日惯了，他专会使性。今日他心中不知为什么有些不自在，却不干你事。休得见怪！"秦重道："小可岂敢！"鸨儿又劝了秦重几杯酒，秦重再三告止。鸨儿送入卧房，向耳旁吩咐道："那人醉了，放温存些。"又叫道："我儿起来，脱了衣服，好好的睡。"美娘已在梦中，全不答应，鸨儿只得去了。丫鬟收拾了杯盘之类，抹了桌子，叫声："秦小官人，安置罢。"秦重道："有热茶要一壶。"丫鬟泡了一壶浓茶，送进房里。带转房门，自去耳房中安歇。秦重看美娘时，面对里床，睡得正熟，把锦被压于身下。秦重想酒醉之人，必然怕冷，又不敢惊醒他。忽见阑干上又放着一床大红纻丝的锦被。轻轻的取下，盖在美娘身上，把银灯挑得亮亮的，取了这壶热茶，脱鞋上床，挨在美娘身边，左手抱着茶壶在怀，右手搭在美娘身上，眼也不敢闭一闭。正是：

　　未曾握雨携云，也算偎香倚玉。

却说美娘睡到半夜，醒将转来，自觉酒力不胜，胸中似有满溢之状。爬起来，坐在被窝中，垂着头，只管打干哕①。秦重慌忙也坐起来。知他要吐，放下茶壶，用手抚摩其背。良久，美娘喉间忍不住了，说时迟，那时快，美娘放开喉咙便吐。秦重怕污了被窝。把自己的道袍袖子张开，罩在他嘴上。美娘不知所以，尽情一呕，呕毕，还闭着眼，讨茶漱口。秦重下床，将道袍轻轻脱下，放在地平之上，摸茶壶还是暖的。斟上一瓯香喷喷的浓茶，递与美娘。美娘连吃了二碗，胸中虽然略觉豪燥，身子兀自倦怠，仍旧倒下，向里睡去了。秦重脱下道袍，将吐下一袖的腌臜，重重裹着，放于床侧，依然上床，拥抱似初。美娘那一觉直睡到天明方醒。覆身转来，见旁边睡着一人，问道："你是哪个？"秦重答道："小可姓秦。"美娘想起夜来之事，恍恍惚惚，不甚记得真了，便道："我夜来好醉！"秦重道："也不甚醉。"又问："可曾吐么？"秦重道："不曾。"美娘道："这样还好。"又想一想道："我记得曾吐过的，又记得曾吃过茶来，难道做梦不成？"秦重方才说道："是曾吐来。小可见小娘子多了杯酒，也防着要吐，把茶壶暖在怀里。小娘子果然吐后讨茶，小可斟上，蒙小娘子不弃，饮了两瓯。"美娘大惊道："脏巴巴

---

① 哕（yuě）——呕吐而又吐不出来时所发出的声音。

的，吐在哪里？"秦重道："恐怕小娘子污了被褥，是小可把袖子盛了。"美娘道："如今在哪里？"秦重道："连衣服裹着，藏过在那里。"美娘道："可惜坏了你一件衣服。"秦重道："这是小可的衣服，有幸得沾小娘子的余沥。"美娘听说，心下想道："有这般识趣的人！"心里已有四五分欢喜了。

此时天色大明，美娘起身，下床小解。看着秦重，猛然想起是秦卖油，遂问道："你实对我说，是什么样人？为何昨夜在此？"秦重道："承花魁娘子下问，小子怎敢妄言。小可实是常来宅上卖油的秦重。"遂将初次看见送客，又看见上轿，心下想慕之极，及积攒嫖钱之事，备细述了一遍。"夜来得亲近小娘子一夜，三生有幸，心满意足。"美娘听说，愈加可怜，道："我昨夜酒醉，不曾招接得你。你干折了多少银子，莫不懊悔？"秦重道："小娘子天上神仙，小可惟恐伏侍不周，但不见责，已为万幸。况敢有非意之望！"美娘道："你做经纪的人，积下些银两，何不留下养家？此地不是你来往的。"秦重道："小可单只一身，并无妻小。"美娘顿了一顿，便道："你今日去了，他日还来么？"秦重道："只这昨宵相亲一夜，已慰生平，岂敢又作痴想！"美娘想道："难得这好人，又忠厚，又老实，又且知情识趣，隐恶扬善，千百中难遇此一人。可惜是市井之辈。若是衣冠子弟，情愿委身事之。"正在沉吟之际，丫鬟捧洗脸水进来，又是两碗姜汤。秦重洗了脸，因夜来未曾脱帻，不用梳头，呷了几口姜汤，便要告别。美娘道："少住不妨，还有话说。"秦重道："小可仰慕花魁娘子，在旁多站一刻，也是好的。但为人岂不自揣！夜来在此，实是大胆。惟恐他人知道，有玷芳名。还是早些去了安稳。"美娘点了一点头，打发丫鬟出房，忙忙的开了减妆[①]，取出二十两银子，送与秦重道："昨夜难为了你，这银两权奉为资本，莫对人说。"秦重哪里肯受。美娘道："我的银子，来路容易。这些须酬你一宵之情，休得固逊。若本钱缺少，异日还有助你之处。那件污秽的衣服，我叫丫鬟湔洗干净了还你罢。"秦重道："粗衣不烦小娘子费心。小可自会湔洗。只是领赐不当。"美娘道："说哪里话！"将银子挜[②]在秦重袖内，推他转身。秦重料难推却，只得受了，深深作揖，卷了脱下这件龌龊道袍，走出房门。打从鸨儿房前经过，保儿看见，叫声："妈妈！秦小官去了。"王九妈正在净桶上解

① 减妆——旧时妇女所用的装盛化妆品的匣子。

② 挜（yà）——强给人家东西。

手，口中叫道："秦小官，如何去得恁早？"秦重道："有些贱事，改日特来称谢。"不说秦重去了，且说美娘与秦重虽然没点相干，见他一片诚心，去后好不过意。这一日因害酒，辞了客在家将息。千个万个孤老都不想，倒把秦重整整的想了一日。有《挂枝儿》为证：

俏冤家，须不是串花家的子弟，你是个做经纪本分人儿，那匡①你会温存，能软款，知心知意。料你不是个使性的，料你不是个薄情的。几番待放下思量也，又不觉思量起。

话分两头，再说邢权在朱十老家，与兰花情热，见朱十老病废在床，全无顾忌。十老发作了几场。两个商量出一条计策来，俟夜静更深，将店中资本席卷，双双的逃之夭夭，不知去向。次日天明，十老方知。央及邻里，出了个失单，寻访数日，并无动静。深悔当日不合为邢权所惑，逐了朱重。如今日久见人心，闻知朱重，赁居众安桥下，挑担卖油，不如仍旧收拾他回来，老死有靠。只怕他记恨在心，教邻舍好生劝他回家，但记好，莫记恶。秦重一闻此言，即日收拾了家伙，搬回十老家里。相见之间，痛哭了一场。十老将所存囊橐，尽数交付秦重。秦重自家又有二十余两本钱，重整店面，坐柜卖油。因在朱家，仍称朱重，不用秦字。不上一月，十老病重，医治不痊，呜呼哀哉。朱重捶胸大恸，如亲父一般，殡殓成服，七七做了些好事。朱家祖坟在清波门外，朱重举丧安葬，事事成礼。邻里皆称其厚德。事定之后，仍先开店。原来这油铺是个老店，从来生意原好；却被邢权刻剥存私，将主顾弄断了多少。今见朱小官在店，谁家不来作成。所以生理比前越盛。朱重单身独自，急切要寻个老成帮手。有个惯做中人的，叫做金中，忽一日引着一个五十余岁的人来。原来那人正是莘善，在汴梁城外安乐村居住。因那年避乱南奔，被官兵冲散了女儿瑶琴，夫妻两口，凄凄惶惶，东逃西窜，胡乱的过了几年。今日闻临安兴旺，南渡人民，大半安插在彼。诚恐女儿流落此地，特来寻访，又没消息。身边盘缠用尽，欠了饭钱，被饭店中终日赶逐。无可奈何，偶然听见金中说起朱家油铺，要寻个卖油帮手。自己曾开过六陈铺子，卖油之事，都则在行。况朱小官原是汴京人，又是乡里，故此央金中引荐到来。朱重问了备细，乡人见乡人，不觉

① 匡——即"框"的借字，料想，料到。

感伤。"既然没处投奔,你老夫妻两口,只住在我身边,只当个乡亲相处,慢慢的访着令爱消息,再作区处。"当下取两贯钱把与莘善,去还了饭钱,连浑家阮氏也领将来,与朱重相见了,收拾一间空房,安顿他老夫妇在内。两口儿也尽心竭力,内外相帮。朱重甚是欢喜。光阴似箭,不觉一年有余。多有人见朱小官年长未娶,家道又好,做人又志诚,情愿白白把女儿送他为妻。朱重因见了花魁娘子,十分容貌,等闲的不看在眼,立心要访求个出色的女子,方才肯成亲。以此日复一日,担搁下去。正是:

曾观沧海难为水,除却巫山不是云。

再说王美娘在九妈家,盛名之下,明欢暮乐,真个口厌肥甘,身嫌锦绣。然虽如此,每遇不如意之处,或是子弟们任情使性,吃醋挑槽①,或自己病中醉后,半夜三更,没人疼热,就想起秦小官人的好处来,只恨无缘再会。也是他桃花运尽,合当变更。一年之后,生出一段事端来。

却说临安城中,有个吴八公子,父亲吴岳,见为福州太守。这吴八公子,打从父亲任上回来,广有金银。平昔间也喜赌钱吃酒,三瓦两舍②走动。闻得花魁娘子之名,未曾识面,屡屡遣人来约,欲要嫖他。王美娘闻他气质不好,不愿相接,托故推辞,非止一次。那吴八公子也曾和着闲汉们亲到王九妈家几番,都不曾会。其时清明节届,家家扫墓,处处踏青。美娘因连日游春困倦,且是积下许多诗画之债,未曾完得,吩咐家中:"一应客来,都与我辞去。"闭了房门,焚起一炉好香,摆设文房四宝,方欲举笔,只听得外面沸腾,却是吴八公子,领着十余个狠仆,来接美娘游湖。因见鸨儿每次回他,在中堂行凶,打家打伙,直闹到美娘房前。只见房门锁闭。原来妓家有个回客法儿,小娘躲在房内,却把房门反锁,支吾客人,只推不在。那老实的就被他哄过了。吴公子是惯家,这些套子,怎地瞒得。吩咐家人扭断了锁,把房门一脚踢开。美娘躲身不迭被公子看见,不由分说,教两个家人,左右牵手,从房内直拖出房外来,口中兀自乱嚷乱骂。王九妈欲待上前赔礼解劝,看见势头不好,只得闪过。家中大小,躲得没半个影儿。吴家狠仆牵着美娘,出了王家大门,不管他弓鞋窄小,望街上飞

① 挑槽——嫖客抛弃原来相好的妓女,另结新欢,叫做"挑槽",也叫"跳槽"。

② 三瓦两舍——宋代称游戏娱乐场所为三瓦两舍,其中包括茶楼、酒馆、妓院、赌场、杂耍场等。

跑。八公子在后，扬扬得意。直到西湖口，将美娘㧐①下了湖船，方才放手。美娘十二岁到王家，锦绣中养成，珍玉般供养，何曾受恁般凌贱。下了船，对着船头，掩面大哭。吴八公子见了，放下面皮，气忿忿的像关云长单刀赴会，一把交椅，朝外而坐，狠仆侍立于旁。一面吩咐开船，一面数一数二的发作一个不住："小贱人，小娼根，不受人抬举！再哭时，就讨打了！"美娘哪里怕他，哭之不已。船至湖心亭，吴八公子吩咐摆盒在亭子内，自己先上去了，却吩咐家人："叫那小贱人来陪酒。"美娘抱住了栏杆，哪里肯去，只是嚎哭。吴八公子也觉没兴。自己吃了几杯淡酒，收拾下船，自来扯美娘。美娘双脚乱跳，哭声愈高。八公子大怒，教狠仆拔去簪珥。美娘蓬着头，跑到船头上，就要投水，被家童们扶住。公子道："你撒赖便怕你不成！就是死了，也只费得我几两银子，不为大事。只是送你一条性命，也是罪过。你住了啼哭时，我就放你回去，不难为你。"美娘听说放他回去，真个住了哭。八公子吩咐移船到清波门外僻静之处，将美娘绣鞋脱下，去其裹脚，露出一对金莲，如两条玉笋相似。教狠仆扶他上岸，骂道："小贱人！你有本事，自走回家，我却没人相送。"说罢，一篙子撑开，再向湖中而去。正是：

焚琴煮鹤②从来有，惜玉怜香几个知！

美娘赤了脚，寸步难行，思想："自己才貌两全，只为落于风尘，受此轻贱。平昔枉自结识许多王孙贵客，急切用他不着，受了这般凌辱。就是回去，如何做人？倒不如一死为高，只是死得没些名目。枉自享个盛名，到此地位，看着村庄妇人，也胜我十二分。这都是刘四妈这个花嘴，哄我落坑堕堑，致有今日！自古红颜薄命，亦未必如我之甚！"越思越苦，放声大哭。事有偶然，却好朱重那日到清波门外朱十老的坟上，祭扫过了，打发祭物下船，自己步回，从此经过。闻得哭声，上前看时，虽然蓬头垢面，那玉貌花容，从来无两，如何不认得！吃了一惊，道："花魁娘子，如何这般模样？"美娘哀哭之际，听得声音厮熟，止啼而看，原来正是知情识趣的秦小官。美娘当此之际，如见亲人，不觉倾心吐胆，告诉他一番。朱重心中十分疼痛，亦为之流泪。袖中带得有白绫汗巾一条，约有五尺多长，取出劈

① 㧐(sǒng)——方言，推的意思。

② 焚琴煮鹤——把琴拿来当柴烧，把鹤拿来煮着吃，比喻糟踏美好的事物。

半扯开，奉与美娘裹脚，亲手与他拭泪。又与他挽起青丝，再三把好言宽解。等待美娘哭定，忙去唤个暖轿，请美娘坐了，自己步送，直到王九妈家。九妈不得女儿消息，在四处打探，慌迫之际，见秦小官送女儿回来，分明送一颗夜明珠还他，如何不喜！况且鸨儿一向不见秦重挑油上门，多曾听得人说，他承受了朱家的店业，手头活动，体面又比前不同，自然刮目相待。又见女儿这等模样，问其缘故，已知女儿吃了大苦，全亏了秦小官。深深拜谢，设酒相待。日已向晚，秦重略饮数杯，起身作别。美娘如何肯放，道："我一向有心于你，恨不得与你见面。今日定然不放你空去。"鸨儿也来扳留，秦重喜出望外。是夜，美娘吹弹歌舞，曲尽生平之技，奉承秦重。秦重如做了一个游仙好梦，喜得魄荡魂消，手舞足蹈。夜深酒阑，二人相挽就寝。

美娘道："我有句心腹之言与你说，你休得推托。"秦重道："小娘子若用得着小可时，就赴汤蹈火，亦所不辞，岂有推托之理。"美娘道："我要嫁你。"秦重笑道："小娘子就嫁一万个，也还数不到小可头上，休得取笑，枉自折了小可的食料。"美娘道："这话实是真心，怎说取笑二字！我自十四岁被妈妈灌醉，梳弄过了，此时便要从良。只为未曾相处得人，不辨好歹，恐误了终身大事。以后相处的虽多，都是豪华之辈，酒色之徒，但知买笑追欢的乐意，哪有怜香惜玉的真心。看来看去，只有你是个志诚君子，况闻你尚未娶亲。若不嫌我烟花贱质①，情愿举案齐眉②，白头奉侍。你若不允之时，我就将三尺白罗，死于君前，表白我一片诚心，也强如昨日死于村郎之手，没名没目，惹人笑话。"说罢，呜呜的哭将起来。秦重道："小娘子休得悲伤。小可承小娘子错爱，将天就地，求之不得，岂敢推托，只是小娘子千金声价，小可家贫力薄，如何摆布，也是力不从心了。"美娘道："这却不妨。不瞒你说，我只为从良一事，预先积攒些东西，寄顿在外。赎身之费，一毫不费你心力。"秦重道："就是小娘子自己赎身，平昔住惯了高堂大厦，享用了锦衣玉食，在小可家，如何过活？"美娘道："布衣蔬食，死而无怨。"秦重道："小娘子虽然——只怕妈妈不从。"美娘道："我自有道理。如

① 烟花贱质——指做妓女。烟花，旧为妓女的代称。

② 举案齐眉——东汉时，梁鸿和孟光为夫妇二人，孟光为丈夫拿饭，总是把托盘举到和眉毛一样高，后用来比喻夫妇间相敬如宾。

此如此，这般这般。”两个直说到天明。

原来黄翰林的衙内，韩尚书的公子，齐太尉的舍人，这几个相知的人家，美娘都寄顿得有箱笼。美娘只推要用，陆续取到密地，约下秦重，教他收置在家。然后一乘轿子，抬到刘四妈家，诉以从良之事。刘四妈道：“此事老身前日原说过的。只是年纪还早，又不知你要从哪一个？”美娘道：“姨娘，你莫管是甚人，少不得依着姨娘的言语，是个真从良，乐从良，了从良；不是那不真，不假，不了，不绝的勾当。只要姨娘肯开口时，不愁妈妈不允。做侄女的没别孝顺，只有十两金子，奉与姨娘，胡乱打些钗子；是必在妈妈前做个方便。事成之时，媒礼在外。”刘四妈看见这金子，笑得眼儿没缝，便道：“自家儿女，又是美事，如何要你的东西！这金子权时领下，只当与你收藏。此事都在老身身上。只是你的娘，把你当个摇钱之树，等闲也不轻放你出去。怕不要千把银子。那主儿可是肯出手的么？也得老身见他一见，与他讲道方好。”美娘道：“姨娘莫管闲事，只当你侄女自家赎身便了。”刘四妈道：“妈妈可晓得你到我家来？”美娘道：“不晓得。”四妈道：“你且在我家便饭。待老身先到你家，与妈妈讲。讲得通时，然后来报你。”

刘四妈雇乘轿子，抬到王九妈家。九妈相迎入内。刘四妈问起吴八公子之事，九妈告诉了一遍。四妈道：“我们行户人家，倒是养成个半低不高的丫头，尽可赚钱，又且安稳。不论什么客就接了，倒是日日不空的。侄女只为声名大了，好似一块鲞鱼①落地，蚂蚁儿都要钻他。虽然热闹，却也不得自在。说便许多一夜，也只是个虚名。那些王孙公子来一遍，动不动有几个帮闲，连宵达旦，好不费事。跟随的人又不少，个个要奉承得他好。有些不到之处，口里就出粗哩嗹罗嗹的骂人，还要弄损你家伙，又不好告诉他家主，受了若干闷气。况且山人墨客，诗社棋社，少不得一月之内，又有几时官身②。这些富贵子弟，你争我夺，依了张家，违了李家，一边喜，少不得一边怪了。就是吴八公子这一个风波，吓杀人的，万一失差，却不连本送了。官宦人家，和他打官司不成！只索忍气吞声。今日还亏着你家时运高，太平没事，一个霹雳空中过去了。倘然山高水低，悔之无及。

① 鲞(xiǎng)鱼——味道很鲜美的鱼。

② 官身——古时妓女有官妓和私娼之分。官妓到官府歌唱侍筵就叫官身。

妹子闻得吴八公子不怀好意，还要到你家索闹。侄女的性气又不好，不肯奉承人。第一是这件，乃是个惹祸之本。”九妈道：“便是这件，老身常是担忧。就是这八公子，也是有名有称的人，又不是微贱之人。这丫头抵死不肯接他，惹出这场寡气。当初他年纪小时，还听人教训。如今有了个虚名，被这些富贵子弟夸他奖他，惯了他性情，骄了他气质，动不动自作自主。逢着客来，他要接便接。他若不情愿时，便是九牛也休想牵得他转。”刘四妈道：“做小娘的略有些身分，都则如此。”王九妈道：“我如今与你商议。倘若有个肯出钱的，不如卖了他去，倒得干净。省得终身担着鬼胎过日。”刘四妈道：“此言甚妙。卖了他一个，就讨得五六个。若凑巧撞得着相应的，十来个也讨得的。这等便宜事，如何不做！”王九妈道：“老身也曾算计过来。那些有势有力的不肯出钱，专要讨人便宜。及至肯出几两银子的，女儿又嫌好道歉，做张做智的①不肯。若有好主儿，妹子做媒，作成则个。倘若这丫头不肯时节，还求你撺掇。这丫头做娘的话也不听，只你说得他信，话得他转。”刘四妈呵呵大笑道：“做妹子的此来，正为与侄女做媒。你要许多银子便肯放他出门？”九妈道：“妹子，你是明理的人。我们这行户例，只有贱买，哪有贱卖？况且美儿数年盛名满临安，谁不知他是花魁娘子。难道三百四百，就容他走动？少不得要他千金。”刘四妈道：“待妹子去讲。若肯出这个数目，做妹子的便来多口。若合不着时，就不来了。”临行时，又故意问道：“侄女今日在哪里？”王九妈道：“不要说起，自从那日吃了吴八公子的亏，怕他还来淘气，终日里抬个轿子，各宅去分诉。前日在齐太尉家，昨日在黄翰林家，今日又不知在哪家去了。”刘四妈道：“有了你老人家做主，按定了坐盘星，也不容侄女不肯。万一不肯时，做妹子自会劝他。只是寻得主顾来，你却莫要捉班做势。”九妈道：“一言既出，并无他说。”九妈送至门首。刘四妈叫声咶噪②，上轿去了。这才是：

数黑论黄雌陆贾，说长话短女随何。
若还都像虔婆口，尺水能兴万丈波。

刘四妈回到家中，与美娘说道：“我对你妈妈如此说，这般讲，你妈妈

---

① 做张做智的——装模作样的意思。
② 咶噪——也作聒噪，宋元时打招呼的习惯语，有打扰、对不起之意。

已自肯了。只要银子见面,这事立地便成。”美娘道:“银子已曾办下,明日姨娘千万到我家来,玉成其事。不要冷了场,改日又费讲。”四妈道:“既然约定,老身自然到宅。”美娘别了刘四妈,回家一字不提。次日,午牌时分,刘四妈果然来了。王九妈问道:“所事如何?”四妈道:“十有八九,只不曾与侄女说过。”四妈来到美娘房中,两下相叫了,讲了一回说话。四妈道:“你的主儿到了不曾?那话儿在哪里?”美娘指着床头道:“在这几只皮箱里。”美娘把五六只皮箱一时都开了,五十两一封,搬出十三四封来,又把些金珠宝玉算价,足够千金之数。把个刘四妈惊得眼中出火,口内流涎,想道:“小小年纪,这等有肚肠!不知如何设处,积下许多东西?我家这几个粉头,一般接客,赶得着他哪里!不要说不会生发①,就是有几文钱在荷包里,闲时买瓜子磕,买糖儿吃,两条脚布破了,还要做妈的与他买布哩。偏生九阿姐造化,讨得着,年时赚了若干钱钞,临出门还有这一主大财,又是取诸宫中②,不劳余力。”这是心中暗想之语,却不曾说出来。美娘见刘四妈沉吟,只道他作难索谢,慌忙又取出四匹潞绸,两股宝钗,一对凤头玉簪,放在桌上,道:“这几件东西,奉与姨娘为伐柯③之敬。”刘四妈欢天喜地对王九妈说道:“侄女情愿自家赎身,一般身价,并不短少分毫,比着孤老卖身更好。省得闲汉们从中说合,费酒费浆,还要加一加二的谢他。”王九妈听得说女儿皮箱内有许多东西,倒有个怫然之色④。你道却是为何?世间只有鸨儿的狠,做小娘的设法些东西,都送到他手里,才是快活。也有做些私房在箱笼内,鸨儿晓得些风声,专等女儿出门,抻开锁钥,翻箱倒笼取个罄空。只为美娘盛名之下,相交都是大头儿,替做娘的挣得钱钞,又且性格有些古怪,等闲不敢触犯。故此卧房里面,鸨儿的脚也不搠进去。谁知他如此有钱。刘四妈见九妈颜色不善,便猜着了,连忙道:“九阿姐,你休得三心两意。这些东西,就是侄女自家积下的,也不是你本分之钱。他若肯花费时,也花费了。或是他不长进,把来津贴了得意的孤老,你也哪里知道!这还是他做家的好处。况且小娘自己手中没有钱钞,临到从

---

① 生发——想办法赚更多的钱。发(fā),生长。

② 取诸宫中——从自己家中取出东西。诸,兼词“之于”。

③ 伐柯——语出《诗经》。后称为人作媒为“伐柯”。

④ 怫(fú)然之色——不高兴、不愿意的样子。

良之际，难道赤身赶他出门？少不得头上脚下都要收拾得光鲜，等他好去别人家做人。如今他自家拿得出这些东西，料然一丝一线不费你的心。这一主银子，是你完完全全别在腰胯里的。他就赎身出去，怕不是你女儿。倘然他挣得好时，时朝月节，怕他不来孝顺你。就是嫁了人时，他又没有亲爹亲娘，你也还去做得着他的外婆，受用处正有哩。"只这一套话，说得王九妈心中爽然，当下应允。刘四妈就去搬出银子，一封封兑过，交付与九妈，又把这些金珠宝玉，逐件指物作价。对九妈说道："这都是做妹子的故意估下他些价钱。若换与人，还便宜得几十两银子。"王九妈虽同是个鸨儿，倒是个老实头儿，凭刘四妈说话，无有不纳。

刘四妈见王九妈收了这主东西，便叫亡八写了婚书，交付与美儿。美儿道："趁姨娘在此，奴家就拜别了爹妈出门，借姨娘家住一两日，择吉从良，未知姨娘允否？"刘四妈得了美娘许多谢礼，生怕九妈翻悔，巴不得美娘出了他门，完成一事，说道："正该如此。"当下美娘收拾了房中自己的梳台拜匣，皮箱铺盖之类。但是鸨儿家中之物，一毫不动。收拾已完，随着四妈出房，拜别了假爹假妈，和那姨娘行中，都相叫了。王九妈一般哭了几声。美娘唤人挑了行李，欣然上轿，同刘四妈到刘家去。四妈出一间幽静的好房，顿下美娘行李。众小娘都来与美娘叫喜。是晚，朱重差莘善到刘四妈家讨信，已知美娘赎身出来。择了吉日，笙箫鼓乐娶亲。刘四妈就做大媒送亲，朱重与花魁娘子花烛洞房，欢喜无限。

虽然旧事风流，不减新婚佳趣。

次日，莘善老夫妇请新人相见，各各相认，吃了一惊。问起根由，至亲三口，抱头而哭。朱重方才认得是丈人丈母。请他上坐，夫妻二人，重新拜见。亲邻闻知，无不骇然。是日，整备筵席，庆贺两重之喜，饮酒尽欢而散。三朝之后，美娘教丈夫备下几副厚礼，分送旧相知各宅，以酬其寄顿箱笼之恩，并报他从良信息。此是美娘有始有终处。王九妈、刘四妈家，各有礼物相送，无不感激。满月之后，美娘将箱笼打开，内中都是黄白之资，吴绫蜀锦，何止百计，共有三千余金，都将匙钥交付丈夫，慢慢的买房置产，整顿家当。油铺生理，都是丈人莘善管理。不上一年，把家业挣得花锦般相似，驱奴使婢，甚有气象。

朱重感谢天地神明保佑之德，发心于各寺庙喜舍合殿香烛一套，供琉璃灯油三个月；斋戒沐浴，亲往拈香礼拜。先从昭庆寺起，其他灵隐、法相、净慈、天竺等寺，以次而行。就中单说天竺寺，是观音大士的香火，有上天竺、中天竺、下天竺，三处香火俱盛，却是山路，不通舟楫。朱重叫从人挑了一担香烛、三担清油，自己乘轿而往。先到上天竺来。寺僧迎接上殿。老香火秦公点烛添香。此时朱重居移气，养移体①，仪容魁岸，非复幼时面目，秦公哪里认得他是儿子。只因油桶上有个大大的秦字，又有汴梁二字，心中甚以为奇。也是天然凑巧，刚刚到上天竺，偏用着这两只油桶。朱重拈香已毕，秦公托出茶盘，主僧奉茶。秦公问道："不敢动问施主，这油桶上为何有此三字？"朱重听得问声，带着汴梁人的土音，忙问道："老香火，你问他怎么？莫非也是汴梁人么？"秦公道："正是。"朱重道："你姓甚名谁？为何在此出家？共有几年了？"秦公把自己姓名乡里，细细告诉："某年上避兵来此，因无活计，将十三岁的儿子秦重，过继与朱家。如今有八年之远。一向为年老多病，不曾下山问得信息。"朱重一把抱住，放声大哭道："孩儿便是秦重。向在朱家挑油买卖。正为要访求父亲下落，故此于油桶上，写汴梁秦三字，做个标识。谁知此地相逢！真乃天与其便！"众僧见他父子别了八年，今朝重会，各各称奇。朱重这一日，就歇在上天竺，与父亲同宿，各叙情节。次日，取出中天竺、下天竺两个疏头②换过，内中朱重，仍改做秦重，复了本姓，两处烧香礼拜已毕，转到上天竺，要请父亲回家，安乐供养。秦公出家已久，吃素持斋，不愿随儿子回家。秦重道："父亲别了八年，孩儿有缺侍奉。况孩儿新娶媳妇，也得他拜见公公方是。"秦公只得依允。秦重将轿子让与父亲乘坐，自己步行，直到家中。秦重取出一套新衣，与父亲换了，中堂设坐，同妻莘氏双双参拜。亲家莘公、亲母阮氏，齐来见礼。此日大排筵席。秦公不肯开荤，素酒素食。次日，邻里敛财称贺。一则新婚，二则新娘子家眷团圆，三则父子重逢，四则秦小官归宗复姓：共是四重大喜。一连又吃了几日喜酒。秦公不愿家居，思想上天竺故处清净出家。秦重不敢违亲之志，将银二百两，于上天竺另造净室一所，送父亲到彼居住。其日用供给，按月送去。每十日亲往候问一次。每一季同莘氏往候一次。那秦公活到八十余，端坐而化。遗命葬于本山。此是后话。

---

① 居移气，养移体——环境变了，营养好了，会使人的气质、身体改变原样。

② 疏头——和尚、道士祈祷诵经之前所焚化的祝告文。

却说秦重和莘氏，夫妻偕老，生下两个孩儿，俱读书成名。至今风月中市语，凡夸人善于帮衬，都叫做“秦小官”，又叫“卖油郎”。有诗为证：

春来处处百花新，蜂蝶纷纷竞采春。
堪爱豪家多子弟，风流不及卖油人。

第四卷　灌园叟晚逢仙女

连宵风雨闭柴门，落尽深红只柳存。
欲扫苍苔且停帚，阶前点点是花痕。

这首诗为惜花而作。昔唐时有一处士姓崔，名玄微，平昔好道，不娶妻室，隐于洛东。所居庭院宽敞，遍植花卉竹木。构一室在万花之中，独处于内。童仆都居花外，无故不得辄入。如此三十余年，足迹不出园门。时值春日，院中花木盛开，玄微日夕徜徉其间。一夜，风清月朗，不忍舍花而睡。乘着月色，独步花丛中，忽见月影下，一青衣冉冉①而来。玄微惊讶道：“这时节哪得有女子到此行动？”心下虽然怪异，又说道：“且看他到何处去？”那青衣不往东，不往西，径至玄微面前，深深道个万福。玄微还了礼，问道：“女郎是谁家宅眷？因何深夜至此？”那青衣启一点朱唇，露两行碎玉道：“儿家与处士相近。今与女伴过上东门，访表姨，欲借处士院中暂憩，不知可否？”玄微见来得奇异，欣然许之。青衣称谢，原从旧路转去。不一时，引一队女子，分花约柳而来，与玄微一一相见。玄微就月下仔细看时，一个个姿容媚丽，体态轻盈，或浓或淡，妆束不一。随从女郎，尽皆妖艳。正不知从哪里来的。相见毕，玄微邀进室中，分宾主坐下。开言道：“请问诸位女娘姓氏。今访何姻戚，乃得光降敝园？”一衣绿裳者答道：“妾乃杨氏。”指一穿白的道：“此位李氏。”又指一衣绛服的道：“此位陶氏。”遂逐一指示。最后到一绯衣小女，乃道：“此位姓石，名阿措。我等虽则异姓，俱是同行姊妹。因封家十八姨，数日云欲来相看，不见其至。今夕月色甚佳，故与姊妹们同往候之。二来素蒙处士爱重，妾等顺便相谢。”

---

① 冉冉（rǎn）——慢慢地。

玄微方待酬答，青衣报道："封家姨①至。"众皆惊喜出迎。玄微闪过半边观看。众女子相见毕，说道："正要来看十八姨，为主人留坐，不意姨至，足见同心。"各向前致礼。十八姨道："屡欲来看卿等，俱为使命所阻。今乘间至此。"众女道："如此良夜，请姨宽坐，当以一尊为寿。"遂授旨青衣去取。十八姨问道："此地可坐否？"杨氏道："主人甚贤，地极清雅。"十八姨道："主人安在？"玄微趋出相见。举目看十八姨，体态飘逸，言词泠泠有林下风气②。近其旁，不觉寒气侵肌，毛骨悚然。逊入堂中，侍女将桌椅已是安排停当。请十八姨居于上席，众女挨次而坐，玄微末位相陪。不一时，众青衣取到酒肴，摆设上来。佳肴异果，罗列满案。酒味醇美，其甘如饴，俱非人世所有。此时月色倍明，室中照耀，如同白日。满坐芳香，馥馥袭人。宾主酬酢，杯觥交杂③。酒至半酣，一红裳女子满斟大觥，送与十八姨道："儿有一歌，请为歌之。"歌云：

绛衣披拂露盈盈，淡染胭脂一朵轻。
自恨红颜留不住，莫怨春风道薄情。

歌声清婉，闻者皆凄然。又一白衣女子送酒道："儿亦有一歌。"歌云：

皎洁玉颜胜白雪，况乃当年对芳月。
沉吟不敢怨春风，自叹容华暗消歇。

其音更觉惨切。那十八姨性颇轻佻，却又好酒。多了几杯，渐渐狂放。听了二歌，乃道："值此芳辰美景，宾主正欢，何遽作伤心语！歌旨又深刺干④，殊为慢客，须各罚以大觥，当另歌之。"遂手斟一杯递来。酒醉手软，持不甚牢，杯才举起，不想袖在箸上一兜，扑碌的连杯打翻。这酒若翻在别个身上，却也罢了，恰恰里尽泼在阿措身上。阿措年娇貌美，性爱整齐，穿的却是一件大红簇花绯衣。那红衣最忌的是酒，才沾滴点，其色便败，怎经得这一大杯酒！况且阿措也有七八分酒意，见污了衣服，作色道："诸姊妹有所求，吾不畏尔！"即起身往外就走。十八姨也怒道："小女弄酒，敢与吾为抗耶？"亦拂衣而起。众女子留之不住，齐劝道："阿措年幼，醉后无

---

① 封家姨——神话故事中的风神，也叫作"封家十八姨"或"风姨"。

② 林下风气——形容妇女闲雅飘逸的风采、举动不俗的样子。

③ 宾主酬酢(zuò)，杯觥(gōng)交杂——宾主相互敬酒的热闹情形。酬：向客人敬酒；酢：向主人敬酒。

④ 刺干——刺，讽刺；干，冒犯。

状，望勿记怀。明日当率来请罪！”相送下阶。十八姨忿忿向东而去。众女子与玄微作别，向花丛中四散而走。玄微欲观其踪迹，随后送之。步急苔滑，一交跌倒。挣起身来看时，众女子俱不见了。心中想道：“是梦却又未曾睡卧。若是鬼，又衣裳楚楚，言语历历。是人，如何又倏然①无影？”胡猜乱想，惊疑不定。回入堂中，桌椅依然，摆设杯盘，一毫已无，惟觉余馨满室。虽异其事，料非祸祟，却也无惧。

到次晚，又往花中步玩。见诸女子已在，正劝阿措往十八姨处请罪。阿措怒道：“何必更恳此老妪？有事只求处士足矣。”众皆喜道：“妹言甚善。”齐向玄微道：“吾姊妹皆住处士苑中，每岁多被恶风所挠，居止不安。常求十八姨相庇。昨阿措误触之，此后应难取力。处士倘肯庇护，当有微报耳。”玄微道：“某有何力，得庇诸女？”阿措道：“只求处士每岁元旦，作一朱幡，上图日月五星之文，立于苑东，吾辈则安然无恙矣。今岁已过，请于此月二十一日平旦，微有东风，即立之，可免本日之难。”玄微道：“此乃易事，敢不如命。”齐声谢道：“得蒙处士慨允，必不忘德。”言讫而别，其行甚疾，玄微随之不及。忽一阵香风过处，各失所在。玄微欲验其事，次日即制办朱幡。候至廿一日，清早起来，果然东风微拂。急将幡竖立苑东。少顷，狂风振地，飞沙走石，自洛南一路，摧林折树，苑中繁花不动。玄微方晓诸女者，众花之精也。绯衣名阿措，即安石榴也。封十八姨，乃风神也。到次晚，众女各裹桃李花数斗来谢道：“承处士脱某等大难，无以为报。饵②此花英，可延年却老。愿长如此卫护，某等亦可收长生。”玄微依其言服之，果然容颜转少，如三十许人。后得道仙去。有诗为证：

洛中处士爱栽花，岁岁朱幡绘采茶。
学得餐英堪不老，何须更觅枣如瓜③。

列位莫道小子说风神与花精往来，乃是荒唐之语。那九州四海之中，目所未见，耳所未闻，不载史册，不见经传，奇奇怪怪，跷跷蹊蹊的事，不知有多多少少。就是张华的《博物志》，也不过志其一二；虞世南的行书厨④，

① 倏(shū)然——迅速，极快地。
② 饵——吃。
③ 枣如瓜——神仙故事中，传说仙地出产的枣和仙人生吃的枣像瓜一样大。
④ 行书厨——活的书柜子。用来比喻虞世南的博学多闻强记。

也包藏不得许多。此等事甚是平常，不足为异。然虽如此，又道是子不语怪①，且搁过一边。只那惜花致福，损花折寿，乃见在功德，须不是乱道。列位若不信时，还有一段《灌园叟晚逢仙女》的故事，待小子说与列位看官们听。若平日爱花的，听了自然将花分外珍重。内中或有不惜花的，小子就将这话劝他，惜花起来。虽不能得道成仙，亦可以消闲遣闷。

你道这段话文出在哪个朝代？何处地方？就在大宋仁宗年间，江南平江府东门外长乐村中。这村离城只去三里之远。村上有个老者，姓秋名先，原是庄家出身，有数亩田地，一所草房。妈妈水氏已故，别无儿女。那秋先从幼酷好栽花种果，把田业都撇弃了，专于其事。若偶觅得种异花，就是拾着珍宝，也没有这般欢喜。随你极紧要的事出外，路上逢着人家有树花儿，不管他家容不容，便赔着笑脸，挨进去求玩。若平常花木，或家里也在正开，还转身得快。倘然是一种名花，家中没有的，虽或有，已开过了，便将正事撇在半边，依依不舍，永日忘归。人都叫他是花痴。或遇见卖花的有株好花，不论身边有钱无钱，一定要买。无钱时便脱身上衣服去解当。也有卖花的知他癖性，故高其价，也只得忍贵买回。又有那破落户晓得他是爱花的，各处寻觅好花折来，把泥假捏个根儿哄他，少不得也买。有恁般奇事！将来②种下，依然肯活。日积月累，遂成了一个大园。那园周围编竹为篱，篱上交缠蔷薇、荼蘼、木香、刺梅、木槿、棣棠、金雀，篱边撒下蜀葵、凤仙、鸡冠、秋葵、莺粟等种。更有那金萱、百合、剪春罗、剪秋罗、满地娇、十样锦、美人蓼、山踯躅、高良姜、白蛱蝶、夜落金钱、缠枝牡丹等类，不可枚举。遇开放之时，烂如锦屏。远离数步，尽植名花异卉。一花未谢，一花又开。向阳设两扇柴门，门内一条竹径，两边都结柏屏遮护。转过柏屏，便是三间草堂。房虽草覆，却高爽宽敞，窗槅明亮。堂中挂一幅无名小画，设一张白木卧榻。桌凳之类。色色洁净。打扫得地下无纤毫尘垢。堂后精舍数间，卧室在内。那花卉无所不有，十分繁茂。真个四时不谢，八节③长春。但见：

---

① 子不语怪——是说孔子平常不讲怪异之事。

② 将来——拿来。

③ 四时、八节——四时：春夏秋冬。八节：立春、春分、立夏、夏至、立秋、秋分、立冬、冬至。

梅标清骨,兰挺幽芳。茶呈雅韵,李谢浓妆。杏娇疏雨,菊傲严霜。水仙冰肌玉骨,牡丹国色天香。玉树亭亭阶砌,金莲冉冉池塘。芍药芳姿少比,石榴丽质无双。丹桂飘香月窟,芙蓉冷艳寒江。梨花溶溶夜月,桃花灼灼朝阳。山茶花宝珠称贵,蜡梅花磬口①方香。海棠花西府②为上,瑞香花金边最良。玫瑰杜鹃,烂如云锦,绣球郁李,点缀风光。说不尽千般花卉,数不了万种芬芳。

篱门外,正对着一个大湖,名为朝天湖,俗名荷花荡。这湖东连吴淞江,西通震泽,南接庞山湖。湖中景致,四时晴雨皆宜。秋先于岸旁堆土作堤,广植桃柳。每至春时,红绿间发,宛似西湖胜景。沿湖遍插芙蓉,湖中种五色莲花。盛开之日,满湖锦云烂熳,香气袭人,小舟荡桨采菱,歌声泠泠。遇斜风微起,偎船竞渡,纵横如飞。柳下渔人,舣船晒网。也有戏鱼的,结网的,醉卧船头的,没水赌胜的,欢笑之音不绝。那赏莲游人,画船箫管鳞集,至黄昏回棹,灯火万点,间以星影萤光,错落难辨。深秋时,霜风初起,枫林渐染黄碧,野岸衰柳芙蓉,杂间白苹红蓼,掩映水际;芦苇中鸿雁群集,嘹呖干云③,哀声动人。隆冬天气,彤云密布,六花飞舞,上下一色。那四时景致,言之不尽。有诗为证:

朝天湖畔水连天,不唱渔歌即采莲。
小小茅堂花万种,主人日日对花眠。

按下散言,且说秋先每日清晨起来,扫净花底落叶,汲水逐一灌溉。到晚上又浇一番。若有一花将开,不胜欢跃。或暖壶酒儿,或烹瓯茶儿,向花深深作揖,先行浇奠,口称花万岁三声,然后坐于其下,浅斟细嚼。酒酣兴到,随意歌啸。身子倦时,就以石为枕,卧在根旁。自半含至盛开,未尝暂离。如见日色烘烈,乃把棕拂蘸水沃之。遇着月夜,便连宵不寐。倘值了狂风暴雨,即披蓑顶笠,周行花间检视。遇有欹枝,以竹扶之。虽夜间,还起来巡看几次。若花到谢时,则累日叹息,常至堕泪。又不舍得那些落花,以棕拂轻轻拂来,置于盘中,时常观玩。直至干枯,装入净瓮。满

---

① 磬口——或作"罄口",蜡梅的一种。花五瓣,就是盛开的时候,也常常半含;出自河南,色香形都是第一。

② 西府——海棠中四种之一。树略高,叶茂枝柔,花色浅绛如深胭脂色。

③ 干云——形容声音响亮,上冲云天的意思。

瓮之日，再用茶酒浇奠，惨然若不忍释。然后亲捧其瓮，深埋长堤之下，谓之“葬花”。倘有花片，被雨打泥污的，必以清水再四涤净，然后送入湖中，谓之“浴花”。

平昔最恨的是攀枝折朵。他也有一段议论，道：“凡花一年只开得一度，四时中只占得一时，一时中又只占得数日。他熬过了三时的冷淡，才讨得这数日的风光。看他随风而舞，迎人而笑，如人正当得意之境，忽被摧残，巴此数日甚难，一朝折损甚易。花若能言，岂不嗟叹。况就此数日间，先犹含蕊，后复零残。盛开之时，更无多了。又有蜂采鸟啄虫钻，日炙风吹，雾迷雨打，全仗人去护惜他，却反恣意拗折，于心何忍！且说此花自芽生根，自根生本，强者为干，弱者为枝。一干一枝。不知养成了多少年月。及候至花开，供人清玩，有何不美，定要折他！花一离枝，再不能上枝，枝一去干，再不能附干，如人死不可复生，刑不可复赎，花若能言，岂不悲泣！又想他折花的，不过择其巧干，爱其繁枝，插之瓶中，置之席上，或供宾客片时侑酒①之欢，或助婢妾一日梳妆之饰，不思客觞可饱玩于花下，闺妆可借巧于人工。手中折了一枝，鲜花就少了一枝。今年伐了此干，明年便少了此干。何如延其性命，年年岁岁，玩之无穷乎？还有未开之蕊，随花而去，此蕊竟槁灭枝头，与人之童竘何异。又有原非爱玩，趁兴攀折。既折之后，拣择好歹，逢人取讨，即便与之。或随路弃掷，略不顾惜。如人横祸枉死，无处申冤。花若能言，岂不痛恨！”他有了这段议论，所以生平不折一枝，不伤一蕊。就是别人家园上，他心爱着哪一种花儿，宁可终日看玩。假饶②那花主人要取一枝一朵来赠他，他连称罪过，决然不要。若有旁人要来折花者，只除他不看见罢了；他若见时，就把言语再三劝止。人若不从其言，他情愿低头下拜，代花乞命。人虽叫他是花痴，多有可怜他一片诚心，因而住手者，他又深深作揖称谢。又有小厮们要折花卖钱的，他便将钱与之，不教折损。或他不在时，被人折损，他来见有损处，必凄然伤感，取泥封之，谓之“医花”。为这件上，所以自己园中不轻易放人游玩。偶有亲戚邻友要看，难好回时，先将此话讲过，才放进去。又恐秽气触花，只许远观，不容亲近。倘有不达时务的，捉空摘了一花一蕊，那老

① 侑（yòu）酒——劝人喝酒。

② 假饶——假使。

儿便要面红颈赤,大发喉急①。下次就打骂他,也不容进去看了。后来人都晓得了他的性子,就一叶儿也不敢摘动。

大凡茂林深树,便是禽鸟的巢穴。有花果处,越发千百为群。如单食果实,倒还是小事。偏偏只拣花蕊啄伤。惟有秋先却将米谷置于空处饲之,又向禽鸟祈祝。那禽鸟却也有知觉,每日食饱,在花间低飞轻舞,宛啭娇啼,并不损一朵花蕊,也不食一个果实。故此产的果品最多,却又大而甘美。每熟时就先望空祭了花神,然后敢尝。又遍送左近邻家试新,余下的方鬻②。一年倒有若干利息。那老者因得了花中之趣,自少至老,五十余年,略无倦意。筋骨愈觉强健。粗衣淡饭,悠悠自得。有得赢余,就把来周济村中贫乏。自此合村无不敬仰,又呼为秋公。他自称为灌园叟。有诗为证:

朝灌园兮暮灌园,灌成园上百花鲜。
花开每恨看不足,为爱看园不肯眠。

话分两头。却说城中有一人姓张,名委,原是个宦家子弟;为人奸狡诡谲,残忍刻薄。恃了势力,专一欺邻吓舍,扎害良善。触着他的,风波立至,必要弄得那人破家荡产,方才罢手。手下用一班如狼似虎的奴仆,又有几个助恶的无赖子弟,日夜合做一块,到处闯祸生灾,受其害者无数。不想却遇了一个又狠似他的,轻轻捉去,打得个臭死。及至告到官司,又被那人弄了些手脚③,反问输了。因装了幌子,自觉无颜,带了四五个家人,同那一班恶少暂在庄上遣闷。那庄正在长乐村中,离秋公家不远。一日早饭后,吃得半酣光景,向村中闲走,不觉来到秋公门首。只见篱上花枝鲜媚,四围树木繁翳,齐道:"这所在倒也幽雅!是哪家的?"家人道:"此是种花秋公园上,有名叫做花痴。"张委道:"我常闻得说庄边有什么秋老儿,种得异样好花。原来就住在此。我们何不进去看看?"家人道:"这老儿有些古怪,不许人看的。"张委道:"别人或者不肯,难道我也是这般?快去敲门!"那时园中牡丹盛开,秋公刚刚浇灌完了,正将着一壶酒儿,两碟果品,在花下独酌,自取其乐。饮不上三杯,只听得砰砰的敲门响,放下酒

---

① 喉急——特别着急、生气。
② 鬻(yù)——卖。
③ 弄了些手脚——使了些手段、办法。

杯，走出来开门一看，见站着五六个人，酒气直冲。秋公料道必是要看花的，便拦住门口，问道："列位有甚事到此？"张委道："你这老儿不认得我么？我乃城里有名的张衙内。那边张家庄便是我家的。闻得你园中好花甚多，特来游玩。"秋公道："告衙内，老汉也没种甚好花，不过是桃杏之类，都已谢了。如今并没别样花卉。"张委睁起双眼道："这老儿恁般可恶！看看花儿打甚紧，却便回我没有。难道吃了你的？"秋公道："不是老汉说谎，果然没有。"张委哪里肯听，向前叉开手，当胸一㧐，秋公站立不牢，踉踉跄跄，直撞过半边。众人一齐拥进。秋公见势头凶恶，只得让他进去，把篱门掩上，随着进来，向花下取过酒果，站在旁边。众人看那四边花草甚多，惟有牡丹最盛。那花不是寻常玉楼春之类，乃五种有名异品。哪五种？

黄楼子　绿蝴蝶　西瓜穰　舞青猊　大红狮头①

这牡丹乃花中之王，惟洛阳为天下第一。有"姚黄"、"魏紫"②名色，一本价值五千。你道因何独盛于洛阳？只为昔日唐朝有个武则天皇后，淫乱无道，宠幸两个官儿，名唤张易之、张昌宗，于冬月之间，要游后苑，写出四句诏来，道：

来朝游上苑，火速报春知。
百花连夜发，莫待晓风吹。

不想武则天原是应运之主，百花不敢违旨，一夜发蕊开花。次日驾幸后苑，只见千红万紫，芳菲满目，单有牡丹花有些志气，不肯奉承女主幸臣，要一根叶儿也没有。则天大怒，遂贬于洛阳。故此洛阳牡丹冠于天下。有一只《上楼春》词，单赞牡丹花的好处。词云：

名花绰约东风里，占断韶华都在此。芳心一片可人怜，春色三分愁雨洗。　玉人尽日恹恹地，猛被笙歌惊破睡。起临妆镜似娇羞，近日伤春输与你。

那花正种在草堂对面，周围以湖石拦之，四边竖个木架子，上覆布幔，遮蔽日色。花本高有丈许，最低亦有六七尺，其花大如丹盘，五色灿烂，光华夺目。众人齐赞："好花！"张委便踏上湖石去嗅那香气。秋先极怪的是

---

① 黄楼子、绿蝴蝶、西瓜穰、舞青猊、大红狮头——牡丹不同品种的名称。

② "姚黄"、"魏紫"——姚黄，千叶黄花，出于姚氏家。魏紫，千叶肉红花，出于魏氏家。是宋代牡丹花的名贵品种。

这节,乃道:“衙内站远些看,莫要上去。”张委恼他不容进来,心下正要寻事,又听了这话,喝道:“你那老儿住在我庄边,难道不晓得张衙内名头么?有恁样好花,故意回说没有。不计较就够了,还要多言,哪见得闻一闻就坏了花?你便这般说,我偏要闻。”遂把花逐朵攀下来,一个鼻子凑在花上去嗅。那秋老在旁,气得敢怒而不敢言。也还道略看一回就去,谁知这厮故意卖弄道:“有恁样好花,如何空过?须把酒来赏玩。”吩咐家人快去取。秋公见要取酒来赏,更加烦恼,向前道:“所在蜗窄①,没有坐处。衙内止看看花儿,酒还到贵庄上去吃。”张委指着地上道:“这地下尽好坐。”秋公道:“地上齷齪,衙内如何坐得?”张委道:“不打紧,少不得有毡条遮衬。”不一时,酒肴取到,铺下毡条,众人团团围坐,猜拳行令,大呼小叫,十分得意。只有秋公骨笃了嘴②,坐在一边。

那张委看见花木茂盛,就起个不良之念,思想要吞占他的。斜着醉眼,向秋公道:“看你这蠢老儿不出,倒会种花,却也可取。赏你一杯。”秋公哪里有好气答他,气忿忿的道:“老汉天性不会饮酒。不敢从命。”张委又道:“你这园可卖么?”秋公见口声来得不好,老大惊讶,答道:“这园是老汉的性命,如何舍得卖?”张委道:“什么性命不性命!卖与我罢了。你若没去处,一发③连身归在我家。又不要做别事,单单替我种些花木,可不好么?”众人齐道:“你这老儿好造化,难得衙内恁般看顾。还不快些谢恩?”秋公看见逐步欺负上来,一发气得手足麻软,也不去睬他。张委道:“这老儿可恶!肯不肯,如何不答应我?”秋公道:“说过不卖了,怎的只管问?”张委道:“放屁!你若再说句不卖,就写帖儿,送到县里去。”秋公气不过,欲要抢白几句,又想一想,他是有势力的人,却又醉了,怎与他一般样见识?且哄了去再处④。忍着气答道:“衙内总要买,必须从容一日,岂是一时急骤的事。”众人道:“这话也说得是。就在明日罢。”此时都已烂醉,齐立起身。家人收拾家伙先去。秋公恐怕折花,预先在花边防护。那张委真个走向前,便要踹上湖石去采。秋先扯住道:“衙内,这花虽是微物,但一年

① 蜗窄——像蜗牛壳一样狭窄。

② 骨笃了嘴——噘着嘴,生气的样子。骨笃,又写作“骨都”,鼓起、翘起的意思。

③ 一发——这里是一起的意思,下面的“一发”是越发、更加的意思。

④ 再处——再想办法。

间不知废多少工夫，才开得这几朵。不争①折损了，深为可惜。况折去不过二三日就谢了，何苦作这样罪过！”张委喝道：“胡说！有甚罪过！你明日卖了，便是我家之物。就都折尽，与你何干！”把手去推开。秋公揪住死也不放，道：“衙内便杀了老汉，这花决不与你摘的。”众人道：“这老儿其实可恶！衙内采朵花儿，值什么大事，装出许多模样！难道怕你就不摘了？”遂齐走上前乱摘。把那老儿急得叫屈连天，舍了张委，拚命去拦阻。扯了东边，顾不得西首。顷刻间摘下许多。秋老心疼肉痛，骂道：“你这班贼男女，无事登门，将我欺负，要这性命何用！”赶向张委身边，撞个满怀。去得势猛，张委又多了几杯酒，把脚不住，翻筋斗跌倒。众人都道：“不好了！衙内打坏也！”齐将花撇下，便赶过来，要打秋公。内中有一个老成些的，见秋公年纪已老，恐打出事来，劝住众人，扶起张委。张委因跌了这交，心中转恼，赶上前打得个只蕊不留，撒作遍地，意犹未足，又向花中践踏一回。可惜好花，正是：

老拳毒手交加下，翠叶娇花一旦休。

好似一番风雨恶，乱红零落没人收。

当下只气得个秋公怆地呼天②，满地乱滚。邻家听得秋公园中喧嚷，齐跑进来。看见花枝满地狼藉，众人正在行凶，邻里尽吃一惊，上前劝住。问知其故，内中倒有两三个是张委的租户，齐替秋公赔个不是，虚心冷气，送出篱门。张委道：“你们对那老贼说，好好把园送我，便饶了他。若说半个不字，须教他仔细着。”恨恨而去。邻里们见张委醉了，只道酒话，不在心上。覆身转来，将秋公扶起，坐在阶沿上。那老儿放声号恸。众邻里劝慰了一番，作别出去，与他带上篱门，一路行走。内中也有怪秋公平日不容看花的，便道：“这老官儿真个忒煞古怪，所以有这样事，也得他经一遭儿，警戒下次。”内中又有直道的道：“莫说这没天理的话！自古道：种花一年，看花十日。那看的但觉好看，赞声好花罢了，怎得知种花的烦难。只这几朵花，正不知费了许多辛苦，才培植得恁般茂盛。如何怪得他爱惜！”

不提众人，且说秋公不舍得这些残花，走向前将手去捡起来看，见践

---

① 不争——假使，如果。

② 怆地呼天——怆地，即抢地，用头触地。呼天，喊天。形容着急时乱撞乱叫的样子。

踏得凋残零落，尘垢沾污，心中凄惨，又哭道："花阿！我一生爱护，从不曾损坏一瓣一叶，哪知今日遭此大难！"正哭之间，只听得背后有人叫道："秋公为何恁般痛哭？"秋公回头看时，乃是一个女子，年约二八①，姿容美丽，雅淡梳妆，却不认得是谁家之女。乃收泪问道："小娘子是哪家？至此何干？"那女子道："我家住在左近。因闻你园中牡丹花茂盛，特来游玩，不想都已谢了。"秋公提起牡丹二字，不觉又哭起来。女子道："你且说有甚苦情，如此啼哭？"秋公将张委打花之事说出。那女子笑道："原来为此缘故。你可要这花原②上枝头么？"秋公道："小娘子休得取笑！哪有落花返枝的理？"女子道："我祖上传得个落花返枝的法术，屡试屡验。"秋公听说，化悲为喜道："小娘子真个有这法术么？"女子道："怎的不真？"秋公倒身下拜道："若得小娘子施此妙术，老汉无以为报，但每一种花开，便来相请赏玩。"女子道："你且莫拜，去取一碗水来。"秋公慌忙跳起去取水，心下又转道："如何有这样妙法？莫不是见我哭泣，故意取笑？"又想道："这小娘子从不相认。岂有要我之理。还是真的。"急舀了一碗清水出来。抬头不见了女子，只见那花都已在枝头，地下并无一瓣遗存。起初每本一色，如今却变做红中间紫，淡内添浓，一本五色俱全，比先更觉鲜妍。有诗为证：

曾闻湘子将花染③，又见仙姬会返枝。

信是至诚能动物，愚夫犹自笑花痴。

当下秋公又惊又喜道："不想这小娘子果然有此妙法。"只道还在花丛中，放下水，前来作谢。园中团团寻遍，并不见影。乃道："这小娘子如何就去了？"又想道："必定还在门口。须上去求他，传了这个法儿。"一径赶至门边，那门却又掩着。拽开看时，门首坐着两个老者，就是左右邻家，一个唤做虞公，一个叫做单老，在那里看渔人晒网。见秋公出来，齐立起身拱手道："闻得张衙内在此无理，我们恰往田头，没有来问得。"秋公道："不要说起，受了这班泼男女的怄气。亏着一位小娘子走来，用个妙法，救起许多花朵，不曾谢得他一声，径出来了。二位可看见往哪一边去的？"二老

---

① 二八——十六岁。

② 原——再。

③ 湘子将花染——神仙故事传说韩湘子能在筵席间聚一堆土，用盆盖着，过一会儿就长出碧牡丹来。

闻言，惊讶道："花坏了，有甚法儿救得？这女子去几时了？"秋公道："刚方出来。"二老道："我们坐在此好一回，并没个人走动，哪见什么女子？"秋公听说，心下恍悟道："恁般说，莫不这位小娘子是神仙下降？"二老问道："你且说怎的救起花儿？"秋公将女子之事叙了一遍。二老道："有如此奇事！待我们去看看。"秋公将门拴上，一齐走至花下，看了连声称异道："这定然是个神仙。凡人哪有此法力！"秋公即焚起一炉好香，对天叩谢。二老道："这也是你平日爱花心诚，所以感动神仙下降。明日索性倒教张衙内这几个泼男女看看，羞杀了他。"秋公道："莫要！莫要！此等人即如恶犬，远远见了就该避之，岂可还引他来。"二老道："这话也有理。"秋公此时非常欢喜，将先前那瓶酒热将起来，留二老在花下玩赏，至晚而别。二老回去，即传合村人都晓得，明日俱要来看，还恐秋公不许。谁知秋公原是有意思的人，因见神仙下降，遂有出世之念，一夜不寐，坐在花下存想。想至张委这事，忽地开悟道："此皆是我平日心胸褊窄，故外侮得至。若神仙汪洋度量，无所不容，安得有此！"至次早，将园门大开，任人来看。先有几个进来打探，见秋公对花而坐，但吩咐道："任凭列位观看，切莫要采便了。"众人得了这话，互相传开。那村中男子妇女，无有不至。

按下此处，且说张委至次早，对众人说："昨日反被那老贼撞了一交，难道轻恕了不成？如今再去要他这园。不肯时，多教些人从，将花木尽打个希烂，方出这气。"众人道："这园在衙内庄边，不怕他不肯。只是昨日不该把花都打坏，还留几朵，后日看看，便是。"张委道："这也罢了。少不得来年又发。我们快去，莫要使他停留长智①。"众人一齐起身，出得庄门，就有人说："秋公园上神仙下降，落下的花，原都上了枝头，却又变做五色。"张委不信道："这老贼有何好处，能感神仙下降？况且不前不后，刚刚我们打坏，神仙就来？难道这神仙是养家的②不成？一定是怕我们又去，故此诌这话来央人传说。见得他有神仙护卫，使我们不摆布他。"众人道："衙内之言极是。"顷刻，到了园门口，见两扇柴门大开，往来男女络绎不绝，都是一般说话。众人道："原来真有这等事！"张委道："莫管他，就是神仙现坐着，这园少不得要的。"弯弯曲曲，转到草堂前，看时，果然话不虚传。这

① 停留长智——时间久了，对方就会想出对付的办法。

② 养家的——养在家里的。

花却也奇怪，见人来看，姿态愈艳，光采倍生，如对人笑的一般。张委心中虽十分惊讶，那吞占念头，全然不改。看了一回，忽地又起一个恶念，对众人道："我们且去。"齐出了园门。众人问道："衙内如何不与他要园?"张委道："我想得个好策在此，不消与他说得，这园明日就归于我。"众人道："衙内有何妙算?"张委道："现今贝州王则谋反①，专行妖术。枢密府行下文书来，天下军州严禁左道，捕缉妖人。本府见出三千贯赏钱，募人出首②。我明日就将落花上枝为由，教张霸到府，首他以妖术惑人。这个老儿熬刑不过，自然招承下狱。这园必定官卖。那时谁个敢买他的？少不得让与我。还有三千贯赏钱哩。"众人道："衙内好计！事不宜迟，就去打点起来。"当时即进城，写下首状。次早，教张霸到平江府出首。这张霸是张委手下第一出尖的人，衙门情熟，故此用他。大尹正在缉访妖人，听说此事，合村男女都见的，不由不信。即差缉捕使臣带领几个做公的，押张霸作眼③，前去捕获。张委将银布置停当，让张霸与缉捕使臣先行，自己与众子弟随后也来。缉捕使臣一径到秋公园上。那老儿还道是看花的，不以为意。众人发一声喊，赶上前一索捆翻。秋公吃这一吓不小。问道："老汉有何罪犯？望列位说个明白。"众人口口声声，骂做妖人反贼，不由分诉，拥出门来。邻里看见，无不失惊，齐上前询问。缉捕使臣道："你们还要问么？他所犯的事也不小，只怕连村上人都有份哩。"那些愚民，被这大话一吓，心中害怕，尽皆洋洋走开，惟恐累及。只有虞公、单老，同几个平日与秋公相厚的，远远跟来观看。

且说张委俟秋公去后，便与众子弟来锁园门。恐还有人在内，又检点一过，将门锁上。随后赶上府前。缉捕使臣已将秋公解进。跪在月台上，见旁边又跪着一人，却不认得是谁。那些狱卒都得了张委银子，已备下诸般刑具伺候。大尹喝道："你是何处妖人，敢在此地方上将妖术煽惑百姓？有几多党羽？从实招来！"秋公闻言，恰如黑暗中闻个火炮，正不知从何处起的。禀道："小人家世住于长乐村中，并非别处妖人，也不晓得什么妖

---

① 贝州王则谋反——北宋仁宗庆历七年，河北起义士兵领袖王则在贝州(今河北清河县西北)发动兵变。他被推为东平郡王，前后66天，兵败被杀。

② 募人出首——征求人出来告发。首，告发别人的罪行。

③ 作眼——做眼线。带人去捉拿人。

术。”大尹道：“前日你用妖术使落花上枝，还敢抵赖！”秋公见说到花上，情知是张委的缘故。即将张委要占园打花，并仙女下降之事，细诉一遍。不想那大尹性是偏执的，哪里肯信，乃笑道：“多少慕仙的，修行至老，尚不能得遇神仙；岂有因你哭，花仙就肯来？既来了，必定也留个名儿，使人晓得，如何又不别而去？这样话哄哪个！不消说得，定然是妖人。快夹起来！”狱卒们齐声答应，如狼虎一般，蜂拥上来，揪翻秋公，扯腿拽脚，刚要上刑，不想大尹忽然一个头晕，险些儿跌下公座。自觉头目森森①，坐身不住。吩咐上了枷杻②，发下狱中监禁，明日再审。狱卒押着，秋公一路哭泣出来。看见张委，道：“张衙内，我与你前日无怨，往日无仇，如何下此毒手，害我性命！”张委也不答应，同了张霸，和那一班恶少，转身就走。虞公、单老，接着秋公，问知其细，乃道：“有这等冤枉的事！不打紧，明日同合村人，具张连名保结，管你无事。”秋公哭道：“但愿得如此，便好。”狱卒喝道：“这死囚还不走！只管哭什么！”秋公含着眼泪进狱。邻里又寻些酒食，送至门上。那狱卒谁个拿与他吃，竟接来自去受用。到夜间，将他上了囚床，就如活死人一般，手足不能少展。心中苦楚，想道：“不知哪位神仙救了这花，却又被那厮借此陷害。神仙呵！你若怜我秋先，亦来救拔性命，情愿弃家入道。”一头正想，只见前日那仙女，冉冉而至。秋公急叫道：“大仙救拔弟子秋先则个③！”仙女笑道：“汝欲脱离苦厄么？”上前把手一指，那枷杻纷纷自落。秋先爬起来，向前叩头道：“请问大仙姓氏。”仙女道：“吾乃瑶池王母座下司花女，怜汝惜花志诚，故令诸花返本。不意反资奸人谗口。然亦汝命中合有此灾，明日当脱。张委损花害人，花神奏闻上帝，已夺其算④。助恶党羽，俱降大灾。汝宜笃志修行，数年之后，吾当度汝。”秋先又叩首道：“请问上仙修行之道。”仙女道：“修仙径路甚多，须认本源。汝原以惜花有功，今亦当以花成道。汝但饵百花，自能身轻飞举。”遂教其服食之法。秋先稽首叩谢起来，便不见了仙子。抬头观看，却在狱

---

① 头目森森——头昏目眩。森森，繁密的样子，这里有昏乱的意思。

② 枷杻(chǒu)——古代刑具。枷，套在犯人颈上的刑具。杻，夹在犯人手上的刑具。

③ 则个——加重语气的语助词。

④ 算——寿数，寿命。

墙之上，以手招道："汝亦上来，随我出去。"秋先便向前攀援了一大回，还只到得半墙，甚觉吃力。渐渐至顶，忽听得下边一棒锣声，喊道："妖人走了，快拿下！"秋公心下惊慌，手酥脚软，倒撞下来，撇然惊觉，原在囚床之上。想起梦中言语，历历分明，料必无事，心中稍宽。正是：

但存方寸无私曲，料得神明有主张。

且说张委见大尹已认做妖人，不胜欢喜。乃道："这老儿许多清奇古怪，今夜且请在囚床上受用一夜，让这园儿与我们乐罢。"众人都道："前日还是那老儿之物，未曾尽兴。今日是大爷的了，须要尽情欢赏。"张委道："言之有理！"遂一齐出城，教家人整备酒肴，径至秋公园上，开门进去。那邻里看见是张委，心下虽然不平，却又惧怕，谁敢多口。且说张委同众子弟走至草堂前，只见牡丹枝头一朵不存，原如前日打下时一般，纵横满地。众人都称奇怪。张委道："看起来，这老贼果系有妖法的。不然，如何半日上倏尔又变了？难道也是神仙打的？"有一个子弟道："他晓得衙内要赏花，故意弄这法儿来吓我们。"张委道："他便弄这法儿，我们就赏落花。"当下依原①铺设毡条，席地而坐，放开怀抱恣饮。也把两瓶酒赏张霸到一边去吃。看看饮至月色挫西，俱有半酣之意，忽地起一阵大风。那风好利害！

善聚庭前草，能开水上萍。

腥闻群虎啸，响合万声松。

那阵风却把地下这些花朵吹得都直竖起来，眨眼间俱变做一尺来长的女子。众人大惊，齐叫道："怪哉！"言还未毕，那些女子迎风一晃，尽已长大，一个个姿容美丽，衣服华艳，团团立做一大堆。众人因见恁般标致，通看呆了。内中一个红衣女子却又说起话来，道："吾姊妹居此数十余年，深蒙秋公珍重护惜。何意蓦遭狂奴，俗气熏炽，毒手摧残，复又诬陷秋公，谋吞此地。今仇在目前，吾姊妹曷②不戮力击之！上报知己之恩，下雪摧残之耻，不亦可乎？"众女郎齐声道："阿妹之言有理！须速下手，毋使潜遁！"说罢，一齐举袖扑来。那袖似有数尺之长，如风翻乱飘，冷气入骨。众人齐叫有鬼，撇了家伙，望外乱跑。彼此各不相顾。也有被石块打脚的，也有被树枝抓翻的，也有跌而复起，起而复跌的，乱了多时，方才收脚。

---

① 依原——依旧。

② 曷(hé)——何。

点检人数都在，单不见了张委、张霸二人。此时风已定了，天色已昏。这班子弟各自回家，恰像捡得性命一般，抱头鼠窜而去。家人喘息定了，方唤几个生力庄客，打起火把，覆身去抓寻①。直到园上，只听得大梅树下有呻吟之声。举火看时，却是张霸被梅根绊倒，跌破了头，挣扎不起。庄客着两个先扶张霸归去。众人周围走了一遍，但见静悄悄的万籁无声。牡丹棚下，繁花如故，并无零落。草堂中杯盘狼藉，残羹淋漓。众人莫不吐舌称奇。一面收拾家伙，一面重复照看。这园子又不多大，三回五转，毫无踪影。——难道是大风吹去了？女鬼吃去了？正不知躲在哪里。延挨了一会，无可奈何，只索回去过夜，再作计较。方欲出门，只见门外又有一伙人，提着行灯进来。不是别人，却是虞公、单老，闻知众人见鬼之事，又闻说不见了张委，在园上抓寻，不知是真是假，合着三邻四舍，进园观看。问明了众庄客，方知此事果真，二老惊诧不已。教众庄客且莫回去，“老汉们同列位还去抓寻一遍”。众人又细细照看了一下，正是兴尽而归，叹了口气，齐出园门。二老道：“列位今晚不来了么？老汉们告过，要把园门落锁。没人看守得，也是我们邻里的干系。”此时庄客们，蛇无头而不行，已不似先前声势了，答应道：“但凭，但凭。”两边人犹未散，只见一个庄客在东边墙角下叫道：“大爷有了！”众人蜂拥而前。庄客指道：“那槐枝上挂的，不是大爷的软翅纱巾②么？”众人道：“既有了巾儿，人也只在左近。”沿墙照去，不多几步，只叫得声：“苦也！”原来东角转弯处，有个粪窖，窖中一人，两脚朝天，不歪不斜，刚刚倒插在内。庄客认得鞋袜衣服，正是张委。顾不得臭秽，只得上前打捞起来。虞、单二老暗暗念佛，和邻舍们自回。众庄客抬了张委，在湖边洗净。先有人报去庄上。合家大小，哭哭啼啼，置备棺衣入殓，不在话下。其夜，张霸破头伤重，五更时亦死。此乃作恶的现报。正是：

两个凶人离世界，一双恶鬼赴阴司。

次日，大尹病愈升堂，正欲吊审秋公之事，只见公差禀道：“原告张霸同家长张委，昨晚都死了。”如此如此，这般这般。大尹大惊，不信有此异事。须臾间，又见里老乡民，共有百十人，连名具呈前事。诉说秋公平日

---

① 抓寻——找寻。

② 软翅纱巾——官员戴的一种头巾，左右各有一个软翅。

惜花行善，并非妖人人；张委设谋陷害，神道报应。前后事情，细细分剖。大尹因昨日头晕一事，亦疑其枉，倒便心下豁然。还喜得不曾用刑。即于狱中吊出秋公，立时释放。又给印信告示，与他园门张挂，不许闲人损坏他花木。众人叩谢出府。秋公向邻里作谢，一路同了虞单二老，开了园门，同秋公进去。秋公见牡丹茂盛如初，伤感不已。众人治酒，与秋公压惊。秋公便同众人连吃了数日酒席。闲话休提。自此之后，秋公日饵百花，渐渐习惯，遂谢绝了烟火之物。所鬻果实之资，悉皆布施①。不数年间，发白更黑，颜色转如童子。一日正值八月十五，丽日当天，万里无瑕。秋公正在房中趺坐②，忽然祥风微拂，彩云如蒸，空中音乐嘹亮，异香扑鼻，青鸾白鹤，盘旋翔舞，渐至庭前。云中正立着司花女，两边幢幡宝盖，仙女数人，各奏乐器。秋公一见，扑翻身便拜。司花女道："秋先，汝功行圆满，吾已申奏上帝，有旨封汝为护花使者，专管人间百花。令汝拔宅上升。但有爱花惜花的，加之以福，残花毁花的，降之以灾。"秋公向空叩首谢恩讫，随着众仙，登时带了花木，一齐冉冉升起，向南而去。虞公、单老和那邻里之人都看见的，一齐下拜。还见秋公在云端延头望着众人，良久方没。此地遂改名升仙里，又谓之惜花村。

园公一片惜花心，道感仙姬下界临。
草木同升随拔宅，淮南③不用炼黄金。

第五卷　大树坡义虎送亲

举世茫茫无了休，寄身谁识等浮沤④！
谋生尽作千年计，公道还当万古留。
西下夕阳谁把手？东流逝水绝回头。
世人不解苍天意，恐使身心半夜愁。

---

① 布施——把自己的财物施舍给人家。

② 趺坐——和尚盘起两腿坐着，叫做"趺坐"。

③ 淮南——指汉淮南王刘安，传说他修炼成仙后，剩下的丹药撒在庭院里，鸡和狗吃了，也都升了天。

④ 浮沤(ōu)——水泡。

这八句诗，奉劝世人，公道存心，天理用事，莫要贪图利己，谋害他人。常言道：使心用心，反害其身。你不存天理，皇天自然不佑。昔有一人，姓韦，名德，乃福建泉州人氏，自幼随着父亲，在绍兴府开个倾银铺儿。那老儿做人公道，利心颇轻；为此主顾甚多，生意尽好。不几年，挣了好些家私。韦德年长，娶了邻近单裁缝的女儿。只因那单氏倒有八九分颜色，本地大户，情愿出许多银钱讨他做偏房，单裁缝不肯。因见韦家父子本分，手头活动，况又邻居，一夫一妻，遂就了这头亲事。何期婚配之后，单裁缝得病身亡。不上二年，韦老亦病故。韦德与浑家单氏商议，如今举目无亲，不若扶柩①还乡。单氏初时不肯，拗丈夫不过，只得顺从。韦德先将店中粗重家伙变卖，打叠行李，雇了一只长路船，择个出行吉日，把父亲灵柩装载，夫妻两口儿下船而行。

原来这艄公，名叫做张稍，不是个善良之辈，惯在河路内做些淘摸②生意的。因要做这私房买卖，生怕伙计泄漏，却寻着一个会撑船的哑子做个帮手。今日晓得韦德倾银多年，囊中必然充实。又见单氏生得美丽，自己却没老婆，两件都动了火，下船时就起个不良之心，奈何未得其便。一日，因风大难行，泊舟于江郎山下。张稍心生一计，只推没柴，要上山砍些乱柴来烧。这山中有大虫，时时出来伤人，定要韦德作伴同去。韦德不知是计，随着张稍而走。张稍故意弯弯曲曲，引到深山之处。四顾无人，正好下手。张稍砍下些丛木在地，却教韦德打捆。韦德低着头，只顾捡柴，不防张稍从后用斧劈来，正中左肩，扑地便倒。重复一斧，向脑袋劈下，血如涌泉，结果了性命。张稍连声道：“干净，干净！来年今日，叫老婆与你做周年。”说罢，把斧头插在腰里，柴也不要了，忙忙的空身飞奔下船。单氏见张稍独自回来，就问丈夫何在。张稍道：“没造化！遇了大虫，可怜你丈夫被他吃了去。亏我跑得快，脱了虎口。连砍下的柴，也不敢收拾。”单氏闻言，捶胸大哭。张稍解劝道：“这是生成八字内注定虎伤，哭也没用。”单氏一头哭，一头想道：“闻得虎遇夜出山，不信白日里就出来伤人。况且两人双双同去，如何偏拣我丈夫吃了？他又全没些损伤，好不奇怪！”便对张稍道：“我丈夫虽然衔去，只怕还挣得脱不死。”张稍道：“猫儿口中，尚且挖

---

① 柩(jiù)——装着尸体的棺材。

② 淘摸——偷盗。

不出食,何况于虎!"单氏道:"然虽如此,奴家不曾亲见。就是真个被虎吃了,少不得存几块骨头。烦你引奴家去,捡得回来,也表我夫妻之情。"张稍道:"我怕虎不敢去。"单氏又哀哀的哭将起来。张稍想道:"不引他去走一遍,他心不死。"便道:"娘子,我引你去看,不要哭。"单氏随即上岸,同张稍进山路来。先前砍柴,是走东路,张稍恐怕妇人看见死尸,却引他从西路走。单氏走一步,哭一步。走了多时,不见虎迹。张稍指东话西,只望单氏倦而思返。谁知他定要见丈夫的骨血,方才指实。张稍见单氏不肯回步,扯个谎,望前一指道:"小娘子,你只管要行,兀的①不是大虫来了?"单氏抬头而看,才问一声:"大虫在哪里?"声犹未绝,只听得林中箹喇的一阵怪风,忽地跳出一只吊睛白额虎,不歪不斜,正望着张稍当头扑来。张稍躲闪不及,只叫得一声"阿呀!"被虎一口衔着背皮,跑入深林受用去了。

单氏惊倒在地,半日方醒。眼前不见张稍,已知被大虫衔去。始信山中真个有虎,丈夫被虎吃了,此言不谬。心中害怕,不敢前行。认着旧路,一步步哭将转来。未及出山,只见一个似人非人的东西,从东路直冲出来。单氏只道又是只虎,叫道:"我死也!"望后便倒。耳根边忽听说:"娘子,你如何却在这里?"双手来扶。单氏睁眼看时,却是丈夫韦德,血污满面,所以不像人形。原来韦德命不该死,然虽被斧劈伤,一时闷绝。张稍去后,却又醒将转来,挣扎起身,扯下脚带,将头裹缚停当,他步出山,来寻张稍讲话,却好遇着单氏。单氏还认着丈夫被虎咬伤,以致如此。听韦德诉出其情,方悟张稍欺心使计,谋害他丈夫,假说有虎。后来被虎咬去,此乃神明遣来,剿除凶恶。夫妻二人,感谢天地不尽。回到船中,那哑子做手势,问船主如何不来。韦德夫妻与他说明本末。哑子合着掌,忽然念出一声"南无阿弥陀佛",便能说话,将张稍从前过恶,一一说出。再问他时,依旧是个哑子。——此亦至异之事也。韦德一路相帮哑子行船。直到家中,将船变卖了,造一个佛堂与哑子住下,日夜烧香。韦德夫妇终身信佛。后人论此事,咏诗四句:

伪言有虎原无虎,虎自张稍心上生。
假使张稍心地正,山中有虎亦藏形。

---

① 兀的——这个。

方才说虎是神明遣来，剿除凶恶，此亦理之所有。看来虎乃百兽之王，至灵之物，感仁吏而渡河①，伏高僧而护法②，见于史传，种种可据。如今再说一个义虎知恩报恩，成就了人间义夫节妇，为千古佳话。正是：

说时节妇生颜色，道破奸雄丧胆魂。

话说大唐天宝年间，福州漳浦县下乡，有一人姓勤，名自励，父母俱存，家道粗足。勤自励幼年时，就聘定同县林不将的女儿潮音为妻。茶枣③俱已送过，只等长大成亲。勤自励十二岁上，就不肯读书，出了学堂，专好使枪抡棒。父母单生的这个儿子，甚是姑息，不去拘管着他。年登十六，生得身长力大，猿臂善射，武艺过人。常言"同声相应，同气相求"④，自有一班无赖子弟，三朋四友，和他檠鹰放鹞，驾犬驰马，射猎打生为乐。曾一日射死三虎。忽见个黄衣老者，策杖而前，称赞道："郎君之勇，虽昔日卞庄、李存孝⑤不是过也！但好生恶杀，万物同情。自古道：人无害虎心，虎无伤人意。郎君何故必欲杀之？此兽乃百兽之王，不可轻杀。当初黄公有道术，能以赤刀制虎，尚且终为虎害⑥。郎君若自恃其勇，好杀不已，将来必犯天道之忌，难免不测之忧矣。"勤自励闻言省悟，立时折箭为誓，誓不杀虎。忽一日，独往山中打生，得了几项野味而回。行至中途，地名大树坡，见一黄斑老虎，误陷于槛阱之中，猎户偶然未到。其虎见勤自励到来，把前足跪地，俯首帖耳，口中作声，似有乞怜之意。自励道："业畜，我已誓不杀你了。但你今日自投槛阱，非干我事。"其虎眼观自励，口中呜呜不已。自励道："我今做主放你，你今后切莫害人。"虎闻言点头，自励破

---

① 感仁吏而渡河——传说东汉时，崤渑驿道上常出现老虎伤人。刘昆做了三年太守，政绩很好，老虎也被感动，都背着小虎过了河，不再伤人。

② 伏高僧而护法——传说唐代善觉禅师养着两只老虎，名叫"大空"、"小空"，做他的侍者。

③ 茶枣——这里指订婚时向女家送的聘礼。

④ 同声相应二句——是说志趣相投的人，彼此合得来。

⑤ 卞庄、李存孝——卞庄子，春秋时鲁国人，有勇力，曾一次刺死两只虎。李存孝，本名安敬思，五代时李克用的义子。相传他有打虎之力。

⑥ 黄公有道术，能以赤刀制虎，尚且终为虎害——黄公，东海人。据传他善于幻术。秦末，东海出现了白虎，皇帝下诏派他用赤刀去除虎害，结果被虎咬死了。

阱放虎。虎得命,狂跳而去。自励道:“人以获虎为利,我却以放虎为仁。我欲仁而使人失其利,非忠恕之道也。”遂将所得野味,置于阱中,空手而回。正是:

得放手时须放手,可施恩处便施恩。

只因勤自励不务本业,家道渐渐消乏。又且素性慷慨好客,时常引着这伙三朋四友,到家蒿恼①,索酒索食。勤公、勤婆爱子之心无所不至,初时犹勉强支持,以后支持不来,只得对儿子说道:“你今年已长大,不思务本作家,日逐游荡,有何了日!别人家儿子似你年纪,或农或商胡乱得些进益,以养父母。似你有出气,无进气,家事日渐凋零,兀自三兄四弟,酒食征逐,不知做爹娘的将没作有,千难万难,就是衣饰典卖,也有尽时。将来手足无措,连爹娘也有饿死之日哩。我如今与你说过,再别人上门时,茶也没有一杯与他吃了,你莫着急!”勤自励被爹娘教训了一遍,默默无言,走出去了。真个好几日没有人上门蒿恼。约莫一月有余,勤自励又引十来个猎户到家,借锅煮饭。勤公也道:“容他煮罢。”勤婆不肯道:“费柴费火,还是小事。只是才说得儿子回心,清净了这几日,老娘心里好不喜欢。今日又来缠帐。开了端,辞得哪一个!他日又赔茶赔酒。老娘支持得怕了,索性做个冷面,莫惯他罢。”勤公见勤婆不允,闪过一边。勤婆将中门闭了,从门内说道:“我家不是公馆,柴火不便,别处去利市。”众人闻言,只索去了。勤自励满面羞惭,叹口气,想道:“我自小靠爹娘过活,没处赚得一文半文,家中来路又少,也怪爹娘不得。闻得安南作乱,朝廷各处募军,本府奉节度使文牒,大张榜文。众兄弟中已有几个应募去了。凭着我一身本事,一刀一枪,或者博得个衣锦还乡,也未见得。守着这六尺地上,带累爹娘受气,非丈夫之所为也。只是一件,爹娘若知我应募从军,必然不允。功名之际,只可从权。我自有个道理。”当下瞒过勤公、勤婆,竟往府中投军。太守试他武艺出众,将他充为队长,军政司上了名字。不一日招募数足,领兵官点名编号,给了口粮,制办衣甲器械,择个出征吉日,放炮起身。勤自励也不对爹娘说知。直到上路三日之后,遇了个县中差役,方才写寄一封书信回来。勤公拆书开看时,写道:

男自励无才无能,累及爹娘。今已应募,充为队长,前往安南。幸然

① 蒿恼——搅扰,麻烦。

有功，必然衣锦还乡。爹娘不必挂念！

勤公看毕，呆了半晌，开口不得。勤婆道："儿子哪里去了？写什么言语在书上？你不对我说？"勤公道："对你说时，只怕急坏了你！儿子应募充军，从征安南去了。"勤婆笑道："我说多大难事，等儿子去十日半月后，唤他回来就是了。"勤公道："妇道家不知利害！安南离此有万里之遥，音信尚且难通。况他已是官身，此去刀剑无情，凶多吉少。万一做了沙场之鬼，我两口儿老景谁人侍奉？"勤婆就哭天哭地起来。勤公也流泪不止。过了数日，林亲家亦闻此信，特地自来问个端的。勤公、勤婆遮瞒不得，只得实说了。伤感了一场。林公回去说知，举家都不欢喜。正是：

乐莫乐兮新相知，悲莫悲兮生别离。
他人分离犹自可，骨肉分离苦杀我。

光阴似箭，不觉三年，勤自励一去，杳无音信。林公频频遣人来打探消息，都则似金针堕海，银瓶落井，全没些影响。同县也有几个应募去的，都则如此。林公的妈妈梁氏对丈夫说道："勤郎一去，三年不回，不知死活存亡。女儿年纪长成了，把他耽误，不是个常法。你也该与勤亲家那边讨个决裂①。虽然亲则是亲，各儿各女，两个肚皮里出来的，我女儿还不认得女婿的面长面短，却教他活活做孤孀不成？"林公道："阿妈说得是。"即忙来到勤家，对勤公道："小女年长，令郎杳无归信。倘只是不归，作何区处？老荆日夜愁烦，特来与亲家商议。"勤公已知其意，便道："不肖子无赖，有误令爱芳年。但事已如此，求亲家多多上复亲母，耐心再等三年。若六年不回，任凭亲家将令爱别许高门，老汉再无言语。"林公见他说得达理，只得唯唯而退，回来与妈妈说知。梁氏向来知道女婿不学本分，心中不喜。今三年不回，正中其意。听说还要等三年，好不焦躁。恨不得十日缩做一日，把三年一霎儿过了，等女儿再许个好人。光阴似箭，不觉又过了三年。林公道："勤亲家之约已满了。我再去走一番，看他更有何说？"梁氏道："自古道，一言既出，驷马难追。他既有言在前，如今怪不得我了。有路自行，又去对他说甚么？且待女儿有了对头，才通他知道，也不迟。"林公又道："阿妈说得是。然虽如此，也要与孩儿说知。"梁氏道："潮音这丫头，有

① 决裂——这里指解除婚约的决定。

些古怪劣别①,只如此对他说,勤郎六年不回,教他改配他人,他料然不肯,反被勤老儿笑话。须得如此如此。"林公又道:"阿妈说得是。"次日,梁氏正同女儿潮音一处坐,只见林公从外而来,故意大惊小怪的说道:"阿妈,你知道么?怪道勤郎无信回来,原来三年前便死于战阵了。昨日有军士在安南回,是他亲见的。"潮音听说,面如土色,阁泪而不敢下,慌忙走进自己房里去了。妈妈亦假做叹息,连称可怜。过了数日,林婆对女儿说道:"死者不能复生。他自没命,可惜你青春年少。我已教你父亲去寻媒说合,将你改配他人。乘这少年时,夫妻恩爱,莫教错过。"潮音道:"母亲差矣!爹把孩儿从小许配勤家,一女不吃两家茶。勤郎在,奴是他家妻;勤郎死,奴也是他家妇。岂可以生死二心!奴断然不为!"妈妈道:"孩儿休如此执见!爹妈单生你一人,并无兄弟。你嫁得着人时,爹妈也得半子之靠。况且未过门的媳妇,守节也是虚名儿。现放着活活的爹妈,你不念他日后老景凄凉,却去恋个死人,可不是个痴愚不孝之辈!"潮音被骂,不敢回言。就有男媒女妁②,来说亲事。潮音拗爹妈不过,心生一计,对爹妈说道:"爹妈主张,孩儿焉敢有违。只是孩儿一闻勤郎之死,就将身别许他人,于心何忍。容孩儿守制三年,以毕夫妻之情,那时但凭爹妈。不然,孩儿宁甘一死,决不从命。"林公与梁氏见女儿立志甚决,怕他做出短见之事,只得由他。正是:

一人立志,万夫莫夺。

却说勤公夫妇见儿子六年不归,眼见得林家女儿是别人家的媳妇了。后来闻得媳妇立志要守三年,心下不胜之喜。"若巴得这三年内儿子回家,还是我的媳妇。"光阴似箭,不觉又过了三年。潮音只认丈夫真死,这三年之内,素衣蔬食,如真正守孝一般。及至年满,竟绝了荤腥之味,身上又不肯脱素穿色③。说起议婚,便要寻死。林公与妈妈商议:"女孩儿执性如此,改嫁之事,多应不成。如之奈何?"梁氏道:"密地择了人家,在我哥哥家受聘,不要通女孩儿得知。到临嫁之期,只说内侄做朝,来接女孩儿。哄得他易服上轿,鼓乐人从,都在半路迎接。事到其间,不怕他不从。"林

① 劣别——别扭,固执。

② 妁(shuò)——媒人。

③ 脱素穿色——素,白衣,即孝服。色,有颜色的衣服,即吉服。

公又道："妈妈说得是。"林公果然与舅子梁大伯计议定了，许了李承务①家三舍人②。自说亲以至纳聘，都在梁大伯家里。夫妻两口去受聘时，对女儿只说梁大伯大儿子定亲，潮音哪里疑心。吉期将到，梁大伯假说某日与儿子完婚，特迎取姐夫一家到家中去接亲。梁氏先自许过他一定都来。至期，大伯差人将两顶轿子，来接姐姐和外甥女。梁氏自己先装扮了，教女儿换了色服同去。潮音不知是计，只得易服③随行。女孩儿家不出闺门，不知路径。行了一会，忽然山凹里灯笼火把，鼓乐喧天，都是娶亲的人众，中途等候，摆列轿前，吹打而来。潮音觉道事体有变，没奈何在轿内啼啼哭哭。众人也哪里管他，只顾催趱轿夫飞走。到一个去处，猛然阴云四合，下一阵大雨。众人在树林中暂歇，等雨过又行。走不上几步，抖然起一阵狂风，灯火俱灭，只见一只黄斑吊睛白额虎，从半空中跳将下来。众人发声喊，都四散逃走。

　　未知性命如何？已见亡魂丧胆。

风定虎去，众人叫声谢天，吹起火来，整顿重行。只见轿夫叫道："不好了！"起初两乘轿子，都是实的。如今一乘是空的。举火照时，正不见了新人。轿门都撞坏了。不是被大虫衔去是什么！梁氏听说，呜呜的啼哭起来。这些娶亲的没了新人，好没兴头，乐人也不吹打了，灯火也熄了一半。众人商量道："如何是好？"欲待追寻，黑夜不便，也没恁般胆气。欲待各散去讫，怕又遇别个虎。不若聚做一块，同到林家，再作区处。所谓乘兴而去，败兴而回。且说林公正闭着门，在家里收拾，听得敲门甚急，忙来开看，只见两乘轿子，依旧抬转，许多人从，一个个垂头丧气，都如丧家之狗。吃了一惊，正不是甚么缘故，"莫非女孩儿不从，在轿里又弄出什么把戏？"心头犹如几百个榔槌打着，急问其故。梁氏在轿中哭将出来，哽哽咽咽，一字也说不出。众人将中途遇虎之事，叙了一遍。林公也捶胸大恸，懊悔无及："早知我儿如此薄命，依他不嫁也罢！如今断送得他好苦！"一面令人去报李承务和梁大伯两家知道；一面聚集庄客，准备猎具，专等天明，打点搜山捕获大虫，并寻女儿骨殖。正是：

---

① 承务——官名"承务郎"的省称。

② 舍人——本是官名，后来作为官家或财主家的儿子的敬称，犹如称"公子"。

③ 易服——换衣服。易，改变、变换。

悲悲切切思闺女，口口声声恨大虫。

话分两头，却说勤自励自从应募投军，从征安南，力战有功，都督哥舒翰用为帐下虞候①，解所佩宝剑赐之，甚加信用。三年之后，吐番入寇，勤自励又随哥舒翰调兵征讨。平定之后，朝廷拜哥舒翰为大元帅，率领本部将校，雄军十万，镇守潼关。勤自励以两次军功，那时已做到都指挥②之职。何期安禄反乱③，杀到潼关，哥舒翰正值患病，抵敌不住，开关纳降。勤自励孤掌难鸣，弃其部下，只身挟剑而逃。一路辛苦不提。事有凑巧，恰好林公嫁女这一晚，勤自励回到家中，见了父母，拜伏于地，口称："恕孩儿不孝之罪。"勤公、勤婆仔细看时，方才认得是儿子。去时虽然长大，还没这般雄伟，又添上一嘴胡须，边塞风俗，容颜都改变了。勤公、勤婆痛定思痛，不觉流泪。勤公道："我儿如何一去十年，音信全无？多有人说，你已没于战阵。哭得做爹妈的眼泪俱枯了。"勤婆道："莫说十年之前，就是早回一日也还好，不见得媳妇随了别人。"勤自励道："我媳妇怎么说？"勤婆道："你去了三年之后，，丈人就要将媳妇别许人家，是你爹爹不肯，勉强留了三年。以后媳妇闻你身死，自家立志守孝三年。如今第十个年头，也难怪他，刚刚是今晚出门嫁人。"勤自励听说，眉根倒竖，牙齿咬得格格的响，叫道："哪个鸟④百姓敢讨勤自励的老婆！我只教他认一认我手中的宝剑！"说罢，狠狠的仗剑出门。妈妈从小管他不下的。今日哪里留得他住，只得由他，捏着两把汗，在草堂中等候消息。正是：

青龙共白虎同去，吉凶事全无未保。

却说勤自励自小认得丈人林公家里，打这条路迎将上去。走了多时，将近黄昏，遇了一阵大雨，衣服都沾湿了。记得这地方唤做大树坡，有一株古树，约莫十来围大，中间都是空的，可以避雨。勤自励走到树边，挨身入内，甚是宽转。那雨虽然大，落不多就止了。勤自励却待跳出，半空中又刮起一阵大风。勤自励想一想道："等着过了这阵风走罢。"又道："这风有些妖气，好古怪！"伸着头往外张望，见两盏红灯，若隐若现。忽地刮喇

① 虞候——武官名。

② 都指挥——武官名。

③ 安禄反乱——指唐安禄山起兵谋反。

④ 鸟(diǎo)——同"屌"，借用为骂人的话。

的一声响亮，如天崩地裂，一件东西向前而坠。惊得勤自励倒身入内。少顷风定，耳边但闻呻吟之声。此时云开雨散，天边露出些微月。勤自励就月光下上前看时，那呻吟的却是个女子。勤自励扶起，细叩来历。那女子半晌方言，说道："奴家林氏之女潮音也。"勤自励记得妻子的小名，未知是否，问道："你可有丈夫么？"潮音道："丈夫勤自励虽曾聘定，尚未过门。只为他十年前应募从军，久无音信。爹妈要将奴改适他姓，奴家誓死不从。爹妈背地将奴家许聘与谁家，只说舅舅家来接，骗奴上轿，中路方知。正待寻死，忽然一阵狂风，火光之下，看见个黄斑吊睛白额虎，冲人而来，径向轿中，将奴衔出，撇在此地。虎已去了，幸不损伤。官人不知尊姓何名？若得送奴归还父母之家，家中必有厚报。"勤自励道："则小生便是勤自励，先征安南，又征吐番，后来又随哥舒元帅镇守潼关，适才回家。听说你家中将你嫁人，就在今晚，以此仗剑而来，欲剿那些败坏纲常之辈。何期于此相遇！这是天遣大虫送还与我，省得我勤自励舞刀抡剑，乃是万千之幸！"潮音道："官人虽如此说，奴家未曾过门，不识丈夫之面。今日一言之下，岂敢轻信。官人还是引奴回家，使我爹爹识认女婿，也不负奴家数年苦守之志。"勤自励道："你家老禽兽把一女许配两家，这等不仁不义之辈，还去见他则甚！我如今背你到我家中，先参见了舅姑①，然后遣人通知你家，也把那老禽兽羞他一羞。"说罢，不管潮音肯不肯，把他负于背上，左手向后拦住他的金莲，右手仗剑，跳着烂地而回。行不多步，忽闻虎啸之声。遥见前山之上，双灯冉冉。细视，乃一只黄斑吊睛白额虎。那两个红灯，虎之睛光也。勤自励猛然想着十年之前，曾在此处破开槛阱，放了一只黄斑吊睛白额虎。"今日如何就晓得我勤自励回家，去人丛中衔那媳妇还我，岂非灵物！"遂高声叫道："大虫，谢送媳妇了！"那虎大啸一声，跳而藏影，后人论起那虎报恩事，以为奇谈，多有题咏。惟胡曾②先生一首最好。诗曰：

从来只道虎伤人，今日方知虎报恩。

多少负心无义汉，不如禽兽有情亲。

再说勤公、勤婆在家悬悬而望。听得脚步响，忙点灯出来看时，只见

---

① 舅姑——古时儿媳妇称公公为"舅"，称婆婆为"姑"。

② 胡曾——唐代邵阳人，著有《咏史诗》等。

儿子勤自励背上负了一个人，来到草堂，叫到："爹妈，则教你今夜认得媳妇！"勤公、勤婆见是个美貌女子，细叩来历，方知大虫报恩送亲一段奇事。双双举手加额，连称惭愧①。勤婆遂将媳妇扶到房中，粥汤将息②。次早差人去林亲家处报信。却说林公那日黑早，便率领庄客，绕山寻绰了一遍，不见动静。叹口气，只得回家。忽见勤公遣人报喜，说夜来儿子已回，大虫衔来送还他家。哪里肯信！"我晓得了，这是勤亲家晓得女孩儿被虎衔去，故造此话来奚落我！"妈妈梁氏道："天下何事不有！前日我走失了一只花毛鸡，被邻舍家收着。过了一日，野猫衔个鸡到我家来。赶脱了猫儿，看那鸡，正是我家走失的这一只花毛鸡。有这般巧事！况且虎是个大畜生，最有灵性。我又闻得一个故事，昔时有个书生，住孤村，夜间听得门外声响，看时，窗棂里伸一只虎掌进来，掌有竹刺甚大。书生悟其来意，拔出其刺。明晚，虎衔一羊来谢。可见虎通人性。或者天可怜女孩儿守志，遣那大虫来送归勤家，亦未可知。你且到勤家看女婿曾回不曾回，便有分晓。"林公又道："阿妈说得是。"当日林公来到勤家。勤公出迎，分宾而坐。细述夜来之情。林公满面羞惭，谢罪不已。"求见贤婿和小女之面。"勤自励初时不肯认丈人，被爹娘先劝了多时，又碍浑家的面皮，故此只得出来相见，气忿忿的作了个揖，就走开去了。勤公教勤婆将媳妇装扮起来，却请林公进房，父女会面，出于意外，犹如梦中相逢，欢喜无限。要接女儿回家，勤公、勤婆不肯。择了吉日，就于家中拜堂成亲。李承务家已知勤自励回来，自没话说。后来郭、李二元帅恢复长安，肃宗皇帝登极，清查文武官员。肃宗自为太子时，曾闻勤自励征讨之功。今番贼党簿籍中，没有他名字，嘉其未曾从贼，再起为亲军都指挥使。累征安庆绪、史思明有功。年老致仕③，夫妻偕老。有诗为证：

但行刻薄人皆怨，能布恩施虎亦亲。
奉劝人行方便事，得饶人处且饶人。

---

① 惭愧——表示惊喜、难得、侥幸的口气。

② 将息——调养，护理。

③ 致仕——旧时做官的人，到了一定的年龄，告老回家，叫做"致仕"。

第六卷　小水湾天狐诒书

蠢动含灵俱一性，化胎湿卵命相关。

得人济利休忘却，雀也知恩报玉环。

这四句诗，单说汉时有一秀才，姓杨名宝，华西人氏，年方弱冠。天资颖异，学问过人。一日，正值重阳佳节，往郊外游玩。因行倦，坐于林中歇息。但见树木蓊郁①，百鸟嘤鸣，甚是可爱。忽闻扑碌的一声，堕下一只鸟来，不歪不斜，正落在杨宝面前。口内吱吱的叫，却飞不起，在地下乱扑。杨宝道："却不作怪！这鸟为何如此？"向前拾起看时，乃是一只黄雀，不知被何人打伤，叫得好生哀楚。杨宝心中不忍，乃道："将回去喂养好了放罢。"正看间，见一少年，手执弹弓，从背后过来道："秀才，这黄雀是我打下的，望乞见还。"杨宝道："还亦易事。但禽鸟与人体质虽异，生命则一，安忍戕害。况杀百命，不足供君一膳，鬻万鸟不能致君之富。奚②不别为生业？我今愿赎此雀之命。"便去身边取出钱钞来。少年道："某非为口腹利物，不过游戏试技耳。既秀才要此雀，即便相送。"杨宝道："君欲取乐，禽鸟何辜！"少年谢道："某知过矣！"遂投弓而去。杨宝将雀回家，贮于巾箱中，日采黄花蕊饲之，渐渐羽翼长换。育至百日，便能飞翔。时去时来，杨宝十分珍重，忽一日，去而不回。杨宝心中正在气闷，只见一个童子单眉细眼，身穿黄衣，走入其家，望杨宝便拜，杨宝急忙扶起。童子将出玉环一双，递与杨宝道："蒙君救命之恩，无以为报，聊以微物相奉。掌此当累世为三公。"杨宝道："与卿③素昧平生，何得有救命之说？"童子笑道："君忘之耶？某即林中被弹，君巾箱中饲黄花蕊之人也。"言讫，化为黄雀而去。后来杨宝生子震，明帝朝为太尉；震子秉，和帝朝为太尉；秉子赐，安帝朝为司徒；赐子彪，灵帝朝为司徒。果然世世三公，德业相继，有诗为证。

---

① 蓊郁（wěngyù）——茂盛的样子。

② 奚（xī）——为什么。

③ 卿——本是古时君对臣带有亲近和敬意的称呼；秦汉以后，平辈的人也互相称"卿"。

黄花饲雀非图报，一片慈悲利物心。

累世簪缨看盛美，始知仁义值千金。

说话的，那黄雀衔环的故事，人人晓得，何必费讲！看官们不知，只为在下今日要说个少年，也因弹了个异类上起，不能如弹雀的恁般悔悟，干把个老大家事，弄得七颠八倒，做了一场话柄，故把衔环之事，做个得胜头回①。劝列位须学杨宝这等好善行仁，莫效那少年招灾惹祸。正是：

得闭口时须闭口，得放手时须放手。

若能放手和闭口，百岁安宁有八九。

话说唐玄宗时，有一少年，姓王名臣，长安人氏，略知书史，粗通文墨，好饮酒，善击剑，走马挟弹，尤其所长。从幼丧父，惟母在堂，娶妻于氏。同胞兄弟王宰，膂力过人，武艺出众，充羽林②亲卫，未有妻室。家颇富饶，童仆多人。一家正安居乐业，不想安禄山兵乱，潼关失守，天子西幸。王宰随驾扈从，王臣料道立身不住，弃下房产，收拾细软，引母妻婢仆，避难江南，遂家于杭州，地名小水湾，置买田产，经营过日。后来闻得京城克复，道路宁静，王臣思想要往都下寻访亲知，整理旧业，为归乡之计。告知母亲，即日收拾行囊，止带一个家人，唤做王福，别了母妻，由水路直至扬州马头上。那扬州隋时谓之江都，是江淮要冲，南北襟喉之地，往来樯橹如麻。岸上居民稠密，做买做卖的，挨挤不开，真好个繁华去处。当下王臣舍舟登陆，雇倩③脚力，打扮做军官模样，一路游山玩水，夜宿晓行。不则一日，来至一所在，地名樊川，乃汉时樊哙所封食邑之处。这地方离都城已不多远。因经兵火之后，村野百姓，俱潜避远方，一路绝无人烟，行人亦甚稀少。但见：

冈峦围绕，树木阴翳，危峰秀拔插霄，峻巅崔嵬横碧汉。斜飞瀑布，喷万丈银涛；倒挂藤萝，飏千条锦带。云山漠漠，鸟道逶迤行客少；烟林霭霭，荒村寥落土人稀。山花多艳如含笑，野鸟无名只乱啼。

王臣贪看山林景致，缓辔而行，不觉天色渐晚。听见茂林中，似有人

---

① 得胜头回——说书人的术语。在正故事之前，先讲一小段故事做引子，叫做“得胜头回”，取其吉利的意思。

② 羽林——皇帝的禁卫军。唐代有左右羽林军。

③ 雇倩(qìng)——雇请。倩，请。

声。近前看时,原来不是人,却是两个野狐,靠在一株古树上,手执一册文书,指点商榷①,若有所得,相对谈笑。王臣道:“这孽畜作怪!不知看的是什么书?且教他吃我一弹。”按住丝砾,绰起那水磨角靶弹弓,探手向袋中,摸出弹子放上,觑得较亲,弓开如满月,弹去似飞星,叫声“着!”那二狐正在得意之时,不知林外有人窥看。听得弓弦响,方才抬头观看,那弹早已飞到,不偏不斜,正中执书这狐左目。弃下书,失声嗥叫,负痛而逃。那一个狐,却待就地去拾,被王臣也是一弹,打中左腮,放下四足,嗥叫逃命。王臣纵马向前,教王福拾起那书来看,都是蝌蚪之文②,一字不识。心中想道:“不知是甚言语在上?把去慢慢访博古者问之。”遂藏在袖中,拨马出林,循大道望都城而来。那时安禄山虽死,其子安庆绪犹强,贼将史思明降而复叛,藩镇又各拥重兵,俱蓄不臣之念。恐有奸细,至京探听,故此门禁十分严紧,出入盘诘③。刚到晚,城门就闭。王臣抵城下时,已是黄昏时候。见城门已扃④,即投旅店安歇。到店门口,下马入来。主人家见他悬弓佩剑,军官打扮,不敢怠慢,上前相迎道:“长官请坐。”便令小二点杯茶儿递上。王福将行李卸下,驮进店中。王臣道:“主人家,有稳便房儿,开一间与我。”答道:“舍下客房尽多,长官只拣中意的住便了。”即点个灯火,引王臣往各房看过,择了一间洁净所在,将行李放下,把牲口牵入后边喂料。收拾停当,小二进来问道:“告长官,可吃酒么?”王臣道:“有好酒打两角,牛肉切一盘。伴当们照依如此。”小二答应出去。王臣把房门带转,也走到外边。小二捧着酒肉问道:“长官,酒还送到房里去饮,或就在此间?”王臣道:“就在此罢。”小二将酒摆在一副座头上,王臣坐下,王福在旁斟酒。吃过两三杯,主人家上前问道:“长官从哪镇到此?”王臣道:“在下从江南来。”主人家道:“长官语音,不像江南人物。”王臣道:“实不相瞒,在下原是京师人氏。因安禄山作乱,车驾幸蜀,在下挈家避难江南。今知贼党平复,天子还都,先来整理旧业,然后迎接家小归乡。因恐路途不好行走,故此军官打扮。”主人家道:“原来是自家人!老汉一向也避在乡村,到此

① 商榷——商量,讨论。
② 蝌蚪之文——古代篆书中的一体,形似蝌蚪,很难认识。
③ 盘诘——仔细追问。诘,追问、责问。
④ 扃(jiōng)——关门。

不上一年哩。”彼此因是乡人，分外亲热。各诉流离之苦。正是：

江山风景依然是，城郭人民半已非。

两下正说得热闹，忽听得背后有人叫道：“主人家，有空房宿歇么?”主人家答应道：“房屋尽有，不知客官有几位安歇?”答道：“只有我一人。”主人家见是个单身，又没包裹，乃道：“若止你一人，不敢相留。”那人怒道：“难道赖了你房钱，不肯留我?”主人家道：“客官，不是这般说。只因郭令公留守京师，颁榜远近旅店，不许容留面生歹人。如隐匿藏留者，查出重治。况今史思明又乱，愈加紧急。今客官又无包裹，又不相认，故不好留得。”那人答道：“原来你不认得我，我就是郭令公家丁胡二。因有事往樊川去了转回，赶进城不及，借你店里歇一宵，故此没有包裹。你若疑惑，明早同到城门上去，问那管门的，谁个不认得我。”这主人家被他把大帽儿一磕，便信以为真，乃道：“老汉一时不晓得是郭爷长官，莫怪，请里边房里去坐。”那人道：“且慢着，我肚里饿了，有酒饭讨些来吃了，进房不迟。”又道，“我是吃斋，止用素酒。”走过来，向王臣桌上对面坐下。小二将酒菜放下。王臣举目看时，见他把一只袖子遮着左眼，似觉疼痛难忍之状。那人开言道：“主人家，我今日造化低，遇着两个毛团①，跌坏了眼。”主人家道：“遇着什么?”答道：“从樊川回来，见树林中两个野狐打滚嗥叫，我赶上前要去拿他，不想绊一交，狐又走了，反在地上磕损眼睛。”主人家道：“怪道长官把袖遮着眼儿。”王臣接口道：“我今日在樊川过，也遇着两个野狐。”那人忙问道：“可曾拿到么?”王臣道：“他在林中把册书儿观看，被我一弹，打了执书这狐左眼，遂弃书而逃。那一个方待去拾，又被我一弹打在腮上，也亡命而走。故此只取得这册书，没有拿到。”那人和主人家都道：“野狐会看书，这也是奇事!”那人又道：“那书上都是甚么事体? 借求一观。”王臣道：“都是异样篆书，一字也看他不出。”放下酒杯，便向袖中去摸那册书出来。说时迟，那时快，手还未到袖里时，不想主人家一个孙儿，年才五六岁，正走出来。小厮家眼净，望见那人是个野狐，却叫不出名色，奔向前指住道：“老爹! 怎么这个大野猫坐在此? 还不赶他!”王臣听了，便省悟是打坏眼的野狐，急忙拔剑，照顶门就砍。那狐望后一躲，就地下打个滚，露出本相，往外乱跑。王臣仗剑追赶了十数家门面，向个墙里跳进。王臣因黑夜

① 毛团——骂禽兽的话。这里指狐狸。

之间，无门寻觅，只得回转。主人家点个灯火，同着王福一齐来迎着道："饶他性命罢。"王臣道："若不是令孙看破，几乎被这孽畜赚了书去。"主人家道："这毛团也奸巧哩！只怕还要生计来取。"王臣道："今后有人把野狐事来诱我的，定然是这孽畜，便挥他一剑。"一头说，已到店里。店左店右住宿的客商闻得，当做一件异事，都走出来讯问。倒拌得口苦舌干。王臣吃了夜饭，到房中安息。自想野狐忍痛来掇赚①这册书，必定有些妙处，愈加珍秘。至三更时分，外边一片声打门叫道："快把书还了我！寻些好事酬你！若不还时，后来有些事故，莫要懊悔。"王臣听得，气忿不过，披衣起身，拔剑在手，又恐惊动众人，悄悄的步出房来，去摸那大门时，主人家已自下了锁。心中想道："便叫起主人开门出去，那毛团已自走了，砍他不着，空惹众人憎厌，不如憋着鸟气，来朝却又理会。"王臣依先进房睡了。那狐喊了多时，方去。合店的人，尽皆听得。到次早，齐劝王臣道："这书既看不出字，留之何益，不如还他去罢。倘真个生出事来，懊悔何及！"王臣若是个见机的，听了众人言语，把那册书掷还狐精，却也罢了。只因他是个倔强汉子，不依众人说话，后来被那狐把他个家业弄得七零八落。正是：

不听好人言，必有恓惶②泪。

当下王臣吃了早饭，算还房钱，收拾行李，上马进城。一路观看，只见屋宇残毁，人民稀少，街市冷落，大非昔日光景。来到旧居地面看时，只有一片瓦砾之场。王臣见了，不胜凄惨。无处居住，只得寻个寓所安顿了行李，然后去访亲族，却也存不多几家，相见之间，各诉向来踪迹。说到那伤心之处，不觉扑簌簌泪珠抛洒。王臣又言："今欲归乡，不想屋宇俱已荡尽，没个住身之处。"亲戚道："自兵乱以来，不知多少人家，父南子北，被掳被杀，受无限惨祸。就是我们一个个都从刀尖上脱过来的，非容易得有今日。像你家太平无事，止去了住宅，已是无量之福了。况兼你的田产，亏我们照管，依然俱在。若有念归乡，整理起来，还可成个富家。"王臣谢了众人，遂买了一所房屋，制备日用家伙物件，将田园逐一经理停妥。约过两月，王臣正走出门，只见一人从东而来，满身穿着麻衣，肩上背个包裹，

---

① 掇赚——哄骗。
② 恓惶——形容惊慌烦恼。

行履如飞，渐渐至近。王臣举目观看，吃了一惊。这人不是别个，乃是家人王留儿。王臣急呼道："王留儿，你从哪里来？却这般打扮？"王留儿见叫，乃道："原来官人住在这里！教我寻得个发昏！"王臣道："你且住！为何恁般妆束？"王留儿道："有书在此，官人看就知道。"至里边放下包裹，打开取出书信，递与家主。王臣接来拆开看时，却是母亲手笔。上写道：

从汝别后，即闻史思明复乱，日夕忧虑，遂沾重疾，医祷无效，旦夕必登鬼籍矣。年踰六秩，已不为夭。第恨衰年值此乱离，客死远乡，又不得汝兄弟送我之终，深为痛心耳。但吾本家秦，不愿葬于外地。而又虑贼势方炽，恐京城复如前番不守，又不可居。终日思之，莫若尽弃都下破残之业，以资丧事。我尸骨入土之后，原返江东。此地田土丰阜，风俗醇美，可惜开创甚难，决不可轻废，俟干戈宁静，徐图归乡可也。倘违吾言，自罹①罗网，颠覆宗祀，虽及泉下，誓不相见。汝其志之！

王臣看毕，哭倒在地道："指望至此重整家业，复归故乡，不想母亲反为我而忧死。早知如此，便不来得也罢！悔之何及！"哭了一回，又问王留儿道："母亲临终，可还有别话？"王留儿道："并无别话，止叮嘱说：此处产业向已荒废，总然恢复，今史思明作反，京城必定有变，断不可守，教官人作速一切处置，备办丧葬之事，迎柩葬后，原往杭州避难。若不遵依，死不瞑目。"王臣道："母亲遗命，岂敢违逆！况江东真似可居，长安战争未息，弃之甚为有理。"急忙制办缞裳②，摆设灵座，一面差人往坟上收拾，一面央人将田宅变卖。王留儿住了两日，对王臣道："官人修筑坟墓起来，尚有整月延迟，家中必然悬望。等小人先回，以安其心。"王臣道："此言正合我意。"即便写下家书，取出盘缠，打发他先回。王留儿临出门，又道："小人虽去，官人也须作速处置快回。"王臣道："我恨不得这时就飞到家，何消叮嘱！"王留儿出门，洋洋而去。且说王臣这些亲戚晓得，都来吊唁，劝他不该把田产轻废。王臣因是母命，执意不听众人言语，心忙意急，上好田产，都只卖得个半价。盘桓二十余日，坟上开土筑穴，诸事色色俱已停妥，然后打叠行装，带领仆从离了长安，星夜望江东赶来，迎灵车安葬。可怜：

仗剑长安悔浪游，归心一片水东流。

---

① 罹(lí)——遭遇，遭受。

② 缞(cuī)裳——用粗麻布制成的丧服。

北堂空作斑衣梦，泪洒白云天尽头。

话分两头。且说王臣母妻在家，真个闻得史思明又反，日夜忧虑王臣，懊悔放他出门。过了两三月，一日，忽见家人来报，王福从京师赍①信回了。姑媳闻言，即教唤进。王福上前叩头，将书递上。却见王福左眼损坏，无暇详问，将书拆开观看。上写道：

自离膝下，一路托庇粗安。至都查核旧业，幸得一毫不废，已经理如昔矣。更喜得遇故知胡八判官，引至元丞相门下，颇蒙青盼②扶持，一官幽蓟，诰身已领，限期甚迫。特遣王福迎母同之任所。书至，即将江东田产尽货，火速入京。勿计微值，有误任期。相见在迩，书不多赘。男臣百拜。

姑媳看罢书中之意，不胜欢喜，方问道："王福，为甚损了一目？"王福道："不要说起！在牲口上打瞌睡，不想跌下来，磕损了这眼。"又问："京师近来光景，比旧日何如？亲戚们可都在么？"王福道："满城残毁过半，与前大不相同了。亲戚们杀的杀，掳的掳，逃的逃，总来存不多几家。尚还有抢去家私的，烧坏屋宇的，占去田产的。惟有我家田园屋宅，一毫不动。"姑媳闻说，愈加欢悦，乃道："家业又不曾废，却又得了官职，此皆天地祖宗保佑之方。感谢不尽！到临起身，须做场好事报答。再祈此去前程远大，福禄永长。"又问道："那胡八判官是谁？"王福道："这是官人的故交。"王妈妈道："向来从不见说起有姓胡做官的来往。"媳妇道："或者近日相交的，也未可知。"王福接口道："正是近日相识的。"当下问了一回，王妈妈道："王福，你路上辛苦了，且去吃些酒饭，歇息则个。"到了次日，王福说道："奶奶这里收拾起来，也得好几日。官人在京，却又无人服侍。待小人先去回复，打叠停当，候奶奶一到，即便起身往任，何如？"王妈妈道："此言甚是有理。"写起书信，付些盘缠银两，打发先行。王福去后，王妈妈将一应田地宇舍，什物器皿，尽行变卖，止留细软东西。因恐误了儿子任期，不择善价，半送与人。又延请僧人做了场好事，然后雇下一只官船，择日起程。有几个平日相往的邻家女眷，俱来相送，登舟而别。离了杭州，由嘉禾苏州常润州一路，出了大江，望前进发。那些奴仆，因家主得了官，一个个手

① 赍(jī)信——送信。赍，把东西送给人。

② 青盼——青睐，指人高兴时用正眼看，黑眼珠在中间，比喻对人的喜爱或重视。青，黑的意思；盼，看的意思。

舞足蹈，好不兴头！

避乱南驰实可哀，谁知富贵逼人来。

举家手额欢声沸，指日长安昼锦回。

且说王臣自离都下，兼程而进。不则一日，已到扬州马头上。把行李搬在客店上，打发牲口去了。吃了饭，教王福向河下雇觅船只。自己坐在客店门首，守着行囊，观看往来船只。只见一只官船溯流而上，船头站着四五个人，喜笑歌唱，甚是得意。渐渐至近，打一看时，不是别人，都是自己家人。王臣心中惊异道："他们不在家中服役，如何却在这只官船上？"又想道："想必母亲亡后，又归他人了。"正疑讶间，舱门帘儿启处，一个女子舒头而望。王臣仔细观看，又是房中侍婢，连称"奇怪！"刚欲询问，那船上家人却也看见，齐道："官人如何也在这里？却又恁般服色？"忙教稍子拢船。早惊动舱中王妈妈姑媳，掀帘观看。王臣望见母亲尚在，急将麻衣脱下，打开包裹，换了衣服巾帽。船上家人登岸相迎。王臣教将行李齐搬下船，自己上船来见母亲。一眼觑着王留儿在船头上，不问情由，揪住便打。王妈妈走出说道："他又无罪过，如何把他来打？"王臣见母亲出来，放手上前拜道："都是这狗才将母亲书信至京，误传凶信，陷儿于不孝！"姑媳俱惊讶道："他日日在家，何尝有书差到京中！"王臣道："一月前，赍母亲书来，书中写的如此如此，这般这般。住了两日，遣他先回，安慰家中。然后将田产处置了，星夜赶来，怎说不曾到京？"合家大惊道："有这等异事！哪里一般又有个王留儿？"连王留儿倒笑起来道："莫说小人到京，就是这个梦也不曾做。"王妈妈道："你且取书来看，可像我的字迹？"王臣道："不像母亲字迹，我如何肯信？"便打开行李，取出书来看时，乃是一幅素纸，哪有半个字影。把王臣惊得目睁口呆，只管将这纸来翻看。王妈妈道："书在哪里？把来我看。"王臣道："却不作怪！书上写着许多言语，如何竟变做一幅白纸？"王妈妈不信道："焉有此理！自从你出门之后，并无书信往来。直至前日，你差王福将书接我，方有一信，令他先来复你。如何有个假王留儿将假书哄你？如今却又说变了白纸！这是哪里学来这些鬼话！"王臣听说王福曾回家这话，也甚惊骇，乃道："王福在京，与儿一齐起身到此，几曾教他将书来接母亲？"姑媳都道："呀！这话愈加说得混帐了！一月前王福送书到家，书上说都中产业俱在，又遇什么胡八判官，引在元丞相门下，得了官职，教将江东田宅，尽皆卖了，火速入京，同往任上。故此弃了家业，雇倩船只入京。怎说王福没有回来？”王臣大惊道：“这事一发奇怪！何曾有甚胡八判官引到元丞相门下，选甚官职，有书迎接母亲？”王妈妈道：“难道王福也是假的？”快叫来问。王臣道：“他去唤船了，少刻就来。”众家人都到船头上一望，只见王福远远跑来，却也穿着凶服。众人把手乱招，王福认得是自家人，也道诧异，说：“他们如何都在这里？”走近船边，众人看时，与前日的王福不同了。前日左目已是损坏，如今这王福两只大眼滴溜溜，恰如铜铃一般。众人齐问道：“王福，你前日回家，眼已瞎了，如今怎又好好地？”王福向众人喷一口涎沫道：“啐！你们的眼便瞎了。我何曾回家？却又咒我眼瞎！”众人笑道：“这事真个有些古怪。奶奶在舱中唤你，且除下身上麻衣，快去相见。”王福见说，呆了一呆道：“奶奶还在？”众人道：“哪里去了，不在？”王福不信，也不脱麻衣，径撞入舱来。王臣看见，喝道：“这狗才，奶奶在这里，还不换了衣服来见？”王福慌忙退出船头，脱下，进舱叩头。王妈妈擦磨老眼，仔细看时，连称：“怪哉！怪哉！前日王福回家，左眼已损，今却又无恙。料然前日不是他了。”急去开了那封书来看时，也是一张白纸，并无一点墨迹。那时合家惶惑，正不知假王留儿、王福是甚变的？又不知有何缘故，却哄骗两头把家业破毁？还恐后来尚有变故，惊疑不定。

王臣沉思凝想了半日，忽想到假王福左眼是瞎的，恍然而悟，乃道：“是了！是了！原来却是这孽畜变来弄我。”王妈妈急问是甚东西。王臣乃将樊川打狐得书，客店变人诒骗①，和夜间打门之事说出。又道：“当时我只道这孽畜不过变人来骗此书，倒不提防他有恁般贼智。”众人闻言，尽皆摇首咋舌道：“这妖狐却也奸狡利害哩！隔着几多路，却会仿着字迹人形，把两边人都弄得如要戏一般。早知如此，把那书还了他去也罢。”王臣道：“叵耐这孽畜无礼！如今越发不该还他了！若再缠帐，把那祸种头一火而焚之。”于氏道：“事已如此，莫要闲讲了。且商量正务。如今住在这里，不上不下，还是怎生计较？”王臣道：“京中产业俱已卖尽，去也没个着落，况兼路途又远，不如且归江东。”王妈妈道：“江东田宅也一毫无存，却住在何处？”王臣道：“权赁一所住下，再作区处。”当下拨转船头，原望江东而回。那些家人起初像火一般热，到此时化做冰一般冷，犹如断线偶戏，

---

① 诒(dài)骗——行骗。诒，同“绐”，欺骗。

手足摊软，连话都无了。正是乘兴而来，败兴而返。到了杭州，王臣同家人先上岸，在旧居左近赁了一所房屋，制办日用家伙，各色停当，然后发起行李，迎母妻进屋。计点囊橐①，十无其半，又恼又气。门也不出，在家纳闷。这些邻家见王妈妈去而复回，齐来询问。王臣道知其详，众人俱以为异事，互相传说，遂嚷遍了半个杭城。

一日，王臣在堂中，督率家人收拾，只见外边一人走将入来，威仪济楚，服饰整齐。怎见得？但见：

头戴一顶黑纱唐巾，身穿一领绿罗道袍；碧玉环正缀巾边，紫丝绦横围袍上；袜似两堆白雪，舄②如二朵红云。堂堂相貌，生成出世之姿；落落襟怀，养就凌云之气。若非天上神仙，定是人间官宰。

那人走入堂中，王臣仔细打一看时，不是别人，正是同胞兄弟王宰。当下王宰向前作揖道："大哥别来无恙？"王臣还了个礼，乃道："贤弟，亏你寻到这里！"王宰道："兄弟到京回旧居时，见已化为白地。只道罹于兵火，甚是悲痛。即去访问亲故，方知合家向已避难江东。近日大哥至京，整理旧业，因得母亲凶问，刚始离京。兄弟闻了这信，遂星夜赶来。适才访到旧居，邻家说新迁于此，母亲却也无恙，故此又到舟中换了衣服才来。母亲如今哪里？为何反迁在这等破屋里边？"王臣道："一言难尽！待见过了母亲，与你细说。"引入后边，早有家人报知。王妈妈闻得儿子忽归家，好生欢喜，即忙出来，恰好遇见，王宰倒身下拜，拜毕起身。王妈妈道："儿！我日夜挂心，一向好么？"王宰道："多谢母亲记念。待儿见过嫂嫂，少停细细说与母亲知道。"当下王臣浑家并一家婢仆，都来见过。王宰扯王臣往外就走。王妈妈也随出来。至堂中坐下，问道："大哥，你且先说，因甚弄得恁般模样？"王臣乃将樊川打狐起，直至两边掇赚，变卖产业，前后事细说一遍。王宰听了说："原来有这个缘故，以致如此！这却是你自取，非干野狐之罪。那狐自在林中看书，你是官道行路，两不妨碍，如何却去打他，又夺其书？及至客店中，他忍着疼痛，来赚你书，想是万不得已而然。你不还他罢了，怎能又起恶念，拔剑斩逐？及至夜间好言苦求，你又执意不肯。况且不识这字，终于无用，要他则甚！今反吃他捉弄得这般光景，都

① 囊橐（tuó）——口袋。

② 舄（xì）——古代一种复底鞋。

是自取其祸。”王妈妈道：“我也是这般说。要他何用！如今反受其累！”王臣被兄弟数落一番，默然不语，心中好不耐烦。王宰道：“这书有几多大？还是什么字体？”王臣道：“薄薄的一册，也不知什么字体，一字也识不出。”王宰道：“你且把我看看。”王妈妈从旁衬道：“正是！你去把来与兄弟看看，或者识得这字也不可知。”王宰道：“这字料也难识，只当眼见希奇物罢了。”当时王臣向里边取出，到堂中，递与王宰。王宰接过手，从前直揭至后，看了一看，乃道：“这字果然稀见！”便立起身，走在堂中，向王臣道：“前日王留儿便是我。今日天书已还，不来缠你了。请放心！”一头说，一头往外就奔。王臣大怒，急赶上前，大喝道：“孽畜大胆，哪里走？”一把扯住衣裳，走的势发，扯的力猛，只听得聒喇一响，扯下一幅衣裳。那妖狐索性把身一抖，卸下衣服，现出本相，向门外乱跑，风团也似去了。王臣同家人一齐赶到街上，四顾观看，并无踪影。王臣一来被他破荡了家业，二来被他数落这场，三来不忿得这书，咬牙切齿，东张西望寻觅。只见一个瞎道人，站在对面檐下。王臣问道：“可见一个野狐从哪里去了？”瞎道人把手指道：“向东边去了。”王臣同家人急望东而赶。行不上五六家门面，背后瞎道人叫道：“王臣，前日王福便是我，令弟也在这里。”众人闻得，复转身来，两个野狐执着书儿在前戏跃。众人奋勇前来追捕，二狐放下四蹄，飞也似去了。王臣刚奔到自己门首，王妈妈叫道：“去了这败家祸胎，已是安稳了，又赶他则甚！还不进来？”王臣忍着一肚子气，只得依了母亲，唤转家人进来。逐件捡起衣服观看，俱随手而变。你道都是甚么东西？

破芭蕉，化为罗服；灶荷叶，变做纱巾。碧玉环，柳枝圈就；紫丝绦，薜萝搓成。罗袜二张白素纸，朱舄两片老松皮。

众人看了，尽皆骇异道：“妖狐神通这般广大！二官人不知在何处，却变得恁般厮像？”王臣心中转想转恼，气出一场病来，卧床不起。王妈妈请医调治，自不必说。过了数日，家人们正在堂中，只见走进一个人来。看时，却是王宰，也是纱巾罗服，与前妖狐一般打扮。众家人只道又是假的，一齐乱喊道：“妖狐又来了！”各去寻棍觅棒，拥上前乱打。王宰喝道：“这些泼男女，为何这等无礼！还不去报知奶奶！”众人哪个睬他，一味乱打。王宰止遏不住，惹恼性子，夺过一根棒来，打得众人四分五落，不敢近前，都闪在里边门旁指着骂道：“你这孽畜！书已拿去了，又来做甚？”王宰不解其意，心下大怒，直打入去。众人往内乱跑。早惊动王妈妈，听得外边喧嚷，急走出来，撞见众人，问道："为何这等慌乱？"众人道："妖狐又变做二官人模样，打进来也。"王妈妈惊道："有这等事！"言还未毕，王宰已在面前。看见母亲，即撇下棒子，上前叩拜道："母亲，为甚这些泼男女将儿叫做妖狐孽畜，执棍乱打？"王妈妈道："你真个是我孩儿否？"王宰道："儿是母亲生的，有什么假！"正说间，外面七八个人，扛抬铺程行李进来，众家人方知是真，上前叩头谢罪。王宰问其缘故。王妈妈乃将妖狐前后事细说，又道："汝兄为此气成病症，尚未能愈。"王宰闻言，亦甚惊骇道："恁样说起来，儿在蜀中，王福曾赍书至，也是这狐假的了。"王妈妈道："你且说书上怎写？"王宰道："儿是随驾入蜀，分隶于剑南节度严武部下，得蒙拔为裨将。故上皇还京，儿不相从归国。两月前，忽见王福赍哥哥书来，说向避难江东，不幸母亲有变，教儿速来计议，扶柩归乡。王福说要至京打扫茔墓，次日先行。儿为此辞了本官，把许多东西都弃下了，轻装兼程趱来。才访至旧居，邻家指引至此。知母亲无恙，复到舟中易服来见。正要问哥哥为甚把这样凶信哄我，不想却有此异事！"即去行李中开出那封书来看时，也是一幅白纸。合家又好笑，又好恼。王宰同母至内见过嫂子，省视王臣，道其所以，王臣又气得个发昏。王妈妈道："这狐虽然惫懒①，也亏他至蜀中赚你回来，使我母子相会。将功折罪，莫怨他罢！"王臣病了两个月，方才痊可，遂入籍于杭州。所以至今吴越间称拐子为野狐精。有诗为证：

蛇行虎走各为群，狐有天书狐自珍。
家破业荒书又去，世人千载笑王臣。

第七卷　钱秀才错占凤凰俦②

渔船载酒日相随，短笛芦花深处吹。
湖面风收云影散，水天光照碧琉璃。

---

① 惫懒——同"惫赖"，泼皮无赖。
② 俦(chóu)——伴侣。

这首诗是宋时杨备①游太湖所作。这太湖在吴郡西南三十余里之外。你道有多少大？东西二百里，南北一百二十里，周围五百里，广三万六千顷，中有山七十二峰，襟带三州。哪三州？

苏州　湖州　常州

东南诸水皆归。一名震泽，一名具区，一名笠泽，一名五湖。何以谓之五湖？东通长洲松江，南通乌程霅溪，西通义兴荆溪，北通晋陵蠕湖，东通嘉兴韭溪，水凡五道，故谓之五湖。那五湖之水，总是震泽分流，所以谓之太湖。就太湖中，亦有五湖名色，曰：菱湖，游湖，莫湖，贡湖，胥湖。五湖之外，又有三小湖：扶椒山东曰梅梁湖；杜圻之西，鱼查之东曰金鼎湖；林屋之东曰东皋里湖；吴人只称做太湖。那太湖中七十二峰，惟有洞庭两山最大。东洞庭曰东山，西洞庭曰西山。两山分峙湖中。其余诸山，或远或近，若浮若沉，隐见出没于波涛之间。有元人许谦②诗为证：

周回万水入，远近数州环。
南极疑无地，西浮直际山。
三江归海表，一径界河间。
白浪秋风疾，渔舟意尚闲。

那东西两山在太湖中间，四面皆水，车马不通。欲游两山者，必假舟楫，往往有风波之险。昔宋时宰相范成大③在湖中遇风，曾作诗一首：

白雾漫空白浪深，舟如竹叶信浮沉。
科头宴起吾何敢，自有山川印此心。

话说两山之人，善于货殖④，八方四路，去为商为贾。所以江湖上有个口号，却做“钻天洞庭”。内中单表西洞庭有个富家，姓高，名赞，少年惯走湖广，贩卖粮食。后来家道殷实了，开起两个解库，托着四个伙计掌管，自己只在家中受用。浑家金氏，生下男女二人，男名高标，女名秋芳。那秋芳反长似高标二岁。高赞请个积年老教授在家馆谷⑤，教着两个儿女读

① 杨备——宋代庆历时任尚书虞部员外郎。
② 许谦——元代金华人，终身讲学，不肯做官。
③ 范成大——宋代诗人。
④ 货殖——经商。
⑤ 馆谷——请先生在家教小孩念书并供食宿，叫“馆谷”。

书。那秋芳资性聪明,自七岁读书,至十二岁,书史皆通,写作俱妙。交十三岁,就不进学堂,只在房中习学女工,描鸾刺凤。看看长成十六岁,出落得好个女儿,美艳非常,有《西江月》为证:

面似桃花含露,体如白雪团成。眼横秋水黛眉清,十指尖尖春笋。袅娜休言西子,风流不让崔莺。金莲窄窄瓣儿轻,行动一天丰韵。

高赞见女儿人物整齐,且又聪明,不肯将他配个平等之人①,定要拣个读书君子,才貌兼全的配他,聘礼厚薄倒也不论。若对头好时,就赔些妆奁嫁去,也自情愿。有多少豪门富室,日来求亲的,高赞访得他子弟才不压众,貌不超群,所以不曾许允。虽则洞庭在水中央,三州通道,况高赞又是个富家,这些做媒的四处传扬,说高家女子,美貌聪明,情愿赔钱出嫁,只要择个风流佳婿。但有一二分才貌的,哪一个不挨风缉缝,央媒说合。说时夸奖得潘安般貌,子建般才。及至访实,都只平常。高赞被这伙做媒的哄得不耐烦了,对那些媒人说道:"今后不须言三语四。若果有人才出众的,便与他同来见我。合得我意,一言两决,可不快当!"自高赞出了这句言语,那些媒人就不敢轻易上门。正是:

眼见方为是,传言未必真。
试金今有石,惊破假银人。

话分两头。却说苏州府吴江县平望地方,有一秀士,姓钱名青,字万选。此人饱读诗书,广知今古,更兼一表人才。也有《西江月》为证:

出落唇红齿白,生成眼秀眉清。风流不在着衣新,俊俏行中首领。下笔千言立就,挥毫四坐皆惊。青钱万选好声名,一见人人起敬。

钱生家世书香,产微业薄,不幸父母早丧,愈加零替。所以年当弱冠,无力娶妻,止与老仆钱兴相依同住。钱兴日逐做些小经纪供给家主,每每不敷,一饥两饱,幸得其年游庠②。同县有个表兄,住在北门之外,家道颇富,就延他在家读书。那表兄姓颜,名俊,字伯雅,与钱生同庚生,都则一十八岁,颜俊只长得三个月,故此钱生呼之为兄。父亲已逝,止有老母在

① 平等之人——平常的人。封建社会认为做官的人、读书人为上等人,其余为平常的人。

② 游庠(xiáng)——科举时代,准备科考的人经过县、府、院的初试和复试,考取了就是"秀才",或叫"庠生",也称"游庠"。庠,古代地方学校的名称。

堂，亦未尝定亲。说话的，那钱青因家贫未娶；颜俊是富家之子，如何一十八岁，还没老婆？其中有个缘故，那颜俊有个好高之病，立誓要拣个绝美的女子，方与缔姻，所以急切不能成就。况且颜俊自己又生得十分丑陋。怎见得？亦有《西江月》为证：

面黑浑如锅底，眼圆却似铜铃。痘疤密摆泡头钉，黄发蓬松两鬓。牙齿真金镀就，身躯顽铁敲成。楂开五指鼓锤能，枉了名呼颜俊。

那颜俊虽则丑陋，最好妆扮，穿红着绿，低声强笑，自以为美。更兼他腹中全无滴墨，纸上难成片语，偏好攀今掉古，卖弄才学。钱青虽知不是同调，却也借他馆地，为读书之资，每事左凑①着他。故此颜俊甚是喜欢，事事商议而行，甚说得着。话休絮烦。一日，正是十月初旬天气，颜俊有个门房远亲，姓尤名辰，号少梅，为人生意行中，颇颇伶俐，也领借颜俊些本钱，在家开个果子店营运过活。其日在洞庭山贩了几担橙橘回来，装做一盘，到颜家送新。他在山上闻得高家选婿之事，话说中间偶然对颜俊叙述，也是无心之谈。谁知颜俊倒有意了，想道："我一向要觅一头好亲事，都不中意。不想这段姻缘却落在那里！凭着我恁般才貌，又有家私，若央媒去说，再增添几句好话，怕道不成？"那日一夜睡不着。天明起来，急急梳洗了，到尤辰家里，尤辰刚刚开门出来，见了颜俊，便道："大官人为何今日起得恁早？"颜俊道："便是有些正事，欲待相烦。恐老兄出去了，特特早来。"尤辰道："不知大官人有何事见委？请里面坐了领教。"颜俊坐启②下，作了揖，分宾而坐。尤辰又道："大官人但有所委，必当效力，只怕用小子不着。"颜俊道："此来非为别事，特求少梅作伐③。"尤辰道："大官人作成小子赚花红钱，最感厚意。不知说的是哪一头亲事？"颜俊道："就是老兄昨日说的洞庭西山高家这头亲事，于家下甚是相宜。求老兄作成小子则个。"尤辰格的笑了一声道："大官人莫怪小子直言！若是第二家，小子也就与你去说了。若是高家，大官人作成别人做媒罢。"颜俊道："老兄为何推托？这是你说起的，怎么又叫我去寻别人？"尤辰道："不是小子推托。只为高老有些古怪，不容易说话，所以迟疑。"颜俊道："别件事，或者有些

---

① 左凑——迁就，顺着。

② 坐启——或作"坐起"。

③ 作伐——即"伐柯"，语出《诗经》，说媒之意。

东扯西拽，东掩西遮，东三西四，不容易说话。这做媒乃是冰人撮合，一天好事，除非他女儿不要嫁人便罢休。不然，少不得男媒女妁。随他古怪，然须知媒人不可怠慢。你怕他怎的！还是你故意作难，不肯总成[①]我这桩美事。这也不难，我就央别人去说。说成了时，休想吃我的喜酒！”说罢，连忙起身。那尤辰领借了颜俊家本钱，平日奉承他的，见他有稽然不悦之意，即忙回船转舵道：“大官人莫要性急，且请坐下，再细细商议。”颜俊道：“肯去就去，不肯去就罢了。有甚话商量得！”口里虽则是恁般说了，身子却又转来坐下。尤辰道：“不是我故意作难，那老儿真个古怪。别家相媳妇，他偏要相女婿。但得他当面看得中意，才将女儿许他。有这些难处，只怕劳而无功，故此不敢把这个难题目包揽在身上。”颜俊道：“依你说，也极容易。他要当面看我时，就等他看个眼饱。我又不残疾，怕他怎地！”尤辰不觉呵呵大笑道：“大官人，不是冲撞你说。大官人虽则不丑，更有比大官人胜过几倍的，他还看不上眼哩。大官人若是不把与他见面，这事纵没一分二分，还有一厘二厘。若是当面一看，便万分难成了。”颜俊道：“常言无谎不成媒。你与我包谎，只说十二分人才，或者该是我的姻缘，一说便就，不要面看，也不可知。”尤辰道：“倘若要看时，却怎地？”颜俊道：“且到那时，再有商量。只求老兄速去一言。”尤辰道：“既蒙吩咐，小子好歹去走一遭便了。”颜俊临起身，又叮咛道：“千万，千万！说得成时，把你二十两这纸借契，先奉还了。媒礼花红在外。”尤辰道：“当得，当得！”颜俊别去。不多时，就教人封上五钱银子，送与尤辰，为明日买舟之费。颜俊那一夜在床上又睡不着，想道：“倘他去时不尽其心，葫芦提[②]回复了我，可不枉走一遭！再差一个伶俐家人跟随他去，听他讲甚言语。好计，好计！”等待天明，便唤家童小乙来，跟随尤大舍往山上去说亲。小乙去了，颜俊心中牵挂，即忙梳洗，往近处一个关圣庙中求签，卜其事之成否。当下焚香再拜，把签筒摇了几摇，扑的跳出一签，拾起看时，却是第七十三签。签上写得有签诀四句，云：

忆昔兰房分半钗，而今忽把信音乖。
痴心指望成连理，到底谁知事不谐。

---

① 总成——成全。
② 葫芦提——糊里糊涂，马马虎虎。

颜俊才学虽则不济，这几句签诀，文义显浅，难道好歹不知。求得此签，心中大怒，连声道："不准，不准！"撒袖出庙门而去。回家中坐了一会，想道："此事有甚不谐！难道真个嫌我丑陋，不中其意？男子汉须比不得妇人，只是出得人前罢了。一定要选个陈平、潘安①不成？"一头想，一头取镜子自照。侧头侧脑的看了一回，良心不昧，自己也看不过了。把镜子向桌上一撇，叹了一口寡气，呆呆而坐。准准的闷了一日。不提。

且说尤辰是日同小乙驾了一只二橹快船，趁着无风静浪，咿呀的摇到西山高家门首停舶，刚刚是未牌时分。小乙将名帖递了。高公出迎，问其来意。说是与令爱作伐。高赞问是何宅。尤辰道："就是敝县一个舍亲，家业也不薄，与宅上门户相当。此子年方十八，读书饱学。"高赞道："人品生得如何？老汉有言在前，定要当面看过，方敢应承。"尤辰见小乙紧紧靠在椅子后边，只得不老实扯个大谎，便道："若论人品，更不必言。堂堂一躯，十全之相；况且一腹文才，十四岁出去考童生，县里就高高取上一名。这几年为丁了父忧②，不曾进院，所以未得游庠。有几个老学，看了舍亲的文字，都许他京解之才③。就是在下，也非惯于为媒。因年常在贵山买果，偶闻令爱才貌双全，老翁又慎于择婿，因思舍亲，正合其选，故此斗胆轻造④。"高赞闻言，心中甚喜。"便是令亲果然有才有貌，老汉敢不从命。但老汉未曾经目，终不放心。若是足下引令亲过寒家一会，更无别说。"尤辰道："小子并非谬言。老翁他日自知。只是舍亲是个不出书房的小官人，或者未必肯到宅上。就是小子撺掇来时，若成得亲事还好，万一不成，舍亲何面目回转！小子必然讨他抱怨了。"高赞道："既然人品十全，岂有不成之理。老夫生性是这般小心过度的人，所以必要着眼。若是令亲不屑下顾，待老汉到宅，足下不意之中，引令亲来一观，却不妥贴？"尤辰恐怕高赞身到吴江，访出颜俊之丑，即忙转口道："既然尊意决要会面，小子还同舍亲奉拜，不敢烦尊驾动履。"说罢，告别。高公哪里肯放，忙教整酒肴相

---

① 陈平、潘安——陈平，西汉时人。潘安，晋代人。两人都是美男子。

② 丁了父忧——旧称遭遇父母丧事叫丁忧。

③ 京解之才——有考中举人、进士的可能。"举人"一般又称为"解元"；通过在京举办的全国考试的举人被称为"进士"。

④ 造——造访。造：前往，到。

款。吃到更余，高公留宿。尤辰道："小舟带有铺陈，明日要早行，即今奉别。等舍亲登门，却又相扰。"高公取舟金一封相送，尤辰作谢下船。次早顺风，拽起饱帆，不够大半日就到了吴江。颜俊正呆呆的站在门前望信。一见尤辰回家，便迎住问道："有劳老兄往返，事体如何？"尤辰把问答之言，细述一遍。"他必要面会，大官人如何处置？"颜俊默然无言。尤辰便道："暂别再会。"自回家去了。颜俊到里面，唤过小乙来问其备细，只恐尤辰所言不实。小乙说来果是一般。颜俊沉吟了半晌，心生一计，再走到尤辰家，与他商议。不知说的是甚么计策？正是：

为思佳偶情如火，索尽枯肠夜不眠。
自古姻缘皆分定，红丝①岂是有心牵。

颜俊对尤辰道："适才老兄所言，我有一计在此，也不打紧。"尤辰道："有何好计？"颜俊道："表弟钱万选，向在舍下同窗读书。他的才貌比我胜几分儿。明日我央及他同你去走一遭，把他只说是我，哄过一时，待行过了聘②，不怕他赖我的姻事。"尤辰道："若看了钱官人，万无不成之理。只怕钱官人不肯。"颜俊道："他与我至亲，又相处得极好。只央他点一遍名儿，有甚亏他处！料他决然无辞。"说罢，作别回家。其夜，就到书房中陪钱万选夜饭，酒肴比常分外整齐。钱万选愕然道："日日相扰，今日何劳盛设？"颜俊道："且吃三杯，有小事相烦贤弟则个，只是莫要推故。"钱万选道："小弟但可效劳之处，无不从命。只不知甚么样事？"颜俊道："不瞒贤弟说，对门开果子店的尤少梅，与我作伐，说的女家，是洞庭西山高家。一时间夸了大口，说我十分才貌。不想说得忒高兴了，那高老定要先请我去面会一会，然后行聘。昨日商议，若我自去，恐怕不应了前言。一来少梅没趣，二来这亲事就难成了。故此要劳贤弟认了我的名色，同少梅一行，瞒过那高老，玉成这头亲事。感恩不浅，愚兄自当重报。"钱万选想了一想，道："别事犹可，这事只怕行不得。一时便哄过了，后来知道，你我都不好看相。"颜俊道："原只要哄过这一时。若行聘过了，就晓得也不怕他。他又不认得你是什么人。就怪也只怪得媒人，与你什么相干！况且他家

① 红丝——唐代张嘉贞想选郭元振为婿，令五个女儿手中各拿一根丝线，线头露在帷幕外，使郭元振随便牵一根红丝，于是娶得他的第三个女儿。

② 聘——订婚礼物。旧时以礼物订婚。

在洞庭西山。百里之隔，一时也未必知道。你但放心前去，倒不要畏缩。”钱万选听了，沉吟不语。欲待从他，不是君子所为；欲待不从，必然取怪，这馆就处不成了，事在两难。颜俊见他沉吟不决，便道：“贤弟，常言道：天坍下来，自有长的撑住。凡事有愚兄在前，贤弟休得过虑。”钱万选道：“虽然如此，只是愚弟衣衫褴褛，不称仁兄之相。”颜俊道：“此事愚兄早已办下了。”是夜无话。

次日，颜俊早起，便到书房中，唤家童取出一皮箱衣服，都是绫罗绸绢时新花样的翠颜色，时常用龙涎庆真饼①熏得扑鼻之香，交付钱青行时更换，下面净袜丝鞋，只有头巾不对②，即时与他换了一顶新的。又封着二两银子送与钱青道：“薄意权充纸笔之用，后来还有相酬。这一套衣服，就送与贤弟穿了。日后只求贤弟休向人说，泄漏其事。今日约定了尤少梅，明日早行。”钱青道：“一依尊命。这衣服小弟暂时借穿，回时依旧纳还。这银子一发不敢领了。”颜俊道：“古人车马轻裘③，与朋友共，就没有此事相劳，那几件粗衣奉与贤弟穿了，不为大事。这些须薄意，不过表情，辞时反教愚兄惭愧。”钱青道：“既是仁兄盛情，衣服便勉强领了。那银子断然不敢领。”颜俊道：“若是贤弟固辞，便是推托了。”钱青方才受了。颜俊是日约会尤少梅。尤辰本不肯担这干纪，只为不敢得罪于颜俊，勉强应承。颜俊预先备下船只，及船中供应食物，和铺陈之类，又拨两个安童④伏侍，连前番跟去的小乙，共是三人。绢衫毡包，极其华整。隔夜俱已停当。又吩咐小乙和安童到彼，只当自家大官人称呼，不许露出个钱字。过了一夜，侵早就起来催促钱青梳洗穿着。钱青贴里贴外，都换了时新华丽衣服，行动香风拂拂，比前更觉标致。

分明荀令留香去，疑是潘郎掷果回。

颜俊请尤辰到家，同钱青吃了早饭，小乙和安童跟随下船。又遇了顺风，片帆直吹到洞庭西山，天色已晚。舟中过宿。次日，早饭过后，约莫高

---

① 龙涎庆真饼——龙涎，抹香鲸肠内分泌出的一种香料。可用它制成香饼。

② 只有头巾不对——明代规定生员（秀才）戴软巾，垂带。钱青是秀才，戴这种巾；颜俊不是秀才，所以和他的头巾不同。

③ 轻裘（qiú）——轻柔的皮衣。

④ 安童——侍童，书童。

赞起身，钱青全柬写颜俊名字拜帖，谦逊些，加个晚字，小乙捧帖，到高家门首投下，说："尤大舍引颜宅小官人特来拜见。"高家仆人认得小乙的，慌忙通报。高赞传言快请。假颜俊在前，尤辰在后，步入中堂，高赞一眼看见那个小后生，人物轩昂①，衣冠济楚，心中已自三分欢喜。叙礼已毕，高赞看椅上坐。钱青自谦幼辈，再三不肯。只得东西昭穆②坐下。高赞肚里暗暗喜欢："果然是个谦谦君子。"坐定，先是尤辰开口，称说前日相扰。高翁答言多慢，接口就问说："此位就是令亲颜大官人？前日不曾问得贵表③。"钱青道："年幼无表。"尤辰代言："舍亲表字伯雅。伯仲之伯，雅俗之雅。"高赞道："尊名尊字，俱称其实。"钱青道："不敢！"高赞又问起家世。钱青一一对答。出词吐气，十分温雅。高赞想道："外才已是美了。不知他学问如何？且请先生和儿子出来相见，盘他一盘，便见有学无学。"献茶二道，吩咐家人："书馆中请先生和小舍出来见客。"去不多时，只见五十多岁一个儒者，引着一个垂髫④学生出来，众人一齐起身作揖。高赞一一通名："这位是小儿的业师，姓陈，见在府庠；这就是小儿高标。"钱青看那学生，生得眉清目秀，十分俊雅。心中想着："此子如此，其姊可知。颜兄好造化哩！"又献了一道茶，高赞便对先生道："此位尊客是吴江颜伯雅，年少高才。"那陈先生已会了主人之意，便道："吴江是人才之地，见高识广，定然不同。请问贵邑有三高祠，还是哪三个？"钱青答言："范蠡、张翰、陆龟蒙⑤。"又问："此三人何以见得他高处？"钱青一一分疏出来。两个遂互相盘问了一回。钱青见那先生学问平常，故意谈天说地，讲古论今，惊得先生一字俱无，连称道："奇才，奇才！"把一个高赞就喜得手舞足蹈，忙唤家

---

① 轩昂——形容精神饱满，气度不凡。

② 昭穆——古代祖庙的次序，左边为"昭"，右边为"穆"，后作为"左右"的代词。

③ 表——即表字，表号；正名之外的一个名号。

④ 垂髫(tiáo)——古代小孩子的头发垂搭着，叫做"垂髫"，到了成年才把头发盘在头上。

⑤ 范蠡、张翰、陆龟蒙——范蠡，战国时越国的大夫，他帮助越王勾践灭吴之后，就弃官泛舟五湖。张翰，晋代吴郡人。一天，想到家乡的莼菜和鲈鱼味道很美，他就辞官回家。陆龟蒙，长洲(吴县)人，隐居不做官，自号"江湖散人"、"天随子"，是唐代的诗人。因为他们都辞官隐居，所以后来合称为"三高"。

人，悄悄吩咐备饭，要整齐些。家人闻言，即时摆开桌子，排下五色果品。高赞取杯箸安席。钱青答敬谦让了一回，照前昭穆坐下。三汤十菜，添案①小吃，顷刻间，摆满了桌子，真个咄嗟②而办。你道为何如此便当？原来高赞的妈妈金氏，最爱其女。闻得媒人引颜小官人到来，也伏在遮堂背后张看。看见一表人才，语言响亮，自家先中意，料高老必然同心，故此预先准备筵席。一等吩咐，流水的就搬出来。宾主共是五位。酒后饭，饭后酒，直吃到红日衔山。钱青和尤辰起身告辞。高赞心中甚不忍别，意欲攀留数日，钱青哪里肯住。高赞留了几次，只得放他起身。钱青拜别了陈先生，口称承教，次与高公作谢道："明日早行，不得再来告别！"高赞道："仓卒怠慢，勿得见罪。"小学生也作揖过了。金氏已备下几色嗄程③相送，无非是酒米鱼肉之类。又有一封舟金。高赞扯尤辰到背处，说道："颜小官人才貌，更无他说。若得少梅居间成就，万分之幸。"尤辰道："小子领命。"高赞直送上船，方才分别。当夜夫妻两口，说了颜小官人一夜。正是：

不须玉杵千金聘，已许红绳两足缠。

再说钱青和尤辰，次日开船，风水不顺，直到更深，方才抵家。颜俊兀自秉烛夜坐，专听好音。二人叩门而入，备述昨朝之事。颜俊见亲事已成，不胜之喜，忙忙的就本月中择个吉日行聘。果然把那二十两借契送了尤辰，以为谢礼。就择了十二月初三日成亲。高赞得意了女婿，况且妆奁久已完备，并不推阻。日往月来，不觉十一月下旬，吉期将近。原来江南地方娶亲，不行古时亲迎之礼，都是女亲家和阿舅自送上门。女亲家谓之送娘，阿舅谓之抱嫁。高赞为选中了乘龙佳婿④，到处夸扬，今日定要女婿上门亲迎，准备大开筵宴，遍请远近亲邻吃喜酒。先遣人对尤辰说知。尤辰吃了一惊，忙来对颜俊说了。颜俊道："这番亲迎，少不得我自去走遭。"

---

① 添案——指下酒的菜肴。

② 咄(duō)嗟(jiē)——一呼一应的功夫，即一霎时。

③ 嗄程——送行的礼物。这里指路菜。

④ 乘龙佳婿——也称"乘龙快婿"。东汉时，两位很有地位的大官分别娶了太尉桓焉的两个女儿，当时人称桓焉"两女俱乘龙"，是说得婿如龙。后称好女婿为"乘龙"。

尤辰跌足道:"前日女婿上门,他举家都看个够,行乐图①也画得出在那里。今番又换了一个面貌,教做媒的如何措辞?好事定然中变!连累小子必然受辱!"颜俊听说,反抱怨起媒人来道:"当初我原说过来,该是我姻缘,自然成就。若第一次上门时,自家去了,哪见得今日进退两难!都是你捉弄我,故意说得高老十分古怪,不要我去,教钱家表弟替了。谁知高老甚是好情,一说就成,并不作难。这是我命中注定,该做他家的女婿,岂因见了钱表弟方才肯成!况且他家已受聘礼了,他的女儿就是我的人了,敢道个不字么?你看我今番自去,他怎生发付我?难道赖我的亲事不成?"尤辰摇着头道:"成不得!人也还在他家!你狠到哪里去?若不肯把人送上轿,你也没奈何他!"颜俊道:"我带些人从去,肯便肯,不肯时打进去,抢将回来。便告到官司,有生辰吉帖为证。只是赖婚的不是,我并没差处。"尤辰道:"大官人休说满话!常言道:恶龙不斗地头蛇。你的从人虽多,怎比得坐地的,有增无减。万一弄出事来,缠到官司,那老儿诉说,求亲的是一个,娶亲的又是一个。官府免不得与媒人诘问②。刑罚之下,小子只得实说。连钱大官人前程干系,不是耍处。"颜俊想了一想道:"既如此,索性不去了。劳你明日去回他一声,只说前日已曾会过了,敝县没有亲迎的常规,还是从俗送亲罢。"尤辰道:"一发成不得。高老因看上了佳婿,到处夸其才貌。那些亲邻专等亲迎之时,都要来厮认。这是断然要去的。"颜俊道:"如此,怎么好?"尤辰道:"依小子愚见,更无别策。只得再央令表弟钱大官人走遭,索性哄他到底。哄得新人进门,你就靠家大了,不怕他又夺了去。结婚之后,纵然有话,也不怕他了。"颜俊顿了一顿口道:"话倒有理!只是我的亲事,倒作成别人去风光。央及口时,还有许多作难哩。"尤辰道:"事到其间,不得不如此了。风光只在一时,怎及得大官人终身受用!"颜俊又喜又恼。

当下别了尤辰,回到书房,对钱青说道:"贤弟,又要相烦一事。"钱青道:"不知兄又有何事?"颜俊道:"出月初三,是愚兄毕姻之期,初二日就要去亲迎。原要劳贤弟一行,方才妥当。"钱青道:"前日代劳,不过泛然之事。今番亲迎,是个大礼,岂是小弟代得的!这个断然不可!"颜俊道:"贤

---

① 行乐图——把人们游玩消遣的情景画下来,这样的画叫做"行乐图"。

② 诘(jié)问——盘问。

弟所言虽当，但因初番会面，他家已认得了。如今忽换我去，必然疑心，此事恐有变卦。不但亲事不成，只恐还要成讼①，那时连贤弟也有干系。却不是为小妨大，把一天好事自家弄坏了？若得贤弟亲迎回来，成就之后，不怕他闲言闲语。这是个权宜之术，贤弟须知：塔尖上功德②休得固辞。”钱青见他说得情辞恳切，只索依允。颜俊又唤过吹手及一应接亲人从，都吩咐了说话，不许漏泄风声。取得亲回，都有重赏，众人谁敢不依。到了初二日侵晨，尤辰便到颜家相帮，安排亲迎礼物，及上门各项赏赐，都封得停停当当。其钱青所用，及儒巾圆领丝绦皂靴，并皆齐备。又分派各船食用，大船二只，一只坐新人，一只媒人共新郎同坐；中船四只，散载众人；小船四只，一者护送，二者以备杂差。十余只船，筛锣掌号，一齐开出湖去。一路流星炮涨，好不兴头。正是：

门阑多喜气，女婿近乘龙。

船到西山，已是下午。约莫离高家半里停泊。尤辰先到高家报信。一面安排亲迎礼物，及新人乘坐百花彩轿，灯笼火把，共有数百。钱青打扮整齐，另有青绢暖轿，四抬四绰，笙箫鼓乐，径望高家而来。那山中远近人家，都晓得高家新女婿才貌双全，竞来观看，挨肩并足，如看神会故事的一般热闹。钱青端坐轿中，美如冠玉，无不喝采。有妇女曾见过秋芳的，便道：“这般一对夫妻，真个郎才女貌！高家拣了许多女婿，今日果然被他拣着了。”不提众人。且说高赞家中，大排筵席，亲朋满坐，未及天晚，堂中点得画烛通红。只听得乐声聒耳，门上人报道：“娇客③轿子到门了。”傧相披红插花，忙到轿前作揖，念了诗赋，请出轿来。众人谦恭揖让，延至中堂奠雁④。行礼已毕，然后诸亲一一相见。众人见新郎标致，一个个暗暗称羡。献茶后，吃了茶果点心，然后定席安位。此日新女婿与寻常不同，面南专席，诸亲友环坐相陪，大吹大擂的饮酒。随从人等，外厢另有款待。且说钱青坐于席上，只听得众人不住声的赞他才貌，贺高老选婿得人。钱青肚里暗笑道：“他们好似见鬼一般！我好像做梦一般！做梦的醒了，也

① 讼(sòng)——诉讼，打官司。
② 塔尖上功德——比喻只剩下最后一点小的工程。
③ 娇客——对女婿的敬称。
④ 奠雁——古代婚礼，新郎到女家迎亲，用雁作见面礼，叫“奠雁”。

只扯淡。那些见神见鬼的，不知如何结末哩？我今日且落得受用。”又想道：“我今日做替身，担了虚名，不知实受还在几时？料想不能如此富贵。”转了这一念，反觉得没兴起来。酒也懒吃了。高赞父子，轮流敬酒，甚是殷勤。钱青怕担误了表兄的正事，急欲抽身。高赞固留，又坐了一回。用了汤饭，仆从的酒都吃完了。约莫四鼓，小乙走在钱青席边，催促起身。钱青教小乙把赏封给散，起身作别。高赞量度已是五鼓时分，陪嫁妆奁俱已点检下船，只待收拾新人上轿。只见船上人都走来说：“外边风大，难以行船。且消停一时，等风头缓了好走。”原来半夜里便发了大风。那风刮得好利害！只见：

山间拔木扬尘，湖内腾波起浪。

只为堂中鼓乐喧阗，全不觉得。高赞叫乐人住了吹打，听时，一片风声，吹得怪响。众皆愕然。急得尤辰只把脚跳。高赞心中大是不乐。只得重请入席，一面差人在外专看风色。看看天晓，那风越狂起来，刮得彤云①密布，雪花飞舞。众人都起身看着天，做一块儿商议。一个道：“这风还不像就住的。”一个道：“半夜起的风，原要半夜里住。”又一个道：“这等雪天，就是没风也怕行不得。”又一个道：“只怕这雪还要大哩。”又一个道：“风太急了，住了风，只怕湖胶②。”又一个道：“这太湖不愁他胶断，还怕的是风雪。”众人是恁般闲讲。高老和尤辰好生气闷！又挨一会，吃了早饭，风愈狂，雪愈大，料想今日过湖不成。错过了吉日良时，残冬腊月，未必有好日了。况且笙箫鼓乐，乘兴而来，怎好教他空去。事在千难万难之际，坐间有个老者，唤做周全，是高赞老邻，平日最善处分乡里之事。见高赞沉吟无计，便道：“依老汉愚见，这事一些不难。”高赞道：“足下计将安在？”周全道：“既是选定日期，岂可错过！令婿既已到宅，何不就此结亲？趁这筵席，做了花烛。等风息，从容回去，岂非全美。”众人齐声道：“最好！”高赞正有此念，却喜得周老说话投机。当下便吩咐家人，准备洞房花烛之事。却说钱青虽然身子在此，本是个局外之人。起初风大风小，也还不在他心上。忽见周全发此议论，暗暗心惊，还道高老未必听他。不想高老欣然应允，老大着忙，暗暗叫苦。欲央尤少梅代言，谁想尤辰平昔好酒，一来

---

① 彤云——下雪前密布的阴云。

② 湖胶——湖水结冰冻住了。

天气寒冷，二来心绪不佳，斟着大杯，只顾吃，吃得烂醉如泥，在一壁厢空椅子上，打盹去了。钱青只得自家开口道："此百年大事，不可草草。不妨另择个日子，再来奉迎。"高赞哪里肯依，便道："翁婿一家，何分彼此！况贤婿尊人，已不在堂，可以自专。"说罢，高赞入内去了。钱青又对各位亲邻，再三央及，不愿在此结亲。众人都是奉承高老的，哪一个不极口赞成。钱青此时无可奈何，只推出恭。到外面时，却叫颜小乙与他商议。小乙心上也道不该，只教钱秀才推辞，此外别无良策。钱青道："我已辞之再四，其奈高老不从！若执意推辞，反起其疑。我只要委曲周全你家主一桩大事，并无欺心。若有苟且，天地不容。"主仆二人，正在讲话，众人都攒拢来道："此是美事，令岳意已决矣。大官人不须疑虑！"钱青默然无语。众人揖钱青请进。午饭已毕，重排喜筵，傧相披红喝礼，两位新人打扮登堂，照依常规行礼，结了花烛。正是：

百年姻眷今宵就，一对夫妻此夜新。
得意事成失意事，有心人遇没心人。

其夜酒阑人散，高赞老夫妇亲送新郎进房，伴娘替新娘卸了头面。几遍催新郎安置，钱青只不答应。正不知什么意故，只得伏侍新娘先睡，自己出房去了。丫鬟将房门掩上，又催促官人上床。钱青心上如小鹿乱撞，勉强答应一句道："你们先睡。"丫鬟们乱了一夜，各自倒东歪西去打瞌睡。钱青本待秉灯达旦，一时不曾讨得几枝蜡烛。到烛尽时，又不好声唤，忍着一肚子闷气，和衣在床外侧身而卧。也不知女孩儿头东头西。次早清清天亮，便起身出外，到舅子书馆中去梳洗。高赞夫妻只道他少年害羞，亦不为怪。是日雪虽住了，风尚不息。高赞且做庆贺筵席。钱青吃得酩酊大醉，坐到更深进房。女孩儿又先睡了。钱青打熬不过，依旧和衣而睡，连小娘子的被窝儿也不敢触着。又过一晚，早起时，见风势稍缓，便要起身。高赞定要留过三朝，方才肯放。钱青拗不过，只得又吃了一日酒。坐间背地里和尤辰说起夜间和衣而卧之事，尤辰口虽答应，心下未必准信。事已如此，只索由他。却说女孩儿秋芳，自结亲之夜，偷眼看那新郎，生得果然齐整，心中暗暗欢喜。一连两夜，都则衣不解带，不解其故。"莫非怪我先睡了，不曾等待得他？"此是第三夜了，女孩儿预先吩咐丫鬟，只等官人进房，先请他安息。丫鬟奉命，只等新郎进来，便替他解衣科帽。钱青见不是头，除了头巾，急急的跳上床去，贴着床里自睡，仍不脱衣。女孩儿满怀不乐，只得也和衣睡了，又不好告诉爹娘。到第四日，天气晴和，高赞预先备下送亲船只，自己和老婆亲送女孩儿过湖。娘女共是一船，高赞与钱青、尤辰又是一船。船头俱挂了杂彩，鼓乐振天，好生闹热。只有小乙受了家主之托，心中甚不快意。驾个小小快船，赶路先行。

话分两头。且说颜俊自从打发众人迎亲去后，悬悬而望。到初二日半夜，听得刮起大风大雪，心上好不着忙。也只道风雪中船行得迟，只怕错了时辰。哪想到过不得湖！一应花烛筵席，准备十全，等了一夜，不见动静，心下好闷。想道："这等大风，倒是不曾下船还好。若在湖中行动，老大担忧哩。"又想道："若是不曾下船，我岳丈知道错过吉期，岂肯胡乱把女儿送来，定然要另选个日子。又不知几期吉利？可不闷杀了人！"又想道："若是尤少梅能事时，在岳丈前撺掇，权且迎来，那时我哪管时日利与不利，且落得早些受用。"如此胡思乱想，坐不安席，不住的在门前张望。到第四日风息，料道决有佳音。等到午后，只见小乙先回报道："新娘已娶来了，不过十里之遥。"颜俊问道："吉期错过，他家如何肯放新人下船？"小乙道："高家只怕错过好日，定要结亲。钱大官人替东人权做新郎三日了。"颜俊道："既结了亲，这三夜钱大官人难道竟在新人房里睡的？"小乙道："睡是同床的，却不曾动弹。那钱大官人是看得熟鸭蛋伴得小娘眠的①。"颜俊骂道："放屁！哪有此理！我托你何事？你如何不叫他推辞，却做下这等勾当？"小乙道："家人也说过来。钱大官人道：'我只要周全你家之事。若有半点欺心，天神鉴察。'"颜俊此时：

怒从心上起，恶向胆边生。

一把掌将小乙打在一边，气忿忿的奔出门外，专等钱青来厮闹。恰好船已拢岸。钱青终有细腻，预先嘱咐尤辰绊住高老，自己先跳上岸。只为自反无愧，理直气壮，昂昂的步到颜家门首。望见颜俊，笑嘻嘻的正要上前作揖，告诉衷情，谁知颜俊以小人之心，度君子之腹，此际便是仇人相见，分外眼睁，不等开言，便扑的一头撞去，咬定牙根，狠狠的骂道："天杀的！你好快活！"说声未毕，查开五指，将钱青和巾和发，扯做一把，乱踢乱打。口里不绝声的道："天杀的！好欺心！别人费了钱财，把与你现成受

---

① 看得熟鸭蛋，伴得小娘眠的——没有与新娘发生肉体关系的隐语。说明其不好色。

用!”钱青口中也自分辩。颜俊打骂忙了,哪里听他半个字儿。家人也不敢上前相劝。钱青吃打慌了,但呼救命。船上人听得闹吵,都上岸来看。只见一个丑汉,将新郎痛打,正不知甚么意故。都走拢来解劝,哪里劝得他开。高赞盘问他家人,那家人料瞒不过,只得实说了。高赞不闻犹可,一闻之时,心头火起,大骂尤辰无理,做这等欺三瞒四的媒人,说骗人家女儿。也扭着尤辰乱打起来。高家送亲的人,也自心怀不平,一齐动手要打那丑汉。颜俊的家人回护家主,就与高家从人对打。先前颜俊和钱青是一对厮打,以后高赞和尤辰是两对厮打。结末两家家人,扭做一团厮打。看的人重重叠叠,越发多了,街道拥塞难行,却似:

九里山前摆阵势,昆阳城下赌输赢①。

事有凑巧,其时本县大尹,恰好送了上司回轿,至于北门,见街上震天喧嚷,却是厮打的。停了轿子,喝教拿下。众人见知县相公拿人,都则散了。只有颜俊兀自扭住钱青,高赞兀自扭住尤辰,纷纷告诉,一时不得其详。大尹都教带到公庭,逐一细审,不许搀口。见高赞年长,先叫他上堂诘问。高赞道:“小人是洞庭山百姓,叫做高赞,为女择婿,相中了女婿才貌,将女许配。初三日,女婿上门亲迎,因被风雪所阻,小人留女婿在家,完了亲事。今日送女到此,不期遇了这个丑汉,将小人的女婿毒打。小人问其缘故,却是那丑汉买嘱媒人,要哄骗小人的女儿为婚,却将那姓钱的后生,冒名到小人家里。老爷只问媒人,便知奸弊。”大尹道:“媒人叫做甚名字?可在这里么?”高赞道:“叫做尤辰,见在台下。”大尹喝退高赞,唤尤辰上来,骂道:“弄假成真,以非为是,都是你弄出这个伎俩!你可实实供出,免受重刑。”尤辰初还只含糊抵赖,大尹发怒,喝教取夹棍伺候。尤辰虽然市井,从未熬刑,只得实说。起初颜俊如何“央小人去说亲”,高赞如何作难,要选才貌。后来如何央钱秀才冒名去拜望。直到结亲始末,细细述了一遍。大尹点头道:“此是实情了。颜俊这厮费了许多事,却被别人夺了头筹②,也怪不得发恼。只是起先设心哄骗的不是。”便教颜俊,审其

① 九里山前摆阵势,昆阳城下赌输赢——九里山前,楚汉相争,韩信在九里山前摆六十四卦阵,设十面埋伏,逼着项羽自刎于乌江。昆阳城下,刘秀(汉光武)和王莽的主力军队曾在昆阳决战,打败了王莽的军队。

② 夺了头筹——得了头采。这里是指第一个和新娘发生关系的意思。

口词。颜俊已听尤辰说了实话，又见知县相公词气温和，只得也叙了一遍。两口相同。大尹结末唤钱青上来。一见钱青青年美貌，且被打伤，便有几分爱他怜他之意。问道："你是个秀才，读孔子之书，达周公之礼，如何替人去拜望迎亲，同谋哄骗，有乖①行止？"钱青道："此事原非生员所愿。只为颜俊是生员表兄，生员家贫，又馆谷于他家，被表兄再四央求不过，勉强应承。只道一时权宜，玉成其事。"大尹道："住了！你既为亲情而往，就不该与那女儿结亲了。"钱青道："生员原只代他亲迎。只为一连三日大风，太湖之隔，不能行舟，故此高赞怕误了婚期，要生员就彼花烛。"大尹道："你自知替身，就该推辞了。"颜俊从旁磕头道："青天老爷！只看他应承花烛，便是欺心。"大尹喝道："不要多嘴，左右扯他下去！"再问钱青："你那时应承做亲，难道没有个私心？"钱青道："只问高赞便知。生员再三推辞，高赞不允。生员若再辞时，恐彼生疑，误了表兄的大事。故此权成大礼。虽则三夜同床，生员和衣而睡，并不相犯。"大尹呵呵大笑道："自古以来，只有一个柳下惠坐怀不乱。那鲁男子②既自知不及，风雪之中，就不肯放妇人进门了。你少年子弟，血气未定，岂有三夜同床，并不相犯之理？这话哄得哪一个！"钱青道："生员今日自陈心迹，父母老爷未必相信。只教高赞去问自己的女儿，便知真假。"大尹想道："那女儿若有私情，如何肯说实话。"当下想出个主意来，便教左右唤到老实稳婆③一名，到舟中试验高氏是否处女，速来回话。不一时，稳婆来复知县相公，那高氏果是处子，未曾破身。颜俊在阶下听说高氏还是处子，便叫喊道："既是小的妻子不曾破坏，小的情愿成就。"大尹又道："不许多嘴！"再叫高赞道："你心下愿将女儿配哪一个？"高赞道："小人初时原看中了钱秀才。后来女儿又与他做了花烛。虽然钱秀才不欺暗室④，与小女即无夫妇之情，已定了夫妇之义。若教女儿另嫁颜俊，不惟小人不愿，就是女儿也不愿。"大尹道："此言

---

① 有乖行止——违背行为准则。乖，违背。

② 柳下惠、鲁男子——柳下惠，春秋时鲁国人。相传他曾用自己的身体，偎暖了一个没有宿处冻倒的女子，可是他们并没有发生不正当的关系，所以称为"坐怀不乱"。鲁男子，鲁国人。一天夜晚大风雨，邻家寡妇的房屋坏了，想到他家避雨，他为了避嫌疑，拒绝了那个寡妇。

③ 稳婆——接生婆。

④ 不欺暗室——在人家看不见的地方，也是规规矩矩，不做欺心的事。

正合吾意。"钱青心下倒不肯，便道："生员此行，实是为公不为私。若将此女归了生员，把生员三夜衣不解带之意全然没了。宁可令此女别嫁，生员决不敢冒此嫌疑，惹人谈论。"大尹道："此女若归他人，你过湖这两番替人诓骗，便是行止有亏，干碍前程了。今日与你成就亲事，乃是遮掩你的过失。况你的心迹已自洞然，女家两相情愿，有何嫌疑？休得过让，我自有明断。"遂举笔判云：

高赞相女配夫，乃其常理；颜俊借人饰己，实出奇闻。东床①已招佳选，何知以羊易牛②；西邻纵有责言，终难指鹿为马③。两番渡湖，不让传书柳毅④；三宵隔被，何惭秉烛云长⑤。风伯为媒，天公作合。佳男配了佳妇，两得其宜；求妻到底无妻，自作之孽。高氏断归钱青，不须另作花烛。颜俊既不合设骗局于前，又不合奋老拳于后。事已不谐，姑免罪责。所费聘仪，合助钱青，以赎一击之罪。尤辰往来煽诱，实启衅端，重惩示儆。

判讫，喝教左右，将尤辰重责三十板，免其画供，竟行逐出，盖不欲使钱青冒名一事彰闻于人也。高赞和钱青拜谢。一干人出了县门，颜俊满面羞惭，敢怒而不敢言，抱头鼠窜而去。有好几月不敢出门。尤辰自回家将息棒疮不提。

却说高赞邀钱青到舟中，反殷勤致谢道："若非贤婿才行俱全，上官起敬，小女几乎错配匪人⑥。今日倒要屈贤婿同小女到舍下少住几时。不知

---

① 东床——晋代太尉郗鉴派人到王家挑选女婿，王家的许多子弟都很矜持做作，只有王羲之袒腹躺在东床上吃东西，很自然，郗鉴就把女儿嫁给他。后因称女婿为"东床"。

② 以羊易牛——语见《孟子》。梁惠王看见人牵一条牛去杀，他不忍看，教人用一只羊替换那条牛。这里指钱青代替颜俊的事。

③ 指鹿为马——秦代权臣赵高想专权用事，在秦二世面前指着一只鹿硬说是一匹马。其他的人怕他的权势，也附和说是马。

④ 传书柳毅——唐代传奇中的神仙故事：书生柳毅看见龙王的女儿三娘被丈夫虐待，就替她带了一封信给娘家。后来龙女回到娘家，和柳毅结了婚。

⑤ 秉烛云长——相传关羽（字云长）投降曹操的时候，曹操故意让他和刘备的妻子住宿在一间房子里，关羽为了君臣的礼节和避免嫌疑，他就拿着蜡烛站在门外，一直到天亮。

⑥ 匪人——不是正派人。匪同"非"。

贤婿宅上还有何人?”钱青道:“小婿父母俱亡,别无亲人在家。”高赞道:“既如此,一发该在舍下住了。老夫供给读书。贤婿意下如何?”钱青道:“若得岳父扶持,足感盛德。”是夜开船离了吴江,随路宿歇。次日早到西山。一山之人闻知此事,皆当新闻传说。又知钱青存心忠厚,无不钦仰。后来钱青一举成名,夫妻偕老。有诗为证:

丑脸如何骗美妻,作成表弟得便宜。
可怜一片吴江月,冷照鸳鸯湖上飞。

第八卷　乔太守乱点鸳鸯谱

自古姻缘天定,不由人力谋求。有缘千里也相投,对面无缘不偶。　仙境桃花出水①,宫中红叶传沟②。三生簿上注风流,何用冰人开口。

这首《西江月》词,大抵说人的婚姻,乃前生注定,非人力可以勉强。今日听在下说一桩意外姻缘的故事,唤做《乔太守乱点鸳鸯谱》。这故事出在哪个朝代?何处地方?那故事出在大宋景祐年间,杭州府,有一人姓刘名秉义,是个医家出身。妈妈谈氏,生得一对儿女。儿子唤做刘璞,年当弱冠,一表非俗,已聘下孙寡妇的女儿珠姨为妻。那刘璞自幼攻书,学业已就。到十六岁上,刘秉义欲令他弃了书本,习学医业。刘璞立志大就,不肯改业,不在话下。女儿小名慧娘,年方一十五岁,已受了邻近开生药铺裴九老家之聘。那慧娘生得姿容艳丽,意态妖娆,非常标致。怎见得?但见:

蛾眉带秀,凤眼含情,腰如弱柳迎风,面似娇花拂水。体态轻盈,汉家飞燕同称;性格风流,吴国西施并美。蕊宫仙子谪③人间,月殿嫦娥临下界。

---

① 仙境桃花出水——传说东汉时,刘晨、阮肇入天台采药,迷路不得返,遇见桃源里两个仙女,留他们在那里住了半年。

② 宫中红叶传沟——唐代传说故事,一个宫女在红叶上题诗,从御沟中流出,被一个士人拾得,也题了一首诗在叶子上,随水流进了宫。后来两人成了夫妻。

③ 谪(zhé)——古代因罪被罚流放或贬职。

不提慧娘貌美。且说刘公见儿子长大，同妈妈商议，要与他完姻。方待教媒人到孙家去说，恰好裴九老也教媒人来说，要娶慧娘。刘公对媒人道："多多上复裴亲家，小女年纪尚幼，一些妆奁未备，须再过几时，待小儿完姻过了，方及小女之事。目下断然不能从命。"媒人得了言语，回复裴家。那裴九老因是老年得子，爱惜如珍宝一般，恨不能风吹得大，早些儿与他毕了姻事，生男育女。今日见刘公推托，好生不喜。又央媒人到刘家说道："令爱今年一十五岁，也不算做小了。到我家来时，即如女儿一般看待，决不难为。就是妆奁厚薄，但凭亲家，并不计论。万望亲家曲允则个。"刘公立意先要与儿子完姻，然后嫁女。媒人往返了几次，终是不允。裴九老无奈，只得忍耐。当时若是刘公允了，却不省好些事体。止因执意不从，到后生出一段新闻，传说至今。正是：

只因一着错，满盘俱是空。

却说刘公回脱了裴家，央媒人张六嫂到孙家去说儿子的姻事。原来孙寡妇母家姓胡，嫁的丈夫孙恒，原是旧家子弟。自十六岁做亲，十七岁就生下一个女儿，唤名珠姨，才隔一岁，又生个儿子，取名孙润，小字玉郎。两个儿女，方在襁褓中，孙恒就亡过了。亏孙寡妇有些节气，同着养娘，守这两个儿女，不肯改嫁。因此人都唤他是孙寡妇。光阴迅速，两个儿女，渐渐长成。珠姨便许了刘家，玉郎从小聘定善丹青①徐雅的女儿文歌为妇。那珠姨、玉郎都生得一般美貌，就如良玉碾成、白粉团就一般。加添资性聪明，男善读书，女工针指。还有一件，不但才貌双全，且又孝悌兼全。闲话休提。

且说张六嫂到孙家传达刘公之意，要择吉日娶小娘子过门。孙寡妇母子相依，满意欲要再停几时。因想男婚女嫁，乃是大事，只得应承，对张六嫂道："上复亲翁亲母，我家是孤儿寡妇，没甚大妆奁嫁送，不过随堂粗布衣裳。凡事不要见责。"张六嫂复了刘公。刘公备了八盒羹果礼物并吉期送到孙家。孙寡妇受了吉期，忙忙的制办出嫁东西。看看日子已近，母子不忍相离，终日啼啼哭哭。谁想刘璞因冒风之后，出汗虚了，变为寒症，人事不省，十分危笃。吃的药就如泼在石上，一毫没用。求神问卜，俱说无救。吓得刘公夫妻魂魄都丧，守在床边，吞声对泣。刘公与妈妈商议

---

① 善丹青——会画画。

道:"孩儿病势恁样沉重,料必做亲不得。不如且回了孙家。等待病痊,再择日罢。"刘妈妈道:"老官儿,你许多年纪了,这样事难道还不晓得?大凡病人势凶,得喜事一冲就好了。未曾说起的还要去相求;如今现成事体,怎么反要回他!"刘公道:"我看孩儿病体,凶多吉少。若娶来家冲得好时,此是万千之喜,不必讲了。倘或不好,可不害了人家子女,有个晚嫁[①]的名头。"刘妈妈道:"老官,你但顾了别人,却不顾自己。你我费了许多心机,定得一房媳妇。谁知孩儿命薄,临做亲,却又患病起来。今若回了孙家,孩儿无事,不消说起。万一有些山高水低[②],有甚把臂[③],那原聘还了一半,也算是他们忠厚了。却不是人财两失!"刘公道:"依你便怎样?"刘妈妈道:"依着我,吩咐了张六嫂,不要提起孩儿有病,竟娶来家,就如养媳妇一般。若孩儿病好,另择日结亲。倘然不起,媳妇转嫁时,我家原聘并各项使费,少不得班足了,放他出门,却不是个万全之策。"刘公耳朵原是棉花做的[④],就依着老婆,忙去叮嘱张六嫂不要泄漏。自古道,若要不知,除非莫为。刘公便瞒着孙家,哪知他紧间壁的邻家姓李名荣,曾在人家管过解库,人都叫做李都管,为人极是刁钻,专一打听人家的细事,喜谈乐道。因他做主管时,得了些不义之财,手中有钱,所居与刘家基址相连,意欲强买刘公房子,刘公不肯,为此两下面和意不知,巴不能刘家有些事故,幸灾乐祸。晓得刘璞有病危急,满心欢喜,连忙去报知孙家。孙寡妇听见女婿病凶,恐防误了女儿,即使养娘去叫张六嫂来问。张六嫂欲待不说,恐怕刘璞有变,孙寡妇后来埋怨。欲要说了,又怕刘家见怪。事在两难,欲言又止。孙寡妇见他半吞半吐,越发盘问得急了。张六嫂隐瞒不过,乃说:"偶然伤风,原不是十分大病。将息到做亲时,料必也好了。"孙寡妇道:"闻得他病势十分沉重,你怎么说得这般轻易?这事不是当耍的。我受了千辛万苦,守得这两个儿女成人,如珍宝一般。你若含糊赚了我女儿时,少不得和你性命相搏,那时不要见怪。"又道:"你去到刘家说:若果然病

---

① 晚嫁——改嫁。

② 山高水低——比喻发生意外,这里指人死了。

③ 把臂——把柄,凭据。

④ 耳朵原是棉花做的——形容耳朵软,容易被人家的话所打动,自己拿不定主意。

重，何不待好了，另择日子。总是儿女年纪尚幼，何必恁般忙迫。问明白了，快来回报一声。"张六嫂领了言语，方欲出门，孙寡妇又叫转道："我晓得你决无实话回我的。我令养娘同你去走遭，便知端的。"张六嫂见说教养娘同去，心中着忙道："不消得！好歹不误大娘之事。"孙寡妇哪里肯听，教了养娘些言语，跟张六嫂同去。张六嫂捱脱①不得，只得同到刘家。恰好刘公走出门来。张六嫂欺养娘不认得，便道："小娘子少待，等我问句话来。"急走上前，拉刘公到一边，将孙寡妇适来言语细说。又道："他因放心不下，特教养娘同来讨个实信。却怎的回答？"刘公听见养娘来看，手足无措，埋怨道："你怎不阻挡住了？却与他同来！"张六嫂道："再三拦阻，如何肯听，教我也没奈何。如今且留他进去坐了，你们再去从长计较回他，不要连累我后日受气。"说还未毕，养娘已走过来。张六嫂就道："此间便是刘老爹。"养娘深深道个万福。刘公还了礼道："小娘子请里面坐。"一齐进了大门，到客坐内。刘公道："六嫂，你陪小娘子坐着，待我教老荆②出来。"张六嫂道："老爹自便。"刘公急急走到里面，一五一十，学于妈妈。又说："如今养娘在外，怎地回他？倘要进来探看孩儿，却又如何掩饰？不如改了日子罢。"妈妈道："你真是个死货！他受了我家的聘，便是我家的人了。怕他怎的！不要着忙，自有道理。"便教女儿慧娘："你去将新房中收拾整齐，留孙家妇女吃点心。"慧娘答应自去。刘妈妈即走向外边，与养娘相见毕，问道："小娘子下顾，不知亲母有甚话说？"养娘道："俺大娘闻得大官人有恙，放心不下，特教男女③来问候。二来上复老爹大娘：若大官人病体初痊，恐未可做亲。不如再停几时，等大官人身子健旺，另拣日罢。"刘妈妈道："多承亲母过念，大官人虽是身子有些不快，却是偶然伤风，原非大病。若要另择日子，这断不能够的。我们小人家的买卖，千难万难，方才支持得这样。如错过了，却不又费一番手脚。况且有病的人，巴不得喜事来冲，他病也易好。常见人家要省事时，趁着这病来见喜，何况我家吉期送已多日，亲戚都下了帖儿请吃喜筵，如今忽地换了日子，他们不道你们不肯，必认做我们讨媳妇不起。传说开去，却不被人笑耻，坏了我家名头。

① 捱(lí)脱——推脱。
② 老荆——对自己妻子的谦称。荆，荆钗布裙，表示贫寒之意。
③ 男女——古代奴仆自称为"男女"。

烦小娘子回去上复亲母，不必担忧，我家干系大哩！"养娘道："大娘话虽说得是。请问大官人睡在何处？待男女候问一声，好家去回报大娘，也教他放心。"刘妈妈道："适来服了发散的药，正好睡在那里。我与小娘子代言罢。事体总在刚才所说了，更无别说。"张六嫂道："我原说偶然伤风，不是大病。你们大娘，不肯相信，又要你来。如今方见老身不是说谎的了。"养娘道："既如此，告辞罢。"便要起身。刘妈妈道："哪有此理！说话忙了，茶也还没有吃，如何便去？"即邀到里边，又道："我房里腌腌臢臢①，倒在新房里坐罢。"引入房中，养娘举目看时，摆设得十分齐整。刘妈妈又道："你看我家诸事齐备，如何肯又改日子？就是做了亲，大官人倒还要留在我房中歇宿，等身子痊愈了，然后同房哩。"养娘见他整备得停当，信以为实。当下刘妈妈教丫鬟将出点心茶来摆上，又教慧娘同来相陪。养娘心中想道："我家珠姨是极标致的了，谁想这女娘也恁般出色！"吃了茶，作别出门。临行，刘妈妈又再三嘱咐张六嫂："是必来复我一声。"

养娘同着张六嫂回到家，将上项事说与主母。孙寡妇听了，心中倒没了主意，想道："欲待允了，恐怕女婿真个病重，变出些不好来，害了女儿。将欲不允，又恐女婿果是小病已愈，误了吉期。"疑惑不定，乃对张六嫂道："大嫂，待我酌量定了，明早来取回信罢。"张六嫂道："正是，大娘从容计较计较，老身明早来也。"说罢自去。且说孙寡妇与儿子玉郎商议："这事怎生计较？"玉郎道："看起来还是病重，故不要养娘相见。如今必要回他另择日子，他家也没奈何，只得罢休。但是空费他这番东西，见得我家没有情义。倘后来病好相见之间，觉道没趣。若依了他们时，又恐果然有变，那时进退两难，懊悔却便迟了。依着孩儿，有个两全之策在此，不知母亲可听？"孙寡妇道："你且说是甚两全之策？"玉郎道："明早教张六嫂去说，日子便依着他家，妆奁一毫不带。见喜过了，到第三朝就要接回。等待病好，连妆奁送去。是恁样，纵有变故，也不受他们笼络，这却不是两全其美。"孙寡妇道："你真是个孩子家见识！他们一时假意应承娶去，过了三朝，不肯放回，却怎么处？"玉郎道："如此怎好？"孙寡妇又想了一想道："除非明日教张六嫂依此去说，临期教姐姐闪过一边，把你假扮了送去。皮箱内原带一副道袍鞋袜，预防到三朝，容你回来，不消说起。倘若不容，且住

① 腌腌臢臢——脏，不干净。

在那里，看个下落。倘有三长两短，你取出道袍穿了，竟自走回，哪个扯得你住！"玉郎道："别事便可，这事却使不得！后来被人晓得，教孩儿怎生做人？"孙寡妇见儿子推却，心中大怒道："纵别人晓得，不过是耍笑之事，有甚大害！"玉郎平昔孝顺，见母亲发怒，连忙道："待孩儿去便了。只不会梳头，却怎么好？"孙寡妇道："我教养娘伏侍你去便了。"计较已定，次早张六嫂来讨回音，孙寡妇与他说如此如此，恁般恁般。"若依得，便娶过去。依不得，便另择日罢。"张六嫂复了刘家，一一如命。你道他为何就肯了？只因刘璞病势愈重，恐防不妥，单要哄媳妇到了家里，便是买卖了。故此将错就错，更不争长竞短。哪知孙寡妇已先参透机关①，将个假货送来。刘妈妈反做了：

周郎妙计高天下，赔了夫人又折兵。

话休烦絮。到了吉期，孙寡妇把玉郎妆扮起来，果然与女儿无二，连自己也认不出真假。又教习些女人礼数。诸色好了，只有两件难以遮掩，恐怕露出事来。哪两件？第一件是足与女子不同。那女子的尖尖趫趫②，凤头一对，露在湘裙之下，莲步轻移，如花枝招飐一般。玉郎是个男子汉，一只脚比女子的有三四只大。虽然把扫地长裙遮了，教他缓行细步，终是有些蹊跷。这也还在下边，无人来揭起裙儿观看，还隐藏得过。第二件是耳上环儿。此乃女子平常日时所戴，爱轻巧的，也少不得戴对丁香儿，那极贫小户人家，没有金的银的，就是铜锡的，也要买对儿戴着。今日玉郎扮做新人，满头珠翠；若耳上没有环儿，可成模样么？他左耳还有个环眼，乃是幼时恐防难养穿过的。那右耳却没眼儿，怎生戴得？孙寡妇左思右想，想出一个计策来。你道是甚计策？他教养娘讨个小小膏药，贴在右耳。若问时，只说环眼生着痟疮，戴不得环子。露出左耳上眼儿掩饰。打点停当，将珠姨藏过一间房里，专候迎亲人来。到了黄昏时候，只听得鼓乐喧天，迎亲轿子已到门首。张六嫂先入来，看见新人打扮得如花神一般，好不欢喜。眼前不见玉郎，问道："小官人怎地不见？"孙寡妇道："今日忽然身子有些不健，睡在那里，起来不得。"那婆子不知就里，不来再问。孙寡妇将酒饭犒赏了来人，宾相念起诗赋，请新人上轿。玉郎兜上方巾③，

---

① 参透机关——看穿了阴谋。

② 趫趫(qiáo)——翘起。

③ 兜上方巾——古时结婚，新娘用一块大红巾把头盖上。

向母亲作别。孙寡妇一路假哭，送出门来。上了轿子，教养娘跟着，随身只有一只皮箱，更无一毫妆奁。孙寡妇又叮嘱张六嫂道："与你说过，三朝就要送回的，不要失信?"张六嫂连声答应道："这个自然!"

不提孙寡妇。且说迎亲的，一路笙箫聒耳，灯烛辉煌，到了刘家门首，宾相进来说道："新人将已出轿，没新郎迎接，难道教他独自拜堂不成?"刘公道："这却怎好? 不要拜罢!"刘妈妈道："我自有道理。教女儿陪拜便了。"即令慧娘出来相迎。宾相念了阑门诗赋①，请新人出了轿子。养娘和张六嫂两边扶着。慧娘相迎，进了中堂，先拜了天地，次及公姑亲戚，双双却是两个女人同拜。随从人没一个不掩口而笑。都相见过了，然后姑嫂对拜。刘妈妈道："如今到房中去与孩儿冲喜。"乐人吹打，引新人进房，来至卧床边，刘妈妈揭起帐子，叫道："我的儿，今日娶你媳妇来家冲喜，你须挣扎精神则个。"连叫三四次，并不则声。刘公将灯照时，只见头儿歪在半边，昏迷去了。原来刘璞病得身子虚弱，被鼓乐一震，故此迷昏。当下老夫妻手忙脚乱，掐住人中，即教取过热汤，灌了几口，出了一身冷汗，方才苏醒。刘妈妈教刘公看着儿子，自己引新人进新房中去。揭起方巾，打一看时，美丽如画。亲戚无不喝采。只有刘妈妈心中反觉苦楚。他想："媳妇恁般美貌，与儿子正是一对儿。若得双双奉侍老夫妻的暮年，也不枉一生辛苦。谁想他没福，临做亲却染此大病，十分中倒有九分不妙。倘有一差两误，媳妇少不得归于别人，岂不目前空喜!"

不提刘妈妈心中之事。且说玉郎也举目看时，许多亲戚中，只有姑娘生得风流标致。想道："好个女子，我孙润可惜已定了妻子。若早知此女恁般出色，一定要求他为妇。"这里玉郎方在赞羡，谁知慧娘心中也想道："一向张六嫂说他标致，我还未信，不想话不虚传。只可惜哥哥没福受用，今夜教他孤眠独宿。若我丈夫像得他这样美貌，便称我的生平了。只怕不能够哩!"不提二人彼此欣羡。刘妈妈请众亲戚赴过花红筵席，各自分头歇息。宾相乐人，俱已打发去了。张六嫂没有睡处，也自归家。玉郎在房，养娘与他卸了首饰，秉烛而坐，不敢便寝。刘妈妈与刘公商议道："媳妇初到，如何教他独宿。可教女儿去陪伴。"刘公道："只怕不稳便。由他

---

① 念了阑门诗赋——古时结婚的一种仪式。新娘一到男家大门，男家即摆上香案，傧相带着新郎行礼并念着吉利的诗句，再请新娘进门。

自睡罢。”刘妈妈不听，对慧娘道：“你今夜陪伴嫂嫂在新房中去睡，省得他怕冷静。”慧娘正爱着嫂嫂，见说教他相伴，恰中其意。刘妈妈引慧娘到新房中道：“娘子，只因你官人有些小恙，不能同房，特令小女来同睡。”玉郎恐露出马脚，回道：“奴家自来最怕生人，倒不消得伴罢。”刘妈妈道：“呀！你们姑嫂年纪相仿，即如姊妹一般，正好相处，怕怎的！你若嫌不稳时，各自盖着条被儿，便不妨了。”对慧娘道：“你去收拾了被窝过来。”慧娘答应而去。玉郎此时，又惊又喜。喜的是心中正爱着姑娘标致，不想天与其便，刘妈妈令来陪卧，这事便有几分了。惊的是恐他不允，一时叫喊起来，反坏了自己之事。又想道：“此番错过，后会难逢！看这姑娘年纪已在当时，情窦料也开了。须用工缓缓撩拨热了，不怕不上我钓。”心中正想，慧娘教丫鬟拿了被儿同进房来，放在床上，刘妈妈起身，同丫鬟自去。慧娘将房门闭上，走到玉郎身边，笑容可掬，乃道：“嫂嫂，适来见你一些东西不吃，莫不饿了？”玉郎道：“倒还未饿。”慧娘又道：“嫂嫂，今后要甚东西，可对奴家说知，自去拿来，不要害羞不说。”玉郎见他意儿殷勤，心下暗喜，答道：“多谢姑娘美情！”慧娘见灯上结着一个大大花儿，笑道：“嫂嫂，好个灯花儿，正对着嫂嫂，可知喜也！”玉郎也笑道：“姑娘休得取笑，还是姑娘的喜信。”慧娘道：“嫂嫂话儿倒会要人。”两个闲话一回。

慧娘道：“嫂嫂，夜深了，请睡罢。”玉郎道：“姑娘先请。”慧娘道：“嫂嫂是客，奴家是主，怎敢僭先！”玉郎道：“这个房子还是姑娘是客。”慧娘笑道：“恁般占先了。”便解衣先睡。养娘见两下取笑，觉道玉郎不怀好意，低低说道：“官人，你须要斟酌，此事不是当要的。倘大娘知了，连我也不好。”玉郎道：“不消嘱咐，我自晓得。你自去睡。”养娘便去旁边打个铺儿睡下。玉郎起身携着灯儿，走到床边，揭起帐子照看，只见慧娘卷着被儿，睡在里床，见玉郎将灯来照，笑嘻嘻的道：“嫂嫂，睡罢了，照怎的？”玉郎也笑道：“我看姑娘睡在哪一头，方好来睡。”把灯放在床前一只小桌儿上，解衣入帐。对慧娘道：“姑娘，我与你一头睡了，好讲话要子。”慧娘道：“如此最好。”玉郎钻下被里，卸了上身衣服，下体小衣却穿着，问道：“姑娘，今年青春了？”慧娘道：“一十五岁。”又问：“姑娘许的是哪一家？”慧娘怕羞，不肯回言。玉郎把头挨到他枕上，附耳道：“我与你一般是女儿家，何必害羞。”慧娘方才答道：“是开生药铺的裴家。”又问道：“可见说佳期还在何日？”慧娘低低道：“近日曾教媒人再三来说。爹道奴家年纪尚小，回他们再缓几时。”玉郎笑道：“回了他家，你心下可不气恼么？”慧娘伸手把玉郎的头推下枕来，道：“你不是个好人！哄了我的话，便来要人。我若气恼时，今夜你心里还不知怎地恼着哩。”玉郎依旧又挨到枕上道：“你且说我有甚恼？”慧娘道：“今夜做亲没有个对儿，怎地不恼？”玉郎道：“有姑娘在此，这却便是个对儿了，又有甚恼！”慧娘笑道：“恁样说，你是我的娘子了。”玉郎道：“我年纪长似你，丈夫还是我。”慧娘道：“我今夜替哥哥拜堂，就是哥哥一般，还该是我。”玉郎道：“大家不要争，只做个女夫妻罢。”两个说风话耍子，愈加亲热。

且说养娘恐怕玉郎弄出事来，卧在旁边铺上，眼也不合。听着他们初时还说话笑耍，次后只听得床棱摇曳，气喘吁吁，已知二人成了那事，暗暗叫苦。到次早起来，慧娘自向母亲房中梳洗。养娘替玉郎梳妆，低低说道：“官人，你昨夜恁般说了，却又口不应心，做下那事！倘被他们晓得，却怎处？”玉郎道：“又不是我去寻他，他自送上门来，教我怎生推却！”养娘道：“你须拿住主意便好。”玉郎道：“你想恁样花一般的美人，同床而卧，便是铁石人也打熬不住，叫我如何忍耐得过！你若不泄漏时，更有何人晓得。”妆扮已毕，来刘妈妈房里相见。刘妈妈道：“儿，环子也忘戴了？”养娘道：“不是忘了，因右耳上环眼生了痯疮，戴不得，还贴着膏药哩。”刘妈妈道：“原来如此。”玉郎依旧来至房中坐下。亲戚女眷都来相见。张六嫂也到。慧娘梳裹罢，也到房中，彼此相视而笑。是日刘公请内外亲戚吃庆喜筵席，大吹大擂，直饮到晚，各自辞别回家。慧娘依旧来伴玉郎。这一夜颠鸾倒凤，海誓山盟，比昨倍加恩爱。看看过了三朝，二人行坐不离。倒是养娘捏着两把汗，催玉郎道：“如今已过三朝，可对刘大娘说，回去罢。”玉郎与慧娘正火一般热，哪想回去，假意道：“我怎好启齿说要回去，须是母亲叫张六嫂来说便好。”养娘道：“也说得是。”即便回家。

却说孙寡妇虽将儿子假妆嫁去，心中却怀着鬼胎。急切不见张六嫂来回复，眼巴巴望到第四日，养娘回家，连忙来问。养娘将女婿病凶，姑娘陪拜，夜间同睡相好之事，细细说知。孙寡妇跌足叫苦道：“这事必然做出来也！你快去寻张六嫂来。”养娘去不多时，同张六嫂来家。孙寡妇道：“六嫂前日讲定约三朝便送回来，今已过了，劳你去说，快些送我女儿回来。”张六嫂得了言语，同养娘来至刘家。恰好刘妈妈在玉郎房中闲话。张六嫂将孙家要接新人的话说知。玉郎、慧娘不忍割舍，倒暗暗道：“但愿不允便好!”谁想刘妈妈真个说道:“六嫂,你媒也做老了,难道恁样事还不晓得?从来可有三朝媳妇便归去的理么?前日他不肯嫁来,这也没奈何。今既到我家,便是我家的人了,还象得他意!我千难万难,娶得个媳妇,到三朝便要回去,说也不当人子。既如此不舍得,何不当初莫许人家。他也有儿子,少不得也要娶媳妇。看三朝可肯放回家去?闻得亲母是个知礼之人,亏他怎样说了出来?”一番言语,说得张六嫂哑口无言,不敢回复孙家。那养娘恐怕有人闯进房里,冲破二人之事,倒紧紧守着房门,也不敢回家。

且说刘璞自从结亲这夜,惊出那身冷汗来,渐渐痊可。晓得妻子已娶来家,人物十分标致,心中欢喜,这病愈觉好得快了。过了数日,挣扎起来,半眠半坐,日渐健旺,即能梳裹,要到房中来看浑家。刘妈妈恐他初愈,不耐行动,叫丫鬟扶着,自己也随在后,慢腾腾的走到新房门口。养娘正坐在门槛之上,丫鬟道:“让大官人进去。”养娘立起身来,高声叫道:“大官人进来了。”玉郎正搂着慧娘调笑,听得有人进来,连忙走开。刘璞掀开门帘跨进房来。慧娘道:“哥哥,且喜梳洗了。只怕还不宜劳动。”刘璞道:“不打紧!我也暂时走走,就去睡的。”便向玉郎作揖。玉郎背转身,道了个万福。刘妈妈道:“我的儿,你且慢作揖么!”又见玉郎背立,便道:“娘子,这便是你官人。如今病好了,特来见你,怎么倒背转身子?”走向前,扯近儿子身边,道:“我的儿,与你恰好正是个对儿。”刘璞见妻子美貌非常,甚是快乐。真个是人逢喜事精神爽,那病平去了几分。刘妈妈道:“儿去睡了罢,不要难为身子。”原叫丫鬟扶着,慧娘也同进去。玉郎见刘璞虽然是个病容,却也人材齐整,暗想道:“姐姐着配此人,也不辱没了。”又想道:“如今姐夫病好,倘然要来同卧,这事便要决撒①。快些回去罢。”到晚上对慧娘道:“你哥哥病已好了,我须住身不得。你可撺掇母亲送我回家,换姐姐过来,这事便隐过了。若再住时,事必败露。”慧娘道:“你要归家,也是易事。我的终身,却怎么处?”玉郎道:“此事我已千思万想。但你已许人,我已聘妇,没甚计策挽回,如之奈何?”慧娘道:“君若无计娶我,誓以魂魄相随。决然无颜更事他人!”说罢,呜呜咽咽哭将起来。玉郎与他拭了眼泪道:“你且勿烦恼,容我再想。”自此两相留恋,把回家之事倒搁起一边。

① 决撒——败露。

一日午饭已过，养娘向后边去了。二人将房门闭上，商议那事，长算短算，没个计策，心下苦楚，彼此相抱暗泣。

且说刘妈妈自从媳妇到家之后，女儿终日行坐不离。刚到晚，便闭上房门去睡，直至日上三竿，方才起身，刘妈妈好生不乐。初时认做姑嫂相爱，不在其意。以后日日如此，心中老大疑惑。也还道是后生家贪眠懒惰，几遍要说。因想媳妇初来，尚未与儿子同床，还是个娇客，只得耐住。那日也是合当有事，偶在新房前走过，忽听得里边有哭泣之声。向壁缝中张时，只见媳妇共女儿互相搂抱，低抵而哭。刘妈妈见如此做作，料道这事有些蹊跷。欲待发作，又想儿子才好，若知得，必然气恼，权且耐住。便掀门帘进来，门却闭着。叫道："快些开门！"二人听见是妈妈声音，拭干眼泪，忙来开门。刘妈妈走将进去，便道："为甚青天白日，把门闭上，在内搂抱啼哭？"二人被问，惊得满面通红，无言对答。刘妈妈见二人无言，一发是了，气得手足麻木。一手扯着慧娘道："做得好事！且进来和你说话。"扯到后边一间空屋中来。丫鬟看见，不知为甚，闪在一边。刘妈妈扯进了屋里，将门闩上，丫鬟伏在门上张时，见妈妈寻了一根木棒，骂道："贱人！快说实话，便饶你打骂。若一句含糊，打下你这下半截来！"慧娘初时抵赖。妈妈道："贱人！我且问你：他来得几时，有甚恩爱割舍不得，闭着房门，搂抱啼哭？"慧娘对答不来。妈妈拿着棒子要打，心中却又不舍得。慧娘料是隐瞒不过，想道："事已至此，索性说个明白，求爹妈辞了裴家，配与玉郎。若不允时，拚个自尽便了。"乃道："前日孙家晓得哥哥有病，恐误了女儿，要看下落，叫爹妈另自择日。因爹妈执意不从，故把儿子玉郎假妆嫁来。不想母亲叫孩儿陪伴，遂成了夫妇。恩深义重，誓必图百年偕老。今见哥哥病好，玉郎恐怕事露，要回去换姐姐过来。孩儿思想，一女无嫁二夫之理，叫玉郎寻门路娶我为妻。因无良策，又不忍分离，故此啼哭。不想被母亲看见。只此便是实话。"刘妈妈听罢，怒气填胸，把棒撇在一边，双足乱跳，骂道："原来这老乞婆恁般欺心，将男作女哄我！怪道三朝便要接回。如今害了我女儿，须与他干休不得！拚这老性命结识这小杀才罢！"开了门，便赶出来。慧娘见母亲去打玉郎，心中着忙，不顾羞耻，上前扯住。被妈妈将手一推，跌在地上。爬起时，妈妈已赶向外边去了。慧娘随后也赶将来，丫鬟亦跟在后边。且说玉郎见刘妈妈扯去慧娘，情知事露，正在房中着急。只见养娘进来道："官人，不好了！弄出事来也！适在后边来，听得空屋中乱闹。张看时，见刘大娘拿大棒子拷打姑娘，逼问这事哩。”玉郎听说打着慧娘，心如刀割，眼中落下泪来，没了主意。养娘道：“今若不走，少倾便祸到了。”玉郎即忙除下簪钗，挽起了一个角儿，皮箱内开出道袍鞋袜，穿衣走出房来，将门带上。离了刘家，带跌奔回家里。正是：

　　拆破玉笼飞彩凤，顿开金锁走蛟龙。

孙寡妇见儿子回来，恁般慌急，又惊又喜，便道：“如何这般模样？”养娘将上项事说。孙寡妇埋怨道：“我叫你去，不过权宜之计，如何却做出这般没天理事体！你若三朝便回，隐恶扬善，也不见得事败。可恨张六嫂这老虔婆①，自从那日去了，竟不来复我。养娘，你也不回家走遭，叫我日夜担愁！今日弄出事来，害这姑娘，却怎么处？要你不肖子何用！”玉郎被母亲嗔责，惊愧无地。养娘道：“小官人也自要回的，怎奈刘大娘不肯。我因恐他们做出事来，日日守着房门，不敢回家。今日暂走到后边，便被刘大娘撞破。幸喜得急奔回来，还不曾吃亏。如今且叫小官人躲过两日。他家没甚话说，便是万千之喜了。”孙寡妇真个叫玉郎闪过，等候他家消息。

且说刘妈妈赶到新房门口，见门闭着，只道玉郎还在里面，在外骂道：“天杀的贼贱才！你把老娘当做什么样人，敢来弄空头，坏我的女儿！今日与你性命相搏，方见老娘手段。快些走出来！若不开时，我就打进来了！”正骂时，慧娘已到，便去扯母亲进去。刘妈妈骂道：“贱人，亏你羞也不羞，还来劝我！”尽力一摔，不想用力猛了，将门靠开。母子两个都跌进去，搅做一团。刘妈妈骂道：“好天杀的贼贱才，倒放老娘这一交！”即忙爬起寻时，哪里见个影儿。那婆子寻不见玉郎，乃道：“天杀的好见识！走得好！你便走上天去，少不得也要拿下来。”对着慧娘道：“如今做下这等丑事，倘被裴家晓得，却怎地做人？”慧娘哭道：“是孩儿一时不是，做差这事。但求母亲怜念孩儿，劝爹爹怎生回了裴家，嫁着玉郎，犹可挽回前失。倘若不允，有死而已。”说罢，哭倒在地。刘妈妈道：“你说得好自在话儿！他家下财纳聘，定着媳妇，今日平白地要休这亲事，谁个肯么？倘然问因甚事故要休这亲，叫你爹怎生对答！难道说我女儿自寻了一个汉子不成？”

① 虔婆——贼婆，骂人的话。

慧娘被母亲说得满面羞惭，将袖掩着痛哭。刘妈妈终是禽犊之爱①，见女儿恁般啼哭，却又恐哭伤了身子，便道："我的儿，这也不干你事，都是那老虔婆设这没天理的诡计，将那杀才乔妆嫁来。我一时不知，叫你陪伴，落了他圈套。如今总是无人知得。把来搁过一边，全你体面，这才是个长策。若说要休了裴家，嫁那杀才，这是断然不能。"慧娘见母亲不允，愈加啼哭。刘妈妈又怜又恼，倒没了主意。

正闹间，刘公正在人家看病回来，打房门口经过，听得房中啼哭，乃是女儿的声音，又听得妈妈话响，正不知为着甚的，心中疑惑。忍耐不住，揭开门帘，问道："你们为甚恁般模样？"刘妈妈将前项事，一一细说，气得刘公半晌说不出话来。想了一想，倒把妈妈埋怨道："都是你这老乞婆害了女儿！起初儿子病重时，我原要另择日子。你便说长道短，生出许多话来，执意要那一日。次后孙家叫养娘来说，我也罢了，又是你弄嘴弄舌，哄着他家。乃至娶来家中，我说待他自睡罢，你又偏生推女儿伴他。如今伴得好么！"刘妈妈因玉郎走了，又不舍得女儿，难为一肚子气，正没发脱，见老公倒前倒后，数说埋怨，急得暴躁如雷，骂道："老忘八！依你说起来，我的孩儿应该与这杀才骗的！"一头撞个满怀。刘公也在气恼之时，揪过来便打。慧娘便来解劝。三人搅做一团，滚做一块，分拆不开。丫鬟着了忙，奔到房中报与刘璞道："大官人，不好了！大爷大娘在新房中相打哩。"刘璞在榻上爬起来，走至新房，向前分解。老夫妻见儿子来劝，因惜他病体初愈，恐劳碌了他，方才罢手。犹兀自老忘八老乞婆相骂。刘璞把父亲劝出外边，乃问："妹子为甚在这房中厮闹，娘子怎又不见？"慧娘被问，心下惶愧，掩面而哭，不敢则声。刘璞焦躁道："且说为着甚的？"刘婆方把那事细说，将刘璞气得面如土色。停了半晌，方道："家丑不可外扬。倘若传到外边，被人耻笑。事已至此，且再作区处。"刘妈妈方才住口，走出房来。慧娘挣住不行。刘妈妈一手扯着便走，取巨锁将门锁上。来至房里，慧娘自觉无颜，坐在一个壁角边哭泣。正是：

饶君掬尽湘江水，难洗今朝满面羞。

且说李都管听得刘家喧嚷，伏在壁上打听。虽然晓得些风声，却不知其中细底。次早，刘家丫鬟走出门来，李都管招到家中问他。那丫鬟初时

---

① 禽犊之爱——舐犊之爱，以老牛对小牛的母爱，比喻父母对儿女的爱。

不肯说。李都管取出四五十钱来与他道："你若说了，送这钱与你买东西吃。"丫鬟见了铜钱，心中动火。接过来藏在身边，便从头至尾，尽与李都管说知。李都管暗喜道："我把这丑事报与裴家，撺掇来闹吵一场，他定无颜在此居住，这房子可不归于我了？"忙忙的走至裴家，一五一十报知，又添些言语，激恼裴九老。那九老夫妻，因前日娶亲不允，心中正恼着刘家。今日听见媳妇做下丑事，如何不气！一径赶到刘家，唤出刘公来发话道："当初我央媒来说要娶亲时，千推万阻，道：女儿年纪尚小，不肯应承。护在家中，私养汉子。若早依了我，也不见得做出事来。我是清清白白的人家，决不要这样败坏门风的好东西。快还了我昔年聘礼，另自去对亲，不要误我孩儿的大事。"将刘公嚷得面上一回红，一回白。想道："我家昨夜之事，他如何今早便晓得了？这也怪异！"又不好承认，只得赖道："亲家，这是哪里说起，造恁般言语污辱我家？倘被外人听得，只道真有这事，你我体面何在！"裴九老便骂道："打脊①贱才！真个是老忘八。女儿现做着恁般丑事，哪个不晓得的！亏你还长着鸟嘴，在我面前遮掩。"赶近前把手向刘公脸上一揿道："老忘八！羞也不羞！待我送个鬼脸儿与你戴了见人。"刘公被他羞辱不过，骂道："老杀才，今日为甚赶上门来欺我？"便一头撞去，把裴九老撞倒在地。两下相打起来。里边刘妈妈与刘璞听得外面嚷喧，出来看时，却是裴九老与刘公厮打，急向前拆开。裴九老指着骂道："老忘八打的好！我与你到府里去说话。"一路骂出门去了。刘璞便问父亲："裴九因甚清早来厮闹？"刘公把他言语学了一遍。刘璞道："他如何便晓得了？此甚可怪。"又道："如今事已彰扬，却怎么处？"刘公又想起裴九老恁般耻辱，心中转恼，顿足道："都是孙家老乞婆，害我家坏了门户，受这样恶气！若不告他，怎出得这气？"刘璞劝解不住。刘公央人写了状词，望着府前奔来。正值乔太守早堂放告。这乔太守虽则关西人，又正直，又聪明，怜才爱民，断狱如神，府中都称为乔青天。

却说刘公刚到府前，劈面又遇着裴九老。九老见刘公手执状词，认做告他，便骂道："老忘八，你女做了丑事，倒要告我，我同你去见太爷。"上前一把扯住，两下又打将起来。两张状子，都打失了。二人结做一团，扭至堂上。乔太守看见，喝叫各跪一边。问道："你二人叫甚名字？为何结扭

① 打脊——打脊背；骂人该挨受杖刑的意思。

相打?”二人一齐乱嚷。乔太守道:“不许搀越! 那老儿先上来说。”裴九老跪上去诉道:“小人叫做裴九,有个儿子裴政,从幼聘下边刘秉义的女儿慧娘为妻。今年都已十五岁了。小人因是年老爱子,要早与他完姻。几次央媒去说,要娶媳妇,那刘秉义只推女儿年纪尚小,勒掯①不许。谁想他纵女卖奸,恋着孙润,暗招在家,要图赖亲事。今早到他家里说,反把小人殴辱。情急了,来爷爷台下投生。他又赶来扭打。求爷爷作主,救小人则个!”乔太守听了,道:“且下去。”唤刘秉义上去问道:“你怎么说?”刘公道:“小人有一子一女。儿子刘璞,聘孙寡妇女儿珠姨为妇,女儿便许裴九的儿子。向日裴九要娶时,一来女儿尚幼,未曾整备妆奁,二来正与儿子完姻,故此不允。不想儿子临婚时,忽地患起病来,不敢叫与媳妇同房,令女儿陪伴嫂子。哪知孙寡妇欺心,藏过女儿,却将儿子孙润假妆过来,倒强奸了小人女儿。正要告官。这裴九知得了,登门打骂。小人气忿不过,与他争嚷。实不是图赖他的婚姻。”乔太守见说男扮为女,甚以为奇,乃道:“男扮女妆,自然不同。难道你认他不出?”刘公道:“婚嫁乃是常事,哪曾有男子假扮之理,却去辨他真假? 况孙润面貌,美如女子。小人夫妻见了,已是万分欢喜,有甚疑惑。”乔太守道:“孙家既以女许你为媳,因甚却又把儿子假妆? 其中必有缘故。”又道:“孙润还在你家么?”刘公道:“已逃回去了。”乔太守即差人去拿孙寡妇母子三人,又差人去唤刘璞、慧娘兄妹俱来听审。不多时,都已拿到。

乔太守举目看时,玉郎姊弟,果然一般美貌,面庞无二。刘璞却也人物俊秀,慧娘艳丽非常。暗暗欣羡道:“好两对青年儿女!”心中便有成全之意。乃问孙寡妇:“因甚将男作女,哄骗刘家,害他女儿?”孙寡妇乃将女婿病重,刘秉义不肯更改吉期,恐怕误了女儿终身,故把儿子妆去冲喜,三朝便回,是一时权宜之策。不想刘秉义却教女儿陪卧,做出这事! 乔太守道:“原来如此!”问刘公道:“当初你儿子既是病重,自然该另换吉期。你执意不肯,却主何意? 假若此时依了孙家,哪见得女儿有此丑事? 这都是你自起衅端,连累女儿。”刘公道:“小人一时不合听了妻子说话,如今悔之无及。”乔太守道:“胡说! 你是一家之主,却听妇人言语。”又唤玉郎、慧娘上去说:“孙润,你以男假女,已是不该。却又奸骗处女,当得何罪?”玉郎

---

① 勒掯——留难、强制之意。

叩头道："小人虽然有罪，但非设意谋求，乃是刘亲母自遣其女陪伴小人。"乔太守道："他因不知你是男子，故令他来陪伴，乃是美意。你怎不推却？"玉郎道："小人也曾苦辞，怎奈坚执不从。"乔太守道："论起法来，本该打一顿板子才是。姑念你年纪幼小，又系两家父母酿成，权且饶恕。"玉郎叩头泣谢。乔太守又问慧娘："你事已做错，不必说起。如今还是要归裴氏？要归孙润？实说上来。"慧娘哭道："贱妾无媒苟合，节行已亏，岂可更事他人。况与孙润恩义已深，誓不再嫁。若爷爷必欲判离，贱妾即当自尽。决无颜苟活，贻笑他人。"说罢，放声大哭。乔太守见他情词真恳，甚是怜惜，且喝过一边。唤裴九老吩咐道："慧娘本该断归你家。但已失身孙润，节行已亏。你若娶回去，反伤门风，被人耻笑，他又蒙二夫之名，各不相安。今判与孙润为妻，全其体面。令孙润还你昔年聘礼，你儿子另自聘妇罢。"裴九老道："媳妇已为丑事，小人自然不要。但孙润破坏我家婚姻，今原归于他，反周全了奸夫淫妇，小人怎得甘心！情愿一毫原聘不要，求老爷断媳妇另嫁别人，小人这口气也还消得一半。"乔太守道："你既已不愿娶他，何苦又作此冤家！"刘公亦禀道："爷爷，孙润已有妻子，小人女儿岂可与他为妾？"乔太守初时只道孙润尚无妻子，故此斡旋①。见刘公说已有妻，乃道："这却怎么处？"对孙润道："你既有妻子，一发不该害人闺女了！如今置此女于何地？"玉郎不敢答应。乔太守又道："你妻子是何等人家？可曾过门么？"孙润道："小人妻子是徐雅女儿，尚未过门。"乔太守道："这等易处了。"叫道："裴九，孙润原有妻未娶。如今他既得了你媳妇，我将他妻子断偿你的儿子，消你之忿。"裴九老道："老爷明断，小人怎敢违逆？但恐徐雅不肯。"乔太守道："我作了主，谁敢不肯！你快回家引儿子过来。我差人去唤徐雅带女儿来当堂匹配。"裴九老忙即归去，将儿子裴政领到府中。徐雅同女儿，也唤到了。乔太守看时，两家男女却也相貌端正，是个对儿。乃对徐雅道："孙润因诱了刘秉义女儿，今已判为夫妇。我今作主，将你女儿配与裴九儿子裴政，限即日三家俱便婚配回报。如有不伏者，定行重治。"徐雅见太守作主，怎敢不依，俱各甘伏。乔太守援笔判道：

弟代姊嫁，姑伴嫂眠。爱女爱子，情在理中。一雌一雄，变出意外。移干柴近烈火，无怪其燃；以美玉配明珠，适获其偶。孙氏子因姊而得妇，

---

① 斡旋——调停。

搂处子不用逾墙①；刘氏女因嫂而得夫，怀吉士初非炫玉②。相悦为婚，礼以义起。所厚者薄，事可权宜。使徐雅别婿裴九之儿，许裴政改娶孙郎之配。夺人妇人亦夺其妇，两家恩怨，总息风波。独乐乐不若与人乐，三对夫妻，各谐鱼水，人虽兑换，十六两原只一斤；亲是交门，五百年决非错配。以爱及爱，伊父母自作冰人③；非亲是亲，我官府权为月老。已经明断，各赴良期。

乔太守写毕，叫押司当堂朗诵与众人听了。众人无不心服，各各叩头称谢。乔太守在库上支取喜红六段，叫三对夫妻披挂起来，唤三起乐人，三顶花花轿儿，抬了三位新人。新郎及父母，各自随轿而出。此事闹动杭州府，都说好个行方便的太守。人人诵德，个个称贤。自此各家完婚之后，都无话说。李都管本欲唆孙寡妇、裴九老两家与刘秉义讲嘴，鹬蚌相持，自己渔人得利。不期太守不予处分，反作成了孙玉郎一段良缘。街坊上当做一件美事传说，不以为丑，他心中甚是不乐。未及一年，乔太守又取刘璞、孙润，都做了秀才，起送科举。李都管自知惭愧，安身不牢，反躲避乡居。后来刘璞、孙润同榜登科，俱任京职，仕途有名，扶持裴政亦得了官职。一门亲眷，富贵非常。刘璞官直至龙图阁学士，连李都管家宅反归于刘氏。刁钻小人，亦何益哉！后人有诗，单道李都管为人不善，以为后戒。诗云：

为人忠厚为根本，何苦刁钻欲害人！
不见古人卜居者，千金只为买乡邻。

又有一诗，单夸乔太守此事断得甚好：

鸳鸯错配本前缘，全赖风流太守贤。
锦被一床遮尽丑，乔公不枉叫青天。

---

① 搂处子不用逾墙——《孟子》："逾东家墙而搂其处子。"就是跳过东边邻家的墙，去搂抱一个处女的意思。

② 怀吉士初非炫玉——《诗经·野有死麇》篇："有女怀春，吉士诱之。"就是说，女的想结婚，男的去和他恋爱的意思。"炫玉"，自夸美好的意思。

③ 冰人——晋代索统善于占梦。有一个人梦见自己站在冰上，和冰下人讲话，就去找索统解梦。索统说："冰上为阳，冰下为阴，你应当替人作媒。"后来因称媒人为"冰人"。

第九卷　陈多寿生死夫妻

世事纷纷一局棋，输赢未定两争持。
须臾局罢棋收去，毕竟谁赢谁是输？

这四句诗，是把棋局比着那世局。世局千腾万变，转盼皆空，正如下棋的较胜争强，眼红喉急，分明似孙庞斗智①，赌个你死我活，又如刘项争天下②，不到乌江不尽头。及至局散棋收，付之一笑。所以高人隐士，往往寄兴棋枰，消闲玩世。其间吟咏，不可胜述。只有国朝曾棨③状元应制诗体做得甚好，诗曰：

两君相敌立双营，坐运神机决死生。
十里封疆驰骏马，一川波浪动金兵。
虞姬歌舞悲垓下，汉将旌旗逼楚城。
兴尽计穷征战罢，松阴花影满棋枰。

此诗虽好，又有人驳他，说虞姬汉将一联，是个套话。第七句说兴尽计穷，意趣便萧索了。应制诗是进御的，圣天子重瞳④观览，还该要有些气象。同时洪熙⑤皇帝御制一篇，词意宏伟，远出寻常。诗曰：

二国争强各用兵，摆成队伍定输赢。
马行出路当先道，将守深营戒远征。
乘险出车收散卒，隔河飞炮下重城。
等闲识得军情事，一着功成定太平。

今日为何说这下棋的话？只为有两个人家，因这几着棋子，遂为莫逆

---

① 孙庞斗智——孙膑，战国时齐国人，和庞涓同学兵法。后来，庞做魏将，嫉妒孙的才能，把孙骗去处以膑刑（去膝盖骨），后经齐国使者秘密载回，被齐威王任为军师。在齐国和魏国的一次战斗中，孙膑大败魏军，庞涓自杀。

② 刘项争天下——刘邦和项羽争夺天下，最后，项羽在垓下战败，自刎于乌江。

③ 国朝曾棨（qǐ）——国朝，这里指明朝。曾棨，明永丰人，是永乐时的状元。

④ 重瞳——两个瞳孔。古代相传舜的眼睛是重瞳，是一种异相，所以后来泛称皇帝的眼睛为“重瞳”。

⑤ 洪熙——明仁宗（朱高炽）的年号（公元一四二五年）。

之交，结下儿女姻亲。后来做出花锦般一段说话，正是：

夫妻不是今生定，五百年前结下因。

话说江西分宜县，有两个庄户人家①，一个叫做陈青，一个叫做朱世远，两家东西街对面居住。论起家事，虽然不算大富长者，靠祖上遗下些田业，尽可温饱有余。那陈青与朱世远，皆在四旬之外，累代邻居，志同道合，都则本分为人，不管闲事，不惹闲非。每日吃了酒饭，出门相见，只是一盘象棋，消闲造日。有时迭②为宾主，不过清茶寡饭，不设酒肴，以此为常。那些三邻四舍，闲时节也到两家看他下棋玩耍。其中有个王三老，寿有六旬之外，少年时也自欢喜象棋，下得颇高。近年有个火症，生怕用心动火，不与人对局了。日常无事，只以看棋为乐，早晚不倦。说起来，下棋的最怕旁人观看。常言道：旁观者清，当局者迷。倘或旁观的口嘴不紧，遇煞着③处溜出半句话来，赢者反输，输者反赢，欲待发恶，不为大事；欲待不抱怨，又忍气不过。所以古人说得好：

观棋不语真君子，把酒多言是小人。

可喜王三老偏有一德，未曾分局时，绝不多口。到胜负已分，却分说哪一着是先手，所以赢；哪一着是后手，所以输。朱、陈二人倒也喜他讲论，不以为怪。一日，朱世远在陈青家下棋，王三老亦在座。吃了午饭，重整棋枰，方欲再下，只见外面一个小学生踱将进来。那学生怎生模样？

面如傅粉，唇若涂朱，光着靛一般的青头，露着玉一样的嫩手。仪容清雅，步履端详；却疑天上仙童，不信人间小子。

那学生正是陈青的儿子，小名多寿，抱了书包，从外而入。跨进坐启，不慌不忙，将书包放下椅子之上，先向王三老叫声公公，深深的作了个揖。王三老欲待回礼，陈青就坐上一把按住道："你老人家不须多礼。却不怕折了那小厮一世之福？"王三老道："说哪里话！"口中虽是恁般说，被陈青按住，只把臀儿略起了一起，腰儿略曲了一曲，也算受他半礼了。那小学生又向朱世远叫声伯伯，作揖下去。朱世远还礼时，陈青却是对坐，隔了一张棋桌，不便拖拽，只得也作揖相陪。小学生见过了二位尊客，才到父

---

① 庄户人家——农民。

② 迭——交替地，轮流地。

③ 煞着——即杀着。指最关紧要的一步棋。

亲跟前唱喏，立起身来，禀道："告爹爹：明日是重阳节日，先生放学回去了。直过两日才来。吩咐孩儿回家，不许玩耍。限着书，还要读哩。"说罢，在椅子上取了书包，端端正正，走进内室去了。王三老和朱世远见那小学生行步舒徐①，语音清亮，且作揖次第，甚有礼数，口中夸奖不绝。王三老便问："令郎几岁了？"陈青答应道："是九岁。"王三老道："想着昔年汤饼会②时，宛如昨日。倏忽之间，已是九年，真个光阴似箭，争教我们不老！"又问朱世远道："老汉记得宅上令爱也是这年生的。"朱世远道："果然，小女多福，如今也是九岁了。"王三老道："莫怪老汉多口，你二人做了一世的棋友，何不扳做儿女亲家？古时有个朱陈村，一村中只有二姓，世为婚姻。如今你二人之姓，适然相符，应是天缘。况且好男好女，你知我见，有何不美？"朱世远已自看上了小学生，不等陈青开口，先答应道："此事最好！只怕陈兄不愿。若肯俯就，小子再无别言。"陈青道："既蒙朱兄不弃寒微，小子是男家，有何推托？就烦三老作伐。"王三老道："明日是个重阳日，阳九不利。后日大好个日子，老夫便当登门。今日一言为定，出自二位本心。老汉只图吃几杯现成喜酒，不用谢媒。"陈青道："我说个笑话你听。玉皇大帝要与人皇对亲，商量道：两亲家都是皇帝，也须得个皇帝为媒才好。乃请灶君皇帝往下界去说亲。人皇见了灶君，大惊道：那做媒的怎的这般样黑？灶君道：从来媒人哪有白做的！"王三老和朱世远都笑起来。朱、陈二人又下棋到晚方散。

只因一局输赢子，定了三生男女缘。

次日，重阳节无话。到初十日，王三老换了一件新开折的色衣，到朱家说亲。朱世远已自与浑家柳氏说过，夸奖女婿许多好处。是日一诺无辞，财礼并不计较。他日嫁送，称家之有无，各不责备便了。王三老即将此言回复陈青。陈青甚喜，择了个和合③吉日，下礼为定。朱家将庚帖回来，吃了一日喜酒。从此亲家相称，依先下棋来往。时光迅速，不觉过了六年。陈多寿年一十五岁，经书皆通。指望他应试，登科及第，光耀门楣。

---

① 舒徐——从容不迫，这里形容举止稳重。

② 汤饼会——小孩生下三天，宾客来庆贺，主人设筵招待，叫"汤饼会"，也叫"做三朝"。

③ 和合——顺当，吉利。

何期运限不佳,忽然得了个恶症,叫做癞。初时只道疥癣,不以为意。一年之后,其疾大发,形容改变,弄得不像模样了。

肉色焦枯,皮毛皴皱。浑身毒气,发成斑驳奇疮;遍体虫钻,苦杀晨昏作痒。任他凶疥癣,只比三分;不是大麻疯,居然一样。粉孩儿变作虾蟆相,少年郎活像老鼋①头,搔爬十指带脓腥,龌龊一身皆恶臭。

陈青单单生得这个儿子,把做性命看成。见他这个模样,如何不慌,连象棋也没心情下了。求医问卜,烧香还愿,无所不为。整整的乱了一年。费过了若干钱钞,病势不曾减得分毫。老夫妻两口愁闷自不必说。朱世远为着半子之情,也一般着忙,朝暮问安,不离门限。延挨过三年之外,绝无个好消息。朱世远的浑家柳氏,闻知女婿得个恁般的病症,在家里哭哭啼啼,抱怨丈夫道:"我女儿又不腌臭起来,为甚忙忙的九岁上就许了人家?如今却怎么好!索性那癞虾蟆死了,也出脱了我女儿。如今死不死,活不活,女孩儿年纪看看长成,嫁又嫁他不得,赖又赖他不得,终不然看着那癞子守活孤孀不成!这都是王三那老乌龟,一力撺掇,害了我女儿终身。"把王三老千乌龟,万乌龟的骂。哭一番,骂一番。朱世远原有怕婆之病,凭他夹七夹八,自骂自止,并不敢开言。一日,柳氏偶然收拾橱柜子,看见了象棋盘和那棋子,不觉勃然发怒,又骂起丈夫来,道:"你两个老忘八,只为这儿着象棋上说得着,对了亲,赚了我女儿,还要留这祸胎怎的!"一头说,一头走到门前,把那象棋子乱撒在街上,棋盘也掼做几片。朱世远是本分之人,见浑家发性,拦他不住,洋洋的躲开去了。女儿多福又怕羞,不好来劝,任他絮聒个不耐烦,方才罢休。自古道:

隔墙须有耳,窗外岂无人。

柳氏镇日在家中骂媒人,骂老公,陈青已自晓得些风声,将信未信。到满街撒了棋子,是甚意故,陈青心下了了。与浑家张氏两口儿商议道:"以己之心,度人之心。我自家晦气,儿子生了这恶疾,眼见得不能痊可,却教人家把花枝般女儿伴这癞子做夫妻,真是罪过。料女儿也必然怨伤。便强他进门,终不和睦,难指望孝顺。当初定这房亲事,都是好情,原不曾费甚大财。千好万好,总只一好,有心好到底了,休得为好成歉②。从长计

---

① 鼋(yuán)——鼋鱼,口语为鳖。

② 为好成歉——本来是美意,反而变得对不起人。

较，不如把媳妇庚帖送还他家，任他别缔良姻。倘然皇天可怜，我孩儿有病痊之日，怕没有老婆？好歹与他定房亲事。如今害得人家夫妻反目，哭哭啼啼，絮絮聒聒，我也于心何忍。”计议已定，忙到王三老家来。王三老正在门首，同几个老人家闲坐白话。见陈青到，慌忙起身作揖，问道：“令郎两日尊恙好些么？”陈青摇首道：“不济。正有句话，要与三老讲。屈三老到寒舍一行。”王三老连忙随着陈青到他家坐启内，分宾坐下。献茶之后，三老便问：“大郎有何见教？”陈青将自己坐椅掇近三老，四膝相凑，吐露衷肠。先叙了儿子病势如何的利害，次叙了朱亲家夫妻如何的抱怨。这句话王三老却也闻知一二，口中只得包慌①：“只怕没有此事。”陈青道：“小子岂敢乱言。今日小子倒也不怪敝亲家。只是自己心中不安，情愿将庚帖退还，任从朱宅别选良姻。此系两家稳便，并无勉强。”王三老道：“只怕使不得！老汉只管撮合，哪有拍开之理。足下异日翻悔之时，老汉却当不起。”陈青道：“此事已与拙荆再三商量过了，更无翻悔。就是当先行过些须薄礼，也不必见还。”王三老道：“既然庚帖返去，原聘也必然还璧。但吉人天相，令郎尊恙，终有好日，还要三思而行。”陈青道：“就是小儿侥幸脱体，也是水底捞针，不知何日到手，岂可担搁人家闺女。”说罢，袖中取出庚帖，递与王三老，眼中不觉流下泪来。王三老亦自惨然，道：“既是大郎主意已定，老汉只得奉命而行。然虽如此，料令亲家是达礼之人，必然不允。”陈青收泪而答道：“今回是陈某自己情愿，并非舍亲家相逼。若舍亲家踌躇之际，全仗三老撺掇一声，说陈某中心计较，不是虚情。”三老连声道：“领命，领命！”当下起身，到于朱家。朱世远迎接，讲礼而坐。未及开言，朱世远连声唤茶。这也有个缘故，那柳氏终日在家中千乌龟万乌龟指名骂媒人，王三老虽然不闻，朱世远却于心有愧，只恐三老见怪，所以殷勤唤茶。谁知柳氏恨杀王三老做错了媒，任丈夫叫唤，不肯将茶出来。此乃妇人小见。坐了一会，王三老道：“有句不识进退的话，特来与大郎商量。先告过，切莫见怪。”原来朱世远也是行一，里中都称他做朱大郎。朱世远道：“有话尽说。你老人家有甚差错，岂有见怪之理。”王三老方才把陈青所言退亲之事，备细说了一遍。“此乃令亲家主意，老汉但传言而已。但凭大郎主张。”朱世远终日被浑家聒絮得不耐烦，也巴不能个一捌两开，只

① 包慌——遮掩。

是自己不好启齿。得了王三老这句言语，分明是朝廷新颁了一道赦书，如何不喜。当下便道："虽然陈亲家贤哲，诚恐后来翻悔，反添不美。"王三老道："老汉都曾讲过。他主意已决，不必怀疑。宅上庚帖亦交付在此，大郎请收过。"朱世远道："聘礼未还，如何好收他的庚贴？"王三老道："他说些须薄聘，不须提起。是老汉多口，说道：既然庚帖返去，原聘必然返璧。"朱世远道："这是自然之理。先曾受过他十二两银子，分毫不敢短少。还有银钗二股，小女收留，容讨出一并奉还。这庚帖权收在你老人家处。"王三老道："不妨事，就是大郎收下。老汉暂回，明日来领取聘物。却到令亲处回话。"说罢分别。有诗为证：

月老系绳今又解，冰人传语昔皆讹。

分宜好个王三老，成也萧何败也何①。

朱世远随即入内，将王三老所言退亲之事，述与浑家知道。柳氏喜不自胜。自己私房银子也搜括将出来，把与丈夫，凑足十二两之数。却与女孩儿多福讨那一对银钗。却说那女儿虽然不读诗书，却也天生志气。多时听得母亲三言两语，絮絮聒聒，已自心慵意懒。今日与他讨取聘钗，明知是退亲之故，并不答应一字，径走进卧房，闭上门儿，在里面啼哭。朱世远终是男子之辈，见貌辨色，已知女孩儿心事。对浑家道："多福心下不乐，想必为退亲之故。你须慢慢偎②他，不可造次。万一逼得他紧，做出些没下稍勾当③，悔之何及！"柳氏听了丈夫言语，真个去敲那女儿的房门，低声下气的叫道："我儿，钗子肯不肯由你，何须使性！你且开了房门，有话时，好好与做娘的讲。做娘的未必不依你。"那女儿初时不肯开门，柳氏连叫了几次，只得拔了门闩，叫声："开在这里了。"自向兀子上气忿忿的坐了。柳氏另掇个兀子傍着女儿坐了，说道："我儿，爹娘为将你许错了对头，一向愁烦。喜得男家愿退，许了一万个利市，求之不得。那癞子终无好日，可不误了你终身之事。如今把聘钗还了他家，恩断义绝。似你恁般容貌，怕没有好人家来求你。我儿休要执性，快把钗儿出来还了他罢。"女

① 成也萧何败也何——即"成也萧何，败也萧何"。汉高祖(刘邦)的大将韩信，起初因为萧何的推荐而被重用，后来又因萧何的设计而被杀害。

② 偎——这里是接近、劝说的意思。

③ 没下稍勾当——没有好下场的事，这里指寻短见。

儿全不做声，只是流泪。柳氏偎了半晌，看见女儿如此模样，又款款的说道："我儿，做爹娘的都只是为好，替你计较。你愿与不愿，直直的与我说，恁般自苦自知，教爹娘如何过意。"女儿恨穷①道："为好，为好！要讨那钗子也尚早！"柳氏道："呵呀！两股钗儿，连头连脚，也重不上二三两，什么大事。若另许个富家，金钗玉钗都有。"女儿道："哪希罕金钗玉钗！从没见好人家女子吃两家茶。贫富苦乐，都是命中注定。生为陈家妇，死为陈家鬼，这银钗我要随身殉葬的，休想还他！"说罢，又哀哀的哭将起来。柳氏没奈何，只得对丈夫说，女儿如此如此："这门亲多是退不成了。"朱世远与陈青肺腑之交，原不肯退亲。只为浑家絮聒不过，所以巴不得撒开，落得耳边清净。谁想女儿恁般烈性，又是一重欢喜，便道："恁的时，休教苦坏了女孩儿。你与他说明，依旧与陈门对亲便了。"柳氏将此言对女儿说了，方才收泪。正是：

三冬不改孤松操，万苦难移烈女心。

当晚无话。次日，朱世远不等王三老到来，却自己走到王家，把女儿执意不肯之情，说了一遍，依旧将庚帖送还。王三老只称："难得，难得！"随即往陈青家回话，如此这般。陈青退此亲事，十分不忍。听说媳妇守志不从，愈加欢喜。连连向王三老作揖道："劳动，劳动！然虽如此，只怕小儿病症不痊，终难配合。此事异日还要烦三老开言。"王三老摇手道："老汉今番说了这一遍，以后再不敢奉命。"闲话休提，却说朱世远见女儿不肯悔亲，在女婿头上愈加着忙，各处访问名医国手，赔着盘缠，请他来看治。那医家初时来看，定说能医，连病人服药，也有些兴头。到后来不见功效，渐渐的懒散了。也有讨着荐书到来，说大话，夸大口，索重谢，写包票，都只有头无尾。日复一日，不觉又挨了二年有余。医家都说是个痼疾，医不得的了。多寿叹口气，请爹妈到来，含泪而言道："丈人不允退亲，访求名医用药，只指望我病有痊可之期。如今服药无效，眼见得没有好日，不要赚了人家儿女，孩儿决意要退这头亲事了。"陈青道："前番说了一场，你丈人丈母都肯，只是你媳妇执意不从，所以又将庚帖送来。"多寿道："媳妇若晓得孩儿愿退，必然也放下了。"妈妈张氏道："孩儿，且只照顾自家身子，

① 恨穷——极为怨恨、怨恼。

休牵挂这些闲事。”多寿道：“退了这头亲，孩儿心下倒放宽了一件。”陈青道：“待你丈人来时，你自与他讲便了。”说犹未了，丫鬟报道：“朱亲家来看女婿。”妈妈躲过。陈青邀入内书房中，多寿与丈人相见，口中称谢不尽。朱世远见女婿三分像人，七分像鬼，好生不悦。茶罢，陈青推故起身。多寿吐露衷肠，说起自家病势不痊，难以完婚，决要退亲之事。袖中取出柬帖一幅，乃是预先写下的四句诗。朱世远展开念道：

命犯孤辰①恶疾缠，好姻缘是恶姻缘。

今朝撒手红丝去，莫误他人美少年。

原来朱世远初次退亲，甚非本心，只为浑家逼迫不过。今番见女婿恁般病体，又有亲笔诗句，口气决绝，不觉也动了这个念头。口里虽道：“说哪里话！还是将息贵体要紧。”却把那四句诗褶好，藏于袖中。即便抽身作别，陈青在坐启下接着，便道：“适才小儿所言，出于至诚，望亲家委曲劝谕令爱俯从则个。庚帖仍旧奉还。”朱世远道：“既然贤乔梓②谆谆吩咐，权时收下，再容奉复。”陈青送出门前。朱世远回家，将女婿所言与浑家说了。柳氏道：“既然女婿不要媳妇时，女孩儿守他也是扯淡。你把诗意解说与女儿听，料他必然回心转意。”朱世远真个把那柬帖递与女儿，说：“陈家小官人病体不痊，亲自向我说，决要退婚。这四句诗便是他的休书了。我儿也自想终身之事，休得执迷。”多福看了诗名，一言不发，回到房中，取出笔砚，就在那诗后也写四句：

运蹇③虽然恶疾缠，姻缘到底是姻缘。

从来妇道当从一，敢惜如花美少年。

自古道：好事不出门，恶事扬千里。只为陈小官自家不要媳妇，亲口回绝了丈人，这句话就传扬出去。就有张家嫂、李家婆，一班靠撮合山养家的，抄了若干表号，到朱家议亲。说的都是名门富室，聘财丰盛。虽则

---

① 孤辰——即孤虚，又称为“空亡”，星相方士的术语。据说，命里犯了孤虚，结婚就不吉利。

② 贤乔梓——乔，高木。梓，小树。儒家以为父权不可侵犯，似乔木，儿子应卑躬屈膝，似梓树。后因称父子为“乔梓”。

③ 蹇(jiǎn)——不顺利。

媒人之口，不可尽信，却也说得柳氏肚里热蓬蓬的，分明似钱玉莲①母亲，巴不得登时撇了王家，许了孙家。谁知女儿多福，心如铁石，并不转移。看见母亲好茶好酒款待媒人，情知不为别件。丈夫病症又不痊，爹妈又不容守节，左思右算，不如死了干净。夜闲灯下取出陈小官人诗句，放在桌上，反复看了一回，约莫哭了两个更次，乘爹妈睡熟，解下束腰的罗帕，悬梁自缢。正是：

三寸气在千般用，一日无常万事休。

此际已是三更时分。也是多福不该命绝，朱世远在睡梦之中，恰象有人推醒，耳边只闻得女儿呜呜的哭声，吃了一惊，擦一擦眼睛，摇醒浑家，说道："适才闻得女孩儿啼哭，莫非做出些事来？且去看他一看。"浑家道："女孩儿好好的睡在房里，你却说鬼话。要看时，你自去看，老娘要睡觉哩。"朱世远披衣而起，黑暗里开了房门，摸到女儿卧房门首，双手推门不开。连唤几声，女孩儿全不答应。只听得喉间痰响，其声异常。当下心慌，尽生平之力，一脚把房门踢开，已见桌上残灯半明不灭，女儿悬梁高挂，就如走马灯一般，团团而转。朱世远吃了一惊非小，忙把灯儿剔明，高叫："阿妈快来，女孩儿缢死了！"柳氏梦中听得此言，犹如冷雨淋身，穿衣不及，就驮了被儿，就哭儿哭肉跑到女儿房里来。朱世远终是男子汉，有些智量，早已把女儿放下，抱在身上，将膝盖紧紧的抵住后门，缓缓的解开颈上的死结，用手去摩。柳氏一头打寒颤，一头叫唤。约莫半个时辰，渐渐魄返魂回，微微转气。柳氏口称谢天谢地，重到房中穿了衣服，烧起热水来，灌下女儿喉中，渐渐苏醒。睁开双眼，看见爹妈在前，放声大哭。爹妈道："我儿！蝼蚁尚且贪生，怎的做此短见之事？"多福道："孩儿一死，便得完名全节。又唤转来则甚？就是今番不死，迟和早少不得是一死。倒不如放孩儿早去，也省得爹妈费心。譬如当初不曾养下孩儿一般。"说罢，哀哀的哭之不已。朱世远夫妻两口，再三劝解不住，无可奈何。比及天明，朱世远教浑家窝伴②女儿在床眠息，自己径到城隍庙里去抽签。签语云：

时运未通亨，年来祸害侵。

---

① 钱玉莲——戏剧《荆钗记》中的女主角。

② 窝伴——安慰、陪伴，带有监视防范的意思。

云开终见日，福寿自天成。

细详签意，前二句已是准了。第三句云开终见日，是否极泰来之意。末句福寿自天成，女儿名多福，女婿名多寿，难道陈小官人病势还有好日？一夫一妇，天然成配？心中好生委决不下。回到家中，浑家兀自在女儿房里坐着。看见丈夫到来，慌忙摇手道："不要则声！女儿才停了哭，睡去了。"朱世远夜来剔灯之时，看见桌上一副柬帖，无暇观看。其时取而观之，原来就是女婿所写诗句，后面又有一诗，认得女儿之笔。读了一遍，叹口气道："真烈女也！为父母者，正当玉成其美，岂可以非理强之。"遂将城隍庙签词，说与浑家道："福寿天成，神明默定。若私心更改，皇天必不护佑。况女孩儿吟诗自誓，求死不求生。我们如何看守得他多日。倘然一个眼蹉①，女儿死了时节，空负不义之名，反作一场笑话。据吾所见，不如把女儿嫁与陈家，一来表得我们好情，二来遂了女儿之意，也省了我们干纪。不知妈妈心下如何？"柳氏被女儿吓坏了，心头兀自突突的跳，便答应道："随你作主，我管不得这事！"朱世远道："此事还须央王三老讲。"事有凑巧，这时朱世远走出门来，恰好王三老在门首走过。朱世远就迎住了，请到家中坐下，将前后事情，细细述了一遍。"如今欲把女儿嫁去，专求三老一言。"王三老道："老汉曾说过，只管撮合，不管撒开。今日大郎所言，是仗义之事，老汉自当效劳。"朱世远道："小女儿见了小婿之诗，曾和得一首，情见乎词。若还彼处推托，可将此诗送看。"王三老接了柬帖，即便起身。只为两亲家紧对门居住，左脚跨出了朱家，右脚就跨进了陈家，甚是方便。陈青听得王三老到来，只认是退亲的话，慌忙迎接问道："三老今日光降，一定朱亲家处有言。"王三老道："正是。"陈青道："今番退亲出于小儿情愿，亲家那边料无别说。"王三老道："老汉今日此来，不是退亲，倒是要做亲。"陈青道："三老休要取笑。"王三老就将朱宅女儿如何寻死，他爹妈如何心慌，"留女儿在家，恐有不测，情愿送来伏侍小官人。老汉想来，此亦两便之事。令亲家处脱了干纪，获其美名。你贤夫妇又得人帮助，令郎早晚也有个着意之人照管，岂不美哉！"陈青道："虽承亲家那边美意，还要问小儿心下允否？"王三老就将柬帖所和诗句呈于陈青道："令媳和得有令郎之诗。他十分性烈，令郎若不允从，必然送了他性命，岂不可惜！"陈

① 一个眼蹉（cuò）——闪失，疏忽，一时没注意到。

青道:"早晚便来回复。"当下陈青先与浑家张氏商议了一回,道:"媳妇如此性烈,必然贤孝。得他来贴身看觑,夫妇之间,比爹娘更觉周备。万一度得个种时,就是孩儿无命,也不绝了我陈门后代。我两个做了主,不怕孩儿不依。"当下双双两口,到书房中,对儿子多寿说知此事。多寿初时推却;及见了所和之诗,顿口无言。陈青已知儿子心肯。回复了王三老,择卜吉日,又送些衣饰之类。那边多福知是陈门来娶,心安意肯。至期,笙箫鼓乐,娶过门来。街坊上听说陈家癞子做亲,把做新闻传说道:"癞虾蟆也有吃天鹅肉的日子。"又有刻薄的闲汉,编为口号四句:

伯牛命短①偏多寿,娇香女儿偏逐臭。
红绫被里合欢时,粉花香与脓腥斗。

闲话休提。却说朱氏自过门之后,十分和顺。陈小官人全得他的殷勤伏侍。怎见得?

着意殷勤,尽心伏侍。熬汤煮药,果然味必亲尝。早起夜眠,真个衣不解带。身上东疼西痒,时时抚摩。衣裳血臭脓腥,勤勤煮洗。分明傅母育娇儿,只少开怀哺乳。又似病姑逢孝妇,每思割股烹羹。雨云休想欢误,岁月岂辞劳苦。唤娇妻有名无实,怜少妇少乐多忧。

如此两年,公婆无不欢喜。只有一件,夫妇日间孝顺无比,夜里各被各枕,分头而睡,并无同衾共枕之事。张氏欲得他两个配合雌雄,却又不好开言。忽一日进房,见媳妇不在,便道:"我儿,你枕头龌龊了,我拿去与你拆洗。"又道:"被儿也龌龊了。"做一包儿卷了出去,只留一床被、一个枕头在床。明明要他夫妇二人共枕同衾,生儿度种的意思。谁知他夫妇二人,肚里各自有个主意。陈小官人肚里道:"自己十死九生之人,不是个长久夫妻,如何又去污损了人家一个闺女?"朱小娘子肚里又道:"丈夫恁般病体,血气全枯,怎经得女色相侵?"所以一向只是各被各枕,分头而睡。是夜只有一床被、一个枕,却都是朱小娘子的卧具。每常朱小娘子伏侍丈夫先睡,自己灯下还做针指。直待公婆都睡了,方才就寝。当夜多寿与母亲取讨枕被,张氏推道:"浆洗未干,胡乱同宿一夜罢。"朱氏将自己枕头让与丈夫安置。多寿又怕污了妻子的被窝,和衣而卧。多福亦不解衣,依旧

① 伯牛命短——冉耕,字伯牛,春秋时人,孔子的弟子。害有恶疾,死得早。

两头各睡。次日，张氏晓得了，反怪媳妇做格①，不肯勾搭儿子干事，把一团美意，看做不良之心，捉鸡骂狗，言三语四，影射的发作了一场。朱氏是个聪明女子，有何难解。惟恐伤了丈夫之意，只作不知，暗暗偷泪。陈小官人也理会得了几分，甚不过意。如此又挨过了一个年头。当初十五岁上得病，十六岁病凶，十九岁上退亲不允，二十一岁上做亲。自从得病到今将近十载，不生不死，甚是闷人。闻得江南新到一个算命的瞎子，叫做灵先生，甚肯直言。央他推算一番，以决死期远近。原来陈多寿自得病之后，自嫌丑陋，不甚出门。今日特为算命，整整衣冠，走到灵先生铺中来。那先生排成八字，推了五星运限，便道："这贵造是宅上何人？先告过了，若不见怪，方敢直言。"陈小官人道："但求据理直言，不必忌讳。"先生道："此造四岁行运，四岁至十三，童限不必说起。十四岁至二十三，此十年大忌，该犯恶疾，半死不生。可曾见过么?"陈小官人道："见过了。"先生道："前十年，虽是个水缺，还跳得过。二十四到三十三，这一运更不好，船遇危波亡桨柁，马逢峭壁断缰绳。此乃夭折之命。有好八字再算一个。此命不足道也。"小官人闻言，惨然无语。忙把命金送与先生，作别而行。腹内寻思，不觉泪下。想着："那先生算我前十年已自准了，后十年运限更不好，一定是难过。我死不打紧，可怜贤德娘子伏侍了我三年，并无一宵之好。如今又连累受苦怎的？我今苟延性命，与死无二，便多活几年，没甚好处。不如早早死了，出脱了娘子。他也得趁少年美貌，别寻头路。"此时便萌了自尽之念。顺路到生药铺上，赎了些砒霜，藏在身边。回到家中，不提起算命之事。至晚上床，却与朱氏叙话道："我与你九岁上定亲，指望长大来夫唱妇随，生男育女，把家当户。谁知得此恶症，医治不痊。惟恐担搁了娘子终身，两番情愿退亲，感承娘子美意不允，拜堂成亲。虽有三年之外，却是有名无实，并不敢污损了娘子玉体。这也是陈某一点存天处。日后陈某死了，娘子别选良缘，也教你说得嘴响，不累你叫做二婚之妇。"朱氏道："官人，我与你结发夫妻，苦乐同受。今日官人患病，即是奴家命中所招。同生同死，有何理说！别缔良缘这话，再也休提。"陈小官人道："娘子性烈如火，但你我相守，终非长久之计。你伏事我多年，夫妻之情，已自过分。此恩料今生不能补报，来生定有相会之日。"朱氏道："官人

① 做格——故作矜持，摆架子。

怎说这伤心话儿？夫妻之间，说甚补报？”两个我对你答，足足的说了半夜方睡。正是：

　　夫妻只说三分话，未可全抛一片心。

次日，陈小官人又与父母叙了许多说话，这都是办了个死字，骨肉之情，难割难舍的意思。看看至晚，陈小官人对朱氏说：“我要酒吃。”朱氏道：“你闲常怕发痒，不吃酒。今日如何要吃？”陈小官人道：“我今日心上有些不爽快，想酒，你与我热些烫一壶来。”朱氏为他夜来言语不祥，心中虽然疑惑，却不想到那话儿。当下问了婆婆讨了一壶上好酽酒，烫得滚热，取了一个小小杯儿，两碟小菜，都放在桌上。陈小官人道：“不用小杯，就是茶瓯吃一两瓯，倒也爽利。”朱氏取了茶瓯，守着要斟。陈小官人道：“慢着，待我自斟。我不喜小菜，有果子讨些下酒。”把这句话遣开了朱氏。揭开了壶盖，取出包内砒霜，向壶中一倾，忙斟而饮。朱氏走了几步，放心不下。回头一看，见丈夫手慌脚乱，做张做智，老大疑惑。恐怕有些跷蹊①。慌忙转来，已自呷了一碗。又斟上第二碗。朱氏见酒色不佳，按住了瓯子，不容丈夫上口。陈小官人道：“实对你说，这酒内下了砒霜。我主意要自尽，免得累你受苦。如今已吃下一瓯，必然无救。索性得我尽醉而死，省得费了工夫。”说罢，又夺了第二碗吃了。朱氏道：“奴家有言在前，与你同生同死。既然官人服毒，奴家义不独生。”遂夺酒壶在手，骨都都吃个罄尽。此时陈小官人腹中作耗，也顾不得浑家之事。须臾之间，两个做一对儿跌倒。时人有诗叹此事云：

　　病中只道欢娱少，死后方知情义深。
　　相爱相怜相殉死，千金难买两同心。

却说张氏见儿子要吃酒，装了一碟巧糖，自己送来。在房门外，便听得服毒二字，吃了一惊，三步做两步走。只见两口儿都倒在地下，情知古怪。着了个忙，叫起屈来。陈青走到，见酒壶里面还剩有砒霜。平昔晓得一个单方，凡服砒霜者，将活羊杀了，取生血灌之，可活。也是二人命中有救，恰好左邻是个卖羊的屠户，连忙唤他杀羊取血。此时朱世远夫妻都到了。陈青夫妇自灌儿子，朱世远夫妻自灌女儿。两个亏得灌下羊血，登时呕吐，方才苏醒。余毒在腹中，兀自皮肤迸裂，流血不已。调理月余，方才

① 跷蹊（qiāoqī）——奇怪，反常，可疑。

饮食如故。有这等异事！朱小娘子自不必说。那陈小官人害了十年癞症，请了若干名医，用药全无功效，今日服了毒酒，不意中，正合了以毒攻毒这句医书，皮肤内迸出了许多恶血，毒气泄尽，连癞疮渐渐好了。比及将息平安，疮痂脱尽，依旧头光面滑，肌细肤荣。走到人前，连自己爹娘都认不得。分明是脱皮换骨，再投了一个人身。此乃是义夫节妇一片心肠，感动天地，所以毒而不毒，死而不死，因祸得福，破泣为笑。城隍庙签诗所谓"云开终见日，福寿自天成"，果有验矣。陈多寿夫妇俱往城隍庙烧香拜谢。朱氏将所聘银钗布施作供。王三老闻知此事，率了三邻四舍，提壶挈盒，都来庆贺，吃了好几日喜酒。陈多寿是年二十四岁，重新读书，温习经史。到三十三岁登科，三十四岁及第。灵先生说他十年必死之运，谁知一生好事，偏在这几年之中。从来命之理微，常人岂能参透。言祸言福，未可尽信也。再说陈青和朱世远从此亲情愈高，又下了几年象棋，寿并八十余而终。陈多寿官至佥宪①。朱氏多福，恩爱无比。生下一双儿女，尽老百年。至今子孙繁盛。这回书唤作《生死夫妻》。诗曰：

从来美眷说朱陈②，一局棋枰缔好姻。
只为二人多节义，死生不解赖神明。

第十卷　刘小官雌雄兄弟

衣冠未必皆男子，巾帼如何定妇人？
历数古今多怪事，高山为谷海生尘。

且说国朝成化年间，山东有一男子，姓桑，名茂，是个富家之子。垂髫时，生得红白细嫩。一日，父母教他往村中一个亲戚人家去。中途遇了大雨，闪在冷庙中避雨。那庙中先有老妪也在内躲雨，两个做一堆儿坐地。那雨越下越大了，出头不得。老妪看见桑茂标致，将言语调弄他。桑茂也

① 佥宪——古时称御史为宪台。明代都察院设有左右佥都御史（正四品），所以称为"佥宪"。

② 朱陈——唐白居易有《朱陈村》诗："徐州古丰县，有村曰朱陈。一村唯两姓，世世为婚姻。"这里是用白诗来切合朱多福和陈多寿的婚姻。

略通些情窍，只道老妪要他干事。临上交时，原来老妪腰间倒有本钱，把桑茂弄将起来。事毕，雨还未止。桑茂终是孩子家，便问道："你是妇人，如何有那话儿？"老妪道："小官，我实对你说，莫要泄漏于他人。我不是妇人，原是个男子。从小缚做小脚，学那妇道妆扮，习成低声哑气，做一手好针线，潜往他乡，假称寡妇，央人引进豪门巨室行教。女眷们爱我手艺，便留在家中，出入房闱，多与妇女同眠，恣意行乐。那妇女相处情厚，整月留宿，不放出门。也有闺女贞娘，不肯胡乱的，我另有媚药儿，待他睡去，用水喷在他面上，他便昏迷不醒，任我行事。及至醒来，我已得手，他自怕羞辱，不敢声张。还要多赠金帛送我出门嘱咐我莫说。我今年四十七岁了。走得两京九省，到处娇娘美妇，同眠同卧，随身食用，并无缺乏，从不曾被人识破。"桑茂道："这等快活好事，不知我可学得么？"老妪道："似小官恁般标致，扮妇人极象样了。你若肯投我为师，随我一路去，我就与你缠脚，教导你做针线，引你到人家去，只说是我外甥女儿，得便就有良遇。我一发把媚药方儿传授与你，包你一世受用不尽。"桑茂被他说得心痒，就在冷庙中四拜，投老妪为师。也不去访亲问戚，也不去问爹问娘，等待雨止，跟着老妪便走。那老妪一路与桑茂同行宿。出了山东境外，就与桑茂三绺梳头，包中取出女衫换了，脚头缠紧，套上一双窄窄的尖头鞋儿，看来就象个女子，改名郑二娘。后来年长到二十二岁上，桑茂要辞了师父，自去行动。师父吩咐道："你少年老成，定有好人相遇。只一件，凡得意之处，不可多住。多则半月，少则五日，就要换场，免露形迹。还一件，做这道儿，多见妇人，少见男子。切忌与男子相近交谈。若有男子人家，预先设法躲避。倘若被他看出破绽，性命不保。切记，切记！"桑茂领教，两下分别。

后来桑茂自称郑二娘，各处行游哄骗。也走过一京四省。所奸妇女，不计其数。到三十二岁上，游到江西一个村镇，有个大户人家女眷留住，传他针线。那大户家妇女最多，桑茂迷恋不舍，住了二十余日不去。大户有个女婿，姓赵，是个纳粟监生①，一日，赵监生到岳母房中作揖，偶然撞见了郑二娘，爱其俏丽，嘱咐妻子接他来家。郑二娘不知就里，欣然而往。被赵监生邀入书房，拦腰抱住，定要求欢。郑二娘抵死不肯，叫喊起来。

---

① 纳粟监生——按正规的办法进入"国子监"念书的叫做"监生"。用捐纳粟米或银子的方式取得这种资格的，叫做"纳粟监生"。

赵监生本是个粗人，惹得性起，不管三七二十一，竟按倒在床上去解他裤裆。郑二娘挡抵不开，被赵监生一手插进，摸着那话儿，方知是个男人女扮。当下叫起家人，一索捆翻，解到官府，用刑严讯，招称真姓真名，及向来行奸之事，污秽不堪。府县申报上司，都道是从来未有之变。具疏奏闻，刑部以为人妖败俗，律所不载，拟成凌迟重辟①，决不待时。可怜桑茂假充了半世妇人，讨了若干便宜，到头来死于赵监生之手。正是：

福善祸淫天有理，律轻情重法无私。

方才说的男人妆女败坏风化的。如今说个女人妆男，节孝兼全的来正本②，恰似：

薰莸不共器③，尧桀④好相形。

毫厘千里谬，认取定盘星。

这话本也出在本朝宣德年间。有一老者，姓刘名德，家住河西务镇上。这镇在运河之旁，离北京有二百里之地。乃各省出入京都的要路。舟楫聚泊，如蚂蚁一般。车音马迹，日夜络绎不绝。上有居民数百余家。边河为市，好不富庶。那刘德夫妻两口，年纪六十有余，并无弟兄子女。自己有几间房屋，数十亩田地，门首又开了一个小酒店儿。刘公平昔好善，极肯周济人的缓急。凡来吃酒的，偶然身边银钱缺少，他也不十分计较。或有人多把与他，他便够了自己价银，余下的定然退还，分毫不肯苟取。有晓得的，问道："这人错与你的，落得将来受用，如何反把来退还？"刘公道："我身没有子嗣，多因前生不曾修得善果，所以今世罚做无祀⑤之鬼。岂可又为恁样欺心的事！倘然命里不该时，错得了一分到手，或是变出些事端，或是染患些疾病，反用去几钱，却不到折便宜。不若退还了，何不安逸。"因他做人公平，一镇的人无不敬服，都称为刘长者。一日，正值

① 凌迟重辟——凌迟，古代的剐刑；重辟，即大辟，古代的死刑。

② 正本——端正社会上的风俗道德。

③ 薰莸(xūnyóu)不共器——香草和臭草不能收藏在一个器物里，比喻好和坏不能共处，也说薰莸异器。

④ 尧桀——尧，传说中上古时代的贤明君主；桀，夏朝末代君主，相传是个暴君。

⑤ 无祀(sì)——没有人来祭祀。

隆冬天气，朔风凛冽，彤云密布，降下一天大雪。原来那雪：

能穿帏幕，善度帘栊。乍飘数点，俄惊柳絮飞扬，狂舞一番，错认梨花乱坠。声从竹叶传来，香自梅枝递至。塞外征人穿冻甲，山中隐士拥寒衾。王孙绮席倒金尊，美女红炉添兽炭。

刘公因天气寒冷，暖起一壶热酒，夫妻两个向火对饮，吃了一回，起身走到门首看雪。只见远远一人背着包裹，同个小厮迎风冒雪而来。看看至近，那人扑的一跤，跌在雪里，挣扎不起。小厮便向前去搀扶，年小力微，两个一拖，反向下边去了，都滚做一个肉饺儿。抓了好一回，方才得起。刘公擦摩老眼看时，却是六十来岁的老儿，行缠绞脚，八搭麻鞋，身上衣服甚是褴褛。这小厮倒也生得清秀，脚下穿一双小布褕鞋。那老儿把身上雪片抖净，向小厮道："儿，风雪甚大，身上寒冷，行走不动。这里有个酒店在此，且沽壶荡荡寒再走。"便走入店来，向一副座头坐下，把包裹放在桌子上。那小厮坐于旁边。刘公去暖一壶热酒，切一盘牛肉，两碟小菜，两副杯箸，做一盘托过来摆在桌上。小厮捧过壶来，斟上一杯，双手递与父亲，然后筛与自己。刘公见他年幼，有些礼数，便问道："这位是令郎么？"那老儿道："正是小犬。"刘公道："今年几岁了？"答道："乳名申儿，十二岁了。"又问道："客官尊姓？是往哪里去的？恁般风雪中行走？"那老儿答道："老汉方勇，是京师龙虎卫①军士，原籍山东济宁。今要回去取讨军庄盘缠，不想下起雪来。"问主人家尊姓。刘公道："在下姓刘，招牌上近河，便是贱号。"又道："济宁离此尚远，如何不寻个脚力，却受这般辛苦？"答道："老汉是个穷军，哪里雇得起脚力！只得慢慢的挨去罢了。"刘公举目看时，只见他把小菜下酒，那盘牛肉，全然不动。问道："长官父子想都是奉斋么？"答说道："我们当军的人，吃什么斋！"刘公道："既不奉斋，如何不吃些肉儿？"答道："实不相瞒。身边盘缠短少，吃小菜饭儿，还恐走不到家。若用了这大菜，便去了几日的口粮，怎生到得家里？"刘公见他说恁样穷乏，心中惨然，便说道："这般大雪，腹内得些酒肉，还可挡得风寒，你只管用，我这里不算账罢了。"老军道："主人家休得取笑！哪有吃了东西，不算账之理？"刘公道："不瞒长官说，在下这里，比别家不同。若过往客官，偶然银子缺少，在下就肯奉承。长官既没有盘缠，只算我请你罢了。"老军

① 京师龙虎卫——卫，明代军事编制名称。龙虎卫，属于北京左军都督府。

见他当真，便道："多谢厚情，只是无功受禄，不当人子①。老汉转来，定当奉酬。"刘公道："四海之内，皆兄弟也。这些小东西，值得几何，怎说这奉酬的话！"老汉方才举箸，刘公又盛过两碗饭来，道："一发吃饱了好行路。"老军道："忒过分了！"父子二人正在饥馁之时，拿起饭来，狼餐虎咽，尽情一饱。正是：

救人须救急，施人须当厄。

渴者易为饮，饥者易为食。

当下吃完酒饭，刘公又叫妈妈斟两杯热茶来吃了。老军便腰间取出银子来还饭钱。刘公连忙推住道："刚才说过，是我请你的，如何又要银子？恁样时，倒像在下说法卖这肉了。你且留下，到前途去盘缠。"老军便住了手，千恩万谢，背上了包裹，作辞起身。走出门外，只见那雪越发大了，对面看不出人儿。被寒风一吹，倒退下几步。小厮道："爹，这般大雪，如何行走？"老军道："便是没奈何，且挨到前途，觅个宿店歇罢。"小厮眼中便流下泪来。刘公心中不忍，说道："长官，这般风寒大雪，着甚要紧，受此苦楚！我家空房床铺尽有，何不就此安歇，候天晴了走，也未迟。"老军道："若得如此，甚好。只是打搅不当。"刘公道："说哪里话！谁人是顶着房子走的？快些进来，不要打湿了身上。"老军引着小厮，重新进门。刘公领去一间房里，把包裹放下。看床上时，席子草荐都有。刘公还恐怕他寒冷，又取出些稻草来，放在上面。老军打开包裹，将出被窝铺下。此时天气尚早，准顿好了，同小厮走出房去。刘公已将店面关好，同妈妈向火。看见老军出房，便叫道："方长官，你若冷时，有火在此，烘一烘暖和也好。"老军道："好倒好，只是奶奶在那里，恐不稳便。"刘公道："都是老人家了，不妨得。"老汉方才同小厮走过来，坐于火边。那时比前又加识熟，便称起号来，说："近河，怎么只有老夫妻两位？想是令郎们另居么？"刘公道："不瞒你说，老拙夫妻今年都痴长六十四岁，从来不曾生育，哪里得有儿子？"老军道："何不承继一个，伏侍你老年也好。"刘公答道："我心里初时也欲得如此。因常见人家承继来的，不得他当家替事，反惹闷气，不如没有的倒得清净。总要时，急切不能有个中意的，故此休了这念头。若得你令郎这

① 不当人子——表示歉意、感谢的客气话，犹如"不好意思、真不应该、过意不去"等。

样一个，却便好了。只是如何得能够？”两个闲话一回，看看日晚。老军讨了灯火，叫声安置，同儿子到客房中来安歇。对儿子说：“儿，今日天幸得遇这样好人。若没有他时，冻也要冻死了。明日莫管天晴下雪，早些走罢。打搅他，心上不安。”小厮道：“爹说得是！”父子上床安息。

不想老军受了些风寒，到下半夜，火一般热起来，口内只是气喘，讨汤水吃。这小厮家夜晚间又在客店里，哪处去取。巴到天明，起来开房门看时，那刘公夫妻还未曾起身。他又不敢惊动，原把门儿掩上，守在床前。少顷，听得外面刘公咳嗽声响，便开门走将出来。刘公一见，便道：“小官儿，如何起得恁早？”小厮道：“告公公得知，不想爹爹昨夜忽然发起热来，口中不住吁喘，要讨口水吃，故此起得早些。”刘公道：“嗳呀！想是他昨日受些寒了。这冷水怎么吃得？待我烧些热汤与你。”小厮道：“怎好又劳公公？”刘公便教妈妈烧起一大壶滚汤，刘公送到房里，小厮扶起来吃了两碗。老军睁眼观看，见刘公在旁，谢道：“难为你老人家！怎生报答？”刘公走近前道：“休恁般说。你且安心自在，盖热了，发出些汗来便好了。”小厮放倒下去，刘公便扯被儿与他盖好。见那被儿单薄，说道：“可知道着了寒！如何这被恁薄？怎能发的汗出？”妈妈在门外听见，即去取出一条大被絮来道：“老官儿，有被在此。你与他盖好了。这般冷天气，不是当耍的。”小厮便来接去，刘公与他盖得停当，方才走出。少顷，梳洗过，又走进来问：“可有汗么？”小厮道：“我才摸时，并无一些汗气。”刘公道：“若没汗时，这寒气是感的重的了。须请个太医来用药，表他的汗出来方好。不然，这风寒怎能够发泄？”小厮道：“公公，身伴无钱，将何请医服药？”刘公道：“不消你费心，有我在此。”小厮听说，即便叩头道：“多蒙公公厚恩，救我父亲。今生若不能补报，死当为犬马偿恩。”刘公连忙扶起道：“快不要如此，既在此安歇，我便是亲人了，岂忍坐视！你自去房中伏侍，老汉与你迎医。”其日雪止天霁，街上的积雪被车马践踏，尽为泥泞，有一尺多深。刘公穿了木屐，出街头望了一望，复身进门。小厮看刘公转进来，只道不去了，噙着两行珠泪，方欲上前叩问，只见刘公从后屋牵出个驴儿骑了，出门而去，小厮方才放心。且喜太医住得还近，不多时便到了。那太医也骑个驴儿，家人背着药箱，随在后面，到门首下了。刘公请进堂中，吃过茶，然后引至房里。此时老军已是神思昏迷，一毫人事不省。太医诊了脉，说道："这是个双感伤寒，风邪已入于腠理①。伤寒书上有两句歌云：'两感伤寒不须治，阴阳毒遍七朝期。'此乃不治之症。别个医家，便要说还可以救得。学生是老实的，不敢相欺。这病下药不得了。"小厮见说，惊得泪如雨下，拜倒在地上，哭说道："万望先生垂怜我异乡之人，怎生用帖药救得性命，决不忘恩！"太医扶起道："不是我作难，其实病已犯实，教我也无奈。"刘公道："先生，常言道：药医不死病，佛度有缘人。你且不要拘泥古法，尽着自家意思，大了胆医去，或者他命不该绝，就好了也未可知。万一不好，决无归怨你之理。"先生道："既是长者恁般说，且用一帖药看。若吃了发得汗出，便有可生之机，速来报我，再将药与他吃。若没汗时，这病就无救了，不消来复我。"教家人开了药箱儿，撮了一帖药剂，递与刘公道："用生姜为引，快煮与他吃。这也是万分之一，莫做指望。"刘公接了药，便去封出一百文钱，递与太医道："些少药资，权为利市。"太医必不肯受而去。刘公夫妻两人，亲自把药煎好，将到房中与小厮相帮，扶起吃了，将被没头没脑的盖下。小厮在旁守候。刘公因此事忙乱一朝，把店中生意都担搁了，连饭也没工夫去煮，直到午上，方吃早膳。刘公去唤小厮吃饭。那小厮见父亲病重，心中慌急，哪里要吃。再三劝处，方吃了半碗。看看到晚，摸那老军身上，并无一些汗点。那时连刘公也慌张起来。又去请太医时，不肯来了。准准到第七日，呜呼哀哉。正是：

三寸气在千般用，一日无常万事休。

可怜那小厮申儿哭倒在地。刘公夫妇见他哭的悲切，也涕泪交流，扶起劝道："方小官，死者不可复生，哭之无益。你且将息自己身子。"小厮双膝跪下哭告道："儿不幸，前年丧母，未能入土，故与父谋归原籍，求取些银两来殡葬。不想逢此大雪，路途艰楚。得遇恩人，赐以酒饭，留宿在家，以为万千之幸。谁料皇天不佑，父忽骤病。又蒙恩人延医服药，日夜看视，胜如骨肉。只指望痊愈之日，图报大恩。哪知竟不能起，有负盛意！此间举目无亲，囊乏钱钞，衣棺之类，料不能办。欲求恩人借数尺之土，把父骸掩盖，儿情愿终身为奴仆，以偿大恩。不识恩人肯见允否？"说罢，拜伏在地。刘公扶起道："小官人休虑！这送终之事，都在于我。岂可把来藁

① 腠理——中医术语，皮肤之间叫做"腠理"。

葬[1]?”小厮又哭拜道:“得求隙地埋骨,已出望外,岂敢复累恩人费心破钞!此恩此德,教儿将何补报?”刘公道:“只是我平昔的志,哪望你的报偿!”当下忙忙的取了银子,便去买办衣衾棺木。唤两个土工来,收拾入殓过了。又备羹饭祭奠,焚化纸钱。那小厮悲恸,自不必说。就抬到屋后空地上埋葬好了。又立一个碑额,上写“龙虎卫军士方勇之墓”。诸事停当,小厮向刘公夫妇拜谢。过了两日,刘公对小厮道:“我欲要打发你回去,访问个亲族来,搬丧回乡,又恐怕你年纪幼小,不认得路途。你且暂住我家,俟有识熟的在此经过,托他带回故乡,然后徐图运柩回去。不知你的意下何如?”小厮跪下泣告道:“儿受公公如此大恩,地厚天高,未曾报得,岂敢言归!且恩人又无子嗣,儿虽不才,倘蒙不弃,收充奴仆,朝夕伏侍,少效一点孝心。万一恩人百年之后,亦堪为坟前拜扫之人。那时到京取回先母遗骨,同父骸葬于恩人墓道之侧,永守于此,这便是儿之心愿。”刘公夫妇大喜道:“若得你肯如此,乃天赐与我为嗣!岂有为奴仆之理!今后当以父子相称。”小厮道:“既蒙收留,即今日就拜了爹妈。”便掇两把椅儿居中放下,请老夫妇坐了,四双八拜,认为父子。遂改姓为刘。刘公又不忍没其本姓,就将方字为名,唤做刘方。自此日夜辛勤,帮家过活,奉侍刘公夫妇,极其尽礼孝敬。老夫妇也把他如亲生一般看待。有诗为证:

刘方非亲是亲,刘德无子有子。
小厮事死事生,老军虽死不死。

时光似箭,不觉刘方在刘公家里已过了两个年头。时值深秋,大风大雨,下了半月有余,那运河内的水,暴涨有十来丈高下,犹如百沸汤一般,又紧又急。往来的船只,坏了无数。一日午后,刘方在店中收拾,只听得人声鼎沸。他只道什么火发,忙来观看,见岸上人挨挤不开,都望着河中。急走上前来看时,却是上流头一只大客船,被风打坏,淌将下来,船上之人,飘溺已去大半。余下的抱桅攀舵,呼号哀泣,只叫“救人”。那岸上看的人,虽然有救捞之念,只是风水利害,谁肯从井救人。眼盼盼看他一个个落水,口中只好叫句“可怜”而已。忽然一阵大风,把那船吹近岸旁。岸上人一齐喊声“好了!”顷刻挽挠钩子二十多张,一齐都下,搭住那船,救起十数多人,各自分头投店内。有一个少年,年纪不上二十,身上被挽钩摘

---

① 藁葬——用草裹着尸体埋葬,叫做藁葬。

伤几处,行走不动,倒在地下,气息将绝,尚紧紧抱住一只竹箱,不肯放舍。刘方在旁睹景伤情,触动了自己往年冬间之事,不觉流下泪来,想道:“此人之苦,正与我一般。我当时若没有刘公时,父子尸骸不知归于何处矣。这人今日却便没人怜救了。且回去与爹妈说知,救其性命。”急急转家,把上项事报知刘公夫妇,意欲扶他回家调养。刘公道:“此是阴德美事,为人正该如此。”刘妈妈道:“何不就同他来家?”刘方道:“未曾禀过爹妈,怎敢擅便?”刘公道:“说哪里话!我与你同去。”父子二人,行至岸口,只见众人正围着那少年观看。刘公分开众人,挨身而人,叫道:“小官人,你挣扎着,我扶你到家去将息。”那少年睁眼看了一看,点点头儿。刘公同刘方向前搀扶。一个年幼力弱,一个年老力衰,全不济事。旁边转过一个轩�刺①的后生道:“老人家闪开,待我来。”向前一抱,轻轻的就扶了起来。那后生在右,刘公在左,两边挟住胳膊便走。少年虽然说话不出,心下却甚明白,把嘴努着竹箱,刘方道:“这箱子待我与你驮了。”把来背在肩上,在前开路。众人闪在两边,让他们前行,随后便都跟来看。内中认得刘公的,便道:“还是刘长者有些义气。这个异乡落难之人,在此这一回②,并没有个慈悲的肯收留去,偏他一晓的了便搀扶回家。这样人,真个是世间少有!只可惜无个儿子,这也是天公没分晓。”又有道:“他虽没有亲儿,如今承继这刘方,甚是孝顺,比嫡亲的尤胜,这也算是天报他了。”那不认得的,见他老夫妻自来搀扶一个小厮,与他驮了竹箱,就认做那少年的亲族。以后见土人纷纷传说,方才晓的,无不赞叹其义。还有没肚子的人③,称量他那竹箱内有物无物,财多财少。此乃是人面相似,人心不同,不在话下。

且说刘公同那后生扶少年到家,向一间客房里放下。刘公叫声“劳动”,后生自去。刘方把竹箱就放在少年之旁。刘妈妈连忙去取干衣,与他换下湿衣,然后扶在铺上。原来落水人吃不得热酒,刘公晓得这道数。教妈妈取酽酒略温一下,尽着少年痛饮,就取刘方的卧被,与他盖了。夜间就教刘方伴他同卧。到次早,刘公进房来探门。那少年已觉健旺,连忙挣扎起来,要下床称谢。刘公急止住道:“莫要劳动,调养身子要紧!”那少

① 轩砣刺——高大有力的意思。

② 一回——一会儿。

③ 没肚子的人——没有度量、没有见识的人。

年便向枕上叩头道："小子乃垂死之人，得蒙公公救拔，实再生之父母。但不知公公尊姓？"刘公道："老拙姓刘。"少年道："原来与小子同姓。"刘公道："官人哪里人氏？"少年答道："小子刘奇，山东张秋人氏。二年前，随父三考在京。不幸遇了时疫，数日之内，父母俱丧。无力扶柩还乡，只得将来火化。"指着竹箱道："奉此骸骨归葬。不想又遭此大难。自分必死，天幸得遇恩人，救我之命。只是行李俱失，一无所有，将何报答大恩？"刘公道："官人差矣！不忍之心，人皆有之。救人一命，胜造七级浮屠。若说报答，就是为利了，岂是老汉的本意？"刘奇见说，愈加感激。将息了两日，便能起身，向刘公夫妇叩头泣谢。那刘奇为人温柔俊雅，礼貌甚恭。刘公夫妇十分爱他，早晚好酒好食管待。刘奇见如此殷勤，心上好生不安。欲要辞归，怎奈钩伤之处溃烂成疮，步履不便，身边又无盘费，不能行动。只得暂且住下。正是：

不恋故乡生处好，受恩深处便为家。

却说刘方与刘奇年貌相仿，情投契合，各把生平患难细说。二人因念出处相同，遂结拜兄弟，友爱如嫡亲一般。一日，刘奇对刘方道："贤弟如此美质，何不习些书史？"刘方答道："小弟甚有此志，只是无人教导。"刘奇道："不瞒贤弟说，我自幼攻书，博通今古，指望致身青云。不幸先人没后，无心于此。贤弟肯读书时，寻些书本来，待我指引便了。"刘方道："若得如此，乃弟之幸也。"连忙对刘公说知。刘公见说是个饱学之士，肯教刘方读书，分外欢喜。即便去买许多书籍。刘奇罄心①指教，那刘方颖悟过人，一诵即解。日里在店中看管，夜间挑灯而读。不过数月，经书词翰，无不精通。

且说刘奇在刘公家里住有半年，彼此相敬相爱，胜如骨肉。虽然依傍得所，只是终日坐食，心有不安。此时疮口久愈，思想要回故土，来对刘公道："多蒙公公夫妇厚恩，救活残喘，又搅扰半年，大恩大德，非口舌可谢。今欲暂辞公公，负先人骸骨归葬。服阕②之后，当图报效。"刘公道："此乃官人的孝心，怎好阻当。但不知几时起行？"刘奇道："今日告过公公，明天就行。"刘公道："既如此，待我去觅个便船与你。"刘奇道："水路风波险恶，

① 罄(qìng)心——尽心。罄:尽,完。

② 服阕(què)——服丧期满。阕:终了。

且乏盘缠，还从陆路行罢。”刘公道：“陆路脚力之费，数倍于舟，且又劳碌。”刘奇道：“小子不用脚力，只是步行。”刘公道：“你身子怯弱，如何走得远路？”刘奇道：“公公，常言道的好，有银用银，无银用力。小子这样穷人，还惜得什么辛苦！”刘公想了一想道：“这也易处。”便叫妈妈整备酒肴，与刘奇送行。饮至中间，刘公泣道：“老拙与官人萍水相逢，聚首半年，恩同骨肉，实是不忍分离。但官人送尊人入土，乃人子大事，故不好强留。只是自今一别，不知后日可能得再见否？”说罢，歔欷不胜。刘妈妈与刘方尽皆泪下。刘奇也泣道：“小子此行，实非得已。俟服一满，即星夜驰来奉候，幸勿过悲。”刘公道：“老拙夫妇年近七旬，如风中之烛，早暮难保。恐君服满来时，在否不可知矣。倘若不弃，送尊人入土之后，即来看我，也是一番相知之情。”刘奇道：“公公嘱咐，敢不如命？”一宿晚景不提。到了次早，刘妈妈早起，即整顿酒饭与他吃了。刘公取出一个包裹，放在桌上，又叫刘方到后边牵出那小驴儿来，对刘奇道：“此驴畜养已久，老汉又无远行，少有用处，你就乘他去罢。省得路上雇倩。这包裹内有一床被窝，几件粗布衣裳，以防路上风寒。”又在袖中摸一包银子交与道：“这三两银子，将就盘缠，亦可到得家了。但事完之后，即来走走，万勿爽信①。”刘奇见了许多厚赠，泣拜道：“小子受公公如此厚恩，今生料不能报，俟来世为犬马以酬万一。”刘公道：“何出此言！”当下将包裹竹箱都装在牲口身上，作别起身。刘公夫妇送出门首，洒泪而别。刘方不忍分舍，又送十里之外，方才分手。正是：

萍水相逢骨肉情，一朝分袂泪俱倾。
骊驹唱罢劳魂梦，人在长亭共短亭。

且说刘奇一路夜住晓行，饥餐渴饮，不一日来到山东故乡。哪知去年这场大风大雨，黄河泛溢，张秋邨镇，尽皆漂溺，人畜庐舍，荡尽无遗。举目遥望时，几十里田地，绝无人烟。刘奇无处投奔，只得寄食旅店。思想欲将骸骨埋葬于此，却又无处依栖，何以营生。须寻了个着落之处，然后举事。遂往各处镇邨乡邨访问亲旧，一无所有。住了月余，这三两银子盘费将尽，心下着忙：“若用完了这银子，就难行动了。不如原往河西务去求

① 爽信——失信。爽：违背。

恩人一搭①之地，埋了骨殖，倚傍在彼处，还是个长策。”算还店钱，上了牲口，星夜赶来，到了刘公门首，下了牲口。只见刘方正在店中，手里拿着一本书儿在那里观看。刘奇叫了一声：“兄弟，公公妈妈一向好么？”刘方抬头看时，却是刘奇。把书撇下，忙来接住牲口，牵入家中，卸了行李，作揖道：“爹妈日夜在此念你。来得正好！”一齐走入堂中。刘公夫妇看见，喜从天降，便道：“官人，想杀我也！”刘奇上前倒身下拜，刘公还礼不迭。见罢，问道：“尊人之事，想已毕了？”刘奇细细泣诉前因。又道：“某故乡已无处容身，今复携骸骨而来，欲求一搭余地葬埋，就拜公公为父，依傍于此，朝夕奉侍，不知尊意允否？”刘公道：“空地尽有，任凭取择。但为父子，恐不敢当。”刘奇道：“若公公不屑以某为子，便是不允之意了。”便即请刘公夫妇上坐，拜为父子，将骸骨也葬于屋后地上。自此兄弟二人，并力同心，勤苦经营，家业渐渐兴隆。伏侍父母，极尽人子之礼。合镇的人，没一个不欣羡刘公无子而有子，皆是阴德之报。

时光迅速，倏忽又经年余。父子正安居乐业，不想刘公夫妇，年纪老了，筋力衰倦，患起病来。二子日夜伏侍，衣不解带，求神罔效，医药无功。看看待尽，二子心中十分悲切，又恐伤了父母之心，惟把言语安慰，背地吞声而泣。刘公自知不起，呼二子至床前吩咐道：“我夫妻老年孤孑，自谓必作无祀之鬼，不意天地怜念，赐汝二人与我为嗣。名虽义子，情胜嫡血，我死无遗恨矣！但我去世之后，汝二人务要同心经业，共守此薄产。我于九泉亦得瞑目。”二子哭拜受命。又延两日，夫妻相继而亡。二子怆地呼天，号啕痛哭，恨不得以身代替。置办衣衾棺椁，极其从厚。又请僧人做九昼夜功果超荐。入殓之后，兄弟商议筑起一个大坟，要将三家父母合葬一处。刘方遂至京中，将母柩迎来，择了吉日，以刘公夫妇葬于居中，刘奇迁父母骸骨葬于左边，刘方父母葬于右边，三坟拱列，如连珠相似。那合镇的人，一来慕刘公向日忠厚之德，二来敬他弟兄之孝，尽来相送。

话休絮烦。且说刘奇二人，自从刘公亡后，同眠同食，情好愈笃。把酒店收了，开起一个布店来。四方过往客商来买货的，见二人少年志诚，物价公平，传播开去，慕名来买者，挨挤不开。一二年间，挣下一个老大家

---

① 一搭——一块。

业，比刘公时已多数倍。讨了两房家人，两个小厮，动用器皿家伙，甚是次第①。那镇上有几个富家，见二子家业日裕，少年未娶，都央媒来与之议姻。刘奇心上已是欲得，只是刘方却执意不愿。刘奇劝道："贤弟今年一十有九，我已二十有二，正该及时求配，以图生育，接续三家宗祀，不知贤弟为何不愿?"刘方答道："我与兄方在壮年，正好经营生理，何暇去谋此事。况我弟兄向来友爱，何等安乐！万一娶了一个不好的，反是一累，不如不娶为上。"刘奇道："不然，常言说得好，无妇不成家。你我俱在店中支持了生意时，里面绝然无人照管。况且交游渐广，设有个客人到来，中馈②无人主持，成何体面。此还是小事，当初义父以我二人为子时，指望子孙延他宗祀，世守此坟。今若不娶，必然绝祀，岂不负其初念，何颜见之泉下。"再三陈说，刘方只把言支吾，终不肯应承。刘奇见兄弟不允，自已又不好独娶。一日，偶然到一相厚朋友钦大郎家中去探望。两个偶然言及姻事，刘奇乃把刘方不肯之事，细细相告。又道："不知舍弟是甚主意?"钦大郎笑道："此事浅而易见。他与兄共创家业，况他是先到，兄是后来，不忿得兄先娶，故此假意推托。"刘奇道："舍弟乃仁义端直之士，决无此意。"钦大郎道："令弟少年英俊，岂不晓得夫妇之乐，恁般推阻。兄若不信，且教个人私下去见他，先与之为媒，包你一说就是。"刘奇被人言所惑，将信将疑，作别而回。恰好路上遇见两个媒婆，正要到刘奇家说亲，所说的是本镇开绸缎店崔三朝奉③家。叙起年庚，正与刘方相合。刘奇道："这门亲，正对我家二官人了。只是他有些古怪，人面前就害羞。你只悄地去对他说。若说得成时，自当厚酬。我且不归去，坐在巷口油店里等你回话。"两个媒婆应声而去。不一时，回复刘奇道："二官人果是古怪。老媳妇恁般撺掇，只是不允。再说时，他喉急起来，好教媳妇们老大没趣。"刘奇方才信刘方不肯是个真心。但不知什么意故。一日，见梁上燕儿营巢，刘奇遂题一词于壁上，以探刘方之意。词云：

营巢燕，双双雄，朝暮衔泥辛苦同。若不寻雌继壳卵，巢成毕竟巢还空。

---

① 次第——有头绪的意思。

② 中馈——原指妇女在家主持饮食等事，这里指酒饭饮食等。

③ 朝奉——原为官名，后为对富人或土豪的尊称。

刘方看见，笑诵数次，亦援笔和一首于后，词曰：

营巢燕，双双飞，天设雌雄事久期。雌兮得雄愿已足，雄兮将雌胡不知？

刘奇见了此词，大惊道："据这词中之意，吾弟乃是个女子了。怪道他恁般娇弱，语音纤丽，夜间睡卧，不脱内衣，连袜子也不肯去。酷暑中还穿着两层衣服。原来他却学木兰所为。"虽然如此，也还疑惑，不敢去轻易发言。又到钦大郎家中，将词念与他听。钦大郎道："这词意明白，令弟确然不是男子。但与兄数年同榻，难道看他不出？"刘奇叙他向来并未曾脱衣之事。钦大郎道："恁般一发是了！如今兄当以实问之，看他如何回答。"刘奇道："我与他恩义甚重，情如同胞，安忍启口。"钦大郎道："他若果是个女子，与兄成配，恩义两全，有何不可。"谈论已久，钦大郎将出酒肴款待。两人对酌，竟不觉至晚。刘奇回至家时，已是黄昏时候。刘方看见，见他已醉，扶进房中问道："兄从何处饮酒，这时方归？"刘奇答道："偶在钦兄家小饮，不觉话长坐久。"口中虽说，细细把他详视。当初无心时，全然不觉是女。此时已是有心辨他真假，越看越像个女子了。刘奇虽无邪念，心上却要见个明白，又不好直言。乃道："今日见贤弟所和燕子词，甚佳，非愚兄所能及。但不知贤弟可能再和一首否？"刘方笑而不答，取过纸笔来，一挥就成。词曰：

营巢燕，声声叶，莫使青年空岁月。可怜和氏璧无瑕，何事楚君终不纳？

刘奇接来看了，便道："原来贤弟果是女子。"刘方闻言，羞得满脸通红，未及答言。刘奇又道："你我情同骨肉，何必避讳。但不识贤弟昔年因甚如此妆束？"刘方道："妾初因母丧，随父还乡，恐途中不便，故为男扮。后因父殁，尚埋浅土，未得与母同葬，妾故不敢改形。欲求一安身之地，以厝①先灵。幸得义父遗此产业，父母骸骨，得以归土。妾是时意欲说明，因思家事尚微，恐兄独力难成，故复迟延。今见兄屡劝妾婚姻，故不得不自明耳。"刘奇道："原来贤弟用此一段苦心，成全大事。况我与你同榻数年，不露一毫棱角，真乃节孝兼全，女中丈夫，可敬可羡！但弟词中已有俯就之意，我亦决无他娶之理。萍水相逢，周旋数载，昔为兄弟，今为夫妇，此

① 厝(cuò)——放置。

岂人谋,实由天合。倘蒙一诺,便订百年。不知贤弟意下如何?”刘方道:“此事妾亦筹之熟矣。三宗坟墓,俱在于此,妾若适他人,父母三尺之土,朝夕不便省视。况义父义母,看待你我犹如亲生。弃此而去,亦难恝然①。兄若不弃陋质,使妾得侍箕帚,供奉三姓香火,妾之愿也。但无媒私合,于礼有亏。惟兄裁酌而行,免受旁人谈议,则全美矣。”刘奇道:“贤弟高见,即当处分。”是晚两个便分房而卧。次早,刘奇与钦大郎说了,请他大娘为媒,与刘方说合。刘方已自换了女妆。刘奇备办衣饰,择了吉日,先往三个坟墓上祭告过了,然后花烛成亲,大排筵席,广请邻里。那时哄动了河西务一镇,无不称为异事。赞叹刘家一门孝义贞烈。刘奇成亲之后,夫妇相敬如宾,挣起大大家事,生下五男二女。至今子孙蕃盛,遂为巨族。人皆称为刘方三义村云。有诗为证:

无情骨肉成吴越②,有义天涯作至亲。
三义村中传美誉,河西千载想奇人。

第十一卷 苏小妹三难新郎

聪明男子做公卿,女子聪明不出身。
若许裙钗应科举,女儿哪见逊公卿?

自混沌初辟,乾道成男,坤道成女,虽则造化无私,却也阴阳分位。阳动阴静,阳施阴受,阳外阴内。所以男子主四方之事,女子主一室之事。主四方之事的,顶冠束带,谓之丈夫;出将入相,无所不为;须要博古通今,达权知变。主一室之事的,三绺梳头,两截穿衣,一日之计,止无过饔飧井臼③;终身之计,止无过生男育女。所以大家闺女,虽曾读书识字,也只要他识些姓名,记些帐目。他又不应科举,不求名誉,诗文之事,全不相干。然虽如此,各人资性不同。有等愚蠢的女子,教他识两个字,如登天之难。

---

① 恝(jiá)然——冷漠不在意的样子。
② 无情骨肉成吴越——如果没有感情,亲兄弟也会变成仇敌。吴越,春秋时代两个敌对的国家。
③ 饔(yōng)飧(sūn)井臼(jiù)——指日常家务劳动。饔飧,早饭和晚饭,这里指做饭;井臼,指打水舂米。

有等聪明的女子，一般过目成诵，不教而能。吟诗与李杜争强，作赋与班马①斗胜，这都是山川秀气，偶然不钟于男而钟于女。且如汉有曹大家②，他是个班固之妹，代兄续成汉史。又有个蔡琰③，制《胡笳十八拍》，流传后世。晋时有个谢道韫④，与诸兄咏雪，有柳絮随风之句，诸兄都不及他。唐时有个上官婕妤⑤，中宗皇帝教他品第朝臣之诗，臧否⑥一一不爽⑦。至于大宋妇人，出色的更多。就中单表一个叫作李易安⑧，一个叫作朱淑真⑨。他两个都是闺阁文章之伯，女流翰苑之才。论起相女配夫，也该对个聪明才子。争奈月下老错注了婚籍，都嫁了无才无学之人，每每怨恨之情，形于笔札。有诗为证：

鸥鹭鸳鸯作一池，曾知羽翼不相宜！
东君不与花为主，何似休生连理枝！

那李易安有《伤秋》一篇，调寄《声声慢》：

寻寻觅觅，冷冷清清，凄凄惨惨戚戚。乍暖还寒时候，正难将息。三杯两盏淡酒，怎敌他晚来风力！雁过也，总伤心，却是旧时相识。

满地黄花堆积，憔悴损，如今有谁忺⑩摘。守着窗儿，独自怎生得黑！梧桐更兼细雨，到黄昏，点点滴滴，这次第怎一个愁字了得！

朱淑真时值秋间，丈夫出外，灯下独坐无聊，听得窗外雨声滴点，吟成

① 李杜班马——指唐代诗人李白、杜甫和汉代文学家班固、司马相如。
② 曹大家(gū)——即班昭，嫁给曹世叔。她续撰哥哥班固所著的《汉书》。家，通“姑”，大姑，古代对女子的尊称。
③ 蔡琰(yǎn)——汉末女诗人，字文姬，博学多才，通音律。是东汉文学家、书法家蔡邕的女儿。曾被匈奴人掳去，后曹操派人重金赎回。相传琴曲《胡笳十八拍》是她所作。
④ 谢道韫(yùn)——晋代有名的才女。一天下大雪，她兄弟作诗描写雪景说“撒盐空中差可拟”，而她说“未若柳絮因风起”。
⑤ 上官婕妤(jiéyú)——即上官婉儿，唐代武则天皇帝身边的女官，有文才，善于作诗。婕妤，古代宫中女官名。
⑥ 臧否——评论好坏。臧，善、好；否，坏。
⑦ 爽——差。
⑧ 李易安——李清照，字易安。宋代著名的女词家。嫁给赵明诚做妻子。
⑨ 朱淑真——宋代的女词家，嫁的丈夫不好，所以常怀幽怨。
⑩ 忺(xiān)——高兴。

一绝：

哭损双眸断尽肠，怕黄昏到又昏黄。

那堪细雨新秋夜，一点残灯伴夜长！

后来刻成诗集一卷，取名《断肠集》。

说话的，为何单表那两个嫁人不着的？只为如今说一个聪明女子，嫁着一个聪明的丈夫，一唱一和，遂变出若干的话文。正是：

说来文士添佳兴，道出闺中作美谈。

话说四川眉州，古诗谓之蜀郡，又曰嘉州，又曰眉山。山有蟆顺、峨眉，水有岷江、环湖，山川之秀，钟于人物，生出个博学名儒来，姓苏名洵，字允明，别号老泉，当时称为老苏。老苏生下两个孩儿，大苏小苏。大苏名轼，字子瞻，别号东坡；小苏名辙，字子由，别号颍滨。两子都有文经武纬之才，博古通今之学，同科及第，名重朝廷，俱拜翰林学士之职。天下称他兄弟，谓之二苏。称他父子，谓之三苏。这也不在话下。更有一桩奇处，那山川之秀，偏萃①于一门。两个儿子未为希罕，又生个女儿，名曰小妹，其聪明绝世无双，真个闻一知二，问十答十。因他父兄都是个大才子，朝谈夕讲，无非子史经书，目见耳闻，不少诗词歌赋。自古道：近朱者赤，近墨者黑。况且小妹资性过人十倍，何事不晓。十岁上随父兄居于京师寓中，有绣球花一树，时当春月，其花盛开。老泉赏玩了一回，取纸笔题诗。才写得四句，报说：门前客到。老泉搁笔而起。小妹闲步到父亲书房之内，看见桌上有诗四句：

天巧玲珑玉一邱，迎眸烂熳总清幽。

白云疑向枝间出，明月应从此处留。

小妹览毕，知是咏绣球花所作，认得父亲笔迹，遂不待思索，续成后四句云：

瓣瓣折开蝴蝶翅，团团围就水晶球。

假饶借得香风送，何羡梅花在陇头。

小妹题诗依旧放在桌上，款步归房。老泉送客出门，复转书房。方欲续完前韵，只见八句已足，读之词意俱美。疑是女儿小妹之笔，呼而问之，写作果出其手。老泉叹道："可惜是个女子！若是个男儿，可不又是制科

---

① 萃(cuì)——原为草丛生。这里引申为聚集。

中一个有名人物！”自此愈加珍爱其女，恣其读书博学，不复以女工督之。看看长成一十六岁，立心要妙选天下才子，与之为配。急切难得。忽一日，宰相王荆公着堂候官请老泉到府与之叙话。原来王荆公，讳安石，字介甫，初及第时，大有贤名。平时常不洗面，不脱衣，身上虱子无数。老泉恶其不近人情，异日必为奸臣，曾作《辨奸论》以讥之，荆公怀恨在心。后来见他大苏小苏连登制科，遂舍怨而修好。老泉亦因荆公拜相，恐妨二子进取之路，也不免曲意相交。正是：

古人结交在意气，今人结交为势利。

从来势利不同心，何如意气交情深。

是日，老泉赴荆公之召，无非商量些今古，议论了一番时事，遂取酒对饮，不觉忘怀酩酊。荆公偶然夸能：“小儿王雱，读书只一遍，便能背诵。”老泉带酒答道：“谁家儿子读两遍！”荆公道：“倒是老夫失言，不该班门弄斧。”老泉道：“不惟小儿只一遍，就是小女也只一遍。”荆公大惊道：“只知令郎大才，却不知有令爱。眉山秀气，尽属公家矣。”老泉自悔失言，连忙告退。荆公命童子取出一卷文字，递与老泉道：“此乃小儿王雱窗课①，相烦点定。”老泉纳于袖中，唯唯而出。回家睡至半夜，酒醒，想起前事：“不合自夸女孩儿之才。今介甫将儿子窗课嘱吾点定，必为求亲之事。这头亲事，非吾所愿，却又无计推辞。”沉吟到晓，梳洗已毕，便将王雱所作，次第看之，真乃篇篇锦绣，字字珠玑，又不觉动了个爱才之意。“但不知女儿缘分如何？我如今将这文卷与女传观之，看他爱也不爱。”遂隐下姓名，吩咐丫鬟道：“这卷文字，乃是个少年名士所呈，求我点定。我不得闲暇，转送与小姐，教他到批阅完时，速来回话。”丫鬟将文字呈上小姐，传达太老爷吩咐之语。小妹滴露研朱，从头批点，须臾而毕。叹道：“好文字！此必聪明才子所做。但秀气泄尽，华而不实，恐非久长之器。”遂于卷面批云：

新奇藻丽，是其所长；含蓄雍容，是其所短。取巍科②则有余，享大年则不足。

后来王雱十九岁中了头名状元，未几夭亡。可见小妹知人之明。这是后话。却说小妹写罢批语，叫丫鬟将文卷纳还父亲。老泉一见大惊：

---

① 窗课——初学者习作的诗文，这里指文章。

② 巍科——高中（zhòng），即科举考试名列前茅之意。

“这批语如何回复得介甫！必然取怪。”一时污损了卷面，无可奈何，却好堂候官到门：“奉相公钧旨，取昨日文卷，面见太爷，还有话禀。”老泉此时，手足无措，只得将卷面割去，重新换过，加上好批语，亲手交堂候官收讫。堂候官道：“相公还吩咐过，有一言动问：贵府小姐曾许人否？倘未许人，相府愿谐秦晋。”老泉道：“相府请亲，老夫岂敢不从。只是小女貌丑，恐不足当金屋之选①，相烦好言达上。但访问自知，并非老夫推托。”堂候官领命，回复荆公。荆公看见卷面换了，已有三分不悦。又恐怕苏小姐容貌真个不扬，不中儿子之意，密地差人打听。原来苏东坡学士，常与小姐互相嘲戏。东坡是一嘴胡子，小妹嘲云：

口角几回无觅处，忽闻毛里有声传。

小妹额颅凸起，东坡答嘲云：

未出庭前三五步，额头先到画堂前。

小妹又嘲东坡下颏之长云：

去年一点相思泪，至今流不到腮边。

东坡因小妹双眼微眍②，复答云：

几回拭脸深难到，留却汪汪两道泉。

访事的得了此言，回复荆公，说：“苏小姐才调委实高绝。若论容貌，也只平常。”荆公遂将姻事搁起不提。然虽如此，却因相府求亲一事，将小妹才名播满了京城。以后闻得相府亲事不谐，慕名来求者，不计其数。老泉都教呈上文字，把与女孩儿自阅。也有一笔涂倒的，也有点不上两三句的。就中只有一卷，文字做得好。看他卷面写有姓名，叫做秦观。小妹批四句云：

今日聪明秀才，他年风流学士。

可惜二苏同时，不然横行一世。

这批语明说秦观的文才，在大苏小苏之间，除却二苏，没人及得。老泉看了，已知女儿选中了此人。吩咐门上：“但是秦观秀才来时，快请相

---

① 金屋之选——相传汉武帝刘彻幼时，他姑母问他：“你愿意娶老婆不？”并指着自己抱着的女儿阿娇说：“你看她好不好？”刘彻说：“好，如果能娶阿娇做老婆，当用金屋把她藏起来。”后以“金屋藏娇”称纳妾。

② 眍（kōu）——形容眼珠子深陷在眼眶里。

见。余的都与我辞去。”谁知众人呈卷的，都在讨信，只有秦观不到。却是为何？那秦观秀才字少游，他是扬州府高邮人。腹饱万言，眼空一世。生平敬服的，只有苏家兄弟，以下的都不在意。今日慕小妹之才，虽然炫玉求售，又怕损了自己的名誉，不肯随行逐队，寻消问息。老泉见秦观不到，反央人去秦家寓所致意。少游心中暗喜，又想道：“小妹才名得于传闻，未曾面试。又闻得他容貌不扬，额颅凸出，眼睛凹进，不知是何等鬼脸？如何得见他一面，方才放心。”打听得三月初一日，要在岳庙烧香，趁此机会，改换衣装，觑个分晓。正是：

眼见方为的，传闻未必真。

若信传闻语，枉尽世间人。

从来大人家女眷入庙进香，不是早，定是夜。为甚么？早则人未来，夜则人已散。秦少游到三月初一日五更时分就起来梳洗，打扮个游方道人模样：头裹青布唐巾，耳后露两个石碾的假玉环儿，身穿皂布道袍，腰系黄绦，足穿净袜草履，项上挂一串拇指大的数珠，手中托一个金漆钵盂，侵早就到东岳庙前伺候。天色黎明，苏小姐轿子已到。少游走开一步，让他轿子入庙，歇于左廊之下。小妹出轿上殿，少游已看见了。虽不是妖娆美丽，却也清雅幽闲，全无俗韵。“但不知他才调真正如何？”约莫焚香已毕，少游却循廊而上，在殿左相遇。少游打个问讯云：

小姐有福有寿，愿发慈悲。

小妹应声答云：

道人何德何能，敢求布施！

少游又问讯云：

愿小姐身如药树，百病不生。

小妹一头走，一头答应：

随道人口吐莲花，半文无舍。

少游直跟到轿前，又问讯云：

小娘子一天欢喜，如何撒手宝山？

小妹随口又答云：

风道人恁地贪痴，哪得随身金穴！

小妹一头说，一头上轿。少游转身时，口中喃出一句道：“‘风道人’得对‘小娘子’,万千之幸!”小妹上了轿,全不在意。跟随的老院子①,却听得了,怪这道人放肆,方欲回身寻闹,只见廊下走出一个垂髫的俊童,对着那道人叫道:“相公这里来更衣。”那道人便前走,童儿后随。老院子将童儿肩上悄地捻了一把,低声问道:“前面是哪个相公?”童儿道:“是高邮秦少游相公。”老院子便不言语。回来时,就与老婆说知了。这句话就传入内里。小妹才晓得那化缘的道人是秦少游假装的,付之一笑。嘱咐丫鬟们休得多口。

话分两头。且说秦少游那日饱看了小妹容貌不丑,况且应答如响,其才自不必言。择了吉日,亲往求亲。老泉应允。少不得下财纳币。此是二月初旬的事。少游急欲完婚,小妹不肯。他看定秦观文字,必然中选。试期已近,欲要象简乌纱,洞房花烛。少游只得依他。到三月初三礼部大试之期,秦观一举成名,中了制科。到苏府来拜丈人,就禀复完婚一事。因寓中无人,欲就苏府花烛。老泉笑道:“今日挂榜,脱白挂绿②,便是上吉之日,何必另选日子。只今晚便在小寓成亲,岂不美哉!”东坡学士从旁赞成。是夜与小妹双双拜堂,成就了百年姻眷。正是:

聪明女得聪明婿,大登科后小登科。

其夜月明如昼。少游在前厅筵宴已毕,方欲进房,只见房门紧闭,庭中摆着小小一张桌儿,桌上排列纸墨笔砚,三个封儿,三个盏儿,一个是玉盏,一个是银盏,一个是瓦盏。青衣小鬟守立旁边。少游道:“相烦传语小姐,新郎已到,何不开门?”丫鬟道:“奉小姐之命,有三个题目在此。三试俱中式,方准进房。这三个纸封儿便是题目在内。”少游指着三个盏道:“这又是甚的意思?”丫鬟道:“那玉盏是盛酒的,那银盏是盛茶的,那瓦盏是盛寡水的。三试俱中,玉盏内美酒三杯,请进香房。两试中了,一试不中,银盏内清茶解渴,直待来宵再试。一试中了,两试不中,瓦盏内呷口淡水,罚在外厢读书三个月。”少游微微冷笑道:“别个秀才来应举时,就要告命题容易了,下官曾应过制科,青钱万选③,莫说三个题目,就是三百个,我

---

① 老院子——老仆人。

② 脱白挂绿——脱去白色服装,换上绿色的官服。

③ 青钱万选——唐代张鷟的文章很好,人家称赞他的文章好像青铜钱一样,万选万中,篇篇都好。后用“青钱万选”比喻人才出众。青钱,喻优秀人才。

何惧哉！”丫鬟道：“俺小姐不比平常盲试官，‘之乎者也’应个故事而已，他的题目好难哩！第一题，是绝句一首，要新郎也做一首，合了出题之意，方为中式。第二题四句诗，藏着四个古人，猜得一个也不差，方为中式。到第三题，就容易了，只要做个七字对儿，对得好便得饮美酒进香房了。”少游道：“请第一题。”丫鬟取第一个纸封拆开，请新郎自看。少游看时，封着花笺一幅，写诗四句道：

铜铁投洪冶，蝼蚁上粉墙。

阴阳无二义，天地我中央。①

少游想道：“这个题目，别人做定猜不着。则我曾假扮做云游道人，在岳庙化缘，去相那苏小姐。此四名乃含着‘化缘道人’四字，明明嘲我。”遂于月下取笔写诗一首于题后云：

“化”工何意把春催？“缘”到名园花自开。

“道”是东风原有主，“人”人不敢上花台。

丫鬟见诗完，将第一幅花笺折做三叠，从窗隙中塞进，高叫道：“新郎交卷，第一场完。”小妹览诗，每句顶上一字，合之乃“化缘道人”四字，微微而笑。少游又开第二封看之，也是花笺一幅，题诗四句：

强爷胜祖有施为，凿壁偷光夜读书。

缝线路中常忆母，老翁终日倚门闾。

少游见了，略不凝思，一一注明。第一句是孙权，第二句是孔明，第三句是子思，第四句是太公望。丫鬟又从窗隙递进。少游口虽不语，心下想道：“两个题目，眼见难我不倒，第三题是个对儿，我五六岁时便会对句，不足为难。”再摊开第三幅花笺，内出对云：

闭门推出窗前月。

初看时觉道容易，仔细思来，这对出得尽巧。若对得平常了，不见本事。左思右想，不得其对。听得谯楼②三鼓将阑③，构思不就，愈加慌迫。却说东坡此时尚未曾睡，且来打听妹夫消息。望见少游在庭中团团而步，

---

① 铜铁四句——铜铁投炉炼就“化”，蚂蚁顺着墙爬切中“缘”字，一阴一阳谓之“道”，“人”在天地之间。每句暗含一个字，合成“化缘道人”。

② 谯(qiáo)楼——鼓楼。

③ 阑(lán)——晚，尽。

口里只管吟哦“闭门推出窗前月”七个字，右手做推窗之势。东坡想道：“此必小妹以此对难之，少游为其所困矣，我不解围，谁为撮合?”急切思之，亦未有好对。庭中有花缸一只，满满的贮着一缸清水，少游步了一回，偶然倚缸看水。东坡望见，触动了他灵机，道：“有了！”欲待教他对了，诚恐小妹知觉，连累妹夫体面，不好看相。东坡远远站着咳嗽一声，就地下取小小砖片，投向缸中。那水为砖片所激，跃起几点，扑在少游面上。水中天光月影，纷纷淆乱。少游当下晓悟，遂援笔对云：

投石冲开水底天。

丫鬟交了第三遍试卷，只听呀的一声，房门大开，内又走出一个侍儿，手捧银壶，将美酒斟于玉盏之内，献上新郎，口称：“才子请满饮三杯，权当花红赏劳。”少游此时意气扬扬，连进三盏，丫鬟拥入香房。这一夜，佳人才子，好不称意。正是：

欢娱嫌夜短，寂寞恨更长。

自此夫妻和美，不在话下。后少游宦游浙中，东坡学士在京，小妹思想哥哥，到京省视。东坡有个禅友，叫做佛印禅师，尝劝东坡急流勇退①。一日寄长歌一篇，东坡看时，却也写得怪异，每二字一连，共一百三十对字。你道写的是甚字?

野野	鸟鸟	啼啼	时时	有有	思思	春春	气气
桃桃	花花	发发	满满	枝枝	莺莺	雀雀	相相
呼呼	唤唤	岩岩	畔畔	花花	红红	似似	锦锦
屏屏	堪堪	看看	山山	秀秀	丽丽	山山	前前
烟烟	雾雾	起起	清清	浮浮	浪浪	促促	潺潺
湲湲	水水	景景	幽幽	深深	处处	好好	追追
游游	傍傍	水水	花花	似似	雪雪	梨梨	花花
光光	皎皎	洁洁	玲玲	珑珑	似似	坠坠	银银
花花	折折	最最	好好	柔柔	茸茸	溪溪	畔畔
草草	青青	双双	蝴蝴	蝶蝶	飞飞	来来	到到
落落	花花	林林	里里	鸟鸟	啼啼	叫叫	不不
休休	为为	忆忆	春春	光光	好好	杨杨	柳柳

① 急流勇退——旧时比喻做官的人在顺利或得意时为了避祸而及早引退。

枝枝　头头　春春　色色　秀秀　时时　常常　共共
饮饮　春春　浓浓　酒酒　似似　醉醉　闲闲　行行
春春　色色　里里　相相　逢逢　竞竞　忆忆　游游
山山　水水　心心　息息　悠悠　归归　去去　来来
休休　役役

东坡看了两三遍，一时念将不出，只是沉吟。小妹取过，一览了然，便道："哥哥，此歌有何难解！待妹子念与你听。"即时朗诵云：

野鸟啼，野鸟啼时时有思。有思春气桃花发，春气桃花发满枝。满枝莺雀相呼唤，莺雀相呼唤岩畔。岩畔花红似锦屏，花红似锦屏堪看。堪看山，山秀丽，秀丽山前烟雾起。山前烟雾起清浮，清浮浪促潺湲水。浪中潺湲水景幽，景幽深处好，深处好追游。追游傍水花，傍水花似雪，似雪梨花光皎洁。梨花光皎洁玲珑，玲珑似坠银花折。似坠银花折最好，最好柔茸溪畔草。柔茸溪畔草青青，双双蝴蝶飞来到。蝴蝶飞来到落花，落花林里鸟啼叫。林里鸟啼叫不休，不休为忆春光好。为忆春光好杨柳，杨柳枝头春色秀。枝头春色秀时常共饮，时常共饮春浓酒。春浓酒似醉，似醉闲行春色里。闲行春色里相逢，相逢竞忆游山水。竞忆游山水心息，心息悠悠归去来，归去来休休役役。

东坡听念，大惊道："吾妹敏悟，吾所不及！若为男子，官位必远胜于我矣。"遂将佛印原写长歌，并小妹所定句读，都写出来，做一封儿寄与少游。因述自己再读不解，小妹一览而知之故。少游初看佛印所书，亦不能解。后读小妹之句，如梦初觉，深加愧叹。答以短歌云：

未及梵僧歌，词重而意复。
字字如联珠，行行如宝玉。
想汝惟一览，顾我劳三复。
裁诗思远寄，因以真类触。
汝其审思之，可表予心曲

短歌后制成叠字诗一首，却又写得古怪：

别离时闻漏转
忆　　　　　　静
期归阻久伊思

少游书信到时，正值东坡与小妹在湖上看采莲。东坡先拆书看了，递与小妹，问道："汝能解否？"小妹道："此诗乃仿佛印禅师之体也。"即念云：

静思伊久阻归期，久阻归期忆别离。

忆别离时闻漏转，时闻漏转静思伊。

东坡叹道："吾妹真绝世聪明人也！今日采莲胜会，可即事各和一首，寄与少游，使知你我今日之游。"东坡诗成，小妹亦就。小妹诗云：

阕新歌声嗽玉

一　　　　采

津杨绿在人莲

东坡诗云：

力微醒时已暮

酒　　　　赏

飞如马去归花

照少游诗念出，小妹叠字诗，道是：

采莲人在绿杨津，在绿杨津一阕新。

一阕新歌声嗽玉，歌声嗽玉采莲人。

东坡叠字诗，道是：

赏花归去马如飞，去马如飞酒力微。

酒力微醒时已暮，醒时已暮赏花归。

二诗寄去，少游读罢，叹赏不已。其夫妇酬和之诗甚多，不能详述。后来少游以才名被征为翰林学士，与二苏同官。一时郎舅三人，并居史职，古所希有。于是宣仁太后亦闻苏小妹之才，每每遣内官赐以绢帛或饮馔之类，索他题咏。每得一篇，宫中传诵，声播京都。其后小妹先少游而卒，少游思念不置，终身不复娶云。有诗为证：

文章自古说三苏，小妹聪明胜丈夫。

三难新郎真异事，一门秀气世间无。

第十二卷　佛印师四调琴娘

文章落处天须泣，此老已亡吾道穷。

才业谩夸生仲达①,功名犹继死姚崇②。
人间便觉无清气,海内安能见古风。
平日万篇何所在?六丁收拾上瑶宫。

这八句诗是谁做的?是宋理宗皇帝朝一个官人,姓刘名克庄③,道号后村先生做的。

单说那神宗皇帝朝有个翰林学士,姓苏名轼,字子瞻,道号东坡居士。本贯是四川眉州眉山县人氏。这学士平日结识一个道友,叫做佛印禅师④。你道这禅师如何出身?他是江西饶州府浮梁县人氏,姓谢名端卿,表字觉老,幼习儒书,通古今之蕴;旁通二氏⑤,负博洽⑥之声。一日应举到京,东坡学士闻其才名,每与谈论,甚相敬爱。屡同诗酒之游,遂为莫逆之友。忽一日,神宗皇帝因天时亢旱,准了司天台奏章,特于大相国寺建设一百八分大斋,征取名僧,宣扬经典,祈求甘雨,以救万民。命翰林学士苏轼制就吁天文疏,就命轼充行礼官,主斋。三日前,便要到寺中斋宿。先有内官到寺看阅斋坛,传言御驾不日亲临。方丈中铺设御座,一切规模,务要十分齐整。把守不许闲人入寺,恐防不时触突了圣驾。这都不在话下。

却说谢端卿在东坡学士处闻知此事,问道:"小弟欲兄长挈带入寺,一瞻御驾,不知可否?"东坡那时只合一句回绝了他,何等干净。只为东坡要得端卿相伴,遂对他说道:"足下要去,亦有何难。只消扮作侍者模样,在斋坛上承直。圣驾临幸时,便得饱看。"谢端卿那时便不肯扮做侍者,也就罢了。只为一时稚气,遂欣然不辞。先去借办行头,装扮的停停当当,跟随东坡学士入相国寺来。东坡已自吩咐了主僧,只等报一声圣驾到来,端卿就顶侍者名色上殿执役,闲时陪东坡在净室闲讲。且说起斋之日,主僧五鼓鸣钟聚众。其时香烟缭绕,灯烛辉煌,幡幢五采飘扬,乐器八音嘹亮,法事之盛,自不必说。东坡学士起了香头,拜了佛像,退坐于僧房之内。

---

① 仲达——司马懿,字仲达,三国时魏国的丞相。
② 姚崇——字元之,唐代有名的宰相和史学家。
③ 刘克庄——字潜夫,南宋有名的词人。
④ 佛印——名了元,字觉老。
⑤ 二氏——佛道两教,合称为"二氏"。
⑥ 博洽——知识广博。

吃斋方罢，忽传御驾已到。东坡学士执掌丝纶①，日觐②天颜，倒也不以为事。慌得谢端卿面上红热，心头突突地跳。矜持了一回，按定心神，来到大雄宝殿，杂于侍者之中，无过是添香剪烛，供食铺灯。不一时神宗皇帝驾到。东坡学士同众僧摆班跪迎，进入大殿。内官捧有内府龙香，神宗御手拈香已毕，铺设净褥，行三拜礼。主僧引驾到于方丈，神宗登了御座，众人叩见了毕。神宗夸东坡学士所作文疏之美，东坡学士再拜，口称不敢。主僧取旨献茶，捧茶盘的却是谢端卿。原来端卿因大殿行礼之时，拥拥簇簇，不得仔细瞻仰，特地充作捧茶盘的侍者，直挨到龙座御膝之前，偷眼看圣容时，果然龙飞之姿，天日之表，天威咫尺，毛骨俱悚，不敢恣意观瞻，慌忙退步，却被神宗龙目看见了。只为端卿生得方面大耳，秀目龙眉，身躯伟岸，与其他侍者不同，所以天颜刮目。当下开金口，启玉言，指着端卿问道："此侍者何方人氏？在寺几年了？"主僧先不曾问得备细，一时不能对答。还是谢端卿有量，叩头奏道："臣姓谢名端卿，江西饶州府人，新来寺中出家。幸瞻天表，不胜欣幸。"神宗见他应对明敏，龙情大喜。又问："卿颇通经典否？"端卿奏道："臣自少读书，内典③也颇知。"神宗道："卿既通内典，赐卿法名了元，号佛印，就于御前披剃为僧。"那谢端卿的学问，与东坡肩上肩下，他为应举到京，指望一举成名，建功立业，如何肯做和尚。常言道：王言如天语，违背圣旨，罪该万死。今日玉音吩咐，如何敢说我是假充的侍者，不愿为僧？心下十万分不乐，一时出于无奈，只得叩头谢恩。当下主僧引端卿重来正殿，参见了如来，然后引至御前，如法披剃。钦赐紫罗袈裟一领，随驾礼部官取羊皮度牒④一道，中书房填写佛印法名及生身籍贯，奉旨披剃年月，付端卿受领。端卿披了袈裟，紫气⑤腾腾，分明是一尊肉身罗汉，手捧度牒，重复叩头谢恩。神宗道："卿既为僧，即委卿协理斋事。异日精严戒律，便可作本寺住持，勿

---

① 执掌丝纶——古代称帝王的诏书为"丝纶"。翰林学士替皇帝草拟诏书，所以叫做"执掌丝纶"。

② 觐（jìn）——朝见。

③ 内典——佛教徒自称佛教的典籍为"内典"。

④ 度牒——古代度僧归政府掌握，经审查合格可以出家后，政府发给的证明文件叫"度牒"。有"度牒"可免除赋税、劳役。

⑤ 紫气——祥瑞之气。

得玷辱宗门，有负朕意。”说罢起驾。东坡和众僧于寺门之外跪送过了，依然来做斋事，不在话下。

从此搁起端卿名字，只称佛印，众人都称为印公。为他是钦赐剃度，好生敬重。原来故宋时最以剃度为重。每度牒一张，要费得千贯钱财方得到手。今日端卿不费分文，得了度牒为僧。若是个真侍者，岂不是千古奇逢，万分欢喜。只为佛印弄假成真，非出本心，一时勉强出家，有好几时气闷不过。后来只在相国寺翻经转藏，精通佛理，把功名富贵之想，化作清净无为之业。他原是明悟禅师转世，根气不同，所以出儒入墨①，如洪炉点雪②。东坡学士他是个用世之人，识见各别。他道：“谢端卿本为上京赴举，我带他到大相国寺，教他假充侍者，瞻仰天颜，遂尔披剃为僧，却不是我连累了他！他今在空门枯淡，必有恨我之意。虽然他戒律精严，只恐体面上矜持，心中不能无动。”每每于语言之间，微微挑逗。谁知佛印心冷如冰，口坚如铁，全不见丝毫走作③。东坡只是不信。后来东坡为吟诗触犯了时相，连遭谪贬。到哲宗皇帝元祐年间，复召为翰林学士。其时佛印游方转来，仍旧在相国寺挂锡④，年力尚壮。东坡一见，想起初年披剃之事，遂劝佛印：“若肯还俗出仕，下官当力荐清职。”佛印哪里肯依！东坡遂嘲之曰：

不毒不秃，不秃不毒。转毒转秃，转秃转毒。

佛印笑而不答。那一日，仲春天气，学士正在府中闲坐，只见院子来报：“佛印禅师在门首。”学士听得，教请入来。须臾之间，佛印入到堂上。见学士叙礼毕，教院子点将茶来。茶罢，学士便令院子于后园中洒扫亭轩，邀佛印同到园中，去一座相近后堂的亭子坐定。院子安排酒果肴馔之类。排完，使院子斟酒。二人对酌，酒至三巡。学士道：“筵中无乐，不成欢笑。下官家中有一乐童，令歌数曲，以助筵前之乐。”说罢，便令院子传言入堂内去。不多时，佛印蓦然耳内听得有人唱词，真个唱得好！

声清韵美，纷纷尘落雕梁；字正腔真，拂拂风生绮席。若上苑流莺巧

① 出儒入墨——离开了儒家思想，人到墨家思想。这里的“墨”指佛家。

② 洪炉点雪——大火炉里放进一点雪，立即融化。比喻思想转变很快。

③ 走作——走样。

④ 挂锡——佛教名词，行脚僧投寺院暂住之意。锡：锡杖，和尚所持的手杖，投宿寺院时，把它挂在室内壁钩上。

啭，似丹山彩凤和鸣。词歌白雪阳春，曲唱清风明月。

佛印听至曲终，道："奇哉！韩娥之吟，秦青①之词，虽不遏住行云，也解梁尘扑簌。"东坡道："吾师何不留一佳作？"佛印道："请乞纸笔。"学士遂令院子取将文房四宝，放在面前。佛印口中不道，心下自言："唱却十分唱得好了，却不知人物生得如何？"遂拈起笔来，做一词，词名《西江月》：

窄地重重帘幙，临风小小亭轩，绿窗朱户映婵娟，忽听歌讴宛转。

既是耳根有分，因何眼界无缘？分明咫尺遇神仙，隔个绣帘不见！

佛印写罢，学士大笑曰："吾师之词，所恨不见。"令院子向前把那帘子只一卷，卷起一半。佛印打一看时，只见那女孩儿半截露出那一双弯弯小脚儿。佛印口中不道，心下思量："虽是卷帘已半，奈帘钩低下，终不见他生得如何。"学士道："吾师既是见了，何惜一词。"佛印见说，便拈起笔来，又做一词，词名《品字令》：

觑着脚，想腰肢如削。歌罢遏云声，怎得向掌中托。醉眼不如归去，强罢身心虚霍。几回欲待去掀帘，犹恐主人恶。

佛印意不尽，又做四句诗道：

只闻檀板与歌讴，不见如花似玉眸。

焉得好风从地起，倒垂帘卷上金钩。

佛印吟诗罢，东坡大笑。教左右卷上绣帘，唤出那女孩儿，从里面走出来，看着佛印，道了个深深万福。那女孩儿端端正正，整容敛袂，立于亭前。佛印把眼一觑，不但唱得好，真个生得好。但见：

蛾眉淡扫，莲脸微匀。轻盈真物外之仙，雅淡有天然之态。衣染鲛绡，□□□□。手持象板，呈露笋指尖长；足步金莲，行动凤鞋弓小。临溪双洛浦，对月两嫦娥。好好好，好如天上女；强强强，强似月中仙。

东坡唤院子斟酒，叫那女孩儿："近前来，与吾师把盏。"学士道："此女小字琴娘，自幼在于府中，善知音乐，能抚七弦之琴，会晓六艺之事。吾师今日既见，何惜佳作。"佛印当时已自八分带酒，言称告回。琴娘曰："禅师且坐，再饮几杯。"佛印见学士所说，便拿起笔来，又写一词，词名《蝶恋花》：

---

① 韩娥、秦青——古代善歌的人。

执板娇娘留客住，初整金钗，十指尖尖露。歌断一声天外去，清音已遏行云住。　　耳有姻缘能听事，眼见姻缘，便得当前觑。眼耳姻缘都已是，姻缘别有知何处？

佛印写罢，东坡见了大喜。便唤琴娘就唱此词劝酒，再饮数杯。佛印大醉，不知词中语失。天色已晚，学士遂令院子扶入书房内，安排和尚睡了。学士心中暗想："我一向要劝这和尚还俗出仕，他未肯统口①。趁他今日有调戏琴娘之意，若得他与这小妮子上得手时，便是出家不了。那时拿定他破绽，定要他还俗，何怕他不从！好计，好计！"即唤琴娘到于面前道："你省得那和尚做的词中意？后两句道：眼耳姻缘都已是，姻缘别有知何处？这和尚不是好人，其中有爱慕你之心。你可今夜到书院内相伴和尚就寝。须要了事，可讨执照②来。我明日赏你三千贯，作房奁之资。我与你主张，教你嫁出良人。如不了事，明日唤管家婆来，把你决竹篦二十③，逐出府门。"琴娘听罢，唬得颤作一团，道："领东人钧旨。"离了房中，轻移莲步，怀着羞脸，径来到书院内。佛印已自大醉，昏迷不省，睡在凉床之上。壁上灯尚明。琴娘无计奈何，坐在和尚身边，用尖尖玉手去摇那和尚时，一似蜻蜓摇石柱，蝼蚁撼太山。和尚鼻息如雷，哪里摇得觉。话休絮烦。自初更摇起，只要守和尚省觉，直守到五更，也不省。那琴娘心中好慌，不觉两眼泪下。自思量道："倘或今夜不了得事，明日乞二十竹篦，逐出府门，却是怎地好！"无奈和尚大醉，不了得事。琴娘弹眼泪，却好弹在佛印脸上。只见那佛印飒然惊觉，闪开眼来，壁上灯尚明。去那灯光之下，只见一个如花似玉女子，坐在身边。佛印大惊道："你是谁家女子？深夜至此，有何理说？"琴娘见问，且惊且喜，揣④着羞脸，道个万福道："贱妾乃日间唱曲之琴娘也。听得禅师词中有爱慕贱妾之心，故夤夜⑤前来，无人知觉。欲与吾师效云雨之欢，万乞勿拒则个。"佛印听说罢，大惊曰："娘子差矣！贫僧夜来感蒙学士见爱，置酒管待，乘醉乱道，此词岂有他意。

---

① 统口——答应。

② 执照——证据。

③ 决竹篦二十——打二十竹板。

④ 揣——藏。

⑤ 夤(yín)夜——深夜。夤，深。

娘子可速回。倘有外人见之,无丝有线①,吾之清德一旦休矣。”琴娘听罢,哪里肯去。佛印见琴娘只管尤殢②不肯去,便道:“是了,是了,此必是学士教你苦难我来!吾修行数年,止以诗酒自娱,岂有尘心俗意。你若实对我说,我有救你之心。如是不从,别无区处。”琴娘见佛印如此说罢,眼中垂泪道:“此果是学士使我来。如是吾师肯从贱妾云雨之欢,明日赏钱三千贯,出嫁良人。如吾师不从,明日唤管家婆决竹篦二十,逐出府门。望吾师周全救我。”说道,深深便拜。佛印听罢,呵呵大笑。便道:“你休烦恼!我救你。”遂去书袋内,取出一副纸,有现成文房四宝在桌上,佛印捻起笔来,做了一只词,名《浪淘沙》:

昨夜遇神仙,也是姻缘。分明醉里亦如然。睡觉来时浑是梦,却在身边。　此事怎生言?岂敢相怜!不曾抚动一条弦。传与东坡苏学士,触处封全。

佛印写了,意不尽,又做了四句诗:

传与巫山窈窕女,休将魂梦恼襄王。
禅心已作沾泥絮,不逐东风上下狂。

当下琴娘得了此词,径回堂中呈上学士。学士看罢,大喜,自到书院中,见佛印盘膝坐在椅上。东坡道:“善哉,善哉!真禅僧也!”亦赏琴娘三百贯钱,择嫁良人。东坡自此将佛印愈加敬重,遂为入幕之宾③。虽妻妾在旁,并不回避。佛印时时把佛理晓悟东坡,东坡渐渐信心。后来东坡临终不乱,相传已证正果。至今人犹唤为坡仙。多得佛印点化力,有诗为证:

东坡不能化佛印,佛印反得化东坡。
若非佛力无边大,那得慈航渡爱河!

---

① 无丝有线——丝,谐音“私”;线,痕迹。虽没有私情,但有痕迹,仍有嫌疑的意思。

② 尤殢(tì)——纠缠不清。

③ 入幕之宾——晋代谢安和王坦之到桓温那里讨论事情,桓温令郗超睡在帐中偷听。风动帐开,谢安看见了,笑着说:“郗生可谓入幕之宾矣。”后指称参与机密的幕僚。这里是指最亲近的人。

第十三卷　勘皮靴单证二郎神

柳色初浓，余寒似水，纤雨如尘。一阵东风，縠纹微皱，碧波粼粼。　　仙娥花月精神，奏凤管鸾箫斗新。万岁声中，九霞杯内，长醉芳春。

这首词调寄《柳梢青》，乃故宋时一个学士所作。单表北宋太祖开基，传至第八代天子，庙号徽宗，便是神霄玉府虚净宣和羽士道君皇帝。这朝天子，乃是江南李氏后主①转生。父皇神宗天子，一日在内殿看玩历代帝王图像，见李后主风神体态，有蝉脱秽浊，神游八极之表②，再三赏叹。后来便梦见李后主投身入宫，遂诞生道君皇帝。少时封为端王。从小风流俊雅，无所不能。后因哥哥哲宗天子上仙，群臣扶立端王为天子。即位之后，海内乂安③，朝廷无事。道君皇帝颇留意苑囿。宣和元年，遂即京城东北隅，大兴工役，凿池筑囿，号寿山银岳。命宦官梁师成董④其事。又命朱勔取三吴二浙三川两广珍异花木，瑰奇竹石以进，号曰"花石纲"⑤。竭府库之积聚，萃天下之伎巧，凡数载而始成。又号为万岁山。奇花美木，珍禽异兽，充满其中。飞楼杰阁，雄伟瑰丽，不可胜言。内有玉华殿，保和殿，瑶林殿，大宁阁，天真阁，妙有阁，层峦阁，琳霄亭，骞凤垂云亭，说不尽许多景致。时许侍臣蔡京，王黼，高俅，童贯，杨戬，梁师成纵步游赏。时号"宣和六贼"。有诗为证：

琼瑶错落密成林，竹桧交加尔有阴。
恩许尘凡时纵步，不知身在五云深。

---

① 江南李氏后主——指五代时南唐后主李煜。擅长诗文、音乐、书画，以词为最有名。后国亡被害。

② 蝉脱秽浊，神游八极之表——超凡脱俗，风神洒脱，超然世外的样子。八极，八方极远的地方；表，外。

③ 乂(yì)安——太平无事。乂：治理，安定。

④ 董——监督管理。

⑤ 花石纲——旧时成批运输货物的组织叫"纲"。运送奇花异石的队伍叫"花石纲"。

单说保和殿西南，有一座玉真轩，乃是官家第一个宠幸安妃娘娘妆阁，极是造得华丽。金铺①屈曲，玉槛玲珑，映彻辉煌，心目俱夺。时侍臣蔡京等，赐宴至此，留题殿壁。有诗为证：

保和新殿丽秋辉，诏许尘凡到绮闱。
雅宴酒酣添逸兴，玉真轩内看安妃。

不说安妃娘娘宠冠六宫。单说内中有一位夫人，姓韩名玉翘。妙选入宫，年方及笄。玉佩敲磬，罗裙曳云；体欺皓雪之容光，脸夺芙蓉之娇艳。只因安妃娘娘三千宠爱偏在一身，韩夫人不沾雨露之恩。时值春光明媚，景色撩人，未免恨起红茵②，寒生翠被。月到瑶阶，愁莫听其凤管；虫吟粉壁，怨不寐于鸳衾。既厌晓妆，渐融春思，长吁短叹，看看惹下一场病来。有词为证：

任东风老去，吹不断泪盈盈。记春浅春深，春寒春暖，春雨春晴，都来助诗人兴。落花无定挽春心。芳草犹迷舞蝶，绿杨空语流莺。　　玄霜着意捣初成，回首失云英③。但如醉如痴，如狂如舞，如梦如惊，香魂至今迷恋，问真仙消息最分明。几夜相逢何处，清风明月蓬瀛。

渐渐香消玉减，柳颦④花困，太医院诊脉，吃下药去，如水浇石一般。忽一日，道君皇帝在于便殿，敕唤殿前太尉杨戬前来，天语传宣道："此位内家⑤，原是卿所进奉。今着卿领去，到府中将息病体。待得痊安，再许进宫未迟。仍着光禄寺每日送膳，太医院⑥伺候用药。略有起色，即便奏来。"当下杨戬叩头领命，即着官身私身⑦搬运韩夫人宫中箱笼装奁，一应动用什物器皿。用暖舆抬了韩夫人，随身带得养娘二人、侍儿二人。一行

① 金铺——金铺，大门上用金（铜）做成的兽形或龙蛇形的图案，其口中衔着门环。
② 茵（yīn）——垫子或褥子。
③ 玄霜、云英——玄霜，仙家丹药名。云英，神仙故事中的女仙，嫁给裴航。两人用玉杵、玉臼捣仙药，后来都成了仙。
④ 柳颦（pín）——皱眉。柳，指眉毛。
⑤ 内家——宫内人。
⑥ 光禄寺、太医院——光禄寺，掌管皇帝的膳食和祭品等事的衙门。太医院，掌管皇帝的医疗事情的衙门。
⑦ 官身私身——官身，官府的差役。私身，私人的仆役。

人簇拥着，都到杨太尉府中。太尉先去对自己夫人说知，出厅迎接。便将一宅分为两院，收拾西园与韩夫人居住，门上用锁封着，只许太医及内家人役往来。太尉夫妻二人，日往候安一次。闲时就封闭了门。门旁留一转桶，传递饮食、消息。正是：

映阶碧草自春色，隔叶黄鹂空好音。

将及两月，渐觉容颜如旧，饮食稍加。太尉夫妻好生欢喜，办下酒席，一当起病，一当送行。当日酒至五巡，食供两套，太尉夫妇开言道："且喜得夫人贵体无事，万千之喜。旦晚奏过官里，选日入宫，未知夫人意下如何?"韩夫人叉手告太尉、夫人道："氏儿不幸，惹下一天愁绪，卧病两月，才得小可，再要于此宽住几时。伏乞太尉、夫人方便，且未要奏知官里。只是在此打搅，深为不便。氏儿别有重报，不敢有忘。"太尉、夫人只得应允。过了两月，却是韩夫人设酒还席。叫下一句说评话的先生，说了几回书。节次说及唐朝宣宗宫内，也是一个韩夫人。为因不沾雨露之恩，思量无计奈何。偶向红叶上题诗一首，流出御沟。诗曰：

流水何太急？深宫尽日闲。

殷勤谢红叶，好去到人间。

却得外面一个应试的人，名唤于佑，拾了红叶，就和诗一首。也从御沟中流将进去。后来那官人一举成名。天子体知此事，却把韩夫人嫁与于佑。夫妻百年偕老而终。这里韩夫人听到此处，蓦上心来，忽地叹一口气。口中不语，心下寻思："若得奴家如此侥幸，也不枉了为人一世!"当下席散，收拾回房。睡至半夜，便觉头痛眼热，四肢无力，遍身不疼不痒，无明顿发熬煎，依然病倒。这一场病，比前更加沉重。正是：

屋漏更遭连夜雨，船迟偏遇打头风。

太尉夫人早来候安，对韩夫人说道："早是不曾奏过官里宣取入宫。夫人既到此地，且是放开怀抱，安心调理，且未要把入宫一切，记挂在心。"韩夫人谢道："感承夫人好意，只是氏儿病入膏肓，眼见得上天远，入地便近，不能报答夫人厚恩。来生当效犬马之报。"说罢，一丝两气，好伤感人。太尉夫人甚不过意，便道："夫人休如此说。自古吉人天相，眼下凶星退度，自然贵体无事。但说起来，吃药既不见效，枉淘坏①了身子。不知夫人

① 淘坏——这里指多服药物损伤了身体的意思。

平日在宫,可有甚愿心未经答谢?或者神明见责,也不可知。”韩夫人说道:“氏儿入宫以来,每日愁绪萦丝,有甚心情许下愿心。但今日病势如此,既然吃药无功,不知此处有何神圣,祈祷极灵,氏儿便对天许下愿心。若得平安无事,自当拜还。”太尉夫人对韩夫人说道:“告夫人得知。此间北极佑圣真君,与那清源妙道二郎神,极是灵应。夫人何不设了香案,亲口许下保安愿心。待得平安,奴家情愿陪夫人去赛神答礼。未知夫人意下何如?”韩夫人点头应允。侍儿们即取香案过来。只是不能起身,就在枕上,以手加额,祷告道:“氏儿韩氏,早年入宫,未蒙圣眷,惹下业缘病症,寄居杨府。若得神灵庇护,保佑氏儿身体康健,情愿绣下长幡二首,外加礼物,亲诣庙廷顶礼酬谢。”当下太尉夫人,也拈香在手,替韩夫人祷告一回,作别,不提。可霎作怪,自从许下愿心,韩夫人渐渐平安无事。将息至一月之后,端然好了。太尉夫人不胜之喜。又设酒起病,太尉夫人对韩夫人说道:“果然是神道有灵,胜如服药万倍。却是不可昧心,负了所许之物。”韩夫人道:“氏儿怎敢负心!目下绣了长幡,还要屈夫人同去了还愿心。未知夫人意下何如?”太尉夫人答道:“当得奉陪。”当日席散,韩夫人取出若干物事,制办赛神礼物,绣下四首长幡。自古道好:

　　火到猪头烂,钱到公事办。

凭你世间稀奇作怪的东西,有了钱,哪一件做不出来。不消几日,绣就长幡,用根竹竿叉起,果然是光彩夺目。选了吉日良时,打点信香礼物,官身私身,簇拥着两个夫人,先到北极佑圣真君庙中。庙官①知是杨府钧眷,慌忙迎接至殿上,宣读疏文,挂起长幡。韩夫人叩齿②礼拜。拜毕,左右两廊游遍。庙官献茶。夫人吩咐当道的赏了些银两,上了轿簇拥回来。一宿晚景不提。明早又起身,到二郎神庙中。却惹出一段蹊跷作怪的事来。正是:

　　情知语是钩和线,从前钓出是非来。

话休烦絮。当下一行人到得庙中。庙官接见,宣疏拈香礼毕。却好太尉夫人走过一壁厢。韩夫人向前轻轻将指头挑起销金黄罗帐幔来。定睛一看,不看时万事全休,看了时,吃那一惊不小!但见:

---

① 庙官——管理道教观宇的道官。

② 叩齿——上下齿相叩。道家所行的祝告仪式之一。

头裹金花幞头，身穿赭衣绣袍，腰系蓝田玉带，足登飞凤乌靴。虽然土木形骸，却也丰神俊雅，明眸皓齿。但少一口气儿，说出话来。

当下韩夫人一见，目眩心摇，不觉口里悠悠扬扬，漏出一句俏语低声的话来："若是氏儿前程远大，只愿将来嫁得一个丈夫，恰似尊神模样一般，也足称生平之愿。"说犹未了，恰好太尉夫人走过来，说道："夫人，你却在此祷告甚么？"韩夫人慌忙转口道："氏儿并不曾说甚么。"太尉夫人再也不来盘问。游玩至晚，归家，各自安歇不提。正是：

要知心腹事，但听口中言。

却说韩夫人到了房中，卸去冠服，挽就乌云，穿上便服，手托香腮，默默无言。心心念念，只是想着二郎神模样。蓦然计上心来，吩咐侍儿们端正香案，到花园中人静处，对天祷告："若是氏儿前程远大，将来嫁得一个丈夫，好像二郎尊神模样，煞强似入宫之时，受千般凄苦，万种愁思。"说罢，不觉纷纷珠泪滚下腮边。拜了又祝，祝了又拜。分明是痴想妄想，不道有这般巧事！韩夫人再三祷告已毕，正待收拾回房，只听得万花深处，一声响亮，见一尊神道，立在夫人面前。但见：

龙眉凤目，皓齿鲜唇，飘飘有出尘之姿，冉冉有惊人之貌。若非阆苑瀛洲客，便是餐霞吸露人。

仔细看时，正比庙中所塑二郎神模样，不差分毫来去。手执一张弹弓，又像张仙送子一般。韩夫人吃惊且喜。惊的是天神降临，未知是祸是福；喜的是神道欢容笑口，又见他说出话来。便向前端端正正道个万福，启朱唇，露玉齿，告道："既蒙尊神下降，请到房中，容氏儿展敬。"当时二郎神笑吟吟同夫人入房，安然坐下。夫人起居①已毕，侍立在前。二郎神道："早蒙夫人厚礼。今者小神偶然闲步碧落②之间，听得夫人礼告至诚。小神知得夫人仙风道骨，原是瑶池③一会中人。只因夫人凡心未静，玉帝暂谪下尘寰，又向皇宫内苑，享尽人间富贵荣华。谪限满时，还归紫府④，证果非凡。"韩夫人见说，欢喜无任。又拜祷道："尊神在上：氏儿不愿入宫。

---

① 起居——问候，请安。

② 碧落——道教称天上、仙界为"碧落"。

③ 瑶池——神话中称西王母所住的地方。

④ 紫府——道教称天府、神仙的洞府为"紫府"。

若是氏儿前程远大，将来嫁得一个良人，一似尊神模样，偕老百年，也不辜负了春花秋月，说甚么富贵荣华！”二郎神微微笑道：“此亦何难。只恐夫人立志不坚。姻缘分定，自然千里相逢。”说毕起身，跨上槛窗，一声响亮，神道去了。韩夫人不见便罢，既然见了这般模样，真是如醉如痴，和衣上床睡了。正是：

欢娱嫌夜短，寂寞恨更长。

翻来覆去，一片春心，按纳不住。自言自语，想一回，定一回：“适间尊神降临，四目相视，好不情长！怎地又瞥然而去。想是聪明正直为神，不比尘凡心性，是我错用心机了！”又想一回道：“是适间尊神丰姿态度，语笑雍容，宛然是生人一般。难说见了氏儿这般容貌，全不动情？还是我一时见不到处，放了他去？算来还该着意温存。便是铁石人儿，也告得转。今番错过，未知何日重逢！”好生摆脱不下。眼巴巴盼到天明，再做理会。及至天明，又睡着去了。直到傍午，方才起来。当日无情无绪，巴不到晚。又去设了香案，到花园中祷告如前：“若得再见尊神一面，便是三生有幸。”说话之间，忽然一声响亮，夜来二郎神又立在前面。韩夫人喜不自胜，将一天愁闷，已冰消瓦解了。即便向前施礼，对景忘怀：“烦请尊神入房，氏儿别有衷情告诉。”二郎神喜孜孜堆下笑来，便携夫人手，共入兰房。夫人起居已毕。二郎神正中坐下，夫人侍立在前。二郎神道：“夫人分有仙骨，便坐不妨。”夫人便斜身对二郎神坐下。即命侍儿安排酒果，在房中一杯两盏，看看说出衷肠话来。道不得个：

春为茶博士，酒是色媒人。

当下韩夫人解佩①出湘妃之玉，开唇露汉署之香②，“若是尊神不嫌秽亵，暂息天上征轮，少叙人间恩爱。”二郎神欣然应允，携手上床，云雨绸缪③。夫人倾身陪奉，忘其所以，盘桓至五更。二郎神起身，嘱咐夫人保重，再来相看。起身穿了衣服，执了弹弓，跨上槛窗，一声响亮，便无迹影。韩夫人死心塌地，道是神仙下临，心中甚喜。只恐太尉夫人催他入宫，只

① 解佩——传说故事，郑交甫将往楚国去，经过汉皋台下，遇见两个女子，她们解下佩珠送给郑交甫。一会儿，两个女子都不见了。

② 汉署之香——汉代时尚书郎向皇帝奏事，口里要含着“鸡舌香”，以免口里的气味熏触了皇帝。汉署之香，就是指“鸡舌香”。

③ 绸缪（chóumóu）——缠绵。

有五分病，装做七分病，间常不甚十分欢笑。每到晚来，精神炫耀，喜气生春。神道来时，三杯已过，上床云雨，至晓便去，非止一日。忽一日，天气稍凉，道君皇帝分散合宫秋衣。偶思韩夫人，就差内侍捧了旨意，敕赐罗衣一袭，玉带一围，到于杨太尉府中。韩夫人排了香案，谢恩礼毕，内侍便道："且喜娘娘贵体无事。圣上思忆娘娘，故遣赐罗衣玉带，就问娘娘病势已痊，须早早进宫。"韩夫人管待使臣，便道："相烦内侍则个，氏儿病体只去得五分。全赖内侍转奏，宽限进宫，实为恩便。"内侍应道："这个有何妨碍。圣上那里也不少娘娘一个人。入宫时，只说娘娘尚未全好，还须耐心保重便了。"韩夫人谢了，内侍作别不提。到得晚间，二郎神到来，对韩夫人说道："且喜圣上宠眷未衰，所赐罗衣玉带，便可借观。"夫人道："尊神何以知之？"二郎神道："小神坐观天下，立见四方。谅此区区小事，岂有不知之理？"夫人听说，更一发将出来看。二郎神道："大凡世间宝物，不可独享。小神缺少围腰玉带。若是夫人肯舍施时，便完成善果。"夫人便道："氏儿一身已属尊神，缘分非浅。若要玉带，但凭尊神拿去。"二郎神谢了。上床欢会，未至五更起身，手执弹弓，拿了玉带，跨上槛窗，一声响亮，依然去了。却不道是：

若要人不知，除非己莫为。

韩夫人与太尉居止，虽是一宅分为两院，却因是内家内人，早晚愈加提防。府堂深稳，料然无闲杂人辄敢擅入。但近日来常见西园彻夜有火，唧唧哝哝，似有人声息。又见韩夫人精神旺相，喜容可掬。太尉再三踌蹰，便对自己夫人说道："你见韩夫人有些破绽出来么？"太尉夫人说道："我也有些疑影。只是府中门禁甚严，决无此事，所以坦然不疑。今者太尉既如此说，有何难哉。且到晚间，着精细家人，从屋上扒去，打探消息，便有分晓，也不要错怪了人。"太尉便道："言之有理。"当下便唤两个精细家人，吩咐他如此如此，教他："不要从门内进去，只把摘花梯子，倚在墙外，待人静时，直扒去韩夫人卧房，看他动静，即来报知。此事非同小可的勾当，须要小心在意。"二人领命去了。太尉立等他回报。不消两个时辰，二人打看得韩夫人房内这般这般，便教太尉屏去左右，方才将所见韩夫人房内坐着一人说话饮酒，"夫人房内声声称是尊神，小人也仔细想来，府中墙垣又高，防闲又密，就有歹人，插翅也飞不进。或者真个是神道也未见得。"太尉听说，吃那一惊不小，叫道："怪哉！果然有这等事！你二人休得说谎，此事非同小可。”二人答道：“小人并无半句虚谬。”太尉便道：“此事只许你知我知，不可泄漏了消息。”二人领命去了。太尉转身对夫人一一说知。“虽然如此，只是我眼见为真。我明晚须亲自去打探一番，便看神道怎生模样。”挨至次日晚间，太尉徐唤过昨夜打探二人来，吩咐道：“你两人着一个同我过去，着一人在此伺候。休教一人知道。”吩咐已毕，太尉便同一人过去，捏脚捏手，轻轻走到韩夫人窗前，向窗眼内把眼一张，果然是房中坐着一尊神道，与二人说不差。便待声张起来，又恐难得脱身。只得忍气吞声，依旧过来，吩咐二人休要与人胡说。转入房中，对夫人说个就里：“此乃必是韩夫人少年情性，把不住心猿意马，便遇着邪神魍魉①，在此污淫天眷，决不是凡人的勾当。便须请法官调治。你须先去对韩夫人说出缘由，待我自去请法官便了。”夫人领命。明早起身，到西园来，韩夫人接见。坐定，茶汤已过，太尉夫人屏去左右，对面论心，便道：“有一句话要对夫人说知。夫人每夜房中，却是与何人说话，唧唧哝哝，有些风声，吹到我耳朵里。只是此事非同小可，夫人须一一说，只不要隐瞒则个。”韩夫人听说，满面通红，便道：“氏儿夜间房中并没有人说话。只氏儿与养娘们闲消遣，却有甚人到来这里！”太尉夫人听说，便把太尉夜来所见模样，一一说过。韩夫人吓得目睁口呆，罔②知所措。太尉夫人再三安慰道：“夫人休要吃惊。太尉已去请法官到来作用，便见他是人是鬼。只是夫人到晚间，务要赔个小心，休要害怕。”说罢，太尉夫人自去。韩夫人倒捏着两把汗。看看至晚，二郎神却早来了。但是他来时，那弹弓紧紧不离左右。却说这里太尉请下灵济宫林真人手下的徒弟，有名的王法官，已在前厅作法。比至黄昏，有人来报：“神道来了。”法官披衣仗剑，昂然而入，直至韩夫人房前，大踏步进去，大喝一声：“你是何妖邪！却敢淫污天眷！不要走，吃吾一剑！”二郎神不慌不忙，便道：“不得无礼！”但见：

左手如托泰山，右手如抱婴孩，弓开如满月，弹发似流星。

当下一弹弓，中王法官额角上，流出鲜血来，霍地望后便倒，宝剑丢在一边。众人慌忙向前扶起，往前厅去了。那神道也跨上槛窗，一声响亮，早已不见。当时却是怎地结果？正是：

---

① 魍魉（wǎngliǎng）——传说中的妖怪。

② 罔（wǎng）——不。

说开天地怕，道破鬼神惊。

却说韩夫人见二郎神打退了法官，一发道是真仙下降，愈加放心，再也不慌。且说太尉已知法官不济，只得倒赔些将息钱，送他出门。又去请得五岳观潘道士来。那潘道士专一行持五雷天心正法①，再不苟且，又且足智多谋。一闻太尉呼唤，便来相见。太尉免不得将前事一一说知。潘道士便道："先着人引领小道到西园看他出没去处，但知是人是鬼。"太尉道："说得有理。"当时，潘道士别了太尉，先到西园韩夫人卧房，上上下下，看了一会。又请出韩夫人来拜见，看他的气色。转身对太尉说："太尉在上，小道看起来，韩夫人面上部位气色，并无鬼祟相侵，只是一个会妖法的人做作。小道自有处置。也不用书符咒水打鼓摇铃，待他来时，小道瓮中捉鳖，手到拿来。只怕他识破局面，再也不来，却是无可奈何。"太尉道："若得他再也不来，便是干净了。我师且留在此，闲话片时则个。"说话的，若是这厮识局知趣，见机而作，恰是断线鹞子，一般再也不来，落得先前受用了一番，且又完名全节，再去别处利市，有何不美，却不道是："得意之事，不可再作，得便宜处，不可再往。"

却说那二郎神毕竟不知是人是鬼。却只是他尝了甜头，不达时务，到那日晚间，依然又来。韩夫人说道："夜来氏儿一些不知，冒犯尊神。且喜尊神无事，切休见责。"二郎神道："我是上界真仙，只为与夫人仙缘有分，早晚要度夫人脱胎换骨，白日飞升。叵耐②这蠢物！便有千军万马，怎地近得我！"韩夫人愈加钦敬，欢好倍常。却说早有人报知太尉，太尉便对潘道士说知。潘道士禀知太尉，低低吩咐一个养娘，教他只以服事为名，先去偷了弹弓，教他无计可施。养娘去了。潘道士结束得身上紧簇，也不披法衣，也不仗宝剑，讨了一根齐眉短棍，只教两个从人，远远把火照着，吩咐道："若是你们怕他弹子来时，预先躲过，让我自去，看他弹子近得我么？"二人都暗笑道："看他说嘴！少不得也中他一弹。"却说养娘先去，以服事为名，挨挨擦擦，渐近神道身边。正与韩夫人交杯换盏，不提防他偷了弹弓，藏过一壁厢。这里从人引领潘道士到得门前，便道："此间便是。"丢下法官，三步做两步，躲开去了。却说潘道士掀开帘子，纵目一观，见那

① 五雷天心正法——道教里一种法术，据说可以降伏妖魔。
② 叵耐——不可容忍。

神道安坐在上,大喝一声,舞起棍来,匹头匹脑,一径打去。二郎神急急取那弹弓时,再也不见。只叫得一声"中计!"连忙退去,跨上槛窗,说时迟,那时快,潘道士一棍打着二郎神后腿,却打落一件物事来。那二郎神一声响亮,依然向万花深处去了。潘道士便拾起这物事来,向灯光下一看,却是一只四缝乌皮皂靴。且将去禀复太尉道:"小道看来,定然是个妖人做作,不干二郎神之事。却是怎地拿他便好?"太尉道:"有劳吾师,且自请回。我这里别有措置,自行体访。"当下酬谢了潘道士去了。结过一边。

太尉自打轿到蔡太师府中,直至书院里,告诉道如此如此,这般这般,"终不成恁地便罢了!也须吃那厮耻笑,不成模样!"太师道:"有何难哉!即今着落开封府滕大尹领这靴去作眼,差眼明手快的公人,务要体访下落,正法施行。"太尉道:"谢太师指教。"太师道:"你且坐下。"即命府中张干办火速去请开封府滕大尹到来。起居拜毕,屏去人从,太师与太尉齐声说道:"帝辇之下,怎容得这等人在此做作!大尹须小心在意,不可怠慢。此是非同小可的勾当,且休要打草惊蛇,吃他走了。"大尹听说,吓得面色如土,连忙答道:"这事都在下官身上。"领了皮靴,作别回衙,即便升厅,叫那当日缉捕使臣王观察过来,喝退左右,将上项事细说了一遍。"与你三日限,要捉这个杨府中做不是的人来见我。休要大惊小怪。仔细体察,重重有赏。不然,罪责不小。"说罢,退厅。王观察领了这靴,将至使臣房里,唤集许多做公人,叹了一口气,只见:

眉头塔上双镄锁,腹内新添万斛愁。

却有一个三都捉事使臣姓冉名贵,唤做冉大,极有机变,不知替王观察捉了几多疑难公事,王观察极是爱他。当日冉贵见观察眉头不展,面带忧容,再也不来答扰,只管南天北地,七十三八十四说开了去。王观察见他们全不在意,便向怀中取出那皮靴向桌上一丢,便道:"我们苦杀是做公人!世上有这等糊涂官府。这皮靴又不会说话,却限我三日之内,要捉这个穿皮靴在杨府中做不是的人来。你们众人道是好笑么?"众人轮流将皮靴看了一会。到冉贵面前,冉贵也不睬,只说:"难、难、难!官府真个糊涂。观察,怪不得你烦恼。"那王观察不听便罢,听了之时,说道:"冉大,你也只管说道难,这桩事便恁地干休罢了?却不难为了区区小子,如何回得大尹的说话?你们众人都在这房里撰过钱来使的,却说是难、难、难!"众人也都道:"贼情公事还有些捉摸。既然晓得他是妖人,怎地近得他。若是近得他，前日潘道士也捉够多时了。他也无计奈何，只打得他一只靴下来。不想我们晦气，撞着这没头绪的官司，却是真个没捉处。”当下王观察先前只有五分烦恼，听得这篇言语，句句说得有道理，更添上十分烦恼。只见那冉贵不慌不忙，对观察道：“观察且休要输了锐气。料他也只是一个人，没有三头六臂，只要寻他些破绽出来，便有分晓。”即将这皮靴翻来覆去，不落手看了一回。众人都笑起来，说道：“冉大，又来了！这只靴又不是一件稀奇作怪，眼中少见的东西，止无过皮儿染皂的，线儿扣缝，蓝布吊里的，加上楦头，喷口水儿，弄得紧绷绷好看的。”冉贵却也不来兜揽①，向灯下细细看那靴时，却是四条缝，缝得甚是紧密。看至靴尖，那一条缝略有些走线。冉贵偶然将小指头拨一拨，拨断了两股线，那皮就有些撬起来。向灯下照照里面时，却是蓝布托里。仔细一看，只见蓝布上有一条白纸条儿，便伸两个指头进去一扯，扯出纸条。仔细看时，不看时万事全休，看了时，却如半夜里拾金宝的一般。那王观察一见也便喜从天降，笑逐颜开。众人争上前看时，那纸条上面却写着：“宣和三年三月五日铺户任一郎造。”观察对冉大道：“今岁是宣和四年。眼见得做这靴时，不上二年光景。只捉了任一郎，这事便有七分。”冉贵道：“如今且不要惊了他。待到天明，着两个人去，只说大尹叫他做生活，将来一索捆翻，不怕他不招。”观察道：“道你终是有些见识！”当下众人吃了一夜酒，一个也不敢散。看看天晓，飞也似差两个人捉任一郎。不消两个时辰，将任一郎赚到使臣房里，翻转了面皮，一索捆翻。“这厮大胆，做得好事！”把那任一郎吓了一跳，告道：“有事便好好说。却是我得何罪，便来捆我？”王观察道：“还有甚说！这靴儿可不是你店中出来的？”任一郎接着靴，仔细看了一看，告观察：“这靴儿委是男女做的。却有一个缘故：我家开下铺时，或是官员府中定制的，或是使客往来带出去的，家里都有一本坐簿②，上面明写着某年某月某府中差某干办来定制做造。就是皮靴里面，也有一条纸条儿，字号与坐簿上一般的。观察不信，只消割开这靴，取出纸条儿来看。便知端的。”王观察见他说着海底眼③，便道：这厮老实，放了他好好与他讲。当下放了

---

① 兜揽——这里是理睬、理会的意思。

② 坐簿——底帐。

③ 海底眼——底细，根源，内情。

任一郎，便道："一郎休怪，这是上司差遣，不得不如此。"就将纸条儿与他看。任一郎看了道："观察，不打紧。休说是一两年间做的，就是四五年前做的，坐簿还在家中。却着人同去取来对看，便有分晓。"当时又差两个人，跟了任一郎，脚不点地，到家中取了簿子，到得使臣房里。王观察亲自从头检看。看至三年三月五日，与纸条儿上字号对照相同。看时，吃了一惊，做声不得。却是蔡太师府中张干办来定制的。王观察便带了任一郎，取了皂靴，执了坐簿，火速到府厅回话。此是大尹立等的勾当，即便出至公堂。王观察将上项事说了一遍，又将簿子呈上。将这纸条儿亲自与大尹对照相同。大尹吃了一惊："原来如此。"当下半疑不信，沉吟了一会，开口道："恁地时，不干任一郎事，且放他去。"任一郎磕头谢了，自去。大尹又唤转来吩咐道："放便放你，却不许说向外人知道。有人问你时，只把闲话支吾开去。你可小心记着。"任一郎答应道："小人理会得。"欢天喜地的去了。

大尹带了王观察、冉贵二人，藏了靴儿簿子，一径打轿到杨太尉府中来。正值太尉朝罢回来。门吏报复，出厅相见。大尹便道："此间不是说话处。"太尉便引至西偏小书院里，屏去人从，止留王观察、冉贵二人，到书房中伺候。大尹便将从前事历历说了一遍，如此如此，"却是如何处置？下官未敢擅便。"太尉看了，呆了半晌，想道："太师国家大臣，富贵极矣，必无此事。但这只靴是他府中出来的，一定是太师亲近之人，做下此等不良之事。"商量一会，欲待将这靴到太师府中面质一番，诚恐干碍体面，取怪不便；欲待搁起不提，奈事非同小可，曾经过两次法官，又着落缉捕使臣，拿下任一郎问过，事已张扬，一时糊涂过去，他日事发，难推不知，倘圣上发怒，罪责非小。左思右想，只得吩咐王观察、冉贵自去。也叫人看轿，着人将靴儿簿子，藏在身边，同大尹径奔一处来。正是：

踏破铁鞋无觅处，得来全不费工夫。

当下太尉大尹径往蔡太师府中。门首伺候报复多时，太师叫唤入来书院中相见。起居茶汤已毕，太师曰："这公事有些下落么？"太尉道："贼已有主名了。却是干碍太师面皮，不敢擅去捉他。"太师道："此事非同小可，我却如何护短得？"太尉道："太师便不护短，未免吃个小小惊恐。"太师道："你且说是谁？直恁地碍难！"太尉道："乞屏去从人，方敢胡言。"太师即时将从人赶开。太尉便开了文匣，将坐簿呈上与太师检看过了，便道：

"此事须太师爷自家主裁，却不干外人之事。"太师连声道："怪哉！怪哉！"太尉道："此系紧要公务，休得见怪下官。"太师道："不是怪你，却是怪这只靴来历不明。"太尉道："簿上明写着府中张干办定做，并非谎言。"太师道："此靴虽是张干定造，交纳过了，与他无涉。说起来，我府中冠服衣靴履袜等件，各自派一个养娘分掌。或是府中自制造的，或是往来馈送，一出一入的，一一开载明白，逐月缴清报数，并不紊乱。待我吊查底簿，便见明白。"即便着人去查那一个管靴的养娘，唤他出来。当下将养娘唤至，手中执着一本簿子。太师问道："这是我府中的靴儿，如何得到他人手中？即便查来。"当下养娘逐一查检，看得这靴是去年三月中，自着人制造的，到府不多几时，却有一个门生，叫做杨时，便是龟山先生，与太师极相厚的，升了近京一个知县，前来拜别。因他是道学先生，衣敝履穿，不甚齐整。太师命取圆领一袭，银带一围，京靴一双，川扇四柄，送他作嗄程。这靴正是太师送与杨知县的。果然前件开写明白。太师即便与太尉，大尹看了。二人谢罪道："恁地又不干太师府中之事！适间言语冲撞，只因公事相逼，万望太师海涵！"太师笑道："这是你们分内的事，职守当然，也怪你不得。只是杨龟山如何肯恁地做作？其中还有缘故。如今他任所去此不远，我潜地唤他来问个分晓。你二人且去，休说与人知道。"二人领命，作别回府不提。

太师即差干办火速去取杨知县来。往返两日，便到京中，到太师跟前。茶汤已毕，太师道："知县为民父母，却恁地这般做作，这是弥天之罪。"将上项事一一说过。杨知县欠身禀道："师相在上。某去年承师相厚恩，未及出京，在邸中忽患眼痛。左右传说，此间有个清源庙道二郎神，极是肸蚃①有灵，便许下愿心，待眼痛痊安，即往拈香答礼。后来好了，到庙中烧香。却见二郎神冠服件件齐整，只脚下乌靴绽了，不甚相称。下官即将这靴舍与二郎神供养去讫。只此是真实话。知县生平不欺暗室，既读孔孟之书，怎敢行盗跖②之事？望太师详察。"太师从来晓得杨龟山是个大儒，怎肯胡作，听了这篇言语，便道："我也晓得你的名声。只是要你来时问个根由，他们才肯心服。"管待酒食，作别了知县自去，吩咐休对外人泄

① 肸蚃(xīxiǎng)——迷信中讲的神灵感应。
② 盗跖(zhí)——跖，传说是春秋末年奴隶起义的首领，被诬称为盗跖。

漏。知县作别自去。正是：

日前不做亏心事，半夜敲门不吃惊。

太师便请过杨太尉、滕大尹过来，说开就里，便道："恁地又不干杨知县事。还是开封府用心搜捉便了。"当下大尹做声不得，仍旧领了靴儿，作别回府，唤过王观察来吩咐道："始初有些影响，如今都成画饼。你还领这靴去，宽限五日，务要捉得贼人回话。"当下王观察领这差使，好生愁闷，便到使臣房里，对冉贵道："你看我晦气！千好万好，全仗你跟究出任一郎来。既是太师府中事体，我只道官官相护，就了其事。却如何从新又要这个人来，却不道是生菜铺中没买他处！我想起来，既是杨知县舍与二郎神，只怕真个是神道一时风流兴发，也不见得。怎生地讨个证据回复大尹？"冉贵道："观察不说，我也晓得不干任一郎事，也不干蔡太师、杨知县事。若说二郎神所为，难道神道做这等亏心行当不成？一定是庙中左近妖人所为。还到庙前庙后，打探些风声出来。捉得着，观察休欢喜；捉不着，观察也休烦恼。"观察道："说得是。"即便将靴儿与冉贵收了。冉贵却装了一条杂货担儿，手执着一个玲珑珰琅的东西，叫做个惊闺①，一路摇着，径奔二郎神庙中来。歇了担儿，拈了香，低低祝告道："神明鉴察，早早保佑冉贵捉了杨府做不是的，也替神道洗清了是非。"拜罢，连讨了三个签，都是上上大吉。冉贵谢了出门，挑上担儿，庙前庙后，转了一遭，两只眼东观西望，再也不闭。看看走至一处，独扇门儿，门旁却是半窗，门上挂一顶半新半旧斑竹帘儿，半开半掩，只听得叫声："卖货过来！"冉贵听得叫，回头看时，却是一个后生妇人，便道："告小娘子，叫小人有甚事？"妇人道："你是收买杂货的，却有一件东西在此，胡乱卖几文与小厮买嘴吃。你用得也用不得？"冉贵道："告小娘子，小人这个担儿，有名的叫做百纳仓，无有不收的。你且把出来看。"妇人便叫小厮拖出来与公公看。当下小厮拖出什么东西来？正是：

鹿迷秦相应难辨，蝶梦庄周未可知。

当下拖出来的，却正是一只四缝皮靴，与那前日潘道士打下来的一般无二。冉贵暗暗喜不自胜，便告小娘子："此是不成对的东西，不值甚钱。小娘子实要许多？只是不要把话来说远了。"妇人道："胡乱卖几文钱，小

① 惊闺——贩卖针线脂粉的人所拿的带有铃铛的小鼓，称为"惊闺"。

厮们买嘴吃，只凭你说罢。只是要公道些。”冉贵便去便袋里摸一贯半钱来，便交与妇人道：“只恁地肯卖便收去了。不肯时，勉强不得。正是一物不成，两物见在。”妇人说：“甚么大事，再添些罢。”冉贵道：“添不得。”挑了担儿就走。小厮就哭起来。妇人只得又叫回冉贵来道：“多少添些，不打甚紧。”冉贵又去摸出二十文钱来道：“罢，罢，贵了，贵了！”取了靴儿，往担内一丢，挑了便走，心中暗喜：“这事已有五分了！且莫要声张，还要细访这妇人来历，方才有下手处。”是晚，将担子寄与天津桥一个相识人家，转到使臣房里。王观察来问时，只说还没有消息。

到次日，吃了早饭，再到天津桥相识人家，取了担子，依先挑到那妇人门首。只见他门儿锁着，那妇人不在家里了。冉贵眉头一皱，计上心来。歇了担子，挨门儿看去。只见一个老汉坐着个矮凳儿，在门首将稻草打绳。冉贵赔个小心，问道：“伯伯，借问一声。那左手住的小娘子，今日往哪里去了？”老汉住了手，抬头看了冉贵一看，便道：“你问他怎么！”冉贵道：“小子是卖杂货的。昨日将钱换那小娘子旧靴一只，一时间看不仔细，换得亏本了，特地寻他退还讨钱。”老汉道：“劝你吃亏些罢。那雌儿不是好惹的，他是二郎庙里庙官孙神通的亲表子。那孙神通一身妖法，好不利害！这旧靴一定是神道替下来，孙神通把与表子换些钱买果儿吃的。今日那雌儿往外婆家去了。他与庙官结识，非止一日。不知甚么缘故，有两三个月忽然生疏，近日又渐渐来往了。你若与他倒钱，定是不肯，惹毒了他，对孤老说了，就把妖术禁你，你却奈何他不得！”冉贵道：“原来恁地，多谢伯伯指教。”冉贵别了老汉，复身挑了担子，嘻嘻的喜容可掬，走回使臣房里来。王观察迎着问道：“今番想得了利市了？”冉贵道：“果然，你且拿出前日那只靴来我看。”王观察将靴取出。冉贵将自己换来这只靴比照一下，毫厘不差。王观察忙问道：“你这靴哪里来的？”冉贵不慌不忙，数一数二，细细分剖出来：“我说不干神道之事，眼见得是孙神通做下的不是！便不须疑！”王观察欢喜的没入脚处，连忙烧了利市，执杯谢了冉贵：“如今怎地去捉？只怕漏了风声，那厮走了，不是要处。”冉贵道：“有何难哉！明日备了三牲礼物，只说去赛神还愿。到了庙中，庙主自然出来迎接。那时掷盏为号，即便捉了，不费一些气力。”观察道：“言之有理。也还该禀知大尹，方去捉人。”当下王观察禀过大尹，大尹也喜道：“这是你们的勾当。只要小心在意，休教有失。我闻得妖人善能隐形遁法，可带些法物去，却是猪血、狗血、大蒜、臭屎，把他一灌，再也出豁①不得。”王观察领命，便去备了法物。过了一夜，明晨早到庙中，暗地着人带了四般法物，远远伺候。捉了人时，便前来接应。吩咐已了，王观察却和冉贵换了衣服，众人簇拥将来，到殿上拈香。庙官孙神通出来接见。宣读疏文未至四五句，冉贵在旁斟酒，把酒盏望下一掷，众人一齐动手，捉了庙官。正是：

浑似皂雕追紫燕，真如猛虎啖羊羔。

再把四般法物劈头一淋。庙官知道如此作用，随你泼天的神通，再也动弹不得。一步一棍，打到开封府中来。府尹听得捉了妖人，即便升厅，大怒喝道：“叵耐这厮！帝辇之下，辄敢大胆，兴妖作怪，淫污天眷，奸骗宝物，有何理说！”当下孙神通初时抵赖，后来加起刑法来，料道脱身不得，只得从前一一招了，招称：“自小在江湖上学得妖法，后在二郎庙出家，用钱夤缘②作了庙官。为因当日听见韩夫人祷告，要嫁得一个丈夫，一似二郎神模样。不合辄起心假扮二郎神模样，淫污天眷，骗得玉带一条。只此是实。”大尹叫取大枷枷了，推向狱中，教禁子好生在意收管，须要请旨定夺。当下叠成文案，先去禀明了杨太尉。太尉即同到蔡太师府中商量，奏知道君皇帝，倒了圣旨下来：“这厮不合淫污天眷，奸骗宝物，准律凌迟处死。妻子没入官。追出原骗玉带，尚未出笏③，仍归内府。韩夫人不合辄起邪心，永不许入内，就着杨太尉做主，另行改嫁良民为婚。”当下韩氏好一场惶恐，却也了却相思债，得遂平生之愿。后来嫁得一个在京开官店的远方客人，说过不带回去的。那客人两头往来，尽老百年而终。这是后话。开封府就取出庙官孙神通来，当堂读了明断④，贴起一片芦席，明写犯由，判了一个剐⑤字，推出市心，加刑示众。正是：

从前作过事，没兴一齐来。

当日看的真是挨肩叠背。监斩官读了犯由，刽子叫起恶杀都来⑥，一

---

① 出豁——这里是逃脱、变化的意思。

② 夤缘——攀附。

③ 尚未出笏(hù)——这里是还没用过、卖出的意思。

④ 明断——公平明白的判决，这里指皇帝的圣旨。

⑤ 剐——割肉离骨，指封建时代的凌迟刑。

⑥ 恶杀都来——古代刽子手在行刑、斩人时，叫喊“恶杀都来”。恶杀即恶煞、凶神。

齐动手，剐了孙神通，好场热闹。原系京师老郎传流，至今编入野史。正是：

但存夫子三分礼，不犯萧何六尺条。
自古奸淫应横死，神通纵有不相饶。

第十四卷　闹樊楼多情周胜仙

太平时节日偏长，处处笙歌入醉乡。
闻说鸾舆且临幸，大家拭目待君王。

这四句诗乃咏御驾临幸之事。从来天子建都之处，人杰地灵，自然名山胜水，凑着赏心乐事。如唐朝，便有个曲江池；宋朝，便有个金明池，都有四时美景，倾城士女王孙，佳人才子，往来游玩。天子也不时驾临，与民同乐。如今且说那大宋徽宗朝年东京金明池边，有座酒楼，唤作樊楼。这酒楼有个开酒肆①的范大郎。兄弟范二郎，未曾有妻室。时值春末夏初，金明池游人赏玩作乐。那范二郎因去游赏，见佳人才子如蚁。行到了茶坊里来，看见一个女孩儿，方年二九，生得花容月貌。这范二郎立地多时，细看那女子，生得：

色，色，易迷，难折。隐深闺，藏柳陌。足步金莲，腰肢一捻。嫩脸映桃红，香肌晕玉白。娇姿恨惹狂童，情态愁牵艳客。芙蓉帐里作鸾凰，云雨此时何处觅？

原来情色都不由你。那女子在茶坊里，四目相视，俱各有情。这女孩儿心里暗暗地喜欢，自思量道："若是我嫁得一个似这般子弟，可知②好哩。今日当面错过，再来哪里去讨？"正思量道："如何着个道理和他说话？问他曾娶妻也不曾？"那跟来女子和奶子③，都不知许多事。你道好巧！只听得外面水桶响。女孩儿眉头一纵，计上心来，便叫："卖水的，你倾些甜蜜蜜的糖水来。"那人倾一盏糖水在铜盂儿里，递与那女子。那女子接得在

① 酒肆——酒店。肆，店铺。
② 可知——可就，那就。
③ 奶子——指奶妈、保姆、年龄较大的女仆。

手，才上口一呷，便把那个铜盂儿望空一丢，便叫："好好！你却来暗算我！你道我是兀谁？"那范二听得道："我且听那女子说。"那女孩儿道："我是曹门里周大郎的女儿，我的小名叫作胜仙小娘子，年一十八岁，不曾吃人暗算。你今却来算我！我是不曾嫁的女孩儿。"这范二自思量道："这言语跷蹊，分明是说与我听。"这卖水的道："告小娘子！小人怎敢暗算！"女孩儿道："如何不是暗算我？盏子里有条草。"卖水的道："也不为利害。"女孩儿道："你待算我喉咙，却恨我爹爹不在家里。我爹若在家，与你打官司。"奶子在旁边道："却也叵耐这厮！"茶博士①见里面闹吵，走入来道："卖水的，你去把那水好好挑出来。"对面范二郎道："他既暗递与我，我如何不回他？"随即也叫："卖水的，倾一盏甜蜜蜜糖水来。"卖水的便倾一盏糖水在手，递与范二郎。二郎接着盏子，吃一口水，也把盏子望空一丢，大叫起来道："好好！你这个人真个要暗算人！你道我是兀谁？我哥哥是樊楼开酒店的，唤作范大郎，我便唤作范二郎，年登一十九岁，未曾吃人暗算。我射得好弩，打得好弹，兼我不曾娶浑家。"卖水的道："你不是疯！是甚意思，说与我知道？指望我与你作媒？你便告到官司，我是卖水，怎敢暗算人！"范二郎道："你如何不暗算？我的盂儿里，也有一根草叶。"女孩儿听得，心里好欢喜。茶博士入来，推那卖水的出去。女孩儿起身来道："俺们回去休。"看着那卖水的道："你敢随我去？"这子弟思量道："这话分明是教我随他去。"只因这一去，惹出一场没头脑官司。正是：

言可省时休便说，步宜留处莫胡行。

女孩儿约莫去得远了，范二郎也出茶坊，远远地望着女孩儿去。只见那女子转步，那范二郎好喜欢，直到女子住处。女孩儿入门去，又推起帘子出来望。范二郎心中越喜欢。女孩儿自入去了。范二郎在门前一似失心风的人，盘旋走来走去，直到晚方才归家。且说女孩儿自那日归家，点心也不吃，饭也不吃，觉得身体不快。做娘的慌问迎儿道："小娘子不曾吃甚生冷？"迎儿道："告妈妈，不曾吃甚。"娘见女儿几日只在床上不起，走到床边问道："我儿害甚的病？"女孩儿道："我觉有些浑身痛，头疼，有一两声咳嗽。"周妈妈欲请医人来看女儿，争奈员外出去未归，又无男子汉在家，

① 茶博士——茶坊里的服务人员。宋元时把茶坊、酒坊里的服务人员都称为博士。

不敢去请。迎儿道："隔一家有个王婆，何不请来看小娘子？他唤作王百会，与人收生，作针线，作媒人，又会与人看脉，知人病轻重。邻里家有些些事都浼①他。"周妈妈便令迎儿去请得王婆来。见了妈妈，妈妈说女儿从金明池走了一遍，回来就病倒的因由。王婆道："妈妈不须说得。待老媳妇与小娘子看脉自知。"周妈妈道："好好！"迎儿引将王婆进女儿房里。小娘子正睡哩，开眼叫声"少礼"。王婆道："稳便！老媳妇与小娘子看脉则个。"小娘子伸出手臂来，教王婆看了脉。道："娘子害的是头疼浑身痛，觉得恹恹地恶心。"小娘子道："是也。"王婆道："是否？"小娘子道："又有两声咳嗽。"王婆不听得万事皆休，听了道："这病跷蹊！如何出去走了一遭，回来却便害这般病！"王婆看着迎儿奶子道："你们且出去，我自问小娘子则个。"迎儿和奶子自出去。王婆对着女孩儿道："老媳妇却理会得这病。"女孩儿道："婆婆，你如何理会得？"王婆道："你的病唤作心病。"女孩儿道："如何是心病？"王婆道："小娘子，莫不见了甚么人，欢喜了，却害出这病来？是也不是？"女孩儿答道："这却没有。"王婆道："小娘子，实对我说。我与你作个道理，救了你性命。"那女孩儿听得说话投机，便说出上件事来，"那子弟唤作范二郎。"王婆听了道："莫不是樊楼开酒店的范二郎？"那女孩儿道："便是。"王婆道："小娘子休要烦恼，别人时老身便不认得。若说范二郎，老身认得他的哥哥嫂嫂，不可得的好人。范二郎好个伶俐子弟。他哥哥见教我与他说亲。小娘子，我教你嫁范二郎，你要也不要？"女孩儿笑道："可知好哩，只怕我妈妈不肯。"王婆道："小娘子放心，老身自有个道理，不须烦恼。"女孩儿道："若得恁地时，重谢婆婆。"王婆出房来，叫妈妈道："老媳妇知得小娘子病了。"妈妈道："我儿害甚么病？"王婆道："要老身说，有告三杯酒吃了却说。"妈妈道："迎儿，安排酒来请王婆。"妈妈一头请他吃酒，一头问婆婆："我女儿害甚么病？"王婆把小娘子说的话一一说了一遍。妈妈道："如今却是如何？"王婆道："只得把小娘子嫁与范二郎。若还不肯嫁与他，这小娘子就难医。"妈妈道："我大郎不在家，须使不得。"王婆道："告妈妈，不若与小娘子下了定，等大郎归后，却作亲。且眼下救小娘子性命。"妈妈允了道："好好，怎地作个道理？"王婆道："老媳妇就去说，回来便有消息。"王婆离了周妈妈家，取路径到樊楼，来见范大郎，

① 浼(měi)——央求。

正在柜身里坐。王婆叫声万福。大郎还了礼道："王婆婆，你来得正好。我却待使人来请你。"王婆道："不知大郎唤老媳妇作甚么？"大郎道："二郎前日出去归来，晚饭也不吃，道：'身体不快。'我问他哪里去来？他道：'我去看金明池。'直至今日不起，害在床上，饮食不进。我待来请你看脉。"范大娘子出来与王婆相见了，大娘子道："请婆婆看叔叔则个。"王婆道："大郎，大娘子，不要入来，老身自问二郎，这病是甚的样起？"范大郎道："好好！婆婆自去看，我不陪了。"王婆走到二郎房里，见二郎睡在床上，叫声："二郎，老媳妇在这里。"范二郎闪开眼道："王婆婆，多时不见，我性命休也。"王婆道："害甚病便休？"二郎道："觉头疼恶心，有一两声咳嗽。"王婆笑将起来。二郎道："我有病，你却笑我！"王婆道："我不笑别的，我得知你的病了。不害别病，你害曹门里周大郎女儿，是也不是？"二郎被王婆道着了，跳起来道："你如何得知？"王婆道："他家来教我说亲事。"范二郎不听得说万事皆休，听得说好喜欢。正是：

人逢喜信精神爽，话合心机意气投。

当下同王婆厮赶着出来，见哥哥嫂嫂。哥哥见兄弟出来，道："你害病却便出来？"二郎道："告哥哥，无事了也。"哥嫂好快活。王婆对范大郎道："曹门里周大郎家，特使我来说二郎亲事。"大郎欢喜。话休烦絮。两下说成了，下了定礼，都无别事。范二郎闲时不着家，从下了定，便不出门，与哥哥照管店里。且说那女孩儿闲时不作针钱，从下了定，也肯作活。两个心安意乐，只等周大郎归来作亲。三月间下定，直等到十一月间，等得周大郎归家。邻里亲戚都来置酒洗尘，不在话下。到次日，周妈妈与周大郎说知上件事。周大郎问了。妈妈道："定了也。"周大郎听说，双眼圆睁，看着妈妈骂道："打脊老贱人！得谁言语，擅便说亲！他高杀①也只是个开酒店的。我女儿怕没大户人家对亲，却许着他。你倒了志气，干出这等事，也不怕人笑话。"正恁的骂妈妈，只见迎儿叫："妈妈，且进来救小娘子。"妈妈道："作甚？"迎儿道："小娘子在屏风后，不知怎地气倒在地。"慌得妈妈一步一跌，走上前来，看那女孩儿倒在地下：

未知性命如何，先见四肢不举。

从来四肢百病，惟气最重。原来女孩儿在屏风后听得作爷的骂娘，不

---

① 高杀——高到极点。杀，形容到极点。

肯教他嫁范二郎，一口气塞上来，气倒在地。妈妈慌忙来救，被周大郎牵住，不得他救。骂道："打脊贼娘！辱门败户的小贱人，死便教他死，救他则甚？"迎儿见妈妈被大郎牵住，自去向前，却被大郎一个漏风掌打在一壁厢。即时气倒妈妈。迎儿向前救得妈妈苏醒，妈妈大哭起来。邻居听得周妈妈哭，都走来看。张嫂，鲍嫂，毛嫂，刁嫂，挤上一屋子。原来周大郎平昔为人不近道理，这妈妈甚是和气，邻舍都喜他，周大郎看见多人，便道："家间私事，不必相劝。"邻舍见如此说，都归去了。妈妈看女儿时，四肢冰冷。妈妈抱着女儿哭。本是不死，因没人救，却死了。周妈妈骂周大郎："你直恁地毒害！想必你不舍得三五千贯房奁，故意把我女儿坏了性命！"周大郎听得，大怒道："你道我不舍得三五千贯房奁？这等奚落我！"周大郎走将出去。周妈妈如何不烦恼。一个观音也似女儿，又伶俐，又好针线，诸般都好，如何教他不烦恼！离不得周大郎买具棺木，八个人抬来。周妈妈见棺材进门，哭得好苦！周大郎看着妈妈道："你道我割舍不得三五千贯房奁，你那女儿房里，但有的细软，都搬在棺材里。"只就当时，叫仵作①人等入了殓，即时使人吩咐管坟园张一郎、兄弟二郎："你两个便与我砌坑子。"吩咐了毕，话休絮烦，功德水陆也不作，停留也不停留，只就来日便出丧，周妈妈教留几日，哪里拗得过来。早出了丧，埋葬已了，各人自归。

可怜三尺无情土，盖却多情年少人。

话分两头。且说当日一个后生的，年三十余岁，姓朱名真，是个暗行②人，日常惯与仵作约做帮手，也会与人打坑子。那女孩儿入殓及砌坑，都用着他。这日葬了女儿回来，对着娘道："一天好事投奔我。我来日就富贵了。"娘道："我儿有甚好事？"那后生道："好笑，今日曹门里周大郎女儿死了，夫妻两个争竞道：'女孩儿是爷气死了。'斗憋气，约莫有三五千贯房奁，都安在棺材里。有恁的富贵，如何不去取之？"那作娘的道："这个事却不是耍的事。又不是八棒十三的罪过③，又兼你爷有样子。二十年前时，

---

① 仵(wǔ)作——官署中专门检验命案死尸的人。

② 暗行——专干见不得人的事的行当。

③ 又不是八棒十三的罪过——八棒十三，打几下就完，是最轻的刑罚。这里是说盗墓是犯大罪的，不是打几下就没事了的罪过。

你爷去掘一家坟园，揭开棺材盖，尸首觑着爷笑起来。你爷吃了那一惊，归来过得四五日，你爷便死了。孩儿，你不可去。不是耍的事!”朱真道：“娘，你不得劝我。”去床底下拖出一件物事来把与娘看。娘道：“休把出去罢！原先你爷曾把出去使得一番便休了。”朱真道：“各人命运不同。我今年算了几次命，都说我该发财。你不要阻当我。”你道拖出的是甚物事？原来是一个皮袋，里面盛着些挑刀斧头、一个皮灯盏，和那盛油的罐儿。又有一领蓑衣，娘都看了，道：“这蓑衣要他作甚？”朱真道：“半夜使得着。”当日是十一月中旬，却恨雪下得大。那厮将蓑衣穿起，却又带一片，是十来条竹皮编成的一行，带在蓑衣后面。原来雪里有脚迹，走一步，后面竹片扒得平，不见脚迹。当晚约莫也是二更左侧，吩咐娘道：“我回来时，敲门响，你便开门。”虽则京城热闹，城外空阔去处，依然冷静。况且二更时分，雪又下得大，兀谁出来。

朱真离了家。回身看后面时，没有脚迹。迤逦①到周大郎坟边，到萧墙②矮处，把脚跨过去。你道好巧，原来管坟的养只狗子。那狗子见个生人跳过墙来，从草窠里爬出来便叫。朱真日间备下一个油糕，里面藏了些药在内。见狗子来叫，便将油糕丢将去。那狗子见丢甚物过来，闻一闻见香便吃了。只叫得一声，狗子倒了。朱真却走近坟边。那看坟的张二郎叫道：“哥哥，狗子叫得一声，便不叫了，却不作怪！莫不有甚作不是的在这里？起去看一看。”哥哥道：“那作不是的来偷我甚么？”兄弟道：“却才狗子大叫一声便不叫了，莫不有贼？你不起去，我自起去看一看。”那兄弟爬起来，披了衣服，执着枪在手里，出门去看。朱真听得有人声，他悄地把蓑衣解下，捉脚步走到一株杨柳树边。那树好大，遮得正好。却把斗笠掩着身子和腰，蹭在地下，蓑衣也放在一边。望见里面开门，张二走出门外，好冷，叫声道：“畜生，做甚么叫？”那张二是睡梦里起来，被雪雹风吹，吃了一惊，连忙把门关了。走入房去，叫：“哥哥，真个没人。”连忙脱了衣服，把被匹头兜了③，道：“哥哥，好冷！”哥哥道：“我说没人！”约莫也是三更前后，两

① 迤逦——迤逦。曲折绵延的样子。

② 萧墙——原指照壁，这里指一般的墙。

③ 匹头兜了——连着头一起蒙盖着。

个说了半晌，不听得则声了。朱真道："不将辛苦意，难近世间财。"抬起身来，再把斗笠戴了，着了蓑衣，捉脚步到坟边，把刀拨开雪地。俱是日间发排下脚手，下刀挑开石板下去，到侧边端正了，除下头上斗笠，脱了蓑衣在一壁厢，去皮袋里取两个长针，插在砖缝里，放上一个皮灯盏，竹筒里取出火种吹着了，油罐儿取油，点起那灯，把刀挑开命钉①，把那盖天板丢在一壁，叫："小娘子莫怪，暂借你些个富贵，却与你作功德。"道罢，去女孩儿头上便除头面。有许多金珠首饰，尽皆取下了。只有女孩儿身上衣服，却难脱。那厮好会，去腰间解下手巾，去那女孩儿膊项上搁起，一头系在自膊项上，将那女孩儿衣服脱得赤条条地，小衣也不着。那厮可霎叵耐处，见那女孩儿白净身体，那厮淫心顿起，按捺不住，奸了女孩儿。你道好怪！只见女孩儿睁开眼，双手把朱真抱住。怎地出豁？正是：

曾观《前定录》②，万事不由人。

原来那女儿一心牵挂着范二郎，见爷的骂娘，斗憋气死了。死不多日，今番得了阳和之气，一灵儿又醒将转来。朱真吃了一惊。见那女孩儿叫声："哥哥，你是兀谁？"朱真那厮好急智，便道："姐姐，我特来救你。"女孩儿抬起身来，便理会得了。一来见身上衣服脱在一壁，二来见斧头刀仗在身边，如何不理会得。朱真欲待要杀了，却又舍不得。那女孩儿道："哥哥，你救我去见樊楼酒店范二郎，重重相谢你。"朱真心中自思，别人兀自坏钱③娶浑家，不能得恁的一个好女儿。救将归去，却是兀谁得之。朱真道："且不要慌，我带你家去，教你见范二郎则个。"女孩儿道："若见得范二郎，我便随你去。"当下朱真把些衣服与女孩儿着了，收拾了金银珠翠物事衣服包了，把灯吹灭，倾那油入那油罐儿里，收了行头，揭起斗笠，送那女子上来。朱真也爬上来，把石头来盖得没缝。又捧些雪铺上。却教女孩儿上脊背来。把蓑衣着了，一手挽着皮袋，一手绾着金珠物事，把斗笠戴了，迤逦取路，到自家门前，把手去门上敲了两三下。那娘的知是儿子回来，放开了门。朱真进家中，那娘的吃一惊道："我儿，如何尸首都驮回

① 命钉——把棺材盖和棺材匣钉在一起的钉子叫做"命钉"。
② 《前定录》——唐钟璐撰。记命中"前定"的故事数十条。
③ 坏钱——破费钱财。

来?"朱真道:"娘不要高声。"放下物件行头,将女孩儿入到自己卧房里面。朱真提起一把明晃晃的刀来,觑着女孩儿道:"我有一件事和你商量。你若依得我时,我便将你去见范二郎。你若依不得我时,你见我这刀么?砍你作两段。"女孩儿慌道:"告哥哥,不知教我依甚的事?"朱真道:"第一,教你在房里不要则声;第二,不要出房门。依得我时,两三日内,说与范二郎。若不依我,杀了你。"女孩儿道:"依得,依得。"朱真吩咐罢,出房去与娘说了一遍。话休絮烦。夜间离不得伴那厮睡。一日两日,不得女孩儿出房门。那女孩儿问道:"你曾见范二郎么?"朱真道:"见来。范二郎为你害在家里,等病好了,却来取你。"自十一月二十日,头至①次年正月十五日。当日晚朱真对着娘道:"我每年只听得鳌山②好看,不曾去看。今日去看则个。到五更前后,便归。"朱真吩咐了,自入城去看灯。你道好巧!约莫也是更尽前后,朱真的老娘在家,只听得叫"有火!"急开门看时,是隔四五家酒店里火起,慌杀娘的,急走入来收拾。女孩儿听得,自思道:"这里不走,更待何时!"走出门首,叫婆婆来收拾。娘的不知是计,入房收拾。女孩儿从热闹里便走,却不认得路,见走过的人,问道:"曹门里在哪里?"人指道:"前面便是。"迤逦入了门,又问人:"樊楼酒店在哪里?"人说道:"只在前面。"女孩儿好慌。若还前面遇见朱真,也没许多话。女孩儿迤逦走到樊楼酒店,见酒博士在门前招呼。女孩儿深深地道个万福。酒博士还了喏道:"小娘子没甚事?"女孩儿道:"这里莫是樊楼?"酒博士道:"这里便是。"女孩儿道:"借问则个,范二郎在那里么?"酒博士思量道:"你看二郎!直引得光景上门。"酒博士道:"在酒店里的便是。"女孩儿移身直到柜边,叫道:"二郎万福!"范二郎不听得都休,听得叫,慌忙走下柜来,近前看时,吃了一惊,连声叫"灭,灭!"女孩儿道:"二哥,我是人,你道是鬼?"范二郎如何肯信。一头叫"灭,灭!"一只手扶着凳子。却恨凳子上有许多汤桶儿,慌忙用手提起一支汤桶儿来,觑着女子脸上丢将过去。你道好巧!去那

---

① 头至——或作"投至",到。

② 鳌山——宋代时京城里在过年节的时候,把千百种彩灯扎成一座鳌山的形状,供人观赏,叫做"鳌山"。

女孩儿太阳上打着。大叫一声，匹然①倒地。慌杀酒保，连忙走来看时，只见女孩儿倒在地下。性命如何？正是：

小园昨夜东风恶，吹折江梅就地横。

酒博士见那女孩儿时，血浸着死了。范二郎口里兀自叫"灭，灭！"范大郎见外头闹吵，急走出来看了，只听得兄弟叫"灭，灭！"大郎问兄弟："如何作此事？"良久定醒。问："做甚打死他？"二郎道："哥哥，他是鬼！曹门里贩海②周大郎的女儿。"大郎道："他若是鬼，须没血出。如何计结？"去酒店门前哄动有二三十人看，即时地方便入来捉范二郎。范大郎对众人道："他是曹门里周大郎的女儿，十一月已自死了。我兄弟只道他是鬼，不想是人，打杀了他。我如今也不知他是人是鬼。你们要捉我兄弟去，容我请他爷来看尸则个。"众人道："既是恁地，你快去请他来。"范大郎急奔到曹门里周大郎门前，见个奶子问道："你是兀谁？"范大郎道："樊楼酒店范大郎在这里，有些急事，说声则个。"奶子即时入去请。不多时，周大郎出来，相见罢。范大郎说了上件事，道："敢烦认尸则个，生死不忘。"周大郎也不肯信。范大郎间时不是说谎的人。周大郎同范大郎到酒店前看见也呆了，道："我女儿已死了，如何得再活？有这等事！"那地方不容范大郎分说，当夜将一行人拘锁，到次早解入南衙开封府。包大尹看了解状，也理会不下。权将范二郎送狱司监候。一面相尸，一面下文书行使臣房审实。作公的一面差人去坟上掘起看时，只有空棺材。问管坟的张一、张二，说道："十一月间，雪下时，夜间听得狗子叫。次早开门看，只见狗子死在雪里，更不知别项因依③。"把文书呈大尹。大尹焦躁，限三日要捉上件贼人。展个两三限，并无下落。好似：

金瓶落井全无信，铁枪磨针尚少功。

且说范二郎在狱司间想："此事好怪！若说是人，他已死过了。见有入殓的仵作及坟墓在彼可证。若说是鬼，打时有血，死后有尸，棺材又是空的。"展转寻思，委决不下。又想道："可惜好个花枝般的女儿！若是鬼，倒也罢了。若不是鬼，可不枉害了他性命！"夜里翻来覆去，想一会，疑一

---

① 匹然——猛然一下。

② 贩海——做海外生意、贩卖海外货物的人。

③ 因依——因由。

会，转睡不着。直想到茶坊里初会时光景，便道："我那日好不着迷哩！四目相视，急切不能上手。不论是鬼不是鬼，我且慢慢里商量，直恁性急，坏了他性命，好不罪过！如今陷于缧绁①，这事又不得明白，如何是了！悔之无及！"转悔转想，转想转悔。挨了两个更次，不觉睡去。梦见女子胜仙，浓妆而至。范二郎大惊道："小娘子原来不死？"小娘子道："打得偏些，虽然闷倒，不曾伤命。奴两遍死去，都只为官人。今日知道官人在此，特特相寻，与官人了其心愿。休得见拒，亦是冥数当然。"范二郎忘其所以，就和他云雨起来。枕席之间，欢情无限。事毕，珍重而别。醒来方知是梦，越添了许多想悔。次夜亦复如此。到第三夜，又来，比前愈加眷恋。临去告诉道："奴阳寿未绝。今被五道将军②收用。奴一心只忆着官人，泣诉其情，蒙五道将军可怜，给假三日。如今限期满了。若再迟延，必遭呵斥。奴从此与官人永别。官人之事，奴已拜从五道将军。但耐心，一月之后，必然无事。"范二郎自觉伤感，啼哭起来。醒了，记起梦中之言，似信不信。刚刚一月三十个日头，只见狱卒奉大尹钧旨，取出范二郎赴狱司勘问。原来开封府有一个常卖③董贵，当日绾着一个篮儿，出城门外去。只见一个婆子在门前叫常卖，把着一件物事递与董贵。是甚的？是一朵珠子结成的栀子花。那一夜朱真归家，失下这朵珠花。婆婆私下捡得在手，不理会得值几钱，要卖一两贯钱作私房。董贵道："要几钱？"婆子道："胡乱。"董贵道："还你两贯。"婆子道："好。"董贵还了钱，径将来使臣房里，见了观察，说道恁地。即时观察把这朵栀子花径来曹门里，教周大郎、周妈妈看，认得是女儿临死带去的。即时差人捉婆子。婆子道："儿子朱真不在。"当时搜捉朱真不见，却在桑家瓦里看要，被作公的捉了，解上开封府。包大尹送狱司勘问上件事情。朱真抵赖不得，一一招伏。当案薛孔目初拟朱真劫坟当斩；范二郎免死，刺配牢城营。未曾呈案。其夜梦见一神如五道将军之状，怒责薛孔目曰："范二郎有何罪过，拟他刺配！快与他出脱了。"薛孔目醒来，大惊，改拟范二郎打鬼，与人命不同，事属怪异，宜径行释放。包大尹看了，都依拟。范二郎欢天喜地回家。后来娶妻，不忘周胜仙之

---

① 缧绁(léi xiè)——原指捆绑犯人的绳索，这里引申为囚禁。

② 五道将军——迷信传说中掌管人的生死的神。

③ 常卖——拿着东西到处叫卖的小贩，宋代叫做"常卖"。

情，岁时到五道将军庙中烧纸祭奠。有诗为证：

情郎情女等情痴，只为情奇事亦奇。
若把无情有情比，无情翻似得便宜。

第十五卷　赫大卿遗恨鸳鸯绦

皮包血肉骨包身，强作娇妍诳惑人。
千古英雄皆坐此，百年同是一坑尘。

这首诗乃昔日性如子所作，单戒那淫色自戕的。论来好色与好淫不同。假如古诗云："一笑倾人城，再笑倾人国。岂不顾倾城与倾国，佳人难再得！"此谓之好色。若是不择美恶，以多为胜，如俗语所云："石灰布袋，到处留迹。"其色何在？但可谓之好淫而已。然虽如此，在色中又有多般。假如张敞画眉，相如病渴，虽为儒者所讥，然夫妇之情，人伦之本，此谓之正色。又如娇妾美婢，倚翠偎红；金钗十二行，锦障五十里①；樱桃杨柳，歌舞擅场，碧月紫云，风流姱艳；虽非一马一鞍，毕竟有花有叶，此谓之旁色。又如锦营献笑，花阵图欢，露水②分司，身到偶然留影；风云随例，颜开哪惜缠头③。旅馆长途，堪消寂寞，花前月下，亦助襟怀。虽市门之游④，豪客不废；然女闾⑤之遗，正人耻言，不得不谓之邪色。至如上蒸下报⑥，同人道于兽禽；钻穴逾墙，役心机于鬼蜮；偷暂时之欢乐，为万世之罪人。明有人诛，幽蒙鬼责，这谓之乱色。又有一种叫是正色，不是旁色。虽然比不得乱色，却又比不得邪色。填塞了虚空圈套，污秽却清净门风；惨同神面刮金，恶胜佛头浇粪。远则地府填单，近则阳间业报。奉劝世人，切须谨

① 锦障五十里——晋代石崇和贵戚王恺互相攀比奢靡，王恺作紫丝步障四十里，石崇作锦步障五十里。步障是用以遮蔽风尘或视线的一种屏幕。
② 露水——比喻不正当的男女关系，偶然结合，很快分开，既不持久也不稳定，就像露水沾在草上，太阳一出就干了。
③ 缠头——指送给妓女的钱财。
④ 市门之游——指逛妓院。
⑤ 女闾——旧时指娼妓居住的地方。
⑥ 上蒸下报——蒸，通"烝"，古指同母辈通奸。反之为"报"。

慎！正是：

不看僧面看佛面，休把淫心杂道心。

说这本朝宣德年间，江西临江府新淦县，有个监生，姓赫名应祥，字大卿，为人风流俊美，落拓不羁，专好的是声色二事。遇着花街柳巷，舞榭歌台，便恋留不舍，就当做家里一般，把老大一个家业，也弄去了十之三四。浑家陆氏，见他恁般花费，苦口谏劝。赫大卿倒道老婆不贤，时常反目。因这上，陆氏立誓不管，领着三岁的一个孩子喜儿，自在一间净室里持斋念佛，由他放荡。一日，正值清明佳节，赫大卿穿着一身华丽衣服，独自一个到郊外踏青游玩。有宋张咏诗为证：

春游千万家，到底面如花。

三三两两映花立，欲乘烟霞。

赫大卿只拣妇女丛聚之处，或前或后，往来摇摆，卖弄风流，希图要逢着个有缘分的佳人。不想一无所遇，好不败兴。自觉无聊，走向一个酒馆中，沽饮三杯。上了酒楼，拣沿街一副座头坐下。酒保送上酒肴，自斟自饮，倚窗观看游人。不出三杯两盏，吃够半酣，起身下楼。算还酒钱，离了酒馆，一步步任意走走，恰好已是未牌时分。行了多时，渐渐酒涌上来，口干舌燥，思量得盏茶来解渴便好。正无处求觅，忽抬头见前面林子中，幡影捧搂，磬韵悠扬，料道是个僧寮道院，心中欢喜。即慌趋向前去。抹过林子，显出一个大寺院来。赫大卿打一看时，周围都是粉墙包裹，门前十来株倒垂杨柳，中间向阳两扇八字墙门，上面高挂金字匾额，写着非空庵三字。赫大卿点头道："常闻得人说，城外非空庵中有标致尼姑。只恨没有工夫，未曾见得。不想今日趁了这便。"即整顿衣冠，走进庵里。转东一条鹅卵石街，两边榆柳成行，甚是幽雅。行不多步，又进一重墙门，就是小小三间房子，供着韦驼尊者。庭中松柏参天，树上鸟声嘈杂。从佛背后转进，又是一条横街。大卿径望东首行去，见一座雕花门楼，双扉紧闭。上前轻轻扣了三四下，就有个垂髫女童，呀的开门。那女童身穿缁衣，腰系丝绦，打扮得十分齐整。见了赫大卿，连忙问讯。大卿还了礼，跨步进去看时，一带三间佛堂，虽不甚大，倒也高敞。中间三尊大佛，相貌庄严，金光灿烂。大卿向佛作了揖，对女童道："烦报令师，说有客相访。"女童道："相公请坐，待我进去传说。"须臾间，一个少年尼姑出来，向大卿稽首。大卿急忙还礼，用那双开不开，合不合，惯输情，专卖俏，软眯瞇的俊眼，仔细一觑。这尼姑年纪不上二十，面庞白皙如玉，天然艳冶，韵格非凡。大卿看见恁般标致，喜得神魂飘荡。一个揖作了下去，却像初出锅的糍粑，软做一塌，头也伸不起来。礼罢，分宾主坐下，想道："今日撞了一日，并不曾遇得个可意人儿。不想这所在倒藏着如此妙人。须用些水磨工夫撩拨他，不怕不上我的钩儿。"大卿正在腹中打点草稿，谁知那尼姑亦有此心。从来尼姑庵也有个规矩，但凡客官到来，都是老尼迎接答话。那少年的，如闺女一般，深居简出，非细相熟的主顾，或是亲戚，方才得见。若是老尼出外，或是病卧，竟自辞客。就有非常势耀，便立心要来认那小徒，也少不得三请四唤，等得你个不耐烦，方才出来。这个尼姑为何挺身而出？有个缘故。他原是个真念佛，假修行，爱风月，嫌冷静，怨恨出家的主儿。偶然先在门隙里，张见了大卿这一表人材，倒有几分看上了，所以挺身而出。当下两只眼光，就如针儿遇着磁石，紧紧的摄在大卿身上，笑嘻嘻的问道："相公尊姓贵表？府上何处？至小庵有甚见谕？"大卿道："小生姓赫名大卿，就在城中居住。今日到郊外踏青，偶步至此。久慕仙姑清德，顺便拜访。"尼姑谢道："小尼僻居荒野，无德无能，谬承枉顾，蓬筚生辉①。此处来往人杂，请里面轩中待茶。"大卿见说请到里面吃茶，料有几分光景，好不欢喜，即起身随入。行过几处房屋，又转过一条回廊，方是三间净室，收拾得好不精雅。外面一带，都是扶栏，庭中植梧桐二树，修竹数竿，百般花卉，纷纭辉映，但觉香气袭人。正中间供白描大士像②一轴，古铜炉中，香烟馥馥，下设蒲团一坐；左一间放着朱红厨柜四个，都有封锁，想是收藏经典在内；右一间用围屏围着，进入看时，横设一张桐柏书桌，左设花藤小椅，右边靠壁一张斑竹榻儿，壁上悬一张断纹古琴，书桌上笔砚精良，纤尘不染。侧边有经卷数帙。随手拈一卷翻看，金书小楷，字体摹仿赵松雪③，后注年月，下书弟子空照薰沐写。大卿问："空照是何人？"答道："就是小尼贱名。"大卿反复玩赏，夸之不已。两个隔着桌子对面而坐。女童点茶

① 蓬筚生辉——谦辞，表示由于别人到自己家里来而使自己光荣。蓬筚，用草、树枝等做成的门户，以自谦贫寒简陋。

② 白描大士像——白描，国画的一种画法，纯用线条勾勒，不加色彩渲染。大士像，观世音菩萨像。

③ 赵松雪——赵孟頫，字子昂，号松雪道人。元代著名书画家。

到来。空照双手捧过一盏，递与大卿，自取一盏相陪。那手十指尖尖，�白可爱。大卿接过，啜在口中，真个好茶！有品洞宾茶诗为证：

玉蕊旗枪称绝品，僧家造法极工夫。
兔毛瓯浅香云白，虾眼汤翻细浪休。
断送睡魔离几席，增添清气入肌肤。
幽丛自落溪岩处，不肯移根入上都。

大卿问道："仙庵共有几位？"空照道："师徒四众。家师年老，近日病废在床，当家就是小尼。"指着女童道："这便是小徒。他还有师弟在房里诵经。"赫大卿道："仙姑出家几时了？"空照道："自七岁丧父，送入空门，今已十二年矣。"赫大卿道："青春十九，正在妙龄，怎生受此寂静？"空照道："相公休得取笑！出家胜俗家数倍哩。"赫大卿道："哪见得出家的胜似俗家？"空照道："我们出家人，并无闲事缠扰，又无儿女牵绊，终日诵经念佛，受用一炉香、一壶茶，倦来眠纸帐①，闲暇理丝桐②，好不安闲自在。"大卿道："闲暇理丝桐，弹琴时也得个知音的人儿在旁喝采方好。这还罢了。则这倦来眠纸帐，万一梦魇起来，没人推醒，好不怕哩！"空照已知大卿下钓，含笑而应道："梦魇杀了人也不要相公偿命。"大卿也笑道："别的魇杀了一万个全不在小生心上，像仙姑恁般高品，岂不可惜！"两下你一句，我一声，渐渐说到分际。大卿道："有好茶再求另烹一壶来吃。"空照已会意了，便教女童去廊下烹茶。大卿道："仙姑卧房何处？是什么纸帐？也得小生认一认。"空照此时欲心已炽，按纳不住，口里虽说道："认他怎么？"却早已立起身来。大卿上前拥抱，先做了个"吕"字。空照往后就走，大卿接脚跟上。空照轻轻的推开后壁，后面又有一层房屋，正是空照卧处。摆设更自济楚。大卿也无心观看，两个相抱而入。有《小尼姑曲儿》为证：

小尼姑，在庵中，手拍着桌儿怨命。平空里掉下个俊俏官人，坐谈有几句话，声口儿相应。你贪我不舍，一拍上就圆成。虽然不是结发的夫妻，也难得他一个字儿叫做肯。

二人不提防女童推门进来，连忙起身。女童放下茶儿，掩口微笑而去。看看天晚，点起灯烛，空照自去收拾酒果蔬菜，摆做一桌，与赫大卿对

① 纸帐——纸作成的帐子。
② 丝桐——琴的别称。

面坐下。又恐两个女童泄漏机关，也教来坐在旁边相陪。空照道："庵中都是吃斋，不知贵客到来，未曾备办荤味，甚是有慢。"赫大卿道："承贤师徒错爱，已是过分。若如此说，反令小生不安矣。"当下四人杯来盏去，吃到半酣，大卿起身挨至空照身边，把手勾着颈儿，将酒饮过半杯，递到空照口边。空照将口来承，一饮而尽。两个女童见他肉麻，起身回避。空照一把扯道："既同在此，料不容你脱白。"二人挣脱不开，将袖儿掩在面上。大卿上前抱住，扯开袖子，就做了个嘴儿。二女童年在当时，情窦已开。见师父容情，落得快活。四人搂做一团，缠做一块，吃得个大醉，一床而卧，相偎相抱，如漆如胶。赫大卿放出平生本事，竭力奉承。尼姑俱是初得甜头，恨不得把身子并做一个。到次早，空照叫过香公，赏他三钱银子，买嘱他莫要泄漏。又将钱钞教去买办鱼肉酒果之类。那香公平昔间，挨着这几碗黄齑淡饭①，没甚肥水到口，眼也是盲的，耳也是聋的，身子是软的，脚儿是慢的。此时得了这三钱银子，又见要买酒肉，便觉眼明手快，身子如虎一般健，走跳如飞。哪消一个时辰，都已买完。安排起来，款待大卿，不在话下。

却说非空庵原有两个房头，东院乃是空照，西院的是静真，也是个风流女师。手下止有一个女童、一个香公。那香公因见东院连日买办酒肉，报与静真。静真猜算空照定有些不三不四的勾当。教女童看守房户，起身来到东院门口。恰好遇见香公，左手提着一个大酒壶，右手拿个篮儿，开门出来。两下打个照面，即问道："院主往哪里去?"静真道："特来与师弟闲话。"香公道："既如此，待我先去通报。"静真一手扯住道："我都晓得了，不消你去打照会。"香公被道着心事，一个脸儿登时涨红，不敢答应。只得随在后边，将院门闭上，跟至净室门口，高叫道："西房院主在此拜访。"空照闻言，慌了手脚，没做理会。教大卿闪在屏后，起身迎住静真。静真上前一把扯着空照衣袖，说道："好呀，出家人干的好事，败坏山门。我与你到里正处去讲。"扯着便走。吓得个空照脸儿就如七八样的颜色染的，一搭儿红一搭儿青，心头恰像千百个铁槌打的，一回儿上一回儿下，半句也对不出，半步也行不动。静真见他这个模样，呵呵笑道："师弟不消着急！我是耍你。但既有佳宾，如何瞒着我独自受用？还不快请来相见。"

---

① 黄齑(jī)淡饭——指粗劣的饭食。齑，切碎的腌菜或酱菜。

空照听了这话，方才放心。遂令大卿与静真相见。大卿看静真姿容秀美，丰采动人，年纪有二十五六上下。虽然长于空照，风情比他更胜，乃问道："师兄上院何处？"静真道："小尼即此庵西院，咫尺便是。"大卿道："小生不知，失于奉谒。"两下闲叙半晌。静真见大卿举止风流，谈吐开爽，凝眸留盼，恋恋不舍，叹道："天下有此美士，师弟何幸，独擅其美！"空照道："师兄不须眼热。倘不见外，自当同乐。"静真道："若得如此，佩德不浅。今晚奉候小坐，万祈勿外。"说罢，即起身别。回至西院，准备酒肴伺候。不多时，空照同赫大卿携手而来。女童在门口迎候。赫大卿进院，看时，房廊花径，亦甚委曲。三间净室，比东院的更觉精雅。但见：

潇洒亭轩，清虚户牖。画列江南烟景，香焚真腊沉檀。庭前修竹，风摇一派珮环声；帘外奇花，日照千层锦绣色。松荫入槛琴书润，山色侵轩枕簟凉。

静真见大卿已至，心中欢喜。不复叙礼，即便就坐。茶罢，摆上果酒肴馔。空照推静真坐在赫大卿身边，自己对面相陪。又扯女童打横而坐。四人三杯两盏，饮够多时。赫大卿把静真抱置膝上，又教空照坐至身边。两手勾着颈项儿，百般旖旎①。旁边女童面红耳热，也觉动情。直饮到黄昏时分，空照起身道："好做新郎，明日当来贺喜。"讨个灯儿，送出门口自去。女童叫香公关门闭户，进来收拾家伙，将汤净过手脚。赫大卿抱着静真上床，解脱衣裳，钻入被中。睡至巳牌时分，方才起来。自此之后，两院都买嘱了香公，轮流取乐。赫大卿淫欲无度，乐极忘归。将近两月，大卿自觉身子困倦，支持不来，思想回家。怎奈尼姑正是少年得趣之时，哪肯放舍。赫大卿再三哀告道："多承雅爱，实不忍别。但我到此两月有余，家中不知下落，定然着忙。待我回去，安慰妻孥②，再来陪奉。不过四五日之事，卿等何必见疑？"空照道："既如此，今晚备一酌为饯，明早任君回去。但不可失信，作无行之人。"赫大卿设誓道："若忘卿等恩德，犹如此日！"空照即到西院，报与静真。静真想了一回道："他设誓虽是真心，但去了必不能再至。"空照道："却是为何？"静真道："是这样一个风流美貌男子，谁人不爱！况他生平花柳多情，乐地不少。逢着便留恋几时。虽欲要来，势不

---

① 旖旎——娇柔的样子。
② 妻孥（nú）——妻子和儿女。孥，儿女。

可得。”空照道:“依你说还是怎样?”静真道:“依我却有个绝妙策儿在此,教他无绳自缚,死心塌地守着我们。”空照连忙问计。静真伸出手叠着两个指头,说将出来,有分教:

生于锦绣丛中,死在牡丹花下。

当下静真道:“今夜若说饯行,多劝几杯,把来灌醉了,将他头发剃净,自然难回家去。况且面庞又像女人,也照我们妆束,就是达摩祖师亲来也相不出他是个男子,落得永远快活,且又不担干系,岂非一举两便!”空照道:“师兄高见,非我可及。”到了晚上,静真教女童看守房户,自己到东院见了赫大卿道:“正好欢娱,因甚顿生别念?何薄情至此!”大卿道:“非是寡情,止因离家已久,妻孥未免悬望,故此暂别数日,即来陪侍。岂敢久抛,忘卿恩爱!”静真道:“师弟已允,我怎好勉强。但君不失所期,方为信人。”大卿道:“这个倒不须多嘱!”少顷,摆上酒肴,四尼一男,团团而坐。静真道:“今夜置此酒,乃离别之筵,须大家痛醉。”空照道:“这个自然!”当下更番劝酬,直饮至三鼓,把赫大卿灌得烂醉如泥,不省人事。静真起来,将他巾帻脱了,空照取出剃刀,把头发剃得一茎不存,然后扶至房中去睡,各自分别就寝。赫大卿一觉,直至天明,方才苏醒。旁边伴的却是空照。翻转身来,觉道精头皮在枕上抹过。连忙把手摸时,却是一个精光葫芦。吃了一惊,急忙坐起,连叫道:“这怎么说?”空照惊醒转来,见他大惊小怪,也坐起来道:“郎君不要着恼!因见你执意要回,我师徒不忍分离,又无策可留,因此行这苦计,把你也要扮做尼姑,图个久远快活。”一头说,一头即倒在怀中,撒娇撒痴,淫声浪语,迷得个赫大卿毫无张主。乃道:“虽承你们好意,只是下手太狠!如今教我怎生见人?”空照道:“待养长了头发,见也未迟。”赫大卿无可奈何,只得依他,做尼姑打扮,住在庵中,昼夜淫乐。空照、静真已自不肯放空,又加添两个女童:

或时做联床会,或时做乱点军。那壁厢贪淫的肯行谦让?这壁厢买好的敢惜精神?两柄快斧不够劈一块枯柴,一个疲兵怎能当四员健将。灯将灭而复明,纵是强阳之火;漏已尽而犹滴,哪有润泽之时。任教铁汉也消熔,这个残生难过活。

大卿病已在身,没人体恤。起初时还三好两歉,尼姑还认是躲避差役。次后见他久眠床褥,方才着急。意欲送回家去,却又头上没了头发,怕他家盘问出来,告到官司,败坏庵院,住身不牢。若留在此,又恐一差两误，这尸首无处出脱，被地方晓得，弄出事来，性命不保。又不敢请觅医人看治。止教香公去说病讨药。犹如浇在石上，哪有一些用处。空照、静真两个，煎汤送药，日夜服侍，指望他还有痊好的日子。谁知病势转加，奄奄待毙。空照对静真商议道："赫郎病体，万无生理，此事却怎么处？"静真想了一想道："不打紧！如今先教香公去买了几担石灰。等他走了路，也不要寻外人收拾；我们自己与他穿着衣服，依般尼姑打扮。棺材也不必去买，且将老师父寿材来盛了。我与你同着香公女童相帮抬到后园空处，掘个深穴，将石灰倾入，埋藏在内。神不知，鬼不觉，哪个晓得！"不道二人商议。且说赫大卿这日睡在空照房里，忽地想起家中，眼前并无一个亲人，泪如雨下。空照与他拭泪，安慰道："郎君不须烦恼！少不得有好的日子。"赫大卿道："我与二卿邂逅①相逢，指望永远相好。谁想缘分浅薄，中道而别，深为可恨。但起手原是与卿相处。今有一句要紧话儿，托卿与我周旋。万乞不要违我。"空照道："郎君如有所嘱，必不敢违。"赫大卿将手向枕边取出一条鸳鸯绦②来。——如何叫做鸳鸯绦？原来这绦半条是鹦哥绿，半条是猫儿黄，两样颜色合成，所以谓之鸳鸯绦。——当下大卿将绦付与空照，含泪而言道："我自到此，家中分毫不知。今将永别，可将此绦为信，报知吾妻，教他快来见我一面，死亦瞑目。"空照接绦在手，忙使女童请静真到厢房内，将绦与他看了，商议报信一节。静真道："你我出家之人，私藏男子，已犯明条。况又弄得奄奄欲死。他浑家到此，怎肯干休，必然声张起来。你我如何收拾？"空照到底是个嫩货，心中犹豫不忍。静真劈手夺取绦来，望着天花板上一丢，眼见得这绦有好几时不得出世哩。空照道："你撇了这绦儿，教我如何去回复赫郎？"静真道："你只说已差香公将绦送去了，他娘子自不肯来，难道问我个违限不成？"空照依言回复了大卿。大卿连日一连问了几次，只认浑家怀恨，不来看他，心中愈加凄惨，呜呜而泣。又挨了几日，大限已到，呜呼哀哉。

地下忽添贪色鬼，人间不见假尼姑。

二尼见他气绝，不敢高声啼哭，饮泣而已。一面烧起香汤，将他身子揩抹干净，取出一套新衣，穿着停当。叫起两个香公，将酒饭与他吃饱，点

---

① 邂逅(xièhòu)——偶然遇见。

② 绦(tāo)——用丝线编织成的带子。

起灯烛，到后园一株大柏树旁边，用铁锹掘了个大穴，倾入石灰，然后抬出老尼姑的寿材，放在穴内。铺设好了，也不管时日利也不利，到房中把尸首翻在一扇板门之上。众尼相帮香公，扛至后园，盛殓在内。掩上材盖，将就钉了。又倾上好些石灰，把泥堆上，匀堆与平地一般，并无一毫形迹。可怜赫大卿自清明日缠上了这尼姑，到此三月有余，断送了性命，妻孥不能一见，撇下许多家业，埋于荒园之中，深为可惜！有小词为证：

贪花的，这一番你走错了路！千不合，万不合，不该缠那小尼姑！小尼姑是真色鬼，怕你缠他不过。头皮儿都擂光了，连性命也呜呼！埋在寂寞的荒园，这也是贪花的结果。

话分两头，且说赫大卿浑家陆氏，自从清明那日赫大卿游春去了，四五日不见回家。只道又在哪个娼家留恋，不在心上。已后十来日不回，叫家人各家去挨问，都道清明之后，从不曾见。陆氏心上着忙。看看一月有余，不见踪迹。陆氏在家日夜啼哭，写了招子，各处粘贴，并无下落。合家好不着急！那年秋间久雨，赫家房子倒坏甚多。因不见了家主，无心葺理①。直至十一月间，方唤几个匠人修造。一日，陆氏自走出来，计点工程，一眼觑着个匠人，腰间系一条鸳鸯绦儿，依稀认得是丈夫束腰之物，吃了一惊，连忙唤丫环教那匠人解下来看。这匠人叫做蒯三，泥水木作，件件精熟，有名的三料匠。赫家是顶门主顾，故此家中大小无不认得。当下见掌家娘子要看，连忙解下，交于丫环，丫环又递与陆氏。陆氏接在手中，反复仔细一认，分毫不差。只因这条绦儿，有分教：

贪淫浪子名重播，稔色尼姑祸忽临。

原来当初买这绦儿，一样两条，夫妻各系其一。今日见了那绦，物是人非，不觉扑簌簌流下泪来。即叫蒯三问道："这绦你从何处得来的？"蒯三道："在城外一个尼姑庵里拾的。"陆氏道："那庵叫什么庵？尼姑唤甚名字？"蒯三道："这庵有名的非空庵。有东西两院，东房叫做空照，西房叫做静真。还有几个不曾剃发的女童。"陆氏又问："那尼姑有多少年纪了？"蒯三道："都只有二十来岁。倒也有十分颜色。"陆氏听了，心中揣度："丈夫一定恋着那两个尼姑，隐他庵中了。我如今多着几个人将了这绦，叫蒯三

① 葺(qì)理——指修理房屋。

同去做个证见,满庵一搜,自然出来的。"方才转步,忽又想道:"焉知不是我丈夫掉下来?莫要枉杀了出家人。再问他个备细。"陆氏又叫住蒯三问道:"你这绦几时拾的?"蒯三道:"不上半月。"陆氏又想道:"原来半月之前,丈夫还在庵中。事有可疑!"又问道:"你在何处拾的?"蒯三道:"在东院厢房内,天花板上拾的。也是大雨中淋漏了屋,教我去翻瓦,故此拾得。不敢动问大娘子,为何见了此绦,只管盘问?"陆氏道:"这绦是我大官人的。自从春间出去,一向并无踪迹。今日见了这绦,少不得绦在哪里,人在哪里。如今就要同你去与尼姑讨人。寻着大官人回来,照依招子上重重谢你。"蒯三听罢,吃了一惊:"哪里说起!却在我身上要人!"便道:"绦便是我拾得,实不知你们大官人事体。"陆氏道:"你在庵中共做几日工作?"蒯三道:"西院共有十来日,至今工钱尚还我不清哩。"陆氏道:"可曾见我大官人在他庵里么?"蒯三道:"这个不敢说谎,生活便做了这几日,任我们穿房入户,却从不曾见大官人的影儿。"陆氏想道:"若人不在庵中,就有此绦,也难凭据。"左思右算,想了一回,乃道:"这绦在庵中,必定有因。或者藏于别处,也未可知。适才蒯三说庵中还有工钱。我如今赏他一两银子,教他以讨银为名,不时去打探,少不得露出些圭角①来。那时着在尼姑身上,自然有个下落。"即唤过蒯三,吩咐如此如此,恁般恁般。"先赏你一两银子。若得了实信,另有重谢。"那匠人先说有一两银子,后边还有重谢,满口应承,任凭差遣。陆氏回到房中,将白银一两付与,蒯三作谢回家。

到了次日,蒯三挨到饭后,慢慢的走到非空庵门口。只见西院的香公坐在门槛上,向着日色脱开衣服捉虱子,蒯三上前叫声香公。那老儿抬起头来,认得是蒯匠,便道:"连日不见。怎么有工夫闲走?院主正要寻你做些小生活,来得凑巧。"蒯匠见说,正合其意,便道:"不知院主要做甚么?"香公道:"说便恁般说,连我也不知。同进去问,便晓得。"把衣服束好,一同进来。弯弯曲曲,直到里边净室中。静真坐在那里写经。香公道:"院

① 圭角——圭,上尖下方的一种玉器。圭角,指圭的楞角。这里是迹象的意思。

主，蒯待诏①在此。"静真把笔放下道："刚要着香公来叫你做生活，恰来得正好。"蒯三道："不知院主要做甚样生活？"静真道："佛前那张供桌，原是祖传下来的。年深月久，漆都落了。一向要换，没有个施主。前日蒙钱奶奶发心舍下几根木子。今要照依东院一般做张佛柜。选着明日是个吉期，便要动手。必得你亲手制造；那样没用副手，一个也成不得的。工钱素性②一并罢。"蒯三道："恁样，明日准来。"口中便说，两只眼四下瞧看。静室内空空的，料没个所在隐藏。即便转身，一路出来，东张西望。想道："这绦在东院拾的，还该到那边去打探。"走出院门，别了香公，经到东院。见院门半开半掩，把眼张看，并不见个人儿。轻轻的挨将进去，捏手捏脚逐步走入。见锁着的空房，便从门缝中张望，并无声息。却走到厨房门首，只听得里边笑声，便立定了脚，把眼向窗中一觑，见两个女童搅做一团玩耍。须臾间，小的跌倒在地，大的便扛起双足，跨上身去，学男人行事，捧着亲嘴。小的便喊。大的道："孔儿也被人弄大了，还要叫喊！"蒯三正看得得意，忽地一个喷嚏，惊得那两个女童连忙跳起，问道："哪个？"蒯三走近前去，道："是我。院主可在家么？"口中便说，心内却想着两个举动，忍笑不住，格的笑了一声。女童觉道被他看见，脸都红了，道："蒯待诏，有甚说话？"蒯三道："没有甚话。要问院主借工钱用用。"女童道："师父不在家里，改日来罢。"蒯三见回了，不好进去，只得覆身出院。两个女童把门关上，口内骂道："这蛮子好像做贼的，声息不见，已到厨下，恁样可恶！"蒯三明明听得，未见实迹，不好发作。一路思想："孔儿被人弄大，这句话虽不甚明白，却也觉得跷蹊。且到明日再来探听。"至次日早上，带着家伙，径到西院，将木子量划尺寸，运动斧锯裁截。手中虽做家伙，一心察听赫大卿消息。约莫未牌时分，静真走出观看。两下说了一回闲话。忽然抬头见香灯中火灭，便教女童去取火。女童去不多时，将出一个灯火盏儿，放在桌上，便去解绳，放那灯香。不想绳子放得忒松了，那盏灯望下直溜。事有凑巧，物有偶然，香灯刚落下来，恰好静真立在其下，不歪不斜，正打在他的头上。扑的一声，那盏灯碎做两片，这油从头直浇到底。静真心中

① 待诏——旧时把养在宫中随时等待皇帝的诏命派用的那些人称为"待诏"，后引申为对工匠、手艺人的称呼。

② 素性——索性。

大怒，也不顾身上油污，赶上前一把揪住女童头发，乱打乱踢，口中骂道："骚精淫妇娼根，被人入昏了，全不照管，污我一身衣服！"蒯三撇下手中斧凿，忙来解劝开了。静真怒气未息，一头走，一头骂，往里边更换衣服去了。那女童打的头发散做一背，哀哀而哭。见他进来，口中喃喃的道："打翻了油便恁般打骂！你活活弄死了人，该问甚么罪哩？"蒯三听得这话，即忙来问。正是：

情知语似钩和线，从头钓出是非来。

原来这女童年纪也在当时，初起见赫大卿与静真百般戏弄，心中也欲得尝尝滋味。怎奈静真情性利害，比空照大不相同，极要拈酸吃醋。只为空照是首事之人，姑容了他。汉子到了自己房头，囫囵①吃在肚子，还嫌不够，怎肯放些须空隙与人！女童含忍了多时，衔恨在心。今日气怒间，一时把真话说出。不想正凑了蒯三之趣。当下蒯三问道："他怎么弄死了人？"女童道："与东房这些淫女，日夜轮流快活，将一个赫监生断送了。"蒯三道："如今在哪里？"女童道："东房后园大柏树下埋的不是？"蒯三还要问时，香公走将出来，便大家住口。女童自哭向里边去了。蒯三思量这话，与昨日东院女童的正是暗合，眼见得这事有九分了。不到晚，只推有事，收拾家伙，一口气跑至赫家，请出陆氏娘子，将上项事一一说知。陆氏见说丈夫死了，放声大哭。连夜请亲族中商议停当，就留蒯三在家宿歇。到次早，唤集童仆，共有二十来人，带了锄头铁锹斧头之类，陆氏把孩子教养娘看管，乘坐轿子，蜂涌而来。那庵离城不过三里之地，顷刻就到了。陆氏下了轿子，留一半人在门口把住，其余的担着锄头铁锹，随陆氏进去。蒯三在前引路，径来到东院扣门。那时庵门虽开，尼姑们方才起身。香公听得扣门，出来开，看见有女客，只道是烧香的，进去报与空照知道。那蒯三认得里面路径，引着众人，一直望里边径闯，劈面遇着空照。空照见蒯三引着女客，便道："原来是蒯待诏的宅眷。"上前相迎。蒯三、陆氏也不答应，将他挤在半边。众人一溜烟向园中去了。空照见势头勇猛，不知有甚缘故，随脚也赶到园中。见众人不到别处，径至大柏树下，运起锄头铁耙，四下乱撬。空照知事已发觉，惊得面如土色。连忙覆身进来，对着女童道："不好了！赫郎事发了！快些随我来逃命！"两个女童都也吓得目睁口

① 囫囵（húlún）——整个儿。

呆，跟着空照罄身而走。方到佛堂前，香公来报说："庵门口不知为甚，许多人守在，不容我出去。"空照连声叫："苦也！且往西院去再处。"四人飞走到西院，敲开院门，吩咐香公闭上。"倘有人来扣，且勿要开。"赶到里边，那时静真还未起身，门上闭着。空照一片声乱打。静真听得空照声音，急忙起身，穿着衣服，走出问道："师弟为甚这般忙乱？"空照道："赫郎事体，不知哪个漏了消息，蒯木匠这天杀的，同了许多人径赶进后园，如今在那里发掘了。我欲要逃走，香公说门前已有人把守，出去不得。特来与你商议。"静真听说，吃这一惊，却也不小！说道："蒯匠昨日也在这里做生活，如何今日便引人来？却又知得恁般详细。必定是我庵中有人走漏消息，这奴狗方才去报新闻。不然，何由晓得我们的隐事。"那女童在旁闻得，懊悔昨日失言，好生惊惶，东院女童道："蒯匠有心，想非一日了。前日便悄悄直到我家厨下来听消耗①，被我们发作出门。但不知哪个泄漏的？"空照道："这事且慢理论。只是如今却怎么处？"静真道："更无别法，只有一个走字。"空照道："门前有人把守。"静真道："且看后门。"先教香公打探，回说并无一人。空照大喜，一面教香公把外边门户一路关锁，自己到房中取了些银两，其余尽皆弃下。连香公共是七人，一齐出了后门，也把锁儿锁了。空照道："如今走在哪里去躲好？"静真道："大路上走，必然被人遇见，须从僻路而去，往极乐庵暂避。此处人烟稀少，无人知觉。了缘与你我情分又好，料不推辞。待事平安，再作区处。"空照连声道是，不管地上高低，望着小径，落荒而走。投极乐庵躲避，不在话下。

且说陆氏同蒯三众人，在柏树下一齐着力，锄开面上土泥，露出石灰，都道是了。那石灰经了水，并作一块，急切不能得碎。弄了大一回，方才看见材盖。陆氏便放声啼哭。众人用铁锹垦去两边石灰，那材盖却不能开。外边把门的等得心焦，都奔进来观看。正见弄得不了不当，一齐上前相帮，掘将下去，把棺木弄清，提起斧头，砍开棺盖。打开看时，不是男子，却是一个尼姑。众人见了，都慌做一堆。也不去细认，俱面面相觑，急把材盖掩好。说话的，我且问你：赫大卿死未周年，虽然没有头发，夫妻之间，难道就认不出了？看官有所不知。那赫大卿初出门时，红红白白，是个俊俏子弟，在庵中得了怯症，久卧床褥，死时只剩得一把枯骨。就是引

① 消耗——这里是消息的意思。

镜自照,也认不出当初本身了。况且骤然见了个光头,怎的不认做尼姑?当下陆氏倒埋怨蒯三起来,道:"特地教你探听,怎么不问个的确,却来虚报? 如今弄这把戏,如何是好?"蒯三道:"昨天小尼明明说的,如何是虚报?"众人道:"见今是个尼姑了,还强辩到哪里去!"蒯三道:"莫不掘错了?再在那边垦下去看。"内中有个老年亲戚道:"不可,不可! 律上说,开棺见尸者斩。况发掘坟墓,也该是个斩罪。目今我们已先犯着了。倘再掘起一个尼姑,倒去顶两个斩罪不成? 不如快去告官,拘昨日说的小尼来问,方才扯个两平。若被尼姑先告,倒是老大利害。"众人齐声道是,急忙引着陆氏就走,连锄头家伙倒弃下了。从里边直至庵门口,并无一个尼姑。那老者又道:"不好了! 这些尼姑,不是去叫地方,一定先去告状了,快走,快走!"吓得众人一个个心下慌张,把不能①脱离了此处。教陆氏上了轿子,飞也似乱跑,望新淦县前来禀官。进得城时,亲戚们就躲去了一半。

正是话分两头,却是陆氏带来人众内,有个雇工人,叫做毛泼皮,只道棺中还有甚东西,闪在一边,让众人去后,揭开材盖,掀起衣服,上下一翻,更无别物。也是数合当然,不知怎地一扯,那裤子直褪下来,露出那件话儿。毛泼皮看了笑道:"原来不是尼姑,却是和尚。"依旧将材盖盖好,走出来四处张望。见没有人,就踅到一个房里,正是空照的净室。只拣细软取了几件,揣在怀里,离了非空庵,急急追到县前。正值知县相公在外拜客。陆氏和众人在那里伺候。毛泼皮上前道:"不要着忙,我放不下,又转去相看。虽不是大官人,却也不是尼姑,倒是个和尚。"众人都欢喜道:"如此还好! 只不知这和尚,是甚寺里,却被尼姑谋死?"你道天下有恁般巧事! 正说间,旁边走出一个老和尚来,问道:"有甚和尚谋死在哪个尼姑庵里? 怎么一个模样?"众人道:"是城外非空庵东院,一个长长的黄瘦小和尚,像死不多时哩。"老和尚见说,便道:"如此说来,一定是我的徒弟了。"众人问道:"你徒弟如何却死在哪里?"老和尚道:"老僧是万法寺住持觉圆,有个徒弟叫做去非,今年二十六岁,专一不学长俊。老僧管他不下。自今八月间出去,至今不见回来。他的父母又极护短,不说儿子不学好,反告小僧谋死。今日在此候审。若得死的果然是他,也出脱了老僧。"毛泼皮道:"老师父,你若肯请我,引你去看如何?"老和尚道:"若得如此,可知好么!"

① 把不能——巴不得。

正待走动，只见一个老儿，同着一个婆子，赶上来，把老和尚接连两个巴掌，骂道："你这贼秃！把我儿谋死在哪里？"老和尚道："不要嚷，你儿子如今有着落了。"那老儿道："如今在哪里？"老和尚道："你儿子与非空庵尼姑串好，不知怎样死了，埋在他后园。"指着毛泼皮道："这位便是证见。"扯着他便走。那老儿同婆子一齐跟来，直到非空庵。那时庵旁人家尽皆晓得，若老若幼，俱来观看。毛泼皮引着老和尚，直至里边。只见一间房里，有人叫响。毛泼皮推门进去看时，却是一个将死的老尼姑，睡在床上叫喊："肚里饿了，如何将饭来我吃？"毛泼皮也不管他，依旧把门拽上了。同老和尚到后园柏树下，扯开材盖。那婆子同老儿擦磨老眼仔细看，依稀有些相像，便放声大哭。看的人都拥在做一堆，问起根由，毛泼皮指手划脚，剖说的那事。老和尚见他认了，只要出脱自己，不管真假，一把扯道："去，去，去，你儿子有了，快去禀官，拿尼姑去审问明白，再哭未迟。"那老儿只得住了，把材盖盖好，离了非空庵，飞奔进城。到县前时，恰好知县相公方回。那拘老和尚的差人，不见了原被告，四处寻觅，奔了个满头汗。赫家众人见毛泼皮老和尚到了，都来问道："可真是你徒弟么？"老和尚道："千真万真！"众人道："既如此，并做一事，进去禀罢。"差人带一干人齐到里边跪下。倒先是赫家人上去禀说家主不见缘由，并见蒯匠丝绦，及庵中小尼所说，开棺却是和尚尸首，前后事一一细禀。然后老和尚上前禀说，是他徒弟，三月前蓦然出去，不想死在尼姑庵里，被伊父母讦告①。"今日已见明白，与小僧无干，望乞超豁。"知县相公问那老儿道："果是你的儿子么？不要错了。"老儿禀道："正是小人的儿子，怎么得错！"知县相公即差四个公差到庵中拿尼姑赴审。差人领了言语，飞也似赶到庵里，只见看的人，便拥进拥出，哪见尼姑的影儿。直寻到一间房里，单单一个老尼在床将死快了。内中有一个道："或者躲在西院。"急到西院门口，见门闭着。敲了一回，无人答应。公差心中焦躁，俱从后园墙上爬将过去。见前后门户，尽皆落锁。一路打开搜着，并不见个人迹。差人各溜②过几件细软东西。倒拿地方同去回官。知县相公在堂等候，差人禀道："非空庵尼姑都逃躲

---

① 讦(jié)告——这里有不符合事实的诬告之意。讦，攻击别人的短处或揭发别人的阴私。

② 溜——顺手暗中拿走。

不知去向。拿地方在此回话。”知县问地方道：“你可晓得尼姑躲在何处？”地方道：“这个小人们哪里晓得！”知县喝道：“尼姑在地方上偷养和尚，谋死人命，这等不法勾当，都隐匿不报。如今事露，却又纵容躲过，假推不知。既如此，要地方何用？”喝教拿下去打。地方再三苦告，方才饶得。限在三日内，准要一干人犯。召保在外，听候获到审问。又发两张封皮，将庵门封锁不提。

且说空照、静真同着女童香公来到极乐庵中。那庵门紧紧闭着。敲了一大回，方才香公开门出来。众人不管三七二十一，一齐拥入。流水叫香公把门闭上。庵主了缘早已在门旁相迎。见他们一窝子都来，且是慌慌张张，料想有甚事故，请在佛堂中坐下。一面教香公去点茶。遂开言问其来意。静真扯在半边，将上项事细说一遍，要借庵中躲避。了缘听罢，老大吃惊。沉吟了一回，方道：“二位师兄有难来投，本当相留。但此事非同小可！往远处逃遁，或可避祸。我这里墙卑室浅，耳目又近。倘被人知觉，莫说师兄不脱，只怕连我也涉在浑水内。如何躲得！”你道了缘因何不肯起来？他也是个广开方便门的善知识①，正勾搭万法寺小和尚去非做了光头夫妻，藏在寺中三个多月。虽然也扮作尼姑，常恐露出事来，故此门户十分紧急。今日静真也为那桩事败露来躲避，恐怕被人缉着，岂不连他的事也出丑，因这上不肯相留。空照师徒见了缘推托，面面相觑，没做理会。到底静真有些贼智，晓得了缘平昔贪财，便去袖中摸出银子，拣上二三两，递与了缘道：“师兄之言，虽是有理，但事起仓卒，不曾算得个去路，急切投奔何处？望师兄念向日情分，暂容躲避两三日。待势头稍缓，然后再往别处。这些少银两，送与师兄为盘缠之用。”果然了缘见了银子，就忘了利害，乃道：“若只住两三日，便不妨碍。如何要师兄银子！”静真道：“在此搅扰，已是不当，岂可又费师兄。”了缘假意谦让一回，把银收过，引入里边去藏躲。且说小和尚去非，闻得香公说是非空庵师徒五众，且又生得标致，忙走出来观看。两下却好打个照面，各打了问讯。静真仔细一看，却不认得。问了缘道：“此间师兄，上院何处？怎么不曾相会？”了缘扯个谎道：“这是近日新得来的师弟，故此师兄还认不得。”那小和尚见静真师徒姿色胜似了缘，心下好不欢喜。想道：“我好造化！哪里说起，天赐这几个

---

① 善知识——佛教用语，这里是好伴侣的意思。

妙人在此，少不得都刮上他，轮流儿取乐快活！”当下了缘备办些素斋款待。静真、空照心中有事，耳热眼跳，坐立不安，哪里吃得下饮食。到了申牌时分，向了缘道：“不知庵中事体若何？欲要央你们香公去打听个消息，方好计较长策。”了缘即教香公前去。那香公是个老实头，不知利害，一经奔到非空庵前，东张西望。那时地方人等正领着知县钧旨，封锁庵门，也不管老尼死活，反锁在内，两皮封条，交叉封好。方待转身，见那老头探头探脑，晃来晃去，情知是个细作，齐上前喝道：“官府正要拿你，来得恰好！”一个拿起索子，向颈上便套。吓得香公身酥脚软，连声道：“他们借我庵中躲避，央来打听的。其实不干我事。”众人道：“原晓得你是打听的，快说是哪个庵里？”香公道：“是极乐庵里。”众人得了实信，又叫几个帮手，押着香公齐到极乐庵，将前后门把好，然后叩门。里边晓得香公回来，了缘急急出来开门。众人一拥而入，迎头就把了缘拿住，押进里面搜捉，不曾走了一个。那小和尚着了忙，躲在床底下，也被搜出。了缘向众人道：“他们不过借我庵中暂避，其实做的事体，与我分毫无干。情愿送些酒钱与列位，怎地做个方便，饶了我庵里罢。”众人道：“这使不得！知县相公好不利害哩！倘然问在何处拿的，教我们怎生回答？有干无干，我们总是不知，你自到县里去分辩。”了缘道：“这也容易。但我的徒弟乃新出家的，这个可以免得。望列位做个人情。”众人贪了银子，却也肯了。内中又有个道：“成不得！既是与他莫相干，何消这等着忙，直躲入床底下去？一定也有些跷蹊。我们休担这样干系。”众人齐声道是。都把索子扣了，连男带女，共是十人，好像端午的粽子，做一串儿牵出庵门，将门封锁好了，解入新淦县来。一路上了缘埋怨静真连累，静真半字不敢回答。正是：

　　老龟蒸不烂，移祸于空桑①。

是时天色傍晚，知县已是退衙。地方人又带回家去宿歇。了缘悄悄与小和尚说道：“明日到堂上，你只认作新出家的徒弟，切莫要多讲。待我去分说，料然无事。”到次日，知县早衙，地方解进去禀道：“非空庵尼姑俱

---

① 老龟蒸不烂，移祸于空桑——相传三国时，有人捕一大龟，献给孙权，孙权让人煮它，烧柴万车，仍煮不烂。诸葛恪说要用老桑树煮它才会烂。于是孙权派人伐桑木煮龟，很快就煮烂。白居易有诗云：“老龟煮不烂，延祸及枯桑。”这里是连累之意。

躲在极乐庵中，今已缉获，连极乐庵尼姑通拿在此。”知县教跪在月台东首。既差人唤集老和尚、赫大卿家人、蒯三并小和尚父母来审。哪消片刻，俱已唤到，令跪在月台西首。小和尚偷眼看见，惊异道：“怎么我师父也涉在他们讼中？连爹妈都在此，一发好怪！”心下虽然暗想，却不敢叫唤，又恐师父认出，倒把头儿别转，伏在地上。那老儿同婆子，也不管官府在上，指着尼姑，带哭带骂道：“没廉耻的狗淫妇！如何把我儿子谋死？好好还我活的便罢！”小和尚听得老儿与静真讨人，愈加怪异，想道：“我好端端活在此，哪里说起却与他们索命？”静真、空照还认是赫大卿的父母，哪敢则声。知县见那老儿喧嚷，呵喝住了，唤空照、静真上前问道：“你既已出家，如何不守戒律，偷养和尚，却又将他谋死？从实招来，免受刑罚。”静真、空照自己罪犯已重，心慌胆怯，那五脏六腑，犹如一团乱麻，没有个头绪。这时见知县不问赫大卿的事情，去问什么和尚之事，一发摸不着个头路。静真那张嘴头子，平时极是能言快语，到这回恰如生漆获牢，鱼胶粘住，挣不出一个字儿。知县连问四五次，刚刚挣出一句道：“小尼并不曾谋死哪个和尚。”知县喝道：“现今谋死了万法寺和尚去非，埋在后园，还敢抵赖！快夹起来！”两边皂隶答应如雷，向前动手。了缘见知县把尸首认做去非，追究下落，打着他心头之事，老大惊骇，身子不摇自动，想道：“这是哪里说起！他们乃赫监生的尸首，却倒不问，反牵扯我身上的事来，真也奇怪！”心中没想一头处，将眼偷看小和尚。小和尚已知父母错认了，也看着了缘，面面相觑。且说静真、空照俱是娇滴滴的身子，嫩生生的皮肉，如何经得这般刑罚，夹棍刚刚套上，便晕迷了去，叫道：“爹爹不消用刑，容小尼从实招认。”知县止住左右，听他供招。二尼异口齐声说道：“爹爹，后园埋的不是和尚，乃是赫监生的尸首。”赫家人闻说原是家主尸首，同蒯三俱跪上去，听其情款。知县道：“即是赫监生，如何却是光头？”二尼乃将赫大卿到寺游玩，勾搭成奸，及设计剃发，扮作尼姑，病死埋葬，前后之事，细细招出。知县见所言与赫家昨日说话相合，已知是个真情。又问道：“赫监生事已实了，那和尚还藏在何处？一发招来！”二尼哭道：“这个其实不知。就打死也不敢虚认。”知县又唤女童香公逐一细问，其说相同，知得小和尚这事与他无干。又唤了缘、小和尚上去问道：“你藏匿静真同空照等在庵，一定与他是同谋的了。也夹起来！”了缘此时见静真等供招明白，和尚之事，已不缠牵在内，肠子已宽了。从从容容的禀道：“爹爹不必加刑，容小尼细说。静真等昨到小尼庵中，假说被人扎诈，权住一两日，故此误留。其他奸情之事，委实分毫不知。”又指着小和尚道：“这徒弟乃新出家的，与静真等一发从不相认。况此等无耻勾当，败坏佛门体面，即使未曾发出，小尼若稍知声息，亦当出首，岂肯事露之后，还敢藏匿。望爹爹详情超豁①。”知县见他说的有理，笑道：“话倒讲得好。只莫要心不应口。”遂令跪过一边。喝叫皂隶将空照、静真各责五十，东房女童各责三十，两个香公各打二十，都打的皮开肉绽，鲜血淋漓。打罢，知县举笔定罪。静真、空照设计恣淫，伤人性命，依律拟斩。东房二女童，减等，杖八十，官卖。两个香公，知情不举，俱问杖罪。非空庵藏奸之薮，拆毁入官。了缘师徒虽不知情，但隐匿奸党，杖罪纳赎②。西房女童，判令归俗。赫大卿自作之孽，已死勿论。尸棺着令家属领归埋葬。判毕，各令画供。

那老儿见尸首已不是他儿子，想起昨日这场啼哭，好生没趣，愈加忿恨。跑上去禀知县，依旧与老和尚要人。老和尚又说徒弟偷盗寺中东西，藏匿在家，反来图赖，两个争执，连知县也委决不下。意为老和尚谋死，却不见形迹，难以入罪。将为果躲在家，这老儿怎敢又与他讨人。想了一回，乃道：“你儿子生死没个实据，怎好问得！且押出去，细访个的确证见来回话。”当下空照、静真、两个女童都下狱中。了缘、小和尚并两个香公，押出召保。老和尚与那老儿夫妻，原差押着，访问去非下落。其余人犯，俱释放宁家。大凡衙门，有个东进西出的规矩。这时一干人俱从西边丹墀下走出去。那了缘因哄过了知县，不曾出丑，与小和尚两下暗地欢喜。小和尚还恐有人认得，把头直低向胸前，落在众人背后。也是合当败露，刚出西脚门，那老儿又揪住老和尚骂道：“老贼秃！谋死了我儿子，却又把别人的尸首来哄我么？”夹嘴连腮，只管乱打。老和尚正打得连声叫屈，没处躲避，不想有十数个徒弟徒孙们，在那里看出官，见师父被打，齐赶向前推翻了那老儿，挥拳便打。小和尚见父亲吃亏，心中着急，正忘了自己是个假尼姑，竟上前劝道：“列位师兄不要动手。”众和尚举眼观看，却认是去非。即忙放了那老儿，一把扯住小和尚叫道：“师父，好了！去非在此！”押解差人还不知就里，乃道：“这是极乐庵里尼姑，押出去召保的，你们休错

① 超豁——免罪。

② 杖罪纳赎——本该杖责，但交了钱就可以赎免。

认了。”众和尚道：“哦！原来他假扮尼姑在极乐庵里快活，却害师父受累！”众人方才明白是个和尚，一齐都笑起来。旁边只急得了缘叫苦连声，面皮青染。老和尚分开众人，揪过来，一连四五个聒子①，骂道：“天杀的奴狗才！你便快活，害得我苦！且去见老爷来！”拖着便走。那老儿见了儿子已在，又做了假尼姑，料道到官必然责罚，向着老和尚连连叩头道：“老师父，是我无理得罪了！情愿下情赔礼，乞念师徒分上，饶了我孩儿，莫见官罢！”老和尚因受了他许多荼毒，哪里肯听，扭着小和尚直至堂上。差人押着了缘，也随进来。知县看见问道：“那老和尚为何又结扭尼姑进来？”老和尚道：“爷爷，这不是真尼姑，就是小院徒弟去非假扮的。”知县闻言，也忍笑不住道：“如何有此异事？”喝教小和尚从实供来。去非自知隐瞒不过，只得一一招承。知县录了口词，将僧尼各责四十，去非依律问徒，了缘官卖为奴，极乐庵亦行拆毁。老和尚并那老儿，无罪释放。又讨连具枷枷了，各搽半边黑脸，满城迎游示众。那老儿婆子，因儿子做了这不法勾当，哑口无言，惟有满面鼻涕眼泪，扶着枷梢，跟出衙门。那时哄动了满城男女，扶老挈幼，俱来观看。有好事的，作个歌儿道：

可怜老和尚，不见了小和尚；原来女和尚，私藏了男和尚。分明雄和尚，错认了雌和尚。为个假和尚，带累了真和尚。断个死和尚，又明白了活和尚。满堂只叫打和尚，满街争看迎和尚。只为一个莽和尚，弄坏了庵院里娇滴滴许多骚和尚。

且说赫家人同蒯三争奔到家，报知主母。陆氏闻言，险些哭死。连夜备办衣衾棺椁，禀明知县，开了庵门，亲自到庵，重新入殓，迎到祖茔，择日安葬。那时庵中老尼，已是饿死在床。地方报官盛殓，自不必说。这陆氏因丈夫生前不肯学好，好色身亡，把孩子严加教诲。后来明经出仕②，官为别驾之职。有诗为证：

野草闲花恣意贪，化为蜂蝶死犹甘。
名庵并入游仙梦，是色非空作笑谈。

---

① 聒子——耳光，打嘴巴。

② 明经出仕——明经，唐代科举制度中科目之一。这里意思是经过考试选拔出来做官。

第十六卷　陆五汉硬留合色鞋①

得便宜处笑嘻嘻，不遂心时暗自悲。

谁识天公颠倒用，得便宜处失便宜。

近时有一人，姓强，平日好占便宜，倚强凌弱，里中都惧怕他，熬出一个浑名，叫做强得利。一日，偶出街市行走，看见前边一个单身客人，在地下捡了一个兜肚儿，提起颇重，想来其中有物，慌忙赶上前拦住客人，说道："这兜肚是我腰间脱下来的，好好还我。"客人道："我在前面走，你在后面来，如何倒是你腰间脱下来的？好不通理！"强得利见客人不从，就擘手去抢，早扯住兜肚上一根带子。两下你不松，我不放，街坊人都走拢来，问其缘故，二人各争执是自己的兜肚。众人不能剖判。其中一个老者开言道："你二人口说无凭，且说兜肚中什么东西。合得着便是他的。"强得利道："谁耐烦与你猜谜道白。我只认得自己的兜肚，还我便休。若不还时，与你拼个死活。"只这句话，众人已知不是强得利的兜肚了。多有惧怕强得利的，有心帮衬他，便上前解劝道："客人，你不识此位强大哥么？是本地有名的豪杰。这兜肚，你是地下捡的，料非己物。就把来结识了这位大哥，也是理所当然。"客人被劝不过，便道："这兜肚果然不是小人的。只是财可义取，不可力夺。既然列位好言相劝，小人情愿将兜肚打开，看是何物。若果有些采头，分作三股。小人与强大哥各得一股，那一股送与列位们做个利市，店中共饮三杯，以当酬劳。"那老者道："客官最说得是。强大哥且放手，都交付与老汉手里。"老者取兜肚打开看时，中间一个大布包，包中又有三四层纸，裹着光光两锭雪花样的大银，每锭有十两重。强得利见了这银子，爱不可言，就使欺心起来，便道："论起三股分开，可惜錾②坏了这两个锞儿。我身边有几两散碎银子，要去买牲口的，把来送与客人，留下这锞儿与我罢。"一头说，一头在腰里摸将出来三四个零碎包儿，凑起还称不上四两银子，连众人吃酒东道都在其内。客人如何肯放。两下又

① 合色鞋——用几种颜色的料子拼做成的一种鞋。

② 錾(zàn)——凿。

争嚷起来，又有人点拨客人道："这位强大哥不是好惹的！你多少得些采去罢。"老者也劝道："客官，这四两银子，都把与你，我们众人这一股不要了。哪一日不吃酒，省了这东道奉承你二位罢。"口里说时，那两锭银子在老者手中，已被强得利擘手抢去了。那客人没奈何，只得留了这四两银子。强得利道："虽然我身边没有碎银，前街有个酒店，是我舅子开的。有劳众位多时，少不得同去一坐。"众人笑道："恁地时，连客官也去吃三杯，今后就做个相识。"一行十四五人，同走到前街朱三郎酒店里大楼上坐下。强得利一来白白里得了这两锭大银，心中欢喜，二来感谢众人帮衬，三来讨了客人的便宜，又赖了众人一股利市，心上也未免有些不安。况且是自己舅子开张的酒店，越要卖弄，好酒好食，只顾教搬来，吃得个不亦乐乎。众人个个醉饱，方才撒手。共吃了三两多银子。强得利教记在自家账上。众人出门作别，各自散讫。客人干净得了四两银子，也自归家去了。

过了两日，强得利要买牲口，舅子店里又来取酒钱，家中别无银两，只得把那两锭雪白样的大银，在一个倾银铺里去倾销，指望加出些银水。那银匠接银在手，翻覆看了一回，手内颠上几颠，问道："这银子哪里来的？"强得利道："是交易上来的。"银匠道："大郎被人哄了。这是铁胎假银。外边是细丝，只薄薄一层皮儿，里头都是铅铁。"强得利不信，只要錾开。银匠道："錾坏时，大郎莫怪。"银匠动了手，乒乒乓乓錾开一口子，那银皮裂开，里面露出假货。强得利看了，自也不信：一生不曾做这折本的交易，自作自受，埋怨不得别人。坐在柜桌边，呆呆的对着这两锭银子只顾看。引下许多人进店，都来认那铁胎银的，说长说短。强得利心中越气。正待寻事发作，只见门外两个公差走入，大喝一声，不由分说，将链子扣了强得利的颈，连这两锭银子，都解到一个去处来。原来本县库上钱粮收了几锭假银，知县相公暗差做公的在外缉访。这兜肚里银子，不知是何人掉下的，那锭样正与库上的相同。因此被做公的拿了，解上县堂。知县相公一见了这锭样，认定是造假银的光棍，不容分诉，一上打了三十毛板①，将强得利送入监里，要他赔补库上这几锭银子，三日一比较。强得利无可奈何，只得将田产变价上库，又央人情在知县相公处说明这两锭银子的来历。

① 毛板——竹板。

知县相公听了分上①，饶了他罪名，释放宁家。共破费了百外银子。一个小小家当，弄得七零八落，被里中做下几句口号，传做笑话，道是：

强得利，强得利，做事全不济！得了两锭寡铁，破了百金家计。公堂上毛板是我打来，酒店上东道别人吃去。似此折本生涯，下次莫要淘气。从今改强为弱，得利唤做失利。再来吓里欺邻，只怕缩不上鼻涕。

这段话叫做《强得利贪财失采》，正是：得便宜处失便宜。如今再讲一个故事，叫做《陆五汉硬留合色鞋》，也是为讨别人的便宜，后来弄出天大的祸来。正是：

爽口食多应损胃，快心事过必为殃。

话说国朝弘治年间，浙江杭州府城，有一少年子弟，姓张名荩，积祖是大富之家。幼年也曾上学攻书。只因父母早丧，没人拘管，把书本抛开，专与那些浮浪子弟往来，学就一身吹弹蹴踘，惯在风月场中卖弄，烟花阵里钻研。因他生得风流俊俏，多情知趣，又有钱钞使费，小娘们多有爱他的，奉得神魂颠倒，连家里也不思想。妻子累谏不止，只索由他。一日，正值春间，西湖上桃花盛开。隔夜请了两个名妓，一个唤做娇娇，一个唤做倩倩，又约了一般几个子弟，教人唤下湖船，要去游玩。自已打扮起来，头戴一顶时样绉纱巾，身穿着银红吴绫道袍，里边绣花白绫袄儿，脚下白绫袜、大红鞋，手中执一柄书画扇子。后面跟一个垂髫标致小厮，叫做清琴，是他的宠童，左臂上挂着一件披风，右手拿着一张弦子、一管紫箫，都是蜀锦制成囊儿盛裹。离了家中，望钱塘门摇摆而来。却打从十官子巷中经过。忽然抬头，看见一家临街楼上，有个女子揭开帘儿，泼那梳妆残水。那女子生得甚是娇艳。怎见得？有《清江引》为证：

谁家女儿，委实的好，赛过西施貌。面如白粉团，鬓似乌云绕。若得他近身时，魂灵儿都掉了。

张荩一见，身子就酥了半边，便立住脚，不肯转身。假意咳嗽一声。那女子泼了水，正待下帘，忽听得咳嗽声响，望下观看，一眼瞧见个美貌少年，人物风流，打扮乔画，也凝眸流盼。两面对觑，四目相视，那女子不觉微微而笑。张荩一发魂不附体。只是上下相隔，不能通话。正看间，门里忽走出个中年人来，张荩慌忙回避。等那人去远，又复走转看时，女子已

① 分上——人情。

下帘进去。站立一回,不见踪影。教清琴记了门面,明日再来打探。临行时,还回头几次。那西湖上,平常是他的脚边路,偏这日见了那女子,行一步,懒一步,就如走几百里山路一般,甚是厌烦。出了钱塘门,来到湖船上。那时两个妓女和着一班子弟,都已先到。见张荩上船,俱走出船头相迎。张荩下了船,清琴把衣服弦子箫儿放下。稍子开船,向湖心中去。那一日天色晴明,堤上桃花含笑,柳叶舒眉,往来踏青士女,携酒挈榼①,纷纷如蚁。有诗为证:

山外青山楼外楼,西湖歌舞几时休?
暖风薰得游人醉,错把杭州作汴州。

且说张荩船中这班子弟们,一个个吹弹歌唱,施逞技艺。偏有张荩一意牵挂那楼上女子,无心欢笑,托腮呆想。他也不像游春,倒似伤秋光景。众人都道:"张大爷平昔不是恁般,今日为何如此不乐?必定有甚缘故。"张荩含糊答应,不言所以。众人又道:"大爷不要败兴,且开怀吃酒,有甚事等我众弟兄与你去解纷。"又对娇娇、倩倩道:"想是大爷怪你们不来帮衬,故此着恼。还不快奉杯酒儿下礼?"娇娇、倩倩,真个筛过酒来相劝。张荩被众人鬼浑,勉强酬酢,心不在焉。未到晚,就先起身,众人亦不强留。上了岸,进钱塘门,原打十官子巷经过。到女子门首,复咳嗽一声。不见楼上动静。走出巷口,又踅转来,一连数次,都无音响。清琴道:"大爷,明日再来罢。若只管往来,被人疑惑。"张荩依言,只得回家。明日到他家左近访问,是何等人家。有人说:"他家有名叫做潘杀星潘用,夫妻两个,止生一女,年才十六,唤做寿儿。那老儿与一官宦人家薄薄里有些瓜葛,冒着他的势头,专在地方上吓诈人的钱财,骗人酒食。地方上无一家不怕他,无一个不恨他。是个赖皮刁钻主儿。"张荩听了,记在肚里,慢慢地在他门首踱过。恰好那女子开帘远望,两下又复相见。彼此以目送情,转加亲热。自此之后,张荩不时往来其下探听,以咳嗽为号。有时看见,有时不见。眉来眼去,两情甚浓。只是无门得到楼上。一夜,正是二月十五,皓月当天,浑如白昼。张荩在家坐立不住,吃了夜饭,趁着月色,独步到潘用门首,并无一个人来往。见那女子正卷起帘儿,倚窗望月。张荩在下看见,轻轻咳嗽一声。上面女子会意,彼此微笑。张荩袖中摸出一条红

---

① 榼(kē)——泛指盒类的容器。

绫汗巾，结个同心方胜①，团做一块，望上掷来。那女子双手来接，恰好正中。就月底下仔细看了一看，把来袖过。就脱下一只鞋儿投下。张荩双手承受，看时是一只合色鞋儿。将指头量摸，刚刚一折②。把来系在汗巾头上，纳在袖里，望上唱个肥喏。女子还了个万福。正在热闹处，那女子被父母呼唤，只得将窗儿闭上，自下楼去。张荩也兴尽而返。归到家里，自在书房中宿歇。又解下这只鞋儿，在灯前细玩，果是金莲一瓣，且又做得甚精细。怎见得？也有《清江引》为证：

觑鞋儿三寸，轻罗软窄，胜蕖花片。若还绣满花，只费分毫线。怪他香喷喷不沾泥，只在楼上转。

张荩看了一回，依旧包在汗巾头上，心中想道："须寻个人儿通信与他，怎生设法上得楼去方好。若只如此空砑光③。眼饱肚饥，有何用处！"左思右算，除非如此，方能到手。明日午前，袖了些银子，走至潘家门首。望楼上不见可人，便远远的借个人家坐下，看有甚人来往。事有凑巧，坐不多时，只见一个卖婆，手提着个小竹撞④，进他家去。约有一时辰，依原提着竹撞出来，从旧路而去。张荩急赶上一步，看时不是别人，却是惯走大家卖花粉的陆婆，就在十官子巷口居住。那婆子以卖花粉为名，专一做媒作保，做马泊六⑤，正是他的专门，故此家中甚是活动。儿子陆五汉在门前杀猪卖酒，平昔酗酒撒泼，是个凶徒。连那婆子时常要教训几拳的。婆子怕打，每事倒都依着他，不敢一毫违拗。当下张荩叫声陆妈妈。陆婆回头认得，便道："呀，张大爷何来？连日少会。"张荩道："适才去寻个朋友不遇，便道在此经过。你怎一向不到我家走走？那些丫头们，都望你的花哩。"陆婆道："老身日日要来拜望大娘，偏有这些没正经事，绊住身子，不曾来得。"一头说，已到了陆婆门首。只见陆五汉在店中卖肉卖酒，十分热闹。陆婆道："大爷吃茶去便好。只是家间齷齪，不好屈得贵人。"张荩道："茶倒不消，还要借几步路说话。"陆婆道："少待。"连忙进去，放了竹撞出

① 同心方胜——叠成菱形的花样。
② 折(zhǎ)——拃。拇指与食指伸直，约五寸左右，叫一折。
③ 砑(yà)光——这里是眉来眼去的意思。砑，碾。
④ 小竹撞——小竹匣子。
⑤ 马泊六——旧时称诱引男女搞不正当关系的人。

来道："大爷有甚事作成老媳妇？"张荩道："这里不是说话之处，且随我来。"直引到一个酒楼上，拣个小阁儿中坐下。酒保放下杯箸，问道："可还有别客么？"张荩道："只我二人。上好酒暖两瓶来，时新果子，先将来案酒。好嗄饭①只消三四味就够了。"酒保答应下去。不一时，都已取到，摆做一桌子。斟过酒来，吃了数杯。张荩打发酒保下去，把阁子门闭了，对陆婆道："有一事要相烦妈妈，只怕你做不来。"那婆子笑道："不是老身夸口，凭你天大样疑难事体，经着老身，一了百当。大爷有甚事，只管吩咐来，包在我身上与你完成。"张荩道："只要如此便好。"当下把两臂靠在桌上，舒着颈，向婆子低低说道："有个女子，要与我勾搭，只是没有做脚的，难得到手。晓得你与他家最熟，特来相求，去通个信儿。若说法得与我一会，决不忘恩。今日先有十两白物在此，送你开手。事成之后，还有十两。"便去袖里摸出两个大锭，放在桌上。陆婆道："银子是小事。你且说是哪一家的雌儿？"张荩道："十官子巷潘家寿姐，可是你极熟的么？"陆婆道："原来是这个小鬼头儿。我常时见他端端正正，还是黄花女儿，不像要寻野食吃的，怎生着了你的道儿？"张荩把前后遇见，并夜来赠鞋的事，细细与婆子说知。陆婆道："这事倒也有些难处哩。"张荩道："有甚难处？"陆婆道："他家的老子利害，家中并无一个杂人，止有嫡亲三口，寸步不离。况兼门户谨慎，早闭晏②开，如何进得他家？这个老身不敢应承。"张荩道："妈妈，你适才说天大极难的事，经了你就成。这些小事，如何便推故不肯与我周全？想必嫌谢礼微薄，故意作难么？我也不管，是必要在你身上完成。我便再加十两银子、两匹缎头，与你老人家做寿衣何如？"陆婆见着雪白两锭大银，眼中已是出火，却又贪他后手找帐，心中不舍。想了一回，道："既大爷恁般坚心，若老身执意推托，只道我不知敬重了。待老身竭力去图，看你二人缘分何如。倘图得成，是你造化了。若图不成，也勉强不得，休得归罪老身。这银子且留在大爷处，但有些影子，然后来领。他与你这只鞋儿，倒要把来与我，好去做个话头。"张荩道："你若不收银子，我怎放心！"陆婆道："既如此，权且收下。若事不谐，依旧璧还。"把银揣在袖里。张荩摸出汗巾，解下这只合色鞋儿，递与陆婆。陆婆接在手中，细细

① 嗄饭——指下饭的菜。嗄饭，下饭。

② 晏（yàn）——晚；迟。

看了一看，喝采道："果然做得好！"将来藏过。两个又吃了一回酒食，起身下楼，算还酒钱，一齐出门。临别时，陆婆又道："大爷，这事须缓缓而图，性急不得的。若限期限日，老身就不敢奉命了。"张荩道："只求妈妈用心，就迟几日也不大紧。倘有些好消息，竟到我家中来会。"道罢，各自分别而去。正是：

要将撮合三杯酒，结就欢娱百岁缘。

且说潘寿儿自从见了张荩之后，精神恍惚，茶饭懒沾，心中想道："我若嫁得这个人儿，也不枉为人一世！但不知住在哪里？姓甚名谁？"那月夜见了张荩，恨不得生出两个翅儿，飞下楼来，随他同去。得了那条红汗巾，就当做情人一般，抱在身边而卧。睡到明日午牌时分，还痴迷不醒。直待潘婆来唤，方才起身。又过两日，早饭以后，潘用出门去了，寿儿在楼上，又玩弄那条汗巾。只听得下面有人说话响，却又走上楼来。寿儿连忙把汗巾藏过。走到胡梯边看时，不是别人，却是卖花粉的陆婆。手内提着竹撞，同潘婆上来。到了楼上，陆婆道："寿姐，我昨日得了几般新样好花，特地送来与你。"连忙开了竹撞，取出一朵来道："寿姐，你看何如？可像真的一般么？"寿儿接过手来道："果然做得好！"陆婆又取出一朵来，递与潘婆道："大娘，你也看看，只怕后生时，从不曾见恁样花样哩。"潘婆道："真个我幼时只戴得那样粗花儿，不像如今做得这样细巧。"陆婆道："这个只算中等，还有上上号的。若看了眼，盲的就亮起来，老的便少起来，连寿还要增上几年哩。"寿儿道："你一发拿出来与我瞧瞧。"陆婆道："只怕你不识货，出不得这样贵价钱。"寿儿道："若买你的不起，看是看得起的。"陆婆赔笑道："老身是取笑话儿，寿姐怎认真起来？就连我这篮儿都要了，也值得几何！待我取出来与你看。只拣好的，任凭取择。"又取出几朵来，比前更加巧妙。寿儿拣好的取了数朵，道："这花怎么样卖？"陆婆道："呀！老身每常何曾与你争惯价钱，却要问价起来？但凭你吩咐罢了。"又道："大娘，有热茶便相求一碗。"潘婆道："看花兴了①，连茶都忘记去取。你要热的，待我另烧起来。"说罢，往楼下而去。陆婆见潘婆转了身，把竹撞内花朵整顿好了，却又从袖中摸出一个红绸包儿，也放在里边。寿儿问道："这包的是什么东西？"陆婆道："是一件要紧物事，你看不得的。"寿儿道："怎么看

---

① 兴了——高兴。

不得？我偏要看。”把手便去取。陆婆口中便说：“决不与你看！”却放个空让他一手拈起，连叫啊呀，假意来夺时，被寿儿抢过那边去。打开看时，却是他前夜赠与那生的这只合色鞋儿。寿儿一见，满面通红。陆婆便劈手夺去道：“别人的东西，只管乱抢！”寿儿道：“妈妈，只这一只鞋儿，值甚么钱，你恁般尊重！把绸儿包着，却又人看不得。”陆婆笑道：“你便这样说不值钱！却不道有个官人，把这只鞋儿当似性命一般，教我遍处寻访那对儿哩。”寿儿心中明白是那人教他来通信，好生欢喜。便去取出那一只来，笑道：“妈妈，我倒有一只在此，正好与他恰是对儿。”陆婆道：“鞋便对着了，你却怎么发付那生？”寿儿低低道：“这事妈妈总是晓得的了，我也不消瞒得，索性问个明白罢。那生端的是何等之人？姓甚名谁？平昔做人何如？”婆子道：“他姓张名荩，家中有百万家私，做人极是温存多情。为了你，日夜牵肠挂肚，废寝忘餐。晓得我在你家相熟，特央我来与你讨信。可有个法儿放他进来么？”寿儿道：“你是晓得我家爹爹又利害，门户甚是紧急，夜间等我吹熄灯火睡过了，还要把火来照过一遍，方才下去歇息。怎么得个策儿与他相会？妈妈，你有什么计策，成就了我二人之事，奴家自有重谢。”陆婆相了一相道：“不打紧，有计在此。”寿儿连忙问道：“有何计策？”陆婆道：“你夜间早些睡了，等爹妈上来照过，然后起来。只听下边咳嗽为号，把几匹布接长垂下楼来，待他从布上攀缘而上。到五更时分，原如此而下。就往来百年，也没有哪个知觉。任凭你两个取乐，可不好么？”寿儿听说，心中欢喜道：“多谢妈妈玉成。还是几时方来？”陆婆道：“今日天晚已来不及，明日侵早去约了他，到晚来便可成事。只是再得一件信物与他，方见老身做事的当。”寿儿道：“你就把这对鞋儿，一总拿去为信。他明晚来时，依旧带还我。”说犹未了，潘婆将茶上来。陆婆慌忙把鞋藏于袖中，啜了两杯茶。寿儿道：“陆妈妈，花钱今日不便，改日奉还罢。”陆婆道：“就迟几日不妨得。老身不是这琐碎的。”取了竹撞，作别起身。潘婆母子直送到中门口。寿儿道：“妈妈，明日若空，走来话话。”陆婆道：“晓得。”这是两个意会的说话，潘婆哪里知道。正是：

浪子心，佳人意，不禁眉来和眼去，虽然色胆大如天，中间还要人传会。伎俩熟，口舌利，握雨携云多巧计，虔婆绰号马泊六，多少良家受他累。不怕天，不怕地，不怕旁人闲放屁；只须瞒却父和娘，暗中撮就鸳鸯对。朝相对，暮相对，想得人如痴与醉。不是冤家不聚头，杀却虔婆方出气。

且说陆婆也不回家，径望张荩家来。见了他浑家，只说卖花。问张荩时，却不在家。张荩合家那些妇女，把他这些花都抢一个干净，也有现，也有赊，混了一回。等他不及，作别起身。明日绝早，袖了那双鞋儿，又到张家问时，说："昨夜没有回来，不知住在哪里。"陆婆依旧回到家中。恰好陆五汉要杀一口猪，因副手出去了，在那里焦躁。见陆婆归家，道："来得极好！且相帮我缚一缚猪儿。"那婆子平昔惧怕儿子，不敢不依，道："待我脱了衣服帮你。"望里边进去。陆五汉就随他进来，见婆子脱衣时，落下一个红绸包儿。陆五汉只道是包银了，拾起来，走到外边，解开看时，却是一双合色女鞋，唱采道："谁家女子，有恁般小脚！"相了一会，又道："这个小脚女子，必定是有颜色的。若得抱在身边睡一夜，也不枉此一生！"又想道："这鞋如何在母亲身边？却又是穿旧的。有恁般珍重，把绸儿包着。其中必有缘故。待他寻时，把话儿吓他，必有实信。"原把来包好，揣在怀里。婆子脱过衣裳，相帮儿子缚猪来杀了，净过手，穿了衣服，却又要去寻张荩。临出门，把手摸袖中时，那双鞋儿却不见了。连忙复转身寻时，影也不见。急得那婆子叫天叫地。陆五汉冷眼看母亲恁般着急，由他寻个气叹，方才来问道："不见了什么东西？这样着急！"婆子道："是一件要紧物事，说不得的。"陆五汉道："若说个影儿，或者你老人家目力不济，待我与你寻看。如说不得的，你自去寻，不干我事。"婆子见儿子说话跷蹊，便道："你若拾得，还了我，有许多银子在上，够你做本钱哩。"陆五汉见说有银子，动了火，问道："拾倒是我拾得。你说那根由与我，方才还你。"婆子叫到里边去，一五一十，把那两个前后的事，细细说与。陆五汉探了婆子消息，心中欢喜，假意惊道："早与我说知，不然，几乎做出事来。"婆子道："却是为何？"陆五汉道："自古说得好，若要不知，除非莫为。这样事，怎掩得人的耳目。况且潘用那个老强盗，可是惹得他的么？倘或事露，晓得你赚了银两，与他做脚，那时不要说把我做本钱，只怕连我的店底都倒在他手里，还不象意①哩。"陆婆被儿子一吓，心中老大惊慌，道："儿说得有理！如今我把这银子和鞋儿还了他，只说事体不谐，不管他闲帐罢了。"陆五汉笑道："这银在哪里？"陆婆便去取出来与儿子看。五汉把来袖了道："母亲，这银子和鞋儿，留在这里。万一后日他们从别处弄出事来，连累你时，把

---

①　象意——满意。

他做个证见。若不到这田地，那银子落得用的，他敢来讨么?”陆婆道:“倘张大老来问回音，却怎么处?”五汉道:“只说他家门户紧急，一时不能。若有机会，便来通报。回他数次，自然不来了。”那婆子银子、鞋儿都被五汉拿去，又不敢讨，手中没了把柄，又怕弄出事来，也不敢去约张荩。且说陆五汉把这十两银子，办起几件华丽衣服，也买一顶绉纱巾儿，到晚上等陆婆睡了，约莫一更时分，将行头打扮起来，把鞋儿藏在袖里，取锁反锁了大门，一径到潘家门。其夜微云笼月，不甚分明，且喜夜深人静。陆五汉在楼墙下，轻轻咳嗽一声。上面寿儿听得，连忙开窗。那窗臼里，呀的有声。寿儿恐怕惊醒爹妈，即桌上取过茶壶来，洒些茶在里边，开时却就不响。把布一头紧紧的缚在柱上，一头便垂下来。陆五汉见布垂下，满心欢喜。撩衣拔步上前，双手挽住布儿，两脚挺在墙上，逐步挨将上去。顷刻已到楼窗边，轻轻跨下。寿儿把布收起，将窗儿掩上，陆五汉就双手抱住，便来亲嘴。此时两情火热，又是黑暗之中，哪辨真假，相偎相抱，解衣就寝。真个你贪我爱，被陆五汉恣情取乐。

当下雨散云收，方才叙阔。五汉将出那双鞋儿，细述向来情款。寿儿也诉想念之由。情犹未足，愈加恩爱。到了四更，即便起身。开了窗，依旧把布放下。五汉攀援下去，急奔回家。寿儿把布收起藏过，轻轻闭上窗儿，原复睡下。自此之后，但是雨下月明，陆五汉就不来。余则无夜不会。往来约有半年，十分绸缪。那寿儿不觉面目语言，非复旧时。潘用夫妻，心中疑惑，几遍将女儿盘问，寿儿只是咬定牙根，一字不吐，那晚五汉又来，寿儿对他说道:“爹妈不知怎么，有些知觉，不时盘问。虽然再四白赖过了，两夜防谨愈严。倘然候着，大家不好。今后你且勿来。待他懒怠些儿，再图欢会。”五汉口中答道:“说得是!”心内甚是不然。到四更时，又下楼去了。当夜潘用蒙眬中，觉道楼上有些唧唧哝哝，侧着耳要听个仔细，然后起来捉奸，不想听了一回，忽地睡去，天明方醒，对潘婆道:“阿寿这贱人，做下不明白的勾当，是真了。他却还要口硬。我昨夜明明里听得楼上有人说话，欲待再听几句，起身去捉他，不想却睡着去。”潘婆道:“便是我也有些疑心。但算来这楼上没个路道儿通得外边。难道是神仙鬼怪，来无迹，去无踪?”潘用道:“如今少不得打他一顿，拷问他真情出来。”潘婆道:“不好! 常言道:家丑不可外扬。若还一打，邻里都要晓得了。传说开去，谁肯来娶他。如今也莫论有这事没这事，只把女儿卧房迁在楼下。临卧时将他房门上落了锁，万无他虞①。你我两口搬在他楼上去睡，看夜间有何动静，便知就里。"潘用道："说得有理。"到晚间吃晚饭时，潘用对寿儿道："今后你在我房中睡罢。我老夫妇要在楼上做房了。"寿儿心中明白，不敢不依，只暗暗地叫苦。当夜互相更换。潘用把女儿房门锁了，对老婆道："今夜有人上楼时，拿住了，只做贼论，结果了他，方出我这气。"把窗儿也不扣上，准候拿人。

不提潘用夫妻商议。且说陆五汉当夜寿儿叮嘱他且缓几时来，心上不悦。却也熬定了数晚，果然不去。过了十余日，忽一晚淫心荡漾，按纳不住，又想要与寿儿取乐。恐怕潘用来捉奸，身边带着一把杀猪的尖刀防备。出了大门，把门反锁好了，直到潘家门首，依前咳嗽。等候一回，楼上毫无动静。只道寿儿不听见，又咳嗽两声，更无音响。疑是寿儿睡着了。如此三四番，看看等至四鼓，事已不谐，只得回家。心中想道："他见我好几夜不去，如何知道我今番在此？这也不要怪他。"到次夜又去，依原不见动静。等得不耐烦，心下早有三分忿怒。到第三夜，自己在家中吃个半酣，等到更阑，掮了一张梯子，直到潘家楼下。也不打暗号，一径上到楼窗边，把窗轻轻一拽，那窗呀的开了。五汉跳身入去，抽起梯子，闭上窗儿，摸至床上来。正是：

一念愿邀云雨梦，片时飞过凤凰楼。

却说潘用夫妻初到楼上这两夜，有心采听风声，不敢熟睡。一连十余夜，静悄悄地老鼠也不听得叫一声，心中已疑女儿没有此事，提防便懈怠了。事有偶然，恰好这一夜寿儿房门上的搭钮断了，下不得锁。潘婆道："只把前后门锁断，房门上用个封条封记，这一夜料没甚事。"潘用依了他说话。其夜老夫妻也用了几杯酒，带着酒兴，两口儿一头睡了，做了些不三不四没正经的生活，身子困倦，紧紧抱住睡熟。故此五汉上来，开闭窗槅，分毫不知。且说五汉摸到床边，正要解衣就寝，却听得床上两个人在一头打齁。心中大怒道："怪道两夜咳嗽，他只做睡着不瞅睬我！原来这淫妇又勾搭上了别人，却假意推说父母盘问，教我且不要来。明明断绝我了！这般无恩淫妇，要他怎的！"身边取出尖刀，把手摸着二人颈项，轻轻透入，尖刀一勒，先将潘婆杀死。还怕咽喉未断，把刀在内三四卷，眼见不

① 虞（yú）——忧虑。

能活了。覆刀转来，也将潘用杀死。揩抹了手上血污，将刀藏过。推开窗子，把梯儿坠下。跨出楼窗，把窗依旧闭好。轻轻溜将下来，担起梯子，飞奔回家去了。且说寿儿自换了卧房，恐怕情人又来打暗号，露出马脚，放心不下。到早上不见父母说起，那一日方才放心。到十余日后，全然没事了。这一日睡醒了，守到巳牌时分，还不见父母下楼，心中奇怪。晓得门上有封记，又不敢自开。只在房中声唤道："爹妈起身罢！天色晏了，如何还睡？"叫唤多时，并不答应。只得开了房门，走上楼来。揭开帐子看时，但见满床流血，血泊里挺着两个尸首。寿儿惊倒在地，半晌方苏，抚床大哭，不知何人杀害。哭了一回，想道："此事非同小可！若不报知邻里，必要累及自己。"即便取了钥匙，开门出来，却又怕羞，立在门内喊道："列位高邻，不好了！我家爹妈不知被甚人杀死？乞与奴家作主！"连喊数声，那些对门间壁，并街上过往的人听见，一齐拥进，把寿儿倒挤在后边。都问道："你爹妈睡在哪里？"寿儿哭道："昨夜好好的上楼，今早门户不开。不知何人，把来双双杀死。"众人见说在楼上，都赶上楼。揭开帐子看时，老夫妻果然杀死在床。众人相看这楼，又临着街道，上面虽有楼窗，下面却是包檐墙，无处攀援上来。寿儿又说门户都是锁好的，适才方开。家中却又无别人。都道："此事甚跷蹊，不是当耍的！"即时报地方总甲来看了，同着四邻，引寿儿去报官。可怜寿儿从不曾出门，今日事在无奈，只得把包头齐眉兜了，锁上大门，随众人望杭州府来。那时哄动半个杭城，都传说这事。陆五汉已晓得杀错了，心中懊悔不及，失张失智①，颠倒在家中寻闹。陆婆向来也晓得儿子些来踪去迹，今番杀人一事，定有干涉，只是不敢问他，却也怀着鬼胎，不敢出门。正是：

理直千人必往，心亏寸步难移。

且说众人来到杭州府前，正值太守坐堂，一齐进去禀道："今有十官子巷潘用家，夜来门户未开，夫妻俱被杀死，同伊女寿儿特来禀知。"太守唤上寿儿问道："你且细说父母哪时睡的？睡在何处？"寿儿道："昨夜黄昏时，吃了夜饭，把门户锁好，双双上楼睡的。今早巳牌时分，不见起身。上楼看时，已杀在被中。楼上窗槅依旧关闭，下边门户一毫不动，封锁依然。"太守又问道："可曾失甚东西？"寿儿道："件件俱在。"太守道："岂有门

① 失张失智——丧魂失魄的样子。

户不开，却杀了人？东西又一件不失。事有可疑。”想了一想，又问道：“你家中还有何人？”寿儿道：“止有嫡亲三口，并无别人。”太守道：“你父亲平昔可有仇家么？”寿儿道：“并没有甚仇家。”太守道：“这事却也作怪。”沉吟了半晌，心中忽然明白，教寿儿抬起头来，见包头盖着半面。太守令左右揭开看时，生得非常艳丽。太守道：“你今年几岁了？”寿儿道：“十七岁了。”太守道：“可曾许配人家么？”寿儿低低道：“未曾。”太守道：“你的睡处在哪里？”寿儿道：“睡在楼下。”太守道：“怎么你倒住在下边，父母反居楼上？”寿儿道：“一向是奴睡在楼上，半月前换下来的。”太守道：“为甚换了下来？”寿儿对答不来，道：“不知爹妈为甚要换。”太守喝道：“这父母是你杀的？”寿儿着了急，哭道：“爷爷，生身父母，奴家敢做这事！”太守道：“我晓得不是你杀的，一定是你心上人杀的。快些说他名字上来！”寿儿听说，心中慌张，赖道：“奴家足迹不出中门，哪有此等勾当！若有时，邻里一定晓得。爷爷问邻里，便知奴家平昔为人了。”太守笑道：“杀了人，邻里尚不晓得！这等事邻里如何晓得？此是明明你与奸夫往来，父母知觉了。故此半月前换你下边去睡，绝了奸夫的门路。他便忿怒杀了。不然，为甚换你在楼下去睡？”俗语道：贼人心虚。寿儿被太守句句道着心事，不觉面上一回红，一回白，口内如吃子①一般，半个字也说不清洁。太守见他这个光景，一发是了，喝教左右拶②起。那些皂隶飞奔上前，扯出寿儿手来，如玉相似，哪禁得恁般苦楚。拶子才套得指头上，疼痛难忍，即忙道：“爷爷，有，有，有个奸夫！”太守道：“叫甚名字？”寿儿道：“叫做张荩。”太守道：“他怎么样上你楼来？”寿儿道：“每夜等我爹妈睡着，他在楼下咳嗽为号。奴家把布接长，系一头在柱上垂下，他从布上攀引上楼。未到天明，即便下去。如此往来，约有半年。爹妈有些知觉，几次将奴盘问，被奴赖过。奴家嘱咐张荩，今后莫来，省得出丑，张荩应允而去。自此爹妈把奴换在楼下来睡，又将门户尽皆下锁。奴家也要隐恶扬善，情愿住在下边，与他断绝。只此便是实情。其爹妈被杀，委果不知情由。”太守见他招了，喝教放了拶子，起签差四个皂隶速拿张荩来审。那四个皂隶，飞也似去了。这是：

---

① 吃子——结巴。

② 拶（zǎn）——旧时夹手指的一种酷刑。

闭门家里坐，祸从天上来。

且说张荩自从与陆婆在酒店中别后，即到一个妓家住了三夜。回家知陆婆来寻过两遍，急去问信时，陆婆因儿子把话吓住，且又没了鞋子，假意说道："鞋子是寿姐收了。教多多拜上，如今他父亲利害，门户紧急，无处可入。再过几时，父亲即要出去。约有半年方才回来。待他起身后，那时可放胆来会。"张荩只道是真话，不时探问消息。落后又见寿儿几遭，相对微笑。两下都是错认。寿儿认做夜间来的即是此人，故见了喜笑。张荩认做要调戏他上手，时常现在他眼前卖俏。日复一日，并无确信。张荩渐渐忆想成病，在家里服药调治。那日正在书房中闷坐，只见家人来说，有四个公差在外面，问大爷什么说话。张荩见说，吃了一惊，想道："除非妓弟家什么事故。"不免出厅相见，问其来意。公差答道："想是为什么钱粮里役事情，到彼自知。"张荩便放下了心，讨件衣服换了，又打发些钱钞，随着皂隶望府中而来。后面许多家人跟着。一路有人传说潘寿儿同奸夫杀了爹妈。张荩听了，甚是惊骇，心下想道："这丫头弄出恁样事来？早是我不曾与他成就！原来也是个不成才的烂货！险些把我也缠在是非之中。"不一时，来到公厅。太守举目观看张荩，却是个标致少年，不像个杀人凶徒，心下有些疑惑，乃问道："张荩，你如何奸骗了潘用女儿，又将他夫妻杀死？"那张荩乃风流子弟，只晓得三瓦两舍，行奸卖俏，是他的本等①，何曾看见官府的威严。一拿到时，已是胆战心惊。如今听说把潘寿儿杀人的事，坐在他身上，就是青天里打下一个霹雳，吓得半个字也说不出。挣了半日，方才道："小人与潘寿儿虽然有意，却未曾成奸。莫说杀他父母，就是楼上从不曾到。"太守喝道："潘寿儿已招与你通奸半年，如何尚敢抵赖！"张荩对潘寿儿道："我何尝与你成奸，却来害我？"起初潘寿儿还道不是张荩所杀。这时见他不认奸情，连杀人事倒疑心是真了。一口咬住，哭哭啼啼，张荩分辩不清。太守喝教夹起来。只听得两旁皂隶一声吆喝，蜂拥上前，扯脚拽腿。可怜张荩从小在绫罗堆里滚大的，就挨着线结也还过不去②，如何受得这等刑罚。夹棍刚套上脚，就杀猪般喊叫，连连叩头道："小人愿招。"太守教放了夹棍，快写供状上来。张荩只是啼哭道："我

---

① 本等——本事。

② 挨着线结也还过不去——身上挨着衣服上的线疙瘩，还会感到不舒服。

并不知情，却教我写甚么来！”又向潘寿儿说道：“你不知被哪个奸骗了，却扯我抵当！如今也不消说起，但凭你怎么样说来，我只依你的口招承便了。”潘寿儿道：“你自作自受，怕你不招承！难道你不曾在楼下调戏我？你不曾把汗巾丢上来与我？你不曾接受我的合色鞋？”张荩道：“这都是了。只是我没有上楼与你相处。”太守喝道：“一事真，百事真。还要多说！快快供招！”张荩低头。只听潘寿儿说一句，便写一句，轻轻里把个死罪认在身上。画供已毕，呈与太守看了，将张荩问实斩罪。寿儿虽不知情，因奸伤害父母，亦拟斩罪。各责三十，上了长板。张荩押付死囚牢里，潘寿自入女监收管，不在话下。

且说张荩幸喜皂隶们知他是有钞主儿，还打个出头棒子①，不致十分伤损。来到牢里叫屈连声，无门可诉。这些狱卒分明是挑一担银子进监，哪个不欢喜，哪个不把他奉承。都来问道：“张大爷，你怎么做恁般勾当？”张荩道：“列位大哥，不瞒你说，当初其实与那潘寿姐曾见过一面。两下虽然有意，却从不曾与他一会。不知被甚人骗了，却把我来顶缸②！你道我这样一个人，可是个杀人的么？”众人道：“既如此，适才你怎么就招了？”张荩道：“我这瘦怯怯的身子可是熬得刑的么？况且新病了数日，刚刚起来，正是雪上加霜一般。若招了，还活得几日。若不招，这条性命今夜就要送了。这也是前世冤业，不消说起。但潘寿姐适才说话，历历有据，其中必有缘故。我如今愿送十两银子与列位买杯酒吃，引我去与潘寿姐一见，细细问明这事，我死亦瞑目。”内中一个狱卒头儿道：“张大爷要看见潘寿儿也不难。只是十两太少。”张荩道：“再加五两罢。”禁子头道：“我们人众，分不来，极少也得二十两。”张荩依允。两个禁子扶着两腋，直到女监栅门外。潘寿儿正在里面啼哭。狱卒扶他到栅门口，见了张荩，便一头哭，一头骂道：“你这无恩无义的贼！我一时迷惑，被你奸骗，有甚亏了你，下这样毒手，杀我爹妈，害我性命！”张荩道：“你且不要嚷。如今待我细细说与你详察。起初见你时，多承顾盼留心，彼此有心。以后月夜我将汗巾赠你，你将合色鞋来酬我。我因无由相会，打听卖花的陆婆在你家走动，先

① 出头棒子——亦名“出头棍”。旧时衙役受了贿赂，在打板子的时候，假装用力，使罪犯并不感觉很疼痛，这种手法，叫做“打出头棒子”。

② 顶缸——顶替，代人受过。

送他十两银子，将那鞋儿来讨信，他来回说，鞋便你收了，只因父亲利害，门户紧急，目下要出去几个月。待起身后，即来相约。是从那日为始，朝三暮四，约了无数日子。已及半年，并无实耗。及至有时见你，却也微笑。教我日夜牵挂，成了思忆之病，在家服药，何尝到你楼上，却来诬害我至此地位！”寿儿哭道：“负心贼！你还要赖哩！那日你教陆婆将鞋来约会了，定下计策，教我等爹妈睡着，听下边咳嗽为号，把布接长，垂下来与你为梯。到次夜，你果然在下边咳嗽。我依法用布引你上楼。你出鞋为信。此后每夜必来。不想爹妈有些知觉，将我盘问几次。我对你说，此后且莫来，恐防事露，大家坏了名声。等爹妈不提防了，再图相会。哪知你这狠心贼，就衔恨我爹妈。昨夜不知怎生上楼，把来杀了。如今倒还抵赖，连前面的事，都不肯承认！”张荩想了一想道：“既是我与你相处半年，那形体声音，料必识熟。你且细细审视，可不差么？”众人道：“张大爷这话说得极是。若果然不差，你也须不是人了。不要说问斩罪，就问凌迟也不为过。”寿儿见说，踌躇了半晌，又睁目把他细细观看。张荩连问道：“是不是？快些说出，不要迟疑。”寿儿道：“声音甚是不同，身子也觉不似你。向来都是黑暗中，不能详察。止记得你左腰间有个疮痕肿起，大如铜钱。只这个便是色认①。”众人道：“这个一发容易明白。张大爷，你且脱下衣来看。若果然没有，明日禀知太爷，我众人为证，出你罪名。”于是张荩满心欢喜道：“多谢列位。”连忙把衣服褪下。众人看时，遍身如玉，腰间哪有疮痕。寿儿看了，哑口无言。张荩道：“小娘子，如今可知不是我么？”众人道：“不消说了，这便真正冤枉。明日与你禀官。”当下依旧扶到一个房头，住了一宵。

明早，太守升堂，众禁子跪下，将昨夜张荩与潘寿儿面证之事，一一禀知。太守大惊。即便吊出二人复审，先唤张荩上去，从头至尾，细诉一遍，太守道：“你那只鞋儿付与陆婆去后，不曾还你？”张荩道：“正是。”又唤寿儿上去。寿儿也把前后事，又细细呈说。太守道：“那鞋儿果是原与陆婆拿去，明晚张荩到楼，付你的么？”寿儿道：“正是。”太守点头道：“这等，是陆婆卖了张荩，将鞋另与别人冒名奸骗你了。”即便差人去拿那婆子。不多时，婆子拿到。太守先打四十，然后问道：“当初张荩央

① 色认——记号。

你与潘寿儿通信，既约了明晚相会，你如何又哄张荩不教他去，却把鞋儿与别人冒名去奸骗？从实说来，饶你性命！若半句虚了，登时敲死。”那婆子被这四十打得皮开肉绽，哪敢半字虚妄。把那卖花为由，定策期约，连寻张荩不遇，回来帮儿子杀猪，落掉鞋子，并儿子恐吓说话，以后张荩来讨信，因无了鞋子，含糊哄他等情，一一细诉。其奸骗杀人情由，却不晓得。太守见说话与二人相合，已知是陆五汉所为。即又差人将五汉拿到。太守问道："陆五汉，你奸骗了良家女子，却又杀他父母。有何理说！"陆五汉赖道："爷爷，小人是市井愚民，哪有此事！这是张荩央小人母亲做脚，奸了潘家女儿，杀了他父母，怎推到小人身上！"寿儿不等他说完，便喊道："奸骗奴家的声音，正是那人！爷爷止验他左腰可有肿起疮痕，便知真假。"太守即教皂隶剥下衣服看时，左腰间果有疮痕肿起。陆五汉方才口软，连称情愿偿命，把前后奸骗误杀潘用夫妻等情，一一供出。太守喝打六十，问成斩罪。追出行凶尖刀上库。寿儿依先原拟斩罪。陆婆说诱良家女子，依律问徒①。张荩不合希图奸骗，虽未成奸，实为祸本，亦问徒罪，召保纳赎。当堂一一判定罪名，备文书申报上司。那潘寿儿思想："却被陆五汉奸骗，父母为我而死，出乖露丑！"懊悔不及，无颜再活，立起身来，望丹墀阶沿青石上一头撞去，脑浆迸出，顷刻死于非命。

　　可怜慕色如花女，化作含冤带血魂。

太守见寿儿撞死，心中不忍，喝教把陆五汉再加四十，凑成一百，下在死囚牢里，听候文书转日，秋后处决。又拘邻里，将寿儿尸骸抬出，把潘用房产家私尽皆变卖，备棺盛殓三尸，买地埋葬。余银入官上库，不在话下。

且说张荩见寿儿触阶而死，心下十分可怜。想道："皆因为我，致他父子丧身亡家。"回至家中，将银两酬谢了公差狱卒等辈，又纳了徒罪赎银，调养好了身子，到僧房道院礼经忏超度潘寿儿父子三人。自己吃了长斋，立誓再不奸淫人家妇女，连花柳之地也绝足不行。在家清闲自在，直至七十而终。时人有诗叹云：

　　赌近盗兮奸近杀，古人说话不曾差。
　　奸赌两般都不染，太平无事做人家。

---

① 徒——刑罚。

第十七卷　张孝基陈留认舅

士子攻书农种田，工商勤苦挣家园。

世人切莫闲游荡，游荡从来误少年。

尝闻得老郎①们传说，当初有个贵人，官拜尚书，家财万贯，生得有五个儿子。只教长子读书，以下四子农工商贾，各执一艺。那四子心下不悦，却不知甚么缘故。央人问老尚书："四位公子何故都不教他习儒？况且农工商贾劳苦营生，非上人②之所为。府上富贵安享有余，何故舍逸就劳，弃甘即苦？只恐四位公子不能习惯。"老尚书呵呵大笑，叠着两指，说出一篇长话来，道是：

世人尽道读书好，只恐读书读不了！

读书个个望公卿，几人能向金阶走？

郎不郎时秀不秀③，长衣一领遮前后。

畏寒畏暑畏风波，养成娇怯难生受④。

算来事事不如人，气硬心高妄自尊。

稼穑不知贪逸乐，哪知逸乐会亡身。

农工商贾虽然贱，各务营生不辞倦。

从来劳苦皆习成，习成劳苦筋力健。

春风得力总繁华，不论桃花与菜花。

自古成人不自在，若贪安享岂成家！

老夫富贵虽然爱，戏场纱帽轮流戴。

子孙失势被人欺，不如及早均平派。

一脉书香付长房，诸儿恰好四民良。

---

① 老郎——指说书人的师傅。

② 上人——上等人。旧时把读书人、做官的人看作是上等人。

③ 郎不郎时秀不秀——比喻不成材、没出息。即不郎不秀，也作不稂不莠。稂、莠，狗尾草。

④ 生受——这里是吃苦耐劳的意思。

暖衣饱食非容易，常把勤劳答上苍。

老尚书这篇话，至今流传人间，人多服其高论。为何的？多有富贵子弟，担了个读书的虚名，不去务本营生，戴顶角巾，穿领长衣，自以为上等之人，习成一身轻薄，稼穑艰难，全然不知。到知识渐开，恋酒迷花，无所不至。甚者破家荡产，有上稍时没下稍①。所以古人云：五谷不熟，不如荑稗。贪却赊钱，失却现在。这叫做：

受用须从勤苦得，淫奢必定祸灾生。

说这汉末时，许昌有一巨富之家，其人姓过名善，真个田连阡陌，牛马成群，庄房屋舍，几十余处，童仆厮养，不计其数。他虽然是个富翁，一生省俭做家，从没有穿一件新鲜衣服，吃一味可口东西；也不晓得花朝月夕，同个朋友到胜景处游玩一番；也不曾四时八节，备个筵席，会一会亲族，请一请乡党。终日缩在家中，皱着两个眉头，吃这碗枯茶淡饭。一把钥匙，紧紧挂在身边，丝毫东西，都要亲手出放。房中桌上，更无别物，单单一个算盘、几本账簿。身子恰像生铁铸就，熟铜打成，长生不死一般，日夜思算，得一望十，得十望百，堆积上去，分文不舍得妄费。正是：

世无百岁人，枉作千年调。

那过善年纪五十余外，合家称做太公。妈妈已故，止有儿女二人。儿子过迁，已聘下方长者之女为媳。女儿淑女，尚未议姻。过善见儿子人材出众，性质聪明，立心要他读书。却又悭吝，不肯延师在家。送到一个亲戚人家附学。谁知过老本是个看财童子，儿子却是个败家五道。平昔有几件毛病：见了书本，就如冤家；遇着妇人，便是性命。喜的是吃酒，爱的是赌钱，蹴踘打弹，卖弄风流，放鹞擎鹰，争夸豪侠，耍拳走马骨头轻，使棒抡枪心窍痒。自古道：物以类聚。过迁性喜游荡，就有一班浮浪子弟引诱打合。这时还惧怕父亲，早上去了，至晚而归。过善一心单在钱财上做工夫的人，每日见儿子早出晚入，只道是在学里，哪个去查考。况且过迁把钱买嘱了送饭的小厮，日逐照旧送饭，到半路上作成他饱啖，归来瞒得铁桶相似。过善何由得知。过迁在先生面前，只说家中有事，不得工夫。过几日间，或去点个卯儿，又时常将些小东西孝顺。那先生一来见他不像个读书之人，二来见他老官儿也不像认真要儿读书的，三来又贪着些小利，

① 有上稍时没下稍——开头好过，但没有好结果。

总然有些知觉，也装聋作哑，只当不知，不去拘管他。所以过迁得任意无藉①，家中毫不知觉。常言说得好，若要不知，除非莫为。不想方长者晓得了，差人上复过善。过善不信，想道："若在外恁般游荡，也得好些银子使费，他却从何而来？况且小厮日日送饭到学，并不说起不在，哪有这事！"又想道："方亲家是个真诚之人，必是有因，方才来说，不可不信。"便唤送饭的小厮来问道："小官人日日不在学里，你把饭都与哪个吃了？"这小厮是个教熟猢狲，便道："呀！小官人无一日不在学里，哪个却掉这样大谎？"过善只道小厮家中实话，更不再问。到晚间过迁回来，这小厮先把信儿透与知道。到了房中，过善问道："你如何不在学里读书，每日在外游荡？"过迁道："这是哪个说？快叫来，打他几个耳聒子，戒他下次不许说谎！我哪一日不在学里。造这话来谤我！"过善一来是爱子，二来料他没银使费，况说话与小厮一般，遂信以为实然，更不提起。正是：

因无背后眼，只当耳边风。

过了几日，方长者又教人来说："太公如何不拘管小官人到学里读书，仍旧纵容在外狂放？"过善道："不信有这等事！"即教人在学里去问，看他今日可在。家人到学看时，果然不见个影儿。问那先生时，答道："他说家中有事，好几日不到学了。"家人急忙归家，回复了过善。过善大怒道："这畜生原来恁地！"即将送饭小厮拷打起来。这小厮吃打不过，说道："小官人每日不知在何处玩耍，果然不到学中。再三教我瞒着太公。"过善听说，气得手足俱战，恨不得此时那不肖子就立在眼前，一棒敲死，方泄其忿。却得淑女在旁解劝。挨到晚间，过迁回家，老儿满肚子气，已自平下了一半。才骂得一句："畜生！你在外胡为，瞒得我好！"淑女就接口道："哥哥，你这几日在哪里玩耍？气坏了爹爹！还不跪着告罪？"过迁真个就跪下去，扯个谎道："孩儿一向在学攻书。这三两日因同学朋友家中赛神做会，邀孩儿去看，诚恐爹爹嗔责，吩咐小厮莫说。望爹爹恕孩儿则个！"淑女道："爹爹息怒，哥哥从今读书便了。"过善被他一片谎言瞒过，又信以为实。当下骂了一场，关他在家中看书，不放出门。隔了两日，有人把几百亩田卖与过善，议定价钱，做下文书。到后房一只箱内去取银子。开箱看时，吃了一惊。那箱内约有二千余金，已去其大半。原来过迁晓得有银在

① 无藉——亦作"无籍"，无赖之意。

内，私下配个钥匙。夜间俟父亲妹子睡着，便起来悄悄抻开，偷去花费。陆续取溜了，他也不知用过多少。当下过善叫屈连天。淑女听得，急忙来问。见说没了银子，便道："这也奇怪，在此间的东西，如何失了？爹莫不记错了，没有这许多？"过善道："不错，不错！原来这畜生偷我的银子在外费用。"即忙寻了一条棒子，唤过迁到来。此时银子为重，把怜爱之情，搁过一边。不由分说，扯过来，一顿棍棒只打得满地乱滚。淑女负命解劝，将过善拉过一边，扯住了棒儿。过善喝道："畜生！你怎样偷的？在哪处花费？实说出来，还有个商量。若一句支吾，定然活活打死。"过迁打急了，只得一一直说，连那钥匙在裈①带上解将下来。气得过善双脚乱跳道："留你这畜生，总是不肖之子，被人耻笑！不如早死，倒得干净。"又要来打。那时阖家男女都来下跪讨饶。过善讨条链子，锁在一间空房里去，连这田也不买了，气倒在一个壁角边坐地。这老儿虽是一时气不过，把儿子痛打一顿，却又十分肉疼。想道："看他这模样儿，也不像落莫②的！谁道倒是个败子！怎地使他回心转意便好？"心下踌躇，无计可施。淑女劝道："爹爹，事已至此，气亦无益。只因哥哥年纪幼小，被人诱引，以致如此。今后但在家中读书，不要放他出门，远着这班人，他的念头自然息了。"众家人也劝道："太公关锁小官人，也不是长法。如今年已长大，何不与他完了姻事？有娘子绊住身子，料必不想到外边游荡。岂不两全其美。"过善见说，深以为然。两三日后，放其锁禁，又将好言教诲。过迁受了这场打骂，勉强住在家中，不敢出门。

半月之后，过善择了吉日，叫媒人往方家去说，要娶媳妇过门。方长者也是大富之家，妆奁久已完备，一诺无辞。到了吉期，迎娶来家。那过善素性俭朴，诸事减省，草草而已。且说过迁初婚时，见浑家面貌美丽，妆奁富盛，真个日日住在家中，横竖成双，全不想到外边游荡。过善见儿子如此，甚是欢喜。过了几日，方氏归宁③回去。过迁在家无聊，三不知④闪出去寻着旧日这班子弟，到各处玩耍。只是手中没有钱钞使费，不能恣

① 裈(kūn)——古时的裤子。

② 落莫——潦倒的样子。

③ 归宁——回娘家探望父母。

④ 三不知——事情的开始、过程和结果都不知道叫"三不知"，后也指事事不知。这里是突然、意料不到的意思。

意。想起浑家箱笼中必然有物，将出旧日手段，逐一抻开搜寻去撒漫。使得手滑了，连衣饰都把来弄得罄尽。不一日，浑家归来，见箱笼俱空，叫苦不迭。盘问过迁时，只推不知。夫妻反目起来。过善闻知，气得手足麻冷。唤出儿子来，一把头发揪翻，乱踢乱打。这番连淑女也劝解不住了。过善喝道："只道你这畜生改悔前心，尚有成人之日。不想原复如是，我还有甚指望！不如速死，留我老性命再活几日！"见旁边有个棒槌，便抢在手，劈头就打。吓得淑女魂不附体，双手扳住臂膊哭道："爹爹，别件打犹可，这东西断然使不得的！"方氏见势头利害，心中惧怕，说道："公公请息怒，媳妇没不多几件东西，不为大事。"过善方才放手。淑女劝父亲到房中坐下，告道："爹爹只有一子，怎生如此毒打？万一失手打坏，后来倚靠何人？"过善道："这畜生到底不成人的了！还指望倚靠着他！打死了也省得被人谈耻。"淑女道："自古道：败子回头便作家。哥哥方才少年，哪见得一世如此！不争今日一时之怒，一下打死，后来思想，悔之何及！"过善被女儿苦劝一番，怒气少息。欲要访问同游这班人告官惩治，又怕反用银子，只得忍耐。自此之后，过迁日日躲在房里，不敢出门，连父亲面也不敢见。常言道：偷食猫儿性不改。他在外边放荡惯了，看着家中，犹如牢狱一般，哪里坐立得住。过了月余，瞒着父亲，悄悄却又出去。浑家再三苦谏，全不作准。欲要向过善说知，又见打得利害，不敢开口，只得与他隐瞒。过迁此时身边并无财物，寡闯了几日，甚觉没趣。料道家中，决然无处出豁。私下将田产央人四处抵借银子，日夜在花街柳巷、酒馆赌坊迷恋，不想回家。方氏察听得实，恐怕在外学出些不好事来，只得告知过善。过善大惊道："我只道这畜生还躲在房里，原来又出去了！"埋怨方氏道："娘子，这畜生初出去时，何不就说，直至今日方言？"方氏道："因见公公打得利害，故不敢说。"过善道："这样不肖子，打死罢了，要他何用！"当下便差人四下寻觅。淑女姑嫂二人，反替他担着愁担子。将棍棒之类，预先都藏过了。早有人报知过迁。过迁量得此番归家，必然锁禁，不能出来，索性莫归罢。遂请着妓者藏在闲汉人家取乐，觉道有人晓得，即又换场。一连在外四五个月。这些家人们虽然知得风声，哪个敢与小主人做冤家，只推没处寻觅。过善愈加气恼。写一纸忤逆①状子，告在县里。却得闲汉们替过迁衙

① 忤逆——不孝顺父母。

门上下使费，也不上紧拿人。常言道：水平不流，人平不言。这班闲汉替过迁衙门打点使钱，亦是有所利而为之。若是得利均分，倒也和其光而同其尘①了。因有手迟脚慢的，眼看别人赚钱，心中不忿，却去过老面前搬嘴，说："令郎与某人某人往来，怎样嫖赌，将田产与某处抵银多少，算来共借有三千银子。"把那老儿吓得面如土色，想道："畜生恁般大胆，如此花费，能消几时！再过一二年，连我身子也是别人的了。"问道："如今这畜生在哪里？"其人道："现在东门外三里桥北堍②下老王三家。他前门是不开的。进了小巷，中间有个小小竹园，便是他后门。内有茅亭三间，此乃令郎安顿之所。"过善得了下落，唤了五六个家人跟随，一径出东门，到三里桥，吩咐众人，在桥下伺候："莫要惊走了那畜生。待我唤你们时，便一齐上前。"也是这日合当有事，过迁恰好和一个朋友说话，不觉送出园门。作别过了，方欲转身，忽听得背后吆喝一声："畜生哪里走？"过迁回头一看，原来是父亲，吓得双脚俱软，寸步也移不动。说时迟，那时快，过善赶上一步，不由分说，在地下拾起一块大石，口里恨着一声，照过迁顶门擘将去，豁喇一声响，只道这畜生今番性命休矣。正是：

地府忽增不肖鬼，人间已少败家精。

这一响，只道打碎天灵盖了。不想过迁后生眼快，见父亲来得凶恶，刚打下时，就旁边一闪。那石块恰恰中在侧边一堆乱砖上，打得砖头乱滚下来。过迁望着巷口便跑。不想去得力猛，反把过善冲倒。过善爬起身来，一头赶，一头喊道："杀爹的逆贼走了！快些拿住！"众家人听得家长声唤，都走拢来看时，过迁已自去得好远。过善气得一句话也说不出，只叫快赶，赶着的有赏。众人领命，分头追赶小官人。过善独自个气忿忿地坐在桥上。约有两个时辰，不见回报。天色将晚，只得忍着气，一步步挨到家里。淑女见父亲余怒未息，已猜着八九，上前问其缘故。过善细细告说如此如此。淑女含泪劝道："爹爹年过五旬，又无七男八女，只有这点骨血。总虽不肖，但可教诲。何忍下此毒手！适来幸喜他躲闪得快，不致伤身。倘有失错，岂不覆宗绝祀！爹爹，今后断不可如此！"过善咬牙切齿恨道："我便为无祀之鬼也罢！这畜生定然饶他不得！"

---

① 和其光而同其尘——这里是同流合污的意思。

② 堍（tù）——桥畔，桥旁边。

不提淑女苦劝父亲,且说过迁得了性命,不论高低,只望小路乱跑。正行间,背后二人飞也似赶来,一把扯住,定要小官人同回。你道这二人是谁?乃过善家里义仆小三、小四兄弟。两个领着老主之命,做一路儿追赶小官人,恰好在此遇见。过迁逃脱不开,心中忿怒,提起拳头,照着小四心窝里便打。小四着了拳,只叫得一声"阿呀!"仰后便倒,更不做声。小三见兄弟跌闷在地,只道死了,高声叫起屈来。扭住小官人死也不放。事到其间,过迁也没有主意。"左右是个左右,不是他便是我,一发拼了命罢。"捏起两个拳头,没头没脑,乱打将来。他曾学个拳法,颇有些手脚。小三如何招架得住,只得放他走了。回身看小四时,已自苏醒。小三扶他起来,就近处讨些汤水,与他吃了。两个一同回家,报与家主。别个家人赶不着的,也都回了。过善只是叹气,不在话下。且说过迁一头走,一头想:"父亲不怀好意了。见今县里告下忤逆,如今又打死小四,罪上加罪。这条性命休矣!趁身边还存得三四两银子,可做盘缠,且往远处逃命,再作区处。"算计已定,连夜奔走。正是:

忙忙如丧家之狗,急急如漏网之鱼。

过迁去有半年,杳无音信,里中传为已死。这些帮闲的要自脱干系,撺掇债主,教人来过家取讨银子。若不还银,要收田产。那债主都是有势力之家。过善不敢冲撞,只得缓词谢之。回得一家去时,接脚又是一家来说。门上络绎不绝,都是讨债之人。过善索性不出来相见。各家见不应承,齐告在县里。差人拘来审问。县令看了文契,对过善道:"这都是你儿子借的,须赖不得。"过善道:"逆子不遵教诲,被这班小人引诱为非,将家业荡费殆尽,向告在台①,逃遁于外,未蒙审结。所存些少,止够小人送终之用,岂可复与逆子还债。况子债亦无父还之理。"县令笑道:"汝尚不肯与子还债,外人怎肯把银与汝子白用!且引诱汝子者,决非放债之人,如何赖得?总之,汝子不肖,莫怪别人。但父在子不得自专。各家贪图重利,与败子私自立券,其心亦是不良。今照契偿还本银,利钱勿论。银完之日,原契当堂销毁,居中人重责问罪。"过善被官府断了,怎敢不依。只得逐一清楚,心中愈加痛恨。倒以儿子死在他乡为乐,全无思念之意。

① 向告在台——过去已经在您(指县令)那告过了。向,先前。台,对人尊称,在此指县令。

正是：

种田不熟不如荒，养儿不肖不如无。

话休烦絮。且说过善女儿淑女，天性孝友，相貌端庄，长成一十八岁，尚未许人。你道恁样大富人家，为甚如此年纪犹未议婚？过善只因是个爱女，要觅个奢遮①女婿为配，所以高不成，低不就，拣择了多少子弟，没个中意的，蹉跎至今。又因儿子不肖，越把女儿值钱，要择个出人头地的，赘入家来，付托家事。故此愈难其配。话分两头。却说过善邻近有一人，姓张名仁，世代耕读，家颇富饶。夫妻两口，单生一子，取名孝基，生得相貌魁梧，人物济楚，深通今古，广读诗书。年方二十，未曾婚配。张仁正央媒人寻亲，恰好说至过家。过善已曾看见孝基这个丰仪，却又门当户对，心中大喜，道："得此子为婚，我女终身有托矣！"张仁是个独子，本不舍得赘出。因过善央媒再三来说，又闻其女甚贤，故此允了。少不得问名纳彩，奠雁传书，赘入过家。孝基虽然赘在过家，每日早晚省视父母，并无少怠。夫妻相待，犹如宾客，敬重过善，同于父母。又且为人谦厚，待人接物，一团和气，上下之人，无不悦服。过善爱之如子，凡有疑难事体，托他支理。看其材干，孝基条分理析，井井有方。过善因此愈加欢喜。只有方氏在房，思想丈夫，不知在于何处，并无消耗，未知死活存亡，日夜悲伤不已。

光阴如箭，张孝基在过家不觉又是二年有余。过善忽然染病，求神罔效，用药无功。方氏姑嫂二人，昼夜侍奉汤药。孝基居在外厢，综理诸事。那老儿渐渐危笃，自料不起，吩咐女儿治酒，遍请邻里亲戚到家，嘱咐道："列位高亲在上。老汉托赖天地祖宗，挣得这些薄产，指望传诸子孙，世守其业。不幸命薄，生此不肖逆贼，破费许多。向已潜遁在外，未知死生。幸尔尚有一女，婚配得人，聊慰老景。不想今得重疾，不久谢世。故特请列位到来，做个证明，将所有财产，尽传付女夫，接续我家宗祀。久已写下遗嘱，烦列位各署个花押。倘或逆子犹在，探我亡后，回家争执，竟将此告送官司，官府自然明白。"遂于枕边摸出遗嘱，教家人递与众人观看。此时众人疑是张孝基见识，尚未开言，只见张孝基说道："多蒙岳父大恩。但岳父现有子在，万无财产反归外姓之理。以小婿愚见，当差人四面访觅大舅回来，将家业付之，以全父子之情。小婿夫妻自当归宗。设或大舅身已不

---

① 奢遮——出色，了不起。

幸，尚有舅嫂守节，当交与掌管，然后访族中之子，立为后嗣，此乃正理。若是小婿承受，外人必有逐子爱婿之谤。鸠僭鹊巢①，小婿亦被人谈论。这决不敢奉命。”淑女也道：“哥哥只因惧怕爹爹责罚，故躲避在外，料必无恙。丈夫乃外姓之人，岂敢承受。”众人见他夫妻说话出于至诚，遂齐声说道：“令婿令爱之言，亦似有理。且待寻访小官人，一年半载，待有的信，再作区处。”过善道：“小婿之言，不是爱我，乃是害我。”众人道：“如何是害太公？”过善道：“老汉一生辛苦，挣得这些家事，逆子视之犹如粪土，不上半年，破散四千余金。如此挥霍，便铜斗家计②，指日可尽。财产既尽，必至变卖茔墓。那时不惟老汉不能入土，恐祖宗在土之骨，反暴弃荒野矣。”孝基又道：“大舅昔因年幼，为匪人诱惑所致。今已年长，又有某辈好言劝喻，料必改过自新，决不至此。”过善道：“未必，未必！有我在日，严加责罚，尚不改悛③。我死之后，又何人得而禁之！”众人都道：“依着我们愚见，不若均分了，两全其美。令郎回时，也没得话说。”过善只是不许。孝基夫妇再三苦辞。过善大怒道：“汝亦效逆子要殴死我么？”众人见他发怒，乃对孝基道：“令岳执意如此，不必辞了。”遂将遗嘱各写了花押，递与过老。淑女又道：“爹爹家财尽付与我夫妇，嫂嫂当置于何地？”过善道：“我已料理在此，不消你虑。”将遗嘱付过孝基。孝基夫妇泣拜而受。过善又摸出二纸捏在手中，请过方长者近前，说道：“逆子不肖，致令爱失其所天④，老汉心实不安。但耽误在此，终为不了。老汉已写一执照于此，付与令爱。老汉亡后，烦亲家引回，另选良配。万一逆子回来有信，执此赴官诉理。外有田百亩，以偿逆子所费妆奁。”道罢，将二纸递与。方长者也不来接，答道：“小女既归令郎，乃亲家家事，已与老夫无干。况寒门从无二嫁之女。非老夫所愿闻，亲家请勿开口。”道罢，往外就走。孝基苦留不住。过善呼媳妇出来说知。方氏大哭道：“妾闻妇人之义，从一而终。夫死而嫁，志者耻为。何况妾夫尚在，岂可为此狗彘之事！”过善又道：“逆子总在，这

① 鸠僭(jiàn)鹊巢——相传，鸠鸟不作巢，强占鹊巢为己巢。比喻强占旁人的产业或东西。《诗经》中有“维鹊有巢，维鸠居之”的句子。

② 铜斗家计——坚实稳固的家产。

③ 改悛(quān)——悔改。

④ 失其所天——失去所依靠的丈夫。封建时代，妇女把丈夫看作“天”。

等不肖，守之何益！”方氏道：“妾夫虽不肖，妾志不可改。必欲夺妾之志，有死而已。”过善道：“你有此志气，固是好事。但我亡后，家产已付女夫掌管。你居于此，须不稳便。”淑女道：“爹爹，嫂嫂既肯守节，家业自然该他承受。孩儿归于夫家，才是正理。”方氏道：“姑娘，我又无子嗣，要这些家财何用！公公既有田百亩于我，当归母家，以赡此生。既丈夫回家，亦可度日。”众人齐声称好。过善道：“媳妇，你与过门争气，这百亩田尚少，再增田二百亩、银子二百两，与你终身受用。”方氏含泪拜谢。分拨已定，过善教女婿留亲戚邻里于堂中饮酒，至晚方散。那过善本来病势已有八九分了，却又勉强料理这事。喉长气短，费舌劳唇，劳碌这半日，到晚上愈加沉重。女儿媳妇守在床边，啼啼哭哭。张孝基备办后事，早已停当。又过数日，呜呼哀哉！正是：

三寸气在千般用，一旦无常万事休。

女儿媳妇都哭得昏迷几次。张孝基也十分哀痛。衣衾棺椁，极其华美。七七之中，开丧受吊，延请僧道，修做好事，以资冥福。择选吉日，葬于祖茔。每事务从丰厚。殡葬之后，方氏收拾，归于母家。姑嫂不忍分舍，大哭而别，不在话下。且说张孝基将丈人所遗家产钱财米谷，一一登记账簿，又差人各处访问过迁，并无踪影。时光似箭，岁月如流，倏忽便过五年。那时张孝基生下两个儿子，门首添个解当铺儿，用个主管，总其出入。家事比过善手内，又增几倍。

话休烦絮。一日张孝基有事来到陈留郡中，借个寓所住下。偶同家人到各处游玩。末后来至市上，只见个有病乞丐，坐在一人家檐下。那人家驱逐他起身。张孝基心中不忍，教家人朱信舍与他几个钱钞。那朱信原是过家老仆，极会鉴貌辨色，随机应变，是个伶俐人儿。当下取钱递与这乞丐，把眼观看，吃了一惊。急忙赶来，对张孝基说道：“官人向来寻访小官人下落。适来丐者，面貌好生厮像。”张孝基便定了脚，吩咐道：“你再去细看。若果是他，必然认得你。且莫说我是你家女婿，太公产业，都归于我。只说家已破散，我乃是你新主人，看他如何对答，然后你便引他来相见。我自有处①。”朱信得了言语，覆身转去，见他正低着头，把钱系在一根衣带上，藏入腰里。朱信仔细一看，更无疑惑。那丐者起先舍钱与他

① 有处——有处理的办法。

时，其心全在钱上，哪个来看舍钱的是谁。这次朱信去看时，他已把钱藏过，也举起眼来，认自家家人，不觉失声叫道："朱信，你同谁在这里？"朱信便道："小官人，你如何流落至此？"过迁泣道："自从那日逃奔出门，欲要央人来劝解爹爹，不想路上恰遇着小三、小四兄弟两个拦阻住了，务要拖我回家。我想爹爹正在盛怒之时，这番若回，性命决然难活。匆忙之际，一拳打去，不意小四跌倒便死。心中害怕，连夜逃命。奔了几日，方到这里。在客店中歇了几时，把身边银两吃尽，被他赶将出来。无可奈何，只得求乞度命。日夜思家，没处讨个信息。天幸今日遇你。可实对我说，那日小四死了，爹爹有何话说？"朱信道："小四当时醒了转来，不曾得死。太公已去世五年矣。"过迁见说父亲已死，叫声："苦也！"望下便倒，朱信上前扶起。喉中哽咽，哭不出声，呜呜了好一回，方才放声大哭道："我指望回家，央人求告收留，依原父子相聚，谁想已不在了！"悲声惨切。朱信亦不觉堕泪。哭了一回，乃问道："爹爹既故，这些家私是谁掌管？"朱信道："太公未亡之前，小官人所借这些债主，齐来取索。太公不肯承认，被告官司，衙门中用了无数银子。及至审问，一一断还，田产已去大半。小娘子出嫁，妆奁又去了好些。太公临终时，恨小官人不学好，尽数分散亲戚。存下些少，太公死后，家无正主，童仆等辈，一顿乱抢，分毫不留。止存住宅，卖与我新主人张大官人，把来丧中殡葬之用。如今寸土俱无了。"过迁见说，又哭起来道："我只道家业还在，如今挣扎性命回去，学好为人。不料破费至此！"又问道："家产便无了，我浑家却在何处？妹子嫁于哪家？"朱信道："小娘子就嫁在近处人家。大嫂倒不好说。"过迁道："却是为何？"朱信道："太公因久不见小官人消息，只道已故，送归母家，令他改嫁。"过迁道："可晓得嫁也不曾？"朱信道："老奴为投了新主人，不时差往远处，在家日少，不曾细问，想是已嫁去了。"过迁抚膺大恸道："只为我一身不肖，家破人亡，财为他人所有，妻为他人所得，诚天地间一大罪人也！要这狗命何用！不如死休！"望着阶沿石上便要撞死。朱信一把扯住道："小官人，蝼蚁尚且贪生，如何这等短见！"过迁道："昔年还想有归乡的日子，故忍耻偷生。今已无家可归，不如早些死了，省得在此出丑。"朱信道："好死不如恶活！不可如此。老奴新主人做人甚好，待我引去相见，求他带回乡里。倘有用得着你之处，就在他家安身立命，到老来还有个结果。若死在这里，有谁收取你的尸骸？却不枉了这一死！"过迁沉吟了一回道："你话倒说得是。

但羞人子①，怎好去相见？万一不留，反干折这番面皮②。"朱信道："至此地位，还顾得什么羞耻！"过迁道："既如此，不要说出我真姓名来，只说是你的亲戚罢。"朱信道："适才我先讲过了，怎好改得？"当下过迁无奈，只得把身上破衣裳整一整，随朱信而来。张孝基远远站在人家屋下，望见他啼哭这一段光景，觉道他有懊悔之念，不胜叹息。过迁走近孝基身边，低着头站下。朱信先说道："告官人，正是老奴旧日小主人。因逃难出来，流落在此。求官人留他则个。"便叫道："过来见了官人。"过迁上前欲要作揖，去扯那袖子，却都只有得半截，又是破的，左扯也盖不来手，右扯也遮不着臂。只得抄着手，唱个喏。张孝基看了，愈加可怜。因是舅子，不好受他的礼，还了个半礼，乃道："嗳！你是个好人家子息，怎么到这等田地？但收留你回去，没有用处，却怎好？"朱信道："告官人，随分胡乱留他罢。"张孝基道："你可会灌园③么？"过迁道："小人虽然不会，情愿用心去学。"张孝基道："只怕你是受用的人，如何吃得恁样辛苦？"过迁道："小人到此地位，如何敢辞辛苦！"张孝基道："这也罢。只是依得三件事，方带你回去。若依不得，不敢相留。"过迁道："不知是哪三件？"张孝基道："第一件，只许住在园上，饭食教人送与你吃，不许往外行走。若跨出了园门，就不许跨进园门。"过迁道："小人玷辱祖宗，有何颜见人，往外行走！住在园上，正是本愿。这个依得。"张孝基见说话有自愧之念，甚是欢喜。又道："第二件，要早起晏息，不许贪眠懒怠偷工。"过迁道："小人天未明就起身，直至黑了方止。若有月的日子，夜里也做。怎敢偷工！这个也依得。"孝基又道："夜里倒不消得，只日里不偷工就够了。第三件，若有不到之处，任凭我责罚，不许怨怅。"过迁道："既蒙收养，便是重生父母。但凭责罚，死而无怨。"张孝基道："既都肯依，随我来。"也不去闲玩，复转身引到寓所门口。过迁随将进来。主人家见是个乞丐，大声叱咤，不容进门。张孝基道："莫赶他，这是我家的人。"主人道："这乞丐常是在这里讨饭吃，怎么是在府上家人？"朱信道："一向流落在此，今日遇见的。"到里边开了房门，张孝基坐下，吩咐道："你随了我，这模样不好看相。朱信，你去教主人家烧些汤与

① 羞人子——羞愧的人。
② 反干折这番面皮——反而白白地丢一回脸。
③ 灌园——种菜园子。

他洗净了身子，省两件衣服与他换了，把些饭食与他吃。”朱信便去教主人家烧起汤来，唤过迁去洗浴。过迁自出门这几年，从不曾见汤面。今日这浴，就如脱皮蜕壳，身上鏖糟①，足足洗了半缸。朱信将衣服与他穿起，梳好了头发，比前便大不相同。朱信取过饭来，恣意一饱。那过迁身子本来有些病体，又苦了一苦，又在当风处洗了浴，见着饭又多吃了碗，三合凑，到夜里生起病来。张孝基倩医调治，有一个多月，方才痊愈。

张孝基事体已完，算还了房钱，收拾起身。又雇了个牲口与过迁乘坐。一行四众，循着大路而来。张孝基开言道：“过迁，你是旧家子弟，我不好唤你名字。如今改叫过小乙。”又吩咐朱信：“你们叫他小乙哥，两下稳便。”朱信道：“小人知道。”张孝基道：“小乙，今日路上无聊，你把向日兴头事情，细细说与我消遣。”过迁道：“官人，往事休提！若说起来，羞也羞死了。”张孝基道：“你当时是个风流趣人，有甚么羞！且略说些么。”过迁被逼不过，只得一一直说前后浪费之事。张孝基道：“你起初恁般快活，前日街头这样苦楚，可觉有些过不去么?”过迁道：“小人当时年幼无知，又被人哄骗，以致如此。懊悔无及矣!”张孝基道：“只怕有了银子，还去快活哩。”过迁道：“小人性命已是多的了，还做这桩事，便杀我也不敢去!”张孝基又对朱信道：“你是他老家人，可晓得太公少年时也曾恁般快活过么?”朱信道：“可怜他日夜只想做人家，何曾舍得使一文屈钱！却想这样事!”孝基道：“你且说怎地样做人家?”朱信扳指头一岁起运，细说怎地勤劳，如何辛苦，方挣得这等家事。不想小乙哥把来看得像土块一般，弄得人亡家破。过迁听了，只管哀泣。张孝基道：“你如今哭也迟了，只是将来学做好人，还有个出头日子。”一路上热一句，冷一句，把话打着他心事。过迁渐渐自怨自艾②，懊悔不迭。正是：

临崖立马收缰晚，船到江心补漏迟。

在路行了几日，来到许昌，张孝基打发朱信先将行李归家，报知浑家。自同过迁径到自己家中，见过父母，将此事说知。令过迁相见已毕，遂引到后园，打扫一间房子，把出被窝之类，交付安歇。又吩咐道：“不许到别处行走。我若查出时，定然责罚。”过迁连声答应：“不敢，不敢!”孝基别了

① 鏖糟——污垢。

② 自怨自艾(yì)——悔恨自己的错误，自己愿意改正。艾，改正。

父母，回至家中，悄悄与浑家说了。浑家再三称谢，不提。是日过迁当晚住下。次日起早，便起身担着器具去锄地。看那园时，甚是广阔。周围编竹为篱，张太公也是做家之人，并不种甚花木，单种的是蔬菜。灌园的非止一人。过迁初时，哪里运弄得来。他也不管，一味蛮垦。过了数日，渐觉熟落，好不欢喜。每日担水灌浇，刈草锄垦，也不与人搭话。从清晨直至黄昏，略不少息。或遇凄风楚雨之时，思想父亲，吞声痛泣，欲要往坟上叩个头儿。又守着规矩，不敢出门。想起妹子，闻说就嫁在左近，却不知是哪家。意欲见他一面，又想："今日落于人后，何颜去见妹子。总不嫌我，倘被妹夫父母兄弟奚落，却不自取其辱！"索性把这念头休了。且说张孝基日日差人察听，见如此勤谨，万分欢喜。又教人私下试他，说："小乙哥，你何苦日夜这般劳碌？偷些工夫同我到街坊上玩耍玩耍，请你吃三杯，可好么？"过迁大怒道："你这人自己怠惰，已是不该，却又来引诱我为非！下次如此，定然禀告家主。"一日，张孝基自来查点，假意寻他事过，高声叱詈①吓打。过迁伏在地上，说道："是小人有罪，正该责罚。"张孝基恨了几声，乃道："姑恕你初次，且不计较。倘若再犯，定然不饶。"过迁顿首唯唯。自此之后，愈加奋励。约莫半年，并无倦怠之意。足迹不敢跨出园门。张孝基见他悔过之念已坚。一日，教人拿着一套衣服并巾帻鞋袜之类，来到园上，对过迁道："我看你做事勤谨，甚是可用。如今解库②中少个人相帮，你倒去得。可戴了巾帻，随我同去。"过迁道："小人得蒙收留灌园，已出望外，岂敢复望解库中使令？"张孝基道："不必推辞，但得用心支理，便是你的好处了。"过迁即便裹起巾帻，整顿衣裳。此时模样，比前更是不同。随孝基至堂中，作别张太公出门。路上无颜见人，低着头而走。不一时，望见自家门首，心中伤感，暗自掉下泪来。到得门口，只见旧日家人都叉手拱立两边，让张孝基进门。过迁想道："我家这些人，如何都归在他家？想是随屋卖的了。"却也不敢呼唤，只低着头而走。众家人随后也跟进来。到了堂中，便立住脚不行。见桌椅家伙之类，俱是自家故物，愈加凄惨。张孝基道："你随我来，教你见一个人。"过迁正不知见哪个，只得又随着而走。却从堂后转向左边。过迁认得这径道乃他家旧时往家庙去

---

① 叱詈(lì)——大声责骂。詈，骂。

② 解(jiè)库——当铺。

之路。渐渐至近,孝基指着堂中道:“有人在里边,你进去认一认。”过迁急忙走去,抬头看见父亲形影①,翻身拜倒在地,哭道:“不肖子流落卑污,玷辱家门,生不能侍奉汤药,死不能送骨入土,忤逆不道,粉骨难赎!”以头叩地,血被于面。正哭间,只听得背后有人哭来,叫道:“哥哥,你一去不回,全不把爹爹为念!”过迁举眼见是妹子,一把扯住道:“妹子,只道今生已无再见之期,不料复得与你相会!”哥妹二人,相持大哭。

昔年流落实堪伤,今日相逢转断肠。
不是一番寒彻骨,怎得梅花扑鼻香!

哥妹哭了一回,过迁向张孝基拜谢道:“若非妹丈救我性命,必作异乡之鬼矣。大恩大德,将何补报!”张孝基扶起道:“自家骨肉,何出此言!但得老舅改过自新,以慰岳丈在天之灵,胜似报我也。”过迁泣谢道:“不肖谨守妹丈向日约束,倘在不到处,一依前番责罚。”张孝基笑道:“前者老舅不知详细,故用权宜之策。今已明白,岂有是理。但须自戒可也。”当下张孝基唤众家人来,拜见已毕,回至房中。淑女整治酒肴款待。过迁乃问:“你的大嫂嫁了何人?”淑女道:“哥哥,你怎说这话!却不枉杀了人!当日爹爹病重,主张教嫂嫂转嫁,嫂嫂立志不从。”乃把前事细说一遍。又道:“如今见守在家,怎么说他嫁人!”过迁见说妻子贞节,又不觉泪下,乃道:“我哪里晓得!都是朱信之言。”张孝基道:“此乃一时哄你的话。待过几时,同你去见令岳。迎大嫂来家。”过迁道:“这个我也不想矣。但要到爹爹墓上走遭。”张孝基道:“这事容易!”到次早备办祭礼,同到墓上。过迁哭拜道:“不肖子违背爹爹,罪该万死!今愿改行自新,以赎前非。望乞阴灵洞鉴。”祝罢,又哭。张孝基劝住了,回到家中,把解库中银钱点明,付与过迁掌管。那过迁虽管了解库,一照灌园时早起晏眠,不辞辛苦。出入银两,公平谨慎。往来的人,无不欢喜。将张孝基夫妻恭敬犹如父母。倘有疑难之事,便来请问。终日住在店中,毫无昔日之态。此时亲戚尽晓得他已回家,俱来相探。彼此只作个揖,未敢深谈。过了两三个月,张孝基还恐他心活,又令人来试他说:“小官人,你平昔好玩,没银时还各处抵借来用。今见放着白晃晃许多东西,倒呆坐看守!近日有个绝妙的人儿,有十二分才色,藏在一个所在。若有兴,同去吃杯茶,何如?”过迁听罢,大喝道:“你

① 形影——画像。

这鸟人！我只因当初被人引诱坏了，弄得破家荡产，几乎送了性命。心下正恨着这班贼男女，你却又来哄我！”便要扯去见张孝基。那人招称不是，方才罢了。孝基闻知如此，不胜之喜。

时光迅速，不觉又是半年。张孝基把库中账目，细细查算，分毫不差。乃对过迁说道：“不孝有三，无后为大。向日你初回时，我便要上复令岳，迎大嫂与老舅完聚。恐他还疑你是个败子，未必肯许。故此止了。今你悔过之名，人都晓得，去迎大嫂，料无推托。如今可即同去。”过迁依允。淑女取出一副新鲜衣服与他穿起，同至方家。方长者出来相见。过迁拜倒在地道：“小婿不肖，有负岳父、贤妻！今已改过前非，欲迎令爱完聚。”方长者扶起道：“不消拜，你之所行，我尽已知道。小女既归于汝，老夫自当送来。”张孝基道：“亲翁还在何日送来？”方长者道：“就明日便了。”张孝基道：“亲翁亦求一顾，尚有话说。”方长者应允。二人作别，回到家里。张孝基遍请亲戚邻里，于明日吃庆喜筵席。到次日午前，方氏已到。过迁哥妹出去相迎。相见之间，悲喜交集。方氏又请张孝基拜谢。少顷，诸亲俱到，相见已毕，无不称赞孝基夫妇玉成之德、过迁改悔之善、方氏志节之坚。不一时，酒筵完备。张孝基安席定首，叙齿而坐。酒过数巡，食供三套，张孝基起身进去，教人捧出一个箱儿，放于桌上，讨个大杯，满斟热酒，亲自递与过迁道：“大舅，满饮此杯。”过迁见孝基所敬，不敢推托，双手来接道：“过迁理合敬妹丈，如何反劳尊赐？”张孝基道：“大舅就请干了，还有话说。”过迁一吸而尽。孝基将钥匙开了那只箱儿，箱内取出十来本文簿，递与过迁：“你请收了这几本账目。”过迁接了，问道：“妹丈，这是什么账？”张孝基道：“你且收下，待我细说。”乃对众人道：“列位尊长在上，小生有一言相禀。”众人俱站立起身道：“不知足下有何见谕？老汉们愿闻清诲。”遂侧耳恭听。张孝基叠出两个指头，说将出来，言无数句，使听者无不啧啧称赞。正是：

钱财如粪土，仁义值千金。
曾记床头语，穷通不二心。

当下张孝基说道：“昔年岳父只因大舅荡费家业，故将财产传与小生。当时再三推辞，岳父执意不从。因见正在病中，恐触其怒，反非爱敬之意，故勉强承受。此皆列位尊长所共见，不必某再细言。及岳父弃世之后，差人四处寻访大舅。四五年间，毫无踪影。天意陈留得遇。当时本欲直陈，交还原产，仍恐其旧态犹存，依然浪费，岂不反负岳父这段恩德！故将真情隐匿，使之耕种，绳以规矩，劳其筋骨，苦其心志，养以良言劝喻，隐语讽刺，冀其悔过自新。幸喜彼亦自觉前非，怨艾日深，幡然迁改。及令管库，处心公平，临事驯谨。数月以来，丝毫不苟。某犹恐其心未坚，几遍教人试诱，心如铁石，片语难投。竟为志诚君子矣！故特请列位尊长到此，将昔日岳父所授财产，并历年收积米谷布帛银钱，分毫不敢妄用，一一开载账上。今日交还老舅。明早同令妹即搬归寒舍矣。”又在箧中取出一纸文书，也奉与过迁道：“这幅纸乃昔年岳父遗嘱，一发奉还。适来这杯酒，乃劝大舅，自今以后，兢兢业业，克俭克勤，以副岳父泉台之望。勿得意盈志满，又生别念。戒之，戒之！”众人到此，方知昔年张孝基苦辞不受，乃是真情，称叹不已。过迁见说，哭拜于地道：“不肖悖逆天道，流落他乡，自分横死街衢①，永无归期。此产岂为我有！幸逢妹丈救回故里，朝夕训诲，激励成人，全我父子，完我夫妇，延我宗祀，正所谓生我者父母，成我者妹丈。此恩此德，高天厚地，杀身难报。即使执鞭随蹬，亦未过分，岂敢复有他望！况不肖一生违逆父命，罪恶深重，无门可赎。今此产乃先人主张授君，如归不肖，却不又逆父志，益增我罪！”张孝基扶起道：“大舅差矣！岳父一世辛苦，实欲传之子孙世守。不意大舅飘零于外，又无他子可承，付之于我，此乃万不得已，岂是他之本念。今大舅已改前愆②，守成其业，正是继父之志。岳父在天，亦必徜徉长笑，怎么反增你罪？”过迁又将言语推辞，两下你让我却，各不肯收受。连众人都没主意。方长者开言对张孝基道：“承姑丈高谊，小婿义不容辞。但全归之，其心何安！依老夫愚见，各受其半，庶不过情。”众人齐道：“长者之言甚是！昔日老汉们亦有此议，只因太公不允，所以止了。不想今日原从这着。可见老成之见，大略相同。”张孝基道：“亲翁，子承父业，乃是正理，有甚不安。若各分其半，即如不还一般了。这怎使得！”方长者又道：“既不愿分，不若同居于此，协力经营。待后分之子孙，何如？”张孝基道：“寒家自有敝庐薄产，子孙岂可占过氏之物。”众人见执意不肯，俱劝过迁受领。过迁却又不肯。跑进里边，见妹子正与方氏饮酒，过迁上前哭诉其事，教妹子劝张孝基受其半。哪知淑女说

① 自分(fèn)横死街衢(qú)——自己估量会因挨饿受冻而惨死街头的。

② 前愆(qiān)——以前所犯的过失。愆：罪过，过失。

话与丈夫一般。过迁夫妇跪拜哀求，只是不允。过迁推托不去，再拜而受。众人齐赞道："张君高义，千古所无！"唐人罗隐①先生有赞云：

能生之，不能富之，能富之，不能教之。死而生之，贫而富之，小人而君子之。呜呼孝基，真可为百世之师！

当日直饮至晚而散。到次日，张孝基叫浑家收拾回家。过迁苦留道："妹丈财产，既已不受，且同居于此，相聚几时，何忍遽别！"张孝基道："我家去此不远，朝暮便见，与居此何异？"过迁料留不住，乃道："既如此，容明日治一酌与妹丈为饯，后日去何如？"孝基许之。次日，过迁大排筵席，广延男女亲邻，并张太公夫妇。张妈妈守家不至。请张太公坐了首席。其余宾客依次而坐。里边方氏姑嫂女亲，自不必说。是日筵席，水陆毕备，极其丰富。众客尽欢而别。客去后，张孝基对过迁道："大舅，岳父存日，从不曾如此之费。下次只宜俭省，不可以此为则。"过迁唯唯。次日，孝基夫妇，只收拾妆奁中之物，其余一毫不动，领着两个儿子，作辞起身。过迁、方氏同婢仆，直送至张家，置酒款待而回。自此之后，过迁操守愈励，遂为乡闾善士。只因勤苦太过，渐渐习成父亲悭吝样子。后亦生下一子，名师俭。因惩自己昔年之失，严加教诲。此是后话不提。

且说里中父老，敬张孝基之义，将其事申闻郡县。郡县上之于朝。其时正是曹丕篡汉，欲收人望②，遂下书征聘。孝基恶魏乃僭窃之朝，耻食其禄，以亲老为辞，不肯就辟③。后父母百年后，容毁骨立，丧葬合礼，其名愈著。州郡俱举孝廉④。凡五诏，俱以疾辞。有人问其缘故。孝基笑而不答。隐于田里，躬耕乐道，教育二子。长子名继，次子名绍，皆仁孝有学行，里中咸愿与之婚，孝基择有世德者配之。孝基年五十外，忽梦上帝膺召，夫妇遂双双得疾。二子日夜侍奉汤药，衣不解带。过迁闻知，率其子过师俭同来，亦如二子一般侍奉。孝基谢而止之。过迁道："感君之德，恨不能身代。今聊效区区，何足为谢。"过了数日，夫妇同逝。临终之时，异香满室。邻里俱闻空中车马音乐之声，从东而去。二子哀恸，自不必说。

---

① 罗隐——唐末诗人。

② 人望——负有声望的人。

③ 就辟(bì)——趋就朝廷的征召。辟，征召。

④ 举孝廉——汉代规定，地方官要推荐选拔所属吏民中孝顺父母、行为清廉者到朝里做官，叫做"举孝廉"。

那过迁哭绝复苏，至于呕血。丧葬之费，俱过迁为之置办。二子泣辞再三，过迁不允。一月后，有亲友从洛中回来，至张家吊奠，述云："某日于嵩山游玩，忽见旌幢驺御①满野。某等避在林中观看。见车上坐着一人，绛袍玉带，威仪如王者，两边锦衣花帽，侍卫多人。仔细一认，乃是令先君。某等惊喜，出林趋揖。令先君下车相慰。某等问道：'公何时就征，遂为此显官？'令先君答云：'某非阳官，乃阴职也。上帝以某还财之事，命主此山。烦传示吾子，不必过哀。'言讫，倏然不见。方知令先君已为神矣。"二子闻言，不胜哀感。那时传遍乡里，无不叹异。相率为善，名其里为义感乡。晋武帝时，州郡举二子孝廉，俱为显官。过迁年至八旬外而终。两家子孙繁盛，世为姻戚云。

还财阴德泽流长，千古名传义感乡。
多少竞财疏骨肉，应知无面向嵩山。

第十八卷　施润泽滩阙遇友

还带曾消纵理纹，返金种得桂枝芬。
从来阴骘能回福，举念须知有鬼神。

这首诗引着两个古人阴骘的故事。第一句说：还带曾消纵理纹，乃唐朝晋公裴度之事。那裴度未遇时，一贫如洗，功名蹭蹬②。就一风鉴③，以决行藏④。那相士说："足下功名事，且不必问。更有句话，如不见怪，方敢直言。"裴度道："小生因在迷途，故求指示。岂敢见怪！"相士道："足下螣蛇纵理纹入口⑤，数年之间，必致饿死沟渠。"连相钱俱不肯受。裴度是个知命君子，也不在其意。一日，偶至香山寺闲游。只见供桌上光华耀目。近前看时，乃是一围宝带。裴度捡在手中，想道："这寺乃冷落所在，如何

① 驺(zōu)御——这里是车马、随从的意思。
② 蹭蹬——遭遇挫折，不顺利。
③ 风鉴——旧指相术，这里指看相的人。
④ 行藏——这里是行止的意思。
⑤ 螣(téng)蛇纵理纹入口——相术说鼻下左右两条纹叫"螣蛇纹"，纹的尾端如果通到口边，叫"螣蛇纹入口"，这个人将来就会饿死。

却有这条宝带?”翻阅了一回,又想道:“必有甚贵人,到此礼佛更衣。祇候①们不小心,遗失在此。定然转来寻觅。”乃坐在廊庑下等候。不一时,见一女子走入寺来,慌慌张张,径望殿上而去。向供桌上看了一看,连声叫苦,哭倒于地。裴度走向前问道:“小娘子因何恁般啼泣?”那女子道:“妾父被人陷于大辟,无门伸诉。妾日至此恳佛阴佑。近日幸得从轻赎锾②。妾家贫无措,遍乞高门。昨得一贵人矜怜,助一宝带。妾以佛力所致,适携带呈于佛前,稽首叩谢。因赎父心急,竟忘收此带,仓忙而去。行至半路方觉,急急赶来取时,已不知为何人所得。今失去这带,妾父料无出狱之期矣。”说罢又哭。裴度道:“小娘子不必过哀,是小生收得,故在此相候。”把带递还。那女子收泪拜谢:“请问姓字,他日妾父好来叩谢。”裴度道:“小娘子有此冤抑,小生因在贫乡,不能少助为愧。还人遗物,乃是常事,何足为谢!”不告姓名而去。过了数日,又遇向日相士,不觉失惊道:“足下曾作何好事来?”裴度答云:“无有。”相士道:“足下今日之相,比先大不相牟③。阴德纹大见,定当位极人臣,寿登耄耋④,富贵不可胜言。”裴度当时犹以为戏语。后来果然出将入相,历事四朝,封为晋国公,年享上寿。有诗为证:

纵理纹生相可怜,香山还带竟安然。
淮西荡定⑤功英伟,身系安危三十年。

第二句说是:返金种得桂枝芬。乃五代窦禹钧之事。那窦禹钧,蓟州人氏,官为谏议大夫,年三十而无子。夜梦祖父说道:“汝命中已该绝嗣,寿亦只在明岁。及早行善,或可少延。”禹钧唯唯。他本来是个长者,得了这梦,愈加好善。一日薄暮,于延庆寺侧,拾得黄金三十两、白金二百两。至次日清早,便往寺前守候。少顷,见一后生涕泣而来,禹钧迎住问之。后生答道:“小人父亲身犯重罪,禁于狱中,小人遍恳亲知,共借白金二百

---

① 祇(zhī)候——这里指富贵人家的仆役头。

② 赎锾(huán)——古代刑法准许犯某些罪的罪犯缴纳一定数目的金钱来减免刑罚。锾,罚金。

③ 相牟(móu)——相同。牟,通侔,等同。

④ 耄耋(màodié)——泛指老年。耄,八九十岁;耋,七八十岁。

⑤ 淮西荡定——唐宪宗于元和十二年(公元八一七年)命裴度作淮西招讨使,擒叛将吴元济,平定淮西。

两、黄金三十两。昨将去赎父，因主库者不在而归。为亲戚家留款，多吃了杯酒，把东西遗失。今无以赎父矣！”窦公见其言已合银数，乃袖中摸出还之，道：“不消着急，偶尔拾得在此，相候久矣。”这后生接过手，打开看时，分毫不动，叩头泣谢。窦公扶起，分外又赠银两而去。其他善事甚多，不可枚举。一夜，复梦祖先说道：“汝合无子无寿。今有还金阴德种种，名挂天曹，特延算三纪①，赐五子显荣。”窦公自此愈积阴功。后果连生五子，长仪，次俨，三侃，四翱，五僖，俱仕宋为显官。窦公寿至八十二，沐浴相别亲戚，谈笑而卒。长乐老冯道②有诗赠之云：

燕山窦十郎，教子有义方。
灵椿一株老，丹桂五枝芳。

说话的，为何道这两桩故事？只因亦有一人曾还遗金，后来虽不能如二公这等大富大贵，却也免了一个大难，享个大大家事。正是：

种瓜得瓜，种豆得豆。一切祸福，自作自受。

说这苏州府吴江县离城七十里，有个乡镇，地名盛泽，镇上居民稠广，土俗淳朴，俱以蚕桑为业。男女勤谨，络纬机杼之声，通宵彻夜。那市上两岸绸丝牙行③，约有千百余家，远近村坊织成绸匹，俱到此上市。四方商贾来收买的，蜂攒蚁集，挨挤不开，路途无伫足之隙；乃出产锦绣之乡，积聚绫罗之地。江南养蚕所在甚多，惟此镇处最盛。有几句口号为证：

东风二月暖洋洋，江南处处蚕桑忙。
蚕欲温和桑欲干，明如良玉发奇光。
缫成万缕千丝长，大筐小筐随络床。
美人抽绎沾唾香，一经一纬机杼张。
咿咿轧轧谐宫商，花开锦簇成匹量。
莫忧八口无餐粮，朝来镇上添远商。

且说嘉靖年间，这盛泽镇上有一人，姓施名复，浑家喻氏，夫妻两口，别无男女。家中开张绸机，每年养几筐蚕儿，妻络夫织，甚好过活。这镇

① 延算三纪——延长寿命三十六年。算，寿数；纪，古代十二年为一纪。
② 长乐老冯道——冯道，五代时人。历事唐、晋、汉、周四朝为官，自号“长乐老”。
③ 牙行——为买卖双方说合交易，并抽取佣金的商行。

上都是温饱之家，织下绸匹，必积至十来匹，最少也有五六匹，方才上市。那大户人家积得多的便不上市，都是牙行引客商上门来买。施复是个小户儿，本钱少，织得三四匹，便去上市出脱。一日，已积了四匹，逐匹把来方方折好，将个布袱儿包裹，一径来到市中。只见人烟辏①集，语话喧阗，甚是热闹。施复到个相熟行家来卖。见门首拥着许多卖绸的，屋里坐下三四个客商。主人家跍在柜身里，展看绸匹，估喝②价钱。施复分开众人，把绸递与主人家。主人家接来，解开包袱，逐匹翻看一过，将秤准了一准，喝定价钱，递与一个客人道："这施一官是忠厚人，不耐烦的，把些好银子与他。"那客人真个只拣细丝称准，付与施复。施复自己也摸出等子来准一准，还觉轻些，又争添上一二分，也就罢了。讨张纸包好银子，放在兜肚里，收了等子包袱，向主人家拱一拱手，叫声有劳，转身便走。行不上半箭之地，一眼觑见一家街沿之下一个小小青布包儿。施复趱步③向前，拾起袖过，走到一个空处，打开看时，却是两锭银子，又有三四件小块，兼着一文太平钱儿。把手撷一撷，约有六两多重。心中欢喜道："今日好造化！拾得这些银子，正好将去凑做本钱。"连忙包好，也揣在兜肚里，望家中而回。一头走，一头想，如今家中现开这张机，尽够日用了。有了这银子，再添上一张机，一月出得多少绸，有许多利息。这项银子，譬如没得，再不要动他。积上一年，共该若干，到来年再添上一张。一年又有多少利息。算到十年之外，便有千金之富。那时造什么房子，买多少田产。正算得熟滑，看看将近家中，忽地转过念头，想道："这银两若是富人掉的，譬如牯牛身上拔根毫毛，打甚么紧，落得将来受用。若是客商的，他抛妻弃子，宿水餐风，辛勤挣来之物，今失落了，好不烦恼。如若有本钱的，他拚这账生意扯直，也还不在心上；倘然是个小经纪，只有这些本钱，或是与我一般样苦挣过日，或卖了绸，或脱了丝，这两锭银乃是养命之根，不争失了，就如绝了咽喉之气，一家良善，没甚过活，互相埋怨，必致鬻身卖子。倘是个执性的，气恼不过，肮脏④送了性命，也未可知。我虽是拾得的，不十分罪过。

① 辏(còu)集——聚集。辏，车轮的辐条集中于车轮的中心部分。

② 估喝——口内叫喝所卖货物的价格。

③ 趱(zǎn)步——快步。趱：赶，加快。

④ 肮脏——这里是糟踏的意思。

但日常动念，使得也不安稳。就是有了这银子，未必真个营运发积起来。一向没这东西时，依原将就过了日子。不如原往那所在，等失主来寻，还了他去，倒得安乐。”随复转身而去，正是：

多少恶念转善，多少善念转恶。

劝君诸善奉行，但是诸恶莫作。

当下施复来到拾银之处，靠在行家柜边，等了半日，不见失主来寻。他本空心出门的，腹中渐渐饥饿。欲待回家吃了饭再来，犹恐失主一时间来，又不相遇。只得忍着等候。少顷，只见一个村庄后生，汗流满面，闯进行家，高声叫道：“主人家，适来银子忘记在柜上，你可曾捡得么？”主人家道：“你这人好混账！早上交银子与了你，这时节却来问我，你若忘在柜上时，莫说一包，再有几包也都拿去了。”那后生连把脚跌道：“这是我的种田工本，如今没了，却怎么好？”施复问道：“约莫有多少？”那后生道：“起初在这里卖的丝银六两二钱。”施复道：“把什么包的？有多少件数？”那后生道：“两整锭，又是三四块小的，一个青布银包包的。”施复道：“恁样，不消着急。我拾得在此，相候久矣。”便去兜肚里摸出来，递与那人。那人连声称谢。接过手，打开看时，分毫不动。那时往来的人，当做奇事，拥上一堆，都问道：“在哪里拾的？”施复指道：“在这阶沿头拾的。”那后生道：“难得老哥这样好心，在此等候还人。若落在他人手里，安肯如此。如今倒是我拾得的了，情愿与老哥各分一半。”施复道：“我若要，何不全取了，却分你这一半？”那后生道：“既这般，送一两谢仪与老哥买果儿吃。”施复笑道：“你这人是个呆子！六两三两都不要，要你一两银子何用！”那后生道：“老哥，银子又不要，何以相报？”众人道：“看这位老兄，是个厚德君子，料必不要你报。不若请到酒肆中吃三杯，见你的意罢了。”那后生道：“说得是。”便来邀施复同去。施复道：“不消得，不消得，我家中有事，莫要担搁我工夫。”转身就走。那后生留之不住。众人道：“你这人好造化！掉了银子，一文钱不费，便捞到手。”那行家道：“便是，不想世间原有这等好人。”把银包藏了，向主人说声打搅，下阶而去。众人亦赞叹而散。也有说：“施复是个呆子，拾了银子不会将去受用，却呆站着等人来还。”也有说：“这人积此阴德，后来必有好处。”不提众人。且说施复回到家里，浑家问道：“为甚么去了这大半日？”施复道：“不要说起，将到家了，因着一件事，复身转去，担搁了这一回。”浑家道：“有甚事担搁？”施复将还银之事，说向浑家。浑家道:"这件事也做得好。自古道:'横财不富命穷人。'倘然命里没时,得了他反生灾作难,倒未可知。"施复道:"我正为这个缘故,所以还了他去。"当下夫妇二人,不以拾银为喜,反以还银为安。衣冠君子中,多有见利忘义的,不意愚夫愚妇倒有这等见识。

从来作事要同心,夫唱妻和种德深。

万贯钱财如粪土,一分仁义值千金。

自此之后,施复每年养蚕,大有利息,渐渐活动。那育蚕有十体、二光、八宜等法,三稀五广之忌①。第一要择蚕种。蚕种好,做成茧小而明厚坚细,可以缫丝。如蚕种不好,但堪为绵纩,不能缫丝,其利便差数倍。第二要时运。有造化的,就蚕种不好,依般做成丝茧。若造化低的,好蚕种,也要变做绵茧。北蚕三眠,南蚕俱是四眠。眠起饲叶,各要及时。又蚕性畏寒怕热,惟温和为得候。昼夜之间,分为四时。朝暮类春秋,正昼如夏,深夜如冬,故调护最难。江南有谣云:

做天莫做四月天,蚕要温和麦要寒。

秧要日时麻要雨,采桑娘子要晴干。

那施复一来蚕种拣得好,二来有些时运。凡养的蚕,并无一个绵茧;缫下丝来,细圆匀紧,洁净光莹,再没一根粗节不匀的。每筐蚕,又比别家分外多缫出许多丝来。照常织下的绸拿上市去,人看时光彩润泽,都增价竞买,比往常每匹平添钱多银子。因有这些顺溜,几年间,就增上三四张绸机,家中颇颇饶裕。里中遂庆个号儿叫做施润泽。却又生下一个儿子,寄名观音大士,叫做观保。年才二岁,生得眉目清秀,倒好个孩子。话休烦絮。那年又值养蚕之时,才过了三眠,合镇缺了桑叶,施复家也只够两日之用。心下慌张,无处去买。大率蚕市时,天色不时阴雨,蚕受了寒湿之气,又食了冷露之叶,便僵死,十分之中,就只好存其半,这桑叶就有余了。那年天气温暖,家家无恙,叶遂短缺。且说施复正没处买桑叶,十分焦躁,忽见邻家传说洞庭山余下桑叶甚多,合了十来家过湖去买。施复听见,带了些银两,把被窝打个包儿,也来赶船。这时也是未牌时候,开船摇橹,离了本镇。过了平望,来到一个乡村,地名滩阙。这去处在太湖之旁,

① 育蚕有十体、二光、八宜等法,三稀五广之忌——这些都是讲养蚕的一些经验和方法。

离盛泽有四十里之远。天已傍晚,过湖不及,遂移舟进一小港泊住,稳缆停桡,打点收拾晚食,却忘带了打火刀石。众人道:“哪个上涯去取讨个火种便好?”施复却如神差鬼使一般,便答应道:“待我去。”取了一把麻骨①,跳上岸来。见家家都闭着门儿。你道为何,天色未晚,人家就闭了门?那养蚕人家,最忌生人来冲。从蚕出至成茧之时,约有四十来日,家家紧闭门户,无人往来。任你天大事情,也不敢上门。当下施复走过几家,初时甚以为怪,道:“这些人家,想是怕鬼拖了人去,日色还在天上,便都闭了门。”忽地想起道:“呸!自己是老看蚕,倒忘记了这取火乃养蚕家最忌的。却兜揽这账!如今哪里去讨?”欲待转来,又想道:“方才不应承来,倒也罢了。若空身回转,教别个来取得时,反是老大没趣。或者有家儿不养蚕的也未可知。”依旧又走向前去。只见一家门儿半开半掩。他也不管三七廿一,做两步跨到檐下,却又不敢进去。站在门外,舒颈望着里边,叫声:“有人么?”里边一个女人走出来,问道:“什么人?”施复满面赔着笑道:“大娘子,要相求个火儿。”妇人道:“这时节,别人家是不肯的。只我家没忌讳。便点个与你也不妨碍。”施复道:“如此,多谢了!”即将麻骨递与,妇人接过手,进去点出火来。施复接了,谢声打搅,回身便走。走不上两家门面,背后有人叫道:“那取火的转来,掉落东西了。”施复听得,想道:“却不知掉了甚的?”又复走转去。妇人说道:“你一个兜肚落在此了。”递还施复。施复谢道:“难得大娘子这等善心。”妇人道:“何足为谢!向年我丈夫在盛泽卖丝,落掉六两多银子,遇着个好人拾得,住在那里等候。我丈夫寻去,原封不动,把来还了,连酒也不要吃一滴儿。这样人方是真正善心人!”施复见说,却与他昔年还银之事相合,甚是骇异,问道:“这事有几年了?”妇人把指头抡算道:“已有六年了。”施复道:“不瞒大娘子说,我也是盛泽人,六年前也曾拾过一个卖丝官人六两多银子,等候失主来寻,还了去。他要请我,也不要吃他的。但不知可就是大娘子的丈夫?”妇人道:“有这等事!待我教丈夫出来,认一认可是?”施复恐众人性急,意欲不要。不想手中麻骨火将及点完。乃道:“大娘子,相认的事甚缓,求得个黄同纸②去引火时,一发感谢不尽。”妇人也不回言,径往里边去了。顷刻间,同一个后生跑出

① 麻骨——麻秸,可以点火。

② 黄同纸——就是用表芯纸搓成的细纸卷,供点火、吸烟用的。

来。彼此睁眼一认，虽然隔了六年，面貌依然。正是昔年还银义士。正是：

一叶浮萍归大海，人生何处不相逢。

当下那后生躬身作揖道："常想老哥，无从叩拜，不意今日天赐下顾。"施复还礼不迭。二人作过揖，那妇人也来见个礼。后生道："向年承老哥厚情，只因一时仓忙，忘记问得尊姓大号住处。后来几遍到贵镇卖丝，问主人家，却又不相认。四面寻访数次，再不能遇见。不期倒在敝乡相会。请里面坐。"施复道："多承盛情垂念。但有几个朋友，在舟中等候火去作晚食，不消坐罢。"后生道："何不一发请来？"施复道："岂有此理！"后生道："既如此，送了火去来坐罢。"便教浑家取个火来，妇人即忙进去。后生问道："老哥尊姓大号？今到哪里去？"施复道："小子姓施名复，号润泽。今因缺了桑叶，要往洞庭山去买。"后生道："若要桑叶，我家尽有，老哥今晚住在寒舍，让众人自去。明日把船送到宅上，可好么？"施复见说他家有叶，好不欢喜。乃道："若宅上有时，便省了小子过湖，待我回复众人自去。"妇人将出火来，后生接了，说："我与老哥同去。"又吩咐浑家，快收拾夜饭。当下二人拿了火来至船边，把火递上船去。众人一个个眼都望穿，将施复埋怨道："讨个火什么难事！却去这许多时？"施复道："不要说起，这里也都看蚕，没处去讨。落后相遇着这位相熟朋友，说了几句话，故此迟了，莫要见怪！"又道："这朋友偶有余叶在家中，我已买下，不得相陪列位过湖了。包袱在舱中，相烦拿来与我。"众人捡出付与。那后生便来接道："待我拿罢！"施复叫道："列位，暂时抛撇，归家相会。"别了众人，随那后生转来。乃问道："适来忙促，不曾问得老哥贵姓大号。"答道："小子姓朱名恩，表字子义。"施复道："今年贵庚多少？"答道："二十八岁。"施复道："恁样，小子叨长老哥八年！"又问："令尊令堂同居么？"朱恩道："先父弃世多年，止有老母在堂，今年六十八岁了，吃一口长素。"二人一头说，不觉已至门首。朱恩推开门，请施复屋里坐下。那桌上已点得灯烛。朱恩放下包裹道："大嫂快把茶来。"声犹未了，浑家已把出两杯茶，就门帘内递与朱恩。朱恩接过来，递一杯与施复，自己拿一杯相陪。又问道："大嫂，鸡可曾宰么？"浑家道："专等你来相帮。"朱恩听了，连忙把茶放下，跳起身要去捉鸡。原来这鸡就罩在堂屋中左边。施复即上前扯住道："既承相爱，即小菜饭儿也是老哥的盛情，何必杀生！况且此时鸡已上宿，不争我来又害他性命，于心何忍！”朱恩晓得他是个质直之人，遂依他说，仍复坐下道：“既如此说，明日宰来相请。”叫浑家道：“不要宰鸡了，随分有现成东西，快将来吃罢。莫饿坏了客人。酒烫热些。”施复道：“正是忙日子，却来蒿恼。幸喜老哥家没忌讳还好。”朱恩道：“不瞒你说，旧时敝乡这一带，第一忌讳是我家。如今只有我家无忌讳。”施复道：“这却为何？”朱恩道：“自从那年老哥还银之后，我就悟了这道理。凡事是有个定数，断不由人，故此绝不忌讳，依原年年十分利息。乃知人家都是自已见神见鬼，全不在忌讳上来。妖由人兴，信有之也。”施复道：“老哥是明理之人，说得极是。”朱恩又道：“又有一节奇事，常年我家养十筐蚕，自已园上叶吃不来，还要买些。今年看了十五筐，这园上桑又不曾增一棵两棵，如今够了自家，尚余许多，却好又济了老哥之用。这桑叶却像为老哥而生，可不是个定数？”施复道：“老哥高见，甚是有理。就如你我相会，也是个定数。向日你因失银与我识面；今日我亦因失物，尊嫂见还。方才言及前情，又得相会。”朱恩道：“看起来，我与老哥乃前生结下缘分，才得如此。意欲结为兄弟，不知尊意若何？”施复道：“小子别无兄弟。若不相弃，可知好哩。”当下二人就堂中八拜为交，认为兄弟。施复又请朱恩母亲出来拜见了。朱恩重复唤浑家出来，见了结义伯伯。一家都欢欢喜喜。不一时，将出酒肴，无非鱼肉之类。二人对酌。朱恩问道：“大哥有几位令郎？”施复答道：“只有一个，刚才二岁。不知贤弟有几个？”朱恩道：“只有一个女儿，也才二岁。”便教浑家抱出来，与施复观看。朱恩又道：“大哥，我与你兄弟之间，再结个儿妇亲家何如？”施复道：“如此最好。但恐家寒攀陪不起。”朱恩道：“大哥何出此言！”两下联了姻事，愈加亲热。杯来盏去，直饮至更余方止。朱恩寻扇板门，把凳子两头搁着，支个铺儿在堂中右边，将荐席铺上。施复打开包裹，取出被来摊好。朱恩叫声安置，将中门闭上，向里面去了。施复吹熄灯火，上铺卧下，翻来覆去，再睡不着。只听得鸡在笼中不住吱吱喳喳，想道：“这鸡为甚么只管咭咕？”约莫一个更次，众鸡忽然乱叫起来，却像被什么咬住一般。施复只道是黄鼠狼来偷鸡，霍地立起身，将衣服披着急来看这鸡。说时迟，那时快，才下铺，走不上三四步，只听得一时响亮，如山崩地裂，不知甚东西打在铺上，把施复吓得半步也走不动。且说朱恩同母亲浑家正在那里饲蚕，听得鸡叫，也认做黄鼠狼来偷，急点火出来看。才动步，忽听见这一响，惊得跌足叫苦道：“不好了！是我害了哥哥性命也，怎么处?”飞奔出来。母妻也惊骇,道:“坏了,坏了!”接脚追随。朱恩开了中门,才跨出脚,就见施复站在中间,又惊又喜道:“哥哥,险些儿吓杀我也!亏你如何走得起身,脱了这祸?”施复道:“若不是鸡叫得慌,起身来看,此时已为齑粉矣。不知是甚东西打将下来?”朱恩道:“乃是一根车轴搁在上边,不知怎地却掉下来?”将火照时,那扇门打得粉碎,凳子都跌倒了。车轴滚在壁边,有巴斗粗大。施复看了,伸出舌头缩不上去。此时朱恩母妻见施复无恙,已自进去了。那鸡也寂然无声。朱恩道:“哥哥起初不要杀鸡,谁想就亏他救了性命。”二人遂立誓戒了杀生。有诗为证。

昔闻杨宝酬恩雀,今见施君报德鸡。
物性有知皆似此,人情好杀复何为?

当下朱恩点上灯烛,卷起铺盖,取出稻草,就地上打个铺儿与施复睡了。到次早起身,外边却已下雨。吃过早饭,施复便要回家。朱恩道:“难得大哥到此!须住一日,明早送回。”施复道:“你我正在忙时,总然留这一日,各不安稳。不如早些得我回去,等空闲时,大家宽心相叙几日。”朱恩道:“不妨得!譬如今日到洞庭山去了。住在这里话一日儿。”朱恩母亲也出来苦留。施复只得住下。到巳牌时分,忽然作起大风,扬沙拔木,非常利害。接着风,就是一阵大雨。朱恩道:“大哥,天遣你遇着了我,不去得还好。他们过湖的,有些担险哩。”施复道:“便是。不想起这等大风,真个好怕人子①!”那风直吹至晚方息。雨也止了。施复又住了一宿。次日起身时,朱恩桑叶已采得完备。他家自有船只,都装好了。吃了饭,打点起身。施复意欲还他叶钱,料道不肯要的,乃道:“贤弟,想你必不受我叶钱,我倒不虚文了。但你家中脱不得身,送我去便担搁两日工夫。若有人雇一个摇去,却不两便?”朱恩道:“正要认着大哥家中,下次好来往,如何不要我去?家中也不消得我。”施复见他执意要去,不好阻挡。遂作别朱恩母妻,下了船。朱恩把船摇动。刚过午,就到了盛泽。施复把船泊住,两人搬桑叶上岸。那些邻家也因昨日这风,却担着愁担子,俱在门首等候消息。见施复到时,齐道:“好了,回来也!”急走来问道:“他们哪里去了不见?共买得几多叶?”施复答道:“我在滩阙遇见亲戚家,有些余叶送我,不曾同众人过湖。”众人俱道:“好造化,不知过湖的怎样光景哩?”施复道:

① 好怕人子——非常可怕。“子”,语助词,无义。

"料然没事。"众人道:"只愿如此便好。"施复就央几个相熟的,将叶相帮搬到家里。谢声有劳,众人自去。浑家接着,道:"我正在这里忧你,昨日恁样大风,不知如何过了湖?"施复道:"且过来见了朱叔叔,慢慢与你细说。"朱恩上前深深作揖,喻氏还了礼。施复道:"贤弟请坐,大娘快取茶来,引孩子来见丈人。"喻氏从不曾见过朱恩,听见叫他是贤弟,又称他是孩子丈人,心中惑突,正不知是兀谁①。忙忙点出两杯茶,引出小厮来。施复接过茶,递与朱恩。自己且不吃茶,便抱小厮过来,与朱恩看。朱恩见生得清秀,甚是欢喜。放下茶,接过来抱在手中。这小厮却如相熟的一般,笑嘻嘻全不怕生。施复向浑家说道:"这朱叔叔便是向年失银子的。他家住在滩阙。"喻氏道:"原来就是向年失银的。如何却得相遇?"施复乃将前晚讨火落了兜肚,因而言及,方才相会留住在家,结为兄弟。又与儿女联姻,并不要宰鸡,亏鸡警报,得免车轴之难。所以不曾过湖。今日将叶送回。前后事细细说了一遍。喻氏又惊又喜,感激不尽。即忙收拾酒肴款待。正吃酒间,忽闻得邻家一片哭声。施复心中怪异。走出来问时,却是昨日过湖买叶的翻了船,十来个人都淹死了,只有一个人得了一块船板,浮起不死,亏渔船上救了回来报信。施复闻得,吃这惊不小。进来说向朱恩与浑家听了,合掌向天称谢。又道:"若非贤弟相留,我此时亦在劫中矣。"朱恩道:"此皆大哥平昔好善之报,与我何干!"施复留朱恩住了一宿。到次早,朝膳已毕,施复道:"本该留贤弟闲玩几日,便是晓得你家中事忙,不敢耽误在此。过了蚕事,然后来相请。"朱恩道:"这里原是不时往来的,何必要请。"施复又买两盒礼物相送。朱恩却也不辞。别了喻氏,解缆开船。施复送出镇上,方才分手。正是:

只为还金恩义重,今朝难舍弟兄情。

且说施复是年蚕丝利息比别年更多几倍。欲要又添张机床,怎奈家中窄隘,摆不下机床。大凡人时运到来,自然诸事遇巧。施复刚愁无处安放机床,恰好间壁邻家住着两间小房,连年因蚕桑失利,嫌道住居风水不好,急切要把来出脱,正凑了施复之便。那邻家起初没售主时,情愿减价与人。及至施复肯与成交,却又道方员无真假,比原价反要增厚,故意作

---

① 兀谁——什么人。兀,发语词。

难刁蹬①，直征个心满意足，方才移去。那房子还拆得如马坊一般。施复一面唤匠人修理，一面择吉铺设机床。自己将把锄头去垦机坑。约摸锄了一尺多深，忽锄出一块大方砖来。揭起砖时，下面圆圆一个坛口，满满都是烂米。施复说道："可惜这一坛米，如何却埋在地下？"又想道："上边虽然烂了，中间或者还好。"丢了锄头，把手去捧那烂米。还不上一寸，便露出一搭雪白的东西来。举目看时，不是别件，却是腰间细两头翘，凑心的细丝锭儿。施复欲待运动，恐怕被匠人们撞见，沸扬开去。急忙原把土泥掩好，报知浑家。直至晚上，匠人去后，方才搬运起来，约有千金之数。夫妻好不欢喜！施复因免了两次大难，又得了这注财乡，愈加好善。凡力量做得的好事，便竭力为之。做不得的，他也不敢勉强，因此里中随有长者之名。夫妻依旧省吃俭用，昼夜营运。不上十年，就长有数千金家事。又买了左近一所大房居住，开起三四十张绸机，又讨几房家人小厮，把个家业收拾得十分完美。儿子观保，请个先生在家，教他读书，取名德胤。行聘礼定了朱恩女儿为媳。俗语说得好：六亲合一运。那朱恩家事也颇颇长起。二人不时往来，情分胜如嫡亲。

话休烦絮。且说施复新居房子，别屋都好，惟有厅堂坍塌坏了，看看要倒，只得兴工改造。他本寒微出身，辛苦作家惯了，不做财主身分，日逐也随着做工的搬瓦弄砖，拿水提泥。众人不晓得他是勤俭，都认做借意监工，没一个敢怠惰偷力。工作半月有余，择了吉日良时，立柱上梁。众匠人都吃利市酒去了。止存施复一人，两边检点，柱脚若不平准的，便把来垫稳。看到左边中间柱脚歪斜，把砖去垫。偏有这等作怪的事，左垫也不平，右垫又不稳。索性拆开来看，却原来下面有块三角沙石，尖头正向着上边，所以垫不平。乃道："这些匠工精鸟账②！这块石怎么不去了，留在下边？"便将手去一攀，这石随手而起。拿开石看时，倒吃一惊。下面雪白的一大堆银子，其锭大小不一。上面有几个一样大的，腰间都束着红绒，其色甚是鲜明。又喜又怪。喜的是得这一大注财物，怪的是这几锭红绒束的银子，他不知藏下几多年了，颜色还这般鲜明。当下不管好歹，将衣服做个兜儿，抓上许多，原把那块石盖好，飞奔进房，向床上倒下。喻氏看

---

① 刁蹬——刁难。

② 精鸟(diǎo)账——骂人的话。鸟账，敷衍了事；精，专会。

见，连忙来问："是哪里来的？"施复无暇答应。见儿子也在房中，即叫道："观保快同我来！"口中便说，脚下乱跑。喻氏即解其意。父子二人来至外边，教儿子看守，自己分几次搬完。这些匠人酒还吃未完哩。施复搬完了，方与浑家说知其故。夫妻二人好不喜！把房门闭上，将银收藏，约有二千余金。红绒束的，止有八锭，每锭准准三两。收拾已完，施复要拜天地。换了巾帽长衣，开门出来。那些匠人，手忙脚乱，打点安柱上梁。见柱脚倒乱，乃道："这是谁个弄坏了？又要费一番手脚。"施复道："你们垫得不好，须还要重整一整。"工人知是家长所为，谁敢再言。流水自去收拾，哪晓其中奥妙。施复仰天看了一看，乃道："此时正是卯时了，快些竖起来。"众匠人闻言，七手八脚。一会儿便安下柱子，抬梁上去。里边托出一大盘抛梁馒首，分散众人。邻里们都将着果酒来与施复把盏庆贺。施复因掘了藏，愈加快活，分外兴头，就吃得个半醺。正是：

人逢喜事精神爽，月到中秋分外明。

施复送客去后，将巾帽长衣脱下，依原随身短衣，相帮众人。到巳牌时分，偶然走至外边，忽见一个老儿庞眉白发，年约六十已外，来到门首，相了一回，乃问道："这里可是施家么？"施复道："正是，你要寻哪个？"老儿道："要寻你们家长，问句话儿。"施复道："小子就是。老翁有甚话说？请里面坐了。"那老儿紧见就是家主，把他上下只管瞧看，又道："你真个是么？"施复笑道："我不过是平常人，哪个肯假！"老儿举一举手，道："老汉不为礼了，乞借一步话说。"拉到半边，问道："宅上可是今日卯时上梁安柱么？"施复道："正是。"老儿又道："官人可曾在左边中间柱上得些财采？"施复见问及这事，心下大惊，想道："他却如何晓得？莫不是个仙人。"因道着心事，不敢隐瞒，答道："果然有些。"老儿又道："内中可有八个红绒束的锭么？"施复一发骇异，乃道："有是有的，老翁何由知得这般详细？"老儿道："这八锭银子，乃是老汉的，所以知得。"施复道："既是老翁的，如何却在我家柱下？"那老儿道："有个缘故。老汉叫做薄有寿，就住在南镇上东首，止有老荆两口，别无子女。门首开个糕饼粉面茶食点心铺子，日常用度有余，积至三两，便倾成一个锭儿。老荆孩子气，把红绒束在中间，无非尊重之意。因墙卑室浅，恐露人眼目，缝在一个暖枕之内，自谓万无一失。积了这几年，共得八锭，以为老夫妻身后之用，尽有余了。不想今早五鼓时分，老汉梦见枕边走出八个白衣小厮，腰间俱束红绦，在床前商议道：'今日卯时，盛泽施家竖柱安梁，亲族中应去的，都已到齐了。我们也该去矣。'有一个问道：'他们都在哪一个所在？'一个道：'在左边中间柱下。'说罢，往外便走。有一个道：'我们住在这里一向，如不别而行，觉道忒薄情了。'遂俱复转身向老汉道：'久承照管，如今却要抛撇，幸勿见怪！'那时老汉梦中，不认得那八个小厮是谁，也不晓得是何处来的。问他道：'八位小官人是几时来的？如何都不相认？'小厮答道：'我们自到你家，与你只会得一面，你就把我们撇在脑后，故此我们便认得你，你却不认得我。'又指腰间红绦道：'这还是初会这次，承你送的。你记得了么？'老汉一时想不着几时与他的，心中止挂欠无子，见其清秀，欲要他做个干儿子，又对他道：'既承你们到此，何不住在这里，父子相看，帮我做个人家？怎么又要往别处去？'八个小厮笑道：'你要我们做儿子，不过要送终之意。但我们该旺处去的。你这老官儿消受不起。'道罢，一齐往外而去。老汉此时觉道睡在床上，不知怎地身子已到门首，再三留之，头也不回。惟闻得说道：'天色晏了，快走罢。'一齐乱跑。老汉追将上去，被草根绊了一交，惊醒转来，与老荆说知，就疑惑这八锭银子作怪。到早上拆开枕看时，都已去了。欲要试验此梦，故特来相访，不想果然。"

施复听罢，大惊道："有这样奇事！老翁不必烦恼，同我到里面来坐。"薄老道："这事已验，不必坐了。"施复道："你老人家许多路来，料必也饿了。现成点心吃些去也好。"这薄老儿见留他吃点心，倒也不辞，便随进来。只见新竖起三间堂屋，高大宽敞，木材巨壮，众匠人一个个乒乒乓乓，耳边惟闻斧凿之声，比平常愈加用力。你道为何这般勤谨？大凡新竖屋那日，定有个犒劳筵席，利市赏钱。这些匠人打点吃酒要钱，见家主进来，故便假殷勤讨好。薄老儿看着如此热闹，心下嗟叹道："怪道这东西欺我消受他不起，要望旺处去！原来他家恁般兴头！咦，这银子却也势利得狠哩！"不一时，来至一小客座中，施复请他坐下，急到里边向浑家说知其事。喻氏亦甚怪异，乃对施复道："这银子既是他送终之物，何不把来送还，做个人情也好。"施复道："正有此念，故来与你商量。"喻氏取出那八锭银子，把块布包好。施复袖了，吩咐讨些酒食与他吃。复到客座中摸出包来，道："你看，可是那八锭么？"薄老儿接过打开一看，分毫不差，乃道："正是这八个怪物！"那老儿把来左翻右相，看了一回，对着银子说道："我想你缝在枕中，如何便会出了黄江泾。到此有十里之远，人也怕走，还要趁个船儿。你又没有脚,怎地一回儿就到了这里?”口中便说,心下又转着苦挣之难,失去之易,不觉眼中落下两点泪来。施复道:“老翁不必心伤!小子情愿送还,赠你老人家百年之用。”薄老道:“承官人厚情。但老汉无福享用,所以走了。今若拿去,少不得又要走的,何苦讨恁般烦恼吃!”施复道:“如今乃我送你的,料然无妨。”薄老只把手来摇道:“不要,不要!老汉也是个知命的,勉强来,一定不妙。”施复因他坚执不要,又到里边与浑家商议。喻氏道:“他虽不要,只我们心上过意不去。”又道:“他或者消受这十锭不起,一二锭量也不打紧。”施复道:“他执意一锭也不肯要。”喻氏道:“我有个道理在此。把两锭裹在馒头里,少顷送与他作点心。到家看见,自然罢了。难道又送来不成?”施复道:“此见甚妙。”喻氏先支持酒肴出去。薄老坐了客位,施复对面相陪。薄老道:“没事打搅官人,不当人子!”施复道:“现成菜酒,何足挂齿!”当下三杯两盏,吃了一回。薄老儿不十分会饮,不觉半醉。施复讨饭与他吃罢,将要起身作谢,家人托出两个馒头。施复道:“两个粗点心,带在路上去吃。”薄老道:“老汉酒醉饭饱,连夜饭也不要吃了,路上如何又吃点心?”施复道:“总不吃,带回家去便了。”薄老儿道:“不消得,不消得!老汉家中做这项生意的,日逐自有。官人留下赏人罢。”施复把来推在袖里道:“我这馒头馅好,比你铺中滋味不同。将回去吃,便晓得。”那老儿见其意殷勤,不好固辞,乃道:“没甚事到此,又吃又袖,罪过,罪过!”拱拱手道:“多谢了!”往外就走。施复送出门前,那老儿自言自语道:“来便来了,如今去不知可就有便船?”施复见他醉了,恐怕遗失了这两个馒头,乃道:“老翁,不打紧,我家有船,教人送你回去。”那老儿点头道:“官人,难得你这样好心!可知有恁般造化!”施复唤个家人,吩咐道:“你把船送这大伯子回去,务要送至家中,认了住处,下次好去拜访。”家人应诺。

薄老儿相辞下船,离了镇上,望黄江泾而去。那老儿因多了几杯酒,一路上问长问短,十分健谈。不一时已到,将船泊住,扶那老儿上岸,送到家中。妈妈接着,便问:“老官儿,可有这事么?”老儿答道:“千真万真。”口中便说,却去袖里摸出那两个馒头,递与施复家人道:“一官宅上事忙,不留吃茶了。这馒头转送你当茶罢。”施家人答道:“我官人特送你老人家的,如何却把与我?”薄老道:“你官人送我,已领过他的情了。如今送你,乃我之情,你不必固拒。”家人再三推却不过,只得受了,相别下船,依旧摇回。到自已河下，把船缆好，拿着馒头上岸。恰好施复出来，一眼看见，问道："这馒头我送薄老官的，你如何拿了回来？"答道："是他转送小人当茶，再三推辞不脱，勉强受了他的。"施复暗笑道："原来这两锭银那老儿还没福受用，却又转送别人。"想道："或者倒是那人造化，也未可知。"乃吩咐道："这两个馒头滋味，比别的不同，莫要又与别人。"答应道："小人晓得。"那人来到里边寻着老婆，将馒头递与。还未开言说是哪里来的，被伙伴中叫到外边吃酒去了。原来那人已有两个儿女，正害着疳膨食积病症。当下婆娘接在手中，想道："若被小男女看见，偷去吃了，倒是老大利害。不如把去大娘换些别样点心哄他罢。"即便走来向主母道："大娘，丈夫适才不知哪里拿这两个馒头。我想小男女正害肚腹病，倘看见偷吃了，这病却不一发加重！欲要求大娘换甚不伤脾胃的点心，哄那两个男女。"说罢，将馒头放在桌上。喻氏不知其细，遂拣几件付与他去。将馒头放过。少顷，施复进来，把薄老转与家人馒头之事，说向浑家，又道："谁想倒是他的造化！"喻氏听了，乃知把来换点心的就是，答道："原来如此！却也奇异！"便去拿那两个馒头，递与施复道："你拍这馒头开来看。"施复不知何意，随手拍开，只听得桌上当的一响。举目看时，乃是一锭红绒束的银子。问道："馒头如何你又取了他的？"喻氏将那婆娘来换点心之事说出。夫妻二人，不胜嗟叹。方知银子赶人，麾之不去；命里无时，求之不来。施复因怜念薄老儿，时常送些钱米与他，倒做了亲戚往来。死后，又买块地儿殡葬。后来施德胤长大，娶朱恩女儿过门，夫妻孝顺。施复之富，冠于一镇。夫妇二人，各寿至八十外，无疾而终。至今子孙蕃衍，与滩阙朱氏，世为姻谊云。有诗为证：

> 六金还取事虽微，感德天心早鉴知。
> 滩阙巧逢恩义报，好人到底得便宜。

第十九卷　白玉娘忍苦成夫

两眼乾坤旧恨，一腔今古闲愁。隋宫吴苑旧风流，寂寞斜阳渡口。
兴到豪吟百首，醉余凭吊千秋。神仙迂怪总虚浮，只有纲常不朽。

这首《西江月》词，是劝人力行仁义，扶植纲常。从古以来，富贵空花，荣华泡影，只有那忠臣孝子，义夫节妇，名传万古。随你负担小人，闻之起敬。今日且说义夫节妇：如宋弘不弃糟糠，罗敷不从使君①，此一辈岂不是扶植纲常的？又如黄允欲娶高门，预逐其妇②；买臣宦达太晚，见弃于妻③，那一辈岂不是败坏纲常的？真个是人心不同，泾渭各别。有诗为证：

黄允弃妻名遂损，买臣离妇志堪悲！

夫妻本是鸳鸯鸟，一对栖时一对飞。

话中单表宋末时，一个丈夫姓程，双名万里，表字鹏举，本贯彭城人氏。父亲程文业，官拜尚书。万里十六岁时，椿萱④俱丧。十九岁以父荫补国子生员。生得人材魁岸，志略非凡。性好读书，兼习弓马。闻得元兵日盛，深以为忧。曾献战守和三策，以直言触忤时宰，恐其治罪，弃了童仆，单身潜地走出京都。却又不敢回乡，欲往江陵府，投奔京湖制置使马光祖。未到汉口，传说元将兀良哈歹⑤统领精兵，长驱而入，势如破竹。程万里闻得这个消息，大吃一惊，遂不敢前行。踌躇之际，天色已晚，但见：

片片晚霞迎落日，行行倦鸟盼归巢。

程万里想道："且寻宿店，打听个实信，再作区处。"其夜，只闻得户外行人，奔走不绝，却都是上路逃难来的百姓，哭哭啼啼，耳不忍闻。程万里已知元兵迫近，夜半便起身，趁众同走。走到天明，方才省得忘记了包裹在客店中。来路已远，却又不好转去取讨。身边又没盘缠，腹中又饿，不

---

① 罗敷不从使君——古乐府《陌上桑》描述美女秦罗敷在陌上采桑，被使君（官员）看中，要强娶她，被罗敷严词拒绝。

② 黄允欲娶高门，预逐其妇——黄允，东汉时人，高官袁隗想把女儿嫁给他。黄允听到这个消息，就同他原来的妻子夏侯氏离婚。临分别时，夏侯氏当着众多宾客揭发了黄允一些不可告人的丑事，黄允从此倒霉。

③ 买臣宦达太晚，见弃于妻——朱买臣，汉代会稽人，家里很穷，他的妻子整天吵着改嫁。后来朱买臣做了会稽太守，前妻又请求复合。朱将一盆水倾泼于地，表示夫妻已离异，如覆水难收。

④ 椿萱——指父母。古时称父为"椿庭"，称母为"萱堂"，因以"椿萱"为父母的代称。

⑤ 兀良哈歹——即兀良合台，元代大将。

免到村落中告乞一饭，又好挣扎路途。约莫走半里远近，忽然斜插里一阵兵，直冲出来。程万里见了，飞向侧边一个林子里躲避。那支兵不是别人，乃是元朝元帅兀良哈歹部下万户①张猛的游兵。前锋哨探，见一个汉子，面目雄壮，又无包裹，躲向树林中而去，料道必是个细作，追入林中，不管好歹，一索捆翻，解到张万户营中。程万里称是避兵百姓，并非细作。张万户见他面貌雄壮，留为家丁。程万里事出无奈，只得跟随。每日间见元兵所过，残灭如秋风扫叶，心中暗暗悲痛，正是：

宁为太平犬，莫作离乱人。

却说张万户乃兴元府人氏。有千斤膂力②，武艺精通。昔年在乡里间豪横，守将知得他名头，收在部下为偏裨之职。后来元兵犯境，杀了守将，叛归元朝。元主以其有献城之功，封为万户，拨在兀良哈歹部下为前部向导，屡立战功。今番从军日久，思想家里，写下一封家书，把那一路掳掠下金银财宝，装做一车，又将掳到人口男女，分做两处，差帐前两个将校，押送回家。可怜程万里远离乡土，随着家人，一路啼啼哭哭，直至兴元府，到了张万户家里，将校把家书金银，交割明白，又令那些男女叩见了夫人。那夫人做人贤慧，就各拨一个房户居住。每日差使伏侍。将校讨了回书，自向军前回复去了。程万里住在兴元府，不觉又经年余。那时宋元两朝讲和，各自罢军，壮士宁家。张万户也回到家中，与夫人相见过了，合家奴仆，都来叩头。程万里也只得随班行礼。又过数日，张万户把掳来的男女，拣身材雄壮的留了几个，其余都转卖与人。张万户唤家人来吩咐道：“你等不幸生于乱离时世，遭此涂炭，或有父母妻子，料必死于乱军之手。就是汝等，还喜得遇我，所以尚在。逢着别个，死去几时了。今在此地，虽然是个异乡，既为主仆，即如亲人一般。今晚各配妻子与你们，可安心居住，勿生异心。后日带到军前，寻些功绩，博个出身，一般富贵。若有他念，犯出事来，断然不饶的。”家人都流泪叩头道：“若得如此，乃老爹再生之恩，岂敢又生他念。”当晚张万户就把那掳来的妇女，点了几名。夫人又各赏几件衣服。张万户与夫人同出堂前，众妇女跟随在后。堂中灯烛辉

① 万户——官名。
② 膂(lǚ)力——体力。

煌。众人都叉手侍立两旁,张万户一一唤来配合。众人一齐叩首谢恩,各自领归房户。且说程万里配得一个女子,引到房中,掩上门儿,夫妻叙礼。程万里仔细看那女子,年纪倒有十五六岁,生得十分美丽,不像个以下之人①。怎见得?有《西江月》为证:

两道眉弯新月,一双眼注微波,青丝七尺挽盘螺,粉脸吹弹得破。

望日嫦娥盼夜,秋宵织女停梭,画堂花烛听欢呼,兀自含羞怯步。

程万里得了一个美貌女子,心中欢喜,问道:"小娘子尊姓何名?可是从幼在宅中长大的么?"那女子见问,沉吟未语,早落下两行珠泪。程万里把袖子与他拭了,问道:"娘子为何掉泪?"那女子道:"奴家本是重庆人氏,姓白,小字玉娘,父亲白忠,官为统制。四川制置使余玠,调遣镇守嘉定府。不意余制置身亡,元将兀良哈歹乘虚来攻。食尽兵疲,力不能支。破城之日,父亲被擒,不屈而死。兀良元帅怒我父守城抗拒,将妾一门抄戮。张万户怜妾幼小,幸得免诛。带归家中为婢,伏侍夫人。不意今日得配君子。不知君乃何方人氏,亦为所掳?"程万里见说亦是羁囚,触动其心,不觉也流下泪来。把自己家乡姓名,被掳情由,细细说与。两下凄惨一场,却已二鼓。夫妻解衣就枕,一夜恩情,十分美满。明早,起身梳洗过了,双双叩谢张万户已毕,玉娘原到里边去了。程万里感张万户之德,一切干办公事,加倍用心,甚得其欢。其夜是第三夜了。程万里独坐房中,猛然想起功名未遂,流落异国,身为下贱,玷宗辱祖,可不忠孝两虚!欲待乘间逃归,又无方便。长叹一声,潸潸泪下。正在自悲自叹之际,却好玉娘自内而出。万里慌忙拭泪相迎,容颜惨淡,余涕尚存。玉娘是个聪明女子,见貌辨色,当下挑灯共坐,叩其不乐之故。万里是个把细的人,仓卒之间,岂肯倾心吐胆。自古道:

夫妻且说三分话,未可全抛一片心。

当下强作笑容,只答应得一句道:"没有甚事!"玉娘情知他有含糊隐匿之情,更不去问他。直至掩户熄灯,解衣就寝之后,方才低低启齿,款款开言道:"程郎,妾有一言,日欲奉劝,未敢轻谈。适见郎君有不乐之色,妾已猜其八九。郎君何用相瞒!"万里道:"程某并无他意,娘子不必过疑。"

---

① 以下之人——下等人,指奴婢。

玉娘道："妾观郎君才品，必非久在人后者。何不觅便逃归，图个显祖扬宗，却甘心在此，为人奴仆！岂能得个出头的日子！"程万里见妻子说出恁般说话，老大惊讶。心中想道："他是妇人女子，怎么有此丈夫见识，道着我的心事？况且寻常人家，夫妇分别，还要多少留恋不舍。今成亲三日，恩爱方才起头，岂有反劝我还乡之理？只怕还是张万户教他来试我。"便道："岂有此理！我为乱兵所执，自分必死。幸得主人释放，留为家丁，又以妻子配我，此恩天高地厚，未曾报得，岂可为此背恩忘义之事。汝勿多言！"玉娘见说，默然无语。程万里愈疑是张万户试他。到明早起身，程万里思想："张万户教他来试我，我今日偏要当面说破，固住了他的念头，不来堤防，好办走路。"梳洗已过，请出张万户到厅上坐下，说道："禀老爹，夜来妻子忽劝小人逃走。小人想来，当初被游兵捉住，蒙老爹救了性命，留作家丁。如今又配了妻子。这般恩德，未有寸报。况且小人父母已死，亲戚又无，只此便是家了，还教小人逃到哪里去？小人昨夜已把他埋怨一番。恐怕他自己情虚，反来造言累害小人，故此特禀知老爹。"张万户听了，心中大怒，即唤出玉娘骂道："你这贱婢！当初你父抗拒天兵，兀良元帅要把你阖门①尽斩，我可怜你年纪幼小，饶你性命。又恐为乱军所杀，带回来恩养长大，配个丈夫。你不思报效，反教丈夫背我，要你何用！"教左右快取家法②来，吊起贱婢打一百皮鞭。那玉娘满眼垂泪，哑口无言。众人连忙去取索子家法，将玉娘一索捆翻。正是：

分明指与平川路，反把忠言当恶言。

程万里在旁边，见张万户发怒，要吊打妻子，心中懊悔道："原来他是真心，倒是我害他了！"又不好过来讨饶。正在危急之际，恰好夫人闻得丈夫发怒，要打玉娘，急走出来救护。原来玉娘自到他家，因德性温柔，举止闲雅，且是女工中第一伶俐，夫人平昔极喜欢他的，名虽为婢，相待却像亲生一般。立心要把他嫁个好丈夫。因见程万里人材出众，后来必定有些好日，故此前晚就配与为妻。今日见说要打他，不知因甚缘故，特地自己出来。见家人正待要动手，夫人止住，上前道："相公因甚要吊打玉娘？"张

---

① 阖(hé)门——全家。阖，全。

② 家法——指责打奴仆的刑具。

万户把程万里所说之事告与夫人。夫人叫过玉娘道："我一向怜你幼小聪明，特拣个好丈夫配你，如何反教丈夫背主逃走？本不当救你便是。姑念初犯，与老爹讨饶。下次再不可如此！"玉娘并不回言，但是流泪。夫人对张万户道："相公，玉娘年纪甚小，不知世务，一时言语差误，可看老身分上，姑恕这次罢。"张万户道："既夫人讨饶，且恕这贱婢。倘若再犯，二罪俱罚。"玉娘含泪叩谢而去。张万户唤过程万里道："你做人忠心，我自另眼看你。"程万里满口称谢。走到外边，心中又想道："还是做下圈套来试我。若不是，怎么这样大怒要打一百，夫人刚开口讨饶，便一下不打？况夫人在里面，哪里晓得这般快就出来护救？且喜昨夜不曾说别的言语还好。"到了晚间，玉娘出来，见他虽然面带忧容，却没有一毫怨恨意思。程万里想道："一发是试我了。"说话越加谨慎。又过了三日，那晚，玉娘看了丈夫，上下只管相着，欲言不言。如此三四次，终是忍耐不住，又道："妾以诚心告君，如何反告主人，几遭箠挞①！幸得夫人救免。然细观君才貌，必为大器。为何还不早图去计？若恋恋于此，终作人奴，亦有何望！"程万里见妻子又劝他逃走，心中愈疑道："前日恁般嗔责，他岂不怕，又来说起？一定是张万户又教他来试我念头果然决否？"也不回言，径自收拾而卧。到明早，程万里又来禀知张万户。张万户听了，暴躁如雷，连喊道："这贱婢如此可恨，快拿来敲死了罢！"左右不敢怠缓，即向里边来唤。夫人见唤玉娘，料道又有甚事，不肯放将出来。张万户见夫人不肯放玉娘出来，转加焦躁。却又碍着夫人面皮，不好十分催逼。暗想道："这贱婢已有外心，不如打发他去罢。倘然夫妻日久恩深，被这贱婢哄热，连这好人的心都要变了。"乃对程万里道："这贱婢两次三番，诱你逃归，其心必有他念，料然不是为你，久后必被其害。待今晚出来，明早就教人引他卖了，别拣一个好的与你为妻。"程万里见说要卖他妻子，方才明白浑家果是一片真心，懊悔失言。便道："老爹如今警戒两番，下次谅必不敢。总再说，小人也断然不听。若把他卖了，只怕人说小人薄情，做亲才六日，就把妻子来卖。"张万户道："我做了主，谁敢说你！"道罢，径望里边而去。夫人见丈夫进来，怒气未息，恐还要责罚玉娘，连忙教闪过一边，起身相迎，并不问起这事。张万户却又怕夫人不舍得玉娘出去，也分毫不提。

---

① 箠挞(tà)——用棍子或鞭子打。箠，同"棰"。

且说程万里见张万户决意要卖，心中不忍割舍，坐在房中暗泣。直到晚间，玉娘出来，对丈夫哭道："妾以君为夫，故诚心相告，不想君反疑妾有异念，数告主人。主人性气粗雄，必然怀恨。妾不知死所矣！然妾死不足惜，但君堂堂仪表，甘为下贱，不图归计为恨耳！"程万里听说，泪如雨下，道："贤妻良言指迷，自恨一时错见，疑主人使汝试我，故此告知。不想反累贤妻！"玉娘道："君若肯听妾言，虽死无恨。"程万里见妻子恁般情真，又思明日就要分离，愈加痛泣。却又不好对他说知，含泪而寝。直哭到四更时分。玉娘见丈夫哭之不已，料必有甚事故，问道："君如此悲恸，定是主人有害妾之意。何不明言？"程万里料瞒不过，方道："自恨不才，有负贤妻。明日主人将欲鬻汝，势已不能挽回。故此伤痛！"玉娘闻言，悲泣不胜。两个搅做一团，哽哽咽咽，却又不敢放声。天未明，即便起身梳洗。玉娘将所穿绣鞋一只，与丈夫换了一只旧履，道："后日倘有见期，以此为证。万一永别，妾抱此而死，有如同穴。"说罢，复相抱而泣，各将鞋子收藏。到了天明，张万户坐在中堂，教人来唤。程万里忍住眼泪，一齐来见。张万户道："你这贱婢！我自幼抚你成人，有甚不好，屡教丈夫背主！本该一剑斩你便是。且看夫人分上，姑饶一死。你且到好处受用去罢。"叫过两个家人吩咐道："引他到牙婆人家去，不论身价，但要寻一下等人家，磨死不受人抬举的这贱婢便了。"玉娘要求见夫人拜别，张万户不许。玉娘向张万户拜了两拜，起来对着丈夫道声保重，含着眼泪，同两个家人去了。程万里腹中如割，无可奈何，送出大门而回。正是：

世上万般哀苦事，无非死别与生离。

比及夫人知觉，玉娘已自出门去了。夫人晓得张万户情性，诚恐他害了玉娘性命。今日脱离虎口，倒也由他。且说两个家人，引玉娘到牙婆家中，恰好市中有个经纪人家，要讨一婢。见玉娘生得端正，身价又轻，连忙兑出银子，交与张万户家人，将玉娘领回家去不提。且说程万里自从妻子去后，转思转悔，每到晚间，走进房门，便觉惨伤。取出那两只鞋儿，在灯前把玩一回，呜呜的啼泣一回。哭够多时，方才睡卧。次后访问得，就卖在市上人家，几遍要悄地去再见一面，又恐被人觑破，报与张万户，反坏了自己大事，因此又不敢去。那张万户见他不听妻子言语，信以为实，诸事委托，毫不提防。程万里假意殷勤，愈加小心。张万户好不喜欢，又要把妻子配与。程万里不愿，道："且慢着，候随老爷到边上去有些功绩回来，寻个名门美眷，也与老爷争气。”光阴迅速，不觉又过年余。那时兀良哈歹在鄂州镇守，值五十诞辰，张万户昔日是他麾下裨将，收拾了许多金珠宝玉，思量要差一个能干的去贺寿，未得其人。程万里打听在肚里，思量趁此机会，脱身去罢。即来见张万户道：“闻得老爷要送兀良爷的寿礼，尚未差人。我想众人都有掌管，脱身不得。小人总是在家没有甚事，倒情愿任这差使。”张万户道：“若得你去最好。只怕路上不惯，吃不得辛苦。”程万里道：“正为在家自在惯了，怕后日随老爷出征，受不得辛苦，故此先要经历些风霜劳碌，好跟老爹上阵。”张万户见他说得有理，并不疑虑，就依允了。写下问候书札，上寿礼帖，又取出一张路引①，以防一路盘诘②。诸事停当，择日起身。程万里打叠行李，把玉娘绣鞋，都藏好了。到临期，张万户把东西出来，交付明白，又差家人张进，做伴同行。又把十两银子与他盘缠。程万里见又有一人同去，心中烦恼。欲要再禀，恐张万户疑惑。且待临时，又作区处。当下拜别张万户，把东西装上牲口，离了兴元，望鄂州而来。一路自有馆驿支讨口粮，并无担搁。不则一日，到了鄂州，借个饭店寓下。来日清早，二人赍③了书札礼物，到帅府衙门挂号伺候。那兀良元帅是节镇重臣，故此各处差人来上寿的，不计其数。衙门前好不热闹。三通画角，兀良元帅开门升帐。许多将官僚属，参见已过，然后中军官引各处差人进见，呈上书札礼物。兀良元帅一一看了，把礼物查收，吩咐在外伺候回书。众人答应出来不提。

且说程万里送礼已过，思量要走，怎奈张进同行同卧，难好脱身。心中无计可施。也是他时运已到，天使其然。那张进因在路上鞍马劳倦，却又受了些风寒，在饭店上生起病来。程万里心中欢喜：“正合我意！”欲要就走，却又思想道：“大丈夫作事，须要来去明白。”原向帅府候了回书。到寓所看张进时，人事不省，毫无知觉。自己即便写下一封书信，一齐放入张进包裹中收好。先前这十两盘缠银子，张进便要分用。程万里要稳住张进的心，却总放在他包裹里面。等到鄂州一齐买人事④送人。今日张进

---

① 路引——通行证。
② 盘诘——盘查，盘问。
③ 赍(jī)——抱着。
④ 人事——指礼物。

病倒，程万里取了这十两银子，连路引铺陈①，打做一包，收拾完备，却叫过主人家来吩咐道："我二人乃兴元张万户老爹特差来与兀良爷上寿，还要到山东史丞相处公干。不想同伴的上路辛苦，身子有些不健，如今行动不得。若等他病好时，恐怕误了正事。只得且留在此调养几日。我先往那里公干回来，与他一齐起身。"即取出五钱银子递与道："这薄礼权表微忱。劳主人家用心看顾，得他病体痊安，我回时还有重谢。"主人家不知是计，收了银子道："早晚伏侍，不消牵挂。但长官须要作速就来便好。"程万里道："这个自然。"又讨些饭来吃饱，背上包裹，对主人家叫声暂别，大踏步而走。正是：

鳌鱼脱却金钩去，摆尾摇头再不来。

离了鄂州，望着建康而来。一路上有了路引，不怕盘诘，并无阻滞。此时淮东地方，已尽数属了胡元。万里感伤不已。一径到宋朝地面，取路直至临安。旧时在朝宰执，都另换了一班人物。访得现任枢密副使周翰，是父亲的门生，就馆于其家。正值度宗收录先朝旧臣子孙，全亏周翰提挈，程万里亦得补福建福清县尉。寻了个家人，取名程惠，择日上任。不在话下。

且说张进在饭店中，病了数日，方才精神清楚。眼前不见了程万里。问主人家道："程长官怎么不见？"主人家道："程长官十日前说还要往山东史丞相处公干。因长官有恙，他独自去了，转来同长官回去。"张进大惊道："何尝又有山东公干！被这贼趁我有病逃了。"主人家惊问道："长官一同来的，他怎又逃去？"张进把当初掳他情由细说。主人懊悔不迭。张进恐怕连他衣服取去。即忙教主人家打开包裹看时，却留下一封书信，并兀良元帅回书一封，路引盘缠，尽皆取去。其余衣服，一件不失。张进道："这贼狼子野心！老爹恁般待他，他却一心恋着南边。怪道连妻子也不要。"又将息了数日，方才行走得动。便去禀知兀良元帅，另自打发盘缠路引。一面行文捕获程万里。那张进到店中算还了饭钱，作别起身。星夜赶回家，参见张万户，把兀良元帅回书呈上看过，又将程万里逃归之事禀知。张万户将他遗书拆开看时，上写道：

门下贱役程万里，奉书恩主老爷台下：万里向蒙不杀之恩，收为厮养，

---

① 铺陈——行李。

委以腹心，人非草木，岂不知感。但闻越鸟南栖，狐死首丘①，万里亲戚坟墓，俱在南朝，早暮思想，食不甘味。意欲禀知恩相，乞假归省，诚恐不许，以此斗胆辄行。在恩相幕从如云，岂少一走卒。放某还乡如放一鸽耳。大恩未报，刻刻于怀。衔环结草②，生死不负。

张万户看罢，顿足道："我被这贼用计瞒过，吃他逃了！有日拿住，教他碎尸万段。"后来张万户贪婪太过，被人参劾，全家抄没，夫妻双双气死。此是后话不提。

且说程万里自从到任以来，日夜想念玉娘恩义，不肯再娶。但南北纷争，无由访觅。时光迅速，岁月如流，不觉又是二十余年。程万里因为官清正廉能，已做到闽中安抚使之职。那时宋朝气数已尽，被元世祖直捣江南，如入无人之境。逼得宋末帝奔入广东崖山海岛中驻跸。止有八闽全省，未经兵火。然亦弹丸之地，料难抵敌。行省官不忍百姓罹于涂炭，商议将图籍版舆，上表亦归元主。元主将合省官俱加三级。程万里升为陕西行省参知政事。到任之后，思想兴元乃是所属地方。即遣家人程惠，将了向日所赠绣鞋，并自己这只鞋儿，前来访问妻子消息，不提。

且说娶玉娘那人，是市上开酒店的顾大郎，家中颇有几贯钱钞。夫妻两口，年纪将近四十，并无男女。浑家和氏，每劝丈夫讨个丫头伏侍，生育男女。顾大郎初时恐怕淘气，心中不肯。倒是浑家叮嘱牙婆寻觅。闻得张万户家发出个女子，一力撺掇讨回家去。浑家见玉娘人物美丽，性格温存，心下欢喜。就房中侧边打个铺儿。到晚间又准备些夜饭，摆在房中。玉娘暗解其意，佯为不知。坐在厨下，和氏自家走来道："夜饭已在房里

---

① 越鸟南栖，狐死首丘——比喻人怀念故乡的意思。南方生长的鸟，飞到北方，也要落在树的南边枝上。狐死的时候，总要把头朝向着它的窟穴。

② 衔环结草——两个报恩的故事。衔环，古代神怪小说载：东汉杨宝救了一只黄雀，某夜有一黄衣童子以白环四枚相报，说能使杨宝子孙位登高官，有如此环。后杨宝的子、孙、曾孙果皆显贵。结草，据《左传》载：春秋时，魏颗的父亲生病时嘱咐，自己死后把他的爱妾嫁出去；临死时又嘱咐要他的爱妾殉葬。父亲死了以后，魏颗把他的爱妾嫁出去了。后来打仗的时候，有一位老人把地上的草结起来绊倒敌人，助魏颗获胜。魏颗夜晚做梦，才知道老人便是那位妾的父亲的鬼魂前来报恩的。后以结草衔环来表达受恩深重，虽死也要报答之意。

了,你怎么反坐在此?"玉娘道:"大娘自请,婢子有在这里。"和氏道:"我们是小户人家,不像大人家有许多规矩。只要勤俭做人家,平日只是姊妹相称便了。"玉娘道:"婢子乃下贱之人,倘有不到处,得免嗔责足矣。岂敢与大娘同列!"和氏道:"不要疑虑!我不是那等嫉妒之辈。就是娶你,也倒是我的意思。只为官人中年无子,故此劝他娶个偏房。若生得一男半女,即如与我一般。你不要害羞,可来同坐吃杯合欢酒。"玉娘道:"婢子蒙大娘抬举,非不感激。但生来命薄,为夫所弃,誓不再适。倘必欲见辱,有死而已。"和氏见说,心中不悦道:"你既自愿为婢,只怕吃不得这样苦哩。玉娘道:"但凭大娘所命。若不如意,任凭责罚。"和氏道:"既如此,可到房中伏侍。"玉娘随至房中。他夫妻对坐而饮,玉娘在旁筛酒,和氏故意难为他。直饮至夜半,顾大郎吃得大醉,衣也不脱,向床上睡了。玉娘收拾过家伙,向厨中吃些夜饭,自来铺上和衣而睡。明早起来,和氏限他一日纺绩。玉娘头也不抬,不到晚都做完,交与和氏。和氏暗暗称奇,又限他夜中趱赶多少,玉娘也不推辞,直纺到晓。一连数日如此,毫无厌倦之意。顾大郎见他不肯向前,日夜纺绩,只道浑家妒忌,心中不乐,又不好说得。几番背他浑家与玉娘调戏,玉娘严声厉色。顾大郎惧怕浑家知得笑话,不敢则声。过了数日,忍耐不过。一日对浑家道:"既承你的美意,娶这婢子与我,如何教他日夜纺绩,却不容他近我?"和氏道:"非我之过。只因他第一夜,如此作乔①,恁般推阻。为此我故意要难他转来。你如何反为好成歉?"顾大郎不信道:"你今夜不要他纺绩,教他早睡,看是怎么?"和氏道:"这有何难。"到晚间,玉娘交过所限生活。和氏道:"你一连做了这几时,今晚且将息一晚,明日做罢。"玉娘也十数夜未睡,觉道甚劳倦,甚合其意。吃过夜饭,收拾已完,到房中各自睡下。玉娘是久困的人,放倒头便睡着了。顾大郎悄悄的到他铺上,轻轻揭开被,挨进身子,把他身上一摸,却原来和衣而卧。顾大郎即便与他解脱衣裳。那衣带都是死结,如何扯拽得开。顾大郎性急,把他乱扯。才扯断得一条带子,玉娘在睡梦中惊醒,连忙跳起。被顾大郎双手抱住,哪里肯放。玉娘乱喊杀人。顾大郎道:"既在我家,喊也没用。不怕你不从我!"和氏在床,假做睡着,声也不则。玉娘挣脱不得,心生一计,道:"官人,你若今夜辱了婢子,明日即寻一条死

① 作乔——装假,装模作样。

路。张万户夫人平昔极爱我的。晓得我死了，料然决不与你干休。只怕那时破家荡产，连生命亦不能保，悔之晚矣。”顾大郎见说，果然害怕，只得放手，原走到自己床上睡了。玉娘眼也不合，直坐到晓。和氏见他立志如此，料不能强，反认为义女，玉娘方才放心。夜间只是和衣而卧，日夜辛勤纺织。约有一年，玉娘估计积成布匹，比身价已有二倍，将来交与顾大郎夫妇，求为尼姑。和氏见他诚恳，更不强留。把他这些布匹，尽施与为出家之费。又备了些素礼，夫妇两人，同送到城南昙花庵出家。玉娘本性聪明，不够三月，把那些经典讽诵得烂熟。只是心中记挂着丈夫，不知可能够脱身走逃。将那两只鞋子，做个囊儿盛了，藏于贴肉。老尼出庵去了，就取出观玩，对着流泪。次后央老尼打听，知得乘机走了，心中欢喜。早晚诵经祈保。又感顾大郎夫妇恩德，也在佛前保佑。后来闻知张万户全家抄没，夫妇俱丧。玉娘想念夫人幼年养育之恩，大哭一场，礼忏追荐①。诗云：

数载难忘养育恩，看经礼忏荐夫人。
为人若肯存忠厚，虽不关亲也是亲。

且说程惠奉了主人之命，星夜赶至兴元城中，寻个客店寓下。明日往市中，访到顾大郎家里。那时顾大郎夫妇，年近七旬，须鬓俱白，店也收了，在家持斋念佛，人都称他为顾道人。程惠走至门前，见老人家正在那里扫地。程惠上前作揖道：“太公，借问一句说话。”顾老还了礼。见不是本处乡音，便道：“客官可是要问路径么?”程惠道：“不是。要问昔年张万户家出来的程娘子，可在你家了?”顾老道：“客官，你是哪里来的？问他怎么?”程惠道：“我是他的亲戚，幼年离乱时失散。如今特来寻访。”顾老道：“不要说起！当初我因无子，要娶他做个通房②。不想自到家来，从不曾解衣而睡。我几番捉弄他，他执意不从。见他立性贞烈，不敢相犯，倒认做义女，与老荆就如嫡亲母子。且是勤俭纺织，有时直做到天明。不上一年，将做成布匹，抵偿身价，要去出家。我老夫妻不好强留，就将这些布匹，送与他出家费用。又备些素礼，送他到南城昙花庵为尼。如今二十余

① 礼忏追荐——为死者诵经祈祷。

② 通房——即通房丫头，地位在姨太太和丫头之间，名义是丫头，实际上是姨太太。

年了，足迹不曾出那庵门。我老夫妇倒时常走去看，也当做亲人一般。又闻得老尼说，至今未尝解衣寝卧，不知他为甚缘故。这几时因老病不曾去看得。客官，既是你令亲，径到那里去会便了，路也不甚远。见时，倒与老夫代言一声。"程惠得了实信，别了顾老，问昙花庵一路而来，不多时就到了。看那庵也不甚大。程惠走进了庵门，转过左边，便是三间佛堂。见堂中坐着个尼姑诵经，年纪虽是中年，人物倒还十分整齐。程惠想道："是了。"且不进去相问，就在门槛上坐着，袖中取出这两只鞋来细玩，自言自语道："这两只好鞋，可惜不全！"那诵经的尼姑，却正是玉娘。他一心对在经上，忽闻得有人说话，方才抬起头来。见一人坐在门槛上，手中玩弄两只鞋子，看来与自己所藏无二，那人却又不是丈夫，心中惊异。连忙收掩经卷，立起身向前问讯①。程惠把鞋放在槛上，急忙还礼。尼姑问道："檀越②，借鞋履一观。"程惠拾起递与，尼姑看了，道："檀越，这鞋是哪里来的？"程惠道："是主人差来寻访一位娘子。"尼姑道："你主人姓甚？何处人氏？"程惠道："主人姓程，名万里，本贯彭城人氏，今现任陕西参政。"尼姑听说，即向身边囊中取出两只鞋来，恰好正是两对，尼姑眼中流泪不止。程惠见了，倒身下拜道："相公特差小人来寻访主母。适才问了顾太公，指引到此，幸而得见。"尼姑道："你相公如何得做这等大官？"程惠把历官闽中，并归元升任至此，说了一遍。又道："相公吩咐，如寻见主母，即迎到任所相会。望主母收拾行装，小人好去雇倩车辆。"尼姑道："吾今生已不望鞋履复合。今幸得全，吾愿毕矣，岂别有他想。你将此鞋归见相公、夫人，为吾致意，须做好官，勿负朝廷，勿虐民下。我出家二十余年，无心尘世久矣。此后不必挂念。"程惠道："相公因念夫人之义，誓不再娶。夫人不必固辞。"尼姑不听，望里边自去。程惠央老尼再三苦告，终不肯出。

程惠不敢苦逼。将了两双鞋履，回至客店，取了行李，连夜回到陕西衙门。见过主人，将鞋履呈上，细述顾老言语，并玉娘认鞋，不肯同来之事。程参政听了，甚是伤感。把鞋履收了，即移文本省。那省官与程参政昔年同在闽中为官，有僚友之谊。见了来文，甚以为奇。即行檄仰兴元府官吏，具礼迎请。兴元府官，不敢怠慢，准备衣服礼物，香车细辇，笙箫鼓

---

① 问讯——和尚、尼姑、道士向人合掌行礼，叫做"问讯"。

② 檀越——佛教称施主为"檀越"。

乐，又取两个丫鬟伏侍，同了僚属，亲到昙花庵来礼请。那时满城人家尽皆晓得，当做一件新闻。扶老挈幼，争来观看。且说太守同僚属到了庵前下马，约退从人，径进庵中。老尼出来迎接。太守与老尼说知来意，要请程夫人上车。老尼进去报知。玉娘见太守与众官来请，料难推托，只得出来相见。太守道："本省上司奉陕西程参政之命，特着下官等具礼迎请夫人上车，往陕西相会。车舆已备，望夫人易换袍服，即便登舆。"教丫鬟将礼物服饰呈上。玉娘不敢固辞，教老尼收了。谢过众官，即将一半礼物送与老尼为终老之资，余一半嘱托地方官员将张万户夫妻以礼改葬，报其养育之恩。又起七昼夜道场，追荐白氏一门老小。好事已毕，丫鬟将袍服呈上。玉娘更衣，到佛前拜了四拜，又与老尼作别，出庵上车。府县官俱随于后。玉娘又吩咐，还要到市中去拜别顾老夫妻。路上鼓乐喧闹，直到顾家门首下车。顾老夫妇出来，相迎庆喜。玉娘到里边拜别。又将礼物赠与顾老夫妇，谢他昔年之恩。老夫妻流泪收下。送至门前，不忍分别。玉娘亦觉惨然，含泪登车。各官直送至十里长亭而别。太守又委僚属李克复，率领步兵三百，防护车舆。一路经过地方，官员知得，都来迎送馈礼。直至陕西省城，那些文武僚属，准备金鼓旗幡，离城十里迎接。程参政也亲自出城远迎。一路金鼓喧天，笙箫振地，百姓们都满街结彩，香花灯烛相迎。直至衙门后堂私衙门口下车。程参政吩咐僚属明日相见。把门掩上，回至私衙。夫妻相见，拜了四双八拜，起来相抱而哭。各把别后之事，细说一遍。说罢，又哭。然后奴仆都来叩见。安排庆喜筵席。直饮至二更，方才就寝。可怜成亲止得六日，分离倒有二十余年。此夜再合，犹如一梦。次日，程参政升堂，僚属俱来送礼庆贺。程参政设席款待。大吹大擂，一连开宴三日。各处属下晓得，都遣人称贺，自不必说。

且说白夫人治家有方，上下钦服。因自己年长，料难生育，广置姬妾。程参政连得二子，自己直加衔平章①，封唐国公，白氏封一品夫人，二子亦为显官。后人有诗为证：

六日夫妻廿载别，刚肠一样坚如铁。
分鞋今日再成双，留与千秋作话说。

---

① 加衔平章——"平章"比"参知政事"品级稍高，因皇帝认为程万里官做得很好，所以给他加上"平章"的官衔。

第二十卷　张廷秀逃生救父

万事由天莫强求，何须苦苦用机谋。
饱三餐饭常知足，得一帆风便可收。
生事事生何日了？害人人害几时休？
冤家宜解不宜结，各自回头看后头。

话说国朝自洪武爷开基，传至万历爷，乃第十三代天子。那爷爷圣武神文，英明仁孝，真个朝无幸位，野没遗贤。内中单表江西南昌进贤县，有一人姓张名权，其祖上原是富家，报充了个粮长①。哪知就这粮长役内坏了人家，把房产陆续弄完。传到张权父亲，已是寸土不存。这役子还不能脱。间壁是个徽州小木匠店。张权幼年间终日在那店门首闲看，拿匠人的斧凿学做，这也是一时戏耍。不想父母因家道贫乏，见儿子没甚生理，就送他学成这行生意。后来父母亡过，那徽州木匠也年老归乡。张权便顶着这店。因做人诚实，尽有主顾，苦挣了几年，遂娶了个浑家陈氏，夫妻二人将就过日。怎奈里役还不时缠扰。张权浑家商议，离了故土，搬至苏州阊门外皇华亭侧边开了个店儿。自起了个别号，去那白粉墙上写两行大字，道："江西张仰亭精造坚固小木家伙，不误主顾。"张权自到苏州，生意顺溜，颇颇得过。却又踏肩②生下两个儿子。常言道的好：只愁不养，不愁不长。不觉已到七八岁上。送到邻家有个义学中读书。大的取名廷秀，小的取名文秀。这学堂共有十来个孩子，止他两个教着便会。不上几年，把经书读的烂熟。看看廷秀长成一十三岁，文秀长成一十二岁，都生得眉目疏秀，人物轩昂。那时先生教他做文字，却就知布局练格，琢句修词。这张权虽是手艺之人，因见二子勤苦读书，也有个向上之念。谁想这年一秋无雨，作了个旱荒，寸草不留。大户人家有米的，却又关仓遏粜③。

① 粮长——明代征收和解运田粮的半官职人员。初为优差，以后赋税日重，税户逃亡日多，粮长赔累不堪，成为苦役。

② 踏肩——紧挨着。

③ 关仓遏粜（tiào）——关闭粮仓，停止卖米。也就是等待时机，高价出售之意。遏，止；粜，卖。

只苦了小户人家。若老若幼，饿死无数。官府看不过，开发义仓，赈济百姓。关支的十无三四①，白白的与吏胥做了人家。又发米于各处寺院煮粥救济贫民。却又把米侵匿，一碗粥中不上几颗米粒。还有把糠秕木屑搅些在内，凡吃的俱各呕吐，往往反速其死。上人只道百姓咸受其惠，哪知恁般弊窦②，有名无实。正是：

任你官清似水，难逃吏滑如油。

且说张权因逢着荒年，只得把儿子歇了学，也教他学做木匠。二子天性聪明，哪消几日，就学会了。且又做得精细，比积年老匠更胜几分。喜得张权满面添花。只是木匠便会了，做下家伙摆在店中，绝无人买。不够几日，将平日积下些小本钱，看看用尽，连衣服都解当③来吃在肚里。张权心下着忙，与浑家陈氏商议，要寻个所在趁工④几时，度过荒年，再作区处。出去走了几日，无个安身之地。只得依先在门口店里作活。眼巴巴望个主顾来买。一日，正当午后，只见一人年纪五十以上，穿着一身细绢，旁边跟着小厮，在街上踱将过去。忽抬头看见张权门首摆着许多家伙，做得十分精致，就停住脚观看。张权瞧见，便放下手中生活，上前招架道："员外要甚家伙？里面请看。"那人走上阶头，问道："这些家伙都是你自己做的么？"张权道："尽是小子亲手所造。木料又干又厚，工夫精细，比别家不同。若是作成⑤小子，情愿奉让加一。"那人道："我买倒不要买，问你可肯到人家做些家伙么？"张权道："这也使得。不知尊府住在何处？要做甚家伙？"那人道："我家住在专诸巷内天库前，有名开玉器铺的王家。要做一副嫁妆。木料尽多，只要做得坚固、精巧。完了嫁妆，还要做些桌椅书橱等类。你若肯做时，再拣两个好副手同来。"张权正要寻恁般所在，这便叫作天赐其便。乃答道："多承员外下顾，不知还在几时起工？"那人道："你若有工夫，就是明日做起。"张权道："既如此，明日小子早到宅上伺候便了。"说罢，那人作别而去。你道那人是何等样人物？原来姓王名宪，积祖

① 关支的十无三四——发给百姓的粮食，十分之中不到三四分。

② 弊窦——作弊的情况。

③ 解当——典当。

④ 趁工——做临时工。

⑤ 作成——成全。

大富，家中有几十万家私。传到他手里，却又开了一个玉器铺儿，愈加饶裕。人见他有钱，都称做王员外。那王员外虽然是个富家，倒也做人谦虚忠厚，乐善好施。只是一件，年过五十，却没有子嗣。浑家徐氏，单生两个女儿。长的唤做瑞姐，二年前已招赘了个女婿赵昂在家。次女玉姐，年方一十四岁，未曾许字；生的人物聪明，姿容端正。王员外夫妻钟爱犹胜过长女。那赵昂原是个旧家子弟，王员外与其父是通家相好。因他父母双亡，王员外念是故人之子，就赘入为婿。又与他纳粟入监，指望读书成器。谁知赵昂一纳了监生，就扩而充之起来，把书本撇开，穿着一套阔服，终日在街上摇摆。为人且又奸狡险恶。见王员外没有子嗣，以为自己是个赘婿，这家私恰像木榜刻定是他承受，家业再无人统核的了。遇着个浑家却又是一个不贤都头①，一心只向着老公。见父母喜爱妹子，恐怕也招下女婿，分了家私，好生妒忌。有《赘婿诗》道的好：

人家赘婿一何痴！异种如何绍本支？
二老未曾沾孝养，一心只想夺家私。
愁深只为防甥舅，积恨兼之妒小姨。
半子虚名空受气，不如安命没孩儿。

话分两头。且说张权正愁没饭吃，今日揽了这桩大生意，心中好生欢喜。到次日起来，备了些柴米在家，吩咐浑家照看门户，同了两个儿子，带了斧凿家伙，进了阊门，来到天库前。见一大玉器铺子，张权约谅是王家了。立住脚正要问人时，只见王员外从里边走将出来。张权即忙上前相见。王员外问道："有几个副手？"张权道："止有两个在此。"便教儿子过来见了王员外。弟兄两人将家伙递与父亲，向前深深作揖。王员外还了个半礼。见是两个小童，便道："我因要做好家伙，故此请你，为何教这小童来做？"张权正要开言，廷秀上前道："自古道：后生可畏。年纪虽小，手段却不小了。且试做了看，不要轻忽了人。"王员外看见二子人品清秀，又且能言快语，乃问道："这两个小童是你甚么人？"张权道："是小子的儿子。"王员外道："你倒生的这两个好儿子！"张权道："不敢，只愁没饭吃。"王员外道："有了恁样儿子，愁甚没饭吃！随我到里边来。"当下父子三人一齐跟进大厅。王员外唤家人王进开了一间房子，搬出木料，交与张权，吩咐

① 不贤都头——不贤惠的首领。"都头"，原唐宋时代武官名，这里是借用。

了样式。父子三人量画定了，动起斧锯，手忙脚乱，直做到晚。吃了夜饭，又要个灯油，做起夜作。半夜方睡，一连做了五日，成了几件家伙，请王员外来看。王员外逐件仔细一看，连声喝采道："果然做得精巧！"他把家伙看了一回，又看张权儿子一回。见他弟兄两个，只顾做生活，头也不抬，不觉触动无子之念，默然伤感。走入里边，坐在房中一个墙角里，两个眉头蹙做一堆，骨嘟了嘴，口也不开。浑家徐氏看见恁般模样，连问几声也不答应。急走到外边来，问员外方才与谁惹气。都说才看了新做的家伙进来，并不曾与甚人惹气。徐氏问明白了，又走到房里。见丈夫依旧如此闷坐，乃上前道："员外，家中吃的尽有，穿的尽有，虽没有万贯家财，也算做是个财主。况今年纪五十以外，便日日快活，到八十岁也不上三十年了。着甚要紧，恁般烦恼！"王员外道："妈妈，正为后头日子短了，因此烦恼。你想我辛勤半世，挣了这些少家私，却又不曾生得个儿子，传授与他，接绍香烟。就是有两个女儿，纵养他一百来岁，终是别人家媳妇，与我毫没相干。譬如瑞姐，自与他做亲之后，一心只向着丈夫，把你我便撇在脑后，何尝记挂父母，着些痛疼！反不如张木匠是个手艺之人。看他年纪还小我十来年，倒生得两个好儿子，一个个眉清目秀，齿白唇红。且又聪明勤谨，父子恩恩爱爱，不教而善。适才完下几件家伙，十分精巧。便是积年老手段，也做他不过。只可惜落在他家，做了木匠。若我得了这样一个儿子，就请个先生教他读书，怕不是联科及第，光耀祖宗。"徐氏见丈夫烦恼，便解慰道："员外，这却不难！常言道：有意栽花花不活，无心插柳柳成荫。既张木匠儿子恁般聪明俊秀，何不与他说，承继一个，岂不是无子而有子。"王员外闻言，心中欢喜道："妈妈所见极是！但不知他可肯哩？"当夜无话。

到次日饭后，王员外走到厅上，张权上前说道："员外，小子今晚要回去看看家里，相求员外借些工钱，买办柴米，安顿了敝房①，明日早来。"员外道："这个易处！我有句话儿问你。"张权回道："不知员外有甚吩咐？"王员外道："你令郎今年几岁？叫甚名字？"张权道："大的名廷秀，年十四岁了；小的名文秀，年十二岁了。"王员外又道："可识字么？"张权道："也曾读过几年书。只为读书不起，就住了，也倒识的字。"员外说道："我意欲承继大令郎为子，做个亲家往来，你可肯么？"张权道："员外休得取笑！小子乃

① 敝房——对人家讲起自己妻子时的谦称。

手艺之人,怎敢仰攀宅上！小儿也未必有恁样福分。”王员外道:“何出此言！贫富哪个是骨里带来的。你若肯时,就择个吉日过门。我便请个先生教他。这些小家私好歹都是他的了。”张权见王员外认真要过继他儿子,满面堆着笑,道:“既承员外提拔小子,小子怎敢固辞。今晚且同回去,与敝房说知。待员外择日过门。”王员外道:“说得有理。”进来回复了徐氏,取出一两银子工钱,付与张权。到晚上领了二子,作别回家。陈氏接着,张权把王员外过继他儿子一事,与浑家说知。夫妻欢天喜地。就是廷秀见说要请先生教他读书,也甚欲得。

话休絮烦。王员外拣了吉日,做下一身新衣,送来穿着。张权将廷秀打扮起来,真个人是衣妆,佛是金妆,廷秀穿了一身华丽衣服,比前愈加丰采,全不像贫家之子。当下廷秀拜别母亲,作辞兄弟。陈氏又将言训诲,教他孝顺亲热,谦恭下气。廷秀唯唯。虽然不是长别,母子未免流泪。张权亲自送到王家。只见厅上大排着筵席,亲朋满座。见说到了,尽来迎接。到厅与众亲戚作揖过了,先引到拜过家庙,然后请王员外夫妇到厅上坐了,廷秀上前四跪八拜,又与赵昂夫妇对拜。又到里边与玉姐相见了。其余内外男女亲戚,一一拜见已毕,入席饮酒。就改名王廷秀。与玉姐两下同年,因小两个月,排行三官。廷秀在席上谦恭揖让,礼数甚周。亲友无不称赞。内中止有赵昂夫妇心中不悦。当日大吹大擂,鼓乐喧天,直到更余而散。次日,张权同着次子来谢过了王员外,依旧到大厅上去做生活。王员外数日内便聘了个先生到家,又对张权说道:“令郎这样青年美质,岂可将他埋没,何不教他同廷秀一齐读书,就在这里吃现成茶饭?”张权道:“只是在贵府相扰,小子心上不安。”王员外道:“如今已是一家,何出此言!”自此文秀也在王家读书。张权另叫副手相帮,不提。且说文秀弟兄弃书原不多时,都还记得。那先生见二子聪明,尽心指教。一年之内,三场俱通①。此时王员外家伙已是做完,张权趁了若干工银。王员外分外又资助些银两,依旧在家开店过日。

虽然将上不足,也还比下有余。

---

① 三场俱通——明代规定乡试(省试)和会试(京试)各分为三场,每场考三天,每场考试内容各不相同。这里是说把初场、二场、三场应考的东西都学会了。

且说王员外次女玉姐，年已一十五岁，未曾许定。做媒的络绎不绝。王员外因是爱女，要拣个有才貌的女婿。不知说过多少人家，再没有中意的。看见廷秀勤谨读书，倒有心就要把他为婿。还恐不能成就，私下询问先生，先生极口称赞二子文章，必然是个大器。王员外见先生赞扬太过，只道是面谀之词，反放心不下。即讨几篇文字，送与相识老学观看，所言与先生相合。心下喜欢，来对浑家商议。徐氏也爱他人材出众，又肯读书，一力撺掇。王员外的主意已定。央族弟王三叔为媒，去说合。王三叔得了言语，一径来到张家，把王员外要赘廷秀为婿的话，说与张权。张权推托门户不当，不肯应承。王三叔道："此是家兄因爱令郎才貌，异日定有些好处，故此情愿。又非你去求他，何必推辞。"张权方才依允。王三叔回复了王员外，便去择选吉日行聘。不提。单表赵昂夫妇初时见王员外承继张廷秀为子，又请先生教他读书，心中已是不乐，只不好来阻当。今日见说要将玉姐赘他为婿，愈加忌妒。夫妻两个商议了一番，要来拦阻这事。当下赵昂先走入来见王员外道："有句话儿，本不当小婿多口。只是既在此间，事同一体，不得不说。又恐说时，反要招怪，不敢启齿。"王员外道："我有甚差误处，得你点拨，乃是正理，怎么怪你！"赵昂道："便是小姨的亲事，向日有多少名门巨族求亲，岳父都不应承。如何却要配与三官？我想他是个小户出身，岳父承继在家，不过是个养子，原不算十分正经，无人议论。今若赘做女婿，岂不被人笑话！"王员外笑道："贤婿，这事不劳你过忧。我自有主见在此。常言道：会嫁嫁对头，不会嫁嫁门楼。我为这亲事，不知拣过多少子弟，并没有一个入的眼。他虽是小家出身，生得相貌堂堂，人材出众，且又肯读书，做的文字人人都称赞，说他定有科甲之分。放着恁般目知眼见的倒不嫁，难道倒在那些酒包饭袋里去搜觅？若拣个好的，也还有指望。倘一时没眼色，配着一个不僧不俗，如醉如痴蠢物，岂不误了终身！如今纵有人笑话，不过是一时。倘后来有些好处，方见我有先见之明。"赵昂听说，呵呵的笑道："若论他相貌，也还有两分可听。若说他会做文字，人人称扬，这便差了。且不要论别处，只这苏州城内有无数高才饱学，朝吟暮咏，受尽了灯窗之苦，尚不能够飞黄腾达。他才开荒田，读的年把书，就要想中举人进士，岳父，你且想！每科普天下只中得三百个进士，就如筛眼里隔出来一般，如何把来看的恁般容易？这些称赞文字的，皆欺你不晓的其中道理。见你这般认真，不好败兴，把凑趣的话儿哄你。如何便信以为实?”王员外正要开言,旁边转出瑞姐道:“爹爹,凭着我们这样人家,妹子恁般容貌,怕没有门当户对人家来做亲,却与这木匠的儿子为妻? 岂不玷辱门风,被人耻笑! 据我看起来,这斧头锯子,便是他的本等,晓的文字怎么样做? 我的妹子做了匠人的妻子,有甚好处! 后来怎么与他往来?”王员外见说,心中大怒,道:“他既做了我的子婿,传授这些家私,纵然读书不成,就坐吃到老,也还有余。哪见得原做木匠,与你不好相往! 我看起来,他目下虽穷,后来只怕你还跟他脚跟不上哩。哪个要你管这样闲事,好不扯淡么!”一头说,便望里边而走。羞得赵昂夫妻满面通红,连声道:“干我甚事! 只为他面上不好看,故此好言相劝,何消如此发怒! 只怕后来懊悔,想我们的今日说话便迟了!”王员外也不理他。直至房中,怒气不息。徐氏看见,便问道:“甚事气的恁般模样?”王员外把适来之事备细说知,徐氏也好生不悦。王员外因赵昂奚落廷秀,心中不忿,务要与他争气。倒把行聘的事搁起。收拾五百两银子,将拜匣盛了,教个心腹的家人拿着,自己悄悄送与张权,教他置买一所房子,弃了木匠行业,另开别店,然后择日行聘。张权夫妻见王员外恁般慷慨,千恩万谢,感激不尽。自古道:无巧不成话。张权正要寻觅大房,不想左间壁一个大布店,情愿连店连房出脱与人,却不是一事两便。张权贪他现成,忍贵顶了这店,开张起来。又讨一房家人与一个养娘。家中置备的十分次第。然后王员外选日行聘,大开筵席,广请亲朋。虽是廷秀行聘,却又不回家去。止有赵昂自觉没趣,躲了出去。瑞姐也坐在房里,不肯出来。因是赘婿,倒是王员外送聘,张权回礼。诸色丰盛,邻里无不喝采。自此之后,张权店中日盛一日,挨挤不开。又聘了个伙计相帮。大凡人最是势利,见张权恁般热闹,把张木匠三字不提,都称为张仰亭。正是:

运退黄金无色,时来铁也光辉。

话分两头。且说赵昂自那日被王员外抢白了,把怒气都迁到张家父子身上。又见张权买房开店,料道是丈人暗地与他的银子,越加忿怒,成了个不解之仇。思量要谋害他父子性命,独并王员外家私。只是有不便之处,乃与老婆商议,那老婆道:“不难! 我有个妙策在此。教他有口难分,死在狱底。”赵昂满心欢喜,请问他良策。那婆娘道:“谁不晓得张权是穷木匠。今骤然买了房子,开张大店,只有你我便知道是老不死将银子买的。那些外人如何得知,心下定然疑惑。如今老厌物要亲解,限日到京。

乘他起身去后，拚几十两银子买嘱捕人，教强盗扳他同伙打劫，窝顿赃物在家。就拘邻里审时，料必实说，当初其实穷的，不知如何骤富。合了强盗的言语。这个死罪如何逃得过去！房产家私，必然入官变卖。那时老厌物已不在家，他又是异乡之人，又无亲戚，谁人去照管。这条性命，决无活理！等张木匠死了，慢慢用软计在老厌物面前冷丢，推张廷秀出门。再寻个计策，做成圈套，装在玉姐名下，只说与人有奸。老厌物是直性的人，听得了恁样话，自然逼他上路。去了这个祸根，还有甚人来分得我家的东西！”赵昂见说，连连称妙。只等王员外起身解粮，便来动手。且说王员外因田产广多，点了个白粮解户①。欲要包与人去，恐不了事，只得亲往。随便带些玉器，到京发卖，一举两得。遂将家中事体料理停当，即日起身。吩咐廷秀用心读书。又教浑家好生看待。大凡人结交富家，就有许多的礼数。像王员外这般远行，少不得亲戚都要饯送，有好几日酒席。那张权一来是大恩人，二来又是新亲家，一发理之当然，自不必说。到临行这日，张权父子三人直送至船上而别。

却说赵昂眼巴巴等丈人去后，要寻捕人陷害张权，却又没有个熟脚商议，怎好？骤然思量起来：“幼时有个同窗杨洪，闻得现今充当捕人，且去投他。但不知在哪里住。”暗想道：“且走到府前去访问，料必有人晓得。”即与老婆要了五十两银子，打作一包。又取了些散碎银两，忙忙走到府门口。只见做公的，东一堆，西一簇，好生热闹。赵昂有事在身，无心观看。见一个年老公差，举一举手道：“老者可晓的巡捕杨洪住在何处？”那公差答道：“可是杨黑心么？他住在乌鹊桥巷内。方才走进总捕厅②里去了。”赵昂谢声道：“承教了。”飞向总捕厅前来看。只见杨洪从里边走出。赵昂上前拱手道：“有一件事儿，特来相求。屈兄行一步。”杨洪道：“有甚见谕，就此说也不妨。”赵昂道：“这里不是说话之处。”两下厮挽着出了府门，到一个酒店中，拣一僻静座头坐下。叙了些疏阔寒温。酒保将酒果嗄饭摆来。两人吃了一回，赵昂开言低低道：“此来相烦，不为别事。因有个仇家，欲要在兄身上，吩咐个强盗扳他，了其性命，出这口恶气。”便摸出银子

---

① 白粮解户——明清时在江南王府所征供宫廷和京师官员用的额外漕粮叫白粮。解送白粮到京城去的人家叫“白粮解户”。

② 总捕厅——捕盗贼的机构。

来，放在桌上，把包摊开道："白银五十两，先送与兄。事成之后，再送五十两，凑成一百。千万不要推托。"自古道：公人见钱，犹如苍蝇见血。那杨洪见了雪白的一大包银子，怎不动火！连叫："且收过了说话。恐被人看见，不当稳便。"赵昂依旧包好，放在半边。杨洪道："且说那仇家是何等样人？姓甚？名谁？有甚家事？拿了时，可有亲丁出来打官司告状的么？"赵昂道："他名叫张权，江西小木匠出身，住在阊门皇华亭侧。旧时原是个穷汉，近日得了一注不明不白的钱财，买起一所大房，开张布店。止有两个儿子，都还是黄毛小厮。此外更无别人，不消虑的。"杨洪道："这样不打紧！前日刚拿五个强盗，是打劫庞县丞的。因总捕侯爷公出，尚未到官。待我吩咐了，叫他当堂招出，包你稳问他个死罪。那时就狱中结果他的性命，易如反掌。"那赵昂深深的作揖道："全仗老兄着力！正数之外，另自有报。"杨洪道："我与尊相从小相知，怎说恁样客话！"把银子袖过。两下又吃了一大回酒，起身会钞。临出店门，赵昂又千叮万嘱。杨洪道："不须多话！包你妥当！"拱拱手，原向府内去了。赵昂回到家里，把上项事说与老婆知道。两人暗自欢喜。

且说杨洪得了银子，也不通伙计得知。到衙前完了些公事，回到家中，将银交与老婆藏好。便去买些鱼肉安排起来。又打一大壶酒，烫得滚热。又煮一大锅饭。收拾停当，把中门闭上。走到后边，将钥匙开了阱房。那五个强盗见他进门，只道又来拷打，都慌张了。口中只是哀告。杨洪笑道："我岂是要打你！只为我们这些伙计，见我不动手，只道有甚私弊，故此不得不依他们转动。两日见你众人吃这些痛苦，心中好生不忍。今日趁伙计都不在此，特买些酒肉与你们将息一日，好去见官。"那些强盗见说不去打他，反有酒肉来吃，喜出望外。一个个千恩万谢。须臾搬进，摆做一台。却是每人一碗肉、一碗鱼、一大碗酒、两大碗饭。杨洪先将一名开了铁链，放他饮啖。那强盗连日没有酒肉到口，又受了许多痛苦。一见了，犹如饿虎见羊，不够大嚼，顷刻吃个干净。吃完了，依旧锁好。又放一个起来。那未吃的口中好不流涎。不一时轮流都吃遍了。杨洪收过家伙，又走进来问道："你们曾偷过阊门外开布店张木匠张权的东西么？"都道："没有。"杨洪道："既没有，为何晓得你们事露，连日叫人来叮嘱，要快些了你们性命？你们各自去想一想。或者有些什么冤仇？"众强盗真个各去胡思乱想。内中一个道："是了，是了！三月前我曾在阊门外一个布店买布，为事等了头上起①，被我痛骂了一场。想是他怀恨在心，故此要来伤我们性命。”杨洪便趁说道：“这等，不消说起是了。但不过是件小事，怎么就要害许多人的性命？那人心肠却也太狠！”众强盗见说，一个个咬牙切齿。杨洪道：“你们要报仇，有甚难处！明日解审时，当堂招他是个同伙，一向打劫的赃物，都窝在他家。况他又是骤发，咬实了，必然难脱。却教他陪你吃苦。况他家中有钱，也落得他使用。”又说道：“切不要就招。待拷问到后边，众口一词招出，方像真的。”众人俱各欢喜，道：“还是杨阿叔有见识。”杨洪又说了他出身细底，又吩咐莫与伙计们得知。“他们通得了钱，都是一路。”众强盗牢记在心。杨洪见事已谐，心中欢喜。依旧将门锁好。又来到府前打听，侯同知晚上回府，便会同了众捕快，次日解官。有诗为证：

只因强盗设捕人，谁知捕人赛强盗！
买放真盗扳平民，官法纵免幽亦报。

次早，众府快都至杨洪家里，写了一张解呈，拿了赃物。府快解了强盗来到总捕厅前伺候。不多时，侯爷升堂。杨洪同众捕快将强盗解进，跪在厅前，把解呈递上，禀道：“前日在平望地方，擒获强盗一起五名，正是打劫庞县丞的真赃真盗，解在台下。”侯爷将解呈看了，五个强盗，都有姓名：计文，吉适，袁良，段文，陶三虎。点过了名，又将赃物逐一点明，不多什么东西。便问捕快道：“闻得庞县丞十分贪污，囊橐甚多，俱被劫去，如何只有这几件粗重东西？其余的都在哪里？”众捕快禀道：“小的们所获，只有这几件。此外并没有了。或者他们还窝在哪处。老爷审问便知。”侯爷唤上强盗问道：“你一班共有几人？做过几年？打劫多少人家？赃物都窝顿在何处？从实细说，饶你刑罚。”那强盗一一招称，只有五个，并无别人。劫过东西，俱已花费。止存这些，余外更没有窝顿所在。侯爷大怒，讨过夹棍，一齐夹起。才套得上，都喊道：“还有几名，都已逃散。只有一个江西木匠张权，住在阊门外边，向来打劫银两都窝在他家。如今见开布店。”侯爷见异口同声，认以为实，连忙起签，差原捕杨洪等，押着两名强盗作眼，同去擒拿张权起赃连解。那三名锁在庭柱上，等解到同审。侯爷再理别事。

---

① 等了头上起——等了很久。

且说杨洪同众人押着强盗，一径望阊门而去。赵昂也在府前探听。看见杨洪，已知事妥。自己躲过一边，却教手下人远远跟去，看其动静。杨洪到了张权门首，立住脚道："这里是了。"只见张权在店中做生意，挤着许多主顾，打发不开。杨洪分开众人，托地跳进店里，将链子望张权颈上便套。张权叫声："阿呀！却是为何？"杨洪伸开手，两个大巴掌，骂道："你这强盗！还要问甚？你打劫许多东西，在家好快活，却带累我们，不时比捕！"张权连声叫苦道："这是哪里说起！"正要分辨时，众捕人押着强盗，望里边去了。杨洪恐怕众人拣好东西藏过，忙将张权锁好，又取出铁扭上了，也牵入里面起赃。那时惊得一家无处躲避。门前买布的，与伙计讨了银钱，自往别处去买。看的人拥做一屋。众捕快将一应细软，都搜括出来，只拣银两衣饰，各自溜过，其余打起几个大包，连店中布匹，尽情收拾。张权夫妻抱头大哭，叫喊连天。"这横祸哪里飞来！"两下分舍不得。捕人上前拆开，牵着便走。那些邻里不晓得的，认以为真，便道："我说他一向家事不济，如何忽地买起房屋，开这样大铺子？又与儿子定亲。只道他掘了藏①，原来却做了这行生意，故此有钱。"有几个相识晓得些的，与他分剖说："是个好人！这些东西，是亲家王员外扶持的。不知为甚被人扳害？"众人哪里肯信。一路上说好说歹，不止一个，都跟来看。且说杨洪一班，押张权到了府中。侯爷在堂立等回话。解将进去跪下，把东西放在一堂。杨洪禀道："张权拿到了。"侯爷教放下柱上三个强盗同审。又将东西逐一验过。张权上前泣诉道："爷爷，小人是个良民，从来与这班人不曾识面，何尝与他同盗。其实是霹空陷害，望爷爷超拔！"侯爷喝道："既不曾同盗，这些赃物哪里来的？"张权道："这东西是小人自己挣的，并非赃物。"乃对众强盗道："我从不曾认得你们。有甚冤仇，今日害我？"众强盗道："我们本不欲招你出来。只因熬刑不过，一时招出。你也承认罢，省的受那刑苦！"张权高声叫屈道："你这些千刀万剐的强盗，得了哪个钱财，却来害我！"众强盗道："张权，仁心天理，打劫庞县丞，是你起的祸根。其地虽不曾同去，拿来的东西俱放在你家营运，如何赖得？"张权又禀道："爷爷，小人住在此地，将有二十年了，并不曾与人角口一番，怎敢为此等犯法之事！若有此情，必能搬向隐僻所在去了，岂敢还在闹市上开店？爷爷不信，可

① 掘了藏——在地下挖掘出了埋藏的金银。

拘四邻地方来问,便知小人平素。"侯爷见他苦苦折辩不招,对众强盗道:"你这班人,想必把真强盗隐匿,陷害平人。"教都夹起来。众皂隶一齐向前动手。夹得五个强盗杀猪般叫喊,只是一口咬定张权是个同伙,不肯改口。又道:"爷爷,他是小木匠,哪个不晓得是个穷汉。如何骤然置买房屋,开起恁样大布店来?只这个就明白了。"侯爷道:"是。你是个穷木匠,为何忽地骤富?这个须没得辩!"喝教也夹起来。张权上前再三分辩,是亲家王员外扶持的。便是侯爷哪里肯听。可怜张权何尝经此痛苦。今日上了夹棍,又加一百杠子,死而复苏。熬炼不过,只得枉招。侯爷见已招承,即放了夹棍,各打四十毛板,将招由做实,依律都拟斩罪。赃物贮库。张权房屋家私,尽行变卖入官。画供已毕,上了脚镣手扭,发下司狱司①监禁。连夜备文申报上司。正是:

闭门家里坐,祸从天上来。

话分两头。且说陈氏见丈夫拿去,哭死在地。亏养娘救醒。便教家人伙计随去看个下落,顺便报与二子。廷秀兄弟正在书院读书,见报父亲被强盗扳了,吓得魂飞魄散。撇下书本,带跌而奔。先生也随将来看。里边徐氏晓得,连忙教几个家人探听。廷秀弟兄,随了家人,赶到府中。父亲已是解进衙门。立在外边打探。听得辩了半日,也上夹棍。着了急,便要望里边去禀。被先生一把扯住,道:"你若进去,也被粘住身子,哪个出头去辩冤?"二子见先生之言有理,便住了脚。听父亲夹得声音凄惨,都叫起屈来。被把门人驱逐出外边。少顷,见两个人扶着父亲出来,两眼闭着,半死半活。又晓得问实斩罪,上前抱住放声大哭,一个字也说不出。张权耳内闻得儿子声音,方才睁眼一看,泪如珠涌,欲待吩咐几声,被杨洪走上前,一手推开廷秀,扶挟而行,脚不点地,直至司狱司前,交与禁子,开了监门,扶将进去。廷秀弟兄,欲待也跟入去,禁子哪里肯容。连忙将监门闭上。可怜二子哭倒在地。那先生同伙计家人,随后也到。将廷秀扶起道:"事已至此,哭亦无益。且回家去,再作区处。"二子无奈,只得收泪,对禁子道:"列位大叔在上,可怜老父是含冤负屈之人,凡事全仗照管,自当重报。"禁子道:"小官人,常言道:靠山吃山,靠水吃水。做公的买卖,千钱赊不如八百现。我们也不管你冤屈不冤屈,也不想甚重报,有,便如今

---

① 司狱司——管理牢狱的机构。

就送与我们，凡事自然看顾十分。若没有，也便罢了。决无人来催讨。那远话儿且请收着，等你不及。”廷秀道：“今日不曾准备在此，明早即来相恳。”禁子道：“既恁样，放心请回，我们自理会得。”廷秀弟兄同众人转来。也不到丈人家里，一径出阊门，去看母亲。走至门首，只见侯同知已差人将房子锁闭。两条封皮，交叉封着。陈氏同养娘都在门首啼哭。一见儿子到来，相抱而哭。真个是痛上加痛，悲中转悲。旁边看的人，无不垂泪称冤。那伙计并家人，见恁般光景，也不相顾，各自去寻活路。母子计议，无处投奔。只得同到丈人家里暂住，再作区处。到了王员外门口，廷秀先进去报知。徐氏与女儿出来迎接。相见已罢，请入房里。那时赵昂已往杨洪家去探听。瑞姐晓得，也来相见。廷秀母子，将前项事情哭诉一番。徐氏也觉惨伤。玉姐暗自流泪。只有瑞姐暗中欢喜，假意劝慰。当晚徐氏准备酒肴款待。陈氏水米不沾，一味悲泣。徐氏解劝不止。到次日，廷秀与母亲商议，要牢中去看父亲，说：“昨日已许了禁子东西。如今一无所有，如何是好！”正没做理会，徐氏走来，知得，便去取出十两银子，递与廷秀道：“你且先将去用。若少时，再对我说。等你父亲回家，就易处了。”陈氏谢道：“屡承亲家厚恩，无门再报！今日又来累及亲家损钞，今生不能相报，死当衔结以报大恩！”徐氏道：“说哪里话！亲翁在患难之际，员外又不在家，不能分忧。些小东西，何足为谢！”当下弟兄二人，将银留了八两，把二两带好，央先生同到司狱司前，送与禁子。禁子嫌少。又增了一两，方才放二人进去。先生自在外边等候。禁子引二子来到后监。见父亲倒在一个壁角边乱草之上，两腿皮开肉绽，脚镣手扭，紧紧锁牢，奄奄止存一息。二子一见，犹如乱箭攒心，放声号哭，奔向前来，叫声：“爹爹，孩儿在此！”把他扶将起来。那张权睁开眼见了儿子，呜呜的哭道：“儿，莫不是与你梦中相会么？”廷秀说：“爹爹，哪里说起！降着这场横祸！到此地位，如何是好？”张权抚着二子道：“我的儿，做爹的为了一世善人，不想受此恶报，死于狱底。我死也罢了，只是受了王员外厚恩，未曾报得，不能瞑目！你们后来，倘有成人之日，勿要忘了此人。”廷秀道：“爹爹，且宽心将养身子，待孩儿拚命往上司衙门诉冤，务必救爹爹出去。”张权摇着手道：“不可，不可！如今乃是强盗当堂扳实，并不知何人诬陷，去告谁好？况侯同知现任在此，就准下来，他们官官相护，必不自翻招，反受一场苦楚。况你年纪幼小，有甚力量，干此大事？我受刑已重，料必不久。也别没甚话吩咐,只有你母亲,早晚好好伏侍,即如与我一样。用心去读书,倘有好日,与爹争口气罢。"说罢,父子又哭。

冤情说到伤心处,铁石人闻也断肠。

旁边有一人名唤种义,昔年因路见不平,打死人命,问绞在监。见他父子如此哭泣,心中甚不过意,便道:"你们父子且勿悲啼。我种义平生热肠仗义,故此遭了人命。昨日见你进来,只道真是强盗,不在心上。谁想有此冤枉!我种义岂忍坐视!二位小官人放心回去读书。今后令尊早晚酒食,我自支持,不必送来。棒疮目下虽凶,料必不致伤身。其余监中一应使用,有我在此,量他决不敢来要你银子。等待新按院①按临,那时去伸冤,必然有个生路。"廷秀弟兄听说,连忙叩拜道:"多蒙义士厚意。老父倘有出头之日,决不忘报!"种义扶起道:"不要拜谢!且扶令尊到我房中去歇息。"二子便去搀张权起来。张权腿上疼痛,二子年幼力弱,哪里挣扎得起。种义忍不住,自己揎拳裸袖,向前扶起,慢慢的逐步挨到前边种义房中。就教他睡在自己床铺上。取出棒疮膏,与张权贴好。廷秀见有倚靠,略略心宽。取出一两银子,送与种义,为盘缠之费。种义初时不肯受,廷秀弟兄再三哀恳,方才受了。父子留恋不忍分离。怎奈天色渐晚,禁子催促,只得含泪而别。出了监门,寻着先生,取路回家。廷秀弟兄一路商议:"母亲住在王家,终不稳便。不若就司狱司左近赁间房子居住,早晚照管父亲,却又便当。"计议已定,到家与母亲说知。次日将余下的银两,赁下两间房屋,置办几件日用家伙。廷秀告知徐氏,说:"母亲自要去住。"徐氏与玉姐苦留不住,只得差人相送。又赠些银米礼物。陈氏同二子,领着养娘,进了新房。自到牢中看了丈夫。相见之间,哀苦自不必说,弟兄二人住过三四日,依原来到王家读书。终是挂念父亲,不时出入,把学业都荒疏了。

不说廷秀,且说赵昂自从陷害张权之后,又与妻子计较,要撵廷秀出门。那婆娘道:"要他出门,也甚容易。止要多费几两银子。"赵昂道:"有甚好计?你且说来。便费几两银子,也是甘心的。"那婆娘道:"要他出去,除非将家中大小男女都把银子买嘱停当。等父亲回时,七张八嘴,都说廷秀偷东西在外斗赌。他见众人说话相同,自然肯信不疑。那时我与你再

① 按院——指巡按御史。

把冷话去激他，必定赶他出门。待廷秀去后，且再算计玉姐。”赵昂依着老婆，把银子买嘱家中婢仆。这些小人，哪知礼义，见了银子，谁不依允。不则一日，王宪京中解粮回家。合家大小都来相见，惟有廷秀因母亲有病，归家探看，不在眼前。那时文秀已是久住在家，伏侍母亲，不在话下。王员外便问：“三官如何不见？”众人俱推不知。徐氏方接过口来，把张权被人陷害前后事情，细说一遍。又道：“想他看候父亲去了。”王员外闻言，心中惊讶。少顷，廷秀归来相见。王员外又细询他父亲之事，廷秀哭诉一番，哀求搭救。王员外道：“你自去读书。待我心定了，与你计较这事。”廷秀拜谢，自归书房。到次日早上，记挂母亲，也不与先生说知，又回去候问。不想王员外一起身，便来拜望先生，又不见了廷秀。问先生时，说清早出外去了。王员外心中便有几分不喜。与先生叙了些间阔之情。查点廷秀功课，却又稀少。先生怕主人见怪，便道：“令郎自从令亲家被陷之后，不时往来看觑，学业也荒疏了。”王员外见说废了功课，愈加不乐。别了先生，走到外边。见书童进来，便问道：“可晓得三官哪里去了？”那书童已得过赵昂银子，一见家主问时，便答道：“三官这一向不时在外嫖赌，整几夜不回。”王员外似信不信，喝退书童，心中疑惑。又去访问家中童仆，都是一般言语。古语道得好：“众口铄金，积毁销骨。”王员外平日极是爱惜廷秀，被众人谗言一说，即信以为真，暗暗懊悔道：“当初指望他读书成人，做了这事，不想张权问罪在牢，其中真假未知。他又不学长俊①，问罪兼全，后来岂不误了女儿终身？昔年赵昂和瑞姐曾来劝谏，只为一时之惑，反将他来嗔责。如今却应了他们口嘴，如何是好！”委曲不下，在厅中团团走转。那时这些奴仆，都将家中访问之事，报与赵昂。赵昂大喜，已知计中八九，到外边来打探，恰好遇着丈人。不等王员外开口，便道：“小婿今日又有一句话要说，只恐岳父又要见怪，不好说得。”王员外道：“往事休提！你说，如今有甚事情？”赵昂道：“从岳父去后，张木匠做了强盗，问成死罪在牢。小婿初时，还只道是被人诬陷。据他邻里说来，却真有这事。况且三官趁岳父不在家中，日逐以看父为由，留恋斗赌。亲邻晓得的，无不议论岳父，扳个强盗亲家，招下败家女婿。连小婿也无颜见人。当初若听了小婿之言，决无有今日之事。”起初王员外已有八九分不悦，又

① 长俊——长进，上进。

被赵昂这班言语一说，凑成一十二分，气得哑口无言。沉吟半晌，方才道："起初是我一时见不到，错怪了你，成就这事。如今懊悔无及！"赵昂便道："依小婿之见，尚有挽回。"王员外忙问道："你且说怎的可以挽回？"赵昂道："若是毕姻过了，这便无可奈何。如今幸喜未曾成亲。岳父何不等廷秀回家，责骂一场，驱逐出门，一面就央媒妁寻个门当户对人家，将玉姐嫁去。他年纪又小，又无亲族，何人与他理论这事。设或告到官司，见已婚配，必无断与之理。况且是强盗之子，官府自然又当别论。是恁般，还不被人笑话。若不听小婿之言，后来使玉姐身无所倚，出乖露丑，玷辱门风，那时懊悔，却不迟了？"王员外若是个有主意的，还该往别处访问个的实，也不做了有始无终薄幸之人。只因他是个直性汉子，不曾转这念头，遂听信了赵昂言语，点头道："是。"晓得浑家平昔喜欢廷秀，恐怕拦阻，也不到后来与他说知。同赵昂坐在厅中，专等廷秀回来不提。

且说廷秀至家，见过母亲，也恐丈人寻问，急急就回家。到厅前见丈人与赵昂坐着说话，便上前作揖。王宪也不还礼，变了脸问道："你不在学中读书，却到何处去游荡？"廷秀看见词色不善，心中惊骇。答道："因母亲有病，回去探看。"王员外道："这也罢了。且问你：自我去后，做有多少功课？可将来看。"廷秀道："只为爹爹被陷，终日奔走，不曾十分读书，功课甚少。"王员外怒道："当初指望你读书有些好处，故此不计贫富，养你为子，又聘你为婿。哪知你家是个不良之人，做下这般勾当，玷辱我家。你这畜生，又不学好，乘我出外，终日游荡斗赌，被人耻笑！我的女儿从小娇养起来，若嫁你恁样无籍，有甚出头日子！这里不是你安身之处，快快出门，饶你一顿孤拐①。若再迟延，我就要打了。"那些童仆，看见家主盘问这事，恐怕叫来对证，都四散走开。廷秀见丈人忽地心变，心中苦楚，哭倒在地道："孩儿父子，蒙爹爹大恩，正图报效。不幸被人诬陷，悬望爹爹归家救援。不知何人嗔怪孩儿，搬斗是非，离间我父子。孩儿倘有不到之处，但凭责罚，死而无怨。若要孩儿出门，这是断然不去！"一头说，一头哭，好不凄惨。赵昂恐丈人回心转来，便衬道："三官，只是你不该这样没正经。如今哭也迟了。"廷秀道："我何尝干这等勾当，却从空生造！"赵昂道："这话一发差了。哪个与你有仇，造言谤你？况岳父又不是肯听是非的。必

① 孤拐——指脚孤拐，即踝骨，这里是打踝骨的意思。

定做下一遭两次，露人眼目。如今岳父察晓的实，方才着恼，怎么反归怨别人?”廷秀道:“有哪个看见的，须叫他来对证。”王员外骂道:“畜生！若要不知，除非不为。你在外胡行，哪个不晓得，尚要抵赖。”便抢过一根棒子，劈头就打道:“畜生，还不快走!”廷秀反向前抱住痛哭道:“爹爹，就打死也决不去的。”赵昂急忙扯问道:“三官，岳父是这样执性的，你且依他暂去，待气平了，少不得又要想你，那时却不原是父子翁婿。如今正在气恼上，你便哭死，料必不听。”廷秀见丈人声势凶狠，赵昂又从旁尖言冷语帮扶，心中明白是他撺掇，料道安身不住，乃道:“既如此，待我拜谢了母亲去罢。”王员外哪里肯容，连先生也不许他见。赵昂推着廷秀背上，往外而走，道:“三官，你怎么恁样不识气，又要见岳母做甚?”将他推出大门而去，正是：

人情若像初相识，到底终无怨恨心。

且说徐氏在里面听得堂中喧嚷哭泣，只道王员外打小厮们，哪里想到廷秀身上，故此不在其意。童仆们也没一个露些声息。到午后闻得先生也打发去了，心中有些疑惑。问众家人，都推不知。至晚，王员外进房，询问其故，方晓得廷秀被人搬了是非赶逐去了。徐氏再三与他分解，劝员外原收留回来。怎奈王员外被谗言蛊惑，立意不肯，反道徐氏护短。那玉姐心如刀割，又不敢在爹妈面前明言，只好背地里啼哭。徐氏放心不下，几遍私自差人去请他来见。那些童仆与赵昂通是一路，只推寻访不着。

按下徐氏母子，且说廷秀离了王家，心中又苦又恼。不顾高低，乱撞回来。只见文秀正在门首，问道:“哥哥如何又走转来?”廷秀气塞咽喉，哪里答得出半个字儿。文秀道:“哥哥因甚气得这般模样?”廷秀停了一回，方将上项事，说与兄弟。文秀道:“世态炎凉，自来如此，不足为异。只是王员外平昔待我父子何等破格，今才到家，蓦地生起事端。赵昂又在旁帮扶，必然都是他的缘故。如今且莫与母亲说知，恐晓得了，愈加烦恼。”廷秀道:“贤弟之言甚是。”次日，来到牢中，看觑父亲。那时张权亏了种义，棒疮已好，身体如旧。廷秀也将其事哭诉。张权闻得，嗟叹王员外有始无终。种义便道:“恁般说起来，莫不你的事情，想是赵昂所为?”张权道:“我与他素无仇隙，恐没这事!”廷秀道:“只有定亲时，闻得他夫妻说我家是木匠，阻当岳父不要赘我。岳父不听，反受了一场抢白。或者这个缘故上起的。”种义道:“这样说，自然是他了。如今且不要管是与不是。目下新按院将到镇江，小官人可央人写张状子去告。只说赵昂将银买嘱捕人强盗，故此扳害。待他们自去分辩。若果然是他陷害，动起刑具，少不得内中有人招称出来。若不是时，也没甚大害。”张权父子连声道是。廷秀作别出监。兄弟商议停当，央人写下状词，要往镇江去告状。常言道：机不密，祸先招。这样事体，只宜悄然商议。那张权是个老实头，不曾经历事体的；种义又是粗直之人，说话全不照管，早被一个禁子听见。这禁子与杨洪乃是姑舅弟兄，闻此消息，飞风便出报知。杨洪听得，吃了一吓，连忙来寻赵昂商议。走到王员外门首，不敢直入。见个小厮进去，央他传报说：“有一个姓杨的，要寻赵相公说话。”赵昂料是杨洪，即便出来相见。问道：“杨兄有甚话说？”杨洪扯到一个僻静所在，说：“张廷秀已晓得你我害他，即日要往按院去告状。倘若准了，到审问时，用起刑具，一时熬不得，招出真情，反坐转来，却不自害自身！幸喜表弟闻得来报，故此特来商议。”赵昂听了，惊得半晌说不出话来。良久道：“此便怎么好？”杨洪道：“一不做，二不休，相公便多用几两银子，我便拌折些工夫①，连这两个小厮一并结果了，方才斩草除根。”赵昂道：“银子是小事，只没有个妙策。”杨洪道：“不省着②他们是个穷鬼，料道雇船不起，少不得是趁船。我便装起捕盗船来，教我兄弟同两个副手，泊在阊门。再令表弟去，打听了起身日子，暗随他出城，招揽下船。我便先到镇江伺候。孩子家哪知路径。载他径到江中，撺入水里，可不干净？”赵昂大喜。教杨洪少待，便去取出三十两银子，送与杨洪道：“烦兄用心，务除其根！事成之日，再当重谢。”杨洪收了银子，作别而去。

且说廷秀打听得按院已到，央人写了状词，要往镇江去告。那时陈氏病体痊愈，已知王员外赶逐回来，也只索无奈。见说要去告状，对廷秀道：“你从未出路，独自个去，我如何放心。须是弟兄同行，路上还有些商量。”廷秀道：“若得兄弟去便好。只是母亲在家，无人伏侍。”陈氏道：“来往不过数日。况且养娘在家陪伴，不消牵挂。”廷秀依着母亲，收拾盘缠，来到监中，别过父亲，背上行李，径出阊门来搭船。刚走到渡僧桥，只听得背后有人叫道：“二位小官人往哪里去！”廷秀道：“往镇江去。”那人道：“到镇江

---

① 拌折些工夫——多花费些工夫。

② 省着——晓得。

有便船在此。又快当，又安稳。”廷秀听说有便船，便立住脚，与文秀说道：“若是便船，倒强如在航船上挨挤。”文秀道：“任凭哥哥主张。”廷秀对船家说道：“你船在哪里？可就开么？”船家道：“我们是本府脚头关提来差往公干的，私己①搭一二人，路上去买酒吃。若没人也就罢了，有甚担搁。”廷秀道：“既如此，带了我们去。”船家引他下了船，住在稍上。少顷，只见一人背着行李而来，稍公接着上船。那人便问：“这两个孩子是何人？”稍公道：“这两个小官人，也要往镇江的，容小人们带他去，趁几文钱，路上买酒吃。望乞方便。”那人道：“止这两个，便容了你。多便使不得。”稍公道：“只此两个，也是偶然遇着，岂敢多搭。”说罢，连忙开船。你道这人是何等样人？就是杨洪兄弟杨江。稍公便是副手。当下杨江问道：“二位小官人姓甚？住在何处？到镇江去何干？”廷秀说了姓名居处，又说父亲被人陷害缘由。如今要往按院告状。杨江道：“原来是好人家儿女，可怜，可怜！你住在稍上不便，也到舱中来坐。”廷秀道：“如此多谢了！”弟兄搬到舱中住下。杨江一路殷勤，买酒肉相请，又许他到衙门上看顾。弟兄二人，感激不尽。那船乃是捕盗的快船，趁着顺风，连夜而走。次日傍晚就到了镇江。船家与廷秀讨了船钞，假意催促上岸。廷秀取了行李，便要起身。杨江道：“你这船家，忒煞不行方便！这两位小官人，从不曾出路的。此时天色已晚，教他哪里去寻宿处？”又向廷秀道：“莫要理他！今夜且在舟中住了，明早同上崖去，寻寓所安下。就到察院前去打听按院几时按临，却不又省了今夜房钱？”廷秀弟兄只认做好人，连声称谢。依原把包裹放下。杨江取出钱钞，教稍公买办些酒肉，吩咐移船到稳处安歇。稍公答应，将船直撑出西门闸外，沿江阔处停泊。稍公安排鱼肉，送入舱里。杨江满斟苦劝，将廷秀弟兄灌得大醉，人事不省，倒在舱里。那时，杨洪已约定在此等候。稍公口中唿哨一声，便跳下船。即忙解缆开船，悄悄的摇出江口，沿溜而下。过了焦山，到一宽阔处，取出索子，将他弟兄捆绑起来，恰如两只馄饨相似。二子身上疼痛，从醉梦中惊醒，挣扎不动。却待喊叫，被杨洪、杨江扛起，向江中扑通的撺将下去。眼见得二子性命休了。

可怜世上聪明子，化作江中浪宕魂。

你想长江中是何等样水！那水从四川、湖广、江西一路上流冲将下

---

① 私己——私下。

来，浑如滚汤一般紧急，到了镇江，直溜入海，就是落下一块砂石，少不得随流而下。偏有廷秀弟兄，撇入江中，却反逆流上去。杨洪、杨江望见，也道奇怪。拨转船头赶上，各提起篙子，照着头上便射。说时迟，那时快，篙子离身，不上一尺，早被三四个大浪，把二子直涌开去，连船险些儿掀翻，那篙子便不能伤。杨江料道必无活理，原移至沿口泊下。次早开船，回到苏州，回复了赵昂。赵昂心中大喜，又找了三十两银子。杨洪兀自嫌少，两下面红颈赤而别。不在话下。

且说河南府有一人唤做褚卫，年纪六十已外，平昔好善，夫妻二人，吃着一口长斋。并无儿女，专在江南贩布营生。一日正装着一大船布匹，出了镇江，望河南进发。行不上三十余里，天色将晚，风逆浪大，只得随帮停泊江中。睡到半夜，听得船旁像有物撞响。他也不在其意。方欲合眼，又像有人推醒一般，那船旁撞得越响了，隐隐又有人声。心中奇怪，爬起来，开了篷窗。打一看时，只见水面上浮着一人，口内微微有声。褚卫慌忙叫起水手，捞救上船。打起火来看时，却是十五六岁一个小厮，生得眉清目秀，浑身绑缚，微微止有一息。与他下了索子，烧起热汤灌了几口，那孩子渐渐醒转，呕出许多清水。褚卫将干衣与他换了，询其缘故。小厮哭诉道："小人名唤张文秀，只因父亲被人陷害在牢，同哥哥廷秀，来镇江按院告状，趁了个便船，说是苏州理刑差人，一路假意殷勤照顾。昨夜到了镇江，又留住在船，将酒灌醉我弟兄，双双绑入水中。正不晓得他是何人，害我等性命！今幸得遇恩人救我。但不知恩人高姓大名？这里是何处？离镇江多少路了？怎地送得小人归家，决不忘恩！"褚卫本是好善之人，见他说得苦楚，心下十分可怜。初时倒有送他回去之念，忽地想起："镇江到此乃是逆水，怎么反淌了上来？莫非此子后来有些好处，暗中自有鬼神护佑么？我今尚无子嗣，何不留他回去，做个螟蛉之子，却不是好？"乃哄他道："我是河南褚卫，贩布回去。这里离镇江已远，有一千余里，怎能送你回去？况昨夜谋你的必是对头，是差来心腹，故此下这样毒手。今依旧回家，必然又寻别事害你。我今又无儿子，若不弃嫌，认做父子，随我归家去。明年带你下来，访出昨夜之人，然后去告理，救你父亲，可不好么？"文秀虽然记挂父母，到此无可奈何，只得依允。就拜褚卫为父，改名褚嗣茂，带上河南不提。

且说张廷秀被杨洪捆入水中，自分必死。不想半沉半浮，被大浪直涌到一个沙洲边芦苇之旁。到了天明，只见船只甚多，俱住在江中往来，叫喊不闻。至午后，有一只船旁洲而来，廷秀连叫救命。那船拢到洲边，捞上船去，割断绳索，放将起来，且喜得毫无伤损。廷秀举目看船中时，却是两个中年汉子，十来个小厮，约莫今年十六七岁。你道是何等样人？原来是浙江绍兴府孙尚书府中戏子。那两个中年人，一个是师父潘忠，一个是管箱的家人，领着行头往南京去做戏，以此经过。恰好救了廷秀。取几件干衣与他换了，问其缘故。廷秀把父亲被害，要到按院伸冤，被船上谋害之事，哭诉一遍。又道："多蒙救了性命。若得送我回家，定然厚报。"那潘忠因班中装生的哑了喉咙，正要寻个顶替。见廷秀人物标致，声音响亮。却又年纪相仿，心下暗喜道："若教此人起来，倒好个生脚。"心下怀了这个私念，就是顺路往苏州去，谅道也还不肯放他转身，莫说如今却是逆路。当下潘忠道："我们乃绍兴孙尚书府中子弟，到南京去做生意，哪有工夫转去，送你回家？我如今到京已近，不如随我们去住下，慢慢觅便人带你归家。你若不肯时，我们也不管闲账，原送你到沙洲上，等别人便船来带回去罢。"廷秀听得说出这话，连忙道："既然不是顺路，情愿随列位到京。"潘忠道："这便使得。"廷秀自己虽然得了性命，却又想着兄弟，必定死了，不住流泪。那日乃是顺风，晚间便到南京。次早入城，寻寓所安下。那孙府戏子，原是有名的。一到京中，便有人叫去扮演。廷秀也随着行走行走。却说潘忠对廷秀道："众人在此做生意，各要趁钱回去养家的，谁肯白白养你！总然有便带你回家，那盘费从何而来？不如暂学些本事，吃些活饭，那时回去，却也容易。"廷秀思量："亏他们救了性命，空手坐食，心上已差，过意不去。"又听了潘忠这班说话，愈觉羞惭。暗道："我只指望图个出身的日子，显祖扬宗，哪知霹空降下这场没影儿祸，弄得家破人亡，父南子北，流落至此！若学了这等下贱之事，这有甚么长俊。如不依他，定难存住。”却又想道：“昔日箕子为奴①，伍员乞食②，他们都是大豪杰，在患难之际，也只得从权应变。到此等地位，也顾不得羞耻了。且暂度几日，再做区处。”遂应承了潘忠，就学个生脚。他资性本来聪慧，教来曲子，哪消几遍，却就会了。不够数日，便能登场。扮来的戏，出人意表，贤愚共赏，无一日空闲。在京半年有余，积攒了些银两。想道：“如今盘缠已有，好回家了。”谁想潘忠先揣知其意，悄悄溜过了他的银子。廷秀依旧一双空手，不能归去。潘忠还恐他私下去了，行坐不离。廷秀脱身不得，只得住下。

话分两头。却说陈氏自从打发儿子去后，只愁年幼，上司衙门利害，恐怕言语中差错，再不想到有人谋害。已到十日之外，风吹草动，也认做儿子回来，急到门观看。渐渐过了半月二十日，一发专坐在门首盼望。那时还道按院未曾到任，在彼等候。后来闻得按院镇江行事已完，又按临别处。得了这个消息，急得如煎盘上蚂蚁，没奔一头处。急到监中对丈夫说知，央人遍贴招帖，四处寻访，并无踪迹。正不知何处去了。夫妻痛哭懊悔道：“早知如此，不教他去也罢！如今冤屈未伸，倒先送了两个孩儿。后来倚靠谁？”转思转痛，愈想愈悲。初时还痴心妄想有归家日子。过了年余，不见回来，料想已是死了。招魂设祭，日夜啼啼哭哭。一个养娘却又患病死了。止留得孤身孤影，越发凄惨。正是：

屋漏更遭连夜雨，船迟又遇打头风。

且说王员外自那日听了赵昂言语，将廷秀逐出，意欲就要把玉姐另配人家。一来恐廷秀有言，二来怕人诽议，未敢便行。次后闻得廷秀弟兄往镇江按院告状，只道他告赖亲这节，老大着忙。口虽不言，暗自差人打听。渐渐知得二子去了，不知死活存亡。有了这个消耗，不胜欢喜，即央媒寻亲。媒人得了这句口风，互相传说开去。那些人家只贪王员外是无子富翁，哪管曾经招过养婿？数日间就有几十家来相求。玉姐初时见逐出廷秀，已是无限烦恼，还指望父亲原收留回来，总然不留回家，少不得嫁去成亲。后来微闻得有不好的信息，也还半信半疑。今番见父亲流水选择人

---

① 箕子为奴——箕子，商代贵族，纣王的诸父（伯父、叔父类），官太师。纣王无道，曾劝谏纣王，纣王不听，把他囚禁。据说他假装疯狂，做了奴隶。

② 伍员乞食——伍员即伍子胥。春秋时楚国人。其父兄为楚王所杀，他逃至吴国。相传逃难时曾沿路乞讨。后来，他做了吴国的大将，率兵打败了楚国。

家改嫁，料想廷秀死是实了。也怕不得羞耻，放声哭上楼去。原来王员外的房屋，却是一间楼子，下边老夫妻睡处，楼上乃玉姐卧室。当下玉姐在楼上啼哭，送来茶饭也不肯吃。他想道："我今虽未成亲，却也从幼夫妻。他总无禄夭亡，我岂可偷生改节！莫说生前的人唾骂，就是死后亦有何颜见彼！与其忍耻苟活，何不从容就死。一则与丈夫争气，二则见我这点真心。只有母亲放他不下！事到如今，也说不得了。"想一回，哭一回，渐渐哭得前声不接后气。那徐氏把他当做掌上之珠，见哭得恁般模样，急得无法可治。口中连连的劝他："莫要哭。且说为甚缘故？"自己却又鼻涕眼泪流下淌出来。玉姐只得从实说出。徐氏劝道："儿，不要睬那老没志气！凡事有我在此做主。明日就差人去打听三官下落。设或他有些山高水低，好歹将家业分一半与你守节。若老没志气执意要把你改节，我拚得与他性命相搏。"又对丫鬟道："快去叫员外来，说个明白。"又吩咐："倘有人在彼，莫说别话。"丫鬟急忙忙的来请。谁想王员外因有个媒人说，一个新进学小秀才来求亲。闻得才貌又美，且是名门旧族，十分中意。款留媒人酒饭，正说得浓酾，饮得高兴。丫鬟说声院君①相请，只听耳边风，如何肯走起身。丫鬟站够腿酸脚麻，只得进去回复。徐氏百般苦劝，刚刚略止，又加个赵昂老婆闯上楼来，重新哭起。你道却是为何？那赵昂摆布了张权，赶逐了廷秀，还要算计死了玉姐，独吞家业。因无机会，未曾下手。今见王员外另择人匹配，满怀不乐。又没个计策阻挡，在房与老婆商议。这时听得玉姐不愿，在楼上哭，却不正中其意！故此瑞姐走来，故意说道："妹子，你如何不知好歹？当初爹爹一时没志气，把你配个木匠之子，玷辱门风。如今去了，另配个门当户对人家，乃是你万分造化了。如何反恁地哭泣？难道做强盗的媳妇，木匠的老婆，倒胜似有名称人家不成？"玉姐听这几句话，羞得满面通红，颠倒大哭起来。徐氏心中已是不悦。瑞姐还不达时务，扯做娘的到半边，低低说道："母亲，莫不失了②与那小杀才，背地里做下些蹊跷勾当，故此这般牵挂？"只这句话，恼得徐氏两太阳火星直爆，把瑞姐劈面一啐。又恐怕气坏了玉姐，不敢明说。止道："你是同胞姐

---

① 院君——旧小说称有封号的妇人为"院君"。后用来尊称官员或财主的妻子。

② 失了——失身。

妹，不怀好念。我方劝得他住，却走来说得重复啼哭，还要放恁般冷屁！由他是强盗媳妇，木匠老婆罢了，着你甚急，胡言乱语！”瑞姐被娘这场抢白，羞得满地，连忙下楼，一头走一头说道：“护短得好！只怕走尽天下，也没见人家有这样无耻闺女。且是不曾做亲，便恁般疼老公。若是生男育女的，真个要同死合棺材哩。亏他倒挣得一副好脸皮，全没一毫羞耻。”夹七夹八一路嚷去，明明要气玉姐上路。徐氏怕得淘气，由他自说，只做不听见。玉姐正哭得头昏眼暗，全不觉得。看看到晚，王员外吃得烂醉。小厮扶进来，自去睡了，竟不知女儿这些缘故。徐氏陪伴玉姐坐至更余，渐渐神思困倦，睡眼朦胧，打熬不住。向玉姐道：“儿，不消烦恼，总在明早与你个决断。夜深了，去睡罢。”推至床上，除簪钗和衣衾在被里，下了帐幔。又吩咐丫鬟们照管火烛。大凡人家使女，极是贪眠懒做，几个里边，难得一个长俊。徐氏房中只有七八个丫鬟，有三个贴身伏侍玉姐的，就在楼上睡卧。那晚守到这时候，一个个拗腰凸肚，巴不能睡卧。见徐氏劝玉姐睡了，各自去收拾家伙，专等徐氏下楼，关上楼门，尽去睡了。徐氏下得楼来，看王员外醉卧正酣，也不去惊动他。将个灯火四面检点一遍，解衣就寝不提。

且说玉姐睡在床上，转思转苦，又想道：“母亲虽这般说，未必爹爹念头若何。总是依了母亲，到后终无结果。”又想起：“母亲忽地将姐姐抢白，必定有甚恶话伤我，故此这般发怒。我乃清清白白的人，何苦被人笑耻！不如死了，倒得干净！”又哭了一个更次。听丫鬟们都齁齁睡熟，楼下也无一些声息。遂抽身起来，一头哭，一头捡起一条汗巾，走到中间，掇个梯子①垫脚，把汗巾搭在梁上做个圈儿，将头套入。两脚登空，呜呼哀哉！正是：

难将幽恨和人说，应向泉台诉丈夫。

也是玉姐命不该绝。刚上得吊，不想一个丫鬟，因日间玉姐不要吃饭，瞒着那两个丫鬟，私自收去，尽情饱啖。到晚上，夜饭亦是如此。睡到夜半，心胸涨满，肚腹疼痛，起身出恭②，床边却摸不着净桶。那恭又十分

---

① 梯子——这里指垫脚的凳子一类。

② 出恭——大便。明代在试场里设有“出恭入敬”牌，如要上厕所，须领这块牌，因此称大便为“出恭”。

紧急，叫苦连连。原来起初性急时要睡，忘记担得，心下想着，精赤条条，跑去寻那净桶。因睡得眼目昏迷，灯又半明半灭，又看见玉姐吊在梁间，心慌意急，扑的撞着，连机子都倒楼板上。一声响亮，楼下徐氏和丫鬟们，都从梦中惊觉。王员外是个醉汉，也吓醒了。忙问："楼上什么响？"那丫鬟这一交跌倒机子，磕着了小腹，大小便齐流，撒做一地，污了一身。低头仔细看时，吓得叫声："不好了！玉姐吊死！"王员外闻言，惊得一滴酒也无了，直跳起身。一面寻衣服，一面问道："这是为何？"徐氏一声儿，一声肉，哭道："都是你这老天杀的害了他！还问恁的？"王员外没心肠再问，忙忙的寻衣服，只在手边混过，哪里寻得出个头脚。偶扯着徐氏一件袄子，不管三七二十一，披在身上。又寻不见鞋子，赤着脚赶上楼去。徐氏止摸了一条裙子，却没有上身衣服。只得把一条单被，披在身上，倒拖着王员外的鞋儿，随后一步一跌，也哭上来。那老儿着了急，走到楼梯中间，一脚踏错，谷碌碌滚下去。又撞着徐氏，两个直跌到底，搅做一团。也顾不得身上疼痛，爬起来望上又跑。那门却还闭着，两个拳头如发擂般乱打。楼上楼下丫鬟，一齐起身。也有寻着裙子不见布衫的，也有摸了布衫不见着裤子的，也有两只脚穿在一个裤管里的，也有反披了衣服摸不着袖子的。东扯西拽，你夺我争，纷纷乱嚷。那撒粪的丫鬟也自相抹身子，寻觅衣服，竟不开门。王员外打得急了，三个丫鬟，都提着衣服来开。老夫妻二人推门进去，望见女儿这个模样，心肠迸裂，放声大哭。到底男子汉有些见识，王员外忍住哭泣，赶向前将手在身上一摸，遍体火热，喉间厮垠垠痰响，叫道："妈妈莫要哭，还可救得！"便双手抱住，叫丫鬟拿起杌子上去解放。一面又叫扇些滚汤来。徐氏闻说还可救得，真个收了眼泪，点个灯来照着。那丫鬟扶起杌子，捏着一手腌臜，向鼻边一闻，臭气难当。急道："杌上怎有许多污秽？"恰好徐氏将灯来照，看见一地尿屎。王员外踏在中间，还不知得。徐氏只认是女儿撒的，将火望下一撇，"这个东西也出了，还有甚救！"又哭起来。原来缢死的人，大小便走了便救不得。当下王员外道："莫管他！且放下来看。"丫鬟带着一手腌臜，站上去解放。心慌手软，如何解得开。王员外不耐烦，叫丫鬟寻把刀来，将汗巾割断，抱向床上，轻轻放开喉间死结。叫徐氏嘴对嘴打气，连连打了十数口气，只见咽喉气转，手足展施。又灌了几口滚汤，渐渐苏醒，还呜呜而哭。徐氏也哭道："起先我怎样说了，如何又生此短见？"玉姐哭道："儿如此薄命，总生于世，也是徒然！不如死休！”王员外方问徐氏道：“适来说我害了他，你且说个明白。”徐氏将女儿不肯改节的事说出。王员外道：“你怎地恁般执迷！向日我一时见不到，赚①了你终身。如今畜生无了下落，别配高门，乃我的好意为你，反做出这等事来，险些把我吓死！”玉姐也不答应，一味哭泣。徐氏嚷道：“老无知！你当初称赞廷秀许多好处，方过继为子，又招赘为婿。都是自己主张，没有人撺掇。后来好端端在家，也不见有甚不长俊，又不知听了哪个横死贼的说话，刚来家，便赶逐出去，致此无个下落。纵或真个死了，也隔一年半载，看女儿志向，然后酌量而行。何况目今未知生死，便瞒着我闹轰轰寻媒说亲，教他如何不气！早是救醒了还好。倘若完了帐，却怎地处？如今你快休了这念头，差人同去寻访。若还无恙，不消说起。设或真有不好消息，把家业分一半，与他守节。如若不听我言语，逼迫女儿一差两讹，与你干休不得！”王员外见女儿这般执性，只得含糊答应，下楼去了。徐氏又对玉姐道：“我已说明了，不怕他不听。不要哭罢！且脱去腌臜衣服睡一觉，将息身子。”也不管玉姐肯不肯，乱把衣带解开。玉姐被娘逼不过，只得脱衣睡卧。乱到天明，看衣服上毫无污秽。那丫鬟隐瞒不过，方才实话。众丫鬟笑个呆。自此之后，玉姐住在楼上，如修行一般，全不下楼。王员外虽不差人寻觅廷秀，将亲事也只得搁过一边。徐氏恐女儿又弄这个把戏，自己伴他睡卧，寸步不离。见丈夫不急寻问，私自赏了家人银子，差他缉访。又叫去与陈氏讨个消耗。正是：

但愿应时还得见，须知胜似岳阳金。

且说赵昂的老婆，被做娘的抢白下楼，一路恶言恶语，直嚷到自己房中，说向丈夫。又道：“如今总是抓破脸了。待我朝一句，夕一句，送这丫头上路。”到次早，闻得玉姐上吊之事，心中暗喜，假意走来安慰，背地里只在王员外面前冷言酸语挑拨。又悄悄地将钱钞买嘱玉姐身边丫鬟，吩咐如再上吊，由他自死，不要声张。又打听得徐氏差人寻访廷秀，也多将银两买定，只说无由寻觅。赵昂见了丈人，马前健假殷勤，随风倒舵，掇臀捧屁，取他的欢心。王员外又为玉姐要守着廷秀，触恼了性子，倒爱着赵昂夫妇小心热闹，每事言听计从。赵昂诸色趁意，自不必说，只有一件事在心上打搅。你道是甚的事？乃是杨洪的这场事。杨洪因与他干了两桩大

① 赚（zuàn）——骗。

事，不时来需索。赵昂初时打发了几次。后来颇觉厌烦，只是难好推托。及至送与，却又争多嚷寡。落后回了两三遍，杨洪心中怀恨，口出怨言。赵昂恐走漏了消息，被丈人知得，忍着气依原馈送。杨洪见他害怕，一发来得勤了。赵昂无可奈何，想要出去躲避几时。恰好王员外又点着白粮解户。趁这个机会与丈人商议，要往京中选官，愿代去解粮，一举两得。王员外闻女婿要去选官，乃是美事，又替了这番劳苦，如何不肯。又与丈人要了千金，为干缺①之用。亲朋饯行已毕，临期又去安放了杨洪，方才上路。

话分两头。再说张廷秀在南京做戏，将近一年，不得归家。一日，有礼部一位官长唤去承应。那官长姓邵，名承恩，进士出身，官为礼部主事，本贯浙江台州府宁海县人氏。夫人朱氏，生育数胎，止留得一个女儿，年方一十九岁，工容贤德俱全。那日却是邵爷六十诞辰，同僚称贺，开筵款待。廷秀当场扮演，却如真的一般，满座称赞。那邵爷深通相法，见廷秀相貌堂堂，后来必有好处。又恐看错了，到半本时，唤廷秀近前仔细一观，果是个未发积的公卿，可惜惯落于下贱。问了姓名，暗自留意。到酒阑人散，吩咐众戏子都去，止留正生在此承应夫人，明日差人送来。潘忠恐廷秀脱身去了，满怀不欲。怎奈官府吩咐，可敢不依！连声答应。引着一班子弟自去。廷秀随着邵爷直到后堂。只见堂中灯烛辉煌，摆着桌榼，夫人同小姐向前相迎。众家人各自远远站立。廷秀也立在半边。堂中伏侍，俱是丫鬟之辈。先是小姐拜寿，然后夫人把盏称庆。邵爷回敬过了，方才就坐。唤廷秀叩见夫人，在旁唱曲。廷秀唱了一会。邵爷问道："张廷秀，我看你相貌魁梧，决非下流之人。你且实说：是何处人氏？今年几岁了？为甚习此下贱之事？细细说来，我自有处。"廷秀见问，向前细诉前后始末根由。又道："小的年纪十八，如今扮戏，实出无奈，非是甘心为此。"邵爷闻言，嗟叹良久。乃道："原来你抱此大冤。今若流为戏子，哪有出头之日！既曾读书，必能诗词。随意作一首来，看是何如。"即令左右取过文房四宝，放在旁边一只桌上。廷秀拈起笔来，不解思索，顷刻而成，呈上。邵爷举目观看，乃是一首寿词，词名《千秋岁》，词云：

琼台琪草，玄鹤翔云表，华筵上笙歌绕。玉京瑶岛，客笑傲乾坤小。

---

① 干缺——求取一个官位。

齐拍手唱道：长春人不老。北阙龙章耀，南极祥光照，海屋内筹添了。青鸟衔笺至，传报群仙到，同嵩祝万年称寿考。

邵爷看了这词，不胜之喜，连声称好。乃道："夫人，此子才貌兼美，定有公卿之分。意欲螟蛉为子，夫人以为何如？"夫人道："此乃美事，有何不可！"邵爷与廷秀道："我今年已六十，尚无子嗣，你若肯时，便请个先生教你，也强如当场献丑。"廷秀道："若得老爷提拔，便是再生之恩。但小人出身微贱，恐为父子玷辱老爷。"邵爷道："何出此言！"当下四双八拜，认了父母。又与小姐拜为姐妹。就把椅子坐在旁边，改名邵翼明。吩咐家人都称大相公，如有违慢，定行重责，不在话下。且说潘忠那晚眼也不合，清早便来伺候。等到午上，不见出来。只得央门上人禀知。邵爷唤进去说道："张廷秀本是良家之子，被人谋害，亏你们救了，暂为戏子。如今我已收留了，你们另自合人罢。"教家人取五两银子赏他。潘忠听邵爷留了廷秀，开了口半晌还合不下。无可奈何，只得叩头作谢而去。邵爷即日就请个先生，收拾书房读书。廷秀虽然荒废多时，恰喜得专工勤学，埋头两个多月，做来文字，浑如锦绣一般。邵爷好不快活。那年正值乡试之期，即便援例入监。到秋间应试，中了第五名正魁。喜得邵爷眼花没缝。廷秀谢过主司，来禀邵爷，要到苏州救父。邵爷道："你且慢着！不如先去会试。若得连科，谋选彼处地方，查访仇人正法，岂不痛快！倘或不中，也先差人访出仇家，然后我同你去，与地方官说知，拿来问罪。如今若去，便是打草惊蛇，必被躲过，可不劳而无功，却又错了会试？"廷秀见说得有理，只得依允。那时邵爷满意欲将小姐配他。因先继为子，恐人谈论。自不好启齿，倩媒略露其意。廷秀一则为父冤未泄，二则未知玉姐志向何如，不肯先作负心之人。与邵爷说明，止住此事，收拾上京会试。正是：

　　未行雪耻酬凶事，先作攀花折桂人。

话分两头。且说张文秀自到河南，已改名褚嗣茂。褚长者夫妻珍重如宝，延师读书。文秀因日夜思念父母兄长，身子虽居河南，那肝肠还挂在苏州，哪有心情看到书上。眼巴巴望着褚长者往下路去贩布，跟他回家。谁知褚长者年纪老迈，家道已富，褚妈妈劝他弃了这行生意，只在家中营运。文秀闻得这个消息，一发忧郁成病。褚长者请医调治，再三解劝。约莫住了一年光景，正值宗师考取童生。文秀带病去赴试，便得入泮①。常言道：福至心灵。文秀入泮之后，倒将归家念头撇过一边，想道："我如今进身有路了。且赶一名遗才入场②。倘得侥幸连科及第，那时救父报仇，岂不易如翻掌！"有了这般志气，少不得天遂人愿，总然有了科举，三场已毕，名标榜上。赴过鹿鸣宴③，回到家中拜见父母。喜得褚长者老夫妻天花乱坠。那时亲邻庆贺，宾客填门，把文秀好不奉承。多少富室豪门，情愿送千金礼物聘他为婿。文秀一心在父亲身上，哪里肯要。忙忙的约了两个同年，收拾行李，带领仆从起身会试。褚长者老夫妻直送到十里外，方才分别。在路晓行夜宿，非止一日，到了京都。觅个寓所安下。也是天使其然，廷秀、文秀兄弟恰好作寓在一处。左右间壁，时常会面。此时居移气，养移体，已非旧日枯槁之容了。然骨韵犹存，不免睹影思形。只是一个是浙江邵翼明贵介公子，一个是河南褚嗣茂富室之儿，做梦也不想到亲弟兄头上。不一日，三场已毕，同寓举人候榜，拉去行院④中游串，作东戏耍。只有邵褚二人，坚执不行。褚嗣茂遂于寓中，治帖邀请邵翼明闲讲，以遣寂寞。两下坐谈，愈觉情热。嗣茂先问："邵兄何以不往院中行走？莫非尊大人台训严切？"翼明潸然下泪道："小弟有伤心之事难言。今日会试，亦非得已，况于闲串，哪有心情！只是尊兄为何也不去行走？如此少年老成，实是难得。"嗣茂凄然长叹道："若说起小弟心事，比仁兄加倍不堪。还候仁兄高发，替小弟做个报仇泄恨之人。"翼明见话头有些相近，便道："你我虽则隔省同年，今日天涯相聚，便如骨肉一般。兄之仇，即吾仇也。何不明言，与小弟知之？"嗣茂沉吟未答。连连被逼，只得叙出真情。才说得几句，不待词毕，翼明便道："原来你是文秀兄弟。则我就是你哥哥张廷秀！"两下抱头大哭，各叙冒姓来历。且喜都中乡科，京都相会。一则以悲，一则以喜。

分明久旱逢甘雨，赛过他乡遇故知。

---

① 入泮（pàn）——进学，入学。泮，古代的学校。

② 且赶一名遗才入场——科举时代，乡试前的选拔考试后有一次补考机会，以免遗漏人才。这里是说利用这次补考机会，取得乡试资格。

③ 鹿鸣宴——明清时代沿袭唐制，于乡试揭晓的第二天，宴请新考中的举人及主考以下的各官员，宴会上歌《诗经·小雅·鹿鸣》，称为"鹿鸣宴"。

④ 行院——妓院。

莫问洞房花烛夜，且看金榜挂名时。

春榜既发，邵翼明、褚嗣茂俱中在百名之内。到得殿试，弟兄俱在二甲。观政已过，翼明选南直隶常州府推官①，嗣茂考选了庶吉士②，入在翰林。救父心急，遂告个给假，与翼明同回苏州。一面寓书打发家人归河南，迎褚长者夫妻至苏州相会，然后入京，不提。弟兄二人离了京师，由陆路而回。到了南京，廷秀先来拜见邵爷，老夫妻不胜欢喜。廷秀禀道："兄弟文秀得河南褚长者救捞，改名褚嗣茂，亦中同榜进士，考选庶吉士，与儿同回，要见爹爹。"邵爷大惊道："天下有此奇事！快请相见！"家人连忙请进。文秀到了厅上，扯把椅儿正中放下，请邵爷上坐，行拜见之礼。邵爷哪里肯要，说道："岂有此理！足下乃是尊客，老夫安敢僭妄？"文秀道："家兄蒙老伯收录为子，某即犹子③也。理合拜见。"两下谦让一回。邵爷只得受了一礼。文秀又请老夫人出来拜见。邵爷备起庆喜筵席，直饮至更余方止。次日，本衙门同僚知得，尽来拜访。弟兄二人以次答拜。是日午间小饮，邵爷问文秀道："尊夫人还是向日聘在苏州？还是在河南娶的？"文秀道："小侄因遭家难，尚未曾聘得。"邵爷道："原来贤侄还没有姻事。老夫不揣，止有一女，年十九岁了。虽无容德，颇晓女织。贤侄倘不弃嫌，情愿奉侍箕帚。"文秀道："多感老伯俯就，岂敢有违！但未得父母之命，不敢擅专。"廷秀道："爹爹既有这段美情，俟至苏州，禀过父母，然后行聘便了。"邵爷道："这也有理。"正话间，只听得外边喧嚷。教人问时，却是报邵爷升任福建提学佥事④。邵爷不觉喜溢于面，即吩咐家人犒劳报事的去了。廷秀弟兄起身把盏称贺。邵爷道："如今总是一路。再过几日同行何如？"廷秀道："待儿辈先行，在苏州相候罢。"邵爷依允。次日，即雇了船只，作别邵爷，带领仆从，离了南京。顺流而至，只一日已抵镇江。吩咐船家，路上不许泄漏是常州理刑，舟人哪敢怠惰。过了镇江、丹阳，风水顺溜，两日已到苏州。把船泊在胥门马头上。弟兄二人只做平人打扮，带了

---

① 推官——是掌理刑狱、在知府之下的第四位官员，所以下文称朱推官为"四府"。

② 庶吉士——明清时，翰林院设庶常馆，挑选进士里优于文学书法者作为翰林院庶吉士入馆学习，三年后举行考试，根据成绩分别授官。

③ 犹子——侄子称为"犹子"，犹如儿子一样的意思。

④ 提学佥事——官名。明代时于提刑按察使司之下，设有提学佥事（五品）。

些银两，也不教仆从跟随，悄悄的来到司狱司前。望见自家门头，便觉凄然泪下。走入门来，见母亲正坐在矮凳上，一头绩麻，一边流泪。上前叫道："母亲，孩儿回来了！"哭拜于地。陈氏打磨泪眼，观看道："我的亲儿，你们一向在哪里不回？险些想杀了我！"相抱大哭。二子各将被害得救之故，细说一遍。又低低说道："孩儿如今俱得中进士，选常州府推官，兄弟考选庶吉士。只因记挂爹妈，未去赴任，先来观看母亲。但不知爹爹身子安否？"陈氏听见儿子都已做官，喜从天降，把一天愁绪撇开，便道："你爹全亏了种义，一向倒也安乐。如今恤刑①坐于常熟，解审去了。只在明后日回来。你既做了官，怎的救得出狱？"廷秀道："出狱是个易事。但没处查那害我父子的仇人，出这口恶气。"文秀道："且救出我爹爹，再作区处。"廷秀又问道："向来王员外可曾有人来询问？媳妇还是守节在家，还是另嫁人了？"陈氏道："自你去后，从无个小使来走遭。我又且日夜啼哭，也没心肠去问的。倒是王三叔在门首经过说起，方晓得王员外要将媳妇改配，不从上了吊救醒的。如今又隔年余，不知可能依旧守节？我几遍要去，一则养娘又死，无人同去；二则想他既已断绝我家，去也甘受怠慢，故此却又中止。你只记他好处，休记他歹处。总使媳妇已改嫁，明日也该去报谢。"廷秀听了这话，又增一番凄惨，齐答道："母亲之言有理！"廷秀向文秀道："爹爹又不在此，且去寻一乘轿子来，请母亲到船上去罢。"文秀即去雇下。陈氏收拾了几件衣服，其余粗重家伙，尽皆弃下。上了轿子，直至河口下船。可怜母子数年隔别，死里逃生；今日衣锦还乡，方得相会。这才：

　　兄弟同榜，锦上添花；母子相逢，雪中送炭。

次早，二人穿起公服，各乘四人轿，来到府中。太爷还未升堂，先来拜理刑朱推官。那朱四府乃山东人氏，父亲朱布政与邵爷却是同年。相见之间，十分款洽。朱四府道："二位老先生至此，缘何馆驿中通不来报？"廷秀道："学生乃小舟来的，不曾干涉驿递，故尔不知。"朱四府道："尊舟泊在哪一门？"廷秀道："舟已打发去了，在专诸巷王玉器家作寓。"朱四府又道："还在何日上任？"廷秀道："尚有冤事在苏，还要求老先生昭雪，因此未曾定期。"朱四府道："老先生有何冤事？"廷秀教朱爷屏退左右，将昔年父亲被陷前后情节，细细说出。朱四府惊骇道："原来二位老先生乃是同胞，却

---

① 恤刑——明代及清初由中央派官员到各地审录刑囚、清理冤滞，叫恤刑。

又罹此冤事！待张老先生常熟解审回时，即当差人送到寓所，查究仇家治罪。”弟兄一齐称谢。别了朱四府，又来拜太守。也将情事细说。俗语道：官官相为。见放着弟兄两个进士，莫说果然冤枉，就是真正强盗，少不得也要周旋。当下太守说话，也与朱四府相同。廷秀弟兄作谢相别，回到船里。对兄弟道：“我如今扮作贫人模样，先到专诸巷打探，看王员外如何光景。你便慢慢随后衣冠而来。”商议停当，廷秀穿起一件破青衣，戴个帽子，一径奔到王员外家来。且说赵昂二年前解粮进京，选了山西平阳府洪同县县丞。这个县丞，乃是数一数二的美缺①，顶针挨住②。赵昂用了若干银子，方才谋得。在家守得年余，前官方满，择吉起身。这日在家作别亲友，设戏筵款待，恰好廷秀来打探。听得里边锣鼓声喧，想道：“不知为甚恁般热闹？莫不是我妻子新招了女婿么？”心下疑惑。又想道：“且闯进去看是何如？”望着里边直闯，劈面遇见王进。廷秀叫声：“王进哪里去？”王进认得是廷秀，吃了一惊，乃道：“呀，三官一向如何不见？”廷秀道：“在远处玩耍，昨日方回。我且问你，今日为何如此热闹？可是玉姐新招了女夫么？”王进在急忙间，不觉真心露吐，乃道：“阿弥陀佛！玉姐为了你，险些送了性命，怎说这话？”廷秀先已得了安家帖，便道：“你有事自去。”王进去后，竟望里面而来。到了厅前，只见宾客满座，童仆纷纭。分开众人，上前先看一看，那赵昂在席上扬扬得意，戏子扮演的却是王十朋《荆钗记》③。心中想道：“当日丈人赶逐我时，赵昂在旁冷言挑拨，他今日正在兴头上，我且羞他一羞。”便挨入厅中，举着手团团一转道：“列位高亲请了！”廷秀昔年去时，还未曾冠。今且身材长大，又戴着帽子，众亲眷便不认得是谁。廷秀复身向王员外道：“爹爹拜揖！”终须是旦夕相见的眼熟，王员外举目观看，便认得是廷秀，也吃一惊。想道：“闻得他已死了，且又还在。”又见满身褴褛，不成模样。便道：“你向来在何处？今日到此怎么？”廷秀道：“孩儿向在四方做戏，今日知赵姨夫荣任，特来分一曲奉贺。”王员外因女

---

① 美缺——最好的职位。指最容易剥削老百姓、最容易捞钱的官吏职位。

② 顶针挨住——一个挨一个地等待的意思。

③ 《荆钗记》——元明时期最著名的四大传奇之一。剧情是王十朋入京赴试，中状元后，拒绝丞相逼婚，被贬潮洲；妻钱玉莲也拒绝富家孙汝权的逼迫，投江自杀，为人救起，最后夫妻团圆。

儿作变，不肯改节，初时员外倒有个相留之念，故此好言问他。今听说在外做戏，恼得登时气紫了面皮，气倒在椅上，喝道："畜生！谁是你的父亲？还不快走！"廷秀道："既不要我为父子称呼，叫声岳丈何如？"王员外又怒道："谁是你的岳丈？"廷秀道："父亲虽则假的，岳父却是真的，如何也叫不得？"赵昂一见廷秀，已是吓够，面如土色。暗道："这小杀才，已绑在江里死了，怎生的全然无恙？莫非杨洪得了银子放他走了，却来哄我？"又听得称他是姨夫，也喝道："张廷秀，哪个是你的姨夫来，胡言乱语？若不走，教人打你这花子的孤拐。"廷秀道："赵昂，富贵不压于乡里。你便做得这个蚂蚁官儿，就是这等轻薄！我好意要做曲戏儿贺你，反恁般无礼！"赵昂见叫了他的名字，一发大怒，连叫家人快锁这花子起来。那时王三叔也在座间，说道："你们不要乱嚷。是亲不是亲，另日再说。既是他会做戏，好情来贺你，只当做戏子一般，演几曲戏玩玩，有何不可，却这般着恼！"推着廷秀背道："你自去扮来，不要听他们。"众亲戚齐拍手道："还是三叔说得有理！"将廷秀推入戏房中，把纱帽员领穿起，就顶王十朋《祭江》这一折。廷秀想着玉姐曾被逼嫁上吊，恰与玉莲相仿，把胸中真境敷演在这折戏上，浑如王十朋当日亲临。众亲戚眼泪都看出来，连声喝采不迭。只有王员外、赵昂又羞又气。正做之间，忽见外面来报，本府太爷来拜常州府理刑邵爷、翰林院褚爷。慌得众宾客并戏子，就存坐不住，戏也歇了。王员外、赵昂急奔出外边，对赍帖的道："并没甚邵爷、褚爷在我家作寓。"赍帖的道："邵爷今早亲口说寓在你家，如何没有？"将帖子放下道："你们自去回复。"竟自去了。王员外和赵昂慌得手足无措，便道："怎得个会说话的才好？"廷秀又说道："爷爷，待我与你回罢。"王员外这时，巴不得有个人儿回话，便是好了。见廷秀肯去，倒将先前这股怒气撇开，乃道："你若回得甚好。"看他还戴着纱帽，穿着员领，又道："既如此，快去换了衣服。"廷秀道："就是恁般罢了，谁耐烦去换！"赵昂道："官府事情，不是取笑的。"廷秀笑道："不干你们事，有我在此，料道不累你。"王员外道："你莫不疯了？"廷秀又笑道："就是疯了，也让我自去，不干你们事。"只听得铺兵①锣响，太守已到。王员外、赵昂着急，撇下廷秀，躲进去了。廷秀走出门前，恰好太守下轿。两下一路打恭，直至茶厅上坐下攀谈。吃过两杯茶，谈论多时，作别

---

①　铺兵——古时巡逻及递送公文的兵卒。

而去。有诗为证：

谁识毗陵邵理刑，就是场中王十朋？

太守自来宾客散，仇人暗里自心惊。

却说玉姐日夕母子为伴，足迹不下楼来。那赵昂妻子因老公选了官，在他面前卖弄，他也全然不理。这王员外已开筵做戏，瑞姐来请看戏，玉姐不肯。连徐氏因女儿不愿，也不走出来瞧。少顷，瑞姐见廷秀在厅前这番闹吵，心下也是骇异。又看见当场扮戏，故意跑进来报道："好了，好了！你日夜思想妹夫，如今已是来了。见在外边扮戏。"玉姐只道是生这话来笑他，脸上飞红，也不答应。徐氏也认是假话，不去睬他。瑞姐见他们冷淡，又笑道："再去看妹夫做戏。"即便下楼。不一时，丫鬟们都进来报。徐氏还不肯信。亲至遮堂①后一望，果是此人。心下又惊又喜。暗叹道："如何流落到这个地位？"瑞姐道："母亲，可是我说谎么？"徐氏总不应他。竟归楼上说与女儿。玉姐一言不发，腮边珠泪乱落。徐氏劝道："女儿不必苦了，还你个夫妻快活过日。"劝了一回，恐王员外又把廷秀逐去，放心不下。复走出观看，只见赵昂和瑞姐望里边乱跑，随后王员外也跑进来。你道为何？原来太守到时，王员外、赵昂与众宾客躲入里边。忽见家人报道："三官陪着太守，已是说话。"众人通不肯信。齐至遮堂后张看，果然两下一递一答说话。王员外暗道："原来这冤家已做官了，却乔妆来哄我？懊悔昔时错听了谗言，将他逐出。幸喜得女儿存心正，不肯改嫁，还好解释。不然，却怎生处？只是适来又说了他几句言语，无颜相见。且叫妈妈来做引头。"因此乱跑。自古道：贼人心虚。那赵昂因有旧事在心上，比王员外更是不同，吓的魂魄俱无。报知妻子，同回里面，打点收拾，明日起身，躲避这个冤家，连酒席也不想终了。正是：

早知今日，悔不当初！

且说王员外跑来看见徐氏，便喊道："妈妈，小女婿来了。"徐氏道："回了便罢，何消恁般大惊小怪！"王员外道："不消说起，适来如此如此。我因无颜见他，特请你做个解冤释结的。"徐氏得了这几句话，喜从天降，乃道："有这等事！"教丫鬟上楼报知玉姐，与王员外同出厅前。廷秀正送了太守进来。众亲眷多来相迎。徐氏道："三官，想杀我也！你往何处去了？再

---

① 遮堂——屏风一类的东西。

无处寻访。”廷秀方上前请老夫妇坐下，纳头便拜。王员外以手扶住道：“贤婿，老夫得罪多时，岂敢又要劳拜！”廷秀道：“某实不才，不能副岳丈之意，何云有罪！”拜罢起来，与众亲眷一一相见已毕。廷秀道：“赵姨夫如何不见？快请来相见。”童仆连忙进来。赵昂本不欲见他，又恐不出去，反使他疑心，勉强的来相见，说道：“适言语冲撞，望勿记怀！”廷秀笑道：“是我不达，自取其辱，怎敢怪姨夫？”赵昂羞惭无地。王员外见廷秀冷言冷语，乃道：“贤婿，当初误听谗言，一时错怪了你，如今莫计较罢。”徐氏道：“你这几年却在哪里？怎地就得了官？”廷秀乃将被人谋害，直至做官前后话细说。却又不说出兄弟做官的缘故。众亲眷听了，无不嗟叹。乃道：“只是甚冤家下此毒手，可晓的么？”廷秀道：“若是晓的，却便好了。”那时廷秀这般样说，赵昂在旁边脸上一回红，一回白，好不心慌。直听到不晓的这句，方才放下心肠。王三叔道：“不要闲讲了，且请坐着。待我借花献佛，奉敬一杯贺喜。”众亲眷多要逊廷秀坐第一位。廷秀不肯。再三谦逊不过，只得依了他。竟穿着行头①中冠带，向外而坐。戏子重新登场定戏。这时众亲眷把他好不奉承。徐氏自回楼上，不在话下。

却说张权解审恤刑，却原是杨洪这班人押解。原来捕人拿了强盗，每至审录，俱要原捕押解。其中恐有冤枉，便要对审。故此脱他不得。那杨洪临起解时，先来与赵昂要银若干盘缠，与兄弟杨江一齐同行。及至转来，将张权送入狱中，弟兄二人假来回复赵昂，又要索诈他的东西。到了专诸巷内，一路听得人说太守方才到王家拜望。杨洪弟兄疑惑道：“赵昂是个监生官，如何太守去拜他？且又不是属下。”到了王家门首，只听得里边便闹热做戏，门首悄悄的不见一人，却又不敢进去，坐在门前石上，等个人出来问个信。刚刚坐了，忽见一乘四人轿抬到门前歇下，走出一位少年官员。他二人连忙站起。那官员是谁？便是庶吉士张文秀。他跨入门来，抬头看见二人，倒吃一惊。认得一个是杨洪，一个是谋他性命的公差。想道：“原来是他一路！不知为何坐在此间？”且不说破，竟望里面而去。杨洪已不认得，向兄弟说：“赵昂多大官儿，却有大官府来拜！”你道杨洪如何便认不得了？文秀当初谋他命时，还是一个小童，如今顶冠束带，又是一番气象，如何便认得出。文秀乃切骨之仇，日夜在心，故此一经眼，即便

① 行头——演戏时所用的衣服物品。

认得。且说文秀走入里面，早有人看见，飞报进去道："又有一位官府来拜了。"说犹未了，文秀已到厅前。众亲眷并戏子们看见，各自四散奔开，只单撇下廷秀一人。王员外原在遮堂后张看。这官员却又比先前太守不同，廷秀也不与他作揖，站起身说道："你来了。"文秀说道："如何见我来都走散了？"廷秀忍不住笑。文秀道："莫要笑！有要紧话在此。"附耳低声道："便是谋你我的公差与杨洪，都坐在外面。"廷秀惊道："有这等事！如何坐在这里？其中可疑。快些拿住，莫被他走了。"一面讨上冠带，换了身上行头。文秀即差众家人出去擒拿。廷秀一面换起冠带，脱下行头。且说众人赶出去，揪翻杨洪兄弟，拖入里边来。杨洪只道是赵昂的缘故，口中骂道："忘恩负义的贼！我与你干了许多大事，今日反打我么？"正在乱时，报道："理刑朱爷到了。"众家人将杨洪推在半边。廷秀兄弟出来相迎，接在茶厅上坐下。廷秀耐不住，乃道："老先生，天下有这般怪事！谋害愚兄弟的强盗，今日自来送死，已被拿住。"朱四府道："如今在哪里？"廷秀教众人推到面前跪下。廷秀道："你二人可认得我了？"杨洪道："小人却认不得二位老爷。"文秀道："难道昔年趁船到镇江告状，绑入水中的人就不认得了？"二人闻言，已知是张廷秀弟兄，吓的缩作一堆。朱四府道："且问你有甚冤仇，谋害他一家？"二人道："没甚冤仇。"朱四府道："既无冤仇，如何生此歹心？"二人料然性命难保，想起赵昂平日送的银子，又不爽利，怎生放的他过！便道："不干小人之事，都是赵昂与他有仇，要谋害二位老爷父子，央小人行的。"廷秀弟兄闻言失惊道："原来正是这贼！我与他有甚冤仇，害我父子？"朱四府道："赵昂是何人？住在哪里？"廷秀道："是个粟监，就住在此间。"朱四府喝声："快拿！"手下人一声答应，蜂拥进去，把赵昂拿出。那时惊得一家儿啼女哭，不知为甚。亲眷都从后门走了，戏子见这般沸乱，也各自散去了。那赵昂见了杨洪二人，已知事露，并无半言。朱四府即起身同到府中，差人到狱内将张权释放，讨乘轿子送到王家。然后细鞫①赵昂。初时抵赖，用其刑具，方才一一吐实。杨洪又招出两个摇船帮手，顷刻间也拿到来。赵昂、杨洪、杨江各打六十，依律问斩。两个帮手各打四十，拟成绞罪。俱发司狱司监禁。朱四府将廷秀父子被陷始末根由，备文申抚按，会同题请，不在话下。

---

① 鞫（jū）——审问。

且说廷秀弟兄送朱四府去后，回到里边，易下了公服。那时王员外方知先来那官便是张文秀。老夫妇齐出来相见。问朱四府因甚拿了赵昂，廷秀说出真情。王员外咬牙切齿，恨道："原来都是这贼的奸计！"正说间，丫鬟来报，瑞姐吊死了。原来瑞姐知道事露，丈夫拿去，必无活理。自觉无颜见人，故此走了这条径路。王员外与徐氏因恨他夫妻心生害人，全无苦楚。一面买棺盛殓，自不必说。王员外吩咐重整筵席款待，一面差人到船迎取陈氏。一时间家人报道："朱爷差人送太老爷来了。"廷秀弟兄、王员外一齐出去相迎。恰好陈氏轿子也至。夫妻母子一见，相抱而哭。正是：

苦中得乐浑如梦，死里逃生喜欲狂。

一家骨肉重聚会，千载令人笑赵昂。

张权道："我只道今生永无好期了，不料今日复能父子相逢！"一路哭到堂中。先向王员外、徐氏称谢。王员外再三请罪。然后二子叩拜，将赵昂前后设谋陷害情由，细细诉说。说到伤心处，父子大哭。不想哭兴了，竟忘记打发了朱爷差人。那差人同家人们来禀了，廷秀方写谢帖，赏差人三钱银子去。当下徐氏与陈氏自归后房，玉姐下楼拜见。娘媳又是一番凄楚。少顷，筵宴已完，内外两席，直饮到半夜方止。次日，廷秀弟兄到府中谢过朱四府。打发了船只，一家都住于王员外家中。等邵爷到后，完姻赴任。廷秀又将邵爷愿招文秀为婿的事，禀明父母。备下聘礼，一到便行。半月之后，邵爷方至。河南褚长者夫妻也到。常州府迎接的吏书也都到了。那时王员外门庭好不热闹。廷秀主意，原作成王三叔为媒，先行礼聘了邵小姐，然后选了吉日，弟兄一齐成亲。到了这日，王员外要夸炫亲戚，大开筵席，广请亲朋，笙箫招地，鼓乐喧天。花烛之下，乌纱绛袍，凤冠霞帔，好不气象。恰好两对新人，配着四双父母。有诗为证：

四姓亲家皆富贵，两双夫妇倍欢娱；

枕边忽诉伤心话，泪珠犹然洒绣帻。

那府县官闻知，都去称贺。三朝之后，各自分别起身。张权夫妇随廷秀常州上任，褚长者与文秀自往京中。邵爷自往福建。王员外因家业广大，脱身不得，夫妻在家受用。不则一日，圣旨颁下，依拟将赵昂、杨洪、杨江处斩。按院就委廷秀监斩。出决之日，看的人如山如海。都道赵昂自作之孽，亲戚中无有怜之者。连丈人王员外也不到法场来看。正是：

善恶到头终有报，只争来早与来迟！

劝君莫把欺心传，湛湛青天不可欺。

廷秀念种义之恩，托朱爷与他开招释罪。又因父亲被人陷害，每事务必细询，鞫出实情，方才定罪。为此声名甚大，行取①至京，升为主事。文秀以散馆点了山西巡按。那张权念祖茔俱在江西，原归故土，恢复旧业，建第居住。后来邵爷与褚长者身故，廷秀兄弟，各自给假为之治丧营葬。待三年之后，方上表，复了本姓。廷秀生了三子，将次子继了王员外之后，三子继邵爷之后，以报当年结义父子之恩。文秀亦生二子，就将次子继了褚长者香火。张权夫妻寿至九旬之外，无疾而终。王员外夫妻共享遐龄。廷秀弟兄俱官至八座②之位，至今子孙科甲不绝。诗曰：

由来白屋出公卿，到底穷通未可凭。

凡事但存天理在，安心自有福来临。

第二十一卷　张淑儿巧智脱杨生

自昔财为伤命物，从来智乃护身符。

贼髡③毒手谋文士，淑女双眸识俊儒。

已幸余生逃密网，谁知好事在穷途？

一朝获把封章奏，雪怨酬恩显丈夫。

说话正德年间，有个举人，姓杨名延和，表字元礼，原是四川成都府籍贯。祖上流寓南直隶扬州府地方做客。遂住扬州江都县。此人生得肌如雪晕，唇若朱涂，一个脸儿，恰像羊脂白玉碾成的，哪里有什么裴楷④，哪里

---

① 行取——就是把地方官调升做中央的官。

② 八座——就是中央的八种高级官职。这里泛指做到尚书一类的官职的意思。

③ 贼髡(kūn)——贼和尚。髡，古代剃去男子头发的刑罚。这里指没有头发的秃和尚。

④ 裴楷——晋代美男子，时称“玉人”。

有什么王衍①，这个杨元礼，便真正是神清气清第一品的人物。更兼他文才天纵，学问夙成，开着古书簿叶，一双手不住的翻，吸力豁刺②，不够吃一杯茶时候，便看完一部。人只道他查点篇数，哪晓得经他一展，逐行逐句，都稀烂的熟在肚子里头。一遇作文时节，铺着纸，研着墨，蘸着笔尖，飕飕声，簌簌声，直挥到底，好像猛雨般洒满一纸。句句是锦绣文章。真个是：

笔落惊风雨，书成泣鬼神。

终非池沼物，堪作庙堂珍。

七岁能书大字，八岁能作古诗，九岁精通时艺③，十岁进了府庠，次年第一补廪④。父母相继而亡，丁忧六载。元礼因为少孤，亲事也都不曾定得。喜得他苦志读书，十九岁便得中了乡场第二名。不得首荐，心中闷闷不乐。叹道："世少识者。"不耐烦赴京会试。那些叔伯亲友们，哪个不来劝他及早起程。又有同年兄弟六人，时常催促同行。那杨元礼虽说不愿会试，也是不曾中得解元，气忿的说话，功名心原是急的。一日，被这几个同年们催逼不过，发起兴来，整治行李。原来父母虽亡，他的老尊原是务实生理的人，却也有些田房遗下。元礼变卖一两处为上京盘缠。同了六个乡同年，一路上京。那六位同年是谁？一个姓焦名士济，字子舟；一个姓王名元晖，字景照；一个姓张名照，字彀伯；一个姓韩名蕃锡，字康侯；一个姓蒋名义，字礼生；一个姓刘名善，字取之。六人里头，只有刘蒋二人家事凉薄些儿。那四位却也一个个殷足。那姓王的家私百万，地方上叫做小王恺⑤。说起来连这举人也是有些缘故来的。那时新得进身，这几个朋友，好不高兴，带了五六个家人上路。一个个人材表表，气势昂昂，十分齐整。怎见得？但见：

---

① 王衍——晋代美男子，时称"瑶林琼树"。
② 吸力豁刺——形容翻书的声音。
③ 时艺——一名"时文"，即八股文。
④ 补廪——明清时代，在"秀才"总称之下，按资格分为三种名目，即：附生、增生、廪生。初进学的为"附生"，循次经过岁科两考的成绩和时间、名额等条件，才能补为增生和廪生。这里是说元礼条件出众，所以很快补为廪生。
⑤ 王恺——晋代人，很有钱。性豪奢，曾与石崇斗富。

轻眉俊眼，绣腿花拳，风笠飘摇，雨衣鲜灿；玉勒马一声嘶破柳堤烟，碧帷车数武碾残松岭雪。右悬雕矢，行色增雄；左插鲛函，威风倍壮。扬鞭喝跃，途人谁敢争先；结队驱驰，村市尽皆惊盼。正是：处处绿杨堪系马，人人有路透长安。

这班随从的人打扮出路光景，虽然悬弓佩剑，实落是一个也动不得手的。大凡出路的人，第一是老成二字最为紧要。一举一动，俱要留心。千不合，万不合，是贪了小便宜。在山东兖州府马头上，各家的管家打开了银包，兑了多少铜钱，放在皮箱里头，压得那马背郎当①，担夫瘆软②。一路上见的，只认是银子在内，哪里晓得是铜钱在里头。行到河南府萦县地方相近，离城尚有七八十里。路上荒凉，远远的听得钟声清亮。抬头观看，望着一座大寺。

苍松虬结，古柏龙蟠。千寻峭壁，插汉芙蓉；百道鸣泉，洒空珠玉。螭头高拱，上逼层霄；鸱吻分张，下临无地。颤巍巍恍是云中双阙，光灿灿犹如海外五城。

寺门上有金字牌匾，名曰宝华禅寺。这几个连日鞍马劳顿，见了这么大寺，心中欢喜。一齐下马停车，进去游玩。但见稠荫夹道，曲径纡回，旁边多少旧碑，七横八竖，碑上字迹模糊，看起来唐时开元年间建造。正看之间，有小和尚疾忙进报。随有中年和尚油头滑脸，摆将出来。见了这几位冠冕客人踱进来，便鞠躬迎进。逐一位见礼看座。问了某姓某处，小和尚掇出一盘茶来吃了。那几个随即问道："师父法号？"那和尚道："小僧贱号悟石。列位相公有何尊干，到荒寺经过？"众人道："我们都是赴京会试的。在此经过，见寺宇整齐，进来随喜③。"那和尚道："失敬，失敬！家师远出，有失迎接，却怎生是好？"说了三言两语，走出来吩咐道人摆茶果点心。便走到门前观看。只见行李十分华丽，跟随人役，个个鲜衣大帽。眉头一蹙，计上心来。暗暗地欢喜道："这些行李，若谋了他的，尽好受用。我们

---

① 郎当——疲困的样子。

② 瘆(tān)软——劳累，困乏。

③ 随喜——佛教用语，游览寺院。

这样荒僻地面，他们在此逗留，正是天送来的东西了。见物不取，失之千里。不免留住他们，再作区处。”转身进来，就对众举人道：“列位相公在上，小僧有一言相告，勿罪唐突。”众举人道：“但说何妨。”和尚道：“说也奇怪，小僧昨夜得一奇梦，梦见天上一个大星，端端正正的落在荒寺后园地上，变了一块青石。小僧心上喜道：必有大贵人到我寺中。今日果得列位相公到此。今科状元，决不出七位相公之外。小僧这里荒僻乡村，虽不敢屈留尊驾，但小僧得此佳梦，意欲暂留过宿。列位相公，若不弃嫌，过了一宿，应此佳兆。只是山蔬野蔌①，怠慢列位相公，不要见罪。”众举人听见说了星落后园，决应在我们几人之内，欲待应承过宿。只有杨元礼心中疑惑。密向众同年道：“这样荒僻寺院，和尚外貌虽则殷勤，人心难测。他苦苦要留，必有缘故。”众同年道：“杨年兄又来迂腐了。我们连主仆人夫，算来约有四十多人，哪怕这几个乡村和尚。若杨年兄行李万有他虞，都是我众人赔偿。”杨元礼道：“前边只有三四十里，便到歇宿所在。还该赶去，才是道理。”却有张弢伯与刘取之都是极高兴的朋友，心上只是要住。对元礼道：“且莫说天时已晚，赶不到村店。此去途中，尚有可虑。现成这样好僧房，受用一宵，明早起身，也不为误事。若年兄必要赶到市镇，年兄自请先行，我们不敢奉陪。”那和尚看见众人低声商议，杨元礼声声要去。便向元礼道：“相公，此处去十来里有黄泥坝，歹人极多。此时天时已晚，路上难保无虞。相公千金之躯，不如小房过夜，明日早行，差得几时路程，却不安稳了多少。”元礼被众友牵制不过，又见和尚十分好意；况且跟随的人，见寺里热茶热水，也懒得赶路，向主人道：“这师父说黄泥坝晚上难走，不如暂过一夜罢。”元礼见说得有理，只得允从。众友吩咐抬进行李，明早起程。

那和尚心中暗喜中计。连忙备办酒席，吩咐道人，宰鸡杀鹅，烹鱼炮鳖，登时办起盛席来。这等地面哪里买得凑手？原来这寺和尚极会受用，件色鸡鹅等类，都养在家里，因此捉来便杀，不费工夫。佛殿旁边转过曲廊，却是三间精致客堂，上面一字儿摆下七个筵席，下边列着一个陪桌，共

① 野蔌（sù）——野菜。蔌，蔬菜。

有八席，十分齐整。悟石举杯安席。众同年序齿坐定。吃了数杯之后，张弢伯开言道："列位年兄，必须行一酒令，才是有兴。"刘取之道："师父，这里可有色盆？"和尚道："有，有。"连唤道人取出色盆，斟着大杯，送第一位焦举人行令。焦子舟也不推逊，吃酒便掷，取幺点为文星，掷得者卜色飞送。众人尝得酒味甘美，上口便干。原来这酒不比寻常，却是把酒来浸米，曲中又放些香料，用些热药，做来颜色浓酽，好像琥珀一般。上口甘香，吃了便觉神思昏迷，四肢趴软。这几个会试的路上吃惯了歪酒，水般样的淡酒，药般样的苦酒，还有尿般样的臭酒，这晚吃了恁般浓酝，加倍放出意兴来。猜拳赌色，一杯复一杯，吃一个不住。那悟石和尚又叫小和尚在外厢陪了这些家人，叫道人支持这些轿夫马夫，上下人等，都吃得泥烂。只有杨元礼吃到中间，觉酒味香浓，心中渐渐昏迷。暗道："这所在哪得恁般好酒！且是昏迷神思，其中决有缘故。"就地生出智着来，假做腹痛，吃不下酒。那些人不解其意，却道："途路上或者感些寒气，必是多吃热酒，才可解散。如何倒不用酒？"一齐来劝。那和尚道："杨相公，这酒是三年陈的，小僧辈置在床头，不敢轻用。今日特地开出来，奉敬相公。腹内作痛，必是寒气，连用十来大杯，自然解散。"杨元礼看他勉强劝酒，心上愈加疑惑，坚执不饮。众人道："杨年兄为何这般扫兴？我们是畅饮一番，不要负了师父美情。"和尚合席敬大杯，只放元礼不过。心上道："他不肯吃酒，不知何故？我也不怕他一个醒的跳出圈子外边去。"又把大杯斟送。元礼道："实是吃不下了，多谢厚情。"和尚只得把那几位抵死劝酒。却说那些副手的和尚，接了这些行李，众管家们各拣洁净房头，铺下铺盖。这些吃醉的举人，大家你称我颂，乱叫着某状元、某会元，东歪西倒，跌到房中，面也不洗，衣也不脱，爬上床磕头便睡，齁齁鼻息，响动如雷。这些手下人也被道人和尚们大碗头劝着，一发不顾性命，吃得眼定口开，手瘆脚软，做了一堆矬倒①。却说那和尚也在席上陪酒，他便如何不受酒毒？他每吩咐小和尚，另藏着一把注子②，色味虽同，酒力各别。间或客人答酒，只得呷下

① 矬(cuó)倒——蜷伏倒地。矬，矮、短。

② 注子——一种酒壶。

肚里，却又有解酒汤，在房里去吃了，不得昏迷。酒散归房，人人熟睡。那些贼秃们一个个磨拳擦掌，思量动手。悟石道："这事须用乘机取势，不可迟延。万一酒力散了，便难做事。"吩咐各持利刃，悄悄的步到卧房门首，听了一番，思待进房中间，又有一个四川和尚，号曰觉空，悄向悟石道："这些书呆不难了当，必须先把跟随人役完了事，才进内房，这叫做斩草除根，永无遗患。"悟石点头道："说得有理。"遂转身向家人安歇去处，掇开房门，见头便割。这班酒透的人，匹力扑六①的好像切菜一般，一齐杀倒，血流遍地。其实堪伤！

却说那杨元礼因是心中疑惑，和衣而睡。也是命不该绝，床上展转不能安寝。侧耳听着外边，只觉酒散之后，寂无人声。暗道："这些和尚是山野的人，收了这残盘剩饭，必然聚吃一番，不然，也要收拾家伙，为何寂然无声？"又少顷，闻得窗外悄步，若有人声，心中愈发疑异。又少顷，只听得外厢连叫哎哟，又有模糊口声。又听得匹扑的跳响，慌忙跳起道："不好了，不好了！中了贼僧计也！"隐隐的闻得脚踪声近，急忙里用力去推那些醉汉，哪里推得醒。也有木头般不答应的，也有胡胡卢卢说困话的。推了几推，只听得呀的房门声响。元礼顾不得别人，事急计生，耸身跳出后窗。见庭中有一棵大树，猛力爬上，偷眼观看。只见也有和尚，也有俗人，一伙儿拥进房门，持着利刃，望颈便刺。元礼见众人被杀，惊得心摇胆战，也不知墙外是水是泥，奋身一跳，却是乱棘丛中。欲待蹲身，又想后窗不曾闭得，贼僧必从天井内追寻，此处不当稳便。用力推开棘刺，满面流血，钻出棘丛，拔步便走。却是硬泥荒地。带跳而走，已有二三里之远。云昏地黑，阴风淅淅，不知是什么所在。却都是废冢荒丘。又转了一个弯角儿，却是一所人家，孤丁丁住着，板缝内尚有火光。元礼道："我已筋疲力尽，不能行动。此家灯火未熄，只得哀求借宿，再作道理。"正是：

青龙白虎同行，凶吉全然未保。

元礼低声叩门，只见五十来岁一个老妪，点灯开门。见了元礼道："夜深人静，为何叩门？"元礼道："昏夜叩门，实是学生得罪。争奈急难之中，

---

① 匹力扑六——形容杀头的声音。

只得求妈妈方便，容学生暂息半宵。”老妪道：“老身孤寡，难好留你。且尊客又无行李，又无随从，语言各别，不知来历。决难从命！”元礼暗道：“事到其间，不得不以实情告他。”“妈妈在上，其实小生姓杨，是扬州府人，会试来此。被宝华寺僧人苦苦留宿。不想他忽起狠心，把我们六七位同事都灌醉了，一齐杀倒。只有小生不醉，幸得逃生。”老妪道：“哎哟！阿弥陀佛！不信有这样事！”元礼道：“你不信，看我面上血痕。我从后庭中大树上爬出，跳出荆棘丛中，面都刺碎。”老妪睁睛看时，果然面皮都碎。对元礼道：“相公果然遭难，老身只得留住。相公会试中了，看顾老身，就有在里头了。”元礼道：“极感妈妈厚情！自古道：救人一命，胜造七级浮屠。我替你关了门，你自去睡。我就此桌儿上假寐片时。一待天明，即便告别。”老妪道：“你自请稳便。那个门没事，不劳相公费心。老身这样寒家，难得会试相公到来。常言道：贵人上宅，柴长三千，米长八百。我老身有一个姨娘，是卖酒的，就住在前村。我老身去打一壶来，替相公压惊，省得你又无铺盖，冷冰冰地睡不去。”元礼只道脱了大难，心中又惊又喜，谢道：“多承妈妈留宿，已感厚情！又承赐酒，何以图报？小生倘得成名，决不忘你大德。”妈妈道：“相公且宽坐片时。有小女奉陪。老身暂去就来。女儿过来，见了相公。你且把门儿关着，我取了酒就来也。”那老妪吩咐女儿几句，随即提壶出门去了，不提。

却说那女子把元礼仔细端详，若有嗟叹之状。元礼道：“请问小姐姐今年几岁了？”女子道：“年方一十三岁。”元礼道：“你为何只管呆看小生？”女子道：“我看你堂堂容貌，表表姿材，受此大难，故此把你仔细观看。可惜你满腹文章，看不出人情世故。”元礼惊问道：“你为何说此几句，令我好生疑异？”女子道：“你只道我家母亲为何不肯留你借宿？”元礼道：“孤寡人家，不肯夤夜留人。”女子道：“后边说了被难缘因，他又如何肯留起来？”元礼道：“这是你令堂恻隐之心，留我借宿。”女子道：“这叫做燕雀处堂，不知祸之将及。”元礼益发惊问道：“难道你母亲也待谋害我不成？我如今孤身无物，他又何所利于我？小姐姐，莫非道我伤弓之鸟，故把言语来吓诈我么？”女子道：“你只道我家住居的房屋，是哪个的房屋？我家营运的本钱是哪个的本钱？”元礼道：“小姐姐说话好奇怪！这是你家事，小生如何知道？”女子道：“妾姓张，有个哥哥，叫做张小乙，是我母亲过继的儿子，在外面做些小经纪。他的本钱，也是宝华寺悟石和尚的，这一所草房也是寺里搭盖的。哥哥昨晚回来，今日到寺里交纳利钱去了。幸不在家。若还撞见相公，决不相饶。”元礼想道：“方才众和尚行凶，内中也有俗人，一定是张小乙了。”便问道：“既是你妈妈和寺里和尚们一路，如何又买酒请我？”女子道：“他哪里真个去买酒。假此为名，出去报与和尚得知。少顷他们就到了。你终须一死！我见你丰仪出众，决非凡品，故此对你说知。放你逃脱此难！”元礼吓得浑身冷汗，抽身便待走出。女子扯住道：“你去了不打紧，我家母亲极是利害，他回来不见了你，必道我泄漏机关。这场责罚，教我怎生禁受？”元礼道：“你若有心救我，只得吃这场责罚，小生死不忘报。”女子道：“有计在此！你快把绳子将我绑缚在柱子上，你自脱身前去。我口中乱叫母亲，等他回来，只告诉他说你要把我强奸，绑缚在此。被我叫喊不过，他怕母亲归来，只得逃走了去。必然如此，方免责罚。”又急向箱中取银一锭与元礼道：“这正是和尚借我家的本钱。若母亲问起，我自有言抵对。”元礼初不敢受，思量前路盘缠，尚无毫忽，只得受了。把这女子绑缚起来，心中暗道：“此女仁智兼全，救我性命，不可忘他大恩。不如与他定约，异日娶他回去。”便向女子道：“小生杨延和，表字元礼，年十九岁，南直扬州府江都县人氏。因父母早亡，尚未婚配。受你活命之恩，意欲结为夫妇，后日娶你，决不食言。小姐姐意下如何？”女子道：“妾小名淑儿，今岁十三岁。若不弃微贱，永结葭莩①，死且不恨。只是一件：我母亲通报寺僧，也是平昔受他恩惠，故尔不肯负他。请君日后勿复记怀。事已危迫，君无留恋。”元礼闻言一毕，抽身往外便走。才得出门，回头一看，只见后边一队人众，持着火把，蜂拥而来。元礼魂飞魄丧，好像失心风一般，望前乱跌，也不敢回头再看。

话分两头。单提那老妪打头，引僧觉空，持棍在前，悟石随后，也有张小乙，通共有二十余人，气吽吽一直赶到老妪家里。女子听得人声相近，乱叫乱哭。老妪一进门来，不见了姓杨的，只见女子被缚。吓了一跳，道：“女儿为何倒缚在那里？”女子哭道：“那人见母亲出去，竟要把我强奸，道

---

① 葭莩（jiāfú）——芦苇里面的薄膜，比喻疏远的亲戚。也用为亲戚的代称。此指后者。

我不从,竟把绳子绑缚了我。被我乱叫乱嚷,只得奔去。又转身进来要借盘缠。我回他没有,竟向箱中摸取东西,不知拿了甚么,向外就走。”那老妪闻言,好像落汤鸡一般,口不能言,连忙在箱子内查看,不见了一锭银子。叫道:“不好了!前借师父的本钱,反被他掏摸去了。”众和尚不见杨元礼,也没工夫逗留,连忙向外追赶。又不知东西南北哪一条路去了。走了一阵,只得叹口气回到寺中,跌脚叹道:“打蛇不死,自遗其害。”事已如此,无可奈何!且把杀死众尸,埋在后园空地上。开了箱笼被囊等物,原来都是铜钱在内。一总算来不及百两。把些来分与觉空,又把些分与众和尚、众道人等。也分些与张小乙。人人欢喜,个个感激。又另外分送与老妪,一则买他的口,一则赔偿他所失本钱。依旧没济。

却说那元礼,脱身之后,黑地里走来走去,原只在一笪①地方,气力都尽。只得蹲在一个破庙堂里头。天色微明,向前奔走,已到蒙县。刚走进城,遇着一个老叟,连叫:“老侄,闻得你新中了举人,恭喜,恭喜!今上京会试,如何在此独步,没人随从?”那老叟你道是谁?却就是元礼的叔父,叫做杨小峰,一向在京生理,贩货下来,经由河间府到往山东。劈面撞着了新中的侄儿,真是一天之喜。元礼正值穷途,撞见了自家的叔父,把宝华寺受难根因,与老妪家脱身的缘故一一告诉。杨小峰十分惊唬。挽着手,同到饭店里安歇。将自已身边随从的阿三送与元礼伏侍,又借他白银一百二三十两,又替他叫了骡轿送他进京。正叫做:

不是一番寒彻骨,怎得梅花扑鼻香!

元礼别了小峰,到京会试,中了第二名会魁。叹道:“我杨延和到底逊人一筹!然虽如此,我今番得中,一则可以践约,二则得以伸冤矣。”殿试中了第一甲第三名,入了翰林。有相厚会试同年舒有庆,他父亲舒珽,正在山东做巡按。元礼把六个同年及从人受害本末,细细与舒有庆说知。有庆报知父亲,随着府县拘提合寺僧人到县。即将为首僧人悟石、觉空二人,极刑鞫问,招出杀害举人原由。押赴后园,起尸相验。随将众僧拘禁。此时张小乙已自病故了。舒珽即时提请灭寺屠僧,立碑道旁,地方称快。后边元礼告假回来,亲到废寺基址,作诗吊祭六位同年,不提。

---

① 一笪(dá)——一带,一块。有作“一搭”。

却说那老妪原系和尚心腹，一闻寺灭僧屠，正待逃走。女子心中暗道："我若跟随母亲同去，前日那杨举人从何寻问？"正在忧惶，只见一个老人家走进来，问道："这里可是张妈妈家？"老妪道："老身亡夫，其实姓张。"老叟道："令爱可叫做淑儿么？"老妪道："小女的名字，老人家如何晓得？"老叟道："老夫是扬州杨小峰，我侄儿杨延和，中了举人，在此经过，往京会试。不意这里宝华禅寺和尚忽起狼心，谋害同行六位举人，并杀跟随多命。侄儿幸脱此难。现今中了探花，感激你家令爱活命之恩，又谢他赠了盘缠银一锭，因此托了老夫到此说亲。"老妪听了，吓呆了半晌，无言回答。那女子窥见母亲情慌无措，扯他到房中说道："其实那晚见他丰格超群，必有大贵之日。孩儿惜他一命，只得赠了盘缠放他逃去。彼时感激孩儿，遂订终身之约。孩儿道：母亲平昔受了寺僧恩惠，纵去报与寺僧知道，也是各不相负。你切不可怀恨。他有言在先，你今日不须惊怕。"杨小峰就接淑儿母子到扬州地方，赁房居住，等了元礼荣归，随即结姻。老妪不敢进见元礼，女儿苦苦代母请罪，方得相见。老妪匍伏而前。元礼扶起行礼，不提前事。却说后来淑儿与元礼生出儿子，又中乙未科状元，子孙荣盛。若非黑夜逃生，怎得佳人作合？这叫做：夫妻同是前生定，曾向蟠桃会里来。

第二十二卷　吕洞宾飞剑斩黄龙

暮宿苍梧，朝游蓬岛，朗吟飞过洞庭边。岳阳楼酒醉，借玉山作枕，容我高眠。出入无踪，往来不定，半是风狂半是颠。随身用提篮背剑，货卖云烟。□□人间，飘荡多年，曾占东华第一筵。推倒玉楼，种吾奇树；黄河放浅，栽我金莲。捽碎珊瑚，翻身北海，稽首虚皇高座前。无难事，要功成八百，行满三千。

这只词儿名曰《沁园春》，乃是一位陆地大罗神仙①所作。那位神仙是谁？姓吕名岩，表字洞宾，道号纯阳子。自从黄粱梦②得悟，跟随师父钟离先生，每月在终南山学道。或一日，洞宾曰："弟子蒙我师度脱，超离生死，长生妙诀，俺道门中轮回还有尽处么？"师父曰："如何无尽！自从混沌初分以来，一小劫该十二万九千六百年，世上混一，圣贤皆尽。一大数二十五万九千二百年，儒教已尽。阿修劫三十八万八千八百年，俺道门已尽。襄劫七十七万七千七百年，释教已尽。此是劫数。"洞宾又问："我师，阎浮③世上，高低阔远，南北东西，俱有尽处么？"师父曰："如何无尽处！且说中原之地，东至日出，西至日没，南至南蛮，北至幽燕，两轮日月，一合乾坤，四百座军州，三千座县分，七百座巡检司，此是中原之地。"洞宾曰："弟子欲游中原，从何而起？从何而止？"师曰："九九之数属阳，先从山前九州，山后九州，两淮三九二十七军州，河北四九三十六军州，关西五九四十五军州，西川六九五十四军州，荆湖七九六十三军州，江南九九八十一军州，海外潮阳四州，共计四百座军州。"洞宾曰："四百座军州，有多少人烟？"师曰："世上三山、六水、一分人烟。"洞宾又问："我师成道之日，到今该多寿数？"师父曰："数着汉朝四百七年，晋朝一百五十七年，唐朝二百八十八年，宋朝三百一十七年，算来计该一千年一百岁有零。"洞宾曰："师父计年一千一百岁有零，度得几人？"师父曰："只度得你一人。"洞宾曰："缘何只度得弟子一人？只是俺道门中不肯慈悲，度脱众生。师父若教弟子三年严限，只在中原之地，度三千余人，兴俺道家。"师父听得说，呵呵大笑："吾弟住口！世上众生不忠者多，不孝者广。不仁不义众生，如何做得神仙？吾教汝去三年，但寻的一个来，也是汝之功。"洞宾曰："只就今日拜

---

① 大罗神仙——道教称"大罗天"为最高的天，"大罗神仙"就是指最高的天上的神仙。

② 黄粱梦——传说吕洞宾上京赶考，在旅店里休息，一次正等着店里做黄粱米饭吃，遇见仙人钟离权度化他。他睡着后梦见自己荣华富贵，历尽各种人生经历。可醒来后，黄粱饭还未煮熟。于是心有所悟，从此就跟着钟离权学道成仙去了。

③ 阎浮——佛教认为佛、神仙、人、鬼各有他们自己的世界，阎浮是指人的世界。

辞吾师，弟子云游去了。"师父曰："且住，且住！你去未得。吾有法宝，未曾传与汝。道童，与吾取过降魔太阿神光宝剑来。"道童取到。师父曰："此剑是吾师父东华帝君传与吾。吾传与汝。"这洞宾双膝跪下："领我师法旨。"师父曰："此剑能飞取人头，言说住址姓名，念咒罢，此剑化为青龙，飞去斩首，口中衔头而来。有此灵显。有咒一道，飞去者如此如此。再有收回咒一道，如此如此。"言罢，洞宾纳头拜授。背了剑曰："告吾师，弟子只今日拜辞下山去。"师曰："且住，且住！你去未得。汝若要下山，依我三件事，方可去。"洞宾曰："告我师，不知哪三件事？"师曰："第一件，到中原之地，休寻和尚闹，依得么？"洞宾曰："依得。"师曰："第二件，将吾宝剑去要将回来，休失落了，依得么？"洞宾曰："依得。"师曰："第三件，与你三年限满，休违了。如违了限，即当斩首灭形，依得么？"洞宾曰："依得。"师父大喜道："好去，好去！"洞宾曰："蒙我师传法与弟子，年代劫数，地理路途，宝剑法语，弟子都省悟了。今作诗一首，拜谢吾师。弟子下山度人去也！"诗曰：

二十四神清，三千功行成。
云烟笼地轴，星月遍空明。
玉子何须种，金丹岂用耕？
个中玄妙诀，谁道不长生！

作诗已罢，师父呵呵大笑："吾弟，汝去三年，度得人也回来，度不得人也回来，休违限次。宝剑休失落了。休惹和尚闹。速去速回！"洞宾拜辞师父下山。却不知度得人也度不得？正是：

情知语是钩和线，从头钩出是非来。

这洞宾一就下山，按落云头，来到阎浮世上，寻取有缘得道士。整整行了一年，绝无踪迹。有诗为证：

自隐玄都不记春，几回沧海变成尘。
我今学得长生法，未肯轻传与世人。

洞宾行了一年，没寻人处，如之奈何。眉头一纵，计上心来。在山中曾听得师父说来，直上太虚顶上观看，但是紫气现处，五霸诸侯；黑气现处，山妖水怪；青气现处，得道神仙。去那无人烟处，喝声起，一道云头直到太虚顶上。东观西望,远远见一处青气冲天而起。洞宾道:“好!此处必有神仙。”云行一万,风行八千,料在千里路。云头一片,去心留不住。看看行到青气现处,不知何所。洞宾唤:“土地安在?”一阵风过处,土地现形,怎生模样?

衣裁五短,帽裹三山,手中梨杖老龙形,腰间束绦黑虎尾。

土地唱喏:“告上仙,呼唤小圣,不知有何法旨?”洞宾曰:“下界何处青气现者,谁家男子妇人?”土地道:“下界西京河南府在城铜驮巷口有个妇人殷氏,约年三十有余,不曾出嫁。累世奉道,积有阴果。此女唐朝殷开山的子孙,七世女身,因此青气现。”洞宾曰:“速退。”风过处,土地去了。却说洞宾坠下云端,化作腌臜道人,直入城来。到铜驮巷口,见牌一面,上写“殷家浇造细心耐点清油蜡烛”。铺中立着个女娘,鱼魫冠儿①,道装打扮,眉间青气现。洞宾见了,叫声好,不知高低。正是:

踏破铁鞋无觅处,得来全不费工夫。

洞宾叫声“稽首”②。看那娘子,正与浇蜡烛待诏说话。回头道:“先生过一遭。”洞宾上前一看,见怒气太重,叫声“可惜!”去袖内拂下一张纸来。上有四句诗曰:

出山罚愿度三千,寻遍阎浮未结缘。
特地来时真有意,可怜殷氏骨难仙。

诗后写道:“口口仙作。”这个女娘见那道人袖中一幅纸拂将下来。教人拾起看时,二口为吕,知是吕祖师化身。便教人急忙赶去,寻这个先生。先生化阵清风不见了。殷氏心中懊悔。正是:无缘对面不相逢!只因这四句诗,风魔了这女娘一十二年。后来坐化而亡。

只说洞宾不觉又早一年光景,无寻人处。且去太虚顶上观看,只见一匹马飞来。到面前下马离鞍,背上宣筒里取出请书来:“告上仙,东京开封府马行街居住,奉道信官王惟善,于今月十四日,请道一坛,就家庭开建奉真清醮三百六十分位斋。请往来道士二千员,恭为纯阳真人度诞之辰。特赍请状拜请。”洞宾听说:“吾忘其所以!来朝是吾生日。符官有劳心力

---

① 鱼魫(shěn)冠儿——也作“鱼枕冠”,古时用鱼枕骨为饰做成的帽子。
② 稽(qǐ)首——古时的一种礼节。道士举一手向人行礼也称稽首。

远来！”符官曰：“小圣直到终南山，见老师父说，上仙在中原之地，特寻到此，得见上仙。”洞宾于荆筐篮内，取一个仙果，与符使吃了。拜谢上马而去。洞宾一道云头直到东京人不到处，坠下云头，立住了脚。若还这般模样，被人识破。把头一摆，喝声变，变作一个腌臜疥癞先生入城。行到马行街，只见扬幡挂榜①做好事。上朝请圣邀真。洞宾却好到。人若有愿，天必从之。且看那斋主有缘度他？洞宾到坛上看，却是个中贵官太尉，好善奉真修道。眉间微微有些青气。洞宾肚内思量：“此人时节未到。显些神通化他。初心不退，久后成其正果。”洞宾吃罢斋，支衬钱②五百文，白米五斗。洞宾言曰：“贫道善能水墨画，用水一碗，也不用笔，取将绢一匹，画一幅山水相谢斋衬。”众人禀了太尉，取绢一幅与先生。先生磨那碗墨水，去绢上一泼，坏了那幅绢。太尉见道：“这厮无礼！捉弄下官！与我拿来。”先生见太尉焦躁，转身便去。众人赶来，只见先生化阵清风而去。但见有幅白纸掉将下来。众人拿白纸来见太尉。太尉打开看时，有四句言语道：

斋道欲求仙骨，及至我来不识。
要知贫道姓名，但看绢画端的。

太尉教取恰才坏了的绢，再展开来看。不看时万事全休，看了纳头便拜。见甚么来？正是：

神仙不肯分明说，误了阎浮世上人。

王太尉取污了绢来看时，完然一幅全身吕洞宾。才信来的先生是神仙，悔之不及！将这幅仙画送进入后宫，太后娘娘裱褙了，内府侍奉。王太尉奏过，将房屋宅子，纳还朝廷，伴当家人都散了，直至武当山出家。山中采药，遭遇纯阳真人，得度为仙。这是后话。且说洞宾吕先生三年将满限期，一人不曾度得，如之奈何？心中闷倦。只得再在太虚顶上观看青气现处。只见正南上有青气一股。急驾云头望着青气现处，约行两个时辰，见青气至近。喝声住，唤：“此间山神安在？”风过处，山神现形。金盔金甲锦袍，手执着开山斧，躬身唱喏：“告上仙，有何法旨？”洞宾道：“下方青气

① 扬幡挂榜——挂着长条形旗子，贴着告示。
② 衬钱——布施给僧、道的钱物。

现处，是个甚么人家？”山神曰：“下界江西地面，黄州黄龙山，下有个公公，姓傅，法名永善，广行阴骘，累世积善。因此有青气现。”洞宾曰：“速退。”聚则成形，散则为气。先生坠下云来，直到黄龙山下傅家庭前。正见傅太公家斋僧。直至草堂上，见傅太公。先生曰：“结缘增福，开发道心。”太公曰：“先生少怪！老汉家斋僧不斋道。”洞宾曰：“斋官，儒释道三教，从来总一家。”太公曰：“偏不敬你道门！你那道家说谎太多。”洞宾曰：“太公，哪见俺道家说谎太多？”太公曰：“秦皇、汉武，尚且被你道家捉弄，何况我等！”先生曰：“从头至尾说，俺道家怎么是捉弄秦皇汉武？”太公曰：“岂不闻白氏《讽谏》①曰：

海漫漫，直下无底旁无边。云涛雪浪最深处，海岛中有三神仙②。山上多生不死药，服之羽化为神仙。秦皇汉武信此语，方士年年采药去。蓬莱今古但闻名，烟水茫茫无觅处。海漫漫，风浩浩，眼穿不见蓬莱岛。不见蓬莱不肯归，童男童女舟中老。徐福狂言多诳诞，上元太乙虚祈祷。君看骊山顶上茂陵③头，毕竟悲风吹蔓草！何况玄元圣祖④五千言，不言药，不言仙，不言白日升青天。”

傅太公言毕，先生曰：“我道家说谎，你那佛门中有甚奇德处？”太公曰：“休言灵山活佛，且说他黄龙山黄龙寺黄龙长老慧南禅师，讲经说法，广开方便之门；普度群生，接引菩提之路。说法如云，度人如雨。法座下听经闻法者，每日何止数千，尽皆欢喜。几曾见你道门中阐扬道法，普度群生，只是独吃自疴。因此不敬道门。”吕先生不听，万事全休；听得时，怒气填胸。问太公：“这和尚今日说法么？”太公道：“一年四季不歇，何在乎今日。”吕先生不别太公，提了宝剑，径上黄龙山来。与慧南长老斗圣。谁

---

① 白氏《讽谏》——指唐代诗人白居易作的讽谕诗《海漫漫》。

② 海岛等句——秦始皇时，齐人徐福上书说，海中有三仙山，仙人居之，请与童男童女求之。于是派数千人入海求之。汉武帝也信方士李少君、栾大之言，派人去海上求仙，寻长生不死药，均无结果。

③ 骊山、茂陵——秦始皇、汉武帝求仙不成，终不免死。死后分别葬于骊山、茂陵。

④ 玄元圣祖——指老子李耳。唐代皇帝认之为祖宗，追封他为大圣祖玄元皇帝。“五千言”，指老子著的《道德经》。

胜谁赢？正是：

蜗角虚名，蝇头微利，算来着甚干忙！事皆前定，谁弱与谁强？且趁闲身未老，须放我，些子①疏狂。百年里，浑教是醉，三万六千场。思量。能几许？忧愁风雨，一半相妨。又何须抵死②说短论长？幸对清风浩月，苔茵展，云幕高张。江南好，千钟美酒，一曲《满庭芳》③。

却才说不了，吕先生径望黄龙山上来，寻那慧南长老。话中且说黄龙禅师擂动法鼓，鸣钟击磬，集众上堂说法。正欲开口启齿，只见一阵风，有一道青气撞将入来，直冲到法座下。长老见了，用目一观，暗暗地叫声苦："魔障到了！"便把手中界尺，去桌上按住大众道："老僧今日不说法，不讲经，有一转话④问你大众。其中有答得的么？"言未了，去那人丛里走出那先生来道："和尚，你快道来。"长老曰：

老僧今年胆大，黄龙山下扎寨。

袖中扬起金锤，打破三千世界。

先生呵呵大笑道："和尚！前年不胆大，去年不胆大，明年亦不胆大，只今年胆大！你再道来。"和尚言："老僧今年胆大。"先生道："住！贫道从来胆大，专会偷营劫寨。夺了袖中金锤，留下三千世界。"众人听得，发一声喊，好似一风撼折千竿竹，百万军中半夜潮。众人道："好个先生答得好！"长老拿界方按定，众人肃静。先生道："和尚，这四句只当引子，不算输赢。我有一转语，和你赌赛输赢，不赌金珠富贵。"去背上拔出那口宝剑来，插在砖缝里双手拍着。"众人听贫道说：和尚赢，斩了小道。小道赢，要斩黄龙。"先生说罢，吓得人人失色，个个吃惊。只见长老道："你快道来！"先生言：

铁牛耕地种金钱，石刻儿童把线穿。

一粒粟中藏世界，半升铛内煮山川。

白头老子眉垂地，碧眼胡僧手指天。

---

① 些子——一些。

② 抵死——拼死。

③ 《满庭芳》——此词为苏东坡作。

④ 转话——即"转语"，佛教用语。禅宗谓拨转心机，使之恍然大悟的机锋话语。

休道此玄玄未尽，此玄玄内更无玄。

先生说罢，便问和尚："答得么？"黄龙道："你再道来。"先生道："铁牛耕地种金钱。"黄龙道："住！"和尚言：

自有红炉种玉钱，比先毫发不曾穿。
一粒能化三千界，大海须还纳百川。
六月炉头喷猛火，三冬水底纳凉天。
谁知此禅具妙用，此禅禅内又主禅。

先生道："和尚输了，(一粒化不得三)①千界。"黄龙□□□说："近前来，老僧耳聋！"先生□□□□□□赶上法座边，被黄龙一把捽住："我问你：一粒化不得三千界，你一粒怎地藏世界？且论此一句。我且问你：半升铛内煮山川，半升外在哪里？"先生无言可答。和尚道："我的禅大合小，你的禅小合大。本欲斩你，佛门戒杀。饶你这一次！"手起一界尺，打得先生头上一个疙瘩，通红了脸。众人一齐贺将起来。先生没出豁，看着黄龙长老，大笑三声，三摇头，三拍手，拿了宝剑，入了鞘子，望外便走。众人道："输了呀！"黄龙禅师按下界方："大众！老僧今日大难到了。不知明日如何？有一转语曰：

五五二十五，会打贺山鼓。黄龙山下看相扑，却来这里吃一赌。大地甜瓜彻底甜，生擦瓜儿连蒂苦。

大众，你道甚么三鼓掌，三摇头，三声大笑，作甚么生？咦！

本是醍醐②味，番成毒药仇。
今夜三更后，飞剑斩吾头。"

禅师道罢，众人皆散。和尚下座入方丈，集众道："老僧今日对你们说，夜至三更，先生飞剑来斩老僧。老僧有神通，躲得过；神通小些，没了头。你众僧各自小心。"众僧合掌下跪："长老慈悲，救度则个！"黄龙长老点头。伸两个指头，言不数句，话不一席，救了一寺僧众。正是：

劝君莫结冤，冤深难解结。

---

① (一粒化不得三)——原本脱此六字，据下文文意补。

② 醍醐——古时指从牛奶中提炼出来的精华。佛教中比喻最高的佛法。这里指前者。

一日结成冤，千日解不彻。

若将恩报冤，如汤去泼雪。

若将冤报冤，豺狼重见蝎。

我见结冤人，尽被冤磨折。

黄龙长老道："众僧，牢关门户，休点灯烛。各人裹顶头巾，戴顶帽儿，躲此一夜，来日早见。"众僧出方丈，自言自语："今日也说法，明日也说法，说出这个祸来！一寺三百余僧，有分①切西瓜一般，都被切了，切了！"胆大的在寺里，胆小的连夜走了。且说长老唤门公来。门公到面前唱个喏。长老道："近前来。"耳边低低道了言语。门公领了法旨自去。天色已晚，闹了黄龙寺中，半夜不安迹。

话中却说吕先生坐在山岩里，自思："限期已近，不曾度得一人。师父说道：休寻和尚斗！被他打了一界尺，就这般干休？和尚，不是你便是我！飞将剑去斩了黄龙，教人说俺有气度。若不斩他，回去见师父如何答应？"抬头观看，星移斗转，正是三更时分。取出剑来，吩咐道："吾奉本师法旨，带将你做护身之宝，休误了我。你去黄龙山黄龙寺，见长老慧南禅师，不问他行住坐卧间，速取将头来。"念念有词，喝声道："疾！"豁剌剌一声响亮，化作一条青龙，径奔黄龙寺去。吕先生喝声"着！"去了多时，约莫四更天气，却似石沉沧海，线断风筝，不见回来。急念收咒语，念到有三千余遍，不见些儿消息。吕先生慌了手脚。"倘或失了宝剑，斩首灭形！"连忙起身，驾起云头，直到黄龙寺前坠下云头。见山门佛殿大门一齐开着，却是长老吩咐门公，教他都不要关门。吕先生见了道："可惜早知这和尚不准备，直入到方丈，一剑挥为两段。"径到方丈里面，两枝大红烛点得明晃地，焚着一炉好香，香烟缭绕，禅床上端坐着黄龙长老。长老高声大叫："多口子②！你要剑，在这里！进来取去。"吕先生揭起帘子，走将入方丈去，道："和尚，还我剑来。"长老用手一指，那口剑一半插在泥里。吕先生肚里思量："我去拔剑，被他暗算，如之奈何？"道："和尚，罢，罢，罢！你还了我剑，两解手。"长老道："多口子，老僧不与你一般见识。本欲斩了你。

① 有分(fèn)——有如。

② 多口子——即"吕"字的隐语。

看你师父面。”洞宾听得：“直恁利害！就拔剑在手，斩这厮！”大踏步向前，双手去拔剑，却便似万万斤生铁铸牢在地上，尽平生气力来拔，不动分毫。黄龙大笑：“多口子，自古道：人无害虎心，虎无伤人意。我要还了你剑，教你回去见师父去；你心中却要拔剑斩吾！吾不还你剑，有气力拔了去。”吕先生道：“他禁法禁住了，如何拔得去！”便念解法，越念越牢，永拔不起。吕先生道：“和尚，还了我剑罢休。”长老道：“我有四句颂，你若参得透，还了你剑。”先生道：“你道来。”和尚怀中取出一幅纸来。纸上画着一个圈，当中间有一点，下面有一首颂曰：

丹在剑尖头，剑在丹心里。

若人晓此因，必脱轮回死。

吕先生见了，不解其意。黄龙曰：“多口子，省得么？”洞宾顿口无言。黄龙禅师道声：“俺护法神安在？”风过处，护法神现形。怎生打扮？

头顶金盔，绀红撒发朱缨，浑身金甲，妆成惯带，手中拿着降魔宝杵，貌若颜童。

护法神向前问讯：“不知我师呼召，有何法旨？”黄龙曰：“护法神，与我将这多口子押入困魔岩，待他参透禅机，引来见吾。每日天厨与他一个馒头。”护法神曰：“领我师法旨。”护法神道：“先生快请行！”吕先生道：“哪里去？”护法神曰：“走，走！如不走，教你认得三洲感应护法韦驮尊天手中宝杵，只重得一万四千斤！你若不走，直压你入泥里去！”吕先生自思量：“师父教我不要惹和尚！”只得跟着护法神入困魔岩参禅。不在话下。

却说黄龙寺僧众，五更都到方丈参见长老。长老道：“夜来惊恐你们。”众僧曰：“得蒙长老佛法浩大，无些动静。”长老道：“你们自好睡，却好闹了一夜。”众僧道：“没有甚执照①？”长老用手一指，众人见了这口宝剑，却似：

分开八片顶阳骨，倾下半桶冰雪水。

众僧一齐礼拜，方见长老神通广大，法力高强。山前山后，城里城外，男子女人，僧尼道俗，都来方丈看剑的人，不知其数。闹了黄龙山，鼎沸了

① 执照——证据。

黄州府。

却说吕先生坐在困魔岩，耳畔听得闹嚷嚷地，便召山神。山神现形唱喏，问："寺中为甚热闹？"山神曰："告上仙，城里城外人都来看这口宝剑，人人拔不起，因此热闹。"洞宾道："速退。"山神去了。先生自思："闹了黄州，师父知道，怎地分说？自首免罪。"韦天不在，走出洞门，驾云而起。且说韦天到困魔岩，不见了吕先生，径来方丈报与黄龙禅师："走了吕先生，不知吾师要赶他也不赶？"禅师道："护法神，免劳生受。且回天宫。"化阵清风而去。却说吕先生一道云头，直到终南山洞门口立着。见道童向前稽首，道童施礼。吕先生道："道童，师父在么？"道童言："老师父山中采药，不在洞中。"吕先生径上终南山寻见师父，双膝跪下，俯伏在地。钟离师父呵呵大笑，自已知道了。"吾弟子引将徒弟来了？不知度得几人？先将剑来还我。"吕先生告罪说："不是处，望乞老师父将就解救弟子！"师父曰："吾再三吩咐，休寻和尚们闹，头上的疙瘩，尚然未消，有何面目见吾？你神短浅，法又未精，如何与人斗胜？徒弟们不曾度得一个，妆这房门收户的事！俺且饶你初犯一次，速去取剑来。"吕先生拜："告吾师，免弟子之罪。此剑被他禁住了，不能得回。"师父言："吾修书一封，将去与吾师兄辟支佛看，自然还你。不可轻易，休损坏了封皮。"去别筐篮里，取出这封书来。吕先生见了，纳头便拜："吾师过去未来，俱已知道。"得了书，直到黄龙寺坠下云来。伽蓝①通报长老："吕先生在方丈外听法旨。"黄龙道："唤他进来。"伽蓝曰："吾师，有封书在此。"到方丈里，合掌顶礼。"来时奉本师法旨，有封书在此。"长老已知道："教取书来。"吕先生双手奉上。长老拆开，上面一个圆圈，圈外有一点，上下有四句偈②曰：

丹只是剑，剑只是丹。得剑知丹，得丹知剑。

黄龙曰："观汝师父面皮，取了剑去。"忙走向前，轻轻将剑拔起。"拜谢吾师。吕岩请问：吾师法语，'圈子里一点'；本师法语，'圈子上一点'，不知是何意故？"黄龙曰："你肯拜我为师，得道与你。"吕先生言："情愿皈依我师。"前三拜，后三拜，礼佛三拜，三三九拜，合掌跪膝谛听。黄龙曰：

---

① 伽蓝——佛寺里的护卫神。

② 偈(jì)——佛经中的唱词。

"汝在座前言，一粒粟中藏世界，小合大圈子上一点。吾答一粒能化三千界，大合小圈子内一点。这是道！吾传与你。"吕先生听罢，大彻大悟，如漆桶底脱①。"拜谢吾师，弟子回终南山去拜谢师父。"黄龙曰："吾传道与汝。久后休言自会，或词留为表记。你去取那文房四宝将来。"吕先生磨墨蘸笔，作诗一首。诗曰：

捽碎葫芦踏折琴，生来只念道门深。

今朝得悟黄龙术，方信从前枉用心。

作诗已毕，拜谢了黄龙禅师，径回终南山，见了本师，纳还了宝剑。从此定性，修真养道，数百年不下山去。功成行满，陆地神仙。正是：

朝骑白鹿升三界，暮跨青鸾上九霄。

后府人于凤翔府天庆观壁上，见诗一首，字如龙蛇之形，诗后大书回道人三字。详之，知为纯阳祖师也。诗曰：

得道年来八百秋，可曾飞剑取人头？

玉皇未有天符至，且货泥金混世流。

第二十三卷　金海陵纵欲亡身(删)

第二十四卷　隋炀帝逸游召谴

《玉树》歌残舞袖斜，景阳宫里剑如麻。

曙星自合临天下，千里空教怨丽华②。

这首诗单表隋文帝篡周灭陈，奄③有天下，一统太平，真个治得外户不闭，路不拾遗。初时已立太子勇为东宫，却因不得母后独孤氏欢心。原来

① 漆桶底脱——比喻人一下觉悟了，明白了，像黑漆桶底脱落了，漏出了光亮。

② 丽华——即张丽华，陈后主的宠妃。陈亡，张丽华被隋军所获，斩。

③ 奄(yǎn)——覆盖。

那个独孤皇后最是妒忌，文帝畏而爱之，常言："前代帝王，骨肉分争，皆因嫡庶相猜相忌，致有祸胎。今吾家五子同母，旁无异生之子，后来安享太平，绝无后患。"不想太子勇嫡妃元氏无宠，抑郁而死。专宠云定兴之女。所生子女，皆是庶出。独孤皇后心中甚是不愤。每每在文帝前谮诉①太子勇之短。文帝极是惧内的，听他言话，太子勇日渐日疏。却有第二子晋王广，为扬州都总管，生来聪明俊雅，仪容秀丽。十岁即好观古今书传，至于方药，天文地理，百家技艺术数，无不通晓。却只是心怀叵测，阴贼刻深，好钩索人情深浅，又能为矫情忍诟之事②。刺探得太子勇失爱母后，日夜思所以间之。日与萧妃独处，后宫皆不得御幸。每遇文帝及独孤皇后使来，必与萧妃迎门候接，饮食款待，如平交往来。临去，又以金钱纳诸袖中。以故人人到母后跟前，交口同声，誉称晋王仁孝聪明，不似太子寡恩傲礼，专宠阿云，致有如许豚犊③。独孤皇后大以为然。日夜谮之于文帝，说太子勇不堪承嗣大统。后来晋王广又多以金宝珠玉，结交越公杨素，令他谗废太子。杨素是文帝第一个有功之臣，言无不从。皇后谮之于内，杨素毁之于外。文帝积怒太子勇，已非一日。遂废太子勇为庶人，幽之别宫。却立晋王广为太子。受命之日，地皆震动。识者皆知其夺嫡阴谋。独杨素残忍深刻，扬扬得意，以为"太子由我得立"，威权震天下，百官皆畏而避之。

后来独孤皇后崩，后宫却得近幸。文帝有一位宣华夫人陈氏，陈宣帝之女也。隋灭陈，配掖庭④。性聪慧，姿貌无双。及皇后崩后，始进位为贵人。专房擅宠，后宫莫及。文帝寝疾于仁寿宫，夫人与太子广同侍疾。平旦，夫人出更衣，为太子所逼。夫人拒之，发乱神惊，归于帝所。文帝怪其容色有异。问其故，夫人泫然泣曰："太子无礼！"文帝大恚⑤曰："畜生何足付大事！独孤误我！"盖指皇后也。因呼兵部尚书柳述、黄门侍郎元岩、司

---

① 谮(zèn)诉——诬陷，中伤。

② 能为矫情忍诟(gòu)之事——能够做违反常情的事。诟，耻辱。

③ 豚(tún)犊——豚，猪；犊，牛。这里是骂人的话。

④ 掖庭——皇宫中的旁舍，宫嫔所居的地方。

⑤ 恚(huì)——怨恨。

空越公杨素等曰："召我儿来！"述等将呼太子广。帝曰："勇也。"杨素曰："国本不可屡迁。臣不敢奉诏。"帝气哽塞，回面向内不言。素出语太子广曰："事急矣！"太子广拜素曰："帝呼不应，喉中呦呦有声。"素急入，文帝已崩矣。陈夫人与诸后宫相顾悲恸。晡时①，太子广遣使者赍金合，缄封其际，亲书封字以赐夫人。夫人见之惶惧，以为药酒，不敢发。使者促之，乃开。见盒中有同心结数枚。宫人咸相庆曰："得免死矣！"陈夫人恚而却坐，不肯致谢。宫人咸逼之，乃拜使者。太子夜入烝焉。明旦发丧，使人杀故太子勇而后即位。左右扶太子上殿。太子足弱，欲倒者数四，不能上。杨素叱去左右，以手扶接，太子援之乃上。百官莫不嗟叹。杨素归谓家人曰："小儿子吾已提起教作大家郎，不知能了当②否？"素恃己有功，于帝多呼为郎君。时宴内宫，宫人偶遗酒污素衣，素叱左右引下加挞焉。帝甚不平，隐忍不发。一日，帝与素钓鱼于后苑池上，并坐，左右张伞以遮日。帝起如厕。回见素坐赭伞下，风骨秀异，神采毅然。帝大忌之。帝每欲有所为，素辄抑而禁之。由是愈不快于素。会素死，帝曰："使素不死，夷其九族。"先是，素一日欲入朝，见文帝执金钺逐之，曰："此贼，吾欲立勇，竟不从吾言！今必杀汝！"素惊怖入室。召子弟二人语曰："吾必死矣！出见文帝如此如此。"移时而死。

帝自素死，益无忌惮，沉迷女色。一日顾诏近侍曰："人主享天下之富，亦欲极当年之乐，自快其意。今天下富安，外内无事，正吾行乐之日也。今宫殿虽壮丽显敞，苦无曲房小室，幽轩短槛。若得此，则吾期老于其中也。"近侍高昌奏曰："臣有友项升，浙人也。自言能构宫室。"翌日，诏召问之。升曰："臣乞先进图本。"后日进图，帝览之，大悦。即日诏有司供具材木，凡役夫数万，经岁而成。楼阁高下，轩窗掩映，幽房曲室，玉栏朱楯，互相连属，回环四合，牖户自通，千门万户，金碧相辉，照耀人耳目。金虬伏于栋下，玉兽蹲于户旁；壁砌生光，琐窗曜日，工巧之极，自古未之有比也。费用金宝珠玉，库藏为之一空。人误入其中者，虽终日不能出。帝

① 晡(bū)时——申时，即午后三时至五时。

② 了当(liǎodàng)——处理妥当。

幸之，大悦。顾左右曰："使真仙游其中，亦当自迷也。可目之曰迷楼。"诏以五品官赐升，仍给内库金帛千匹赏之。诏选良家女数千以居楼中。帝每一幸，经月不出。是月，大夫何稠进御女车。车之制度绝小，只容一人，有机伏于其中。若御童女，则以机碍女之手足，女纤豪不能动。帝以处女试之，极喜。召何稠谓之曰："卿之巧思，一何神妙如此！"以千金赠之。稠又进转关车，可以升楼阁，如行平地。车中御女，则自摇动。帝尤喜悦，谓稠曰："此车何名？"稠曰："臣任意造成，未有名也。愿赐佳名。"帝曰："卿任其巧意以成车，朕得之，任其意以自乐，可命名任意车也。"帝又令画工绘画士女交合之图数十幅，悬于阁中。其年上官时自江外得替回，铸乌铜鉴①数十面，其高五尺，而阔三尺，磨以成镜为屏，环于寝所，诣阙投进。帝以屏纳迷楼中，而御女于其旁，纤豪运转，皆入于鉴中。帝大喜曰："绘画得其形象耳，此得人之真容也，胜绘图万倍矣。"帝日夕沉荒于迷楼，罄竭其力，亦多倦息。又辟地周二百里为西苑，役民力常百万，内为十六院。聚巧石为山，凿池为五湖四海，诏天下境内所有鸟兽草木，驿送京师。诏定西苑十六院名：

景明　迎晖　栖鸾　晨光　明霞　翠华
文安　积珍　影纹　仪凤　仁智　清修
宝林　和明　绮阴　绛阳

每院，择宫中佳丽谨厚有容色美人实之，选帝常幸御者为之首。分派宦者，主出入易市。又凿湖五，每湖四方十里。东曰翠光湖，南曰迎阳湖，西曰金光湖，北曰洁水湖，中曰广明湖。湖中积土石为山，构亭殿，屈曲环绕澄泓，皆穷极人间华丽。又凿北海，周环四十里，中有三山，效蓬莱、方丈、瀛洲②，其上皆台榭回廊，其下水深数丈。开通五湖北海，通行龙凤舸。帝多泛东湖，因制《湖上曲·望江南》八阕云：

湖上月，偏照列仙家。水浸寒光铺枕簟③，浪摇晴影走金蛇，偏称泛灵槎。　光景好，轻彩望中斜。清露冷侵银兔影，西风吹落桂枝花，开宴

① 乌铜鉴——用乌铜制作的镜子。乌铜，也称青铜。鉴，镜子。
② 蓬莱、方丈、瀛洲——传说中海上的三个仙山。
③ 簟（diàn）——竹席。

思无涯。

其二云：

湖上柳，烟里不胜催。宿雾洗开明媚眼，东风摇弄好腰肢，烟雨更相宜。　环曲岸，阴覆画桥低。线拂行人春晚后，絮飞晴雪暖风时，幽意更依依。

其三云：

湖上雪，风急堕还多。轻片有时敲竹户，素华无韵入澄波，望外玉相磨。　湖水远，天地色相和。仰面莫思梁苑赋，朝来且听玉人歌，不醉拟如何？

其四云：

湖上草，碧翠浪通津。修带不为歌舞缓，浓铺堪作醉人茵，无意衬香衾。　晴霁后，颜色一般新。游子不归生满地，佳人远意正青春，留咏卒难伸。

其五云：

湖上花，天水浸灵芽。浅蕊水边匀玉粉，浓苞天外剪明霞，日在列仙家。　开烂熳，插鬓若相遮。水殿春寒幽冷艳，玉轩晴照暖添华，清赏思何赊。

其六云：

湖上女，精选正轻盈。犹恨乍离金殿侣，相将尽是采莲人，清唱谩频频。　轩内好，嬉戏下龙津。玉管朱弦闻尽夜，踏青斗草事青春，玉辇从群真。

其七云：

湖上酒，终日助清欢。檀板轻声银甲缓，醅浮香米玉蛆寒，醉眼暗相看。　春殿晚，仙艳奉杯盘。湖上风光真可爱，醉乡天地就中宽，帝主正清安。

其八云：

湖上水，流绕禁园中。斜日暖摇清翠动，落花香暖众纹红，苹末起清风。　闲纵目，鱼跃小莲东。泛泛轻摇兰棹稳，沉沉寒影上仙宫，远意更重重。

帝常游湖上，多令宫中美人歌唱此曲。大业六年，后苑草木鸟兽，繁息茂盛。桃蹊柳径，翠阴交合；金猿青鹿，动辄成群。自大内开为御道，直通西苑，夹道植长松高柳。帝多宿苑中，去来无时。侍御多夹道而宿，帝往往于中夜即幸焉。道州贡矮民王义，眉目浓秀，应对敏捷，帝尤爱之。常从帝游，终不得入宫。曰："尔非宫中物也。"义乃出，自阉以求进。帝由是愈加怜爱，得出入内寝。义多卧御榻下。帝游湖海回，多宿十六院。一夕，中夜，帝潜入栖鸾院。时夏气暄烦，院妃庆儿卧于帘下。初月照轩，甚是明朗。庆儿睡中惊魇，若不救者。帝使义呼庆儿。帝自扶起，久方清醒。帝曰："汝梦中何故而如此？"庆儿曰："妾梦中如常时，帝握妾臂，游十六院。至第十院，帝入坐殿上。俄时火发，妾乃奔走，回视帝坐烈焰中。惊呼人救帝，久方睡觉①。"帝自强解曰："梦死得生，火有威烈之势。吾居其中，得威者也。"后帝幸江都被弑。帝入第十院，居火中，此其应也。

一夕，帝因观殿壁上有广陵②图，帝注目视之移时，不能举步。时萧后在侧，谓帝曰："知他是甚图画？何消帝如此挂心？"帝曰："朕不爱此画，只为思旧游之处耳。"于是以左手凭后肩，右手指图上山水及人烟村落寺宇，历历皆如在目前。谓萧后曰："朕昔征陈后主时游此。岂期久有天下，万机在躬，便不得豁然于怀抱也。"言讫，容色惨然。萧后奏曰："帝意在广陵，何如一幸？"帝闻之，言下恍然。即日召群臣，言欲至广陵，旦夕游赏。议当泛巨舟，自洛入河，自河达海入淮，至广陵。群臣皆言："似此程途，不啻万里，又孟津水紧，沧海波深，若泛巨舟，事恐不测。"时有谏议大夫萧怀静，乃皇后弟也，奏曰："臣闻秦始皇时，金陵有王气，始皇使人凿断砥柱，王气遂绝。今睢阳有王气，又陛下喜在东南。欲泛孟津，又虑危险。况大梁西北有故河道，乃是秦将王贲畎水灌大梁之处③。乞陛下广集兵夫，于大梁起首开掘，西自河阴，引孟津水入，东至淮阴，放孟津水出，此间地不过千里。况于睢阳境内经过。一则路达广陵，二则凿穿王气。"帝闻奏大

---

① 睡觉(jué)——睡醒。觉，醒。

② 广陵——扬州。与下文的"江都"同。

③ 秦将王贲畎(quǎn)水灌大梁之处——秦始皇二十二年，秦将王贲攻魏，引河沟水灌魏都大梁，魏王降。畎，田间的水沟。

喜。出敕朝堂,有敢谏开河者斩。乃命征北大总管麻叔谋为开河都护,以荡寇将军李渊为开河副使。渊称疾不赴。即以左屯卫将军令狐达代之。诏发天下丁夫,男年十五以上,五十以下,俱要至,如有隐匿者斩三族。凡役夫五百四十三万余人,昼夜开掘,急如星火。又诏江淮诸州,造大船五百只。使命促督,民间有配着造船一只者,家产破用皆尽,犹有不足。枷项笞背,然后鬻卖子女以供官费。到得开河功役渐次将成,龙舟亦就。帝大喜,将幸江都。命越王侗①留守东都②。宫女半不随驾,争攀号留。且言辽东小国,不足以烦大驾,愿遣将征之。帝意不回。作诗留别宫人云:

我梦江南好,征辽亦偶然。

但存颜色在,离别只今年。

车驾既行,师徒百万。离都旬日,长安贡御车女袁宝儿,年十五,腰肢纤堕,呆憨多态,帝宠爱特厚。时洛阳进合蒂迎辇花,云:“得之嵩山坞中,人不知其名。采花者异而贡之。”会帝驾适至,因以“迎辇”之名。帝令宝儿持之,号曰司花女。时诏虞世南草《征辽指挥德音敕》,宝儿持花侍侧,注视久之。帝谓世南曰:“昔传飞燕可掌上舞,朕常谓儒生饰于文字,岂人能若是乎?及今得宝儿,方昭前事。然多憨态,今注目于卿。卿才人,可便作诗嘲之。”世南应诏,为绝句云:

学画莺黄半未成,垂肩亸③袖太憨生。

缘憨却得君王宠,长把花枝傍辇行。

帝大悦。即至汴京,帝御龙舟,萧后乘凤舸。于是吴越取民间女年十五六岁者五百人,谓之殿脚女,至龙舟凤舸。每船用彩缆十条,每条用殿脚女十人,嫩羊十口,令殿脚女与羊相间而行。时方盛暑,翰林学士虞世基献计,请用垂柳栽于汴渠两堤上。一则树根四散,鞠护河堤;二则牵舟之人,庇其阴;三则牵舟之羊,食其叶。上大喜。诏民间献柳一株,赏一匹绢。百姓竞献之。又令亲种。帝自种一株,群臣次第皆种,方及百姓。时

---

① 越王侗——即杨侗,杨广的孙子。后被立为恭帝。

② 东都——指洛阳。

③ 亸(duǒ)——下垂。

有谣言曰:“天子先栽,然后百姓栽。”“栽”与“灾”同音,盖妖谶①也。栽毕,取御笔写赐垂柳姓杨,曰杨柳也。时舳舻②相继,连接千里,自大梁至淮口,联绵不绝。锦帆过处,香闻数里。一日,帝将登龙舟,凭殿脚女吴绛仙肩,喜其媚丽,不与群辈等,爱之。久不移步。绛仙善画长蛾眉,帝色不自禁。回辇,召绛仙,将拜婕妤。萧后性妒忌,故不克谐。帝寝兴罢,擢为龙舟首楫,号曰崆峒夫人。由是殿脚女争效为长蛾眉。司宫吏日给螺子黛③五斛,号为蛾绿。螺子黛出波斯国,每颗值十金。后征赋不足,杂以铜黛给之。独绛仙得赐螺黛不绝。帝每倚帘视绛仙,移时不去。顾内谒者④曰:“古人言秀色若可餐,如绛仙真可疗饥矣。”因吟《持楫篇》赐之曰:

旧曲歌桃叶,新妆艳落梅。
将身傍轻楫,知是渡江来。

诏殿脚女千辈唱之。时越溪进耀光绫,绫纹突起,时有光彩。帝独赐司花女及绛仙,他人莫预。萧后恚愤不怿⑤。由是二姬稍稍不得亲幸,帝常登楼忆之,题《东南柱》二篇云:

黯黯愁侵骨,绵绵病欲成。
须知潘岳鬓,大半为多情。

又云:

不信长相忆,丝从鬓里生。
闲来倚槛立,相望几含情。

殿脚女自至广陵,悉命备月观行宫。绛仙辈亦不得亲侍寝殿。有郎将自瓜州宣事回,进合欢果一器。帝命小黄门以一双驰骑赐绛仙。遇马上摇动,合欢蒂解。绛仙拜赐,因附红笺小简上进曰:

驿骑传双果,君王宠念深。
宁知辞帝里,无复合欢心。

---

① 谶(chèn)——迷信的人指事后要应验的预言、预兆。
② 舳舻(zhúlú)——指首尾相接的船。舳,船尾;舻,船头。
③ 螺子黛——妇女画眉时所用的墨绿色的颜料。
④ 内谒者——官名。掌管内外传达命令的事。
⑤ 不怿(yì)——喜欢。

帝览之，不悦。顾小黄门曰："绛仙如何辞怨之深也？"黄门拜而言曰："适走马摇动，及月观，果已离解，不复连理。"帝因言曰："绛仙不独容貌可观，诗意深切，乃女相如也。亦何谢左贵嫔①乎？"帝尝醉游后宫，偶见宫婢罗罗者，悦而私之。罗罗畏萧后，不敢迎帝。因托辞以程姬之疾②，不可荐寝。帝乃嘲之曰：

个人无赖是横波，黛染隆颅簇小蛾。

幸好留侬伴成梦，不留侬住意如何？

帝自达广陵，沉湎滋深，荒淫无度，往往为妖祟所惑。尝游吴公宅鸡台，恍惚间与陈后主相遇。帝幼年与后主甚善。乃起迎之，都忘其已死。后主尚唤帝为殿下。后主戴青纱皂帻，青绰袖，长裾，绿锦纯缘紫纹方平履。舞女数十，罗侍左右。中有一女殊色，帝屡目之。后主云："殿下不识此人耶？即张丽华贵妃也。每忆桃叶山③前乘战舰与此妃北渡。尔时丽华最恨，方倚临春阁，试东郭㕙紫毫笔④，书小砑红绡⑤作答江令'璧月'句⑥。未终，见韩擒虎跃青骢马，拥万甲骑直来冲人，都不存去就之礼，以至有今日！"言罢，即以绿文测海酒蠡⑦，酌红粱新酿劝帝。帝饮之甚欢。因请丽华舞《玉树后庭花》。丽华白后主，辞以抛掷岁久，自井中出来，腰肢粗巨，无复往时姿态。帝再三强之。乃徐起舞，终一曲。后主问帝："萧妃何如此人？"帝曰："春兰秋菊，各一时之秀也。"后主复诵诗十数篇，帝不记之，独爱《小窗诗》及《寄侍儿碧玉诗》。《小窗诗》云：

午醉醒来晚，无人梦自惊。

---

① 左贵嫔(pín)——贵嫔，宫内女官名。左贵嫔指西晋文学家左思的妹妹左芬。左芬好学，善写文章。所作赋颂，常得晋武帝赞赏。

② 程姬之疾——程姬，汉景帝(刘启)的妃子。一次，景帝召她，她因有月经不能去，把侍婢乔装起来，冒充她去景帝那里。程姬之疾指来月经。

③ 桃叶山——山名，杨广灭陈时，曾在此驻军。

④ 东郭㕙(jùn)紫毫笔——用名贵的兔毫制成的笔。东郭㕙，兔名。

⑤ 砑红绡——压磨得很光滑的一种红色的薄绢绸，上面可以写字。

⑥ 江令"璧月"句——江令，指江总，陈代诗人。陈后主时，做仆射尚书令，故称江令。他曾有"璧月夜夜满，琼树朝朝新"诗句。

⑦ 酒蠡(lí)——酒杯。

夕阳如有意，偏傍小窗明。

《寄碧玉》云：

离别肠应断，相思骨合销。

愁魂若非散，凭仗一相招。

丽华拜求帝赐一章。帝辞以不能。丽华笑曰："尝闻'此处不留侬，会有留侬处'，安得言不能耶？"帝强为之，操笔立成，曰：

见面无多事，闻名尔许时。

坐来生百媚，实个好相知。

丽华捧诗，赧然不怿。后主问帝："龙舟之游乐乎？始谓殿下致治在尧舜之上，今日仍此逸游。大抵人生各图快乐，向时何见罪之深耶？三十六封书①，至今使人怏怏不悦。"帝忽悟其已死，叱之曰："何今日尚呼我为殿下，复以往事相讯耶？"恍惚不见，帝兀然不自知，惊悸移时。

帝后御龙舟，中道，夜半，闻歌者甚悲，其辞曰：

我兄征辽东，饿死青山下。

今我挽龙舟，又困隋堤道。

方今天下饥，路粮无些少。

前去三千程，此身安可保！

寒骨枕荒沙，幽魂泣烟草。

悲损门内妻，望断吾家老。

安得义男儿，焚此无主尸，

引其孤魂回，负其白骨归。

帝闻其歌，遽遣人求其歌者，至晓不得其人。帝颇彷徨，通夕不寐。帝知世事已去，意欲遂幸永嘉，群臣皆不愿从。扬州朝百官，天下朝贡使无一人至者。有来者，在途遭兵夺其贡物。帝犹与群臣议，诏十三道起兵，诛不朝贡者。帝深识玄象，常夜起观星，乃召太史令袁充，问曰："天象如何？"充伏地泣涕曰："星文大恶！贼星逼帝座其急，恐祸起旦夕！愿陛

---

① 三十六封书——隋军元帅杨广（隋炀帝）率大军围攻陈的时候，派人送玺书（盖有皇帝玉玺的文书）给陈后主，揭露他的二十桩罪恶。又抄了三十万份，分送各路军队。"三十六封书"，即指这件事。

下遽修德灭之。”帝不乐，乃起，入便殿，索酒自歌曰：

宫木阴浓燕子飞，兴亡自古漫成悲。
他日迷楼更好景，宫中吐艳恋红辉。

歌竟，不胜其悲。近侍奏：“无故而歌，甚悲，臣皆不晓。”帝曰：“休问！他日自知也。”俯首不语。召矮民王义问曰：“汝知天下将乱乎？”义泣对曰：“臣远方废民，得蒙上贡，进入深宫，久承恩泽，又尝自宫①，以近陛下。天下大乱，固非今日。履霜坚冰，其渐久矣②。臣料大祸，事在不救。”帝曰：“子何不早告我也？”义曰：“臣惟不言，言即死久矣。”帝乃泣下沾襟，曰：“子为我陈败乱之理，朕贵知其故也。”明日，义上书曰：

臣本出南楚卑薄之地，逢圣明为治之时，不爱此身，愿从入贡。臣本侏儒，性尤蒙滞。出入左右，积有年岁。浓被圣私，皆逾素望。侍从乘舆，周旋台阁。臣虽至鄙，酷好穷经。颇知善恶之本源，少识兴亡之所以。还往民间，周知利害。深蒙顾问，方敢敷陈。自陛下嗣守元符，体临大器，圣神独断，谋谏莫从。大兴西苑，两至辽东。龙舟逾万艘，宫阙遍天下。兵甲常役百万，士民穷乎山谷。征辽者百不存十，殁葬者十未有一。帑藏③全虚，谷粟涌贵，乘舆竞往，行幸无时。兵人侍从，常守空宫。遂令四方失望，天下为墟。方今有家之村，存者可数；子弟死于兵役，老弱困于蓬蒿。兵尸如岳，饿莩④盈郊。狗彘厌人之肉，鸢鱼食人之余。臭闻千里，骨积高原。阴风无人之墟，鬼哭寒草之下。目断平野，千里无烟。万民剥落，不保朝昏。父遗幼子，妻号故夫。孤苦何多，饥荒尤甚！乱离方始，生死谁知。人主爱人，一何至此！陛下圣性毅然，孰敢上谏。或有鲠言，即令赐死。臣下相顾，钳结自全⑤。龙逢复生，安敢议奏！左右近臣，阿谀顺旨。

---

① 自宫——自己割掉生殖器。宫，宫刑，即男子割掉生殖器。做宦官的人，必须这样做。

② 履霜坚冰，其渐久矣——《易经·坤卦》讲“履霜坚冰至”。意思是地上踩着霜，严寒就要到来，就要结冰了。比喻事物总是渐变而来，事先总有一定的征兆。

③ 帑（tǎng）藏——亦作“帑臧”，国库之意。

④ 饿莩（piǎo）——饿死的人。

⑤ 钳结自全——钳口结舌，不敢说话，保全自己。

迎合帝意，造作拒谏。皆出此途，乃逢富贵。陛下过恶，从何得闻？方今又败辽师，再幸东土，社稷危于春雪，干戈遍于四方。生民已入涂炭，官吏犹未敢言。陛下自惟：若何为计？陛下欲兴师，则兵吏不顺；欲行幸，则将卫莫从。适当此时，何以自处？陛下虽欲发愤修德，特加爱民，圣慈虽切救时，天下不可复得。大势已去，时不再来。巨厦之崩，一木不能支！洪河已决，掬壤不能救！臣本远人，不知忌讳。事急至此，安敢不言！臣今不死，后必死兵。敢献此书，延颈待尽。

帝省义奏，曰："自古安有不亡之国，不死之主乎？"义曰："陛下尚犹蔽饰已过！陛下常言：吾当跨三皇，超五帝，下视商周，使万世不可及。今日之势如何？能自复回都辇乎？"帝再三加叹。义曰："臣昔不言，诚爱生也。今既具奏，愿以死谢。天下方乱，陛下自爱。"少选①，左右报曰："义自刎矣。"帝不胜悲伤，命厚葬焉。时值阁裴虔通，虎贲郎将司马德戡，左右屯卫将军宇文化及，将谋作乱。因请放官奴，分直上下。帝可其奏，即下诏云：

寒暑迭用，所以成岁功也。日月代明，所以均劳逸也。故士子有游息之谈，农夫有休养之节。咨尔髦众：服役甚勤，执劳无怠；埃垢溢于爪发，虮虱结于兜鍪②，朕甚悯之。俾尔休番，从便嬉戏，无烦方朔滑稽之请，而从卫士旆上之文。朕于侍从之间，可谓恩矣！可依前件施行。

不数日，忽中夜闻外切切有声。帝急起，衣冠御内殿。坐未久，左右伏兵俱起。司马德戡携白刃向帝。帝叱之曰："吾终年重禄养汝，吾无负汝，汝何得负我！"帝常所幸朱贵儿在帝旁，谓德戡曰："三日前，帝虑侍卫秋寒，诏宫人悉絮袍裤，帝自临视。造数千领，两日毕功。前日颁赐，尔等岂不知也？何敢迫胁乘舆③！"乃大骂德戡。德戡斩之，血溅帝衣。德戡前数帝罪，且曰："臣实负陛下！但今天下俱叛，二京已为贼据。陛下归亦无门，臣生亦无路。臣已亏臣节，虽欲复已，不可得也。愿得陛下首以谢天下！"乃携剑逼帝。帝复叱曰："汝岂不知诸侯之血入地，大旱三年，况天子

① 少选——一会儿。
② 兜鍪(móu)——古代作战时戴的盔。
③ 乘舆——皇帝乘的车子，这里作皇帝的代词。

乎？死自有法！”命索药酒，不得。左右进练巾。逼帝入阁自经死。萧后率左右宫娥，辍床头小板为棺殓，粗备仪卫，葬于吴公台下。——即前此帝与陈后主相遇处也。初，帝不爱第三子齐王暕，见之常切齿。每行幸，辄录以自随。及是难作，谓萧后曰：“得非阿孩耶?”阿孩，齐王暕小字也。司马德戡等既弑帝，即驰遣骑兵执齐王暕于私第。裸跣①驱至当街。暕曰：“大家②计必杀儿，愿容儿衣冠就死③。”——犹意帝遣人杀之。父子见杀，至死不明，可胜痛悼！后唐文皇太宗皇帝，提兵入京，见迷楼，太宗叹曰：“此皆民膏血所为也！”乃命放出诸宫女，焚其宫殿。火经月不灭。前谣前诗，无不应验。方知炀帝非天亡之也。后人有诗：

十里长河一旦闲，亡隋波浪九天来。
锦帆未落干戈起，惆怅龙舟不更回。

第二十五卷　独孤生归途闹梦

东园蝴蝶正飞忙，又见继浮花气香。
梦短梦长缘底事？莫贪磁枕误黄粱。

昔有夫妻二人，各在芳年，新婚燕尔，如胶似漆，如鱼似水。刚刚三日，其夫被官府唤去。原来为急解军粮事，文书上佥了他名姓，要他赴军前交纳。如违限时刻，军法从事。立刻起行，身也不容他转，头也不容他回，只稍得个口信到家。正是：上命所差，盖不由己。一路趱行，心心念念，想着浑家。又不好向人告诉，只落得自己凄惶。行了一日，想到有万遍。是夜宿于旅店，梦见与浑家相聚如常，行其夫妻之事。自此无夜不梦。到一月之后，梦见浑家怀孕在身，醒来付之一笑。且喜如期交纳钱粮，太平无事，星夜赶回家乡。缴了批回，入门见了浑家，欢喜无限。那一往一来，约有三月之遥。常言道：新娶不如远隔。夜间与浑家绸缪恩爱，

① 裸跣(xiǎn)——光着脚。
② 大家——侍从官称皇帝为“大家”。这里指隋炀帝。
③ 衣冠就死——穿好了衣服戴好了帽子再去死。表示恭敬有礼貌的意思。

自不必说。其妻叙及别后相思，因说每夜梦中如此如此。所言光景，与丈夫一般无二，果然有了三个月身孕。若是其夫先说的，内中还有可疑，却是浑家先叙起的。可见梦魂相遇，又能交感成胎，只是彼此精诚所致。如今说个闹梦故事，亦由夫妇积思而然，正是：

梦中忆想非全假，白日奔驰莫认真。

话说大唐德宗皇帝贞元年间，有个进士复姓独孤，双名遐叔，家住洛阳城东崇贤里中，自幼颖异，十岁便能作文。到十五岁上，经史精通，下笔数千言，不待思索。父亲独孤及官为司封①之职。昔年存日，曾与遐叔聘下同县司农②白行简女儿娟娟小姐为妻。那娟娟小姐，花容月貌，自不必说；刺绣描花，也是等闲之事。单喜他深通文墨，善赋能诗。若教去应文科，稳稳里是个状元。与遐叔正是一双两好，彼此你知我见，所以成了这头亲事。不意遐叔父母连丧，丈人丈母亦相继弃世，功名未遂，家事日渐零落，童仆也无半个留存，刚刚剩得几间房屋。那白行简的儿子叫做白长吉，是个凶恶势利之徒，见遐叔家道穷了，就要赖他的婚姻，将妹子另配安陵富家。幸得娟娟小姐是个贞烈之女，截发自誓，不肯改节。白长吉强他不过，只得原嫁与遐叔。却是随身衣饰，并无一毫妆奁，止有从幼伏侍一个丫鬟翠翘从嫁。白氏过门之后，甘守贫寒，全无半点怨恨。只是晨炊夜绩，以佐遐叔读书。那遐叔一者敬他截发的志节，二者重他秀丽的词华，三者又爱他娇艳的颜色，真个夫妻相得，似水如鱼。白氏亲族中，倒也怜遐叔是个未发达的才子，十分尊敬。止有白长吉一味趋炎附势，说妹子是穷骨头，要跟恁样饿莩，坏他体面。见了遐叔就如眼中之刺，肉内之钉。遐叔虽然贫穷，却又是个不肯俯仰人的。因此两下遂绝不相往。时值贞元十五年，朝廷开科取士，传下黄榜，期于三月间诸进士都赴京师殿试。遐叔别了白氏，前往长安，自谓文才，必魁春榜。哪知贡举的官，是礼部侍郎同平章事郑余庆，本取遐叔卷子第一。岂知策上说着：奉天之难③，皆因

---

① 司封——官名。掌管封爵、袭荫、褒赠等事。

② 司农——官名。掌管全国钱谷之事。

③ 奉天之难——唐德宗（李适）建中四年，朱泚等反抗德宗，攻入长安，德宗逃至奉天（乾县）。历史上称这件事为“奉天之难”。

奸臣卢杞窃弄朝权，致使泾原节度使姚令言与太尉朱泚得以激变军心，劫夺府库。可见众君子共佐太平而不足，一小人作乱天下而有余。故人君用舍不可不慎。原来德宗皇帝心性最是猜忌，说他指斥朝廷，讥讪时政，遂将头卷废弃不录。那白氏两个族叔，一个叫做白居易，一个叫做白敏中，文才本在遐叔之下，却皆登了高科；单单只有遐叔一人落第，好生没趣！连夜收拾行李东归。白居易、白敏中知得，齐来饯行，直送到十里长亭而别。遐叔途中愁闷，赋诗一首。诗云：

童年挟策赴西秦，弱冠无成逐路人。
时命不将明主合，布衣空惹上京尘。

在路非止一日，回到东都，见了妻子，好生惭赧，终日只在书房里发愤攻书。每想起落第的光景，便凄然泪下。那白氏时时劝解道："大丈夫功名终有际会，何苦颓折如此！"遐叔谢道："多感娘子厚意，屡相宽慰。只是家贫如洗，衣食无聊。纵然巴得日后亨通，难救目前愁困，如之奈何？"白氏道："俗谚有云：'十访九空，也好省穷。'我想公公三十年宦游，岂无几个门生故旧在要路的？你何不趁此闲时，一去访求？徜或得他资助，则三年诵读之费有所赖矣。"只这句话头，提醒了遐叔，答道："娘子之言，虽然有理，但我自幼攻书，未尝交接人事。先父的门生故旧，皆不与知。止认得个韦皋，是京兆人，表字仲翔，当初被丈人张之赏逐出，来投先父，举荐他为官，甚是有恩。如今他现做西川节度使。我若去访他，必有所助。只是东都到西川，相隔万里程途，往返便要经年。我去之后，你在家中用度，从何处置？以此抛撇不下。"白氏道："既有这个相识，便当整备行李，送你西去。家中事体，我自支持。总有缺乏，姑姊妹家，犹可假贷，不必忧虑。"遐叔欢喜道："若得如此，我便放心前去。"白氏道："但是路途跋涉，无人跟随，却怎的好？"遐叔道："总然有人，也没许多盘费，只索罢了。"遂即拣了个吉日，白氏与遐叔收拾了寒暑衣装，带着丫鬟翠翘，亲至开阳门①外一杯饯送。夫妻正在不舍之际，骤然下起一阵大雨，急奔入路旁一个废寺中去躲避。这寺叫做龙华寺，乃北魏时，广陵王所建，殿宇十分雄壮。阶下栽

① 开阳门——洛阳城门名。

种名花异果。又有一座钟楼，楼上铜钟，响闻五十里外，后被胡太后①移入宫中去了。到唐太宗时，有胡僧另铸一钟在上，却也响得二十余里。到玄宗时，还有五百僧众，香火不绝。后遭安禄山贼党史思明攻陷东都，杀戮僧众，将钟磬毁为兵器，花果伐为樵苏，以此寺遂颓败。遐叔与白氏看了，叹道："这等一个道场，难道没有发心的重加修造？"因向佛前祈祷，阴空保佑，若得成名时节，誓当捐俸，再整山门。雨霁之后，登途分别。正是：

蝇头微利驱人去，虎口危途访客来。

不提白氏归家。且说遐叔在路，晓行夜宿，整整的一个月，来到荆州地面。下了川船，从此一路都是上水。除非大顺风，方使得布帆。风略小些，便要扯着百丈。你道怎么叫做百丈？原来就是纤子。只那川船上的有些不同：用着一寸多宽的毛竹片子，将生漆绞着麻丝接成的，约有一百多丈，为此川中人叫做百丈。在船头立个辘轳，将百丈盘于其上。岸上扯的人，只听船中打鼓为号。遐叔看了，方才记得杜子美有诗道："百丈内江船。"又道："打鼓发船何处郎。"却就是这件东西。又走了十余日，才是黄牛峡。那山形生成似头黄牛一般。三四十里外，便远远望见。这峡中的水更溜，急切不能够到。因此上有个俗谚云："朝见黄牛，暮见黄牛；朝朝暮暮，黄牛如故。"又走了十余日，才是瞿塘峡，这水一发急紧。峡中有座石山，叫做滟滪堆，四五月间水涨，这堆止留一些些在水面上。下水的船，一时不及回避，触着这堆，船便粉碎，尤为利害。遐叔见了这般险路，叹道："万里投人，尚未知失得如何，却先受许多惊恐！我娘子怎生知道？"原来巴东峡江一连三个：第一是瞿塘峡，第二是广阳峡，第三是巫峡。三峡之中，唯巫峡最长。两岸都是高山峻岭，古木阴森，映蔽江面，止露得中间一线的青天。除非日月正中时分，方有光明透下。数百里内，岸上绝无人烟，惟闻猿声昼夜不断。因此有个俗谚云：

巴东三峡巫峡长，猿鸣三声断客肠。

这巫峡上就是巫山，有十二个山峰，山上有一座高唐观。相传楚襄王

---

① 胡太后——胡充华，北魏宣武帝（恪）的妃子，孝明帝（诩）的母亲。

曾在观中夜寐，梦见一个美人愿荐枕席。临别之时，自称是伏羲皇帝的爱女，小字瑶姬，未行而死，今为巫山之神。朝为行云，暮为行雨，朝朝暮暮，阳台之下。那襄王醒后，还想着神女。教大夫宋玉做《高唐赋》一篇，单形容神女十分的艳色。因此，后人立庙山上，叫做巫山神女庙。遐叔在江中遥望庙宇，掬水为浆，暗暗的祷告道："神女既有精灵，能通梦寐。乞为我特托一梦与家中白氏妻子，说我客途无恙，免其思念。遂赋一言相谢，决不敢学宋大夫作此淫亵之语，有污神灵美名。乞赐仙鉴。"自古道的好："有其人，则有其神。"既是祷告的许了做诗做赋，也发下这点虔诚，难道托梦的只会行云行雨，再没有别些灵感？少不得后来有个应验。正是：

祷祈仙梦通闺阁，寄报平安信一缄。

出了巫峡，再经由巴中、巴西地面，都是大江。不觉又行一个多月，方到成都。城外临着大江，却是濯锦江。你道怎么叫做濯锦江？只因成都造得好锦，朝廷称为"蜀锦"。造锦既成，须要取这江水再加洗濯，能使颜色加倍鲜明，故此叫做濯锦江。唐明皇为避安禄山之乱，曾驻跸于此，改成都为南京。这便是西川节度使开府①之处。真个沃野千里，人烟凑集，是一花锦世界。遐叔无心观玩，一径入城，奔到帅府门首，访问韦皋消息。岂知数月前，因为云南边境不靖，统领兵马征剿去了。须待平定之后，方得回府。你想那征战之事，可是期得日子定的么？遐叔得了这个消息，惊得进退无措，叹口气道："常言鸟来投林，人来投主。偏是我遐叔恁般命薄！万里而来，却又投人不着。况一路盘缠已尽，这里又无亲识，只有来的路，没有去的路。天那！兀的不是活活坑杀我也！"自古道：吉人自有天相。遐叔正在帅府门首叹气，旁边忽转过一个道士问道："君子何叹？"遐叔答道："我本东都人氏，复姓独孤，双名遐叔。只因下第家贫，远来投谒故人韦仲翔，希他资助。岂知时命不济，早已出征去了。欲待候他，只恐奏捷无期，又难坐守。欲待回去，争奈盘缠已尽，无可图归。使我进退两难，是以长叹。"那道长说："我本道家，专以济人为事，敝观去此不远。君子既在穷途，若不嫌粗茶淡饭，只在我观中权过几时，等待节使回府，也不

---

① 开府——建府办公之意。

负远来这次。”遐叔再三谢道：“若得如此，深感深感。只是不好打搅！”便随着道士径投观中而去。想那道士与遐叔素无半面，知道他是甚底样人，便肯收留在观中去住？假饶这日无人搭救，却不穷途流落，几时归去？岂非是遐叔不遇中之遇？当下遐叔与道士离了节度府前，行不上一二里许，只见苍松翠柏，交植左右，中间龟背大路，显出一座山门，题着“碧落观”三个簸箕大的金字。这观乃汉时刘先主为道士李寂盖造的。至唐明皇时，有个得道的叫做徐佐卿，重加修建。果然是一尘不到，神仙境界。遐叔进入观中，瞻礼法像了，道士留入房内，重新叙礼，分宾主而坐。遐叔举目观看这房，收拾得十分清雅。只见壁上挂着一幅诗轴，你道这诗轴是哪个名人的古迹？却就是遐叔的父亲司封独孤及送徐佐卿还蜀之作。诗云：

羽客笙歌去路催，故人争劝别离杯。

苍龙阙下长相忆，白鹤山头更不回。

原来昔日唐明皇闻得徐佐卿是个有道之士，用安车蒲轮①，征聘入朝。佐卿不愿为官，钦赐驰驿还山。满朝公卿大夫，赋诗相赠，皆不如独孤及这首。以此观中相传，珍重不啻拱璧②。遐叔看了父亲遗迹，不觉潸然泪下。道士道：“君子见了这诗，为何掉泪？”遐叔道：“实不相瞒，因见了先人之笔，故此伤感。”道士闻知遐叔即是独孤及之子，朝夕供侍，分外加敬。光阴迅速，不觉过了半年。那时韦皋平定云南战乱，重回帅府。遐叔连忙备礼求见。一者称贺他得胜而回，二者诉说自己穷愁，远来干谒的意思。正是：

故人长望贵人厚，几个贵人怜故人。

那韦皋一见遐叔，盛相款宴，正要多留几日，少尽阔怀。岂知吐蕃赞普，时常侵蜀，专恃云南方面为之向导。近闻得韦皋收服云南，失其羽翼，遂起雄兵三十余万，杀过界来，要与韦皋亲决胜负。这是烽火紧切的事，一面写表申奏朝廷，一面兴师点将，前去抵敌。遐叔叹道：“我在此守了半

---

① 安车蒲轮——给老者、贤者坐的车子。安车，用一匹马拉的小车。蒲轮，车轮用蒲草裹着，车行时不致颠簸。

② 不啻(chì)拱璧——不异于两手拱抱的璧玉，说明很珍贵。不啻，不异于。

年，才得相见，忽又有此边报，岂不是命！”便向节度府中告辞。韦皋道：“吐蕃入寇，满地干戈，岂还有路归得！我已吩咐道士好生管待。且等杀退番兵，道途宁静，然后慢慢的与仁兄饯行便了。”遐叔无奈，只得依允，照旧住在碧落观中。不在话下。

且说韦皋统领大兵，离了成都，直至葭萌关外，正与吐蕃人马相遇。先差通使与他打话道：“我朝自与你邦和亲之后，出嫁公主做你国质婆，永不许兴兵相犯。如今何故背盟，屡屡扰我蜀地？”那赞普答道：“云南诸夷，原是臣伏我国的，你怎么辄敢加兵，侵占疆界？好好的还我云南，我便收兵回去。半声不肯，教你西川也是难保。”韦皋道：“圣朝无外，普天下哪一处不属我大唐的？要战便战，云南断还不成。”原来吐蕃没有云南向导，终是路径不熟。却被韦皋预在深林穷谷之间，遍插旗帜，假做伏兵，又教步军舞着藤牌，伏地而进，用大刀砍其马脚。一声炮响，鼓角齐鸣，冲杀过去。那吐蕃一时无措，大败亏输，被韦皋追逐出境，直到赞普新筑的王城，叫做末波城，尽皆打破。杀得吐蕃尸横遍野，血染成河。端的这场厮杀，可也功劳不小！韦皋见吐蕃远遁，即便下令班师，一面差牌将赍捷书飞奏朝廷。一路上：

喜孜孜鞭敲金凳响，笑吟吟齐唱凯歌声。

话分两头。却说独孤遐叔久住碧落观中，十分郁郁。信步游览，消遣客怀。偶到一个去处，叫做升仙桥，乃是汉朝司马相如在临邛县窃了卓文君回到成都。只因家事消条，受人侮慢，题下两行大字在这桥柱上，说道：“大丈夫不乘驷马高车，不过此桥。”后来做了中郎，奉诏开通云南道径，持节而归，果遂其志。遐叔在那桥上，徘徊东望，叹道：“小生不愧司马之才，娘子尽有文君之貌。只是怎能够得这驷马高车的日子？”下了桥，正待取路回观。此时恰是暮春天气，只听林中子规一声声叫道：“不如归去！”遐叔听了这个鸟声，愈加愁闷，又叹道：“我当初与娘子临别，本以一年半载为期。岂知担搁到今，不能归去？天那！我不敢望韦皋的厚赠，只愿他早早退了番兵，送我回家，却也免得娘子在家朝夕悬望。”不觉春去夏来，又过一年有余，才等候得韦皋振旅而还。那时捷书已到朝中。德宗天子知得韦皋战退吐蕃，成了大功，龙颜大喜。御笔加授兵部尚书太子太保，仍领西川节度使。回府之日,合属大小文武,哪一个不奉牛酒拜贺!直待军门稍暇,遐叔也到府中称庆。自念客途无以为礼,做得《蜀道易》一篇。你道为何叫做《蜀道易》?当时唐明皇天宝末年,安禄山反乱,却是郑国公严武做西川节度。有个拾遗杜甫①,避难来到西川,又有丞相房绾也贬做节度府属官。只因严武性子颇多猜狠,所以翰林供奉李白,做《蜀道难》词。其尾特云:"锦城虽云乐,不如早归家。"乃是替房、杜两公忧危的意思。遐叔故将这难字改作易字,翻成乐府。一者称颂韦皋功德,远过严武;二者见得自己侨寓锦城,得其所主,不比房、杜两公。以此暗暗的打动他。词云:

吁嗟蜀道,古以为难。蚕丛开国,山川郁盘;
秦置金牛,道路始刊。天梯石栈,勾接危峦。
仰薄青霄,俯挂飞湍。猿猱之捷,尚莫能干。
使人对此,宁不悲叹!自我韦公,建节当关。
荡平西寇,降服南蛮。风烟宁息,民物殷繁。
四方商贾,争出其间。匪无跋涉,岂乏跻攀;
若在衽席,既坦而安。蹲鸱疗饥,筒布御寒。
是称天府,为利多端。寄言客子,可以开颜。
锦城甚乐,何必思还!

韦皋看见《蜀道易》这一篇,不胜叹服,便对遐叔说:"往时李白所作《蜀道难》词,太子宾客贺知章②称他是天上谪下来的仙人。今观仁兄高才,何让李白!老夫幕府正缺书记一员,意欲申奏取旨,借重仁兄为礼部员外,权充西川节度府记室参军③,庶得朝夕领教。不识仁兄肯曲从否?"

① 拾遗杜甫——拾遗,唐代谏官名,有左、右拾遗之分。唐代大诗人杜甫曾做过拾遗。
② 太子宾客贺知章——贺知章,唐代诗人,曾做过太子宾客。太子宾客,是调护、侍从、规谏太子的官。
③ 记室参军——古代的幕僚官,掌管表章、书信等。

遐叔答道："我朝最重科目。凡士子不由及第出身，便做到九棘三槐①，终久被人欺侮。小生虽则三番落第，壮气未衰。怎忍把先世科名，一朝自废？如今叨寓贵镇，已过岁余，寒荆白氏在家，久无音信。朝夕萦挂，不能去怀。巴得旌旄回府，正要告辞。伏乞俯鉴微情，勿嫌方命②。"韦皋谢道："既是仁兄不允，老夫亦不敢相强。只是目下岁暮，冰雪载途，不好行走。不若少待开春，治装送别，未为晚也。"遐叔一来见韦皋意思殷勤，二来想起天气果然寒冷，路上难行。又只得住下。挨过残腊，到了新年，又早是上元佳节。原来成都府地沃人稠，本是西南都会。自唐明皇驻跸之后四方朝贡，皆集于此，便有京都气象。又经严郑公镇守巴蜀，专以平静为政，因此闾阎繁富，库藏充饶。现今韦皋继他，降服云南诸夷，击破吐蕃五十万众，威名大振。这韦皋最是豪杰的性子，因见地方宁定，民心归附，预传号令，吩咐城内城外都要点放花灯，与民同乐。那道令旨传将出去，谁敢不依。自十三至十七，共是五夜，家家门首扎缚灯棚，张挂新奇好灯，巧样烟火，照耀如同白昼。狮蛮社火，鼓乐笙箫，通宵达旦。韦皋每夜大张筵宴，在散花楼上，单请遐叔庆赏元宵。刚到下灯之日，遐叔便去告辞。韦皋再三苦留，终不肯住。乃对遐叔说道："仁兄归心既决，似难相强。只是老夫还有一杯淡酒，些小资装，当在万里桥东，再与仁兄叙别。幸勿固拒。"即传令拨一船只，次日在万里桥伺候，送遐叔东归。又点长行军士一名护送。到明日，韦皋设宴在万里桥饯别遐叔。亲举金杯，说道："此桥最古，昔诸葛孔明送费祎使吴，道是万里之行，实始于此。这桥因以得名。今仁兄青云万里，亦由今始，愿努力自爱。老夫蝉冠③自敝，拱听泥金佳报④，特为仁兄弹之⑤。"一连的劝了三杯，方才捧出一个锦囊，说道："老夫

---

① 九棘三槐——古代在皇帝的外朝种植槐树和棘树，作为朝见时朝臣位置的标志，向用"九棘三槐"表示三公、九卿的职位，泛指较高级的官位。

② 方命——违命。

③ 蝉冠——即"貂蝉冠"，古代显贵官员所戴的帽子。

④ 泥金佳报——泥金，用金箔和胶水制成的金色颜料。进士及第，以泥金书写帖子，附家书中，报告登料之喜。

⑤ 弹(tán)之——弹冠相庆。弹去帽子上的灰尘，表示庆贺的意思。

深荷令先公推荐之力，得有今日。止因王事鞅掌①，未得少酬大恩。有累远临，岂不惭汗！但今盗贼生发，势难重挈。老夫聊备三百金，权充路费。此外别有黄金万两，蜀锦千端，俟道路稍宁，专人奉送。勿谓老夫轻薄，为负恩人也！"又唤过军士吩咐道："一路小心服事，不可怠慢。"军士叩头答应。遐叔再三拜谢道："不才受此，已属过望，敢烦后命！"领了锦囊，军士跟随上船。那韦皋还在桥上，直等望不见这船，然后回府。不在话下。

且说遐叔别了韦皋，开船东去。原来下水船，就如箭一般急的，不消两三日，早到巫峡之下。远远的望见巫山神女庙，想起："当初从此经过，暗祈神女托梦我白氏娘子，许他赋诗为谢。不知这梦曾托得去不曾托得去？我岂可失信。"便口占一首以偿宿愿。诗云：

古木阴生一线天，巫峰十二锁寒烟。
襄王自作风流梦，不是阳台云雨仙。

题毕，又向着山上作礼称谢。过了三峡，又到荆州。不想送来那军士，忽然生起病来。遐叔反要去服事他。又行了几日，来到汉口地方。自此从汝宁至洛阳，都是旱路。那军士病体虽愈，难禁鞍马驰骤。遐叔写下一封书信，留了些盘费，即令随船回去。独自个收拾行李登岸。却也会算计，自己买了一头牲口，望东都进发。约莫行了一个月头，才到洛阳地面。离着开阳门只有三十余里。是时天色傍晚，一心思量赶回家去，策马前行。又走了十余里路，早是一轮月上。趁着月色，又走了十来里，隐隐得听得钟鸣鼓响，想道："城门已闭，纵赶到也进城不及了。此间正是龙华古寺，人疲马乏，不若且就安歇。"解囊下马，投入山门。不争此一夜。有分教：

蝴蝶梦中逢佚女，鹭鸶杓底听娇歌。

话分两头，且说白氏自龙华寺前与遐叔分别之后，虽则家事荒凉，衣食无措；犹喜白氏女工精绝，翰墨旁通。况白姓又是个东京大族，姑姊妹间也有就他学习针指的，也有学做诗词的，少不得具些礼物为酬谢之资，

---

① 王事鞅掌——语出《诗经》，指国事忙碌。鞅掌，原意为事多而无时间整理仪容，引申为公事忙碌。

因此尽堪支给。但时时记念丈夫临别之言,本以一年为约,如何三载尚未回家?况闻西川路上有的是一线天、人鲊瓮、蛇倒退、鬼见愁,都这般险恶地面。所以古今称说途路艰难,无如蜀道。想起丈夫经由彼处,必多惊恐。别后杳无书信,知道安否如何?"教我这条肚肠,怎生放得!"欲待亲往西川,体访消息。"只我女娘家,又是个不出闺门的人,怎生去得?除非梦寐之中,与他相见,也好得个明白。"因此朝夕悬念。睡思昏沉,深闺寂寞,兀坐无聊,题诗一首。诗云:

西蜀东京万里分,雁来鱼去两难闻。
深闺只是空相忆,不见关山愁杀人。

那白氏一心想着丈夫,思量要做个梦去寻访。想了三年有余,再没个真梦。一日正是清明佳节,姑姊妹中,都来邀去踏青游玩。白氏哪有恁样闲心肠,推辞不去。到晚上对着一盏孤灯,凄凄惶惶的呆想。坐了一个黄昏,回过头来,看见丫鬟翠翘已是齁齁睡去。白氏自觉没情没绪,只得也上床去睡卧。翻来覆去,哪里睡得安稳,想道:"我直恁命薄!要得个梦儿去会他也不能够!"又想道:"总然梦儿里会着了他,到底是梦儿里说话,原作不得准。如今也说不得了。须是亲往西川访问他回来,也放下了这条肠子。"却又想道:"我家姊妹中晓得,怎么肯容我去!不如瞒着他们,就在明早悄悄前去。"正想之间,只听得喔喔鸡鸣,天色渐亮。即忙起身梳裹,扮作村庄模样。取了些盘缠银两,并几件衣服,打个包裹,收拾完备。看翠翘时,睡得正熟。也不通他知道,一路开门出去。离了崇贤里,顷刻出了开阳门,过了龙华寺,不觉又早到襄阳地面。有一座寄锦亭。原来苻秦时,有个安南将军窦滔,镇守襄阳,挈了宠妾赵阳台随任,抛下妻子苏氏。那苏氏名蕙,字若兰,生得才貌双绝。将一幅素锦,长广八寸,织成回文诗句,五色分章,计八百四十一字,诗三千七百五十二首,寄与窦滔。窦滔看见,立时送还阳台,迎接苏氏到任,夫妻恩爱,比前更笃。后人遂为建亭于此。那白氏在亭子上眺望良久,叹道:"我虽不及若兰才貌,却也粗通文墨,纵有织锦回文,谁人为寄,使他早整归鞭,长谐伉俪乎?"乃口占《回文词》一首,题于亭柱上。词云:

阳春艳曲,丽锦夸文。伤情织怨,长路怀君。

惜别同心，膺填思悄。碧凤香残，青鸾梦晓。

倒读来，又是一首好词：

晓梦鸾青，残香凤碧。悄思填膺，心同别惜。

君怀路长，怨织情伤。文夸锦丽，曲艳春阳。

白氏题罢，离了寄锦亭，不觉又过荆州，来到夔府。恰遇天晚，见前面有所庙宇，遂入庙中投宿。抬头观看，上面悬一金字匾额，写着“高唐观”三个大字。乃知是巫山神女之庙。便于神座前撮土为香，祷告道：“我白氏小字娟娟，本在东京居住。只为儿夫独孤遐叔去访西川节度韦皋，一别三年，杳无归信，是以不辞跋涉，万里相寻。今夕寄宿仙宫，敢陈心曲。吾想神女曾能通梦楚王，况我同是女流，岂不托我一梦。伏乞大赐应感，显示前期，不胜虔恳之至。”祷罢而睡。果然梦见神女备细说道：“遐叔久寓西川，平安无恙。如今已经辞别，取路东归。你此去怎么还遇得他着？可早早回身家去，须防途次尚有虚惊。保重，保重！”那白氏飒然觉来，只见天已明了。想起神女之言，历历分明，料然不是个春梦。遂起来拜谢神女，出了庙门，重寻旧径，再转东都。在路晓行暮止，迤逦望东而来。此时正值暮春天气，只见一路上有的是红桃绿柳，燕舞莺啼。白氏贪看景致，不觉日晚，尚离开阳门二十余里。便趁着月色，趱步归家。忽遇前面一簇游人，笑语喧杂，渐渐的走近。你道是甚么样人？都是洛阳少年，轻薄浪子。每遇花前月下，打伙成群，携着的锦瑟瑶笙，挈着的青尊翠幕，专惯窥人妇女，逞己风流。白氏见那伙人来得不三不四，却待躲避。原来美人映着月光，分外娇艳，早被这伙人瞧破。便一圈圈将转来，对白氏道：“我们出郭春游，步月到此，有月无酒，有酒无人，岂不孤负了这般良夜！此去龙华古寺不远，桃李大开。愿小娘子不弃，同去赏玩一回何如？”那白氏听见，不觉一点怒气，从脚底心里直涌到耳朵根边，把一个脸都变得通红了，骂道：“你须不是史思明的贼党，清平世界，谁敢调弄良家女子！况我不是寻常已下之人，是白司农的小姐，独孤司封的媳妇，前进士①独孤遐叔的浑

① 前进士——已考取进士的人，唐代称为“前进士”。这时，独孤生还没有及第，这是白氏的谎称。

家！谁敢罗唣！”怎禁这班恶少，哪管甚么宦家良家。任你喊破喉咙，也全不作准。推的推，拥的拥，直逼入龙华寺去赏花。这叫做铁怕落炉，人怕落套。正是：

分明绣阁娇闺妇，权做征歌侑酒人。

且说遐叔因进城不及，权在龙华寺中寄宿一宵。想起：“当初从此送别，整整的过了三年，不知我白氏娘子，安否何如？”因诵襄阳孟浩然的诗，说道：“近家心转切，不敢问来人。”吟咏数番，潸然泪下。坐到更深，尚未能睡。忽听得墙外人语喧哗，渐渐的走进寺来。遐叔想道：“明明是人声，须不是鬼，似这般夜静，难道有甚官府到此？”正惶惑间，只见有十余人，各执笤帚粪箕，将殿上扫除干净去讫。不多时，又见上百的人，也有铺设茵席的，也有陈列酒肴的，也有提着灯烛的，也有抱着乐器的，络绎而至，摆设得十分齐整。遐叔想道：“我晓得了，今日清明佳节，一定是贵家子弟出郭游春。因见月色如昼，殿庭下桃李盛开，烂熳如锦，来此赏玩。若见我时，必被他赶逐。不若且伏在后壁佛桌下，待他酒散，然后就寝。只是我恁般晦气，在古庙中要讨一觉安睡，也不能够！”即起身躲在后壁，声也不敢则。又隔了一回，只见六七个少年，服色不一，簇拥着个女郎来到殿堂酒席之上。单推女郎坐在西首，却是第一个坐位。诸少年皆环向而坐，都属目在女郎身上。遐叔想道：“我猜是豪贵家游春的，果然是了。只这女郎不是个官妓，便是个上妓，何必这般趋奉他？难道有甚良家女子，肯和他们到此饮宴？莫不是强盗们抢夺来的？或拐骗来的？”只见那女郎侧身西坐，攒眉蹙额，有不胜怨恨的意思。遐叔凝着双眸，悄地偷看，宛似浑家白氏。吃了一惊，这身子就似吊在冰桶里，遍体冷麻，把不住的寒颤。却又想道：“呸！我好十分蒙憧，娘子是个有节气的，平昔间终日住在房里，亲戚们也不相见，如何肯随这班人行走？世上面貌厮像的尽多，怎么这个女郎就认做娘子？”虽这般想，终是放心不下。悄悄的在黑影子里一步步挨近前来，仔细再看，果然声音举止，无一件不是白氏，再无疑惑。却又想道：“莫不我一时眼花错认了？”又把眼来擦得十分明亮，再看时节，一发丝毫不差。却又想道：“莫不我睡了去，在梦儿里见他？把眼霎霎，把脚踏踏，分明是醒的，怎么有此诧异的事！”难道他做闺女时尚能截发自誓，今日却做出这般勾当！岂为我久客西川，一定不回来了，遂改了节操？我想苏秦落第，嗔他妻子不曾下机迎接。后来做了丞相，尚然不肯认他。不知我明早归家，看他还有甚面目好来见我？”心里不胜忿怒，磨拳擦掌的要打将出去。因见他人多伙众，可不是倒捋虎须。且再含忍，看他怎生的下场。只见一个长须的，举杯向白氏道：“古语云，一人向隅，满坐不乐。我辈与小娘子虽然乍会，也是天缘。如此良辰美景，亦非易得。何苦恁般愁郁？请放开怀抱，欢饮一杯；并求妙音，以助酒情。”那白氏本是强逼来的，心下十分恨他。欲待不歌，却又想：“这班乃是无籍恶少，我又孤身在此，怕触怒了他，一时撒泼起来，岂不反受其辱！”只得拭干眼泪，拔下金雀钗，按板而歌，歌云：

今夕何夕？存耶？没耶？良人去兮天之涯，园树伤心兮三见花！

自古道：词出佳人口。那白氏把心中之事，拟成歌曲，配着那娇滴滴的声音，呜呜咽咽歌将出来，声调清婉，音韵悠扬，真个直令高鸟停飞，潜鱼起舞，满座无不称赞。长须的连称“有劳，有劳！”把酒一吸而尽。遐叔在黑暗中看见浑家并不推辞，就拔下宝钗按拍歌曲，分明认得是昔年聘物，心中大怒。咬碎牙关，也不听曲中之意，又要抢将出去厮闹。只是恐众寡不敌，反失便宜，又只得按捺住了，再看他们。只见行酒到一个黄衫壮士面前，也举杯对白氏道：“聆卿佳音，令人宿酲顿醒，俗念俱消。敢再求一曲，望勿推却。”白氏心下不悦，脸上通红，说道：“好没趣！歌一曲尽够了，怎么要歌两曲？”那长须的便拿起巨觥说道：“请置监令。有拒歌者，罚一巨觥。酒到不干，颜色不乐，并唱旧曲者，俱照此例。”白氏见长须形状凶恶，心中害怕，只得又歌一曲。歌云：

叹衰草，络纬声切切。良人一去不复返，今日坐愁鬓如雪。

歌罢，众人齐声喝采。黄衫人将酒饮干，道声：“劳动！”遐叔见浑家又歌了一曲，愈加忿恨。恨不得眼里放出火来，连这龙华寺都烧个干净。那酒却行到一个白面少年面前，说道：“适来音调虽妙，但宾主正欢，歌恁样凄清之曲，恰是不称！如今求歌一曲有情趣的。”众人都和道：“说得有理！歌一个新意儿的，劝我们一杯！”白氏无可奈何，又歌一曲云：

劝君酒，君莫辞！落花徒绕枝，流水无返期。莫恃少年时，少年能几时？

白氏歌还未毕，那白面少年便嚷道："方才讲过要个有情趣的，却故意唱恁般冷淡的声音！请监令罚一大觥。"长须人正待要罚，一个紫衣少年立起身来说道："这罚酒且慢着。"白面少年道："却是何为？"紫衣人道："大凡风月场中，全在帮衬，大家得趣。若十分苛罚，反觉我辈俗了。如今且权寄下这杯，待他另换一曲，可不是好！"长须的道："这也说得是。"将大觥放下，那酒就行到紫衣少年面前。白氏料道推托不得，勉强挥泪又歌一曲云：

怨空闺，秋日亦难暮！夫婿绝音书，遥天雁空度。

歌罢，白衣少年笑道："到底都是那些凄怆怨暮之声！再没一毫艳意！"紫衣人道："想是他传派如此，不必过责。"将酒饮尽。行至一个皂帽①胡人面前，执杯在手，说道："曲理俺也不十分明白，任凭小娘子歌一个儿侑这杯酒下去罢了。且莫要冷淡了俺。"白氏因连歌几曲，气喘声促，心下好不耐烦！听说又要再歌，把头掉转，不去理他。长须的见不肯歌，叫道："不应拒歌！"便抛一巨觥。白氏到此地位，势不容已，只得忍泣含啼，饮了这杯罚酒，又歌云：

切切夕风急，露滋庭草湿。

良人去不回，焉知掩闺泣！

皂帽胡人将酒饮罢，却行到一个绿衣少年，举杯请道："夜色虽阑，兴犹未浅。更求妙音，以尽通宵之乐。"那白氏歌这一曲，声气已是断续，好生吃力。见绿衣人又来请歌，那两点秋波中扑簌簌泪珠乱洒。众人齐笑道："对此好花明月，美酒清歌，真乃赏心乐事，有何不美？却恁般凄楚，忒煞不韵②！该罚，该罚！"白氏恐怕罚酒，又只得和泪而歌。歌云：

萤火穿白杨，悲风入荒草。

疑是梦中游，愁迷故园道。

白氏这歌，一发前声不接后气，恰如啼残的杜宇，叫断的哀猿。满座闻之，尽觉凄然。只见绿衣人将酒饮罢，长须的含着笑说道："我音律虽不甚妙，但礼无不答。信口诌一曲儿，回敬一杯。你们休要笑话！"众人道：

① 皂帽——戴黑色帽子。

② 不韵——没有风趣。

"你又几时进了这桩学问？快些唱来。"长须的顿开喉咙，唱道：

花前始相见，花下又相送。

何必言梦中，人生尽如梦！

那声音犹如哮虾蟆，病老猫，把众人笑做一堆，连嘴都笑歪了，说道："我说你晓得什么歌曲！弄这样空头！"长须人倒挣得好副老脸，但凭众人笑话，他却面不转色。直到唱完了，方答道："休要见笑！我也是好价钱学来的哩。你们若学得我这几句，也尽够了。"众人闻说，越发笑一个不止。长须的由他们自笑，却执起一个杯儿，满满斟上，欠身亲奉白氏一杯。直待饮干，然后坐下。遐叔起初见浑家随着这班少年饮酒，那气恼到包着身子。若没有这两个鼻孔，险些儿肚子也胀穿了。到这时见众人单逼着他唱曲，浑家又不胜忧恨，涕泣交零，方才明白是逼勒来的，这气倒也略平了些。却又想道："我娘子自在家里，为何被这班杀才劫到这个荒僻所在？好生委曲不下！我且再看他还要怎么？"只见席上又轮到白面的饮酒，他举着金杯，对白氏道："适劳妙歌，都是忧愁怨恨的意思，连我等眼泪不觉掉将下来。终觉败兴！必须再求一风月艳丽之曲，我等洗耳拱听，幸勿推辞。"遐叔暗道："这些杀才，劫掠良家妇女，在此歌曲，还有许多嫌好道歉！"那白氏心中正自烦恼，况且连歌数曲，口干舌燥，声气都乏了，如何肯再唱！低着头，只是不应。那长须的叫道："违令！"又抛下一巨觥。这时遐叔一肚气怎么再忍得住！暗里从地下摸得两块大砖橛子①，先一砖飞去，恰好打中那长须的头。再一砖飞去，打中白氏的额上。只听得殿上一片嚷将起来，叫道："有贼，有贼！"东奔西散，一霎眼间早不见了。那遐叔走到殿上，四下打看，莫说一个人，连这铺设的酒筵器具，一些没有踪迹。好生奇怪！吓得眼跳心惊，把个舌头伸出，半晌还缩不进去。

那遐叔想了一会，叹道："我晓得了！一定是我的娘子已死，他的魂灵游到此间，却被我一砖把他惊散了。"这夜怎么还睡得着？等不得金鸡三唱，便束装上路。天色未明，已到洛阳城外。挨进开阳门，经奔崇贤里，一步步含着眼泪而来。遥望家门，却又不见一些孝事。那心儿里就是十五

① 砖橛子——碎砖，断了的砖。

六个吊桶打水，七上八落的跳一个不止。进了大门，走到堂上，撞见梅香翠翘，连忙问道："娘子安否何如？"口内虽然问他，身上却担着一把冷汗，诚恐怕说出一句不吉利的话来。只见翠翘不慌不忙的答道："娘子睡在房里，说今早有些头痛，还未曾起来梳洗哩。"遐叔听见翠翘说道娘子无恙。这一句话就如分娩的孕妇，囫底①一声，孩子头落地，心下好不宽畅。只是夜来之事，好生疑惑。忙忙进到卧房里面问道："夜来做甚不好睡！今早走不起？"白氏答道："我昨夜害魇哩。只因你别去三年，杳无归信，我心中时常忧忆。夜来做成一梦，要亲到西川访问你的消息。直行至巫山地面，在神女庙里投歇。那神女又托梦与我，说你已离巴蜀，早晚到家。休得途中错过，枉受辛苦。我依还寻着旧路而回。将近开阳门二十余里，踏着月色，要赶进城，忽遇一伙少年，把我逼到龙华寺玩月赏花。饮酒之间，又要我歌曲。整整的歌了六曲，还被一个长须的屡次罚酒。不意从空中飞下两块砖橛子，一块打了长须的头，一块打了我的额角上，瞥然惊醒，遂觉头痛。因此起身不得，还睡在这里。"遐叔听罢，连叫："怪哉，怪哉！怎么有恁般异事！"白氏便问有何异事。遐叔把昨夜寺中宿歇，看见的事情，从头细说一遍。白氏见说，也称奇怪，道："原来我昨夜做的却是真梦？但不知这伙恶少是谁？"遐叔道："这也是梦中之事，不必要深究了。"

说话的，我且问你：那世上说谎的也尽多，少不得依经旁注，有个边际，从没有见你恁样说瞒天谎的祖师！那白氏在家里做梦，到龙华寺中歌曲，须不是亲身下降，怎么独孤遐叔便见他的形像？这般没根据的话，就骗三岁孩子也不肯信，如何哄得我过？看官有所不知：大凡梦者想也，因也；有因便有想，有想便有梦。那白氏行思坐想，一心记挂着丈夫，所以梦中真灵飞越，有形有像，俱为实境。那遐叔亦因想念浑家，幽思已极，故此虽在醒时，这点神魂，便入了浑家梦中。此乃两下精神相贯，魂魄感通，浅而易见之事，怎说在下掉谎！正是：

只因别后幽思切，致使精灵暗往回。

当下白氏说道："梦中之事，所见皆同，这也不必说了。且问你：一去

---

① 囫(hè)底——这里是形容小孩子生下来的声音。

许久，并无音耗，虽则梦中在巫山庙祈梦，蒙神女指示，说你一路安稳，干求称意。我想蜀道艰难，不知怎生到得成都？便到了成都，不知可曾见韦皋？便见了韦皋，不知赠得你几何？”遐叔惊道：“我当初经过巫峡，听说山上神女颇有灵感，曾暗祈他托汝一梦，传个平安消息。不道果然梦见！真个有些灵感。只是我到得成都，偶值韦皋两次出征，因此在碧落观整整的住了两年。半路上走了半年。遂致担搁，有负初盟。犹喜得韦皋故人情重，相待甚厚。若不是我一意告辞，这早晚还被他留住，未得回来。”将那路途跋涉，旅邸凄凉，并韦皋款待赠金，差人远送，前后之事，一一细说。夫妻二人感叹不尽。把那三百金日逐用度，遐叔埋头读书。约莫半年有余，韦皋差两员将校，赍书送到黄金一万两，蜀锦一千匹。遐叔连忙写了谢书，款待来使去后，对白氏道：“我先人出仕三十余年，何尝有此宦橐！我一来家世清白，二来又是儒素。只前次所赠，以足度日，何必又要许多！且把来封好收置，待我异日成名，另有用处。”白氏依着丈夫言语，收置不提。

且说唐朝制科，率以三岁为期。遐叔自贞元十五年下第，西游巴蜀，却错了十八年这次，直到二十一年，又该殿试时分。打一行囊，辞别白氏，上京应举。哪知贡举官乃是中书门下侍郎崔群，素知遐叔才名，有心检他出来取作首卷。呈上德宗天子，御笔亲题状元及第。那遐叔有名已久，榜下之日，哪一个不以为得人。旧例游街三日，曲江赐宴，雁塔题名①。钦除翰林修撰，专知制诰。谢恩之后，即写家书，差人迎接白氏夫人赴京，共享富贵。且说白氏在家，掐指过了试期，眼盼盼悬望佳音。一日，正在闺房中，忽听得堂前鼎沸。连忙教翠翘出去看时，恰正是京中走报的来报喜。白氏问了详细，知得丈夫中了头名状元，以手加额，对天拜谢。整备酒饭，款待报人。顷刻就嚷遍满城，白氏亲族中俱来称贺。那白长吉昔日把遐叔何等奚落，及至中了，却又老着脸皮，备了厚礼也来称贺。那白氏是个记德不记仇的贤妇，念着同胞分上，将前情一笔却勾。相见之间，千欢万喜。白长吉自挨近了身子，无一日不来掇臀捧屁。就是平日从不往来，极

① 曲江赐宴，雁塔题名——唐代习俗，新考中的进士在长安城外曲江宴会，并把自己的姓名刻在雁塔的石头上作纪念，叫做“题名”。

疏冷的亲戚,也来殷勤趋奉。倒教白氏应酬不暇。那赍书的差人,星夜赶至洛阳,叩见白氏,将书呈上。白氏拆开,看到书后有诗一首,云:

玉京仙府献书人,赐出宫袍似烂银。

寄语机中愁苦妇,好将颜面对苏秦。

白氏看罢,微微笑道:"原来相公要迎我至京。"遂留下差人,择吉起程。那时府县拨送船夫,亲戚都来饯送,白长吉亲送妹子至京。遐叔接入衙门,夫妻相见,喜从天降。白长吉向前请罪。遐叔度量宽弘,全无芥蒂①。即便摆设家筵,款待不提。不想那年德宗皇帝晏驾,百官共立顺宗登位。不上半年,顺宗也就崩了。又立宪宗登位,改元元和元年。到四月间,遐叔早升任翰林院学士,知制诰如故。你道他为何升得恁骤?原来大行皇帝②的遗诏与新帝登极的诏书,前后四篇,都出遐叔之作。这是朝廷极大手笔,以此累功,不次迁擢。恰好五月间,有大赦天下诏书,遐叔乘这个机会,就讨了宣赦的差。夫妻二人,衣锦还乡。亲戚们都在十里外迎接。府县官也出郭相迎。遐叔回到家中,焚黄③谒墓,杀猪宰羊,做庆喜筵席,遍请亲邻。饮酒中间,说起龙华寺曾许下愿心,要把韦皋送来的黄金万两,蜀锦千匹,都舍在寺里,重修宝殿,再整山门。即便选择吉辰,兴动工役。其时白敏中以中书侍郎请告归家。白居易新授杭州府太守,回来赴任。两个都到遐叔处贺喜。见此胜缘,各各布施。那州县官也要奉承遐叔,无一个不来助工。眼见得这龙华寺不日建造起来,比初时越觉齐整。但见:

宝殿嵯峨侵碧落,山门弘敞压阎浮。

却说韦皋久镇蜀地,自知年纪渐老。万一西番南夷,有些决撒,恐损威名。上表固请骸骨,因荐遐叔自代。奉圣旨:"韦皋镇蜀多年,功劳积著,可进光禄大夫、右丞相、同平章事,封襄国公,驰驿回朝。独孤遐叔累掌丝纶,王言无忝,访之舆望,佥谓通材;可加兵部侍郎,领西川节度使。仍着走马赴任,无得迟误。钦此!"遐叔接了诏书,恐怕违了钦限,便同白

① 芥蒂——梗塞的东西。比喻由心怀不满而产生的隔阂。

② 大行皇帝——对皇帝初死还未定谥号时的称呼。

③ 焚黄——祭神时焚化黄表纸。

氏夫人乘传而去。未到半路，早有韦皋差官迎接，约定在夔府交代。恰好巫山神女庙正在夔府地方。遐叔与白氏乘此便道，先往庙中行香，谢他托梦的灵感。然后韦皋相见。叙过寒温，送过敕印，把大小军政一一交盘明白，才吃公宴。当日遐叔就回了席。明早，点集车骑队伍，护送韦皋还朝。从此上任之后，专务镇静，军民安堵，威名更胜。朝廷累加褒赏。直做到太保兼吏兵二部尚书，封魏国公。白氏诰封魏国夫人。夫妻偕老，子孙荣盛。有诗为证：

梦中光景醒时因，醒若真时梦亦真。

莫怪痴人频做梦，怪他说梦亦痴人。

第二十六卷　薛录事鱼服证仙

借问白龙缘底事？蒙他鱼服区区。虽然纵适在河渠，失其云雨势，无乃困余且①。　　要识灵心能变化，须教无主常虚。非关喜里乍昏愚，庄周曾作蝶，薛伟亦为鱼。

话说唐肃宗乾元年间，有个官人姓薛名伟，吴县人氏，曾中天宝末年进士。初任扶风县尉，名声颇著，后为蜀中青城县主簿。夫人顾氏，乃是吴县第一个大族。不惟容止端丽，兼且性格柔婉。夫妻相得，爱敬如宾。不觉在任又经三年，大尹升迁去了。上司知其廉能，即委他署摄②县印。那青城县本在穷山深谷之中，田地硗脊，历年岁歉民穷，盗贼生发。自薛少府署印，立起保甲之法，凡有盗贼，协力缉捕。又设立义学，教育人材。又开义仓，赈济孤寡。每至春间，亲往各乡，课农耕种，又把好言劝谕，教他本分为人。因此处处田禾大熟，盗贼也化为良民。治得县中真个夜不闭户，路不拾遗。百姓戴恩怀德，编成歌话，称颂其美。歌云：

秋至而收，春至而耘。吏不催租，夜不闭门。

百姓乐业，立学兴文。教养兼遂，薛公之恩。

---

① 余且——古代神话中的渔夫。

② 署摄——代理。

自今孩童，愿以名存。将何字之？“薛儿”“薛孙”。

那薛少府不但廉谨仁慈，爱民如子，就是待那同僚，却也谦恭虚己，百凡从厚。原来这县中有一个县丞，一个主簿，两个县尉。那县丞姓邹名滂，也是进士出身；与薛少府恰是同年好友。两个县尉，一个姓雷，名济，一个姓裴，名宽。这二位官人，为官也都清正。因此臭味相投，每遇公事之暇，或谈诗，或奕棋，或在花前竹下，开樽小饮，彼来此往，十分款洽。一日正值七夕，薛少府在衙中与夫人乞巧饮宴。原来七夕之期，不论大小人家，少不得具些酒果为乞巧穿针之宴。——你道怎么叫做乞巧穿针？只因天帝有个女儿，唤做织女星，日夜辛勤织纴。天帝爱其勤谨，配与牵牛星为妇。谁知织女自嫁牛郎之后，贪欢眷恋，却又好梳妆打扮，每日只是梳头，再不去调梭弄织。天帝嗔怒，罚织女住在天河之东，牛郎住在天河之西。一年只许相会一度，正是七月七日。到这一日，却教喜鹊替他在天河上填河而渡。因此世人守他渡河时分，皆于星月之下，将彩线去穿针眼。穿得过的，便为得巧；穿不过的，便不得巧。以此卜一年的巧拙。你想那牛郎、织女眼巴巴盼了一年，才得相会，又只得三四个时辰，忙忙的叙述想念情思，还恐说不了，哪有闲工夫又到人间送巧？岂不是个荒唐之说！——且说薛少府当晚在庭中，与夫人互相劝酬，不觉坐到夜久更深，方才入寝。不道却感了些风露寒凉，遂成一病，浑身如炭火烧的一般，汗出如雨。渐渐三餐不进，精神减少，口里只说道：“我身子顷刻也挨不过了！你们何苦留我在这里！不如放我去罢！”你想病人说出这样话头，明明不是好消息了。吓得那顾夫人心胆俱落。难道就这等坐视他死了不成？少不得要去请医问卜，求神许愿。原来县中有一座青城山，是道家第五洞天。山上有座庙宇，塑着一位老君，极有灵感。真是祈晴得晴，祈雨得雨，祈男得男，祈女得女，香火最盛。因此夫人写下疏文，差人到老君庙祈祷。又闻灵签最验，一来求他保佑少府，延福消灾；二来求赐一签，审问凶吉。其时三位同僚闻得，都也素服角带，步至山上行香，情愿减损自己阳寿，代救少府。刚是同僚散后，又是合县父老，率着百姓们，一齐拜祷。显见得少府平日做官好处，能得人心如此。只是求的签是第三十二签。那签诀道：

百道清泉入大江，临流不觉梦魂凉。

何须别向龙门去？自有神鱼三尺长。

差人抄这签诀回衙，与夫人看了，解说不出，想道："闻得往常间人求的皆如活见一般，不知怎地我们求的却说起一个鱼来，与相公的病全无着落？是吉是凶？好生难解！"以此心上就如十五六个吊桶打水，七上八落的，转加忧郁，又想道："这签诀已不见怎的，且去访个医人来调治，倒是正经。"即差人去体访。却访得成都府有个道人李八百，他说是孙真人①第一个徒弟。传得龙宫秘方有八百个，因此人都叫他做李八百。真个请他医的，手到病除，极有神效。他门上写下一对春联道：

药按韩康无二价，杏栽董奉②有千株。

但是请他的，难得就来。若是肯来，这病人便有些生机了。他要的谢仪，却又与人不同：也有未曾开得药箱，先要几百两的；也有医好了，不要分文酬谢，止要吃一醉的。也有闻召即往的，也有请杀③不去的，甚是捉他不定；大抵只要心诚他便肯来。夫人知得有这个医家，即差下的当人赍了礼物，星夜赶去请那李八百。恰好他在州里，一请便来。夫人心下方觉少宽。岂知他一进门来，还不曾诊脉，说道："这病势虽则像个死的，却是个不死的。也要请我来则甚？"当下夫人备将起病根由，并老君庙里占的签诀尽数说与太医知道，求他用药。那李八百只是冷笑道："这个病从来不上医书的！我也无药可用。唯有死后常将手去摸他胸前。若是一日不冷，一日不可下棺。待到半月二旬之外，他思想食吃，自然渐渐苏醒回来。那老君庙签诀，虽则灵应，然须过后始验。非今日所能猜度得的。"到底不肯下药，竟自去了。但不知少府这病当真不消吃药，自然无事？还是病势不救，下不得药的，故此托辞而去？正是：

青龙共白虎同行，吉凶事全然未保。

---

① 孙真人——指孙思邈，唐代著名的医学、药学专家。

② 韩康、董奉——韩康，东汉霸陵人。在长安卖药三十余年，口不二价。后隐居霸陵山中。董奉，三国时吴国人，为人治病，不收报酬，只求治愈的病人为他种几棵杏树，数年后蔚然成林。

③ 请杀——拼命请。杀，到了极点。

夫人因见李八百去了,叹道:“这等有名的医人,尚不肯下药,难道还有别一个敢来下药?定然病势不救!唯有奄奄待死而已。”只见热了七日七夜,越加越重。忽然一阵昏迷,闭了眼去,再叫也不醒了。夫人一边啼哭,一边教人禀知三位同僚,要办理后事。那同僚正来问候,得了这个凶信,无不泪下。急至衙中向尸哭了一回,然后与夫人相见,又安慰一番。因是初秋时候,天气还热,分头去备办衣衾棺椁。到第三日,诸色完备,理当殡殓入棺。其时夫人扶尸恸哭,觉得胸前果然有微微暖气。以此信着李八百道人的说话,还要停在床里。只见家人们都道:“从来死人胸前尽有三四日暖的,不是一死便冷。此何足据!现今七月天道,炎热未退。倘遇一声雷响,这尸首就登时涨将起来,怎么还进得棺去?”夫人道:“李道人原说胸前一日不冷,一日不可入棺。如今既是暖的,就做不信他,守到半月二十多日,怎忍便三日内带热的将他殓了?况且棺木已备,等我自己日夜守他。只待胸前一冷,就入棺去,也不为迟。天那!但愿李道人的说话灵验,守得我相公重醒回来,何但救了相公一命,却不连我救了两命!”众人再三解说,夫人终是不听。拗他不过,只得依着。停下少府在床,谨谨看守,不在话下。

却说少府病到第七日,身上热极,便是顷刻也挨不过。一心思量要寻个清凉去处消散一消散,或者这病还有好的日子。因此悄地里背了夫人,瞒了同僚,竟提一条竹仗,私离衙斋,也不要一人随从。倏忽之间,已至城外。就如飞鸟辞笼,游鱼脱网一般,心下甚喜。早把这病都忘了。你道少府是个官,怎么出衙去,就没一个人知道?原来想极成梦,梦魂儿觉得如此,这身子依旧还在床上,怎么去得?单苦了守尸的哭哭啼啼,无明无夜,只望着死里求生。岂知他做梦的飘飘忽忽,无碍无拘,倒也自苦中取乐。薛少府出了南门,便向山中游去。来到一座山,叫做龙安山,山上有座亭子,乃是隋文帝封儿子杨秀做蜀王,建亭于此,名为避暑亭。前后左右,皆茂林修竹,长有四面风来,全无一点日影。所以蜀王每到炎天,便率领宾客来此亭中避暑。果然好个清凉去处!少府当下看见,便觉心怀开爽。“若使我不出城,怎知山中有这般境界?但是我在青城县做了许多时,尚且不曾到此。想那三位同僚,怎么晓得?只合与他们知会,同携一尊,为避暑之宴。可惜有了胜地，少了胜友，终是一场欠事。”眼前景物可人，遂作诗一首。诗云：

偷得浮生半日闲，危危待挫自跻攀。

虽然呼吸天门近，莫遣乘风去不还。

薛少府在亭子里坐了一会，又向山中行去。那山路上没有些树木荫蔽，怎比得亭子里这般凉爽，以此越行越闷。渐渐行了十余里，远远望见一条大江。你道这江是甚么江？昔日大禹治水，从岷山导出岷江。过了茂州盛州地面，又道出这个江水来，叫做沱江。至今江岸上垂着大铁链，也不知道有多少长，沉在江底，乃是大禹锁着应龙的去处。原来禹治江水，但遇水路不通，便差那应龙前去。随你几百里的高山巨石，只消他尾子一抖，登时就分开做了两处。所以世称大禹叫个“神禹”。若不会驱使这样东西，焉能八年之间，洪水底定？至今泗江水上，也有一条铁链，锁着水母，其形似猕猴一般。这沱江却是应龙，皆因水功既成，锁着以镇后害。岂不是个圣迹？当下少府在山中行得正闷，况又患着热症的，忽见这片沱江，浩浩荡荡，真个秋水长天一色，自然觉得清凉，直透骨髓，就恨不得把三步并做一步，风车似奔来。岂知从山上望时甚近，及至下得山来，又道还不曾到得沱江，却被一个东潭隔住。这潭也好大哩，水清似镜一般，不论深浅去处，无不见底。况又映着两岸竹树，翠色可掬。少府便脱下衣裳，向潭中洗澡。原来少府是吴人，生长泽国，从幼学得泅水。成人之后，久已不曾弄这本事。不意今日到此游戏，大快夙心。偶然叹道：“人游到底不如鱼健！怎么借得这鱼鳞生在我身上，也好到处游去，岂不更快！”只见旁边有个小鱼，却觑着少府道：“你要变鱼不难，何必假借。待我到河伯处，为你图之。”说声未毕，这小鱼早不见了。把少府吃上一惊，想道：“我怎知这水里是有精怪的？岂可独自一个在里面洗澡！不如早早抽身去罢。”岂知少府既动了这个念头，便少不得堕了那重业障。只教：

衣冠暂解人间累，鳞甲俄看水上生。

薛少府正在沉吟，恰待穿了衣服，寻路回去。忽然这小鱼来报道：“恭喜！河伯已有旨了。”早见一个鱼头人，骑着大鱼，前后导从的小鱼，不计其数，来宣河诏曰：

城居水游，浮沉异路。苟非所好，岂有兼通。尔青城县主簿薛伟，家本吴人，官亦散局①。乐清江之浩渺，放意而游；厌尘世之喧嚣，拂衣而去。暂从鳞化，未便终身。可权充东潭赤鲤。呜呼！纵远适以忘归，必受神明之罚；昧纤钩而食饵，难逃刀俎之灾。无或失身，以羞吾党。尔其勉之！

少府听诏罢，回顾身上，已都生鳞，全是一个金色鲤鱼。心下虽然骇异，却又想道："事已如此，且待我恣意游玩一番，也晓得水中的意趣。"自此三江五湖，随其意向，无不游适。原来河伯诏书上说充东潭赤鲤，这东潭便似分定的地方一般，不论游到哪里，少不得要回到那东潭安歇。单则那一味，也觉得有些儿不在。过了几日，只见这小鱼又来对薛少府道："你岂不闻山西平阳府有一座山，叫个龙门山，是大禹治水时凿将开的，山下就是黄河。只因山顶上有水接着天河的水，直冲下来，做黄河的源头，所以这个去处，叫做河津。目今八月天气，秋潦将降，雷声先发。普天下鲤鱼，无有不到那里去跳龙门的。你如何不禀辞河伯，也去跳龙门？若跳得过时，便做了龙，岂不更强似做鲤鱼！"原来少府正在东潭里面住得不耐烦，听见这个消息，心中大喜。即便别了小鱼，竟到河伯处所。但见宫殿都是珊瑚作柱，玳瑁为梁，真个龙宫海藏，自与人世各别。其时河伯管下的地方，岷江、沱江、巴江、渝江、涪江、黔江、平羌江、射洪江、濯锦江、嘉陵江、青衣江、五溪、泸水、七门滩、瞿塘三峡，哪一处鲤鱼不来禀辞要去跳龙门的。只有少府是金色鲤鱼，所以各处的都推他为首，同见河伯。旧规有个公宴，就如起送科举的酒席一般。少府和各处鲤鱼一齐领了宴，谢了恩，同向龙门跳去。岂知又跳不过，点额而回。你道怎么叫做点额？因为鲤鱼要跳龙门，逆水上去，把周身的精血都积聚在头顶心里，就如被朱笔在额上点了一点的。以此世人称下第的皆为点额，盖本于此。正是：

龙门浪急难腾跃，额上羞题一点红。

却说青城县里有个渔户叫做赵干，与妻子在沱江上网鱼为业。岂知网着一个癞头鼋，被他把网都牵了去，连赵干也几乎掉下江里。那妻子埋

① 散局——不是主管官的意思。

怨道:“我们专靠这网做本钱,养活两口。今日连本钱都弄没了,哪里还有余钱再讨得个网来?况且县间官府,早晚常来取鱼,你把甚么应他?”以此整整争了一夜。赵干被他絮聒不过,只得装一个钓竿,商量来东潭钓鱼。你道赵干为何舍了这条大江,却向潭里钓鱼?原来沱江水最急,正好下网,不好下钓。故因想到东潭另做此一行生意。那钓钩上钩着香香的一大块油面,投下水中。薛少府自龙门点额回来,也有许多没趣,好几日躲在东潭,不曾出去觅食,肚中饥甚。忽然间赵干的渔船摇来,不免随着他船游去看看。只闻得饵香,便思量去吃他的。已是到了口边,想道:“我明明知他饵上有个钩子。若是吞了这饵,可不被他钓了去?我虽是暂时变鱼耍子,难道就没处求食,偏只吃他钓钩上的?”再去船旁周围游了一转,怎当那饵香得酷烈,恰似钻入鼻孔里的一般,肚中又饥,怎么再忍得住!想道:“我是个人身,好不多重。这些些钓钩怎么便钓得我起?便被他钓了去,我是县里三衙,他是渔户赵干,岂不认得,自然送我归县,却不是落得吃了他的?”方才把口就饵上一合,还不曾吞下肚子,早被赵干一掣,掣将去了。这便叫做眼里识得破,肚里忍不过。那赵干钓得一个三尺来长金色鲤鱼,举手加额,叫道:“造化,造化!我再钓得这等几个,便有本钱好结网了。”少府连声叫道:“赵干!你是我县里渔户,快送我回县去。”那赵干只是不应,竟把一根草索贯了鱼腮,放在舱里。只见他妻子说道:“县里不时差人取鱼。我想这等一个大鱼,若被县里一个公差看见,取了去,领得多少官价?不如藏在芦苇之中,等贩子投来,私自卖他,也多赚几文钱用。”赵干说道:“有理!”便把这鱼拿去藏在芦苇中,把一领破蓑衣遮盖。回来对妻子说:“若多卖得几个钱时,拚得沽酒来与你醉饮。今夜再发利市,安知明日不钓了两个?”

那赵干藏鱼回船,还不多时候,只见县里一个公差叫做张弼,来唤赵干道:“裴五爷要个极大鲤鱼做鲊吃。今早直到沱江边来唤你,你却又移到这个所在,教我团团寻遍,走得个汗流气喘。快些拣一尾大的,同我送去。”赵干道:“有累上下①走着屈路了。不是我要移到这里,只为前日弄没

① 上下——对差役的尊称。

了网，无钱去买，没奈何，只得权到此钓几尾去做本钱。却又没个大鱼上钩，止有小鱼三四斤在这里。要便拿了去。”张弼道：“裴五爷吩咐要大鱼，小的如何去回话？”扑的跳下船，揭开舱板一看，果然通是小的。欲要把去权时答应，又想道：“这般宽阔去处，难道没个大鱼？一定这厮奸诈，藏在哪里。”即便上岸各处搜看，却又不见。次后寻到芦苇中，只见一件破蓑衣掀上掀下的乱动。张弼料道必是鱼在底下。急走上前，揭起看时，却是一个三尺来长的金色鲤鱼。赵干夫妻望见，口里只叫得苦。张弼不管三七二十一，提了那鱼便走。回头向赵干说道：“你哄得我好！待禀了裴五爷，着实打你这厮。”少府大声叫道：“张弼，张弼！你也须认得我。我偶然游到东潭，变鱼耍子，你怎么见我不叩头，倒提着我走？”张弼全然不理，只是提了鱼，一直奔回县去。赵干也随后跟来。那张弼一路走，少府也一路骂。提到城门口，只见一个把门的军，叫做胡健，对张弼说道：“好个大鱼！只是裴五爷请各位饮宴，专等鱼来做鲊吃，道你去了许久不到，又飞出签来叫你。你可也走紧些。”少府抬头一看，正前日出来的那一座南门，叫做迎薰门，便叫把门军道：“胡健，胡健！前日出城时节，曾吩咐你道：‘我自私行出去，也不要禀知各位爷，也不要差人迎接。’难道我出城不上一月，你就不记得了？如今正该去禀知各位爷，差人迎接才是，怎么把我不放在眼里，这等无状！”岂知把门军胡健也不听见，却与张弼一般。那张弼一径的提了鱼，进了县门。薛少府还叫骂不止。只见司户吏与刑曹吏，两个东西相向在大门内下棋。那司户吏道：“好怕人子！这等大鱼，可有十多斤重？”那刑曹吏道：“好一个活泼泼的金色鲤鱼！只该放在后堂绿漪池里养他看耍子，怎么就舍得做鲊吃了？”少府大叫道：“你两个吏，终日在堂上伏事我的，便是我变了鱼，也该认得，怎么见了我都不站起来，也不去报与各位爷知道？”那两个吏依旧在那里下棋，只不听见。少府想道：“俗谚有云：‘不怕官，只怕管。’岂是我管你不着，一些儿不怕我？莫不是我出城这几日，我的官被勾了？纵使勾了官，我不曾离任，到底也还管得他着。且待我见同僚时，把这起奴才从头告诉，教他一个个打得皮开肉绽。”看官们牢记下这个话头，待下回表白。

且说顾夫人谨守薛少府的尸骸，不觉过了二十多日，只见肌肉如故，并不损坏。把手去摸着心头，觉得比前更暖些。渐渐的上至喉咙，下至肚脐，都不甚冷了。想起道人李八百的说话，果然有些灵验。因此在他顶上刺出鲜血来，写成一疏，请了几个有因①的道士，在青城山老君庙里建醮，祈求仙方，保护少府回生。许下重修庙宇，再塑金身的愿心。宣疏之日，三位同僚与通县吏民，无不焚香代祷，如当日一般。我想古语有云，吉人天相。难道薛少府这等好官，况兼合县的官民又都来替他祈祷，怕就没有一些儿灵应？只是已死二十多日的人，要他依旧又活转来，虽则老君庙里许下愿的，从无不验之人；但是阎王殿前投到过的，哪有退回之鬼！正是：

须知作善还酬善，莫道无神定有神。

却说是夜道士在醮坛上面，铺下七盏明灯，就如北斗七星之状。原来北斗第七个星，叫做斗杓，春指东方，夏指南方，秋指西方，冬指北方，在天上旋转的；只有第四个星，叫做天枢，他却不动。以此将这天枢星上一灯，特为本命星灯。若是灯明，则本身无事，暗则病势淹缠，灭则定然难救。其时道士手举法器，朗诵灵章②，虔心禳解③，伏阴而去④，亲奏星官，要保护薛少府重还魂魄，再转阳间。起来看这七盏灯时，尽皆明亮。觉得本命那一盏尤加光彩，显见不该死的符验，便对夫人贺喜道："少府本命星灯，光彩倍加，重生当在旦夕，切不可过于哀泣，恐惊动他魂魄不安，有难回转。"夫人含着两行眼泪谢道："若得如此，也不枉做这个道场，和那昼夜看守的辛苦。"得了这个消息，心中少觉宽解。岂知蒙眬睡去，做成了一梦。明明见少府慌慌忙忙，精赤赤的跑入门来，满身都是鲜血，把两只手掩着脖子叫道："晦气，晦气！我在江上帆舟，情怀颇畅，忽然狂风陡作，大浪掀人，把舟覆了，却跌在水去。幸遇江神怜我阳寿未绝，赠我一领黄金锁子甲，送得出水。正待寻路入城，不意遇着剪径的强人，要谋这领金甲，一刀把我杀了。你若念夫妻情分，好生看守魂魄，送我回去。"夫人一闻此话，

---

① 有因——有道行。

② 灵章——指道教的经典、咒语。

③ 禳（ráng）解——迷信的人向鬼神祈祷消除灾殃。

④ 伏阴而去——迷信说法，禳解的种种仪式之后，道士或巫婆的魂魄到神那里去，听取神的指示，然后再把神的指示转告病人，这个过程叫"伏阴"。

不觉放声大哭，就惊醒了。想道："适间道士只说不死，如何又有此恶梦？我记得梦书上有一句道：梦死得生。莫非他眼下灾晦脱害，故此身上全无一丝一缕，亦未可知。只是紧紧的守定他尸骸便了。"到次日，夫人将醮坛上牺牲诸品，分送三位同僚。这个叫做"散福"。其日就是裴县尉做主，会请各衙，也叫做"饮福"。因此裴县尉差张弼去到渔户家取个大鱼来做鲊，好配酒吃。终是邹二衙为着同年情重，在席上叹道："这酒与平常宴会不同，乃为薛公祈祷回生，半是醮坛上时品物。今薛公的生死，未知何如，教我们食怎下咽？"裴五衙便道："古人临食不叹，偏是你念同年，我们不念同僚的？听得道士说他回生，不在昨晚，便是今日。我们且待鱼来做鲊下酒，拚吃个酩酊，只在席上等候他一个消息，岂不是公私两尽？"当日直到未牌时分，张弼方才提着鱼到阶下。原来裴五衙在席上做主，单为等鱼不到。只得停了酒，看邹二衙与雷四衙打双陆①。自己在旁边吃着桃子。忽回转头看见张弼，不觉大怒道："我差你取鱼，如何去了许久？若不是飞签催你，你敢是不来么？"张弼只是叩头，把渔户赵干藏过大鱼的情节，备细禀上一遍。裴五衙便教当直的把赵干拖翻，着实打了五十下皮鞭，打得皮开肉绽，鲜血迸流。你道赵干为何先不走了，偏要跟着张弼到县，自讨打吃？也只恋着这几文的官价，思量领去，却被打了五十皮鞭，偿又不曾领得，岂不与这尾金色鲤鱼为贪着香饵上了他的钩儿一般！正是：

世上死生皆为利，不到乌江不肯休②。

裴五衙把赵干赶了出去，取去来看，却是一尾金色鲤鱼，有三尺多长，喜叹："此鱼甚好，便可付厨上做鲊来吃！"当下薛少府大声叫道："我哪里是鱼？就是你的同僚，岂可不认得我了？我受了许多人的侮慢，正要告诉列位与我出这一口恶气，怎么也认我做鱼，便付厨上做鲊吃？若要做鲊，可不屈我杀了！枉做这几时同僚，一些儿契分安在！"其时同僚们全然不礼。少府便情极了，只得又叫道："邹年兄，我与你同登天宝末年进士，在都下往来最为交厚，今又在此同官，与他们不同。怎么不发一言，坐视我死？"只见邹二衙对裴五衙道："以下官愚见，这鱼还不该做鲊吃。那青城

① 双陆——古代的一种棋名。

② 不到乌江不肯休——不到死不肯停止。项羽最后被围垓下，自刎于乌江。

山上老君祠前有老大的一个放生池，尽有建醮的人买着鱼鳖螺蛤等物投放池内。今日之宴，既是薛衙送来的散福，不若也将此鱼投于放生池内，见我们为同僚的情分，种此因果。”那雷四衙便从旁说道：“放鱼甚善！因果之说，不可不信。况且酒席美肴馔尽够多了，何必又要鲊吃？”此时薛少府在阶下，听见叹道：“邹年兄好没分晓！既是有心救我，何不就送回衙里去，怎么又要送我上山，却不渴坏了我？虽然如此，也强如死在庖人之手。待我到放生池内，依还变了转来，重换冠带，再坐衙门。且莫说赵干这起狗才，看那同僚扎甚嘴脸来见我？”正在踌躇，又见那裴五衙答道：“老长官要放这鱼，是天地好生之心，何敢不听。但打醮是道家事，不在佛门那一教。要修因果，也不在这上。想道天生万物，专为养人。就如鱼这一种，若不是被人取吃，普天下都是鱼，连河路也不通了。人人修善，全在自己心上，不在一张口上。故谚语有云：‘佛在心头坐，酒肉穿肠过。’又云：‘若依佛法，冷水莫呷。’难道吃了这个鱼，便坏了我们为同僚的心？眼见得好鱼不做鲊吃，倒平白地放了他去。安知我们不吃，又不被水獭吃了？总只一死，还是我们自吃了的是。”少府听了这话，便大叫道：“你看两个客人都要放我，怎么你做主人的偏要吃我？这等执拗！莫说同僚情薄，原来宾主之礼，也一些没有的。”原来雷四衙是个两可的人，见裴五衙一心要做鱼鲊吃，却又对邹二衙道：“裴长官不信因果，多分这鱼放生不成了。但今日是他做主人，故以此奉客，怎么好固拒他？我想这鱼不是我等定要杀他，只算今日是他数尽之日，救不得罢了。”当下少府大喝声，叫道：“雷长官，你好没主意，怎么两边撺掇！既是劝他救我，他便不肯，你也还该再劝才是。怎么反劝邹年兄也不要救我？敢则你衙斋冷淡①，好几时没得鱼吃了，故此待他做鲊来，思量饱餐一顿么？”只得又叫邹二衙道：“年兄，年兄！你莫不是乔做人情么？假意劝了这几句，便当完了？你是再也不出半声儿！自古道得好：‘一死一生，乃见交情。’若非今日我是死的，你是活的，怎知你为同年之情淡薄如此！到底有个放我时节，等我依旧变了转来也罢，不

① 衙斋冷淡——衙门里生活很清苦的意思。

得学翟廷尉的故事①将那两句题在我衙门之上,与你看看!年兄,年兄,只怕你悔之晚矣!”少府虽则乱叫乱嚷,宾主都如不闻。当时裴五衙便叫厨役叫做王士良,因有手段,最整治得好鲊,故将这鱼交付与他,说道:“又要好吃,又要快当。不然,照着赵干样子,也奉承你五十皮鞭。”那王士良一头答应,一头就伸过手提鱼。急得少府顶门上飞散了三魂,脚板底荡调了七魄,便大声哭起来道:“我平昔和同僚们如兄如弟,极是交好,怎么今日这等哀告,只要杀我?哎,我知道,他一定是妒忌我掌印,起此一片恶心。须知这印是上司委我署的,不是我谋来掌的。若肯放我回衙,我就登时推印,有何难哉!”说了又哭,哭了又说。岂知同僚都做不听见。竟被王士良一把提到厨下,早取过一个砧头来放在上面。少府举眼看时,却认得是他手里一向做厨役的,便大叫道:“王士良,你岂不认得我是薛三爷?若非我将吴下旧谱传授与你,看你整治些甚样肴馔出来?能使各位爷这般作兴你?你今日也该想我平昔抬举之恩,快去禀知各位爷,好好送回衙去。却把我来放在砧头上待要怎的?”岂知王士良一些不理,右手拿刀在手,将鱼头着实按上一下。吓得少府心中不胜大怒!便骂:“你这狗才!敢只会奉承裴五衙,全不怕我!难道我就没摆布你处?”一挣挣起来,将尾子向王士良脸上只一扇,就似打个耳聒子一般,打得王士良耳鸣眼暗,连忙举手掩面不迭,将那把刀直抛在地下去了。一边拾刀,一边却冷笑道:“你这鱼!既是恁的健浪,停一会等我送你到滚锅儿里再游游去。”原来做鲊的,最要刀快,将鱼切得雪片也似薄薄的,略在滚水里面一转,便捞起来,加上椒料,泼上香油,自然松脆鲜美。因此王士良再把刀去磨一下。其时少府叫他不应,叹口气道:“这次磨快了刀来,就是我命尽之日了。想起我在衙虽则患病,也还可忍耐。如何私自跑出,却受这般苦楚!若是我不见这个东潭,便见了东潭,也不该去洗澡,便洗个澡,也不思量变鱼,不思量变鱼,也不受那河伯的诏书,也不至有今日!总只未变鱼之先,被那小鱼十分撺掇,既变鱼之后,又被那赵干把香饵来哄我,都是命凑着,自作自受,怎好

① 翟廷尉的故事——翟公,汉代人。他做廷尉时,宾客满门;罢官之后,就没有人到他家去了。后又做廷尉,宾客又想去,他就在大门上写:“一死一生,乃知交情;一贫一富,乃知交态;一贵一贱,交情乃见。”

埋怨哪个！只可怜见我顾夫人在衙，无儿无女，将谁倚靠？怎么寄得一信与他，使我死也瞑目？”正在号啕大哭，却被王士良将新磨的快刀，一刀剁下头来。正是：三寸气在，谁肯输半点便宜；七尺躯亡，都付与一场春梦。眼见得少府这一番真个呜呼哀哉了！

未知少府生回日，已见鱼儿命尽时。

这里王士良刚把这鱼头一刀剁下，那边三衙中薛少府在灵床之上，猛地跳起来坐了。莫说顾夫人是个女娘家，就险些儿吓得死了，便是一家们在那里守尸的，哪一个不摇首咋舌，叫道：“好古怪！好古怪！我们一向紧紧的守定在此，从没个猫儿在他身上跳过，怎么就把死尸吊了起来①？”只见少府叹了口气，问道：“我不知人事有几日了？”夫人答道：“你不要吓我！你已死去了二十五日，只怕不会活哩。”少府道：“我何曾死！只做得一个梦，不意梦去了这许多日！”便唤家人去看：“三位同僚，此时正在堂上，将吃鱼鲊。教他且放下了箸，不要吃，快请到我衙里来讲话。”果然同僚们在堂上饮酒，刚刚送到鱼鲊，正要举箸，只见薛衙人禀说：“少府活转来了，请三位爷莫吃鱼鲊，便过衙中讲话。”惊得那三位都暴跳起来，说道：“医人李八百的把脉，老君庙里铺灯，怎么这等灵验的紧！”忙忙的走过薛衙，连叫：“恭喜，恭喜！”只见少府道：“列位可晓得么？适才做鲊的这尾金色鲤鱼便是不才。若不被王士良那一刀，我的梦儿乎不醒。”那三位茫茫不知其故，都说道：“天下岂有此事！请教薛长官试说一番，容下官们洗耳恭听。”薛少府道：“适才张弼取鱼到时，邹年兄与雷长官打双陆，裴长官在旁吃桃子。张弼禀渔户赵干藏了大鱼，把小鱼搪塞。裴长官大怒，把赵干鞭了五十。这事有么？”三位道：“果是如此。只是老长官如何晓得恁详细？”少府道：“再与我唤赵干、张弼和那把守迎薰门军士胡健，户曹刑曹二吏，并厨役王士良来，待我问他。”那三位即便差人，都去唤到。少府问道：“赵干，你在东潭钓鱼，钓得个三尺来长金色鲤鱼，你妻子教你藏在芦苇之中，上头盖着旧蓑衣，张弼来取鱼时，你只推没有大鱼。反被张弼搜出，提到迎薰门下。门军胡健说道：‘裴五爷下飞签叫你，你可走紧些。’随到县门，门

① 从没个猫儿在他身上跳过，怎么就把死尸吊了起来——旧时迷信说，猫在人的尸体上跳过，尸体就会起立。

内二吏东西相向，在那里下棋。一个说：‘鱼大得怕人子！做鲊来一定好吃。’一个说：‘这鱼可爱，只该畜在后堂池里，不该做鲊。’王士良把鱼按在砧头上，却被鱼跳起尾来，脸上打了一下。又去磨快了刀，方才下手。这事可都有么？”赵干等都惊道：“事俱有的！但不知三爷何由知得？”少府道：“这鱼便是我做的。我自被钓之后，哪一处不高声大叫，要你们送我回衙，怎么都不听我，却是甚主意！”赵干等都叩头道：“小的们实是不听见。若听见时，怎么敢不送回少府？”又问裴县尉道：“老长官要做鱼鲊之时，邹年兄再三劝你放生，雷长官在旁边撺掇，只是不听，催唤王士良提去。我因放声大哭，说：‘枉做这几时同僚，今日定要杀我！岂是仁者所为！’莫说裴长官不礼，连邹年兄雷长官，也更无一言。这是何意？”三位相顾道：“我们何尝听见些儿！”一齐起身请罪。少府笑道：“这鱼不死，我也不生。已作往事，不必再提了。”遂把赵干等打发出去。同僚们也作别回衙。将鱼鲊投弃水中，从此立誓再不吃鱼。原来少府叫哭，哪曾有甚么声响，但见这鱼口动而已。乃知三位同僚与赵干等，都不听见，盖有以也。

且说顾夫人想起老君庙签诀的句语，无一字不验。乃将求签打醮事情，备细说与少府知道，就要打点了愿。少府惊道：“我在这里几多时，但闻得青城山上有座老君庙，是极盛的香火，怎知道灵应如此！”即便清斋七日，备下明灯净香，亲诣庙中偿愿。一面差人估计木料，装严金像，合用若干工价，将家财俸资凑来买办，择日兴工。到第七日早上，屏去左右，只带一个十二三岁的小门子①，自出了衙门，一步一拜，向青城山去。刚至半山，正拜在地，猛然听得有人叫道：“薛少府，你可晓得么？”少府不觉吃了一惊。抬头观看，乃是一个牧童，头戴箬笠，横坐青牛，手持短笛，从一个山坡边转出来的。当下少府问道：“你要我晓得甚么？”那牧童道：“你晓得神仙中有个琴高②，他本骑着赤鲤升天去的。只因在王母座上，把那弹云璈的田四妃③觑了一眼，动了凡心，故此两个并谪人世。如今你的前身，便

① 门子——常在内衙伺候的年轻差役。

② 琴高——神话传说中琴高是周末赵国人，善鼓琴。他和弟子们相约要到涿水中取龙子，某天可回。后来他果然坐在一条鲤鱼上面回来了。

③ 弹云璈的田四妃——云璈，乐器名；田四妃，神话故事中的一位女仙人。

是琴高；你那顾夫人，便是田四妃，为你到官以来，迷恋风尘，不能脱离，故又将你权充东潭赤鲤，受着诸般苦楚，使你回头。你却怎么还不省得？敢是做梦未醒哩？”少府道：“依你说，我的前身，乃是神仙。今已迷惑，又须得一个师父来提醒便好。”牧童道：“你要个提醒的人，远不远千里，近只在目前。这成都府道人李八百，岂不是个神仙？他本在汉时叫做韩康，一向卖药长安市上，口不二价。后来为一女子识破了，故此又改名李八百。人只说他传授得孙真人八百个秘术，正不知他道术还在孙真人之上，实实活过八百多岁了。今你夫妻谪限将满，合该重还仙籍。何不去问那李八百，教他与你打破尘障？”原来夫人止与少府说得香愿的事，不曾说起李八百把脉情由。因此牧童说着李八百名姓，少府一些也不晓得，心下想道：“山野牧童知道甚么，无过信口胡谈，荒唐之说，何足深信！我只是一步一拜，还愿便了。”岂知才回顾头来，那牧童与牛化作一道紫气，冲天而去。正是：

当面神仙犹不识，前生世事怎能知！

少府因自己做鱼之事，来得奇怪。今番看见牧童化风而去，心下越发惶惑。定道：“连那牧童也是梦中！好生委决不下。不一时拜到山顶老君座前，叩谢神明保佑，再得回生。只在早晚选定吉日，偿还愿心。拜罢起来，看那老君神像，正是牧童面貌。又见座旁塑着一头青牛，也与那牧童骑的一般，方悟道：“方才牧童，分明是太上老君指引我重还仙籍，如何有眼无珠，当面错过？”乃再拜请罪。回至衙中，备将牧童的话，细细述与夫人知道。夫人方说起：“病危时节，曾请成都府道人李八百来看脉，他说是死而不死之症。须待死后半月二旬，自然慢慢的活将转来。不必下药。临起身时，又说：‘这签诀灵得紧。直到看见鱼时，方有分晓。’我想他能预知过去未来之事，岂不真是个仙人！莫说老君已经显出化身，指引你去。便不是仙人，既劳他看脉一回，且又这等神验，也该去谢他。”少府听罢，乃道：“原来又有这段姻缘！如何不去谢他。”又清斋了七日，徒步自往成都府去，访那道人李八百。恰好这一日，李八百正坐在医铺里面，一见少府，便问道：“你做梦可醒了未？”少府扑地拜下，答道：“弟子如今醒了。只求师父指教，使弟子脱离风尘，早闻大道。”李八百笑道：“你须不是没根基的，要去烧丹炼火①。你前世原是神仙谪下，太上老君已明明的对你说破。自家身子，还不省得，还来问人？敢是你只认得青城县主簿么?”当下少府恍然大悟，拜谢道：“弟子如今真个醒了！只是老君庙里香愿，尚未偿还。待弟子了愿之后，即便弃了官职，挈了妻子，同师父出家，证还仙籍，未为晚也。”遂别了李八百，急回至青城县，把李八百的话述与夫人知道。夫人也就言上省悟，前身原是西王母前弹云璈的田四妃，因动尘念堕落。当夜便与少府各自一房安下，焚香静坐，修证前因。次日，少府将印送与邹二衙署摄，备文申报上司。一面催趱工役，盖造殿庭，装严金像，极其齐整。刚到工完之日，那邹二衙为着当时许愿，也要分俸相助，约了两个县尉，到少府衙舍，说知此事。家人只道还在里边静坐，进去通报。只见案上遗下一诗，竟不知少府和夫人都在哪里去了。家人拿那首诗递与邹二衙观看，乃是留别同僚吏民的，诗云：

鱼身梦幻欣无恙，若是鱼真死亦真。
到底有生终有死，欲离生死脱红尘。

邹二衙看了这诗，不胜嗟叹，乃道：“年兄总要出家修行，也该与我们作别一声，如今觉道忒歉然了！谅来他去还未远。”即差人四下寻访，再也没些踪迹。正在惊讶，裴五衙笑道：“二位老长官好不睹事！想他还掉不下水中滋味，多分又去变鲤鱼玩耍去了，只到东潭上抓他便了。”

不提同僚们胡猜乱想，再说少府和夫人不往别处，竟至成都去见那李八百。那李八百对着少府笑道：“你前身原是琴高，因为你升仙不远，该令赤鲤专在东潭相候。今日依先还你赤鲤，骑坐上升，何如?”又对夫人道：“自你谪后，西王母前弹云璈的暂借董双成②。如今依旧该是你去弹了。”自然神仙一辈，叫做会中人，再不消费甚么口诀，甚么心法，都只是一笑而喻。其时少府夫人也对李八百说道：“你先后卖药行医，救度普众，功行亦非小可，何必久混人世！”李八百道：“我数③合与你同升，故在此相候。”顷刻间，祥云缭绕，瑞霭缤纷，空中仙音嘹亮，鸾鹤翱翔，仙童仙女，各执幢幡

① 烧丹炼火——道教说法：烧炼丹药，丹成了，人吃下就可成仙。

② 董双成——神仙故事中的仙女名，是西王母的侍女，会吹笙。

③ 数——迷信说法：定数。命里注定的意思。

宝盖，前来接引。少府乘着赤鲤，夫人驾了紫霞，李八百跨上白鹤，一齐升天。遍成都老幼，哪一个不看见，尽皆望空瞻拜，赞叹不已。至今升仙桥圣迹犹存。诗云：

茫茫荡荡事端新，人既为鱼鱼复人。
识破幻形不碍性，体形修性即仙真。

第二十七卷　李玉英狱中讼冤

人间夫妇愿白首，男长女大无疾疚，男娶妻兮女嫁夫，频见森孙①会行走。若还此愿遂心怀，百年瞑目黄泉台。莫教中道有差跌，前妻晚妇情离乖。晚妇狠毒胜蛇蝎，枕边谮语无休歇。自己生儿似宝珍，他人子女遭磨灭②。饭不饭兮茶不茶，蓬头垢面徒伤嗟。君不见大舜历山终夜泣，闵骞十月衣芦花③！

这篇言语，大抵说人家继母心肠狠毒，将亲生子女胜过一颗九曲明珠，乃希世之宝，何等珍重。这也是人之常情，不足为怪。单可恨的，偏生要把前妻男女，百般凌虐，粪土不如。若年纪在十五六岁，还不十分受苦。纵然磨灭，渐渐长大，日子有数。惟有十岁内外的小儿女，最为可怜。然虽如此，其间原有三等。哪三等？第一等，乃富贵之家，生时自有乳母养娘伏侍，到五六岁便送入学中读书。况且亲族蕃盛，手下婢仆，耳目众多，尚怕被人谈论，还要存个体面，不致有饥寒打骂之苦。或者自生得有子女，就要独吞家财，也只在枕上挑拨唆弄。正是：

---

① 森孙——众多孙子。

② 磨灭——折磨。

③ 大舜历山终夜泣，闵骞十月衣芦花——古代圣帝舜曾屡遭继母陷害，为此而整夜哭泣。历山，是他曾耕田种地的地方。春秋时鲁国的闵子骞，性孝友，但遭后母虐待。冬天，后母给亲生的两个儿子衣服里絮上丝绵，而在闵子骞的衣服里絮上芦花。他的父亲知道后，准备赶走他的后母，但他却劝阻父亲说："母在一子寒，母去三子单。"

焚廪损阶事可伤，申生遭谤伯奇殃①。

后妻煽处从来有，几个男儿肯直肠。

第二等，乃中户人家，虽则体面还有，料道幼时，未必有乳母养娘伏侍，诸色尽要在继母手内出放，那饥寒打骂就不能够免了。若父亲是个硬挣的，定然卫护儿女，与老婆反目厮闹，不许他凌虐。也有惧怕丈夫利害，背着眼方敢施行。倘遇了那不怕天，不怕地，也不怕羞，也不怕死，越杀越上的泼悍婆娘，动辄便拖刀弄剑，不是刎颈上吊，定是奔井投河，惯把死来吓老公，常有弄假成真，连家业都完在他身上。俗语道得好，逆子顽妻，无药可治。遇着这般泼妇，难道终日厮闹不成？少不得闹过几次，奈何他不下，倒只得诈瞎装聋，含糊忍痛。也有将来过继与人，也有送去为僧学道，或托在父兄外家寄养。这还是有些血气的所为。又有等逆种，横肚腹，烂心肝，忍心害理，无情义的汉子。前妻在生时，何等恩爱，把儿女也何等怜惜。到得死后，娶了晚妻，或奉承他妆奁富厚，或贪恋颜色美丽，或中年取了少妇，因这几般上，弄得神魂颠倒，意乱心迷，将前妻昔日恩义，撇向东洋大海。儿女也渐渐做了眼中之钉，肉内之刺。到得打骂，莫说护卫劝解，反要加上一顿，取他的欢心。常有后生儿女都已婚嫁，前妻之子，尚无妻室。公论上说不去时，胡乱娶个与他。后母还千方百计，做下魇魅②，要他夫妻不睦。若是魇魅不灵，便打儿子，骂媳妇，撺掇老公告忤逆，赶逐出去。那男女之间，女儿更觉苦楚。孩子家打过了，或向学中攻书，或与邻家孩子们玩耍，还可以消遣。做了女儿时，终日不离房户，与那夜叉婆挤做一块，不住脚把他使唤，还要限每日做若干女工。做得少，打骂自不必说。及至趱足了，却又嫌好道

---

① 申生遭谤伯奇殃——申生，春秋时晋献公的太子。献公宠爱骊姬，骊姬想立她自己的儿子奚齐做太子，于是设计陷害申生，申生被迫自杀。伯奇，周宣王的大臣尹吉甫的儿子，受后母的谗害，被逐。

② 魇魅（yǎnmèi）——一种迷信的害人的方式。例如在木人或草人上，写着被害者的年月生辰，再施以种种的咒语邪术，据说就可使被害者精神失常，甚至死亡。

歉，也原脱白①不过。生下儿女，恰像写着包揽文书的，日夜替他怀抱。倘若啼哭，便道是不情愿，使性儿难为他孩子。偶或有些病症，又道是故意惊吓出来的。就是身上有个蚊虫疤儿，一定也说是故意放来叮的。更有一节苦处，任你滴水成冰的天气，少不得向水孔中洗浣污秽衣服，还要憎嫌洗得不洁净，加一场咒骂。熬到十五六岁，渐渐成人。那时打骂，就把污话来肮脏了。不骂要趁汉，定说想老公。可怜女子家无处伸诉，只好向背后吞声饮泣！倘或听见，又道装这许多妖势。多少女子当不起恁般羞辱，自去寻了一条死路。有诗为证：

不正夫纲但怕婆，怕婆无奈后妻何！

任他打骂亲生女，暗地心疼不敢诃。

第三等，乃朝趁暮食，肩担之家。此等人家儿女，纵是生母在时，只好苟免饥寒，料道没甚丰衣足食。巴到十来岁，也就要指望教去学做生意，趁三文五文帮贴柴火。若又遇着个凶恶继母，岂不是苦上加苦。口中吃的，定然有一顿没一顿，担饥忍饿。就要口热汤，也须请问个主意，不敢擅专。身上穿的，不是前拖一块，定是后破一片。受冻挨寒，也不敢在他面前说个冷字。那几根头发，整年也难得与梳子相会。胡乱挽个角儿，还不是挦②得披头盖脸。两只脚久常赤着，从不曾见鞋袜面。若得了双草鞋，就胜如穿着粉底皂靴。专任的是劈柴烧火，担水提浆。稍不如意，软的是拳头脚尖，硬的是木柴棍棒。那咒骂乃口头言语，只当与他消闲。到得将就挑得担子，便限着每日要赚若干钱钞。若还缺了一文，少不得敲个半死。倘肯撺掇老公，卖与人家为奴，这就算他一点阴骘。所以小户人家儿女，经着后母，十个倒有九个磨折死了。有诗为证：

小家儿女受难辛，后母加添妄怒嗔。

打骂饥寒浑不免，人前一样唤娘亲。

说话的为何只管絮絮叨叨，道后母的许多短处？只因在下今日要说一个继母谋害前妻儿女，后来天理昭彰，反受了国法，与天下的后母做个榜样，故先略道其概。这段话文，若说出来时：

---

① 脱白——推脱，解说。

② 挦(xián)——撕、拉。

直教铁汉也心酸，总是石人亦泪洒！

你道这段话文，出在哪里？就在本朝正德年间，北京顺天府旗手卫①，有个荫籍百户李雄。他虽是武弁出身，却从幼聪明好学，深知典籍。及至年长，身材魁伟，膂力过人，使得好刀，射得好箭，是一个文武兼备的将官。因随太监张永征陕西安化王②有功，升锦衣卫千户，娶得个夫人何氏。夫妻十分恩爱。生下三女一男：儿子名曰承祖，长女名玉英，次女名桃英，三女名月英。原来是先花后果的。倒是玉英居长，次即承祖。不想何氏自产月英之后，便染了个虚怯症候。不上半年，呜呼哀哉。可怜：

留得旧时残锦绣，每因肠断动悲伤。

那时玉英刚刚六岁，承祖五岁，桃英三岁，月英止有五六个月。虽有养娘奶子伏侍，到底像小鸡失了鸡母，七慌八乱，啼啼哭哭。李雄见儿女这般苦楚，心下烦恼，只得终日住在家中窝伴。他本是个官身，顾着家里，便担搁了公事。到得干办了公事，却又没工夫照管儿女。真个公私不能两尽。挨了几个月日，思想终不是长法，要娶个继室，遂央媒寻亲。那媒婆是走千家踏万户的，得了这句言语，到处一兜，那些人家闻得李雄年纪止有三十来岁，又是锦衣卫千户，一进门就称奶奶，谁个不肯。三日之间，就请了若干庚帖送来，任凭李雄选择。俗语有云：姻缘本是前生定，不许今人作主张。李雄千择万选，却拣了个姓焦的人家女儿，年方一十六岁，父母双亡，哥嫂做主。那哥哥叫做焦榕，专在各衙门打干，是一个油里滑的光棍。李雄一时没眼色，成了这头亲事，少不得行礼纳聘。不则一日，娶得回家，花烛成亲。那焦氏生得有六七分颜色，女工针指，却也百伶百俐，只是心肠有些狠毒。见了四个小儿女，便生嫉妒之念。又见丈夫十分爱惜，又不时叮嘱好生抚育，越发不怀好意。他想道："若没有这一窝子贼

① 旗手卫——明代在重镇要害处设"卫"；"上十二卫"中有旗手卫、锦衣卫等。一卫有五千六百兵士，设"指挥"统率；"卫"下设"所"，一千二百人为"千户所"，设"千户"统率；一百二十人为"百户所"，设"百户"统率。

② 张永征陕西安化王——安化王，即明宗室朱寘鐇。他于正德五年（1510 年）起兵反对明武宗（朱厚照），明武宗派张永领军攻讨，兵还未到，寘鐇已被人擒获。

男女，那官职产业好歹是我生子女来承受。如今遗下许多短命贼种，纵挣得泼天家计，少不得被他们先拔头筹。设使久后，也只有今日这些事业，派到我的子女，所存几何，可不白白与他辛苦一世？须是哄热了丈夫，然后用言语唆冷他父子，磨灭死两三个，止存个把，就易处了。”你道天下有恁样好笑的事，自己方才十五六岁，还未知命短命长，生育不生育，就算到几十年后之事，起这等残忍念头，要害前妻儿女，可胜叹哉！有诗为证：

娶妻原为生儿女，见成儿女反为仇。

不是妇人心最毒，还因男子没长筹。

自此之后，焦氏将着丈夫百般殷勤趋奉。况兼正在妙龄，打扮得如花朵相似。枕席之间，曲意取媚。果然哄得李雄千欢万喜，百顺百依。只有一件不肯听。你道是哪一件？但说到儿女面上，便道：“可怜他没娘之子，年幼娇痴。倘有不到之处，须将好言训诲，莫要深责。”焦氏撺唆了几次，见不肯听，忍耐不住。一日趁老公不在家，寻起李承祖事过，揪来打骂。不道那孩子头皮寡薄，他的手儿又老辣。一顿乱打，那头上却如酵到馒头，登时肿起几个大疙瘩。可怜打得那孩子无个地孔可钻，号啕痛哭。养娘奶子解劝不住。那玉英年纪虽小，生性聪慧，看见兄弟无故遭此毒打，已明白晚母不是个善良之辈，心中苦楚，泪珠乱落。在旁看不过，向前道声：“母亲，兄弟年幼无知，望乞饶恕则个！”焦氏喝道：“小贱人！谁要你多言？难道我打不得么？你的打也只就在头上滴溜溜转了，却与别人讨饶？”玉英闻得这语，愈加哀楚。正打之间，李雄已回。那孩子抱住父亲，放声号恸。李雄见打得这般光景，暴躁如雷，翻天作地，闹将起来。那婆娘索性抓破脸皮，反要死要活，分毫不让。早有人报知焦榕，特来劝慰。李雄告诉道：“娶令妹来，专为要照管这几个儿女，岂是没人打骂，娶来凌贱不成！况又几番嘱咐，可怜无母娇幼，你即是亲母一般，凡事将就些。反故意打得如此模样！”焦榕假意埋怨了妹子几句，赔个不是，道：“舍妹一来年纪小，不知世故；二来也因从幼养娇了性子，在家任意惯了。妹丈不消气得！”又道：“省得在此不喜欢，待我接回去住几日，劝喻他下次不可如此。”道罢，作别而去。少顷，雇乘轿子，差个女使接焦氏到家。那婆娘一进门，就埋怨焦榕道："哥哥，奴总有甚不好处，也该看爹娘分上访个好对头匹配才是，怎么胡乱肮脏送在这样人家，误我的终身？"焦榕笑道："论起嫁这锦衣卫千户，也不算肮脏了。但是你自己没有见识，怎么抱怨别人？"焦氏道："哪见得我没有见识？"焦榕道："妹夫既将儿女爱惜，就顺着他性儿，一般着些痛热。"焦氏嚷道："又不是亲生的，教我着疼热，还要算计哩！"焦榕笑道："正因这上，说你没见识。自古道：'将欲取之，必固与之。'你心下越不喜欢这男女，越该加意爱护。"焦氏道："我恨不得顷刻除了这几个冤孽，方才干净，为何反要将他爱护？"焦榕道："大抵小儿女，料没甚大过失。况婢仆都是他旧人，与你恩义尚疏。稍加责罚，此辈就到家主面前轻事重报，说你怎地凌虐。妹夫必然着意防范，何由除得？他存了这片疑心，就是生病死了，还要疑你有甚缘故，可不是无丝有线！你若将就容得，落得做好人。抚养大了，不怕不孝顺你。"焦氏把头三四摇道："这是断然不成！"焦榕道："毕竟容不得，须依我说话。今后将他如亲生看待，婢仆们施些小惠，结为心腹，暗地察访。内中倘有无心向你，并口嘴不好的，便赶逐出去。如此过了一年两载，妹夫信得你真了，婢仆又皆是心腹，你也必然生下子女，分了其爱。那时觑个机会，先除却这孩子，料不疑虑到你。那几个丫头，等待年长，叮嘱童仆们一齐驾起风波，只说有私情勾当。妹夫是有官职的，怕人耻笑，自然逼其自尽。是恁样阴唆阳劝做去，岂不省了目下受气？又见得你是好人。"焦氏听了这片言语，不胜喜欢道："哥哥言之有理！是我错埋怨你了。今番回去，依此而行。倘到紧要处，再来与哥哥商量。"

不提焦榕兄妹计议。且说李雄因老婆凌贱儿女，反添上一顶愁帽儿，想道："指望娶他来看顾儿女，却倒增了一个魔头！后边日子正长，教这小男女怎生得过？"左思右算，想出一个道理。你道是什么道理？原来收拾起一间书室，请下一个老儒，把玉英、承祖送入书堂读书，每日茶饭俱着人送进去吃，直至晚方才放学。教他远了晚娘，躲这打骂。那桃英、月英自有奶子照管，料然无妨。常言：夫妻是打骂不开的。过了数日，只得差人去接焦氏。焦榕备些礼物，送将回来。焦氏知得请下先生，也解了其意，更不道破。这番归来，果然比先大不相同，一味将笑撮在脸上，调引这几个小男女，亲亲热热，胜如亲生。莫说打骂，便是气儿也不再呵一口。待婢仆们也十分宽恕，不常赏赐小东西。但凡下人，肚肠极是窄狭，得了须微之利，便极口称功诵德，欢声溢耳。李雄初时甚觉奇异，只道惧怕他闹吵，当面假意殷勤，背后未必如此。几遍暗地打听，冷眼偷瞧，更不见有甚别样做作。过了年余，愈加珍爱。李雄万分喜悦，想道："不知大舅怎生样劝喻，便能改过从善。如此可见好人原容易做的，只在一转念耳。"从此放下这片肚肠。夫妻恩爱愈笃。那焦氏巴不能生下个儿子。谁知做亲二年，尚没身孕。心中着急，往各处寺观庵堂，烧香许愿。那菩萨果是有些灵验。烧了香，许过愿，真个就身怀六甲。到得十月满足，生下一个儿子，乳名亚奴。你道为何叫这般名字？原来民间有个俗套，恐怕小儿养不大，常把贱物为名，取其易长的意思。因此每每有牛儿狗儿之名。那焦氏也恐难养，又不好叫恁般名色，故只唤做亚奴，以为比奴仆尚次一等，即如牛儿狗儿之意。李雄只道焦氏真心爱惜儿女，今番生下亚奴，亦十分珍重。三朝满月，遍请亲友吃庆喜筵宴，不在话下。常言说得好：只愁不养，不愁不长。眨眼间，不觉亚奴忽又已周岁。那时玉英已是十龄，长得婉丽飘逸，如画图中人物。且又赋性敏慧，读书过目成诵，善能吟诗作赋。其他描花刺绣，不教自会。兄弟李承祖，虽然也是个聪明孩子，到底赶不上姐姐，曾咏绿萼梅，诗曰：

并是调羹种，偏栽碧玉枝。
不夸红有艳，兼笑白无奇。
蕊绽莺忘啄，花香蝶未窥。
陇头羌笛奏，芳草总堪疑。

因有了这般才藻，李雄倍加喜欢。连桃英、月英也送入书堂读书。又尝对焦氏说道："玉英女儿，有如此美才，后日不舍得嫁他出去。访一个有才学的秀士入赘家来，待他夫妇唱和，可不好么？"焦氏口虽赞美，心下越增妒忌。正要设计下手，不想其年乃正德十四年，陕西杨九儿据皋兰山起事。累败官军，地方告急。朝廷遣都指挥赵忠充总兵官，统领兵马前去征讨。赵忠知得李雄智勇相兼，特荐为前部先锋。你想军情之事，火一般紧急，可能够少缓？半月之间，择日出师。李雄收拾行装器械，带领家丁起程。临行时又叮嘱焦氏，好生看管儿女。焦氏答道："这事不消吩咐！但愿你阵面上神灵护佑，马到成功，博个封妻荫子。"夫妻父子正在分别，外边报："赵爷特令教场相会。"李雄洒泪出门。急急上马，直至教场中演武厅上与诸将参谒已毕，朝廷又差兵部官犒劳，三军齐向北阙谢恩，口称万岁三声。赵爷传令李雄带领前部军马先行。李雄领了将令，放起三个轰天大炮，众军一声呐喊，遍地锣鸣，离了教场，望陕西而进。军容整肃，器仗鲜明，一路上逢山开径，遇水叠桥，不则一日，已至陕西地面，安营下寨，等大军到来，一齐进发，与杨军连战数阵，互相胜负。到七月十四，杨军挑战，赵爷令李雄出阵。那李雄统领部下精兵，奋勇杀入。杨军抵挡不住，大败而走。李雄乘胜追逐数里。不想杨军伏兵四起，团团围住，左冲右突，不能得脱。外面救兵又被截断。李雄部下虽然精勇，终是众寡不敌。鏖战到晚，全军尽没。可怜李雄盖世英雄，到此一场春梦！正是：

正气千寻横宇宙，孤魂万里占清寒。

赵忠出征之事，按下不提。却说焦氏方要下手，恰好遇着丈夫出征，可不天凑其便。李雄去了数日，一乘轿子，抬到焦榕家里，与他商议。焦榕道："据我主意，再缓几时。"焦氏道："却是为何？"焦榕道："妹夫不在家，死了定生疑惑。如今还是把他倍加好好看承。妹夫回家知道，越信你是个好人。那时出个不意，弄个手脚，必无疑惑。可不妙哉！"焦氏依了焦榕说话，真个把玉英姊妹看承比前又胜几分。终日盼望李雄得胜回朝。谁知已到八月初旬，陕西报到京中，说七月十四日与贼交锋，前部千户李雄恃勇深入，先胜后败，全军尽没。焦榕是专在各衙门当干的，猛然却得这个消息，吃了一惊，如飞报与妹子。焦氏闻说丈夫战死，放声号哭。那玉英姊妹尤为可怜，一个个哭得死而复苏。焦氏与焦榕商议，就把先生打发出门，合家挂孝，招魂设祭，摆设灵座。亲友尽来吊唁。那时焦氏将脸皮翻转，动辄便是打骂。又过了月余，焦氏向焦榕道："如今丈夫已死，更无别虑，动了手罢。"焦榕道："倒有个妙策在此，不消得下手。只教他死在他乡外郡，又怨你不着。"焦氏忙问有何妙策。焦榕道："妹夫阵亡，不知尸首下落。再挨两月，等到严寒天气，差一个心腹家人，同承祖到陕西寻觅妹夫骸骨。他是个孩子家，哪曾经途路风霜之苦。水土不服，自然中道病死。设或熬得到彼处，叮嘱家人撇了他，暗地自回。那时身畔没了盘缠，进退无门，不是冻死，定然饿死。这几个丫头，饶他性命，卖与人为妾作婢，还值好些银子。岂非一举两得!”焦氏连称有理。耐至腊月初旬，焦氏唤过李承祖说道：“你父亲半世辛勤，不幸丧于沙场，无葬身之地。虽在九泉，安能瞑目！昨日闻得舅舅说，近日赵总兵连胜数阵，敌兵退去千里之外，道路已是宁静。我欲亲往陕西寻觅你父亲骸骨归葬，少尽夫妻之情。又恐我是个少年寡妇，出头露面，必被外人谈耻。故此只得叫家人苗全服事你去走遭。倘能寻得回来，也见你为子的一点孝心。行囊都已准备下了，明早便好登程。”承祖闻言，双眼流泪道：“母亲言之有理！孩儿明早便行。”玉英料道不是好意，大吃一惊，乃道：“告母亲：爹爹暴弃沙场，理合兄弟前去寻觅，但他年纪幼小，路途跋涉，未曾经惯。万一有些山高水低，可不枉送一死？何不再差一人，与苗全同去，总是一般的。”焦氏大怒道：“你这逆种！当初你父在日，将你姐妹如珍宝一般爱惜。如今死了，便忘恩背义，连骸骨也不要了！你读了许多书，难道不晓得昔日木兰代父征西，缇萦①上书代刑？这两个一般也是幼年女子，有此孝顺之心，你不能够学他恁般志气，也去寻觅父亲骸骨，反阻当兄弟莫去！况且承祖还是个男子汉，一路又有人服事，须不比木兰女上阵征战，出生入死。哪见得有什么山高水低，枉送性命！要你这般样不孝女何用!”一顿乱嚷，把玉英羞得满面通红，哭告道：“孩儿岂不念爹爹生身大恩，寻访骸尸归葬？止因兄弟们年纪尚幼，恐受不得辛苦。孩儿情愿代兄弟一行。”焦氏道：“你便想要到外边去游山玩景快活，只怕我心里还不肯哩。”当晚玉英姊妹挤在一处言别，呜呜的哭了半夜。李承祖道：“姐姐，爹爹骸骨暴弃在外，就死也说不得。待我去寻觅回来，也教母亲放心，你不必忧虑。”到了次早，焦氏催促起程。姊妹们洒泪而别。焦氏又道：“你若寻不着父亲骸骨，也不必来见我。”李承祖哭道：“孩儿如不得爹爹骨殖，料然也无颜再见母亲。”苗全扶他上牲口了，经出京师。你道那苗全是谁？乃是焦氏赠嫁的家人中第一

① 缇萦(tíyíng)——汉太仓令淳于意之女，其父因罪被关入牢，缇萦上书皇帝，愿做官婢以赎父罪。

个心腹，已暗领主母之命，自在不言之表。主仆二人离了京师，望陕西进发。此时正是隆冬天气，朔风如箭，地上积雪有三四尺高。往来牲口，恰如在棉花堆里行走。那李承祖不上十岁孩子，况且从幼娇养的，何曾受这般苦楚！在牲口背上把不住的寒颤，常常望着雪窝里颠将下来。在路晓行夜宿，约走了十数日。李承祖渐渐饮食减少，生起病来。对苗全道："我身子觉得不好，且将息两日再行。"苗全道："小官人，奶奶付的盘缠有限，忙忙趱到那边，只怕转去还用度不来。路上若再阻搁两日，越发弄不来了。且勉强挨到省下，那时将养几日罢。"李承祖又问："到省下还有几多路？"苗全笑道："早哩！极快还要二十个日子。"李承祖无可奈何，只得熬着病体，含闷而行。有诗为证：

可怜童稚离家乡，匹马迢迢去路长！
遥望沙场何处是？乱云衰草带斜阳。

又行了两日。李承祖看看病体转重，牲口甚难坐。苗全又不肯暂停，也不雇脚力，故意扶着步行。明明要送他上路的意思。又挨了半日，来到一个地方名唤保安村。李承祖道："苗全，我半步移不动了，快些寻个宿店歇罢。"苗全闻言，暗想道："看他这个模样，料然活不成了。若到客店中住下，便难脱身。不如撇在此间，回家去罢。"乃道："小官人，客店离此尚远。你既行走不动，且坐在此，待我先去放下包裹，然后来背你去，何如？"李承祖道："这话说得有理。"遂扶到一家门首，阶沿上坐下。苗全拽开脚步，走向前去，问个小路抄转，买些饭食吃了，雇个牲口，原从旧路回家去了。不在话下。

且说李承祖坐在阶沿上，等了一回，不见苗全转来，自觉身子存坐不安，倒身卧下，一觉睡去。那个人家却是个孤孀老妪，住得一间屋儿，坐在门口纺纱。初时见一汉子扶个小厮，坐于门口，也不在其意。直至傍晚，拿只桶儿要去打水，恰好拦门熟睡，叫道："兀那小官人快起来！让我们打水。"李承祖从梦中惊醒，只道苗全来了。睁眼看时，乃是那屋里的老妪。便挣扎坐起道："老婆婆有甚话说？"那老妪听得语言不是本地上人物，问道："你是何处来的，却睡在此间？"李承祖道："我是京中来的，只因身子有病，行走不动，借坐片时。等家人来到，即便去了。"老妪道："你家人在哪里?”李承祖道:“他说先至客店中,放下包裹,然后来背我去。”老妪道:“哎哟!我见你那家人去时,还是上午。如今天将晚了,难道还走不到?想必包裹中有甚银两,撇下你逃走去了。”李承祖因睡得昏昏沉沉,不曾看天色早晚,只道不多一回。闻了此言,急回头仰天观望,果然日已矬西。吃了一惊,暗想道:“一定这狗才料我病势渐凶,懒得伏侍,逃走去了。如今教我进退两难,怎生是好!”禁不住眼中流泪,放声啼哭。有几个邻家俱走来观看。那老妪见他哭的苦楚,亦觉孤恓,倒放下水桶,问道:“小官人,你父母是何等样人?有甚紧事,恁般寒天冷月,随个家人行走?还要往哪里去?”李承祖带泪说道:“不瞒老婆婆说,我父亲是锦衣卫千户,因随赵总兵往陕西征讨,不幸父亲阵亡。母亲着我同家人苗全到战场上寻觅骸骨归葬。不料途中患病,这奴才就撇我而逃。多分也做个他乡之鬼了。”说罢,又哭。众人闻言,各各嗟叹。那老妪道:“可怜,可怜!原来是好人家子息,些些年纪,有如此孝心,难得,难得!只是你身子既然有病,还在这冷石上,愈加不好了。且挣揣①起来,到我铺上去睡睡。或者你家人还来也未可知。”李承祖道:“多谢婆婆美情!恐不好打搅。”那老妪道:“说哪里话!谁人没有患难之处。”遂向前扶他进屋里去。邻家也各自散了。承祖跨入门槛,看时,侧边便是个火炕,那铺儿就在炕上。老妪支持他睡下,急急去汲水烧汤,与承祖吃。到半夜间,老妪摸他身上,犹如一块火炭。至天明看时,神思昏迷,人事不省。那老妪央人去请医诊脉,取出钱钞,赎药与他吃,早晚伏侍。那些邻家听见李承祖病凶,在背后笑那老妪着甚要紧,讨这样烦恼!老妪听见,只做不知,毫无倦怠。这也是李承祖未该命绝,得遇恁般好人。有诗为证:

家中母子犹成怨,路次闲人反着疼!
美恶性生天壤异,反教陌路笑亲情。

李承祖这场大病,挨过残年,直至二月中方才稍可。在铺上看着那老妪谢道:“多感婆婆慈悲,救我性命!正是再生父母。若能挣扎回去,定当厚报大德。”那老妪道:“小官人何出此言!老身不过见你路途孤苦,故此

---

① 挣揣——挣扎。

相留,有何恩德,却说厚报二字!”光阴迅速。倏忽又三月已尽,四月将交。那时李承祖病体痊愈,身子硬挣,遂要别了老妪,去寻父亲骸骨。那老妪道:“小官人,你病体新痊,只怕还不可劳动。二来前去不知尚有几多路程,你孤身独自,又无盘缠,如何去得。不如住在这里,待我访问近边有人京的,托他与你带信到家,放个的当亲人来同去方好。”承祖道:“承婆婆过虑。只是家里也没有甚亲人可来。二则在此久扰,于心不安。三则恁般温和时候,正好行走。倘再挨几时,天道炎热,又是一节苦楚。我的病症,觉得全妥,料也无妨。就是一路去,少不得是个大道,自然有人往来。待我慢慢求乞前去,寻着了父亲骸骨,再来相会。”那老妪道:“你纵到彼寻着骸骨,又无银两装载回去,也是枉然。”李承祖道:“那边少不得有官府。等我去求告,或者可怜我父为国身亡,设法装送回家,也未可知。”那老妪再三苦留不住,又去寻凑几钱银子相赠。两下凄凄惨惨,不忍分别,倒像个嫡亲子母。临别时,那老妪含着眼泪嘱道:“小官人转来,是必再看看老身,莫要竟自过去!”李承祖喉间哽咽,答应不出,点头泣涕而去。走两步,又回头来观看。那老妪在门首,也直至望不见了,方才哭进屋里。这些邻家没一个不笑他是个痴婆子:“一个远方流落的小厮,白白里赔钱赔钞,伏侍得才好,急松松就去了。有甚好处,还这般哭泣!不知他眼泪是何处来的?”遂把这事做笑话传说。看官,你想那老妪乃是贫穷寡妇,倒有些义气。一个从不识面的患病小厮,收留回去,看顾好了,临行又赉赠银两,依依不舍。像这班邻里,都是须眉男子,自己不肯施仁仗义,及见他人做了好事,反又颠唇簸嘴①。可见人面相同,人心各别。闲话休提。

且说李承祖又无脚力,又不认得路径,顺着大道,一路问讯,挨向前去。觉道劳倦,随分庵堂寺院,市镇乡村,即便借宿。又亏着那老妪这几钱银子,将就半饥半饱,度到临洮府。那地方自遭兵火之后,道路荒凉,人民稀少。承祖问了向日争战之处,直至皋兰山相近,思想要祭奠父亲一番。怎奈身边止存着十数文铜钱,只得单买了一陌纸钱,讨个火种,向战场一路跑来。远远望去,只见一片旷野,并无个人影来往,心中先有五分

---

① 颠唇簸嘴——指说闲话,风言风语。

惧怯。便立住脚，不敢进步。却又想道："我受了千辛万苦，方到此间。若是害怕，怎能够寻得爹爹骸骨？须索拚命前去。"大着胆飞奔到战场中。举目看时，果然好凄惨也！但见：

荒原漠漠，野草萋萋；四郊荆棘交横，一望黄沙无际，髑髅暴露，远胜昔日英雄；白骨抛残，可惜当年壮士！阴风刁刁，惟闻鬼哭神号；寒露濛濛，但见狐奔兔走。猿啼夜月肠应断，雁唳秋云魂自消。

李承祖吹起火种，焚化纸钱，望空哭拜一回。起来仔细寻觅，团团走遍，但见白骨交加，并没一个全尸。原来赵总兵杀退杨军，看见尸横遍野，心中不忍，即于战场上设祭阵亡将士，收拾尸骸焚化，因此没有全尸遗存。李承祖寻了半日，身子困倦，坐于乱草之中，歇息片时，忽然想起："征战之际，遇着便杀，即为战场。料非只此一处。正不知爹爹当日死于哪个地方？我却专在此寻觅，岂不是个騃子？"却又想道："我李承祖好十分懵懂！爹爹身死已久，血肉定自腐坏，骸骨纵在目前，也难厮认。若寻认不出，可不空受劳碌！"心下苦楚，又向空祷告道："爹爹阴灵不远，孩儿李承祖千里寻访至此，收取骸骨。怎奈不能厮认！爹爹，你生前尽忠报国，死后自是为神。乞显示骸骨所在，奉归安葬，免使暴露荒丘，为无祀之鬼。"祝罢，放声号哭。又向白骨丛中，东穿西走一回。看看天色渐晚，料来安身不得，随路行走，要寻个歇处。行不上一里田地，斜插里林子中，走出一个和尚来。那和尚见了李承祖，把他上下一相，说道："你这孩子，好大胆！此是什么所在，敢独自行走？"李承祖哭诉道："小的乃京师人氏，只因父亲随赵总兵出征阵亡，特到此寻觅骸骨归葬。不道没个下落，天又将晚，要觅个宿处。师父若有庵院，可怜借歇一晚，也是无量功德！"那和尚道："你这小小孩子，反有此孝心，难得，难得！只是尸骸都焚化尽了，哪里去寻觅！"李承祖见说这话，哭倒在地。那和尚扶起道："小官人，哭也无益。且随我去住一晚，明日打点回家去罢。"李承祖无奈，只得随着和尚，又行了二里多路，来到一个小小村落。看来只有五六家人家。那和尚住的是一座小茅庵。开门进去，吹起火来，收拾些饭食，与李承祖吃了。问道："小官人，你父亲是何卫军士？在哪个将官部下？叫甚名字？"李承祖道："先父是锦衣卫千户，姓李名雄。"和尚大惊道："原来是李爷的公子！"李承祖道："师父，你如何晓得我先父?”和尚道:“实不相瞒,小僧原是羽林卫军人,名叫曾虎二,去年出征,拨在老爷部下。因见我勇力过人,留我帐前亲随,另眼看承。许我得胜之日,扶持一官。谁知七月十四日,随老爷上阵,先斩了数百余级,敌人败去。一时恃勇,追逐十数里,深入重地。敌人伏兵四起,围裹在内。外面救兵又被截住,全军战没。止存老爷与小僧二人,各带重伤。只得同伏在乱尸之中。到深夜起来逃走,不想老爷已死。小僧望见旁边有一带土墙,随负至墙下,推倒墙土掩埋。那时敌兵反拦在前面,不能归营。逃到一个山弯中,遇一老僧,收留在庵。亏他服事,调养好了金疮。朝暮劝化我出家。我也想:死里逃生,不如图个清闲自在。因此依了他,削发为僧。今年春间,老师父身故。有两个徒弟道我是个氽来僧①,不容住在庵中。我想既已出家,争甚是非?让了他们,要往远方去,行脚经过此地,见这茅庵空闲,就做个安身之处,往远近村坊抄化度日。不想公子亲来,天遣相遇。”李承祖见说父亲尸骨尚在,倒身拜谢。和尚连忙扶住,又问道:“公子恁般年娇力弱,如何家人也不带一个,独自行走?”李承祖将中途染病,苗全抛弃逃回,亏老妪救济前后事细细说出。又道:“若寻不见父亲骨殖,已拚触死沙场。天幸得遇吾师,使我父子皆安。”和尚道:“此皆老爷英灵不泯,公子孝行感格,天使其然。只是公子孑然一身,又没盘缠,怎能够装载回去?”公子道:“意欲求本处官府设法,不知可肯?”和尚笑道:“公子差矣!常言道:官情如纸薄。总然极厚相知,到得死后,也还未可必;何况素无相识?却做恁般痴想!”李承祖道:“如此便怎么好?”和尚沉吟半晌,乃道:“不打紧!我有个道理在此。明日将骸骨盛在一件家伙之内,待我负着,慢慢一路抄化至京,可不是好么?”李承祖道:“吾师若肯用情,生死衔恩不浅!”和尚道:“我蒙老爷识拔之恩,少效犬马之劳,何足挂齿!”

到了次日,和尚向邻家化了一只破竹笼,两条索子,又借柄锄头,又买了几陌纸钱,锁上庵门,引李承祖前去。约有数里之程,也是一个村落,一发没个人烟。直到土墙边放下竹笼,李承祖就哭啼起来。和尚将纸钱焚化,拜祝一番,运起锄头,掘开泥土,露出一堆白骨。从脚上逐节儿收置笼

① 氽(tǔn)来僧——指外来的僧。

中，掩上笼盖，将索子紧紧捆牢。和尚负在背上。李承祖掮了锄头，回至庵中。和尚收拾衣钵被窝，打个包儿，做成一担，寻根竹子，挑出庵门。把锄头还了，又与各邻家作别，央他看守。二人离了此处，随路抄化，盘缠尽是有余。不则一日，已至保安村。李承祖想念那老妪的恩义，经来谢别。谁知那老妪自从李承祖去后，日夕挂怀，染成病症，一命归泉。有几个亲戚，与他备办后事，送出郊外，烧化久矣。李承祖问知邻里，望空遥拜，痛哭一场，方才上路。共行了三个多月，方达京都。离城尚有十里之远，见旁边有个酒店。和尚道："公子且在此少歇。"齐入店中，将竹笼放于桌上。对李承祖说道："本该送公子到府，向灵前叩个头儿才是。只是我原系军人，虽则出家，终有人认得。倘被拿作逃军，便难脱身。只得要在此告别，异日再图相会。"李承祖垂泪道："吾师言虽有理，但承大德，到我家中，或可少尽。今在此处，无以为报，如之奈何？"和尚道："何出此言！此行一则感老爷昔日恩谊，二则见公子穷途孤弱，故护送前来。哪个贪图你的财物？"正说间，酒保将过酒肴。和尚先摆在竹笼前祭奠，一连叩了四五个头，起来又与李承祖拜别。两下各各流泪。饮了数杯，算还酒钱，又将钱雇个牲口，与李承祖乘坐。把竹笼教脚夫背了。自己也背上包裹，齐出店门，洒泪而别。有诗为证：

欲收父骨走风尘，千里孤穷一病身。

老妪周旋僧作伴，皇天不负孝心人。

话分两头。却说苗全自从撇了李承祖，雇着牲口赶到家中，只说已至战场，无处觅寻骸骨，小官人患病身亡，因少了盘缠，不能带回，就埋在彼。暗将真信透与焦氏。那时玉英姊妹一来思念父亲，二来被焦氏日夕打骂，不胜苦楚。又闻了这个消息，愈加悲伤。焦氏也假意啼哭一番。那童仆们见家主阵亡，小官人又死，各寻旺处飞去。单单剩得苗全夫妻和两个养娘，门庭冷如冰炭。焦氏恨不得一口气吹大了亚奴，袭了官职，依然热闹。又闻得兵科给事中①上疏，奏请优恤阵亡将士。圣旨下在兵部查复。焦氏多将金银与焦榕，到部中上下使用，要谋升个指挥之职。那焦榕平日与人

① 兵科给事中——官名。掌侍从、规谏，稽察六部百官的事。

干办，打惯了偏手，就是妹子也说不得也要下只手儿。一日，焦榕走来回复妹子说话。焦氏安排酒肴款待。原来他兄妹都与酒瓮同年，吃杀不醉的。从午后吃起直至申牌时分，酒已将竭，还不肯止。又教苗全去买酒。苗全提个酒瓶走出大门，刚欲跨下阶头，远远望见一骑牲口，上坐一个小厮，却是小主人李承祖。吃这惊不小！暗道："原来这冤家还在！"掇转身跑入里边，悄悄报知焦氏。焦氏即与焦榕商议停当，教苗全出后门去买砒霜。二人依旧坐着饮酒。等候李承祖进来，不提。

且说李承祖到了自家门首，跳下牲口，赶脚的背着竹笼，跟将进来。直至堂中，静悄悄并不见一人。心内伤感道："爹爹死了，就弄得这般冷落！"教赶脚的把竹笼供在灵座上，打发自去。李承祖向灵前叩拜，转念去时的苦楚，不觉泪如泉涌，哭倒在拜台之上。焦氏听得哭声，假意教丫头出来观看。那丫头跑至堂中，见是李承祖，惊得魂不附体，带脚而奔。报道："奶奶，公子的魂灵来家了！"焦氏照面一口涎沫，道："滓！青天白日这样乱说！"丫头道："见在灵前啼哭。奶奶若不信，一同去看。"焦榕也假意说道："不信有这般奇事！"一齐走出外边。李承祖看见，带着眼泪向前拜见。焦榕扶住道："途路风霜，不要拜了。"焦氏挣下几点眼泪，说道："苗全回来，说你有不好的信息。日夜想念。懊悔当初教你出去。今幸无事，万千之喜了！只是可曾寻得骸骨？"李承祖指着竹笼道："这个里边就是。"焦氏捧着竹笼，便哭起天来。玉英姊妹，已是知得李承祖无恙，又惊又喜。奔至堂前，四个男女，抱做一团而哭。哭了一回，玉英道："苗全说你已死，怎地却又活了？"李承祖将途中染病，苗全不容暂停，直至遇见和尚送归始末，一一道出。焦榕怒道："苗全这奴才恁般可恶！待我送他到官，活活敲死，与贤甥出气。"李承祖道："若得舅舅主张，可知好么！"焦氏道："你途中辛苦了，且进去吃些酒饭，将息身子。"遂都入后边。焦榕扯李承祖坐下，玉英姊妹，自避过一边。焦氏一面教丫头把酒去热，自己�到后门首。恰好苗全已在那里等候，焦氏接了药，吩咐他停一回进来。焦氏到厨下，将丫头使开，把药倾入壶内。依原走来坐下。少顷，丫头将酒镟汤得飞滚，拿至桌边。焦榕取过一只茶瓯，满斟一杯，递与承祖道："贤甥，借花献佛，权当与你洗尘。"承祖道："多谢舅舅！"接过手放下，也要斟一杯回敬。焦

榕又拿起，直推至口边道："我们饮得多了，这壶中所存有限，你且乘热饮一杯。"李承祖不知好歹，骨都都饮个干净。焦榕又斟过一杯道："少年人家须要饮个双杯。"又推到口边。那李承祖因是尊长相劝，不敢推托，又饮干了。焦榕再把壶斟时，只有小半杯，一发劝李承祖饮了。那酒不饮也罢，才到腹中，便觉难过，连叫肚痛。焦氏道："想是路上触了臭气了。"李承祖道："也不曾触甚臭气。"焦氏道："或者三不知，哪里觉得！"须臾间药性发作，犹如钢枪攒刺，烈火焚烧，疼痛难忍。叫声："痛死我也！"跌倒在地。焦榕假惊道："好端端地，为何痛得恁般利害？"焦氏道："一定是绞肠沙了。"急教丫头扶至玉英床上睡下，乱撷乱跌，只叫难过。慌得玉英姊妹手足无措，哪里按得他住。不消半个时辰，五脏迸裂，七窍流红，大叫一声，命归泉府。旁边就哭杀了玉英姊妹，喜杀了焦氏婆娘，也假哭几声。焦榕道："看这模样，必是触犯了神道的，被丧煞打了。如今幸喜已到家里，还好。只是占了甥女卧房，不当稳便。就今夜殓过，省得他们害怕。"焦氏便去取出些银钱。那时苗全已转进前门，打探听得里边哭声鼎沸，量来已是完帐，径走入来。焦氏恰好看见，把银递与苗全，急忙去买下一具棺木，又买两壶酒，与苗全吃够一醉。先把棺木放在一门厢房里，然后揎拳裸臂，跨入房中，教玉英姊妹走开。向床上翻那尸首，也不揩抹去血污，也不换件衣服，伸着双手，便抱起来。一则那厮有些蛮力，二则又趁着酒兴，三则十数岁孩子，原不甚重，轻轻托在两臂，一直到厢房内盛殓。玉英姊妹，随后哭泣。谁知苗全落了银子，买小了棺木，尸首放下去，两只腿露出了五六寸。只得将腿儿竖起，却又顶浮了棺盖。苗全扯来拽去，没做理会。玉英姊妹看了只个光景，越发哭得惨伤。焦氏沉吟半晌，心生一计。把玉英姊妹并丫头都打发出外，掩上门儿，教苗全将尸首拖在地上，提起斧头，砍下两只小腿，横在头下，倒好做个枕儿。收拾停当，钉上棺盖，开门出来。焦榕自回家去。玉英觑见棺已钉好，暗想道："适来放不下，如何打发我姊妹出来了，便能钉上棺盖？难道他们有甚法术，把棺木化大了，尸首缩小了？"好生委决不下。过了两日，焦氏备起衣衾棺椁，将丈夫骸骨重新殓过。择日安葬祖茔。恰好优恤的复本已下：李雄止赠忠勇将军，不准升袭指挥。焦氏用费若干银两，空自送在水里。到了安葬之日，亲邻齐来相送。李承祖也就埋在坟侧。偶有人问及,只说路上得了病症,到家便亡。那亲戚都不是切已之事,哪个去查他细底。可怜李承祖沙场内倒挣揣得性命,家庭中反断送了残生。正是:

非故翻如故,宜亲却不亲。

万般皆是命,半点不由人。

常言道:痛定思痛。李承祖死时,玉英慌张慌智①,不暇致详。到葬后渐渐想出疑惑来。他道:"如何不前不后,恰恰里到家便死,不信有恁般凑巧!况兼口鼻中又都出血;且又不拣个时辰,也不收拾个干净;棺木小了,也不另换,哄了我们转身,不知怎地,胡乱迭入里面。那苗全应说要送他到官,今半句不提,比前反觉亲密,显系是母亲指使他的。看起那般做作,我兄弟这死,必定蹊跷!"心中虽则明白,然亦无可奈何,只索付之涕泣而已。那焦氏谋杀了李承祖之后,却又想道:"这小杀才已除,那几个小贱人,日常虽受了些磨折,也只算与他扶养。须是教他大大吃些苦楚,方不敢把我轻觑。"自此日逐寻头讨脑,动辙便是一顿皮鞭,打得体无完肤,却又不许啼哭。若还则一则声②,又重新打起。每日止给两餐稀汤薄粥,如做少了生活,打骂不消再说,连这稀汤薄粥也没有得吃了。身上的好衣服,尽都剥去。将丫头们的旧衣旧裳,换与穿着。腊月天气,也只得三四层单衣,背上披一件旧棉絮。夜间止有一条藁荐③、一条破被单遮盖,寒冷难熬,如蛆虫般,搅做一团,苦楚不能尽述。玉英姊妹挨忍不过,几遍要寻死路。却又指望还有个好日,舍不得性命,互相劝解。真个求生不能,求死不得。

看看过了残岁,又是新年。玉英已是十二岁了。那年二月间,正德爷晏驾,嘉靖爷嗣统,下速诏遍选嫔妃。府司着令民间挨家呈报。如有隐匿,罪坐邻里。那焦氏的邻家,平日晓得玉英才貌兼美,将名具报本府。一张上选的黄纸帖在门上。那时焦氏就打张了做皇亲国戚的念头,掉过脸来,将玉英百般奉承,通身换了绫罗锦绣,肥甘美味,与他调养。又将银

① 慌张慌智——心情慌乱。

② 则一则声——做声。

③ 藁(gǎo)荐——草垫子。

两教焦榕到礼部使用。那玉英虽经了许多磨折，到底骨格犹存，将息数日，面容顿改。又兼穿起华丽衣服，便似画图中人物。府司选到无数女子，推他为第一。备文齐送到礼部选择。礼部官见了玉英这个容仪，已是万分好了。但只年纪幼小，恐不谙侍御，发回宁家。那焦氏因用了许多银钱，不能够中选，心中懊悔气恼。原翻过向日嘴脸，好衣服也剥去了，好饮食也没得吃了，打骂也更觉勤了。常言说得好：坐吃山空，立吃地陷。当初李雄家业，原不甚大。自从阵亡后，焦氏单单算计这几个小儿女，哪个思想去营运。一窝子坐食，能够几时。况兼为封荫选妃二事，又用空了好些。日渐日深，看看弄得罄尽。两个丫头也卖来，完在肚里。那时没处出豁，只得将住房变卖。谁知苗全这厮，见家中败落，亚奴年纪正小，袭职日子尚远，料想目前没甚好处。趁焦氏卖得房价，夜间揕入卧房，偷了银两，领着老婆，逃往远方受用去了。到次早，焦氏方才觉得。这股闷气无处发泄，又迁怒到玉英姊妹，说道："如何不醒睡，却被他偷了东西去？"又都奉承一顿皮鞭。一面教焦榕告官缉押。过了两月，哪里有个踪迹。此时买主又来催促出房。无可奈何，与焦榕商议，要把玉英出脱。焦榕道："玉英这个模样儿，慢慢的觅个好主顾，怕道不是一大注银子。如今急切寻人，能值得多少？不若先把小的胡乱货一个来使用。"焦氏依了焦榕，便把桃英卖与一个豪富人家为婢。姊妹分别之时，你我不忍分舍，好不惨伤！焦氏赁了一处小房，择日迁居。玉英想起祖父累世安居，一旦弃诸他人，不胜伤感。走出堂前，抬头看见梁间燕子，补缀旧垒，旁边又营一个新巢，暗叹道："这燕儿是个禽鸟，秋去春来，倒还有归巢之日！我李玉英今日离了此房，自没个再来之期了！"抚景伤心，托物喻意，乃作《别诗》一首。诗云：

　　新巢泥落旧巢攲①，尘半疏帘欲掩迟。

　　愁对呢喃终一别，画堂依旧主人非。

原来焦氏要依傍焦榕，却搬在他侧边小巷中，相去只有半箭之远。间壁乃是贵家的花园。那房屋止得两间，诸色不便，要桶水儿，直要到邻家去汲。那焦氏平日受用惯的，自去不成。少不得通在玉英、月英两个身

---

① 攲(qī)——倾斜。

上。姊妹此时也难顾羞耻，只得出头露面。又过了几时，桃英的身价渐渐又将摸完。一日傍晚，焦氏引着亚奴在门首闲立。见一个乞丐女儿，止有十数岁，在街上求讨，声音叫得十分惨伤。有个邻家老妪对他说道："这般时候，哪个肯舍！不时回去罢。"那叫化女儿哭道："奶奶，你哪里晓得我的苦楚！我家老的，限定每日要讨五十文钱。若少了一文，便打个臭死，夜饭也不与我吃，又要在明日补足。如今还少六七文，怎敢回去！"那老妪听说得苦恼，就舍了两文。旁边的人，见老妪舍了，一时助兴，你一文，我一文，登时倒有十数文。那叫化女儿，千恩万谢，转身去了。焦氏听了这片言语，哪知反拨动了个贪念，想道："这个小化子，一日倒讨得许多钱。我家月英那贱人，面貌又不十分标致，卖与人，也值得有限。何不教他也做这桩道路，倒是个永远利息？"正在沉吟，恰好月英打水回来。焦氏道："小贱人，你可见那叫街的丫头么？他年纪比你还小，每日倒趁五十文钱。你可有处寻得三文五文哩？"月英道："他是个乞丐，千爷爷、万奶奶，叫来的。孩儿怎比得他！"焦氏喝道："你比他有甚么差！自明日为始，也要出去寻五十文一日，若少一文，便打下你下半截来。"玉英姊妹见说要他求乞，惊得他面面相觑，满眼垂泪，一齐跪下，说道："母亲，我家世代为官，多有人认得，也要存个体面。若教出去求乞，岂不辱没门风，被人耻笑！"焦氏道："现今饭也没有得吃了，还要甚么体面，怕甚么耻笑！"月英又苦告道："任凭母亲打死了，我决不去的。"焦氏怒道："你这贱人，恁般不听教训！先打个样儿与你尝尝。"即去寻了一块木柴，揪过来，没头没脑乱敲。月英疼痛难忍，只得叫道："母亲饶恕则个！待我明日去便了。"焦氏放下月英，向玉英道："不教你去，是我的好情了，反来放屁阻挠？"拖翻在地，也吃一顿木柴。到次早，即赶逐月英出门求乞。月英无奈，忍耻依随。自此日逐沿街抄化。若足了这五十文，还没得开口，些儿欠缺，便打个半死。光阴如箭，不觉玉英年已一十六岁。时直三月下旬，焦榕五十寿诞，焦氏引着亚奴同往祝寿，月英自向街坊抄化去了，只留玉英看家。玉英让焦氏去后，掩上门儿，走入里边，手中拈着针指，思想道："爹爹当年生我姊妹，犹如掌上之珠，热气何曾轻呵一口。谁道遇着这个继母，受万般凌辱。兄弟被他谋死，妹子为奴为丐，一个家业弄得瓦解冰消。沦落到恁样地位，真个草菅不如！尚不知去后，还是怎地结果？”又想道：“在世料无好处，不如早死为幸。趁他今日不在家，何不寻个自尽，也省了些打骂之苦？”却又想道：“我今年已十六岁了。再忍耐几时，少不得嫁个丈夫，或者有个出头日子。岂可枉送这条性命？”把那前后苦楚事，想了又哭，哭了又想。直哭得个有气无力，没情没绪。放下针指，走至庭中，望见间壁园内，红稀绿暗，燕语莺啼，游丝斜袅，榆荚乱坠。看了这般景色，触目感怀，遂吟《送春诗》一首。诗云：

柴扉寂寞锁残春，满地榆钱不疗贫。
云鬓衣裳半泥土，野花何事独撩人。

玉英吟罢，又想道：“自爹爹亡后，终日被继母磨难，将那吟咏之情，久已付之流水。自移居时，作了《别燕诗》，倏忽又经年许。时光迅速如此！”嗟叹了一回，又恐误了女工，急走入来趱赶。见桌上有个帖儿，便是焦榕请妹子吃寿酒的。玉英在后边裁下两折，寻出笔砚，将两首诗寻出，细细展玩，更叹口气道：“古来多少聪明女子，或共姊妹赓酬，或是夫妻唱和，成千秋佳话。偏我李玉英恁般命薄！埋没至此，岂不可惜可悲！”又伤感多时，愈觉无聊。将那纸左折右折，随手折成个方胜儿，藏于枕边。却将所做针指，忙忙的赶完。看看天色傍晚，刚是月英到家。焦氏恰好撞着，见他泪痕未干，便道：“哪个难为了你，又在家做妖势？”玉英不敢回答，将做下女工与他点看。月英也把钱交过，收拾些粥汤吃了。又做半夜生活，方才睡卧。到了明日，焦氏见桌上摆着笔砚，捡起那帖儿，后边已去了几折。疑惑玉英写他的不好处，问道：“你昨日写的是何事？快把来我看。”玉英道：“偶然写首诗儿，没甚别事。”焦氏嚷道：“可是写情书约汉子，坏我的帖儿？”玉英被这两句话，羞得彻耳根通红。焦氏见他脸涨红了，只道真有私情勾当，逼他拿出这纸来。又见折着方胜，一发道是真了。寻根棒子，指着玉英道：“你这贱人恁般大胆！我刚不在家，便写情书约汉子。快些实说哪个？有情几时了？”玉英哭道：“哪里说起！却将无影丑事来肮脏！可不屈杀了人！”焦氏怒道：“赃证现在，还要口硬！”提起棒子，没头没脑乱打。打得玉英无处躲闪，挣脱了往门首便跑。焦氏道：“想是要去叫汉子，相帮打我么？”随后来赶。不想绊上一交，正磕在一块砖上，磕碎了头脑，鲜血满面，嚷道："打得我好！只教你不要慌！"月英上前扶起，又要赶来。倒亏亚奴紧紧扯住道："娘，饶了姐姐罢。"那婆娘恐带跌了儿子，只得立住脚，百般辱骂。玉英闪在门旁啼哭。那邻家每日听得焦氏凌虐这两个女儿，今日又听得打得利害，都在门首议论。恰好焦榕撞来，推门进去。那婆娘一见焦榕，便嚷道："来得好！玉英这贱人偷了汉子，反把我打得如此模样！"焦榕看见他满面是血，信以为实，不问情由，抢过焦氏手中棒子，赶近前，将玉英揪过来便打。那邻家抱不平，齐走来说道："一个十五六岁女子家，才打得一顿大棒，不指望你来劝解，反又去打他！就是做母舅的，也没有打甥女之理！"焦榕自觉乏趣，撇下棒子，径自去了。那邻家又说道："也不见这等人家，无一日不打骂这两个女儿！如今一发连母舅都来助兴了。看起来，这两个女子也难存活。"又一个道："若死了，我们就具个公呈，不怕那姓焦的不偿命！"焦氏一句句听见，邻家发作，只得住口，喝月英推上大门。自去揩抹血污，依旧打发月英出去求乞。玉英哭了一回，忍着疼痛，原入里边去做针指，那焦氏恨声不绝。到了晚间，吞声饮泣，想道："人生百岁，总是一死，何苦受恁般耻辱打骂！"等至焦氏熟睡，悄悄抽身起去，扯了脚带，悬梁高挂。也是命不该绝。这倒亏了晚母不去料理他身上，不但衣衫褴褛不堪，就是这脚带不知缠过多少年头，玉英才一用力，就断了。刚刚上吊，扑通的跌下地来。惊觉月英，身边不见了阿姐，情知必走这条死路，叫声："不好了！"急跳起身，救醒转来，兀自呜呜而哭。那焦氏也不起身，反骂道："这贱人！你把死来诈我么？且到明日与你理会。"

至次早，吩咐月英在家看守，叫亚奴引着到焦榕家里，将昨日邻家说话，并夜来玉英上吊事说与。又道："倘然死了，反来连累着你。不如先送到官，除了这个根罢。"焦榕道："要摆布他也不难。那锦衣卫堂上，昔年曾替他打干，与我极是相契。你家又是卫籍①，竟送他到官，这个衙门谁个敢来放屁！"焦氏大喜，便教焦榕央人写下状词，说玉英奸淫忤逆，将那两首诗做个执证，一齐至锦衣卫衙门前。焦榕与衙门中人，都是厮熟的，先央

① 卫籍——就是军籍的意思。明代户口分为民、军、匠三类。

进去道知其意。少顷升堂，准了焦氏状词，差四个校尉前去，拘拿玉英到来。那问官听了一面之词，不论曲直，便动刑具。玉英再三折辩，哪里肯听。可怜受刑不过，只得屈招，拟成剐罪，发下狱中。两个禁子扶出衙门，正遇月英妹子。原来月英见校尉拿去阿姐，吓得魂飞魄散，急忙锁上门儿，随后跟来打探。望见禁子扶了出来，月英正要钻赶过去问，只见旁边转过焦氏，一把扯开道："你这贱人，家里也不顾了，来此做甚！"月英见了焦氏，犹如老鼠见猫，胆丧心惊，不敢不跟着他走，到家又打够半死。恨道："你下次若又私地去看了这贱人，查访着实，好歹也送你到这所在去！"月英口虽答应，终是同胞情分，割舍不下。过了两三日，多求乞得几十文钱，悄地踅到监门口，来探望不提。再说玉英下到狱中，那禁子头见他生得标致，怀个不良之念，假慈悲，照顾他。住在一个好房头，又将些饮食调养。玉英认做好人，感激不尽，叮嘱他："有个妹子月英，定然来看，千万放他进来，相见一面。"那禁子紧紧记在心上。至第四日午后，月英到监门口道出姓名，那禁子流水开门引见玉英。两下悲号，自不必说。渐至天晚，只得分别。自此月英不时进监看觑。不在话下。且说那禁子贪爱玉英容貌，眠思梦想，要去奸他。一来耳目众多，无处下手，一则恐玉英不从，喊叫起来，坏了好事。提空就走去说长问短，把几句风话撩拨。玉英是聪明女子，见话儿说得蹊跷，已明白是个不良之人，留心提防，便不十分招架。一日，正在槛上闷坐，忽见那禁子轻手轻脚走来，低声哑气，笑嘻嘻的说道："小娘子可晓得我一向照顾你的意思么？"玉英知其来意，即立起身道："奴家不晓得是甚意思。"那禁子又笑道："小娘子是个伶俐人，难道不晓得？"便向前搂抱。玉英着了急，乱喊"杀人！"那禁子见不是话头，急忙转身。口内说道："你不从我么？今晚就与你个辣手。"玉英听了这话，捶胸跌脚的号哭，惊得监中人俱来观看。玉英将那禁子调戏情由，告诉众人，内中有几个抱不平的，叫过那禁子说道："你强奸犯妇，也有老大的罪名。今后依旧照顾他，万事干休；倘有些儿差错，我众人连名出首，但凭你去计较。"那禁子情亏理虚，满口应承，赔告不是："下次再不敢去惹他。"正是：

羊肉馒头没得吃，空教惹得一身膻。

玉英在狱不觉又经两月有余,已是六月初旬。原来每岁夏间,在朝廷例有宽恤之典,差太监审录各衙门未经发落之事。凡事枉人冤,许诸人陈奏。比及六月初旬,玉英闻得这个消息,想起一家骨肉,俱被焦氏陷害,此番若不伸冤,再无昭雪之日矣。遂草起辩冤奏章,将合家受冤始末,细细详述。教月英赍奏,其奏云:

臣闻先正①有云:五刑以不孝为先,四德以无义为耻。故窦氏投崖,云华坠井:是皆毕命于纲常,流芳于后世也。臣父锦衣卫千户李雄,先娶臣母,生臣姊妹三人,及弟李承祖。不幸丧母之日,臣等俱在孩提。父每见怜,仍娶继母焦氏抚养。臣父于正德十四年七月十四日征陕西阵亡。天祸臣家,流移日甚。臣年十六,未获结褵②。姊妹伶仃,孑无依荷。摽梅③已过,红叶无凭。有《送春诗》一绝云云。又有《别燕诗》一绝云云。是皆有感而言,情非得已。奈母氏不察臣衷,疑为外遇,逼舅焦榕,拿送锦衣卫,诬臣奸淫不孝等情。问官昧臣事理,坐臣极刑。臣女流难辩,俯首听从。盖不敢逆继母之情,以重不孝之罪也。迩蒙圣恩熟审,凡事枉人冤,许诸人陈奏。钦此钦遵。故臣不禁生乐生之心,以冀超脱。臣父本武人,颇知典籍。臣虽妾妇,幸领遗教。臣继母年二十,有弟亚奴,生方周岁。母图亲儿荫袭,故当父方死之时,计令臣弟李承祖十岁孩儿,亲往战场,寻父遗骨。陷之死地,以图己私,幸赖天佑父灵,抱骨以归。前计不成,仍将臣弟毒药身死,支解弃埋。又将臣妹李桃英卖为人婢,李月英屏去衣食,沿街抄化。今将臣诬陷前情。臣设有不才,四邻何不纠举?又不曾经获某人,只凭数句之语,望空捉影,以陷臣罪。臣之死,固当矣。十岁之弟,有何罪乎?数岁之妹,有何辜乎?臣母之过,臣不敢言。《凯风》有诗④,臣

---

① 先正——前贤。

② 结褵——结婚。古代女子出嫁,母亲把佩巾结在女儿身上,后用为结婚的代称。

③ 摽(biào)梅——语出《诗经》中《摽有梅》诗。梅子成熟后落下来,比喻女子也到结婚年龄。

④ 《凯风》有诗——《诗经》中有《凯风》篇。内容是讲七个儿子感念母亲,自责不能安慰母心。

当自责。臣死不足惜，恐天下后世之为继母者，得以肆其奸妒而无忌也！伏望陛下俯察臣心，将臣所奏付诸有司。先将臣速斩，以快母氏之心。次将臣诗委勘，有无事情。推详臣母之心，尽在不言之表。则臣之生平获雪，而臣父之灵亦有感于地下矣！

这一篇章疏奏上，天子重瞳亲照，怜其冤抑，倒下圣旨，着三法司①严加鞫审。三法司官不敢怠慢，会同拘到一干人犯，连桃英也唤至当堂，逐一细问。焦氏、焦榕初时抵赖。动起刑法，方才吐露真情，与玉英所奏无异。勘得焦氏叛夫杀子，逆理乱伦，与无故杀子孙轻律不同。宜加重刑，以为继母之戒。焦榕通同谋命，亦应抵偿。玉英、月英、亚奴发落宁家。又令变卖焦榕家产，赎回桃英。复本奏闻，请旨。圣天子怒其凶恶，连亚奴俱敕即日处斩。玉英又上疏恳言："亚奴尚在襁褓，无所知识。且系李氏一线不绝之嗣，乞赐矜宥。"天子准其所奏，诏下刑部，止将焦榕、焦氏二人绑付法场，即日双双受刑。亚奴终身不许袭职。另择嫡枝次房承荫，以继李雄之嗣。玉英、月英、桃英俱择士人配家。至今《列女传》中载有李玉英辩冤奏本，又为赞云：

李氏玉英，父死家倾。《送春》《别燕》，母疑外情。

置之重狱，险罹非刑。陈情一疏，冤滞始明。

后人又有诗叹云：

昧心晚母曲如钩，只为亲儿起毒谋。

假饶血化西江水，难洗黄泉一段羞。

第二十八卷　吴衙内邻舟赴约

贪花费尽采花心，身损精神德损阴。

---

① 三法司——明代以刑部、都察院、大理寺为"三法司"。遇有重大案件，由三法司会审。

劝汝遇花休浪采，佛门第一戒邪淫。

话说南宋时，江州有一秀才，姓潘名遇，父亲潘朗，曾做长沙太守，高致①在家。潘遇已中过省元，别了父亲，买舟往临安会试。前一夜，父亲梦见鼓乐旗彩，送一状元匾额进门，匾上正注潘遇姓名。早起唤儿子说知。潘遇大喜，以为春闱首捷无疑。一路去高歌畅饮，情怀开发。不一日，到了临安，寻觅下处，到一个小小人家。主翁相迎，问："相公可姓潘么？"潘遇道："然也。足下何以知之？"主翁道："夜来梦见土地公公说道今科状元姓潘，明日午刻到此，你可小心迎接。相公正应其兆。若不嫌寒舍简慢，就在此下榻何如？"潘遇道："若果有此事，房价自当倍奉。"即令家人搬运行李到其家停宿。主人有女年方二八，颇有姿色，听得父亲说其梦兆，道潘郎有状元之分，在窗下偷觑，又见他仪容俊雅，心怀契慕，无由通款②。一日，潘生因取砚水，偶然童子不在，自往厨房，恰与主人之女相见。其女一笑而避之。潘生魂不附体，遂将金戒指二枚、玉簪一只，交付童儿，觑空致意此女，恳求相会。此女欣然领受，解腰间绣囊相答。约以父亲出外，亲赴书斋。一连数日，潘生望眼将穿，未得其便。直至场事已毕，主翁治杯节劳。饮至更深，主翁大醉。潘生方欲就寝，忽闻轻轻叩门之声，启而视之，乃此女也。不及交言，捧进书斋，成其云雨，十分欢爱。约以成名之后，当娶为侧室。是夜，潘朗在家，复梦向时鼓乐旗彩，迎状元匾额过其门而去。潘朗梦中唤云："此乃我家旗匾。"送匾者答云："非是。"潘朗追而看之，果然又一姓名矣。送匾者云："今科状元合是汝子潘遇。因做了欺心之事，天帝命削去前程，另换一人也。"潘朗惊醒，将信将疑。未几揭晓，潘朗阅登科记③，状元果是梦中所迎匾上姓名。其子落第。待其归而叩之，潘遇抵赖不过，只得实说，父子叹嗟不已。潘遇过了岁余，心念此女，遣人持金帛往聘之，则此女已适他人矣。心中甚是懊悔。后来连走数科不第，郁郁而终。

---

① 高致——这里是告老还家、不做官的意思。

② 无由通款——没有机会向对方表白自己的衷情。款，款曲，这里指爱慕的心意。

③ 登科记——科举时代及第士人的名册。

因贪片刻欢娱景，误却终身富贵缘。

说话的，依你说，古来才子佳人，往往私谐欢好，后来夫荣妻贵，反成美谈，天公大算盘，如何又差错了？看官有所不知，大凡行奸卖俏，坏人终身名节，其过非小，若是五百年前合为夫妇，月下老赤绳系足，不论幽期明配，总是前缘判定，不亏行止。听在下再说一件故事，也出在宋朝，却是神宗皇帝年间，有一位官人，姓吴名度，汴京人氏，进士出身。除授①长沙府通判。夫人林氏，生得一位衙内，单讳个彦字，年方一十六岁，一表人才，风流潇洒；自幼读书，广通经史；吟诗作赋，件件皆能。更有一件异处，你道是甚异处？这等一个清标人物，却吃得东西，每日要吃三升米饭、二斤多肉、十余斤酒，其外饮馔不算。这还是吴府尹恐他伤食，酌中定下的规矩。若论起吴衙内，只算做半饥半饱，未能趁心像意。是年三月间，吴通判任满，升选扬州府尹。彼处吏书差役，带领马船②，直至长沙迎接。吴度即日收拾行装，辞别僚友起程。下了马船，一路顺风顺水。非止一日，将近江州。昔日白乐天赠商妇《琵琶行》云“江州司马青衫湿”，便是这个地名。吴府尹船上正扬着满帆，中流稳度。倏忽之间，狂风陡作，怒涛汹涌，险些儿掀翻。莫说吴府尹和夫人们慌张，便是篙师舵工无不失色，急忙收帆拢岸。只有四五里江面，也挣了两个时辰。回顾江中往来船只，哪一只是不手忙脚乱。吴府尹道：“若得到岸，就谢天不尽了。”忙教水手紧摇，方得就岸旁抛锚系缆。那边已先有一只官船停泊，两下相隔约有十数丈远。这官船舱门上帘儿半卷，下边站着一个中年妇人、一个美貌女子。背后又侍立三四个丫鬟。吴衙内在舱中帘内，早已瞧见。那女子果然生得娇艳。怎见得？有诗为证：

秋水为神玉为骨，芙蓉如面柳如眉。
分明月殿瑶池女，不信人间有异姿。

吴衙内看了，不觉魂飘神荡，恨不得就飞到他身边，搂在怀中。只是隔着许多路，看得不十分较切。心生一计，向吴府尹道：“爹爹，何不教水手移去，傍在这只船上？倒也安稳。”吴府尹依着衙内，吩咐水手移船。水

---

① 除授——拜官授职。
② 马船——大船，官船。

手不敢怠慢，起锚解缆，撑近那只船旁。吴衙内指望傍过了船边，细细饱看。谁知才傍过去，便掩上舱门，把吴衙内一团高兴，直冷淡到那指尖上。你道那船中是甚官员？姓甚名谁？那官人姓贺名章，祖贯建康人氏，也曾中过进士。前任钱塘县尉，新任荆州司户。带领家眷前去赴任，亦为阻风，暂驻江州。三府是他同年，顺便进城拜望去了，故此家眷开着舱门闲玩。中年的便是夫人金氏，美貌女子乃女儿秀娥。原来贺司户没有儿子，止得这秀娥小姐。年才十五，真有沉鱼落雁之容，闭月羞花之貌。女工针指，百伶百俐，不教自能。兼之幼时，贺司户曾延师教过读书识字，写作俱高。贺司户夫妇，因是独养女儿，钟爱胜如珍宝。要赘个快婿，难乎其配，尚未许人。当下母子正在舱门口观看这些船只慌乱，却见吴府尹马船傍上来。夫人即叫丫鬟下帘掩门进去。吴府尹是仕路上人，便令人问是何处官府。不一时回报说："是荆州司户，姓贺讳章，今去上任。"吴府尹对夫人道："此人昔年至京应试，与我有交。向为钱塘总尉，不道也升迁了。既在此相遇，礼合拜访。"教从人取帖儿过去传报。从人又禀道："那船上说，贺爷进城拜客未回。"正说间，船上又报道："贺爷已来了。"吴府尹教取公服穿着。在舱中望去，贺司户坐着一乘四人轿，背后跟许多人从。原来贺司户去拜三府，不想那三府数日前丁忧去了，所以来得甚快。抬到船边下轿。看见又有一只座船，心内也时转："不知是何使客？"走入舱中，方待问手下人，吴府尹帖儿早已递进。贺司户看罢，即教相请。恰好舱门相对，走过来就是。见礼已毕，各叙间阔寒温。吃过两杯茶，吴府尹起身作别。不一时，贺司户回拜。吴府尹款洽间，因唤吴衙内相见，命坐于旁。贺司户因自己无子，观见吴彦仪表超群，气质温雅，先有四五分欢喜。及至问些古今书史，却又应答如流。贺司户愈加起敬，称赞不绝。暗道："此子人才学识，尽是可人。若得他为婿，与女儿恰好正是一对。但他居汴京，我住建康，两地相悬，往来遥远，难好成偶，深为可惜。"此乃贺司户心内之事，却是说不出的话。吴府尹问道："老先生有几位公子？"贺司户道："实不相瞒，止有小女一人，尚无子嗣。"吴衙内也暗想道："适来这美貌女子，必定是了。看来年儿与我相仿，若求得为妇，平生足矣。但他止有此女，料必不肯远嫁。说也徒然。"又想道："莫说求他为妇，今要再见他一面，也不能够了。怎做恁般痴想！”吴府尹听得贺司户尚没有子，乃道：“原来老先生还无令郎。此亦不可少之事。须广置姬妾，以图生育便好。”贺司户道：“多承指教！学生将来亦有此意。”彼此谈论，不觉更深方止。临别时，吴府尹道：“倘今晚风息，明晨即行，恐不及相辞了。”贺司户道：“相别已久，后会无期。还求再谈一日。”道罢，回到自己船中。夫人小姐多还未卧，秉烛以待。贺司户酒已半酣，向夫人说起吴府尹高情厚谈，又夸扬吴衙内青年美貌，学问广博，许多好处，将来必是个大器①。明日要设席请他父子。因有女儿在旁，不好说出意欲要他为婿这一段情来。哪晓得秀娥听了，便怀着爱慕之念。至次日，风浪转觉狂大，江面上一望去，烟水迷蒙，浪头推起约有二三丈高，惟闻澎湃之声。往来要一只船儿做样，却也没有。吴府尹只得住下。贺司户清早就送请帖，邀他父子赴酌。那吴衙内记挂着贺小姐，一夜卧不安稳。早上贺司户相邀，正是挖耳当招②，巴不能到他船中，希图再得一觑。偏这吴府尹不会凑趣，道是父子不好齐扰。吴府尹至午后，独自过去。替儿子写帖辞谢。吴衙内难好说得，好不气恼！幸喜贺司户不听，再三差人相请。吴彦不敢自专，又请父命，方才脱换服饬，过去相见，入坐饮酒。早惊动后舱贺小姐，悄悄走至遮堂后，门缝中张望。那吴衙内妆束整齐，比平日愈加丰采飘逸。怎见得？有诗为证：

何郎俊俏颜如粉，荀令风流坐有香。

若与潘生同过市，不知掷果向谁旁？

贺小姐看见吴衙内这表人物，不觉动了私心，想道：“这衙内果然风流俊雅。我若嫁得这等样丈夫，便心满意足了。只事怎好对爹爹母亲说得？除非他家来求亲才好。但我便在此想他，他却如何晓得？欲待与他面会，怎奈爹妈俱在一处，两边船上，耳目又广，没讨个空处。眼见得难就，只索罢休！”心内虽如此转念，那双眼却紧紧觑定吴衙内，大凡人起了爱念，总有十分丑处，俱认作美处。何况吴衙内本来风流，自然转盼生姿，愈觉可

① 大器——大材。器，人才。

② 挖耳当招——别人用手挖耳朵，却误以为他在招呼自己。比喻希望达到目的的心情非常迫切，以致误会人意。

爱。又想道："今番错过此人，后来总配个豪家宦室，恐未必有此才貌兼全！"左思右想，把肠子都想断了，也没个计策，与他相会。心下烦恼，倒走去坐下。席还未暖，恰像有人推起身的一般，两只脚又早到屏门后张望，看了一回，又转身去坐。不上吃一碗茶的工夫，却又走来观看。犹如走马灯一般，顷刻几个盘旋。恨不得三四步走至吴衙内身边，把爱慕之情，一一细罄。说话的，我且问你，在后舱中，非止贺小姐一人，须有夫人丫鬟等辈，难道这般着迷光景，岂不要看出破绽？看官，有个缘故。只因夫人平素有件毛病，刚到午间，便要熟睡一觉，这时正在睡乡，不得工夫。那丫头们，巴不得夫人小姐不来呼唤，背地自去打伙作乐，谁个管这样闲帐，为此并无人知觉。少顷，夫人睡醒，秀娥只得耐住双脚，闷坐呆想。正是：

相思相见知何日？此时此际难为情。

且说吴衙内身虽坐于席间，心却挂在舱后，不住偷眼瞧看。见屏门紧闭，毫不影响，暗叹道："贺小姐，我特为你而来，不能再见一面，何缘分浅薄如此！"快快不乐，连酒也懒得去饮。抵暮席散，归到自己船中，没情没绪，便向床上和衣而卧。这里司户送了吴府尹父子过船，请夫人女儿到中舱夜饭。秀娥一心忆着吴衙内，坐在旁边，不言不语，如醉如痴，酒也不沾一滴，箸也不动一动。夫人看了这个模样，忙问道："儿，为甚一毫东西不吃，只是呆坐？"连问几声，秀娥方答道："身子有些不好，吃不下。"司户道："既然不自在，先去睡罢。"夫人便起身，叫丫鬟掌灯，送他睡下，方才出去。停了一回，夫人又来看觑一番，催丫鬟吃了夜饭，进来打铺相伴。秀娥睡在帐中，翻来翻去，哪里睡得着。忽闻舱外有吟咏之声，侧耳听时，乃是吴衙内的声音。其诗云：

天涯犹有梦，对面岂无缘。
莫道欢娱暂，还期盟誓坚。

秀娥听罢，不胜欢喜道："我想了一日，无计见他一面。如今在外吟诗，岂非天付良缘！料此更深人静，无人知觉，正好与他相会。又恐丫鬟们未睡，连呼数声，俱不答应，量已熟睡。即披衣起身，将残灯挑得亮亮的，轻轻把舱门推开。吴衙内恰如在门首守候的一般，门启处便钻入来，两手搂抱。秀娥又惊又喜。日间许多想念之情，也不暇诉说。舱门竟也不曾闭下。相偎相抱，解衣就寝，成其云雨。正在酣美深处，只见丫鬟起来解手，喊道："不好了，舱门已开，想必有贼！"惊动合船的人，都到舱门口观看。司户与夫人推门进来，教丫鬟点火寻觅。吴衙内慌做一堆，叫道："小姐，怎么处？"秀娥道："不要着忙，你只躲在床上，料然不寻到此。待我打发他们出去，送你过船。"刚抽身下床，不想丫鬟照见了吴衙内的鞋儿，乃道："贼的鞋也在此，想躲在床上。"司户夫妻便来搜看。秀娥推住，连叫没有，哪里肯听。向床上搜出吴衙内。秀娥只叫得"苦也！"司户道："叵耐这厮，怎来点污我家？"夫人便说："吊起拷打。"司户道："也不要打，竟撇入江里去罢。"教两个水手，扛头扛脚，抬将出去。吴衙内只叫饶命。秀娥扯住叫道："爹妈，都是孩儿之罪，不干他事。"司户也不答应，将秀娥推上一交，把吴衙内扑通撇入水里。秀娥此时也不顾羞耻，跌脚捶胸，哭道："吴衙内，是我害着你了！"又想道："他既因我而死，我又何颜独生？"遂抢出舱门，向着江心便跳。

可怜嫩玉娇香女，化作随波逐浪魂！

秀娥刚跳下水，猛然惊觉，却是梦魇，身子仍在床上。旁边丫鬟还在那里叫喊："小姐苏醒！"秀娥睁眼看时，天已明了。丫鬟俱已起身。外边风浪，依然狂大。丫鬟道："小姐梦见甚的？恁般啼哭，叫唤不醒。"秀娥把言语支吾过了。想道："莫不我与吴衙内没有姻缘之分，显这等凶恶梦兆？"又想道："若着真如梦里这回恩爱，就死亦所甘心。"此时又被梦中那段光景在腹内打搅，越发想得痴了。觉道睡来没些聊赖，推枕而起。丫鬟们都不在眼前。即将门掩上，看着舱门，说道："昨夜吴衙内明明从此进来，搂抱至床，不信倒是做梦。"又想道："难道我梦中便这般侥幸，醒时却真个无缘不成？"一面思想，一面随手将舱门推开，用目一觑。只见吴府尹船上舱门大开，吴衙内向着这边船上呆呆而坐。原来二人卧处，都在后舱，恰好间壁，只隔得五六尺远。若是去了两重窗槅，便是一间。那吴衙内也因夜来魂颠梦倒，清早就起身，开着窗槅，观看贺司户船。这也是癞虾蟆想天鹅肉吃的妄想。哪知姻缘有分，贺司户船中后窗也开在那边。秀娥走到窗边，四目相视，且惊且喜。恰如识熟过的，彼此微微而笑。秀娥欲待通句话儿，期他相会，又恐被人听见。遂取过一幅桃花笺纸，磨得墨浓，蘸得笔饱，题诗一首，折成方胜，袖中摸出一方绣帕包裹，卷做一团，掷过船去。吴衙内双手接受，深深唱个肥喏，秀娥还了个礼。然后解开看时，其诗云：

花笺裁锦字，绣帕裹柔肠。

不负襄王梦，行云在此方。

旁边又有一行小字道："今晚妾当挑灯相候，以剪刀响声为号，幸勿爽约。"吴衙内看罢，喜出望外。暗道："不道小姐又有如此秀美才华，真个世间少有！"一头赞羡，即忙取过一幅金笺，题诗一首，腰间解下一条锦带，也卷成一块，掷将过来。秀娥接得看时，这诗与梦中听见的一般，转觉骇然！暗道："如何他才题的诗，昨夜梦中倒先见了？看起来我二人合该为配，故先做这般真梦。"诗后边也有一行小字道："承芳卿雅爱，敢不如命。"看罢，纳诸袖中。正在迷恋之际，恰值丫鬟送面水叩门。秀娥轻轻的上槅子，开放丫鬟。随后夫人也来询视。见女儿已是起身，才放下这片愁心。那日乃是吴府尹答席，午前贺司户就去赴宴。夫人也自昼寝。秀娥取出那首诗来，不时展玩，私心自喜，盼不到晚。有恁般怪事！每常时，霎霎眼便过了一日。偏生这日的日子，恰像有条绳子系住，再不能够下去。心下好不焦躁！渐渐挨至黄昏。忽地想着这两个丫鬟碍眼，不当稳便，除非如此如此。到夜饮时，私自赏他贴身伏侍的丫鬟一大壶酒，两碗菜蔬。这两个丫头，犹如渴龙见水，吃得一滴不留。少顷贺司户筵散回船，已是烂醉。秀娥恐怕吴衙内也吃醉了，不能赴约，反增忧虑。回到后舱，掩上门儿，教丫鬟将香儿熏好了衾枕，吩咐道："我还要做些针指。你们先睡则个。"那两个丫鬟正是酒涌上来，面红耳热，脚软头旋，也思量干这道儿，只是不好开口。得了此言，正中了怀，连忙收拾被窝去睡。头儿刚刚着枕，鼻孔中就扇风箱般打鼾了。秀娥坐了更余，仔细听那两船人声静悄，寂寂无闻。料得无事，遂把剪刀向桌儿上厮琅的一响，那边吴衙内早已会意。原来吴衙内记挂此事，在席上酒也不敢多饮。贺司户去后，回至舱中，侧耳专听。约莫坐了一个更次，不见些影响，心内正在疑惑。忽听得贺司户船中剪刀声响，遂悄悄的轻手软脚，开了窗儿，跨将出去，依原推上。耸身跳过这边船来。向窗门上轻轻弹了三弹。秀娥便来开窗，与衙内钻入舱中。秀娥原复带上。两下又见了个礼儿。吴衙内在灯下把贺小姐仔细一观，更觉千娇百媚。但见：

舱门轻叩小窗开，瞥见犹疑梦里来。

万种欢娱愁不足，梅香熟睡莫惊猜。

各道想慕之情。秀娥又将梦中听见诗句，却与所赠相同的话说出。吴衙内惊讶道："有恁般奇事！我昨夜所梦，与你分毫不差。因道是奇异，闷坐呆想，不道天使小姐也开窗观觑，遂成好事。看起来，多分是宿世姻缘，故令魂梦先通。明日即恳爹爹求亲，以图偕老百年。"秀娥道："此言正合我意。"二人说到情深之际，恩爱转笃，竟自一觉睡去。不想那晚夜半，风浪平静，五鼓时分，各船尽皆开放。贺司户、吴府尹两边船上，也各收拾篷樯，解缆开船。众水手齐声打号子起锚，早把吴衙内、贺小姐惊醒。又听得水手说道："这般好顺风，怕赶不到蕲州！"吓得吴衙内暗暗只管叫苦，说道："如今怎生是好？"贺小姐道："低声。倘被丫鬟听见，反是老大利害。事已如此，急也无用。你且安下，再作区处。"吴衙内道："莫要应了昨晚的梦便好？"这句话却点醒了贺小姐。想梦中被丫鬟看见鞋儿，以致事露。遂伸手摸起吴衙内那双丝鞋藏过。贺小姐踌躇了千百万遍，想出一个计来，乃道："我有个法儿在此。"吴衙内道："是甚法儿？"贺小姐道："日里你便向床底下躲避，我也只推有病，不往外边去，母亲吃饭，竟讨进舱来。待到了荆州，多将些银两与你，趁起岸时人从纷纭，从闹中脱身，觅个便船回到扬州，然后写书来求亲。爹妈若是允了，不消说起。倘或不肯，只得以实告之。爹妈平日将我极是爱惜。到此地位，料也只得允从，那时可不依旧夫妻会合！"吴衙内道："若得如此，可知好哩。"到了天明，等丫鬟起身出舱去后，二人也就下床。吴衙内急忙钻入床底下，做一堆儿伏着。两旁俱有箱笼遮隐，床前自有帐幔低垂。贺小姐又紧紧坐在床边，寸步不离。盥漱过了，头也不梳，假意靠在桌上。夫人走入看见，便道："呵呀！为何不梳头，却靠在此？"秀娥道："身子觉道不快，怕得梳头。"夫人道："想是起得早些，伤了风了。还不到床上去睡睡？"秀娥道："因是睡不安稳，才坐在这里。"夫人道："既然要坐，还该再添件衣服，休得冻了。若是不好，教丫鬟寻过一领披风，与你穿起。"又坐了一回，丫鬟请吃早膳。夫人道："儿，身子不安，莫要吃饭，不如教丫鬟香香的煮些粥儿调养，倒好。"秀娥道："我心里不喜欢吃粥，还是饭好。只是不耐烦走动，拿进来吃罢。"夫人道："既恁般，我也在此陪你。"秀娥道："这班丫头，背着你眼，就要胡做了。母亲还到外边去吃。"夫人道："也说得是。"遂转身出去，教丫鬟将饭送进摆在桌上。秀娥道："你们自去，等我唤时方来。"打发丫鬟去后，把门顶上，向床底下招出吴衙内来吃饭。那吴衙内爬起身，把腰伸了一伸，举目看桌上时，乃是两碗荤菜，一碗素菜，饭只有一吃一添。原来贺小姐平日饭量不济，额定两碗，故此只有这些。你想吴衙内食三升米的肠子，这两碗饭填在哪处？微微笑了一笑，举起箸两三超，就便了帐，却又不好说得。忍了饿原向床下躲过。秀娥开门，唤过丫鬟又教添两碗饭来吃了。那丫鬟互相私议道："小姐自来只吃得两碗，今日说道有病，如何反多吃了一半，可不是怪事！"不想夫人听见，走来说道："儿，你身子不快，怎的又吃许多饭食？"秀娥道："不妨事，我还未饱哩。"这一日三餐俱是如此。司户夫妇只道女儿年纪长大，增了饭食；正不知舱中，另有个替吃饭的，还饿得有气无力哩。正是：

安排布地瞒天谎，成就偷香窃玉①情。

当晚夜饭过了。贺小姐即教吴衙内先上床睡卧，自己随后解衣入寝。夫人又来看时，见女儿已睡，问了声自去。丫鬟也掩门歇息。吴衙内饥馁难熬，对贺小姐说道："事虽好了，只有一件苦处。"秀娥道："是哪件？"吴衙内道："不瞒小姐说，我的食量颇宽。今日这三餐，还不够我一顿。若这般忍饿过日，怎能挨到荆州？"秀娥道："既恁地，何不早说？明日多讨些就是。"吴衙内道："十分讨得多，又怕惹人疑惑。"秀娥道："不打紧，自有道理。但不知要多少才够？"吴衙内道："哪里像得我意！每顿十来碗也胡乱度得过了。"到次早，吴衙内依旧躲过。贺小姐诈病在床，呻吟不绝。司户夫人担着愁心，要请医人调治。又在大江中，没处去请。秀娥却也不是，只叫肚里饿得慌。夫人流水催进饭来，又只嫌少，共争了十数多碗，倒把

① 偷香窃玉——指与女子发生不正当关系。

夫人吓了一跳，劝他少吃些。故意使起性儿，连叫："快拿去！不要吃了。索性饿死罢。"夫人是个爱女，见他使性，反赔笑脸道："儿，我是好话，如何便气起来？"忙叫丫鬟将饭送进来与小姐吃。说道："我儿，娘在此陪你吃。"秀娥道："母亲在此看着，孩儿吃不下去了。通出去了，等我慢慢的，或者吃不完，也未可知。"夫人依他言语，教丫鬟一齐出外。秀娥披衣下床，将门掩上。吴衙内便钻出来。因是昨夜饿坏了，看见这饭，也不谦让，也不拣择，一连十数碗，吃个流星赶月。约莫存得碗余，方才住手。把贺小姐倒看呆了，低低问道："可还少么？"吴衙内道："将就些罢，再吃便没意思了。"泻杯茶漱漱口儿，往床下飕的又钻入去了。贺小姐将余下的饭吃罢，开了门儿，原到床上睡卧。那丫鬟专等他开门，就奔进去。看见饭儿菜儿，都吃得精光，收着家伙，一路笑道："原来小姐患的却是吃饭病。"报知夫人。夫人闻言，只把头摇，说道："亏他怎地吃上这些！那病儿也患得蹊跷！"急请司户来说知，教他请医问卜。连司户也不肯信，吩咐午间莫要依他，恐食伤了五脏，便难医治。哪知未到午时，秀娥便叫肚饥。夫人再三把好言语安慰时，秀娥就啼哭起来。夫人没法，只得又依着他。晚间亦是如此。司户夫妻，只道女儿得了怪病，十分慌张。

这晚已到蕲州停泊，吩咐水手，明日不要开船。清早差人入城，访问名医。一面求神占卦。不一时，请一个太医来。那太医衣冠齐楚，气宇轩昂，贺司户迎至舱中，叙礼看坐。那太医晓得是位官员，礼貌甚恭。献过两杯茶，问了些病缘，然后到后舱诊脉。诊过脉，复至中舱坐下。贺司户道："请问太医，小女还是何症？"太医生咳了一声嗽，方答道："令爱是疳膨食积。"贺司户道："先生差矣！疳膨食积乃婴儿之疾，小女今年十五岁了，如何还犯此症？"太医笑道："老先生但知其一，不知其二。令爱名虽十五岁，即今尚在春间，只有十四岁之实。倘在寒月所生，才十三岁有余。老先生，你且想，十三岁的女子，难道不算婴儿。大抵此症，起于饮食失调，兼之水土不伏，食积于小腹之中，凝滞不消，遂至生热，升至胸中，便觉饥饿。及吃下饮食，反资其火。所以日盛一日。若再过月余不医，就难治了。"贺司户见说得有些道理。问道："先生所见，极是有理了。但今如何治之？"太医道："如今学生先治其积滞，去其风热，住了热，饮食自然渐渐减少，平复如旧矣。”贺司户道：“若得如此神效，自当重酬。”道罢，太医起身拜别。贺司户封了药资，差人取了药来，将水照方上所加引子，慢慢煎好，送入小姐房中。谁知小姐暗地与吴衙内有此隐情，悄地对吴衙内说道：“我家爹娘，只道我真个有病，听信这班庸医的说话，要我服药。”将来的药，也打发丫鬟出去，竟泼入净桶。求神占卦，有的说星辰不利，又触犯了鹤神，须请僧道禳解，自然无事；有的说在旷野处遇了孤魂饿鬼，若设醮追荐，便可痊愈。贺司户夫妻一一依从。见服了几剂药，没些效验，吃饭如旧。又请一个医者。那医者更是扩而充之，乘着轿子，三四个仆从跟随。相见之后，高谈阔论，也先探了病源，方才诊脉，问道：“老先生可有哪个看过么?”贺司户道：“前日曾请一位看来。”医者道：“他看的是何症?”贺司户道：“说是痞膨食积。”医者呵呵笑道：“此乃痨疗之症，怎说是痞膨食积?”贺司户道：“小女年纪尚幼，如何有此症候?”医者道：“令爱非七情六欲痨怯之比，他本秉气虚弱，所谓孩儿痨便是。”贺司户道：“饮食无度，这是为何?”医者道：“寒热交攻，虚火上延，因此容易饥饿。”夫人在屏后打听，教人传说，小姐身子并不发热。医者又道：“乃内热外寒骨蒸之症，故不觉得。”又讨前日医家药剂见了，说道：“这般克罚药，削弱元气。再服几剂，就难救了。待学生先以煎药治其虚热。调和脏腑，即进饮食。那时，方以滋阴降火养血补原的丸药，慢慢调理，自当痊可。”贺司户称谢道：“全仗神力。”遂辞别而去。少顷，家人又请一个太医到来。那太医却是个老者，须鬓皓然，步履蹒跚。刚坐下，便夸张善识疑难怪异之病。“某官府亏老夫救的，某夫人又亏老夫用甚药奏效。”那门面话儿就说了一大派。又细细问了病者起居饮食，才去诊脉。贺司户被他大话一哄，认做有意思的，暗道：“常言老医少卜，或者这医人有些效验，也未可知。”医者诊过了脉，向贺司户道：“还是老先生有缘，得遇老夫。令爱这个病症，非老夫不能识。”贺司户道：“请问果是何疾?”医者道：“此乃有名色的，谓之膈病。”贺司户道：“吃不下饮食，方是膈病。目今比平常多食几倍，如何是这症候?”医者道：“膈病原有几般。像令爱为膈病俗名唤做老鼠膈。背后尽多尽吃；及至见了人，一些也难下咽喉。后来食多发涨，便成蛊胀。二病相兼，便难医治。如今幸而初起，还不妨得。包在老夫身上，可以除根。”言罢，起身。贺司户送出船头方别。那时一家都认做老鼠膈。见神见鬼的，请医问卜。哪晓得贺小姐把来的药，都送在净桶肚里，背地冷笑。贺司户在蕲州停了几日，算来不是长法，与夫人商议，与医者求了个药方，多买了几帖药，一路去，且到荆州再请名医看罢。那些庸医千方百计，骗了好些银两，可不是他造化！有诗为证：

医人未必尽知医，却是将机便就机。

无病妄猜云有病，却教司户折便宜。

常言说得好，少女少郎，情色相当。贺小姐初时，还是个处子，尚是逡巡畏缩。况兼吴衙内心慌胆怯，不敢恣肆，彼此未见十分美满。两三日后，渐入佳境，恣意取乐，忘其所以，一晚夜半，丫鬟睡醒，听得床上唧唧哝哝，床棱戛戛的响。隔了一回，又听得气喘吁吁。心中怪异。次早报与夫人。夫人也因见女儿面色红活，不像个病容，正有些疑惑。听了这话，合着他的意思。不去通知司户，竟走来观看，又没些破绽。及细看秀娥面貌，愈加丰采倍常，却又不好开口问得，倒没了主意。坐了一回，原走出去。朝饭已后，终是放心不下，又进去探觑，把远话挑问。秀娥见夫人话儿问得蹊跷，便不答应。耳边忽闻得打鼾之声。原来吴衙内夜间多做了些正经，不曾睡得，此时吃饱了饭，在床底下酣睡。秀娥一时遮掩不来，被夫人听见，将丫鬟使遣开去，把门顶上，向床下一望。只见靠壁一个蓬头孩子，曲着身子，睡得好不自在。夫人暗暗叫苦不迭！对秀娥道："你做下这等勾当，却诈推有病，吓得我夫妻心花儿急碎了！如今羞人答答，怎地做人！这天杀的，他是哪里来的？"秀娥羞得满面通红，说道："是孩儿不是，一时做差事了！望母亲遮盖则个！这人不是别个，便是吴府尹的衙内。"夫人失惊道："吴衙内与你从未见面，况那日你爹在他船上吃酒，还在席间陪侍，夜深方散，四鼓便开船了，如何得能到此？"秀娥从实将司户称赞留心，次日屏后张望，夜来做梦，早上开窗订约，并熟睡船开，前后事细细说出，又道："不肖女一时情痴，丧名失节，玷辱父母，罪实难逭①。但两地相隔数千里，一旦因阻风而会，此乃宿世姻缘，天遣成配，非由人力。儿

① 逭(huàn)——逃。

与吴衙内誓同生死，各不更改。望母亲好言劝爹曲允，尚可挽回前失。倘爹有别念，儿即自尽，决不偷生苟活。今蒙耻禀知母亲，一任主张。”道罢，泪如雨下，这里母子便说话，下边吴衙内打鼾声如发雷一般响了。此时夫人又气又恼。欲待把他难为，一来娇养惯了，哪里舍得；二来恐婢仆闻知，反做话靶。吞声忍气，拽开门走往外边去了。

秀娥等母亲转身后，急下床顶上门儿，在床下叫醒吴衙内，埋怨道："你打鼾，也该轻些儿，惊动母亲，事都泄漏了。”吴衙内听说这话，吓得浑身冷汗如雨，上下牙齿，顷刻就砼蹬蹬的乱打，半句话也说不出。秀娥道："莫要慌！适来与母亲如此如此说明白了。若依允，不必讲起。不肯时，拚得学梦中结局，决不教使独受其累。”说到此处，不觉泪珠乱滚。

且说夫人急请司户进来，屏退丫鬟，未曾开言，眼中早已簌簌泪下。司户还道愁女儿病体，反宽慰道："那医者说，只在数日便可奏效，不消烦恼。”夫人道："听那老光棍花嘴！什么老鼠膈！论起恁般太医，莫说数日内奏效，就一千日还看不出病体。”司户道："你且说怎的?”夫人将前事细述。把司户气着个发昏章第十一①。连声道："罢了，罢了！这等不肖之女，做恁般丑事，败坏门风，要他何用？趁今晚都结果了性命，也脱了这个丑名。”这两句话惊得夫人面如土色，劝道："你我已在中年，止有这点骨血。若断送了，更有何人？论来吴衙内好人家子息，才貌兼全，招他为婿，原是门当户对。独怪他不来求亲，私下做这般勾当。事已如此，也说不得了。将错就错，悄地差人送他回去，写书与吴府尹，令人来下聘，然后成礼，两全其美。今若声张，反妆幌子②。”司户沉吟半晌，无可奈何，只得依着夫人。出来问水手道："这里是甚地方?”水手答道："前边已是武昌府了。”司户吩咐就武昌暂停，要差人回去。一面修起书札，唤过一个心腹家人，吩咐停当。不一时到了武昌。那家人便上岸写下船只，傍在船边。贺司户与夫人同至后舱。秀娥见了父亲，自觉无颜，把被蒙在面上。司户也

---

① 发昏章第十一——就是发昏的意思。古代书籍中表明篇章次序，写“某某章第一”、“某某章第二”。这里模仿此格式开玩笑，说成“发昏章第十一”。

② 反妆幌子——反而自己把丑事宣扬了，就像挂了个幌子一样。妆，通“装”，挂。幌子，商店门外的招牌或标志。

不与他说话，只道："做得好事！"向床底下，呼唤吴衙内。那吴衙内看见贺司户夫妇，不知是甚意儿，战兢兢爬出来，伏在地上，口称死罪。司户低责道："我只道你少年博学，可以成器！不想如此无行，辱我家门！本该撇下江里，才消这点恶气。今姑看你父亲面皮，饶你性命，差人送归。若得成名，便把不肖女与你为妻；如没有这般志气，休得指望。"吴衙内连连叩头领命。司户原教他躲过，挨至夜深人静，悄地教家人引他过船，连丫鬟不容一个见面。彼时两下分别，都还道有甚歹念，十分凄惨，又不敢出声啼哭。秀娥又扯夫人到背后，说道："此行不知爹爹有甚念头，须教家人回时，讨吴衙内书信复我，方才放心。"夫人真个依着他。又叮嘱了家人，次日清早开船自去。贺司户船只也自望荆州进发。贺小姐诚恐吴衙内途中有变，心下忧虑。即时真个倒想出病来。正是：

乍别冷如冰，动念热如火。

三百六十病，唯有相思苦。

话分两头。且说吴府尹自那早离了江州，行了几十里路，已是朝膳时分，不见衙内起身，还道夜来中酒。看看至午，不见声息，以为奇怪。夫人自去叫唤，并不答应。那时着了忙。吴府尹教家人打开观看，只有一个空舱。吓得府尹夫妻，魂魄飞散，呼天怆地的号哭！只是解说不出。合船的人，都道："这也作怪！总来只有只船，哪里去了？除非落在水里。"吴府尹听了众人，遂泊住船，寻人打捞。自江州起至泊船之所，百里内外，把江也捞遍了，哪里罗得尸首。一面招魂设祭，把夫人哭得死而复苏。吴府尹因没了儿子，连官也不要做了。手下人再三苦劝，方才前去上任。不则一日，贺司户家人送吴衙内到来。父子一见，惊喜相半。看了书札，方知就里。将衙内责了一场，款留贺司户家人，住了数日。准备聘礼，写起回书，差人回去求亲。吴衙内也写封私书寄与贺小姐。两下家人领着礼物，别了吴府尹，直至荆州，参见贺司户。收了聘礼，又做回书，打发吴府尹家人回去。那贺小姐正在病中，见了吴衙内书信，然后渐渐痊愈。那吴衙内在衙中，日夜攻书。候至开科，至京应试，一举成名，中了进士，凑巧除授荆州府湘潭县县尹。吴府尹见儿子成名，便告了致仕，同至荆州上任，择吉迎娶贺小姐过门完姻。同僚们前来称贺。

两个花烛下新人，锦衾内一双凤友。

秀娥过门之后，孝敬公姑，夫妻和顺，颇有贤名。后来贺司户因念着女儿，也入籍汴京，靠老终身。吴彦官至龙图阁学士，生得二子，亦登科甲。这回书唤做《吴衙内邻舟赴约》。诗：

佳人才子貌相当，八句新诗暗自将。

百岁姻缘床下就，丽情千古播词场。

第二十九卷　卢太学诗酒傲王侯

卫河东岸浮丘高，竹舍云居隐凤毛。

遂有文章惊董贾，岂无名誉驾刘曹①。

秋天散步青山郭，春日催诗白兔毫。

醉倚湛卢②时一啸，长风万里破洪涛。

这首诗，系本朝嘉靖年间，一个才子所作。那才子是谁？姓卢名楠字少蝯，一字子赤，大名府濬县人也。生得丰姿潇洒，气宇轩昂，飘飘有出尘之表。八岁即能属文，十岁便娴诗律，下笔数千言，倚马可待。人都道他是李青莲再世，曹子建后身。一生好酒任侠，放达不羁，有轻财傲物之志。真个名闻天下，才冠当今。与他往来的，俱是名公巨卿。又且世代簪缨③，家赀④巨富，日常供奉，拟于王侯。所居在城外浮邱山下，第宅壮丽，高耸云汉。后房粉黛，一个个声色兼妙；又选小奚⑤秀美者十人，教成吹弹歌曲，日以自娱。至于童仆厮养，不计其数。宅后又购一园，大可两三顷，凿池引水，叠石为山，制度极其精巧，名曰啸圃。大凡花性喜暖，所以名花俱

① 董贾、刘曹——董指董仲舒，贾指贾谊，两人都是汉代文学家。刘指刘桢，曹指曹植，两人都是三国时魏国的文学家。

② 湛卢——古代宝剑名。

③ 世代簪缨——世代做官。簪、缨，达官贵人的官饰，用以固定头上的帽子。后用来代称做官者。

④ 赀（zī）——钱财。同“资”。

⑤ 小奚——小男仆。

出南方，那北地天气严寒，花到其他，大半冻死，因此至者甚少。设或到得一花一果，必为金珰大畹①所有，他人亦不易得。这濬县又是个拗处，比京都更难，故宦家园亭虽有，俱不足观。偏卢楠立心要胜似他人，不惜重价，差人四处购取名花异卉，怪石奇峰，落成这园，遂为一邑之胜。真个景致非常！但见：

楼台高峻，庭院清幽。山叠岷峨怪石，花栽阆苑奇葩。水阁遥通竹坞，风轩斜透松寮。回塘曲槛，层层碧浪漾琉璃；叠嶂层峦，点点苍苔铺翡翠。牡丹亭畔，孔雀双栖；芍药栏边，仙禽对舞。萦纡松径，绿阴深处小桥横；屈曲花岐，红艳丛中乔木耸。烟迷翠黛，意淡如无；雨洗青螺，色浓似染。木兰舟荡漾芙蓉水际，秋千架摇拽垂杨影里。朱栏画槛相掩映，湘帘绣幙两交辉。

卢楠日夕吟花课鸟，笑傲其闲，虽南面②至乐，亦不过是！凡朋友去相访，必留连尽醉方止。倘遇着个声气相投，知音知己，便兼旬累月，款留在家，不肯轻放出门。若有人患难来投奔的，一一俱有赍发，决不令其空过。因此四方慕名来者，络绎不绝。真个是：

座上客常满，尊中酒不空。

卢楠只因才高学广，以为掇青紫如拾针芥③；哪知文福不齐，任你锦绣般文章，偏生不中试官之意，一连走上几次，不能够飞黄腾达。他道世无识者，遂绝意功名，不图进取。惟与骚人剑客，羽士高僧，谈禅理，论剑术，呼卢浮白④，放浪山水，自称浮丘山人。曾有五言古诗云：

逸翮奋霄汉，高步蹑天关。
褰衣在椒涂，长风吹海澜。

---

① 金珰大畹——金珰，汉代近侍之臣侍中、中常侍的冠饰。后用作权宦的代称。大畹，指皇亲国戚住的地方，因作贵族的代称。

② 南面——指帝王。帝王面南而朝。

③ 掇青紫如拾针芥——拾取一个大官做，就像在地下捡一根针、一根草一样容易。汉代时丞相和太尉是金印、紫绶；御使大夫是银印、青授。后用“青紫”代称做大官。

④ 呼卢浮白——赌博饮酒。卢，黑色。古时樗蒲之戏有五子，一掷五子都成黑色，是为最胜采。浮白，本谓罚酒，后转称饮一大杯酒为浮一大白。

琼树系游镳，瑶华代朝餐。

恣情戏灵景，静啸喈鸣鸾。

浮世信淆浊，焉能濡羽翰！

话分两头，却说濬县知县，姓汪名岑，少年连第，贪酷无比，性复猜刻，又酷好杯中之物。若擎着酒杯，便直饮到天明。自到濬县，不曾遇着对手。平昔也晓得卢楠是个才子，当今推重，交游甚广。又闻得邑中园亭，推他家为最，酒量又推尊第一。因这三件，有心要结识他，做个相知。差人去请来相会。你道有这般好笑的事么？别个秀才要去结交知县，还要挨风缉缝，央人引进，拜在门下，认为老师。四时八节，馈送礼物，希图以小博大。若知县肯来相请，便似朝廷征聘一般，便立刻动身，不俟驾而行①的样子。若是这种人，是不肖者所为，有气概的未必如此。但知县相请，也没有不肯去的。偏有卢楠比他人不同，知县一连请了五六次，只当做耳边风，全然不睬，只推自来不入公门。你道因甚如此？那卢楠才高天下，眼底无人，天生就一副侠肠傲骨，视功名如敝屣②，等富贵犹浮云。就是王侯卿相，不曾来拜访，要请去相见，他也断然不肯先施③，怎肯轻易去见个县官？真个是天子不得臣，诸侯不得友，绝品的高人。这卢楠已是个清奇古怪的主儿，撞着知县又是个耐烦琐碎的冤家。请人请到四五次不来，也索罢了，偏生只管去缠帐。见卢楠决不肯来，却倒情愿自去就教。又恐卢楠他出，先差人将帖子订期。差人领了言语，一直径到卢家，把帖子递与门公说道："本县老爷，有紧要话，差我来传达你相公，相烦引进。"门公不敢怠慢，即引到园上，来见家主。差人随进园门，举目看时，只见水光绕绿，山色送青，竹木扶疏，交相掩映，林中禽鸟，声如鼓吹。那差人从不曾见这般景致，今日到此，恍如登了洞天仙府，好生欢喜，想道："怪道老爷要来游玩，原来有恁地好景！我也是有些缘分，方得至此观玩这番，也不枉为人一世。"遂四下行走，恣意饱看。弯弯曲曲，穿过几条花径，走过数处亭台。来到一个所在，周围尽是梅花，一望如雪，霏霏馥馥，清香沁人肌

① 不俟（sì）驾而行——不等驾好车子就走。急于应召的意思。

② 敝屣——破鞋。

③ 先施——抢先一步送礼或拜访。

骨。中间显出一座八角亭子，朱甍碧瓦，画栋雕梁，亭中悬一个匾额，大书“玉照亭”三字。下边坐着三四个宾客，赏花饮酒，旁边五六个标致青衣①，调丝品竹，按板而歌。有高太史②《梅花诗》为证：

琼姿只合在瑶台，谁向江南处处栽。
雪满山中高士卧，月明林下美人来。
寒依疏影萧萧竹，春掩残香漠漠苔。
自去渔郎无好韵，东风愁寂几回开！

门公同差人站在门外，候歌完了，先将帖子禀知，然后差人向前说道：“老爷令小人多多拜上相公，说既相公不屑到县，老爷当来拜访。但恐相公他出，又不相值，先差小人来期个日子，好来请教。二来闻府上园亭甚好，顺便就要游玩。”大凡事当凑就不起，那卢楠见知县频请不去，恬不为怪，却又情愿来就教，未免转过念头，想：“他虽然贪鄙，终是个父母官儿，肯屈己敬贤，亦是可取。若又峻拒不许，外人只道我心胸褊狭，不能容物了。”又想道：“他是个俗吏，这文章定然不晓得的；那诗律旨趣深奥，料必也没相干；若论典籍，他又是个后生小子，侥幸在睡梦中偷得这进士到手，已是心满意足，谅来还未曾识面。至于理学禅宗，一发梦想所不到了。除此之外，与他谈论，有甚意味，还是莫招揽罢。”却又念其来意惓惓③，如拒绝了，似觉不情。正沉吟间，小童斟上酒来。他触境情生，就想到酒上，道：“倘会饮酒，亦可免俗。”问来人道：“你本官可会饮酒么？”答道：“酒是老爷的性命，怎么不会饮？”卢楠又问：“能饮得多少？”答道：“但见拿着酒杯，整夜吃去，不到酩酊不止，也不知有几多酒量。”卢楠心中喜道：“原来这俗物，却会饮酒，单取这节罢。”随教童子取小帖儿，付与来人道：“你本官既要来游玩，趁此梅花盛时，就是明日罢。我这里整备酒盒相候。”差人得了言语，原同门公一齐出来，回到县里，将帖子回复了知县。知县大喜，正要明日到卢楠家去看梅花，不想晚上人来报新按院到任，连夜起身往府，不能如意。差人将个帖儿辞了。知县到府，接着按院，俟行香过了，回

① 标致青衣——漂亮的侍女。
② 高太史——指高启，明代诗人。曾官编修，修《元史》，故称为“太史”。
③ 惓惓——恳切。同“拳拳”。

到县时，往还数日，这梅花已是：

纷纷玉瓣堆香砌，片片琼英绕画栏。

汪知县因不曾赴梅花之约，心下怏怏，指望卢楠另来相邀。谁知卢楠出自勉强，见他辞了，即撇过一边，哪肯又来相请。看看已到仲春时候，汪知县又想到卢楠园上去游春，差人先去致意。那差人来到卢家园中，只见园林织锦，堤草铺茵，莺啼燕语，蝶乱蜂忙，景色十分艳丽。须臾，转到桃蹊上，那花浑如万片丹霞，千重红锦，好不烂熳。有诗为证：

桃花开遍上林红，耀服繁华色艳浓。

含笑动人心意切，几多消息五更风。

卢楠正与宾客在花下击鼓催花，豪歌狂饮，差人执帖子上前说知。卢楠乘着酒兴对来人道："你快回去与本官说，若有高兴，即刻就来，不必另约。"众宾客道："使不得！我们正在得趣之时，他若来了，就有许多文来谄①，怎能尽兴？还是改日罢。"卢楠道："说得有理，便是明日。"遂取个帖子，打发来人，回复知县。你道天下有这样不巧的事！次日汪知县刚刚要去游春，谁想夫人有五个月身孕，忽然小产起来，晕倒在地，血污浸渍身子。吓得知县已是六神无主，还有甚心肠去吃酒，只得又差人辞了卢楠。这夫人一病直至三月下旬，方才稍可。那时卢楠园中牡丹开放，冠绝一县。真是好花，有《牡丹诗》为证：

洛阳千古斗春芳，富贵争夸浓艳妆。

一自《清平》三阕后，至今传诵说花王。

汪知县为夫人这病，乱了半个多月，情绪不佳，终日只把酒来消闷，连政事也懒得去理。次后闻得卢家牡丹茂盛，想要去赏玩，因两次失约，不好又来相期，差人送三两书仪②，就致看花之意。卢楠日子便期了，却不肯受这书仪。璧返数次，推辞不脱，只得受了。那日天气晴爽，汪知县打帐早衙完了就去，不道刚出衙门，左右来报："吏科给事中某爷告养亲归家，在此经过。"正是要道之人，敢不去奉承么？急忙出郭迎接，馈送下程，设

① 有许多文来谄——文谄谄。这里指见面时你谦我让、行礼说客套话等繁文缛节。

② 书仪——以送钱买书为名义送点钱给人家，这种钱叫做"书仪"。

宴款待。只道一两日就行，还可以看得牡丹，哪知某给事，又是好胜的人，教知县陪了游览本县胜景之处，盘桓七八日方行。等到去后，又差人给卢楠时，那牡丹已萎谢无遗。卢楠也向他处游玩山水，离家两日矣。不觉春尽夏临，倏忽间又早六月中旬，汪知县打听卢楠已是归家，在园中避暑，又令人去传达，要赏莲花。那差人径至卢家，把帖儿教门公传进。须臾间，门公出来说道："相公有话，唤你当面去吩咐。"差人随着门公，直到一个荷花池畔，看那池团团约有十亩多大，堤上绿槐碧柳，浓阴蔽日；池内红妆翠盖，艳色映人。有诗为证：

凌波仙子斗新妆，七窍虚心吐异香。
何似花神多薄幸，故将颜色恼人肠。

原来那池也有个名色，唤做滟碧池。池心中有座亭子，名曰锦云亭。此亭四面皆水，不设桥梁，以采莲舟为渡，乃卢楠纳凉之处。门公与差人下了采莲舟，荡动划桨，顷刻到了亭边，系舟登岸。差人举目看那亭子：周围朱栏画槛，翠幔纱窗，荷香馥馥，清风徐徐，水中金鱼戏藻，梁间紫燕寻巢，鸥鹭争飞叶底，鸳鸯对浴岸旁。去那亭中看时，只见藤床湘簟，石榻竹几，瓶中供千叶碧莲，炉内焚百和名香。卢楠科头跣足，斜踞石榻。面前放一帙古书，手中执着酒杯。旁边冰盘中，列着金桃雪藕，沉李浮瓜，又有几味案酒。一个小厮捧壶，一个小厮打扇。他便看几行书，饮一杯酒，自取其乐。差人未敢上前，在侧边暗想道："同是父母生长，他如何有这般受用！就是我本官中过进士，还有许多劳碌，怎及得他的自在！"卢楠抬头看见，即问道："你就是县里差来的么？"差人应道："小人正是。"卢楠道："你那本官倒也好笑，屡次订期定日，却又不来，如今又说要看荷花。恁样不爽利，亏他怎地做了官！我也没有许多闲工夫与他缠帐，任凭他有兴便来，不奈烦又约日子。"差人道："老爷多拜上相公，说久仰相公高才，如渴想浆，巴不得来请教，连次皆为不得已事羁住，故此失约。还求相公期个日子，小人好去回语。"卢楠见来人说话伶俐，却也听信了他，乃道："既如此，竟在后日。"差人得了言语，讨个回帖，同门公依旧下船，划到柳阴下上岸，自去回复了知县。那汪知县至后日，早衙发落了些公事，约莫午牌时候，起身去拜卢楠。谁想正值三伏之时，连日酷热非常，汪知县已受了些暑气，这时却又在正午，那轮红日犹如一团烈火，热得他眼中火冒，口内烟生。刚到半路，觉道天旋地转，从轿上直撞下来，险些儿闷死在地。从人急忙救起，抬回县中，送入私衙，渐渐苏醒。吩咐差人辞了卢楠，一面请太医调治。足足里病了一个多月，方才出堂理事，不在话下。

且说卢楠一日在书房中，查点往来礼物，检着汪知县这封书仪，想道："我与他水米无交，如何白白里受他的东西？须把来消豁①了，方才干净。"到八月中，差人来请汪知县中秋夜赏月。那知县却也正有此意。见来相请，好生欢喜，取回帖打发来人，说："多拜上相公，至期准赴。"那知县乃一县之主，难道刚刚只有卢楠请他赏月不成？少不得初十边，就有乡绅同僚中相请，况又是个好饮之徒，可有不去的理么？定然一家家挨次都到，至十四这日，辞了外边酒席，于衙中整备家宴，与夫人在庭中玩赏。那晚月色分外皎洁，比寻常更是不同。有诗为证：

玉宇淡悠悠，金波彻夜流。
最怜圆缺处，曾照古今愁。
风露孤轮影，山河一气秋。
何人吹铁笛？乘醉倚南楼。

夫妻对酌，直饮到酩酊，方才入寝。那知县一来是新起病的人，元神未复；二来连日沉酣糟粕，趁着酒兴，未免走了酒字下这道儿②；三来这晚露坐夜深，着了些风寒，三合凑又病起来。眼见得卢楠赏月之约，又虚过了。调摄数日，方能痊可。那知县在衙中无聊，量道卢楠园中桂花必盛，意欲借此排遣，适值有个江南客来打抽丰③，送两大坛惠山泉酒，汪知县就把一坛，差人转送与卢楠。卢楠见说是美酒，正中其怀，无限欢喜，乃道："他的政事文章，我也一概勿论，只这酒中，想亦是知味的了。"即写帖请汪知县后日来赏桂花。有诗为证：

---

① 消豁——在对方身上花费掉。

② 走了酒字下这道儿——指"色"。"酒色"二字常连用，所以"酒"下边的是"色"。这里指行房事。

③ 打抽丰——亦作"打秋风"。旧指利用各种关系向人索取财物，特指向在任官员乞求赠遗。

灵鹫山前落月中，天香云外动秋风。

淮南何用歌《招隐》？自可淹留桂树丛。

自古道："一饮一啄，莫非前定。"像汪知县是个父母官，肯屈已去见个士人，岂不是件异事。谁知两下机缘未到，临期定然生出事故，不能相会。这番请赏桂花，汪知县满意要尽竟日之欢，罄夙昔仰想之诚。不料是日还在眠床上，外面就传板①进来报："山西理刑赵爷行取入京，已至河下。"恰正是汪知县乡试房师②怎敢怠慢？即忙起身梳洗，出衙上轿，往河下迎接，设宴款待。你想两个得意师生，没有就相别之理，少不得盘桓数日，方才转身。这桂花果然：

飘残金粟随风舞，零乱天香满地铺。

却说卢楠素性刚直豪爽，是个傲上矜下之人，见汪知县屡次卑词尽敬，以其好贤，遂有俯交之念。时值九月末旬，园中菊花开遍，那菊花种数甚多，内中惟有三种为贵。哪三种？鹤翎、剪绒、西施。每一种各有几般颜色，花大而媚，所以贵重。有《菊花诗》为证：

不共春风斗百芳，自甘篱落傲秋霜。

园林一片萧疏景，几朵依稀散晚香。

卢楠因想汪知县几遍要看园景，却俱中止，今趁此菊花盛时，何不请来一玩？也不枉他一番敬慕之情。即写帖儿，差人去请次日赏菊。家人拿着帖子，来到县里，正值知县在堂理事，一径走到堂上跪下，把帖子呈上，禀道："家相公多拜上老爷，园中菊花盛开，特请老爷明日赏玩。"汪知县正想要去看菊，因屡次失约，难好启齿；今见特地来请，正是挖耳当招，深中其意。看了帖子，乃道："拜上相公，明日早来领教。"那家人得了言语，即便归家回复家主道："汪老爷拜上相公，明日绝早就来。"那知县说明日早来，不过是随口的话，那家人改做绝早就来，这也是一时错讹之言。不想因这句错话上，得罪了知县，后来把天大家私，弄得罄尽，险些儿连性

① 传板——官厅里悬在堂口、有紧急事情所敲击的大木板。

② 房师——主持乡试的官员，除了主考官外，还有同考官。考取的举人称主考官为"座师"，称分房阅卷的同考官为"房师"。

命都送了。正是：

舌为利害本，口是祸福门。

当下卢楠心下想道："这知县也好笑，哪见人赴人筵席，有个绝早就来之理。"又想道："或者慕我家园亭，要尽竟日之游。"吩咐厨夫："老爷明日绝早就来，酒席须要早些完备。"那厨夫听见知县早来，恐怕临时误事，隔夜就手忙足乱收拾。卢楠到次早吩咐门上人："今日若有客来，一概相辞，不必通报。"又将个名帖，差人去邀请知县。不到朝食时，酒席都已完备，排设在燕喜堂中。上下两席，并无别客相陪。那酒席铺设得花锦相似。正是：

富家一席酒，穷汉半年粮。

且说知县那日早衙投文已过，竟不退堂，就要去赴酌，因见天色太早，恐酒席未完，吊一起公事来问。那公事却是新拿到一班强盗事，在卫河里打劫来往客商，因都在娼家宿歇，露出马脚，被捕人拿住解到本县，当下一讯都招。内中一个叫做石雪哥，又扳出本县一个开肉铺的王屠，也是同伙，即差人去拿到。知县问道："王屠，石雪哥招称你是同伙，赃物俱窝顿你家，从实招来，免受刑罚。"王屠禀道："老爷，小人是个守法良民，就在老爷马足下开个肉铺生理，平昔间就街市上不十分行走，哪有这事。莫说与他是个同伙，就是他面貌，从不曾识认。老爷不信，拘邻里来问，平日所行所为，就明白了。"知县又叫石雪哥道："你莫诬陷平人，若审出是扳害的，本时就打死你这奴才。"石雪哥道："小的并非扳害，真实是同伙。"王屠叫道："我认也认不得你，如何是同伙？"石雪哥道："王屠，我与你一向同做伙计，怎么诈不认得？就是今日，本心原要弄脱你的，只为受刑不过，一时间说了出来，你不可怪我！"王屠叫屈连天道："这是哪里说起？"知县喝交一声夹起来，可怜王屠夹得死而复苏，不肯招承。石雪死咬定是个同伙，虽夹死终不改口。是巳牌时分，夹到日已倒西，两下各执一词，难以定招。此时知县一心要去赴宴，已不耐烦，遂依着强盗口词，葫芦提将王屠问成死罪，其家私尽作赃物入官。画供已毕，一齐发下死囚牢里，即起身上轿，到卢楠家去吃酒不提。

你道这强盗为甚死咬定王屠是个同伙？那石雪哥当初原是个做小经

纪的人，因染了时疫症，把本钱用完，连几件破家伙，也卖来吃在肚里。及至病好，却没本钱去做生意，只存得一只锅儿，要把去卖几十文钱，来营运度日。旁边却又有些破的，生出一个计较，将锅煤拌着泥儿涂好，做个草标儿，提上街去卖。转了半日，都嫌是破的，无人肯买。落后走到王屠对门开米铺的田大郎门首，叫住要买。那田大郎是个近觑眼，却看不出损处，一口就还八十文钱。石雪哥也就肯了。田大郎将钱递与石雪哥，接过手刚在那里数明，不想王屠在对门看见，叫这大郎："你且仔细看看，莫要买了破的。"这是因他眼力不济，乃偶然外人之言。谁知田大郎真个重新仔细一看，看出那个破损处来，对王屠道了："是你说，不然几乎被他哄了。果然是破的。"连忙讨了铜钱，退还锅子。石雪哥初时卖成了，心中正在欢喜，次后讨了钱去，心中痛恨王屠，恨不得与他性命相博。只为自己货儿果然破损，没个因头，难好开口，忍着一肚子恶气，提着锅子转身。临行时，还把王屠怒目而视，巴不能等他问一声，就要与他厮闹。那王屠出自无心，哪个去看他。石雪哥见不来招揽，只得自去。不想心中气恼，不曾照管得，足下绊上一交，把锅子打做千百来块，将王屠来恨入骨髓。思想没了生计，欲要寻条死路，诈那王屠，却又舍不得性命。没甚计较，就学做夜行人①，倒也顺溜，手到擒来。做了年余，嫌这生意微细，合入大队里，在卫河中巡绰②，得来大碗酒、大块肉，好不快活！那时反又感激王屠起来，他道是："当日若没有王屠这一句话，卖成这只锅子，有了本钱，这时只做小生意度日，哪有恁般快活！"及至恶贯满盈，被拿到官，情真罪当，料无生理，却又想起昔年的事来："那日若不是他说破，卖这几十文钱做生意度日，不见致有今日。"所以扳害王屠，一口咬定，死也不放。故此他便认得王屠，王屠却不相认。后来直到秋后典刑，齐绑在法场上，王屠问道："今日总是死了，你且说与我有甚冤仇，害我致此？说个明白，死也甘心。"石雪哥方把前情说出。王屠连喊冤枉，要辩明这事。你想，此际有哪个来睬你？只好含冤而死，正是：

只因一句闲言语，断送堂堂六尺躯。

---

① 夜行人——小偷。

② 巡绰——本义是巡查、警戒，这里是拦路打劫的意思。

闲话休提，且说卢楠早上候起，已至巳牌，不见知县来到，又差人去打听，回报说在那里审问公事。卢楠心上就有三四分不乐，道："既约了绝早就来，如何这时候还问公事？"停了一回，还不见到，又差人去打听，来报说："这件公事还未问完哩。"卢楠不乐有六七分了，想道："是我请他的不是，只得耐这次罢。"俗语道得好，等人性急，略过一回，又差人去打听，这人行无一箭之远，又差一人前去，顷刻就差上五六个人去打听。少停一齐转来回复："老爷在堂上发激，想这事急切未得完哩。"卢楠听见这话，凑成十分不乐，心中大怒道："原来这俗物，一无可取，都只管来缠帐，几乎错认了。如今幸尔还好。"即令家人撇开下面这桌酒席，走上前居中向外面坐，叫道："快把大杯洒热酒来，洗涤俗气。"家人都禀道："恐大爷一时便到。"卢楠睁起眼喝道："哇！还说甚大爷？我这酒可是与俗物吃的么？"家人见家主发怒，谁敢再言，只得把大杯斟上，厨下将肴馔供出。小奚在堂中宫商迭奏，丝竹并呈。卢楠饮了数杯，又讨出大碗，一连吃上十数多碗，吃得性起，把巾服都脱去了，跣足科头，踞坐于椅上，将肴馔撤去，止留果品案酒，又吃上十来大碗，连果品也赏了小奚，惟饮寡酒。又吃上几碗。卢楠酒量虽高，原吃不得急酒，因一时恼怒，连饮了几十碗，不觉大醉，就靠在桌上鼾鼾睡去。家人谁敢去惊动，整整齐齐，都站在两旁伺候。里边卢楠便醉了，外面管园的却不晓得。远远望见知县头踏来，急忙进来通报。到了堂中，看见家主已醉，倒吃一惊道："大爷已是到了，相公如何先饮得这个模样？"众家人听得知县来到，都面面相觑，没做理会，齐道："那桌酒便还在，但相公不能够醒，却怎好？"管园的道："且叫醒转来，扶醉陪他一陪也罢。终不然特地请来，冷淡他去不成。"众家人只得上前叫唤，喉咙都喊破了，如何得醒？渐渐听得人声喧杂，料道是知县进来，慌了手足，四散躲过。单单撇下卢楠一人。只因这番，有分教：佳宾贤主，变为百世冤家；好景名花，化作一场春梦。正是：

盛衰有命天为主，祸福无门人自生。

且说汪知县离了县中，来到卢家园门口，不见卢楠迎接，也没有一个家人伺候，从人乱叫："门上有人么？快去通报，大爷到了。"并无一人答应。知县料是管门的已进去报了，遂吩咐："不必呼唤。"竟自进去。只见门上一个匾额，白地翠书“啸圃”两个大字。进了园门，一带都是柏屏，转过弯来，又显出一座门楼，上书“隔凡”二字。过了此门，便是一条松径。绕出松林，打一看时，但见山岭参差，楼台缥缈，草木萧疏，花竹围环。知县见布置精巧，景色清幽，心下暗喜道：“高人胸次，自是不同。”但不闻得一些人声，又不见卢楠相迎，未免疑惑。也还道是园中径路错杂，或者从别道往外迎我，故此相左。一行人在园中，任意东穿西走，反去寻觅主人。次后来到一个所在，却是三间大堂。一望菊花数百，霜英灿烂，枫叶万树，拥若丹霞，橙橘相亚，累累如金。池边芙蓉千百株，颜色或深或浅，绿水红葩，高下相映，鸳鸯凫鸭之类，戏狎其下。汪知县道：“他请我看菊，必在这个堂中了。”径至堂前下轿。走入看时，哪里见甚酒席，惟有一人蓬头跣足，居中向外而坐，靠在桌上打鼾。此外更无一个人影。从人赶向前乱喊：“老爷到了，还不起来！”汪知县举目看他身上服色不像以下之人，又见旁边放着葛巾野服，吩咐且莫叫唤，看是何等样人？那常来下帖的差人，向前仔细一看，认得是卢楠，禀道：“这就是卢相公，醉倒在此。”汪知县闻言，登时紫涨了面皮，心下大怒道：“这厮恁般无理！故意哄我上门羞辱。”欲得教从人将花木打个希烂，又想不是官体，忍着一肚子恶气，急忙上轿，吩咐回县。轿夫抬起，打从旧路，直至园门首，依原不见一人。那些皂快，没一个不摇首咋舌道：“他不过是个监生，如何将官府恁般藐视？这也是件异事。”知县在轿上听见，自觉没趣，怒恼愈加，想道：“他总然才高，也是我的治下，曾请过数遍，不肯来见，情愿就见，又馈送银酒，我亦可折节敬贤之至矣。他却如此无理，将我侮慢。且莫说我是父母官，即使平交，也不该如此！”到了县里，怒气不息，即便退入私衙不提。且说卢楠这些家人小厮，见知县去后，方才出头，到堂中看家主时，睡得正浓，直至更余方醒，众人说道：“适才相公睡后，大爷就来，见相公睡着，便起身而去。”卢楠道：“可有甚话说？”众人道：“小人们恐难好答应，俱走过一边，不曾看见。”卢楠道：“正该如此！”又懊悔道：“是我一时性急，不曾吩咐闭了园门，却被这俗物，直至此间，践污了地上。”教管园的，明早快挑水将他进来的路径扫涤干净。又着人寻访常来下帖的差人，将向日所送书仪，并那坛泉酒，发还与他。那差人不敢隐匿，遂即到县里去缴还，不在话下。

却说汪知县退到衙中，夫人接着，见他怒气冲天，问道："你去赴宴，如何这般气恼？"汪知县将其事道知。夫人道："这都是自取，怪不得别人！你是个父母官，横行直撞，少不得有人奉承；如何屡屡卑污苟贱，反去请教子民。他总是有才，与你何益？今日讨恁般怠慢，可知好么！"汪知县又被夫人抢白了几句，一发怒上加怒，坐在交椅上，气愤愤的半晌无语。夫人道："何消气得，自古道：破家县令。"只这四个字，把汪知县从睡梦中唤醒，放下了怜才敬士之心，顿提起生事害人之念。当下口中不语，心下踌躇，寻思计策安排卢生："必置之死地，方泄吾恨。"当夜无话。汪知县早衙已过，次日唤一个心腹令史，进衙商议。那令史姓谭名遵，颇有才干，惯与知县通赃过付，是一个积年滑吏。当下知县先把卢楠得罪之事叙过，次说要访他恶端，拿之以泄其恨。谭遵道："老爷要处他，却是甚难，请休了这个念头罢！"知县道："我是一县之主，如何处他不得？"谭遵道："要处他，若只此一节，恐未必了事，在老爷反有干碍。"汪知县道："却是为何？"谭遵道："卢楠与小人原是同里，晓得他多有大官府往来，且又家私豪富。平昔虽则恃才骄傲，却没甚违法之事。总然拿了，少不得有天大分上到上司处审问，决不致死的田地。那时怀恨挟仇，老爷岂不反受其累？"汪知县道："此言虽是，但他恁地放肆，定有几件恶端。你去细细访来，我自有处。"谭遵答应出来，只见外边缴进原送卢楠的书仪泉酒。知县见了，转觉没趣。无处出气，迁怒到差人身上，说道不该收他的回来，打了二十毛板，就将银酒都赏了差人。正是：

劝君莫作伤心事，世上应多切齿人。

话分两头。却说浮邱山脚下有个农家，叫做钮成，老婆金氏。夫妻两口，家道贫寒，却又少些行止，因此无人肯把田与他耕种。历年只在卢楠家做长工过日。二年前，生了个儿子，那些一般做工的，同卢家几个家人斗分子与他贺喜。论起钮成恁般穷汉，只该辞了才是，十分情不可却，称家有无，胡乱请众人吃了三杯，可也罢了。不想他却弄空头，装好汉，写身子与卢楠家人卢才，抵借二两银子，整个大大筵席款待众人。邻里尽送汤饼，热烘烘倒像个财主家行事。外边正吃得快活，哪知孩子隔日被猫惊了，这时了帐，十分败兴，不能够尽欢而散。

那卢才肯借银子与钮成，原怀个不良之念。你道为何？因见钮成老婆有三四分颜色，指望以此为由，要勾搭这婆娘。谁知缘分浅薄，这婆娘情愿白白里与别人做些交易，偏不肯上卢才的桩儿，反去学向老公说卢才怎样来调戏。钮成认做老婆是个贞节妇人，把卢才恨入骨髓，立意要赖他这项银子。卢才踅了年余，见这婆娘妆乔做样，料道不能够上钩，也把念头休了，一味索取，两下面红了好几场，只是没有。有人教卢才个法儿道："他年年在你家做长工，何不耐到发工银时，一并扣清，可不干净？"卢才依了此言，再不与他催讨。等到十二月中，打听了发银日子，紧紧伺候。那卢楠田产广多，除了家人，雇工的也有整百。每年至十二月中预发来岁工银。到了是日，众长工一齐进去领银。卢楠恐家人们作弊，短少了众人的，亲自唱名亲发，又赏一顿酒饭。吃个醉饱，叩谢而出。刚至宅门口，卢才一把扯住钮成，问他要银。那钮成一则还钱肉痛，二则怪他调戏老婆，乘着几杯酒兴，反撒赖起来。将卢才一片声的骂道："狗奴才！只要还你银子，如何昧心来欺负老爷！今日与你性命相博！"当胸撞个满怀。卢才不曾提防，踉踉跄跄倒退了十数步，几乎跌上一交。恼动性子，赶上来便打。那句"狗奴才"却又犯了众怒，家人们齐道："这厮恁般放泼！总使你的理直，到底是我家长工，也该让我们一分；怎地欠了银子，反要行凶？打这狗亡八！"齐拥上前乱打。常言道，双拳不敌四手。钮成独自一个，如何抵当得许多人，着实受了一顿拳脚。卢才看见银子藏在兜肚中，扯断带子，夺过去了。众长工再三苦劝，方才住手，推着钮成回家。不道卢楠在书房中隐隐听得门首喧嚷，唤管门的查问。他的家法最严，管门的恐怕连累，从实禀说。卢楠即叫卢才进去，说道："我有示在先，不许擅放私债，盘算小民。如有此等，定行追还原券，重责逐出。你怎么故违我法，却又截抢工银，行凶打他？这等放肆可恶！"登时追出兜肚银子并那纸文契。打了三十，逐出不用。吩咐管门的："钮成来时，着他来见我，领了银券去。"管门的连声答应，出来，不提。

且说钮成刚吃饱得酒食，受了这顿拳头脚尖，银子原被他夺去，转思转恼，愈想愈气。到半夜里，火一般发热起来，觉道心头长闷难过。次日便爬不起来。到第二日早上，对老婆道："我觉得身子不好，莫不要死？你快去叫我哥哥来商议。”自古道：无巧不成书。原来钮成有个嫡亲哥子钮文，正卖与令史谭遵家为奴。金氏平昔也曾到谭遵家几次，路径已熟，故此教他去叫。当下金氏听见老公说出要死的话，心下着忙，带转门儿，冒着风寒，一径往县中去寻钮文。

那谭遵四处察访卢楠的事过，并无一件；知县又再三催促，倒是个两难之事。这一日正坐在公廨中，只见一个妇人慌慌张张的走入来，举目看时，不是别人，却是家人钮文的弟妇。金氏向前道了万福，问道：“请问令史：我家伯伯可在么？”谭遵道：“到县门前买小菜就来，你有甚事恁般惊惶？”金氏道：“好教令史得知：我丈夫前日与卢监生家人卢才费口，夜间就病起来，如今十分沉重，特来寻伯伯去商量。”谭遵闻言，不胜喜欢，忙问道：“且说为甚与他费口？”金氏即将与卢才借银起，直至相打之事，细细说了一遍。谭遵道：“原来恁地。你丈夫没事便罢；有些山高水低，急来报知，包在我身上，与你出气。还要他一注大财乡，够你下半世快活。”金氏道：“若得令史张主，可知好么。”正说间，钮文已回。金氏将这事说知，一齐同去。临出门时，谭遵又嘱咐道：“如有变故，速速来报。”钮文应允。离了县中，不消一个时辰，早到家中。推门进去，不见一些声息。到床上看时，把二人吓做一跳。——原来直僵僵挺在上面，不知死过几时了。金氏便号啕大哭起来。正是：

夫妻本是同林鸟，大限来时各自飞。

那些东邻西舍听得哭声，都来观看。齐道：“虎一般的后生，活活打死了。可怜！可怜！”钮文对金氏说道：“你且莫哭，同去报与我主人，再作区处。”金氏依言，锁了大门，嘱咐邻里看觑则个。跟着钮文就走。那邻里中商议道：“他家一定去告状了。地方人命重情，我们也须呈明，脱了干系。”随后也往那里去呈报。其时远近村坊尽知钮成已死，早有人报与卢楠。那卢楠原是疏略之人，两日钮成不去领这银券，连其事却也忘了；及至闻了此信，即差人去寻获卢才送官。哪知卢才听见钮成死了，料道不肯干休，已先逃之夭夭，不在话下。

且说钮文、金氏，一口气跑到县里，报知谭遵。谭遵大喜，悄悄的先到县中，禀了知县。出来与二人说明就里，教了说话，流水写起状词，单告卢楠强占金氏不遂，将钮成扭归打死，教二人击鼓叫冤。钮文依了家主，领着金氏，不管三七念①一，执了一块木柴，把鼓乱敲，口内一片声叫喊："救命！"衙门差役，自有谭遵吩咐，并无拦阻。汪知县听得击鼓，即时升堂，唤钮文、金氏至案前。才看状词，恰好地邻也到了。知县专心在卢楠身上，也不看地邻呈子是怎样情由，假意问了几句，不等发房，即时出签，差人捉卢楠立刻赴县。公差又受了谭遵的叮嘱，说："大爷恼得卢楠要紧，你们此去，只除妇女孩子，其余但是男子汉，尽数拿来。"众皂快素知知县与卢监生有仇，况且是个大家，若还人少，进不得他家大门，遂聚起三兄四弟，共有四五十人，分明是一群猛虎。此时隆冬日短，天已傍晚，彤云密布，朔风凛冽，好不寒冷！谭遵要奉承知县，陪出酒浆，与众人先发个兴头。一家点起一根火把，飞奔至卢家门首，发一声喊，齐抢入去，逢着的便拿。家人们不知为甚，吓得东倒西歪，儿啼女哭，没奔一头处。卢楠娘子正同着丫头们，在房中围炉向火，忽闻得外面人声鼎沸，只道是漏了火，急叫丫鬟们观看。尚未动步，房门口早有家人报道："大娘，不好了！外边无数人执着火把，打进来也。"卢楠娘子还认做强盗来打劫，惊得三十六个牙齿，紧紧咬着打战。急叫众丫鬟快闭上房门。言犹未了，一片火光，早已拥入房里。那些丫头们奔走不迭，只叫："大王爷饶命！"众人道："胡说！我们是本县大爷差来拿卢楠的。什么大王爷？"卢楠娘子见说这话，就明白向日丈夫怠慢了知县，今日寻事故来摆布。便道："既是公差，难道不知法度的？我家总有事在县，量来不过户婚田土的事罢了，须不是大逆不道；如何白日里不来，黑夜间率领多人，明火执杖，打入房帏，乘机抢劫，明日公堂上去讲，该得何罪？"众公差道："只要还了我卢楠，但凭到公堂上去讲。"遂满房遍搜一过，只拣器皿宝玩，取够像意，方才出门。又打到别个房里，把姬妾们都惊得躲入床底下去。各处搜到，不见卢楠，料想必在园上，一齐又赶入去。卢楠正与四五个宾客，在暖阁上饮酒，小优两旁吹唱，恰好差去拿卢才的家人，在那里回话，又是两个乱喊上楼报道："相公，祸事到也！"卢楠带醉问道："有何祸事？"家人道："不知为甚？许多人打进大宅抢

① 念——廿音，二十。

劫东西，逢着的便被拿住，今已打入相公房中去了。”众宾客被这一惊，一滴酒也无了，齐道：“这是为何？可去看来！”便要起身。卢楠全不在意，反拦住道：“由他自抢，我们且自吃酒，莫要败兴。快斟热酒来。”家人跌足道：“相公，外边恁般慌乱，如何还要饮酒！”说声未了，忽见楼前一派火光闪烁，众公差齐拥上楼。吓得那几个小优满楼乱滚，无处藏躲。卢楠大怒，喝道：“甚么人？敢到此放肆！叫人快拿。”众公差道：“本县大爷请你说话，只怕拿不得的！”一条索子，套在颈里道：“快走！快走！”卢楠道：“我有何事？这等无礼！偏不去！”众公差道：“老实说：向日请便请你不动，如今拿倒要拿去的。”牵着索子，推的推，扯的扯，拥下楼来。家人共拿了十四五个，众人还想连宾客都拿。内中有人认得俱是贵家公子，又是有名头秀才，遂不敢去惹他。一行人离了园中，一路闹吵吵直至县里。这几个宾客，放心不下，也随来观看。躲过的家人，也自出头，奉着主母之命，将了银两，赶来央人使用打探，不在话下。

且说汪知县在堂等候，堂前灯笼火把，照辉如白昼，四下绝不闻一些人声。众公差押卢楠等，直至丹墀下，举目看那知县，满面杀气，分明坐下个阎罗天子；两行隶卒排列，也与牛头夜叉无二。家人们见了这个威势，一个个胆战心惊。众公差跑上堂禀道：“卢楠一起拿到了。”将一干人带上月台，齐齐跪下。钮文、金氏另跪在一边。惟有卢楠挺然居中而立。汪知县见他不跪，仔细看了一看，冷笑道：“是一个土豪！见了官府，犹恁般无状！在外安得不肆行无忌。我且不与你计较，暂请到监里去坐一坐。”卢楠倒走上三四步，横挺着身子说道：“就到监里去坐也不妨。只要说个明白，我得何罪，昏夜差人抄没？”知县道：“你强占良人妻女不遂，打死钮成，这罪也不小！”卢楠闻言，微微笑道：“我只道有甚天大事情，原来为钮成之事。据你说止不过要我偿他命罢了，何须大惊小怪。但钮成原系我家佣奴，与家人卢才口角而死，却与我无干。即使是我打死，亦无死罪之律；若必欲借彼证此，横加无影之罪，以雪私怨，我卢楠不难屈承，只怕公论难泯！”汪知县大怒道：“你打死平人，昭然耳目，却冒认为奴，污蔑问官，抗拒不跪。公堂之上，尚敢如此狂妄；平日豪横，不问可知矣！今日勿论人命真假，只抗逆父母官，该得何罪？”喝教拿下去打。众公差齐声答应，赶向前一把揪翻。卢楠叫道:“士可杀而不可辱,我卢楠堂堂汉子,何惜一死!却要用刑? 任凭要我认那一等罪,无不如命,不消责罚。”众公差哪里由他做主,按倒在地,打了三十。知县喝教住了,并家人齐发下狱中监禁。钮成尸首着地方买棺盛殓,发至官坛候验。钮文、金氏干证人等,召保听审。卢楠打得血肉淋漓,两个家人扶着,一路大笑走出仪门。这几个朋友上前相迎,家人们还恐怕来拿,远远而立,不敢近身。众友问道:“为甚事,就到杖责?”卢楠道:“并无别事,汪知县公报私仇,借家人卢才的假人命,装在我名下,要加个小小死罪。”众友惊骇道:“不信有此奇冤枉。”内中一友叫道:“不打紧,待小弟回去,与家父说了,明日拉合县乡绅孝廉,与县公讲明,料县公难灭公论,自然开释。”卢楠道:“不消兄等费心,但凭他怎地摆布罢了! 只有一件紧事,烦到家间说一声,教把酒多送几坛到狱中来。”众友道:“如今酒也该少饮。”卢楠笑道:“人生贵在适意,贫富荣辱,俱身外之事,于我何有。难道因他要害我,就不饮酒了? 这是一刻也少不得的!”正在那里说话,一个狱卒推着背道:“快进狱去,有话另日再说。”那狱卒不是别人,叫做蔡贤,也是汪知县得用之人。卢楠睁起眼喝道:“哇! 可恶! 我自说话,与你何干?”蔡贤也焦躁道:“呵呀! 你如今是个在官人犯了,这样公子气质,且请收起,用不着了。”卢楠大怒道:“什么在官人犯,就不进去,便怎么!”蔡贤还要回话,有几个老成的,将他推开,做好做歹,将卢楠进了监门,众友也各自回去。卢楠家人自赶来回复主母,不在话下。

原来卢楠出衙门时,谭遵紧随在后,察访这些说话,一句句听得明白,进衙报与知县。知县到次早只说有病,不出堂理事,众乡官来时,门上人连帖也不受。至午后忽地升堂,唤齐金氏一干人犯,并仵作①人等,监中调出卢楠主仆,径去检验钮成尸首。那忤作人已知县主之意,轻伤尽报做重伤,地邻也全会得知县要与卢楠作对,齐咬定卢楠打死。知县又哄卢楠将出钮成佣工文券,只认做假的,尽皆扯碎。严刑拷打,问成死罪。又加二十大板,长枷手杻,下在死囚牢里。家人们一概三十,满徒三年,召保听候发落。金氏、钮文干证人等,发回宁家。尸棺俟详转定夺②。将招由叠成

① 仵(wǔ)作——旧时官府中检验命案死尸的人。

② 详转定夺——详,下呈上的公文。这句是说,等待上司批下来再决定。

文案，并卢楠抗逆不跪等情，细细开载在内，备文申报上司。虽众乡绅力为申理，知县执意不从。有诗为证：

县令从来可破家，冶长非罪亦堪嗟。
福堂今日容高士，名圃无人理百花。

且说卢楠本是贵介之人，生下一个脓窠疮儿，就要请医家调治的，如何经得这等刑仗？到得狱中，昏迷不醒。幸喜合监的人，知他是个有钱主儿，奉承不暇，流水把膏药末药送来。家中娘子又请太医来调治，外修内补，不够一月，平服如旧。那些亲友，络绎不绝，到监中候问。狱卒人等，已得了银子，欢天喜地，由他们直进直出，并无拦阻。内中单有蔡贤是知县心腹，如飞禀知县主，魆地①到监点闸，搜出五六人来，却都是有名望的举人秀士，不好将他难为，教人送出狱门。又把卢楠打上二十。四五个狱卒，一概重责。那狱卒们明知是蔡贤的缘故，咬牙切齿，因是县主得用之人，谁敢与他计较。那卢楠平日受用的高堂大厦，锦衣玉食，眼内见的是竹木花卉，耳中闻的是笙萧细乐；到了晚间，娇姬美妾，倚翠偎红，似神仙般散诞的人。如今坐于狱中，住的却是钻头不进半塌不倒的房子；眼前见的无非死犯重囚，言语嘈杂，面目凶顽，分明一班妖魔鬼怪；耳中闻的不过是脚镣手忏铁链之声。到了晚间，提铃喝号，击柝鸣锣，唱那歌儿，何等凄惨！他虽是豪迈之人，见了这般景象，也未免睹物伤情。恨不得胁下顷刻生出两个翅膀来，飞出狱中。又恨不得提把板斧，劈开狱门，连众犯也都放走。一念转着受辱光景，毛发倒竖，恨道："我卢楠做了一世好汉，却送在这个恶贼手里！如今陷于此间，怎能够出头日子。总然挣得出去，亦有何颜面见人！要这性命何用？不如寻个自尽，倒得干净。"又想道："不可，不可！昔日成汤、文王，有夏台、羑里之囚，孙膑、马迁有刖足腐刑之辱②。这几个都是圣贤，尚忍辱待时，我卢楠岂可短见！"却又想道："我卢楠相知

---

① 魆(xū)地——暗地里，不使人知道。

② 成汤、文王、孙膑、马迁——成汤，即商汤，据传说，他曾被夏桀囚在夏台。文王，即周文王，他曾被商纣囚在羑里。孙膑，战国时的兵法家，庞涓忌妒他的才能，使计陷害，把他的膝盖骨削掉了。马迁即司马迁，西汉时的大史学家和文学家，因救护李陵的事而被罚受宫刑。

满天下，身列缙绅者也不少，难道急难中就坐观成败？还是他们不晓得我受此奇冤？须索写书去通知，教他们到上司处挽回。”遂写起若干书启，差家人分头投递那些相知。也有现任，也有林下，见了书札，无不骇然。也有直达汪知县，要他宽罪的，也有托上司开招的。那些上司官，一来也晓得卢楠是当今才子，有心开释，都把招详驳下县里。回书中又露个题目，教卢楠家属前去告状，转批别衙门开招出罪。卢楠得了此信，心中暗喜，即教家人往各上司诉冤，果然都批发本府理刑勘问。理刑官先已有人致意，不在话下。

却说汪知县几日间连接数十封书札，都是替卢楠求解的。正在踌躇，忽见各上司招详，又都驳转。隔了几日，理刑厅又行牌到县，吊卷提人。已明知上司有从宽放他之意，心下老大惊惧，想道：“这厮果然神通广大，身子坐在狱中，怎么各处关节已是布置到了？若此番脱漏出去，如何饶得我过！一不做，二不休，若不斩草除根，恐有后患。”当晚差谭遵下狱，教狱卒蔡贤拿卢楠到隐僻之处，遍身鞭朴，打够半死，推倒在地，缚了手足，把土囊压住鼻口，哪消一个时辰，呜呼哀哉！可怜满腹文章，到此冤沉狱底。正是：

英雄常抱千年恨，风木寒烟空断魂。

话分两头，却说濬县有个巡捕县丞，姓董名绅，贡士出身，任事强干，用法平恕，见汪知县将卢楠屈陷大辟，十分不平；只因官卑职小，不好开口。每下狱查点，便与卢楠谈论，两下遂成相知。那晚恰好也进监巡视，不见了卢楠，问众狱卒时，都不肯说。恼动性子，一片声喝打，方才低低说：“大爷差谭令史来讨气绝，已拿向后边去了。”董县丞大惊道：“大爷乃一县父母，哪有此事？必是你们这些奴才，索诈不遂，故此谋他性命！快引我去寻来。”众狱卒不敢违逆，直引至后边一条夹道中，劈面撞着谭遵、蔡贤，喝教拿住。上前观看，只见卢楠仰面在地上，手足尽皆绑缚，面上压个土囊。董县丞叫左右提起土囊，高声叫唤，也是卢楠命不该死，渐渐苏醒。与他解去绳索，扶至房中，寻些热汤吃了，方能说话。乃将谭遵指挥蔡贤打骂谋害情由问出。董县丞安慰一番，随即别了卢楠，即唤蔡贤、谭遵三人到于厅上，思想：“这事虽然是县主之意，料今败露，也不敢承认。

欲要拷问谭遵，又想他是县主心腹，只道我不存体面，反为不美。”单唤过蔡贤，要他招承与谭遵索诈不遂，同谋卢楠性命。那蔡贤初时只推县主所遣，不肯招承。董县丞大怒，喝教夹起来。那众狱卒因蔡贤向日报县主来闸监，打了板子，心中怀恨，寻过一副极短极紧的夹棍，才套上去，就喊叫起来，连称：“我招。”董县丞即便教住了。众狱卒恨着前日的毒气，只做不听见，倒务命收紧，夹得蔡贤叫爹叫娘，连祖宗十七八代尽叫出来。董县丞连声喝住，方才收了，把纸笔要他亲供。蔡贤只得依着董县丞说话供招。董县丞将来袖过，吩咐众狱卒：“此二人不许擅自释放，待我见过大爷，然后来取。”起身出狱回衙，连夜备了文书。次早汪知县升堂，便去亲递。汪知县因不见谭遵回复，正在疑惑，又见董县丞呈说这事，暗吃一惊，心中虽恨他冲破了网，却又奈何他不得，看了文书，只管摇头：“恐没这事。”董县丞道：“是晚生亲眼见的，怎说没有？堂尊若不信，唤二人对证便了。那谭遵犹可恕，这蔡贤最是无理，连堂尊也还污蔑，若不究治，何以惩戒后人！”汪知县被道着心事，满面通红，生怕传扬出去，坏了名声，只得把蔡贤问徒发遣①。自此怀恨董县丞，寻两件风流事过②，参与上司，罢官而去。此是后话不提。

再说汪知县因此谋不谐，遂具揭呈，送各上司，又差人往京中传送要道之人，大抵说：卢楠恃富横行乡党，结交势要，打死平人，抗送问官，营谋关节，希图脱罪。把情节做得十分利害，无非要张扬其事，使人不敢救援。又教谭遵将金氏出名，连夜刻起冤单，遍处粘贴，布置停当，然后备文起解到府。那推官原是没担当懦怯之辈，见汪知县揭帖并金氏冤单，果然恐怕是非，不敢开招，照旧申报上司。大凡刑狱，经过理刑问结，别官就不敢改动。卢楠指望这番脱离牢狱，谁道反坐实了一重死案，依旧发下浚县狱中监禁。还指望知县去任，再图昭雪。哪知汪知县因扳翻了个有名富豪，京中多道他有风力，倒得了个美名，行取入京，升为给事之职。他已居当道，卢楠总有通天摄地的神通，也没人敢翻他招案，有一巡按御史樊某，怜其

① 问徒发遣——判徒刑，发配到别地服劳役。

② 风流事过——指细微的、无关紧要的事故、罪过。

冤枉，开招释罪。汪给事知道，授意与同科官，劾樊巡按一本，说他得了贿赂，卖放重囚，罢官回去。着府县原拿卢楠下狱。因此后来上司虽知其冤，谁肯舍了自己官职，出他的罪名。光阴迅速，卢楠在狱不觉又是十有余年，经了几个县官。那时金氏、钮文，虽都病故，汪给事却升了京堂之职，威势正盛，卢楠也不做出狱指望。不道灾星将退，那年又选一个新知县到任。只因这官人来，有分教：

此日重阴方启照，今朝甘露不成霜。

却说浚县新任知县，姓陆名光祖，乃浙江嘉兴府平湖县人氏。那官人胸藏锦绣，腹隐珠玑，有经天纬地之才，济世安民之术。出京时，汪公曾把卢楠的事相嘱，心下就有些疑惑，想道："虽是他旧任之事，今已年久，与他还有甚相干，谆谆教谕，其中必有缘故。"到任之后，访问邑中乡绅，都为称枉，叙其得罪之由。陆公还恐卢楠是个富家央浼下的，未敢全信。又四下暗暗体访，所说皆同。乃道："既为民上，岂可以私怨罗织，陷人大辟？"欲要申文到上司，与他昭雪。又想道："若先申上司，必然行查驳勘，便不能决截了事；不如先开释了，然后申报。"遂调出那宗卷来，细细查看，前后招由，并无一毫空隙。反复看了几次，想道："此事不得卢才，如何结案？"乃出百金为信赏钱，立限与捕役要拿卢才。不一月，忽然获到，将严刑究讯，审出真情。遂援笔批云：

审得钮成以领工食银于卢楠家，为卢才叩债，以致争斗，则钮成为卢氏之雇工人也明矣。雇工人死，无家翁偿命之理。况放债者才，叩债者才，厮打者亦才，释才坐楠，律何称焉？才遁不到官，累及家翁，死有余辜，拟抵不枉。卢楠久陷于狱，亦一时之厄也！相应释放云云。

当日监中取出卢楠，当堂打开枷扭，释放回家。合衙门人无不惊骇，就是卢楠也出自意外，甚以为异。陆公备起申文，把卢才起衅根由，并受枉始末，一一开叙，亲至府中，相见按院呈递。按院看了申文，道他擅行开释，必有私弊，问道："闻得卢楠家中甚富，贤令独不避嫌乎？"陆公道："知县但知奉法，不知避嫌。但知问其枉不枉，不知问其富不富。若是不枉，夷齐亦无生理；若是枉，陶朱亦无死法①。”按院见说得词正理直，更不再问，乃道：“昔张公为廷尉，狱无冤民②，贤令近之矣。敢不领教！”陆公辞谢而出，不提。

且说卢楠回至家中，合门庆幸，亲友尽来相贺。过了数日，卢楠差人打听陆公已是回县，要去作谢，他却也素位而行，换了青衣小帽。娘子道：“受了陆公这般大德大恩，须备些礼物去谢他便好！”卢楠说；“我看陆公所为，是个有肝胆的豪杰，不比那龌龊贪利的小辈。若送礼去，反轻亵他了！”娘子道：“怎见得是反为轻亵?”卢楠道：“我沉冤十余载，上官皆避嫌不肯见原；陆公初莅此任，即廉知枉，毅然开释。此非有十二分才智，十二分胆识，安能如此！今若以利报之，正所谓故人知我，我不知故人也。如何使得?”即轻身而往。陆公因他是个才士，不好轻慢，请到后堂相见。卢楠见了陆公，长揖不拜。陆公暗以为奇，也还了一礼。遂教左右看坐。门子就扯把椅子，放在旁边。看官，你道有恁样奇事！那卢楠乃久滞的罪人，亏陆公救援出狱，此是再生恩人，就磕穿头，也是该的，他却长揖不拜。若论别官府见如此无礼，心上定然不乐了，那陆公毫不介意，反又命坐。可见他度量宽洪，好贤极矣！谁想卢楠见叙他旁坐，倒不悦起来，说道：“老父母③，但有死罪的卢楠，没有旁坐的卢楠。”陆公闻言，即走下来，重新叙礼，说道：“是学生得罪了。”即逊他上坐。两下谈今论古，十分款洽，只恨相见之晚，遂为至友。有诗为证：

昔闻长揖大将军④，今见卢生抗陆君。
夕释桁杨⑤朝上坐，丈夫意气薄青云。

---

① 若是不枉，夷齐亦无生理；若是枉，陶朱亦无死法——若真是有罪，不冤枉的话，就连伯夷、叔齐那样好的人也不能活；相反，若有冤枉，就连陶朱公那样有钱的人也不可使他受屈而死。

② 昔张公为廷尉，狱无冤民——张公，指张释之，西汉时的廷尉(管理全国刑狱的长官)。当时的人说：“张释之为廷尉，天下无冤民。”

③ 老父母——封建时代对知县的尊称，是说他像老百姓的家长一样。

④ 长揖大将军——汉代大将军卫青，地位尊贵，公卿都向他叩拜，唯独汲黯揖而不拜。

⑤ 桁杨——夹脚或颈的刑具。

话分两头，却说汪公闻得陆公释了卢楠，心中不忿，又托心腹，连按院劾上一本。按院也将汪公为县令时，挟怨诬人始末，细细详辩一本。倒下圣旨，将汪公罢官回去，按院照旧供职，陆公安然无恙。那时谭遵已省察在家，专一挑写词状。陆公廉访得实，参了上司，拿下狱中，问边远充军。卢楠从此自谓余生，绝意仕进，益放于诗酒；家事渐渐沦落，绝不为意。再说陆公在任，分文不要，爱民如子，况又发奸摘隐，剔清利弊，奸宄慑伏，盗贼屏迹，合县遂有神明之称，声名振于都下。只因不附权要，止迁南京礼部主事。离任之日，士民攀辕卧辙，泣声载道，送至百里之外。那卢楠直送五百余里，两下依依不舍，欷歔而别。后来陆公累迁至南京吏部尚书。卢楠家已赤贫，乃南游白下①，依陆公为主，陆公待为上宾。每日供其酒资一千，纵其游玩山水。所到之处，必有题咏，都中传诵。一日游采石李学士祠，遇一赤脚道人，风致飘然，卢楠邀之同饮。道人亦出葫芦中玉液以酌卢楠。楠饮之，甘美异常，问道："此酒出于何处？"道人答道："此酒乃贫道所自造也。贫道结庵于庐山五老峰下，居士若能同游，当日日斟酌耳。"卢楠道："既有美酝，何惮相从！"即刻到李学士祠中，作书寄谢陆公，不携行李，随着那赤脚道人而去。陆公见书，叹道："翛然②而来，翛然而去，以乾坤为逆旅③，以七尺为蜉蝣，真狂士也！"遣人于庐山五老峰下访之不获。后十年，陆公致政归家，朝廷遣官存问，陆公使其次子往京谢恩，从人遇之于京都，寄问陆公安否，或云：遇仙成道矣。后人有诗赞云：

命蹇英雄不自由，独将诗酒傲公侯。
一丝不挂飘然去，赢得高名万古留。

后人又有一诗警戒文人，莫学卢公以傲取祸。诗曰：

酒癖诗狂傲骨兼，高人每得俗人嫌。
劝人休蹈卢公辙，凡事还须学谨谦。

---

① 白下——南京的别称。

② 翛(xiāo)然——无拘无束、自由自在的样子。

③ 逆旅——旅馆。

第三十卷　李汧公穷邸遇侠客

世事纷纷如弈棋，输赢变幻巧难窥。

但存方寸公平理，恩怨分明不用疑。

话说唐玄宗天宝年间，长安有一士人，姓房名德，生得方面大耳，伟干丰躯。年纪三十以外，家贫落魄，十分淹蹇①，全亏着浑家贝氏纺织度日。时遇深秋天气，头上还裹着一顶破头巾，身上穿着一件旧葛衣，那葛衣又逐缕缕绽开了，却与蓑衣相似。思想："天气渐寒，这模样怎生见人？"知道老婆余得两匹布儿，欲要讨来做件衣服。谁知老婆原是小家子出身，器量最狭，却又配着一副悍毒的狠心肠。那张嘴头子，又巧于应变，赛过刀一般快，凭你什么事，高来高就，低来低对，死的也说得活起来，活的也说得死了去，是一个翻唇弄舌的婆娘。那婆娘看见房德没甚活路，靠他吃死饭，常把老公欺负。房德因不遇时，说嘴不响，每事只得让他，渐渐有几分惧内。是日贝氏正在那里思想，老公恁般的狼狈，如何得个好日？却又怨父母，嫁错了对头，赚了终身，心下正是十分烦恼，恰好触在气头上，乃道："老大一个汉子，没处寻饭吃，靠着女人过日。如今连衣服都要在老娘身上出豁，说出来可不羞么？"房德被抢白了这两句，满面羞惭。事在无奈，只得老着脸，低声下气道："娘子，一向深亏你的气力，感激不尽！但目下虽是落薄②，少不得有好的日子，权借这布与我，后来发积③时，大大报你的情罢！"贝氏摇手道："你的甜话儿哄得我多年了！信不过。这两匹布，老娘自要做件衣服过寒的，休得指望。"房德布又取不得，反讨了许多没趣。欲待厮闹一场，因怕老婆嘴舌又利，喉咙又响，恐被邻家听见，反妆幌子。敢怒而不敢言，憋口气撞出门去，指望寻个相识告借。

走了大半日，一无所遇。那天却又与他做对头，偏生的忽地发一阵风

---

① 淹蹇(jiǎn)——窘迫。

② 落薄——即落魄，潦倒失意。

③ 发积——即发迹，指人变得有钱有势。

雨起来。这件旧葛衣被风吹得飕飕如落叶之声，就长了一身寒栗了，冒着风雨，奔向前面一古寺中躲避。那寺名为云华禅寺。房德跨进山门看时，已先有个长大汉子，坐在左廊槛上。殿中一个老僧诵经。房德就向右廊槛上坐下。呆呆的看着天上，那雨渐渐止了，暗道："这时不走，只怕少刻又大起来。"却待转身，忽掉转头来，看见墙上画了一只禽鸟，翎毛儿，翅膀儿，足儿尾儿，件件皆有，单单不画鸟头。天下有恁样空脑子的人，自己饥寒尚且难顾，有甚心肠，却评品这画的鸟来！想道："常闻得人说：画鸟先画头。这画法怎与人不同？却又不画完，是甚意故？"一头想，一头看，转觉这鸟画得可爱，乃道："我虽不晓此道，谅这鸟头也没甚难处，何不把来续完。"即往殿上与和尚借了一枝笔，蘸得墨饱，走来将鸟头画出，却也不十分丑，自觉欢喜道："我若学丹青，倒可成得！"刚画时，左廊那汉子就挨过来观看，把房德上下仔细一相，笑容可掬，向前道："秀才，借一步说话。"房德道："足下是谁？有甚见教？"那汉道："秀才不消细问，同在下去，自有好处。"房德正在困穷之乡，听见说有好处，不胜之喜。将笔还了和尚，把破葛衣整一整，随那汉子前去。此时风雨虽止，地上好生泥泞，却也不顾。离了云华寺，直走出升平门到乐游原①旁边。这所在最是冷落。那汉子向一小角门上连叩三声。停了一回，有个人开门出来，也是个长大汉子，看见房德，亦甚欢喜，上前声喏。房德心中疑道："这两个汉子，是何等样人？不知请我来有甚好处？"问道："这里是谁家？"二汉答道："秀才到里边便晓得。"房德走入门里，二汉原把门撑上，引他进去。及到里面，荆棘满目，衰草漫漫，乃是个败落花园，楼台坍损，荒凉之所。同走到一个亭子上，里面又走出十四五个汉子，一个个身长臂大，面貌狰狞，见了房德，满面堆下笑来，尽皆道："秀才请进。"房德暗自惊骇道："这班人来得跷蹊，且看他有甚话说？"众人迎进亭中，相见已毕，逊在板凳上坐下，问道："秀才尊姓？"房德道："小生姓房，不知列位有何说话？"起初同行那汉道："实不相瞒，我众弟兄乃江湖上豪杰，专做这件没本钱的生意。只为俱是一勇之夫，前日几乎弄出事来。故此对天祷告，要觅个足智多谋的好汉，让他做个大哥，听

① 乐游原——地名。在今陕西长安县南。

其指挥。适来云华寺墙上画不完的禽鸟,便是众弟兄对天祷告,设下的誓愿,取羽翼俱全,单少头儿的意思。若合该兴隆,天遣个英雄好汉,补足这鸟,便迎请来为头。等候数日,未得其人。且喜天随人愿,今日遇见秀才恁般魁伟相貌,一定智勇兼备,正是真命寨主了。众兄弟今后任凭调度,保个终身安稳快活,可不好么?"对众人道:"快去宰杀牲口,祭拜天地。"内中有三四个,一溜烟跑向后边去了。房德暗讶道:"原来这班人,却是一伙强盗!我乃清清白白的人,如何做恁样事?"答道:"列位壮士在上,若要我做别事则可,这一桩实不敢奉命。"众人道:"却是为何?"房德道:"我乃读书之人,还要巴个出身日子,怎肯干这等犯法的勾当?"众人道:"秀才所言差矣!方今杨国忠为相,卖官鬻爵,有钱的,便做大官,除了钱时,就是李太白恁样高才,也受了他的恶气,不能得中,若非辨识番书①,恐此时还是个白衣秀士哩。不是冒犯秀才说,看你身上这般光景,也不像有钱的,如何指望官做?不如从了我们,大碗酒大块肉,整套穿衣,论秤分金,且又让你做个掌盘②,何等快活散诞!倘若有些气象时,据着个山寨,称孤道寡,也由得你。"房德沉吟未答。那汉又道:"秀才十分不肯时,也不敢相强。但只是来得去不得,不从时,便要坏你性命,这却莫怪!"都向靴里飕的拔出刀来,吓得房德魂不附体,倒退下十数步来道:"列位莫动手,容再商量。"众人道:"从不从,一言而决,有甚商量?"房德想道:"这般荒僻所在,若不依他,岂不白白送了性命,有哪个知得?且哄过一时,到明日脱身去出首罢。"算计已定,乃道:"多承列位壮士见爱,但小生平昔胆怯,恐做不得此事。"众人道:"不打紧,初时便胆怯,做过几次,就不觉了。"房德道:"既如此,只得顺从列位。"众人大喜,把刀依旧纳在靴中道:"即今已是一家,皆以弟兄相称了。快将衣服来与大哥换过,好拜天地。"便进去捧出一套新衣、一顶新唐巾③、一双新靴。房德打扮起来,威仪比前更是不同。众人齐声喝采道:"大哥这个人品,莫说做掌盘,就是皇帝,也做得过。"古语

---

① 辨识番书——唐玄宗曾召见李白,命他"草答番书"。番,当时对西北方少数民族的称呼。

② 掌盘——这里指强盗团伙中的首脑人物。

③ 唐巾——唐代帝王的一种便帽。后来士人多戴这种帽子。

云：不见可欲，使心不乱①。房德本是个贫士，这般华服，从不曾着体，如今忽地焕然一新，不觉移动其念，把众人那班说话，细细一味，转觉有理。想道："如今果是杨国忠为相，贿赂公行，不知埋没了多少高才绝学。像我恁样平常学问，真个如何能够官做？若不得官，终身贫贱，反不如这班人受用了。"又想起："见今恁般深秋天气，还穿着破葛衣。与浑家要匹布儿做件衣服，尚不能够；及至仰告亲识，又并无一个肯慨然周济。看起来倒是这班人义气，与他素无相识，就把如此华美衣服与我穿着，又推我为主。便依他们胡做一场，倒也落过半世快活。"却又想道："不可，不可！倘被人拿住，这性命就休了！"正在胡思乱想，把肠子搅得七横八竖，疑惑不定。只见众人忙摆香案，抬出一口猪、一腔羊，当天排列，连房德共是十八个好汉，一齐跪下，拈香设誓，歃血为盟②。祭过了天地，又与房德八拜为交，各叙姓名。少顷摆上酒肴，请房德坐了第一席。肥甘美酝，恣意饮啖。房德日常不过黄齑淡饭，尚且自不全，间或觅得些酒肉，也不能够趁心醉饱。今日这番受用，喜出望外。且又众人轮流把盏，大哥前，大哥后，奉承得眉花眼笑。起初还在欲为未为之间，到此时便肯死心塌地，做这桩事了。想道："或者我命里合该有些造化，遇着这班弟兄扶助，真个弄出大事业来也未可知。若是小就时，只做两三次，寻了些财物，即便罢手，料必无人晓得。然后去打杨国忠的关节，觅得个官儿，岂不美哉！万一败露，已是享用过头，便吃刀吃剐，亦所甘心，也强如担饥受冻，一生做个饿莩。"有诗为证：

　　风雨萧萧夜正寒，扁舟急桨上危滩。
　　也知此去波涛恶，只为饥寒二字难。

众人杯来盏去，直吃到黄昏时候。一人道："今日大哥初聚，何不就发个利市？"众人齐声道："言之有理。还是到哪一家去好？"房德道："京都富家，无过是延平门王元宝这老儿为最；况且又在城外，没有官兵巡锣，前后路径，我皆熟惯。只这一处，就抵得十数家了。不知列位以为何如？"众人喜道："不瞒大哥说，这老儿我们也在心久了。只因未得其便，不想却与大

---

① 不见可欲，使心不乱——如果见不到自己想要的东西，也就不会动心。
② 歃（shà）血为盟——古代订盟时的一种仪式。口含血或以指蘸血涂于口旁。

哥暗合,足见同心。”即将酒席收过,取出硫磺焰硝火把器械之类,一齐扎缚起来。但见:

白布罗头,�散鞋兜脚。脸上抹黑搽红,手内提刀持斧。衿裾刚过膝,牢拴裹肚;衲袄却齐腰,紧缠搭膊。一队么魔来世界,数群虎豹入山林。

众人结束停当,捱至更余天气,出了园门,将门反撑好了,如疾风骤雨而来。这延平门离乐游原约有六七里之远,不多时就到了。且说王元宝乃京兆尹王铁的族兄,家有敌国之富①,名闻天下。玄宗天子亦尝召见。三日前被小偷窃了若干财物,告知王铁,责令不良人②捕获,又拨三十名健儿防护。不想房德这班人晦气,正撞在网里。当下众强盗取出火种,引着火把,照耀浑如白昼,抡起刀斧,一路砍门进去。那些防护健儿并家人等,俱从睡梦惊醒,鸣锣呐喊,各执棍棒上前擒拿。庄前庄后邻家闻得,都来救护。这班强盗见人已众了,心下慌张,便放起火来,夺路而走。王家人分一半救火,一半追赶上去,团团围住。众强盗拚命死战,戳伤了几个庄客。终是寡不敌众,被打翻数人,余皆尽力奔脱。房德亦在打翻数内。一齐绳穿索缚,等至天明,解进京兆尹衙门。王铁发下畿尉③推问。那畿尉姓李名勉,字玄卿,乃宗室之子。素性忠贞尚义,有经天纬地之才,济世安民之志,只为李林甫、杨国忠,相继为相,妒贤嫉能,病国殃民,屈在下僚,不能施展其才。这畿尉品级虽卑,却是个刑名官儿④,凡捕到盗贼,俱属鞫讯。上司刑狱,悉委推勘。故历任的畿尉,定是酷吏,专用那周兴、来俊臣、索元礼⑤遗下有名色的极刑。是哪几般名色?有《西江月》为证:

犊子悬车可畏,驴儿拔橛堪哀!凤凰晒翅命难挨,童子参禅魂捽。　玉女登梯最惨,仙人献果伤哉!猕猴钻火不招来,换个夜叉

① 敌国之富——与整个国家的财富相等。敌,相等。

② 不良人——唐代对负责缉捕事情的差役的称呼。

③ 畿(jī)尉——京城附近地区的县尉。

④ 刑名官儿——管司法、审案的官吏。

⑤ 周兴、来俊臣、索元礼——三人都是唐代有名的酷吏,对待罪犯极为残暴,施以种种惨无人道的酷刑。

望海。

那些酷吏，一来仗刑立威；二来或是权要嘱托，希承其旨，每事不问情真情枉，一味严刑锻炼，罗织成招。任你铜筋铁骨的好汉，到此也胆丧魂惊，不知断送了多少忠臣义士！惟有李勉与他尉不同，专尚平恕，一切惨酷之刑，置而不用，临事务在得情，故此并无冤狱。那一日正值早衙，京尹发下这件事来，十来个强盗，五六个戳伤庄客，跪做一庭；行凶刀斧，都堆在阶下。李勉举目看时，内中惟有房德，人材雄伟，丰采非凡，想道："恁样一条汉子，如何为盗？"心下就怀个矜怜之念。当下先唤巡逻的，并王家庄客，问了被劫情由；然后又问众盗姓名，逐一细鞫。俱系当下就擒，不待用刑，尽皆款伏，又招出党羽窟穴。李勉即差不良人前去捕缉。问至房德，乃匍匐到案前，含泪而言道："小人自幼业儒，原非盗辈。止因家贫无措，昨到亲戚处告贷，为雨阻于云华寺中，被此辈以计诱去，威逼入伙，出于无奈。"遂将画鸟及入伙前后事，一一细诉。李勉已是惜其材貌，又见他说得情词可悯，便有意释放他。却又想："一伙同罪，独放一人，公论难泯。况是上司所委，如何回复？——除非如此如此。"乃假意叱喝下去，吩咐俱上了枷奸，禁于狱中，俟拿到余党再问。砍伤庄客，遣回调理。巡逻人记功有赏。发落众人去后，即唤狱卒王太进衙。——原来王太昔年因误触了本官，被诬构成死罪，也亏李勉审出，原在衙门服役。那王太感激李勉之德，凡有委托，无不尽力。为此就参他做押狱之长。——当下李勉吩咐道："适来强人内，有个房德，我看此人相貌轩昂，言词挺拔，是个未遇时的豪杰。有心要出脱他，因碍着众人，不好当堂明放；托在你身上，觑个方便，纵他逃走。"取过三两一封银子，教他递与，赠为盘费，速往远处潜避，莫在近边，又为人所获。王太道："相公吩咐，怎敢有违？但恐遗累众狱卒，却如何处？"李勉道："你放他去后，即引妻小，躲入我衙中，将申文俱做于你的名下，众人自然无事。你在我左右，做个亲随，岂不强如做这贱役？"王太道："若得相公收留，在衙伏侍，万分好了。"将银袖过，急急出衙，来到狱中，对小牢子道："新到囚犯，未经刑杖，莫教聚于一处，恐弄出些事来。"小牢子依言，遂将众人四散分开。王太独引房德置在一个僻静之处，把本官美意，细细说出，又将银两交与。房德不胜感激道："烦禁长哥致谢相公，小人今生若不能补报，死当作犬马酬恩。”王太道：“相公一片热肠救你，哪指望报答？但愿你此去，改行从善，莫负相公起死回生之德！”房德道：“多感禁长哥指教，敢不佩领。”捱到傍晚，王太眼同众牢子将众犯尽上囚床，第一个先从房德起，然后挨次而去。王太觑众人正手忙脚乱之时，捉空踅过来，将房德放起，开了枷锁，又把自己旧衣帽与他穿了，引至监门口。且喜内外更无一人来往，急忙开了狱门，掇他出去。房德拽开脚步，不顾高低，也不敢回家，捱出城门，连夜而走。心中思想：“多感畿尉相公救了性命，如今投兀谁好？想起当今惟有安禄山，最为天子宠任，收罗豪杰，何不投之。”遂取路直至范阳。恰好遇见个故友严庄，为范阳长史，引见禄山。那时安禄山久蓄异志，专一招亡纳叛，见房德生得人材出众，谈吐投机，遂留于衙中。房德住了几时，暗地差人迎取妻子到彼，不在话下。正是：

挣破天罗地网，撇开闷海愁城。

得意尽夸今日，回头却认前生。

且说王太当晚，只推家中有事要回，吩咐众牢子好生照管，将钥匙交付明白，出了狱门，来至家中，收拾囊箧，悄悄领着妻子，连夜躲入李勉衙中，不提。且说众牢子到次早放众囚水火①，看房德时，枷锁撇在半边，不知几时逃去了。众人都惊得面如土色，叫苦不迭道：“恁样紧紧上的刑具，不知这死囚怎地挣脱逃走了？却害我们吃屈官司！又不知从何处去的？”四面张望墙壁，并不见块砖瓦落地，连泥屑也没有一些，齐道：“这死囚昨日还哄畿尉相公，说是初犯，倒是个积年高手。”内中一人道：“我去报知王狱长，教他快去禀官，作急缉获。”那人一口气跑到王太家，见门闭着，一片声乱敲，哪里有人答应。间壁一个邻家走过来，道：“他家昨乱了两个更次，想是搬去了。”牢子道：“并不见王狱长说起迁居，哪有这事？”邻家道：“无过止这间屋儿，如何敲不应？难道睡死不成？”牢子见得有理，尽力把门掇开，原来把根木子反撑着的，里边止有几件粗重家伙，并无一人。牢子道：“却不作怪！他为甚么也走了？这死囚莫不到是他卖放的？休管是

① 水火——大小便。

不是，且都推在他身上罢了。”把门依旧带上，也不回狱，径望畿尉衙门前来。恰好李勉早衙理事，牢子上前禀知。李勉佯惊道：“向来只道王太小心，不想恁般大胆，敢卖放重犯！料他也只躲在左近，你们四散去缉访，获到者自有重赏。”牢子叩头而出。李勉备文报府。王鉷以李勉疏虞防闲，以不职奏闻天子，罢官为民。一面悬榜，捕获房德、王太。李勉即日纳还官诰，收拾起身，将王太藏于女人之中，带回家去。

不因济困扶危意，肯作藏亡匿罪人？

李勉家道素贫，却又爱做清官，分文不敢妄取。及至罢任，依原是个寒士。归到乡中，亲率童仆，躬耕而食。家居二年有余，贫困转剧，乃别了夫人，带着王太并两个家奴，寻访故知。由东都一路，直至河北。闻得故人颜杲卿新任常山太守，遂往谒之。路经柏乡县过，这地方离常山尚有二百余里。李勉正行间，只见一行头踏①，手持白棒，开道而来，呵喝道：“县令相公来，还不下马？”李勉引过半边回避。王太远远望见那县令，上张皂盖，下乘白马，威仪济济，相貌堂堂。仔细认时，不是别个，便是昔年释放的房德。乃道：“相公不消避得，这县令就是房德。”李勉闻言，心中甚喜，道：“我说那人是个未遇时的豪杰，今却果然。但不知怎地就得了官职？”欲要上前去问，又想道：“我若问时，此人只道晓得他在此做官，来与索报了，莫问罢！”吩咐王太禁声，把头回转，让他过去。那房德渐渐至近，一眼觑见李勉背身而立，王太也在旁边，又惊又喜。连忙止住从人，跳下马来，向前作揖道：“恩相见了房德，如何不唤一声，反掉转头去？险些儿错过？”李勉还礼道：“恐妨足下政事，故不敢相通。”房德道：“说哪里话，难得恩相至此，请到敝衙少叙。”李勉此时，鞍马劳倦，又见其意殷勤，答道：“既承雅情，当暂话片时。”遂上马并辔而行，王太随在后面。不一时到了县中，直至厅前下马。房德请李勉进后堂，转过左边一个书院中来，吩咐从人不必跟入，止留一个心腹干办陈颜，在门口伺候，一面着人整备上等筵席。将李勉四个牲口，发于后槽喂养，行李即教王太等搬将入去。又教人传话衙中，唤两个家人来伏侍。那两个家人，一个教做路信，一个教做支成，都是

① 头踏——官员出行时走在前面开道的仪仗队。

房德为县尉时所买。且说房德为何不要从人入去？只因他平日冒称是宰相房玄龄之后，在人前夸炫家世，同僚中不知他的来历，信以为真，把他十分敬重。今日李勉来至，相见之间，恐提起昔日为盗这段情由，怕众人闻得，传说开去，被人耻笑，做官不起。因此不要从人进去，这是他用心之处。当下李勉步入里边去看时，却是向阳一带三间书室，侧边又是两间厢房。这书室庭户虚敞，窗槅明亮，正中挂一幅名人山水，供一个古铜香炉，炉内香烟馥郁。左边设一张湘妃竹榻，右边架上堆满若干图书。沿窗一只几上，摆列文房四宝。庭中种植许多花木，铺设得十分清雅。这所在乃是县官休沐之处，故尔恁般齐整。

且说房德让李勉进了书房，忙忙的掇过一把椅子，居中安放，请李勉坐下，纳头便拜。李勉急忙扶住道："足下如何行此大礼?"房德道："某乃待死之囚，得恩相超拔，又赐赠盘缠，遁逃至此，方有今日。恩相即某之再生父母，岂可不受一拜!"李勉是个忠正之人，见他说得有理，遂受了两拜。房德拜罢起来，又向王太礼谢，引他三人到厢房中坐地。又叮咛道："倘隶卒询问时，切莫与他说昔年之事。"王太道："不消吩咐，小人理会得了。"房德复身到书房中，扯把椅儿，打横相陪道："深蒙相公活命之恩，日夜感激，未能酬报。不意天赐至此相会。"李勉道："足下一时被陷，吾不过因便斡旋，何德之有？乃承如此垂念。"献茶已毕，房德又道："请问恩相，升在何任，得过敝邑?"李勉道："吾因释放足下，京尹论以不职，罢归乡里。家居无聊，故遍游山水，以畅襟怀。今欲往常山，访故人颜太守，路经于此，不想却遇足下，且已得了官职，甚慰鄙意。"房德道："原来恩相因某之故，累及罢官，某反苟颜窃禄于此，深切惶愧!"李勉道："古人为义气上，虽身家尚然不顾，区区卑职，何足为道！但不识足下别后，归于何处，得宰此邑?"房德道："某自脱狱，逃至范阳，幸遇故人，引见安节使，收于幕下，甚蒙优礼。半年后，即署此县尉之职。近以县主身故，遂表某为令。自愧谫陋菲才①，滥叨民社，还要求恩相指教。"李勉虽则不在其位，却素闻安禄山有反叛之志，今见房德乃是他表举的官职，恐其后来党逆，故就他请教上，把言

① 谫(jiǎn)陋菲才——才识浅薄。

语去规训道："做官也没甚难处，但要上不负朝廷，下不害百姓，遇着死生利害之处，总有鼎镬①在前，斧锧②在后，亦不能夺我之志；切勿为匪人所惑，小利所诱，顿尔改节，虽或侥幸一时，实是贻笑千古。足下立定这个主意，莫说为此县令，就是宰相，亦尽可做得的！"房德谢道："恩相金玉之言，某当终身佩铭。"两下一递一答，甚说得来。少顷，路信来禀："筵宴已完，请爷入席。"房德起身，请李勉至后堂，看时乃是上下两席。房德教从人将下席移过左旁。李勉见他要旁坐，乃道："足下如此相叙，反觉不安，还请坐转。"房德道："恩相在上，侍坐已是僭妄，岂敢抗礼？"李勉道："吾与足下今已为声气之友，何必过谦！"遂令左右，依旧移在对席。从人献过杯箸，房德安席定位。庭下承应乐人，一行儿摆列奏乐。那筵席杯盘罗列，非常丰盛：

虽无炮凤烹龙，也极山珍海错。

当下宾主欢洽，开怀畅饮，更余方止。王太等另在一边款待，自不必说。此时二人转觉亲热，携手而行，同归书院。房德吩咐路信，取过一副供奉上司的铺盖，亲自施设茵褥，提携溺器。李勉扯住道："此乃仆从之事，何劳足下自为！"房德道："某受相公大恩，即使生生世世，执鞭随镫，尚不能报万一，今不过少尽其心，何足为劳！"铺设停当，又教家人另放一榻，在旁相陪。李勉见其言词诚恳，以为信义之士，愈加敬重。两下挑灯对坐，彼此倾心吐胆，各道生平志愿，情投契合，遂为至交，只恨相见之晚，直谈到四更方睡。到次日同僚官闻知，都来相访。相见之间，房德只说："是昔年曾蒙识荐，故此有恩！"同僚官又在县主面上讨好，各备筵席款待，话休烦絮。房德自从李勉到后，终日饮酒谈论，也不理事，也不进衙，其侍奉趋承，就是孝子事亲，也没这般尽礼，李勉见恁样殷勤，诸事俱废，反觉过意不去，住了十来日，作辞起身。房德哪里肯放，说道："恩相至此，正好相聚，哪有就去之理！须是多住几月，待某拨夫马送至常山便了。"李勉道："承足下高谊，原不忍言别。但足下乃一县之主，今因我在此，耽误了许多政务，倘上司知得，不当稳便。况我去心已决，强留于此，反不适意！"房德

① 鼎镬(huò)——古代的一种酷刑，用鼎镬烹人。

② 斧锧(zhì)——古代斩人的刑具，像铡刀。

料道留他不住,乃道:"恩相既坚执要去,某亦不好苦留,只是从此一别,后会无期,明日容治一樽,以尽竟日之欢,后日早行罢。"李勉道:"既承雅意,只得勉留一日。"房德留住了李勉,唤路信跟着回到私衙,要收拾礼物馈送。只因这番,有分教,李畿尉险些儿送了性命。正是:

祸兮福所倚,福兮祸所伏。
所以恬淡人,无营心自足。

话分两头,却说房德老婆贝氏,昔年房德落薄时,让他做主惯了,到今做了官,每事也要乔主张。此番见老公唤了两个家人出去,一连十数日,不见进衙,只道瞒了他做甚事体,十分恼恨。这日见老公来到衙里,便待发作。因要探口气,满脸反堆下笑来,问道:"外边有何事,久不退衙?"房德道:"不要说起,大恩人在此,几乎当面错过。幸喜我眼快瞧着,留得到县里,故此盘桓了这几日。特来与你商量,收拾些礼物送他。"贝氏道:"哪里什么大恩人?"房德道:"哎呀!你如何忘了?便是向年救命的畿尉李相公,只为我走了,带累他罢了官职,今往常山去访颜太守,路经于此。那狱卒王太也随在这里。"贝氏道:"原来是这人么?你打帐送他多少东西?"房德道:"这个大恩人,乃再生父母,须得重重酬报。"贝氏道:"送十匹绢可少么?"房德呵呵大笑道:"奶奶倒会说耍话,恁地一个恩人,这十匹绢送他家人也少!"贝氏道:"胡说!你做了个县官,家人尚没处一注赚十匹绢,一个打抽丰的,如何家人便要许多?老娘还要算计哩。如今做我不着,再加十匹,快些打发起身。"房德道:"奶奶怎说出恁样没气力的话来?他救了我性命,又赍赠盘缠,又坏了官职,这二十匹绢当大的情了?"房德兀是嫌少。心中便有些不悦,故意道:"一百匹何如?"房德道:"这一百匹只够送王太了。"贝氏道:"甚的?"贝氏从来鄙吝,连这二十匹绢,还不舍得的,只为是老公救命之人,故此才肯破钞,已是绝顶天,见说一百匹还只够送王太,正不知要送李勉多少,十分焦躁道:"王太送了一百匹,畿尉极少也送得五百匹哩。"房德道:"五百匹还不够。"贝氏怒道:"索性凑足一千何如?"房德道:"这便差不多了。"贝氏听了这话,向房德劈面一口涎沫道:"啐!想是你失心风了！做得几时官，交多少东西与我？却来得这等大落①！恐怕连老娘身子卖来，还凑不上一半哩。哪里来许多绢送人？”房德看见老婆发喉急，便道：“奶奶有话好好商量，怎就着恼！”贝氏嚷道：“有甚商量，你若有，自去送他，莫向我说。”房德道：“十分少，只得在库上撮去。”贝氏道：“啧啧，你好天大的胆儿！库藏乃朝廷钱粮，你敢私自用得的！倘此时上司查核，那时怎地回答？”房德闻言，心中烦恼道：“话虽有理，只是恩人又去的急，一时没处设法，却怎生处？”坐在旁边踌躇。

谁想贝氏见老公执意要送恁般厚礼，就是割身上肉，也没这样疼痛，连肠子也急做千百段，顿起不良之念，乃道：“看你枉做了个男子汉，这些事没有决断，如何做得大官？我有个捷径法儿在此，倒也一劳永逸。”房德认做好话，忙问道：“你有甚么法儿？”贝氏答道：“自古有言，大恩大报。不如今夜觑个方便，结果了他性命，岂不干净。”只这句话，恼得房德彻耳根通红，喝道：“你这不贤妇！当初只为与你讨匹布儿做件衣服不肯，以致出去求告相识，被这班人诱去入伙，险些儿送了性命！若非这恩人，舍了自己官职，释放出来，安得今日夫妻相聚？你不劝我行些好事，反教伤害恩人，于心何忍！”贝氏一见老公发怒，又赔着笑道：“我是好话，怎到发恶！若说得有理，你便听了；没理时，便不要听，何消大惊小怪。”房德道：“你且说有甚理？”贝氏道：“你道昔年不肯把布与你，至今恨我么？你且想，我自十七岁随了你，日逐所需，哪一件不亏我支持，难道这两匹布，真个不舍得？因闻得当初有个苏秦，未遇时，合家佯为不礼，激励他做到六国丞相。我指望学这故事，也把你激发。不道你时运不济，却遇这强盗，又没苏秦那般志气，就随他们胡做，弄出事来，此乃你自作之孽，与我什么相干？那李勉当时岂真为义气上放你么？”房德道：“难道是假意？”贝氏笑道：“你枉自有许多聪明，这些事便见不透。大凡做刑名官的，多有贪酷之人，就是至亲至戚，犯到手里，尚不肯轻释。况他与你素无相识，且又情真罪当，怎肯拚了自己官职，轻易纵放了重犯？无非闻说你是个强盗头儿，劫来赃物窝顿，指望放了暗地去孝顺，将些去买上嘱下，这官又不坏，又落些入己。

① 大落——大方，大手大脚。

不然，如何一伙之中，独独纵你一个？哪里知道你是初犯的穷鬼，竟一溜烟走了，他这官又罢休。今番打听着在此做官，可可①的来了。”房德摇首道：“没有这事。当初放我，乃一团好意，何尝有丝毫别念。如今他自往常山，偶然遇见，还怕误我公事，把头掉转，不肯相见，并非特地来相见，不要疑坏了人。”贝氏又叹道：“他说往常山乃是假话，如何就此以为真。且不要论别件，只他带着王太同行，便见其来意了。”房德道：“带王太同行便怎么？”贝氏道：“你也忒杀懵懂！那李勉与颜太守是相识，或者去相访是真了；这王太乃京兆府狱卒，难道也与颜太守有旧去相访？却跟着同走。若说把头掉转不来招揽，此乃冷眼觑你，可去相迎？正是他奸巧之处，岂是好意？如果真要到常山，怎肯又住这几多时！”房德道：“他哪里肯住，是我再三苦留下的。”贝氏道：“这也是他用心处，试你待他的念头诚也不诚。”房德原是没主意的人，被老婆这班话一耸，渐生疑惑，沉吟不语。贝氏又道：“总来这恩是报不得的！”房德道：“如何报不得？”贝氏道：“今若报得薄了，他一时翻过脸来，将旧事和盘托出，那时不但官儿了帐，只怕当做越狱强盗拿去，性命登时就送。若报得厚了，他做下额子②，不常来取索。如照旧馈送，自不必说；稍不满欲，依然揭起旧案，原走不脱，可不是到底终须一结。自古道：先下手为强。今若不依我言，事到其间，悔之晚矣！”房德闻说至此，暗暗点头，心肠已是变了。又想了一想，乃道：“如今原是我要报他恩德，他却从无一字提起，恐没这心肠。”贝氏笑道：“他还不曾见你出手，故不开口。到临期自然有说话的。还有一件，他此来这番，纵无别话，你的前程，已是不能保了。”房德道：“却是为何？”贝氏道：“李勉至此，你把他万分亲热，衙门中人不知来历，必定问他家人，那家人肯替你遮掩？少不得以直告之。你想衙门人的口嘴，好不利害，知得本官是强盗出身，定然当做新闻，互相传说。同僚们知得，虽不敢当面笑你，背后讲议也经不起。就是你也无颜再存坐得住。这个还算小可的事。那李勉与颜太守既是好友，到彼难道不说，自然一一道知其详。闻得这老儿最古怪的，且又

---

① 可可——恰巧。

② 做下额子——定下标准，数额。

是他属下，倘被遍河北一传，连夜走路，还只算迟了。那时可不依旧落薄，终身怎处！如今急急下手，还可免得颜太守这头出丑。”房德初时，原怕李勉家人走漏了消息，故此暗地叮咛王太。如今老婆说出许多利害，正投其所忌，遂把报恩念头，撇向东洋大海，连称：“还是奶奶见得透，不然，几乎反害自己。但他来时，合衙门人通晓得，明日不见了，岂不疑惑？况那尸首也难出脱。”贝氏道：“这个何难？少停出衙，止留几个心腹人答应，其余都打发去了，将他主仆灌醉，到夜静更深，差人刺死，然后把书院放了一把火烧了，明日寻出些残尸剩骨，假哭一番，衣棺盛殓。那时人只认是火烧死的，有何疑惑！”房德大喜道：“此计甚妙！”便要起身出衙。那婆娘晓得老公心是活的，恐两下久坐长谈，说得入港①，又改过念来，乃道：“总则天色还早，且再过一回出去。”房德依着老婆，真个住下。有诗为证：

猛虎口中剑，长蛇尾上针。
两般犹未毒，最毒妇人心。

自古道，隔墙须有耳，窗外岂无人。房德夫妻在房说话时，那婆娘一味不舍得这绢匹，专意撺唆老公害人，全不提防有人窥听。况在私衙中，料无外人来往，恣意调唇弄舌。不想家人路信，起初闻得贝氏焦躁，便覆在间壁墙上听他们争多竞少，直至放火烧屋，一句句听得十分仔细，倒吃了一惊，想道：“原来我主人曾做过强盗，亏这官人救了性命，今反恩将仇报，天理何在！看起来这般大恩人，尚且如此，何况我奴仆之辈。倘稍有过失，这性命一发死得快了。此等残薄之人，跟之何益。”又想道：“常言救人一命，胜造七级浮屠。何不救了这四人，也是一点阴骘。”却又想道：“若放他们走了，料然不肯饶我，不如也走了罢。”遂取些银两，藏在身边，觑个空，悄悄闪出私衙，一径奔入书院。只见支成在厢房中烹茶，坐于槛上，执着扇子打盹，也不去惊醒他，竟趋入书室，看王太时，却都不在；止有李勉正襟据案而坐，展玩书籍。路信走近案前，低低道：“相公，你祸事到了！还不快走，更待几时？”李勉被这惊不小，急问：“祸从何来？”路信扯到半边，将适才所闻，一一细说，又道：“小人因念相公无辜受害，特来通报，如

① 入港——情投意合。

今不走，少顷便不能免祸了。”李勉听了这话，惊得身子犹如吊在冰桶里，把不住的寒颤，向着路信倒身下拜道：“若非足下仗义救我，李勉性命定然休矣！大恩大德，自当厚报。决不学此负恩之人。”急得路信答拜不迭，道：“相公不要高声，快些走了罢！走漏了消息，彼此难保。”李勉道：“若我走了，遗累足下，于心何安？”路信道：“小人又无妻室，待相公去后，亦自远遁，不消虑得。”李勉道：“既如此，何不随我同往常山？”路信道：“相公肯收留，小人情愿执鞭随镫。”李勉道：“你乃大恩人，怎说此话？”遂叫王太，一连十数声，再没一人答应。跌足叫苦道：“他们都往哪里去了？”路信道：“待小人去寻来。”李勉又道：“马匹俱在后槽，却怎处？”路信道：“也等小人去哄他带来。”急出书室，回头看支成已不在槛上打盹了。路信即走入厢房中观看，却也不在。原来支成登东厮①去了。路信只道被他听得，进衙去报房德，心下慌张，复转身向李勉道：“相公，不好了！想被支成听见，却报主人了，快去罢！等不及管家矣。”李勉又吃一惊，半句话也应答不出，弃下行李，光身子，同着路信踉踉跄跄抢出书院。做公的见了李勉，坐下的都站起来，李勉两步并作一步，奔出了城外。见有三骑马系着，是俟候县令主簿县尉出入的。路信心生一计，对马夫道：“李相公要往西门拜客，快带马来。”那马夫晓得李勉是县主贵客，且又县主管家吩咐，怎敢不依，连忙牵过两骑。李勉刚刚上马，王太撞至马前，手中提着一双麻鞋，问道：“相公往何处去？”路信撮口道：“相公要往西门拜客，你们通到哪里去了？”王太道：“因麻鞋坏了，上街去买，相公拜哪个客？”路信道：“你跟来罢了，问怎的？”又叫马夫带那骑马与他乘坐，齐出县门，马夫在后跟随。路信吩咐道：“顷刻就来，不消你随了。”那马夫真个住下。离了县中，李勉加上一鞭，那马如飞而走。王太见家主恁般慌促，且不知要拜甚客。行不上一箭之地，两个家人，也各提着麻鞋而来，望见家主，便闪在半边，问道：“相公往哪里去？”李勉道：“你且莫问，快跟来便了。”话还未了，那马已跑向前去，二人负命的赶，如何跟得上。看看行近西门，早有两人骑着牲口，从一条巷中横冲出来。路信举目观看，不是别人，却是干办陈颜，同着一个令

① 东厮——指厕所。古代厕所多半建在屋子东边，所以称厕所为“东司”或“东厮”。

史。二人见了李勉，滚鞍下马声喏。路信见景生情，急叫道："李相公，管家们还少牲口，何不借陈干办的暂用？"李勉暗地意会，遂收缰勒马道："如此甚好。"路信向陈颜道："李相公要去拜客，暂借你的牲口与管家一乘，少顷便来。"二人巴不能奉承得李勉欢喜，指望在本官面前，增添些好言语，可有不肯的理么？连声答应道："相公要用，只管乘去。"等了一回，两个家人带跌的赶来，跑得汗淋气喘。陈颜二人将鞭缰送与，两个家人上了马，随李勉趱出城门。放开丝缰，二十个马蹄，如滚浪相似，循着大道，望常山一路飞奔去了。正是：

折破玉笼飞彩凤，顿开金锁走蛟龙。

话分两头。且说支成上了东厮转来，烹了茶，捧进书室，却不见了李勉。只道在花木中行走，又遍寻一过，也没个影儿，想道："是了，一定两日久坐在此，心中不舒畅，外边闲游去了。"约莫有一个时辰，还不见进来。走出书院去观看，刚至门口，劈面正撞着家主。原来房德被老婆留住，又坐了一大回，方起身打点出衙，恰好遇见支成，问："可见路信么？"支成道："不见，想随李相公出外闲走去了。"房德心中疑虑，正待差支成去寻觅，只见陈颜来到。房德问道："曾见李相公么？"陈颜道："方才出西门遇见。路信说，要往哪里去拜客，连小人的牲口，都借与他管家乘坐。一行共五个马，飞跑如云，正不知有甚紧事？"房德听罢，料是路信走漏消息，暗地叫苦。也不再问，复转身，原入私衙，报与老婆知得。那婆娘听说走了，倒吃一惊道："罢了，罢了！这祸一发来得速矣。"房德见老婆也着了急，慌得手足无措，埋怨道："未见得他怎地！都是你说长道短，如今倒弄出事来了。"贝氏道："不要慌，自古道：一不做，二不休。事到其间，说不得了。料他去也不远，快唤几个心腹人，连夜追赶前去，扮作强盗，一齐砍了，岂不干净。"房德随唤陈颜进衙，与他计较。陈颜道："这事行不得，一则小人们只好趋承奔走，那杀人勾当，从不曾习惯。二则倘一时有人救应拿住，反送了性命。小人倒有一计在此，不消劳师动众，教他一个也逃不脱。"房德欢喜道："你且说有甚妙策？"陈颜道："小人间壁，一月前有一个异人，搬来居住，不言姓名，也不做甚生理，每日出去吃得烂醉方归。小人见他来历跷蹊，行迹诡秘，有心去察他动静。忽一日，有一豪士青布锦袍，跃马而来，从者数人，径到此人之家，留饮三日方去。小人私下问那从者宾主姓名，都不肯说。有一个人悄对小人说:'那人是个剑侠,能飞剑取人头,又能飞行,顷刻百里。且是极有义气,曾与长安市上代人报仇,白昼杀人,潜迹于此。'相公何不备些礼物前去,只说被李勉陷害,求他报仇。若得应允,便可了事,可不好么!"房德道:"此计虽好,只恐他不肯。"陈颜道:"他见相公是一县之主,屈己相求,必不推托。还怕连礼物也未必肯受哩。"贝氏在屏风后听得,便道:"此计甚妙!快去求之。"房德道:"将多少礼物送他?"陈颜道:"他是义士,重情不重物,得三百金足矣。"贝氏再三撺掇,备就了三百金礼物。天色傍晚,房德易了便服,陈颜、支成相随,也不乘马,悄悄的步行到陈颜家里。原来却住在一条冷巷中,不上四五家邻舍,好不寂静。陈颜留房德到里边坐下,点起灯火,向壁缝中张看,那人还不回。走出门口观望,等了一回,只见那人又是烂熟醉,东倒西歪的,撞入屋里去了。陈颜奔入报知,房德起身就走。陈颜道:"相公须打点了一班说话,更要屈膝与他,这事方谐。"房德点头道:"是。"一齐到了门首,向门上轻轻扣上两下,那人开门出问:"是谁?"陈颜低声哑气答道:"本县知县相公,在此拜访义士。"那人带醉说道:"咱这里没有什么义士。"便要关门。陈颜道:"且莫闭门,还有句说话。"那人道:"咱要紧去睡,谁个耐烦!有话明日来说。"房德道:"略话片时,即便相别。"那人道:"既如此,到里面来。"三人跨进门内,掩上门儿,引过一层房子,乃是小小客坐,点将灯烛荧煌。房德即倒身下拜道:"不知义士驾临敝邑,有失迎迓,今日幸得识荆,深慰平生。"那人将手扶住道:"足下一县之主,如何行此大礼!岂不失了体面。况咱并非什么义士,不要错认了。"房德道:"下官却来拜访义士,安有差错之理!"教陈颜、支成将礼物献上,说道:"些小薄礼,特献义士为斗酒之资,望乞哂留①。"那人笑道:"咱乃闾阎②无赖,四海无家,无一技一能,何敢当义士之称?这些礼物也没用处,快请收去。"房德又躬身道:"礼物虽微,出自房某一点血诚,幸勿峻拒!"那人道:"足下蓦地屈身匹夫,且又赐恁般厚礼,却是为何?"房德道:"请义士收了,方好相告。"那人道:"咱虽贫贱,誓不取无

---

① 哂(shěn)留——笑纳。

② 闾阎——里巷的门。这里借指平民。

名之物。足下若不说明白，断然不受。”房德假意哭拜于地道：“房某负戴大冤久矣！今仇在目前，无能雪耻，特慕义士是个好男子，有聂政、荆轲①之技，故敢斗胆，叩拜阶下。望义士怜念房某含冤负屈，少展半臂之力，刺死此贼，生死不忘大德！”那人摇手道：“我说足下认错了，咱资身②尚且无策，安能为人谋这事？况杀人勾当，非通小可，设或被人听见这话，反是累咱家，快些请回。”言罢转身，先向外而走。房德上前，一把扯住，道：“闻得义士，素抱忠义，专一除残祛暴，济困扶危，有古烈士之风。今房某身抱大冤，义士反不见怜，料想此仇永不能报矣！”道罢，又假意啼哭。那人冷眼瞧了这个光景，只道是真情，方道：“足下真个有冤么？”房德道：“若没大冤，不敢来求义士。”那人道：“既恁样，且坐下，将冤屈大事并仇家姓名，今在何处，细细说来。可行则行，可止则止。”两下遂对面而坐，陈颜、支成站于旁边。房德捏出一段假情，反说：“李勉昔年诬指为盗，百般毒刑拷打，陷于狱中，几遍差狱卒王太谋害性命，皆被人知觉，不致于死。幸亏后官审明释放，得官此邑。今又与王太同来挟制，索诈千金，意犹未足；又串通家奴，暗地行刺事露，适来连此奴挈去，奔往常山，要唆颜太守来摆布。”把一片说话，妆点得十分利害。那人听毕大怒道：“原来足下受此大冤，咱家岂忍坐视。足下且请回县，在咱身上，今夜往常山一路，找寻此贼，为足下报仇。夜半到衙中复命。”房德道：“多感义士高义！某当秉烛以待。事成之日，另在厚报。”那人作色道：“咱一生路见不平，拔刀相助，哪个希图你的厚报？这礼物咱也不受。”说犹未绝，飘然出门，其去如风，须臾不见了。房德与众人惊得目睁口呆，连声道：“真异人也！”权将礼物收回，待他复命时再送。有诗为证：

报仇凭一剑，重义藐千金。
谁谓奸雄舌，能违烈士心？

话分两头，且说王太同两个家人，见家主出了城门，又不拜甚客，只管乱跑，正不知为甚缘故。一口气就行了三十余里，天色已晚，却又不寻店宿歇。那晚乃是十三，一轮明月，早已升空，趁着月色，不顾途路崎岖，负

---

① 聂政、荆轲——两人都是战国时有名的刺客。
② 资身——养活自己。资，供给。

命而逃，常恐后面有人追赶。在路也无半句言语，只管趱向前去。约莫有二更天气，共行了六十多里，来到一个村镇，已是井陉县地方。那时走得口中又渴，腹内又饥，马也渐渐行走不动。路信道："来路已远，料得无事了，且就此觅个宿处，明日早行。"李勉依言，径投旅店。谁想夜深了，家家闭户关门，无处可宿。直到市梢头，见一家门儿半开半掩，还在那里收拾家伙，遂一齐下马，走入店门。将牲口卸了鞍辔，系在槽边喂料。路信道："主人家，拣一处洁净所在，与我们安歇。"店家答道："不瞒客官说，小店房头，没有个不洁净的。如今也止空得一间在此。"教小二掌灯引入房中。李勉向一条板凳上坐下，觉得气喘吁吁。王太忍不住问道："请问相公，那房县主惓惓苦留，后日拨夫马相送，从容而行，有何不美？却反把自己行李弃下，犹如逃难一般，连夜奔走，受这般劳碌！路管家又随着我们同来，是甚意故？"李勉叹口气道："汝哪知就里？若非路管家，我与汝等死无葬身之地矣。今幸得脱虎口，已欢喜不尽了。还顾得什么行李、辛苦？"王太惊问其故。李勉方待要说，不想店主人见他们五人五骑，深夜投宿，一毫行李也无，疑是歹人，走进来盘问脚色，说道："众客长做甚生意？打从何处来，这时候到此？"李勉一肚子气恨，正没处说，见店主相问，答道："话头甚长，请坐下了，待我细诉。"乃将房德为盗犯罪，怜其才貌，暗令王太释放，以致罢官；及客游遇见，留回厚款，今日午后，忽然听信老婆谗言，设计杀害，亏路信报知逃脱，前后之事，细说一遍。王太听了这话，连声唾骂："负心之贼！"店主人也不胜嗟叹。王太道："主人家，相公鞍马辛苦，快些催酒饭来吃了，睡一觉好赶路。"店主人答应出去。只见床底下忽地钻出一个大汉，浑身结束，手持匕首，威风凛凛，杀气腾腾。吓得李勉主仆魂不附体，一齐跪倒，口称："壮士饶命！"那人一把扶李勉道："不必慌张，自有话说。咱乃义士，平生专抱不平，要杀天下负心之人。适来房德假捏虚情，反说公诬陷，谋他性命，求咱来行刺，哪知这贼子恁般狼心狗肺，负义忘恩！早是公说出前情，不然，险些误杀了长者。"李勉连忙叩下头去道："多感义士活命之恩！"那人扯住道："莫谢莫谢，咱暂去便来。"即出庭中，耸身上屋，疾如飞鸟，顷刻不见。主仆都惊得吐了舌，缩不上去，不知再来还有何意。怀着鬼胎，不敢睡卧，连酒饭也吃不下。有诗为证：

奔走长途气上冲，忽然床下起青锋。

一番衷曲殷勤诉，唤醒奇人睡梦中。

再说房德的老婆，见丈夫回来，大事已就，礼物原封不动，喜得满脸都是笑靥，连忙整备酒席，摆在堂上，夫妻秉烛以待。陈颜也留在衙中伺候。三更时分，忽听得庭前宿鸟惊鸣，落叶乱坠，一人跨入堂中。房德举目看时，恰便是那个义士，打扮得如天神一般，比前大似不同，且惊且喜，向前迎接。那义士全不谦让，气忿忿的大踏步走入去，居中坐下。房德夫妻叩拜称谢。方欲启问，只见那义士怒容可掬，飕地掣出匕首，指着骂道："你这负心贼子！李畿尉乃救命大恩人，不思报效，反听妇人之言，背恩反噬。既已事露逃去，便该悔过，却又假捏虚词，哄咱行刺。若非他道出真情，连咱也陷于不义。剐你这负心贼一万刀，方出咱这点不平之气！"房德未及措辩，头已落地。惊得贝氏慌做一堆。平时且是会说会讲，到此心胆俱裂，一张嘴犹如胶漆粘牢，动弹不得。义士指着骂道："你这泼贱狗妇！不劝丈夫为善，反唆他伤害恩人，我且看你肺肝是怎样生的！"托地跳起身来，将贝氏一脚踢翻，左脚踏住头发，右膝捺住两腿。这婆娘连叫："义士饶命！今后再不敢了。"那义士骂道："泼贱淫妇！咱也倒肯饶你，只是你不肯饶人。"提起匕首向胸膛上一刀，直刺到脐下。将匕首衔在口中，双手拍开，把五脏六腑，抠将出来，血沥沥提在手中，向灯下照看道："咱只道这狗妇肺肝与人不同，原来也只如此，怎生恁般狠毒！"遂撇过一边，也割下首级，两颗头结做一堆，盛在革囊之中。揩抹了手上血污，藏了匕首，提起革囊，步出庭中，逾垣而去。

说时义胆包天地，话起雄心动鬼神。

再说李勉在旅店中，主仆守至五更时分，忽见一道金光，从庭中飞入，众人一齐惊起，看时正是那义士。放下革囊，说道："负心贼已被咱刳腹屠肠，今携其首在此。"放下革囊，取出两颗首级。李勉又惊又喜，倒身下拜道："足下高义，千古所无！请示姓名，当图后报。"义士笑道："咱自来没有姓名，亦不要人酬报。前咱从床下而来，日后设有相逢，竟以'床下义士'相呼便了。"道罢，向怀中取一包药儿，用小指甲挑了少许，弹于首级断处，举手一拱，早已腾上屋檐，挽之不及，须臾不知所往。李勉见弃下两个人头，心中慌张，正在摆布。可霎作怪！看那人头时，渐渐缩小，须臾化为一搭清水，李勉方才放心。坐至天明，路信取些钱钞，还了店家，收拾马匹上路。说话的，据你说，李勉共行了六十多里方到旅店，这义士又无牲口，如何一夜之间，往返如风。这便是前面说起，顷刻能飞行百里，乃剑侠常事耳。那义士受房德之托，不过黄昏时分，比及追赶，李勉还在途中驰骤，未曾栖息，他先一步埋伏等候，一往一来，有风无影，所以伏于床下，店中全然不知。此是剑术妙处。

且说李勉当夜无话，次日起身，又行了两日，方到常山，径入府中，拜谒颜太守。故人相见，喜笑颜开，遂留于衙署中安歇。颜太守也见没有行李，心中奇怪，问其缘故。李勉将前事一一诉出，不胜骇异。过了两日，柏乡县将县宰夫妻被杀缘由，申文到府。原来是夜陈颜、支成同几个奴仆，见义士行凶，一个个惊号鼠窜，四散潜躲。直至天明，方敢出头。只见两个没头尸首，横在血泊里，五脏六腑，都抠在半边，首级不知去向，桌上器皿，一毫不失。一家叫苦连天，报知主簿县尉，俱吃一惊，齐来验过。细询其情，陈颜只得把房德要害李勉，央人行刺始末说出。主簿县尉，即点起若干做公的，各执兵器，押陈颜作眼，前去捕获刺客。那时哄动合县人民，都跟来看。到了陈颜间壁，打将入去，惟有几间空房，哪见一个人影。主簿与县尉商议申文，已晓得李勉是颜太守的好友，从实申报，在他面上，怕有干碍；二则又见得县主薄德，乃将真情隐过。只说半夜被盗越入私衙，杀死县令夫妇，窃去首级，无从捕获。两下周全其事。一面买棺盛殓。颜太守依拟，申文上司。那时河北一路，多是安禄山专制，知得杀了房德，岂不去了一个心腹，倒下回文，着令严加缉获。李勉闻了这个消息，恐怕缠到身上，遂作别颜太守，回归长安故里。恰好王𫓩坐事下狱，凡被劾罢官，尽皆起任。李勉原起畿尉，不上半年，即升监察御史。一日，在长安街上行过，只见一人身衣黄衫，坐下白马，两个胡奴跟随，望着节导①中乱撞。从人呵喝不住。李勉举目观看，却是昔日那床下义士，遂滚鞍下马，鞠躬道："义士别来无恙？"那义士笑道："亏大人还认得咱家。"李勉道："李某日

① 节导——仪仗队、警卫、随从人员。

夜在心，安有不识之理？请到敝衙少叙。”义士道：“咱另日竭诚来拜，今日实不敢从命。倘大人不弃，同到敝寓一话何如？”李勉欣然相从，并马而行，来到庆元坊，一个小角门内入去。过了几重门户，忽然显出一座大宅院，厅堂屋舍，高耸云汉。奴仆趋承，不下数百。李勉暗暗点头道：“真是个异人。”请入堂中，重新见礼，分宾主而坐。顷刻摆下筵席，丰富胜于王侯。唤出家乐在庭前奏乐，一个个都是明眸皓齿，绝色佳人。义士道：“随常小饭，不足以供贵人，幸勿怪！”李勉满口称谢。当下二人席间谈论些古今英雄之事，至晚而散。次日李勉备了些礼物，再来拜访时，止存一所空宅，不知搬向何处去了。嗟叹而回。后来李勉官至中书门下平章事，封为汧国公①。王太、路信亦扶持做个小小官职。诗云：

从来恩怨要分明，将怨酬恩最不平。
安得剑仙床下士，人间遍取不平人！

第三十一卷　郑节使立功神臂弓

颠狂弥勒到明州，布袋横拖拄杖头。
饶你化身千万亿，一身还有一身愁。

话说东京汴梁城开封府，有个万万贯的财主员外，姓张，排行第一，双名俊卿。这个员外，冬眠红锦帐，夏卧碧纱厨，两行珠翠引，一对美人扶。家中有赤金白银，斑点玳瑁，鹘轮珍珠，犀牛头上角，大象口中牙。门首一壁开个金银铺，一壁开所质库。他那爹爹大张员外，方死不多时，只有妈妈在堂。张员外好善，人叫他做张佛子。忽一日在门首观看，见一个和尚，打扮非常。但见：

双眉垂雪，横眼碧波。衣披烈火，七幅鲛绡；杖拄降魔，九环锡杖。若非圆寂光中客，定是楞严峰顶人。

那和尚走至面前，道：“员外拜揖。”员外还礼毕。只见和尚袖中取出个疏头来，上面写道：竹林寺特来抄化五百香罗木。员外口中不说，心下

---

① 汧国公——李勉，字玄卿，唐代有名的耿直清廉的官员，封汧国公。

思量："我从小只见说竹林寺，哪曾见有；况兼这香罗木，是我爹在日许下愿心，要往东峰、岱岳盖嘉宁大殿，尚未答还。"员外便对和尚道："此是我先人在日，许下愿心，不敢动着。若是吾师要别物，但请法旨。"和尚道："若员外不肯舍施，贫僧到晚自教人取。"说罢转身。员外道："这和尚莫是疯！"天色渐晚，员外吃了三五杯酒，却待去睡，只见当值的来报："员外祸事！家中后园火发。"吓杀员外，慌忙走来时，只见焰焰地烧着。去那火光之中，见那早来和尚，将着百十人，都长七八尺，不类人形，尽数搬这香罗板去。员外赶上看时，火光顿息，和尚众人都不见了。却再来园中一看，不见了那五百片香罗木，枯炭也没些个。却是作怪！"我爹爹许下愿心，却如何好！"一夜不眠。但见：

玉漏声残，金乌吐影。邻鸡三唱，唤佳人傅粉施珠；宝马频嘶，催行客争名夺利。几片晓霞飞海峤，一轮红日上扶桑。

员外起来洗漱罢，去家堂神道前烧了香，向堂前请见妈妈，把昨夜事说了一遍，道："三月二十八日，却如何上得东峰、岱岳，与爹爹答还心愿？"妈妈道："我儿休烦恼，到这日却又理会。"员外见说，辞了妈妈，还去金银中坐地。却正是二月半天气。正是：

金勒马嘶芳草地，玉楼人醉杏花天。

只听得街上锣响，一个小节级①同个茶酒保，把着团书来请张员外团社②。原来大张员外在日，起这个社会，朋友十人，近来死了一两人，不成社会。如今这几位小员外，学前辈做作，约十个朋友起社。却是二月半，便来团社，员外道："我去不得，要与爹爹还愿时，又不见了香罗木，如何去得？"那人道："若少了员外一个，便拆散了社会。"员外与决不下，去堂前请见妈妈，告知："众员外请儿团社，缘没了香罗木与爹爹还愿，儿不敢去。"妈妈就手把着锦袋，说向儿子道："我这一件宝物，是你爹爹泛海外得来的无价之宝，我儿将此物与爹爹还愿心。"员外接得，打开锦袋红纸包看时，却是一个玉结连绦环。员外谢了妈妈，留了请书团了社，安排上庙。那九个员外，也准备行李，随行人从，不在话下。却说张员外打扮得一似军官。

---

① 节级——对一般小军官和禁子头的称呼。

② 团社——指朝山敬神的团体。社，多人聚会的团体。

裹四方大万字头巾，带一双扑兽匾金环，着西川锦纻丝袍，系一条乾红大匾绦，挥一把玉靶压衣刀，穿一双�散鞋。

员外同几个社友，离了家中，迤逦前去。饥飧①渴饮，夜住晓行。不则一日，到得东岳，就客店歇了。至日，十个员外都上庙来烧香，各自答还香愿。员外便把玉结连绦环，舍入炳灵公殿内。香愿已完，因无甚事，便在廊下看社火酌献。这几个都是后生家，乘兴去游山。员外在后，徐徐而行。但见：

山明水秀，风软云闲。一岩风景如屏，满目松筠似画。轻烟淡淡，数声啼鸟落花天；丽日融融，是处绿杨芳草地。

员外自觉脚力疲困，却教众员外先行，自己走到一个亭子上歇脚，只听得斧凿之声。看时见一所作场，竹笆夹着。望那里面时，都是七八尺来长大汉做生活。忽地凿出一片木屑来，员外拾起看时，正是园中的香罗木，认得是爹爹花押。疑怪之间，只见一个行者，开笆门，来面前相揖道："长老法旨，请员外略到山门献茶。"员外入那笆门中，一似身登月殿，步入蓬瀛。但见：

三门高耸，梵宇清幽。当门敕额字分明，两个金刚形勇猛。观音位接水陆台，宝盖相随鬼子母。

员外到得寺中，只见一个和尚出来相揖道："外日深荷了办缘事，今日幸得员外至此，请过方丈献茶。"员外远观不审，近睹分明，正是向日化香罗木的和尚，只得应道："日昨多感吾师过访，接待不及。"和尚同至方丈，叙礼分宾主坐定。点茶吃罢，不曾说得一句话。只见黄巾力士走至面前，暴雷也似声个喏："告我师，炳灵公相见。"吓得员外神魂荡漾，口中不语，心下思量："炳灵公是东岳神道，如何来这里相见？"那和尚便请员外："屏风后少待，贫僧断了此事，却与员外少叙。"员外领法旨，潜身去屏风后立地看时，见十数个黄巾力士，随着一个神道入来，但见：

眉单眼细，貌美神清。身披红锦衮龙袍，腰系蓝田白玉带。裹簇金帽子，着侧面丝鞋。

---

① 飧（sūn）——本指晚饭。这里是吃的意思。

员外仔细看时，与岳庙塑的一般。只见和尚下阶相揖，礼毕，便问："昨夜公事如何?"炳灵公道："此人直不肯认做诸侯，只要做三年天子。"和尚道："直恁难勘，教押过来。"只见几个力士，押着一大汉，约长八尺，露出满身花绣。至方丈，和尚便道："教你做诸侯，有何不可？却要图王争帝！好打。"道不了，黄巾力士扑翻长汉在地，打得几杖子。那汉子叹一声道："休休！不肯做那三年天子，胡乱认做诸侯罢。"黄巾力士即把过文书安在面前，教他押了花字，便放他去。炳灵公抬身道："甚劳吾师心力。"相辞别去。和尚便请员外出来坐定。和尚道："出门无可见意，略备水酒三杯，少延清话。"员外道："深感吾师见爱。"道罢，酒至面前。饮过多时，便教收过一壁。和尚道："员外可同往山后闲游。"员外道："谨领法旨。"二人同至山中闲走。但见：

奇峰耸翠，佳木交阴。千层怪石惹闲云，一道飞泉垂素练。万山横碧落，一柱入丹霄。

员外观看之间，喜不自胜，便问和尚："此处峭壁，直恁险峻！"和尚道："未为险峻，请员外看这路水。"员外低头看时，被和尚推下去。员外吃一惊，却在亭子上睡觉来，道："作怪！欲道是梦来，口中酒香。道不是梦来，却又不见踪迹。"正疑惑间，只见众员外走来道："员外，你却怎地不来？独自来这里打瞌睡。"张员外道："贱体有些不自在，有失陪步，得罪得罪！"也不说梦中之事。众员外游山都了，离不得买些人事，整理行装，厮赶归来。单说张员外到家，亲邻都来远接，与员外洗拂。见了妈妈，欢喜不尽。只见：

四时光景急如梭，一岁光阴如捻指。

却早腊月初头，但见北风凛冽，瑞雪纷纷，有一只《鹧鸪天》词为证：

凛冽严凝雾气昏，空中瑞雪降纷纷。须臾四野难分别，顷刻山河不见痕。　银世界，玉乾坤，望中隐隐接昆仑。若还下到三更后，直要填平玉帝门！

员外看见雪却大，便教人开仓库散些钱米与穷汉。且说一个人在客店中，被店小二埋怨道："喏大个汉！没些运智，这早晚兀自不起。今日又是两个月，不还房钱。哥哥你起休！"那人长叹一声："苦，苦！小二哥莫怪，我也是没计奈何。”店小二道：“今日前巷张员外散贫，你可讨些汤洗了头脸，胡乱讨得些钱来，且做盘缠。我又不指望你的。”那人道：“罪过你！”便去带了那顶搭圾①头巾，身上披着破衣服，露着腿，赤着脚，离了客店，迎着风雪走到张员外宅前。事有斗巧，物有故然，却来得迟些，都散了。这个人走至宅前，见门公唱个喏：“闻知宅上散贫。”门公道：“却不早来，都散了。”那人听得，叫声：“苦！”匹然倒地。员外在窗中看见，即时教人扶起。顷刻之间，三魂重来，七魄再至，员外仔细看时吃一惊，这人正是亭子上梦中见的，却恁地模样！便问那汉：“你是哪里人？姓甚名谁？现在哪里住？”那人叉着手，告员外：“小人是郑州泰宁军大户财主人家孩儿。父母早丧，流落此间，现在宅后玉婆店中安歇。姓郑名信。”员外即时讨得件旧衣服与他，讨些饭食请他吃罢，便道：“你会甚手艺？”那人道：“略会些书算。”员外见说，把些钱物与他，还了店中，便收留他。见他会书算，又且见便诸色周全，便教他在店中做主管。那人却伶俐，在宅中小心向前。员外甚是敬重，便做心腹人。

又过几时，但见时光如箭，日月如梭，不觉又是二月半间。那众员外便商量来请张员外同去出郊。一则团社，二则赏春。那几个员外，隔夜点了妓弟②，一家带着一个寻常间来往说得着行首③。知得张员外有孝，怕他不肯带妓女，先请他一个得意的表子在那里。张员外不知是计，走到花园中，见了几个行首厮叫了。只见众中走出一个行首来。他是两京诗酒客烟花杖子头，唤做王倩，却是张员外说得着的顶老④。员外见了，却待要走，被王倩一把扯住道：“员外，久别台颜，一向疏失。”员外道：“深荷姐姐厚意，缘先父亡去，持服在身，恐外人见之，深为不孝。”便转身来辞众员外道：“俊卿荷诸兄见爱，偶贱体不快，坐侍不及，先此告辞。”那众员外和王倩再三相留，员外不得已，只得就席，和王行首并坐。众员外身边一家一个妓弟。便教整顿酒吃，正吃得半酣，只见走一个人入来。如何打扮？

---

① 搭圾——破旧。

② 妓弟——妓女。

③ 行首——妓女中居首位的，后作为名妓的泛称。

④ 顶老——对妓女的一种轻薄的称呼。

裹一头蓝青头巾，带一对扑匾金环，着两上领白绫子衫，腰系乾红绒线绦，下着多耳麻鞋，手中携着一个篮儿。

这人走至面前，放下篮儿，叉着手唱三个喏。众员外道："有何话说?"只见那汉就篮内取出砧刀，借个盘子，把块牛肉来切得几片，安在盘里，便来众员外面前道："得知众员外在此吃酒，特来送一劝。"道罢，安在面前，唱个喏便去。张员外看了，暗暗叫苦道："我被那厮诈害几遍了。"——原来那厮是东京破落户姓夏名德，有一个浑名，叫做"扯驴"。先年曾有个妹子，嫁在老张员外身边，为争口闲气，一条绳缢死了。夏德将此人命为由，屡次上门吓诈，在小张员外手里，也诈过了一二次。众员外道："不须忧虑，他只是讨些赏赐，我们自吃酒。"道不了，那厮立在面前道："今日夏德有采，遭际这一会员外。"众人道："各支二两银子与他。"讨至张员外面前，员外道："依例支二两。"那厮看着张员外道："员外依例不得。别的员外二两，你却要二百两。"张员外道："我比别的加倍，也只四两，如何要二百两?"夏德道："别的员外没甚事，你却有些瓜葛，莫待我说出来不好看!"张员外被他直诈到二十两。众员外道："也好了。"那厮道："看众员外面上罢，就求便赐，趁早回去。"张员外道："没在此间，把批子①去我宅中质。"

扯驴得了批子，收拾了砧刀、篮儿，一径到张员外质库里，揭起青布帘儿，向众人唱个喏。众人还了礼。未发迹的贵人②道："你赎典，还是解钱?"夏扯驴道："不赎不解，员外有批子在此，教支二十两银。"郑信道："员外买你甚么? 支许多银?"那厮道："买我牛肉吃。"郑信道："员外直吃得许多牛肉!"夏扯驴道："主管莫问，只照批子付与我。"两个说来说去，一声高似一声。这郑信只是不肯付与他，将了二十两银在手道："夏扯驴，我说与你，银子已在此了，我同到花园中，去见员外。若是当面吩咐得有话，我便与你。"夏扯驴骂道："打脊客作儿③！员外与我银子，干你甚事！却要你作难！便与你去见员外。这批子须不是假的。"这郑信和夏扯驴一径到花园

① 批子——批写的支取银钱的条子。

② 未发迹的贵人——这是指郑信。

③ 打脊客作儿——"打脊"，打背，骂人该挨杖刑的意思；"客作儿"，雇工。

中，见众员外在亭子上吃酒，进前唱个喏。张员外见郑信来，便道："主管没甚事？"郑信道："复使头①，蒙台批，支二十两银，如今自把来取台旨。"张员外道："这厮是个破落户，把与他去罢。"夏扯驴就来郑信手中抢那银子。郑信哪肯与他，便对夏扯驴道："银子在这里，员外教把与你，我却不肯。你倚着东京破落户，要平白地骗人钱财。别的怕你，我郑信不怕你。就众员外面前，与你比试。你打得我过，便把银子与你；打我不过，教你许多时声名，一旦都休。"夏扯驴听得说："我好没兴，吃这客作欺负！"郑信道："莫说你强我会，这里且是宽，和你赌个胜负。"郑信脱膊下来，众人看了喝彩。先自人才出众，哪堪满体雕青②：左臂上三仙仗剑，右臂上五鬼擒龙；胸前一搭御屏风，脊背上巴山龙出水。夏扯驴也脱膊下来，众人打一看时，那厮身上刺着的是木拐梯子，黄胖儿忍字。当下两个在花园中厮打，赌个输赢。这郑信拳到手起，去太阳上打个正着。夏扯驴扑的倒地，登时身死。吓得众员外和妓弟都走了。即时便有做公的围住。郑信拍着手道："我是郑州泰宁军人，现今在张员外宅中做主管，夏扯驴来骗我主人，我拳手重，打杀了他，不干他人之事。便把条索子缚我去。"众人见说道："好汉子！与我东京除了一害，也不到得偿命。"离不得解进开封府，押下凶身对尸。这郑信一发都招认了，下狱定罪。张员外在府里使钱，教好看他，指望迁延，等天恩大赦，不在话下。

忽一日开封府大尹出城谒庙，正行轿之间，只见路旁一口古井，黑气冲天而起。大尹便教住轿，看了道："怪哉！"便去庙中烧了香。回到府，不入衙中，便教客将请众官来。不多时，众官皆至，相见茶汤已毕。大尹便道："今日出城谒庙，路旁见一口古井，其中黑气冲天，不知有何妖怪？"众官无人敢应，只有通判起身道："据小官愚见，要知井中怪物，何不且奏朝廷，照会将现在牢中该死罪人，教他下井，去看验的实，必知休咎③。"大尹依言，即具奏朝廷，便指挥狱中，拣选当死罪人下井，要看仔细。大尹和众

① 使头——仆人对主人的称呼。

② 雕青——古时的文身风俗。在人身体上雕画各种花纹，涂上青色，使之印迹显明，后也叫雕青。

③ 休咎（jiù）——吉凶。

人到地头，将那罪人把篮盛了，用辘轳放将下去。只听铃响，绞上来看时，止有骨头。一个下去一个死，二人下去二人亡。似此死了数十人。狱中受了张员外嘱托，也要藏留郑信。大尹令旨，教狱中但有罪人都要押来。却藏留郑信不得，只得押来。大尹教他下井去。郑信道："下去不辞，愿乞五件物。"大尹问："要甚五件？"郑信道："要讨头盔衣甲和靴，剑一口，一斗酒，二斤肉，炊饼之类。"大尹即时教依他所要，一一将至面前。郑信唱了喏，把酒肉和炊饼吃了，披挂衣甲，仗了剑。众人喝声彩。但见：

头盔似雪，衣甲如银。穿一辆抹线皂靴，手仗七星宝剑。

郑信打扮了，坐在篮中，辘轳放将下去。铃响绞上来看时，不见了郑信，那井中黑气也便不起。大尹再教放下篮去取时，杳无踪迹。一似石沉大海，线断风筝。大尹和众官等候多时，且各自回衙去。却说未发迹变泰国家节度使郑信到得井底，便走出篮中，仗剑在手，去井中一壁立地。初下来时便黑，在下多时却明。郑信低头看时，见一壁厢一个水口，却好容得身，挨身入去。行不多几步，抬头看时，但见：

山岭相连，烟霞缭绕。芳草长茸茸嫩绿，岩花喷馥馥清香。苍崖郁郁长青松，曲涧涓涓流细水。

郑信正行之间，闷闷不已。知道此处是哪里？又没人烟，日中前后，去松阴竹影稀处望时，只见飞檐碧瓦，栋宇轩窗，想有山人居止。遂登危历险，寻径而往。只闻流水松声，步履之下，渐渐林麓两分，峦峰四合。但见：

溪深水曲，风静云门。青松锁碧瓦朱甍，修竹映雕檐玉砌。楼台高耸，院宇深沉。若非王者之宫，必是神仙之府。

郑信见这一所宫殿，便去宫前立地多时，更无一人出入。抬头看时，只见门上一面朱红牌金字，写着"日霞之殿"。里面寂寥，杳无人迹。仗剑直入宫门。走到殿内，只见一个女子，枕着件物事，齁齁地裸体而卧。但见：

鱼沉雁落，月闭花羞，似杨妃初浴理新妆，如西子心疼欹玉枕。柳眉敛翠，桃脸凝红。却是西园芍药倚朱栏，南海观音初入定。

郑信见了女子，这却是此怪。便悄悄地把只手衬着那女子，拿了枕头的物事。又轻轻放下女子头，走出外面看时，却是个乾红色皮袋。郑信不解其故，把这件物事，去花树下，将剑掘个坑埋了。又回身仗剑入殿中，看着那女子，尽力一喝道："起！"只见那女子闪开那娇滴滴眼儿，慌忙把万种妖娆吓做一团，回头道："郑郎，你来也！妾守空房，等你多时。妾与你五百年前姻眷，今日得见你。"那女子初时待要变出本相，却被郑信偷了他的神通物事，只得将错就错。若是生得不好时，把来一剑杀了，却见他如花似玉，不觉心动。便问："女子孰氏？"女子道："丈夫，你可放下手中宝剑，脱了衣甲，妾和你少叙绸缪。"但见：

暮云笼帝榭，薄霭罩池塘。双双粉蝶宿芳丛，对对黄鹂栖翠柳。画梁悄悄，珠帘放下燕归来；小院沉沉，绣被薰香人欲睡。风定子规啼玉树，月移花影上纱窗。

女子便叫青衣，安排酒来。顷刻之间，酒至面前，百味珍羞俱备。饮至数杯，酒已半酣。女子道："今日天与之幸，得见丈夫，尽醉方休。"郑信推辞。女子道："妾与郑郎，是五百年前姻眷，今日岂可推托。"又吃了多时，乃令青衣收过杯盘，两个同携素手，共入兰房。正是：

绣幌低垂，罗衾漫展。两情欢会，共诉海誓山盟；二意和谐，多少云情雨意。云淡淡天边鸾凤，水沉沉交颈鸳鸯。写成今世不休书，结下来生合欢带。

到得天明，女子起来道："丈夫，夜来深荷见怜。"郑信道："深感娘娘见爱，未知孰氏？恐另日相见，即当报答深恩。"女子道："妾乃日霞仙子，我与丈夫尽老百年，何有思归之意？"这两口儿，同行并坐，暮乐朝欢。忽一日那女子对郑信道："丈夫，你耐静则个！我出去便归。"郑信道："到哪里去？"女子道："我今日去赴上界蟠桃宴便归，留下青衣相伴。如要酒食，旋便指挥。有件事嘱咐丈夫，切不可去后宫游戏，若还去时，利害非轻。"那女子吩咐了，暂别。两个青衣伏侍。郑信独自无聊，遂令安排几杯酒消遣，思量："却似一场春梦，流落在此。适来我妻吩咐，莫去后宫，想必另有景致，不教我去。我再试探则个。"遂移步出门，迤逦奔后宫来。打一看，又是一个去处，一个宫门。到得里面，一个大殿，金书牌额"月华之殿"。正看之间，听得鞋履响声，咭咯语笑喧杂之声，只见一簇青衣拥着一个神女出来，生得：

盈盈玉貌，楚楚梅妆。口点樱桃，眉舒柳叶。轻叠为云之发，风消雪白之肌。不饶照水芙蓉，恐是凌波菡萏①。一尘不染，百媚俱生。

郑信见了，喜不自胜。只见那女子便道："好也！何处不寻，甚处不觅，原来我丈夫只在此间。"不问事由，便把郑信簇拥将去，叫道："丈夫你来也！妾守空房，等你久矣！"郑信道："娘娘错认了，我自有浑家在前殿。"那女子不由分说，簇拥在殿上，便教安排酒来。那女和郑信饮了数杯，二人携手入房中。向鸳帏之中，成夫妇之礼。顷刻间云收雨散，整衣而起。只见青衣来报："前殿日霞娘娘来见。"这女子慌忙藏郑信不及。日霞仙子走至面前道："丈夫，你却走来这里则甚！"便拖住郑信臂膊，将归前殿。月华仙子见了，柳眉剔竖，星眼圆睁道："你却将身嫁他，我却如何？"便带数十个青衣奔来，直至殿上道："姐姐，我的丈夫，你却如何夺了？"日霞仙子道："妹妹，是我丈夫，你却说甚么话！"两个一声高似一声。这郑信被日霞仙子把来藏了。月华仙子无计奈何，两个打做一团，扭做一块。斗了多时，月华仙子觉道斗姐姐不下，喝声起，跳至虚空，变出本相。那日霞仙子，也待要变，原来被郑信埋了他的神通，便变不得，却输了。慌忙走来见郑信，两泪交流道："丈夫，只因你不信我言，故有今日之苦。又被你埋了我的神通，便变不得。若要奈何得他，可把这件物事还我。"郑信见他哀求不已，只得走来殿外花树下，掘出那件物事来。日霞仙子便再和月华仙子斗圣。日霞仙子又输了，走回来。郑信道："我妻又怎的奈何他不下？"日霞仙子道："为我身怀六甲，赢那贱人不得。我有件事告你。"郑信道："我妻有话但说。"日霞仙子教青衣去取来。不多时，把一张弓、一只箭道："丈夫，此弓非人间所有之物，名为神臂弓，百发百中。我在空中变就神通，和那贱人斗法，你可在下看着白的，射一箭，助我一臂之力。"郑信道："好，你但放心。"说不了，月华仙子又来。两个上云中变出本相相斗。郑信在下看时，哪里见两个如花似玉的仙子？只见一个白一个红，两个蜘蛛在空中相斗。郑信道："原来如此！"只见红的输了便走，后面白的赶来，被郑信弯

① 菡萏（hàndàn）——荷花。

弓，觑得亲，一箭射去，喝声道，把那白蜘蛛射了下来。月华仙子大痛失声，便骂："郑信负心贼！暗算了我也！"自往后殿去，不提。这里日霞仙子，收了本相，依然一个如花似玉佳人，看着郑信道："丈夫，深荷厚恩，与妾解围，使妾得遂终身偕老之愿。"两个自此越说得着，行则并肩，坐则并股，无片时相舍。正是：

春和淑丽，同携手于花前；夏气炎蒸，共纳凉于花下。秋光皎洁，银蟾与桂偶同圆；冬景严凝，玉体与香肩共暖。受物外无穷快乐，享人间不尽欢娱。

倏忽间过了三年，生下一男一女。郑信自思："在此虽是朝欢暮乐，作何道理，发迹变泰？"遂告道："感荷娘娘收留在此，一住三年，生男育女。若得前途发迹，报答我妻，是吾所愿。"日霞仙子见说，泪下如雨道："丈夫你去，不争教我如何！两个孩儿却是怎地！"郑信道："我若得一官半职，便来取你们。"仙子道："丈夫你要何处去？"郑信道："我往太原投军。"仙子见说，便道："丈夫，与你一件物事，教你去投军，有份发迹。"便叫青衣，取那张神臂克敌弓，便是今时踏凳弩。吩咐道："你可带去军前立功，定然有五等诸侯之贵。这一男一女，与你扶养在此，直待一纪之后，奴自遣人送还。"郑信道："我此去若有发迹之日，早晚来迎你母子。"仙子道："你我相遇，亦有夙缘，今三年限满，仙凡路隔，岂复有相见之期乎！"说罢，不觉潸然下泪。郑信初时求去，听说相见无期，心中感伤，亦流泪不已，情愿再住几时。仙子道："夫妻缘尽，自然分别。妾亦不敢留君，恐误君前程，必遭天谴。"即命青衣置酒饯别。饮至数杯，仙子道："丈夫，你先前携来的剑，和那一副盔甲，权留在此。他日这儿女还你，那时好作信物。"郑信道："但凭贤妻主意。"仙子又亲劝别酒三杯。取一大包金珠相赠，亲自送出宫门。约行数里之程，远远望见路口，仙子道："丈夫，但从此出去，便是大路。前程万里，保重！保重！"郑信方欲眷恋，忽然就脚下起阵狂风，风定后已不见了仙子。但见：

青云藏宝殿，薄雾隐回廊。静听不闻消息之声，熟视已失峰峦之势。日霞宫想归海上，神仙女自去蓬莱。多应看罢僧繇画，卷起丹青一幅图。

郑信抱了一张神臂弓，呆呆的立了半晌，没奈何，只得前行。到得路口看时，却是汾州大路。此路去河北太原府不远。那太原府主，却是种相公，讳师道①，现在出榜招军。郑信走到辕门投军，献上神臂弓。种相公大喜，吩咐工人如法制造数千张，遂补郑信为帐前管军指挥。后来收番累立战功，都亏那神臂弓之力。十余年间，直做到两川节度使之职。时常思想仙子三年恩爱不提。

话分两头，再说张俊卿员外，自从那年郑信下井之后，好生思念。每年逢了此日，就差主管备下三牲祭礼，亲到井边祭奠，也是不忘故旧之意。如此数年，未尝有缺。忽一日祭奠回来，觉得身子困倦，在厅堂中，少憩片时，不觉睡去。梦见天上五色云霞，灿烂夺目，忽然现出一位仙子，左手中抱着一男，右手中抱着一女，高叫："张俊卿，这一对男女，是郑信所生，今日交付与你，你可好生抚养，郑信发迹之后，送至剑门所，不可负吾之托。"说罢，将手中男女，从半空里撇下来。员外接受不迭，惊出一身冷汗。蓦然醒来，口称奇怪。尚未转动，只见门公报道："方才有个白须公公，领着一男一女，送与员外，说道：'员外在古井边，曾受他之托。'又有送这个包裹，这一口剑，说是两川节度使的信物在内，教员外亲手开看。男女不知好歹，特来报知。"张员外听说，正符了梦中之言，打开包裹看时，却是一副盔甲在内，和这口剑。收起，亲走出门看时，已不见了白须公公，但见如花似玉的一双男女，约莫有三四岁长成。问其来历，但云："娘是日霞公主，教我去跟寻郑家爹爹。"再叩其详，都不能言。张员外想道："郑信已堕井中，几曾出来？哪里又有儿女，莫非是同名同姓的？"又想起岳庙之梦，分明他有五等诸侯之贵。心中委决不下，且收留着这双男女，好生抚养。一面打探郑信消息。光阴如箭，看看长大。张员外把作自己亲儿女看成，男取名郑武，女取名彩娘。张员外自有一子，年纪相仿，叫做张文。一文一武，如同胞兄弟，同在学堂攻书。彩娘自在闺房针指。又过了几年，并不知郑信下落。忽一日，张员外走出厅来，忽见门公来报："有两川节度使，差来进表官员，写了员外姓名居址，问到这里，他要亲自求见。"员外心中

① 种(chóng)相公，讳师道——姓种的相公，名师道，北宋末抗敌的名将。

疑虑，忙教请进。只见那差官：

头顶缠棕大帽，脚踏粉底乌靴。身穿蜀锦窄袖袄子，腰系间银纯铁挺带。行来魁岸之容，面带风尘之色。从者牵着一匹大马相随。

张员外降阶迎接，叙礼已毕。那差官取出一包礼物，并书信一封，说道："俺家郑爷多多拜上。"张员外拆书看时，认得是郑信笔迹，书上写道：

信向蒙恩人青目，狱中又多得看觑，此乃莫大之恩也！前入古井，自分无幸，何期有日霞仙子之遇。伉俪三年，复赠资斧，送出汾州投军，累立战功。今叨福庇，得抚蜀中。向无鸿雁，未获音耗。今乘进表之便，薄具黄金三十两，彩币十端，权表微忱。倘不畏蜀道之艰，肯到敝台光顾，信之万幸！悬望悬望！

张员外看罢，举手加额道："郑家果然发迹变泰，又不忘故旧，远送礼物，真乃有德有行之人也！"遂将向来梦中之事，一一与差官说知。差官亦惊讶不已。是日设筵，款待差官。那差官虽然是有品级的武职，却受了节使吩咐言语来迎取张员外的，好生谦谨。张员外就留他在家中作寓所，日日宴会。闲话休叙。过了十来日，公事了毕，差官催促员外起身。张员外与院君商量，要带那男女送还郑节使，又想女儿不便同行，只得留在家中，单带那郑武上路。随身行李，童仆四人，和差官共是七个马，一同出了汴京，望剑门一路进发。不一日，到了节度使衙门，差官先入禀复。郑信忙教请进私衙，以家人之礼相见。员外率领郑武拜认父亲，叙及白发公公领来相托。献上盔甲、腰刀信物，并说及两番奇梦。郑信念起日霞仙子情分，凄然伤感。屈指算之，恰好一十二年，男女皆一十二岁。仙子临行所言，分毫之不爽。其时大排筵会，管待张员外，礼为上宾。就席间将女彩娘许配员外之子张文，亲家相称。此谓以德报德也。

却说郑信思念日霞仙子不已，于绵江之旁，建造日霞行宫，极其壮丽。岁时亲往行香。

再说张员外住了三月有余，思想家乡，郑信不敢强留，安排车马，送出十里长亭之外。赠遗之厚，自不必说。又将黄金百两，供员外施舍岳庙修造炳灵公大殿。后来因金兀术入寇，天子四下征兵，郑信带领儿子郑武勤王，累败金兵，到汴京复与张俊卿相会，方才认得女婿张文，及女儿彩娘。

郑信寿至五十余，白日看见日霞仙子命驾来迎，无疾而逝。其子郑武以父荫累官至宣抚使。其后金兵入寇不已，各郡县俱仿神臂弓之制，多能杀贼。到徽钦巡狩，康王渡江①，为金兵所追，忽见空中有金甲神人，率领神兵，以神臂弓射贼，贼兵始退。康王见旗帜上有郑字，以问从驾之臣，有人奏言："前两川节度使郑信，曾献克敌神臂，此必其神来护驾耳。"康王既即位，敕封明灵昭惠王，立庙于江上，至今古迹犹存。诗曰：

郑信当年未遇时，俊卿梦里已先知。
运来自有因缘到，到手休嫌早共迟。

第三十二卷　黄秀才徼灵玉马坠

净几明窗不染尘，图书镇日与相亲。
偶然谈及风流事，多少风流误了人。

话说唐乾符年间，扬州有一秀士，姓黄名损，字益之，年方二十一岁，生得丰姿韵秀，一表人才。兼之学富五年，才倾八斗，同辈之中，推为才子。原是阀阅名门，因父母早丧，家道零落。父亲手里遗下一件宝贝，是一块羊脂白玉雕成个马儿，唤做玉马坠，色泽温润，镂刻精工。虽然是小小东西，等闲也没有第二件胜得他的。黄损秀才，自幼爱惜，佩带在身，不曾顷刻之离。偶一日闲游市中，遇着一个老叟，生得怎生模样？

头带箬叶冠，身穿百衲袄，腰系黄丝绦，手执逍遥扇。童颜鹤发，碧眼方瞳。不是蓬莱仙长，也须学道高人。

那老者看见黄生，微微而笑。黄生见其仪容古雅，悚然②起敬，邀至茶坊献茶叙话。那老者所谈，无非是理学名言，玄门妙谛。黄生不觉叹服。正当语酣之际，黄生偶然举袂，老者看见了那玉马坠儿，道："乞借一观。"

---

① 徽钦巡狩，康王渡江——宋靖康二年（公元 1127 年），金人攻陷开封，掳走徽宗和钦宗，后徽宗的儿子康王渡江在建康即位，即宋高宗。这里不便直说二帝被掳，用巡狩代称。

② 悚（sǒng）然——敬畏的样子。

黄生即时解下，双手献与老者。老者看了又看，啧啧叹赏，问道："此坠价值几何？老汉意欲奉价相求，未审郎君允否？"黄生答道："此乃家下祖遗之物，老翁若心爱，便当相赠，何论价乎！"老者道："既蒙郎君慷慨不吝，老汉何敢固辞。老汉他日亦有所报。"遂将此坠悬挂在黄丝绦上，挥手而别，其去如飞。生愕然惊怪，想道："此老定是异人，恨不曾问其姓名也！"这段且搁过不提。

却说荆襄节度使刘守道，平昔慕黄生才名，差官持手书一封，白金采币，聘为幕宾。如何叫做幕宾？但凡幕府军民事冗，要人商议，况一应章奏及书札，亦须要个代笔，必得才智兼全之士，方称其职，厚其礼币，奉为上宾：所以谓之幕宾，又谓之书记。有官职者，则谓之记室参军。黄损秀才，正当穷困无聊之际，却闻得刘节使者有此美意，遂欣然许之。先写了回书，打发来人，约定了日期，自到荆州谒见。差官去了，黄生收拾衣囊，别过亲友，一路搭船。行至江州，忽见巨舟泊岸，篷窗雅洁，朱栏油幕，甚是整齐。黄生想道："我若趁得此船，何愁江中波浪之险乎！"适有一水手上岸沽酒，黄生尾其后而问之："此舟从何而来？今往何处？"水手答道："徽人姓韩，今往蜀中做客。"黄生道："此去蜀中，必从荆江而过，小生正欲往彼，未审可容附舟否？"水手道："船颇宽大，哪争趁你一人！只是主人家眷在上，未知他意允否若何？"黄生取出青蚨①三百，奉为酒资，求其代言。水手道："官人但少停于此，待我禀过主人，方敢相请。"须臾，水手沽酒回来，黄生复嘱其善言方便，水手应允。不一时，见船上以手相招，黄生即登舟相问。水手道："主人最重斯文，说是个单身秀士，并不推拒；但前舱货物充满，只可以艄头存坐，夜间在后火舱歇宿。主人家眷在于中舱，切须谨慎，勿取其怪。"遂引黄生见了主人韩翁。言谈之间，甚相器重。是夜，黄生在后火舱中坐了一回，方欲解衣就寝，忽闻筝声凄婉，其声自中舱而出。黄生披衣起坐，侧耳听之：

乍雄乍细，若沉若浮。或如雁语长空，或如鹤鸣旷野，或如清泉赴壑，

---

① 青蚨——古时传说中的虫名，其虫有母子不离的特点。据说把青蚨的母血和子血分别涂在铜钱上，用来买物，铜钱都会再飞回来，因有"青蚨还钱"之说。后来就用"青蚨"代称钱。

或如乱雨洒窗。汉宫初奏《明妃曲》，唐家新谱《雨淋铃》。

唐时第一琵琶手是康昆仑，第一筝手是郝善素。扬州妓女薛琼琼独得郝善素指法。琼琼与黄生最相契厚。僖宗皇帝妙选天下知音女子，入宫供奉，扬州刺史以琼琼应选。黄生思之不置，遂不忍复听弹筝。今日复闻此筝，与薛琼琼所弹无异，暗暗称奇。时夜深人静，舟中俱已睡熟。黄生推篷而起，悄然从窗隙中窥之，见舱中一幼女年未及笄，身穿杏红轻绡，云发半軃，娇艳非常。燃兰膏，焚凤脑，纤手如玉，抚筝而弹。须臾曲罢，兰销篆灭，杳无所闻矣。那时黄生神魂俱荡，如逢神女仙妃，薛琼琼辈又不足道也！在舱中展转不寐，吟成小词一首。词云：

生平无所愿，愿伴乐中筝。得近佳人纤手子，研罗裙上放娇声，便死也为荣。

一夜无眠，巴到天明起坐，便取花笺一幅，楷写前词，后题维扬黄损四字，叠成方胜，藏于怀袖。梳洗已毕，频频向中舱观望，绝无动静。少顷，韩翁到后艄答拜，就拉往前舱献茶。黄生身对老翁，心怀幼女。自觉应对失次，心中惭悚，而韩翁殊不知也。忽闻中舱金盆响声，生意此女盥漱，急急起身，从船舷而过。偷眼窥觑窗棂，不甚分明，而香气芬馥，扑于鼻端。生之魂已迷，而骨故软矣。急于袖中取出花笺小词，从窗隙中投入。诚恐舟人旁瞯①，移步远远而立。两只眼觑定窗棂，真个是目不转睛。

却说中舱那女子梳妆洗手刚毕，忽闻窗间簌簌之响，取而观之，解开方胜，乃是小词一首。读罢，赞叹不已。仍折做方胜，藏于裙带上锦囊之中。明明晓得趁船那秀才夜来闻筝而作，情词俱绝，心中十分欣慕。但内才如此，不知外才何如？遂启半窗，舒头外望，见生凝然独立，如有所思。麟凤之姿，皎皎绝世，虽潘安、卫玠②，无以过也！心下想道："我生长贾家，耻为贩夫贩妇，若与此生得偕伉俪，岂非至愿！"本欲再看一时，为舟中耳目甚近，只得掩窗。黄生亦退于后舱，然思慕之念益切。时舟尚停泊未开，黄生假推上岸，屡从窗边往来。女闻窗外履声，亦必启窗露面，四目相视，未免彼此送情，只是不能接语。正是：

---

① 旁瞯(jiàn)——从旁探看。

② 卫玠——晋代美男子，时称"玉人"。

彼此满怀心腹事，大家都在不言中。

到午后，韩翁有邻舟相识，拉上岸于酒家相款。舟人俱整理篷楫，为明早开船之计。黄生注目窗棂，适此女推窗外望，见生忽然退步，若含羞退避者。少顷复以手招生。生喜出望外，移步近窗，女乃开窗细语道："夜勿先寝，妾有一言。"黄生再欲叩之，女已掩窗而去矣。黄生大喜欲狂，恨不能一拳打落日头，把孙行者的瞌睡虫，遍派满船之人，等他呼呼睡去，独留他男女二人，说一个心满意足。正是：

相思相见知何日？难解难分此夜情！

至夜韩翁睡熟。黄生到船边，守候至更深，舟子俱已安息，微闻隔壁弹指三声。黄生急整冠起视。时星月微明，轻风徐拂，女已开半户，向外而立。黄生即于船舷上作揖，女于舱中答礼。生便欲跨足下舱，女不许，向生道："慕君之才，本欲与君吐露心怀，幸勿相逼！"黄生不敢造次，乃矬身坐于窗口。女问生道："君何方人氏？有妻室否？"黄生答道："维扬秀才，家贫未娶。"女道："妾之母裴姓，亦维扬人也。吾父虽徽籍，浮家蜀中，向到维扬，聘吾母为侧室，止生妾一人。十二岁吾母见背，今三年丧毕，吾父移妾归蜀耳。"黄生道："既如此，则我与小娘子同乡故旧，安得无情乎？幸述芳名，当铭胸臆。"女道："妾小字玉娥，幼时吾母教以读书识字，颇通文墨。昨承示佳词，逸思新美，君真天下有心人也！愿得为伯鸾妇，效孟光举案齐眉，妾愿足矣。"黄生道："小娘子既有此心，我岂木石之比，誓当竭力图之。若不如愿，当终身不娶，以报高情。"女道："慕君才调，不羞自媒。异日富贵，勿令妾有白头之叹。"黄生道："卿家雅意，阳侯、河伯①，实闻此言，如有负心，天地不宥②。但小娘子乃尊翁之爱女，小生逆旅贫儒，即使通媒尊翁，未必肯从。异日舟去人离，相会不知何日？不识小娘子有何奇策，使小生得遂盟言？"女道："夜话已久，严父酒且醒矣，难以尽言。此后三月，必到涪州，十月初三日，乃水神生日，吾父每出入，必往祭赛，舟人尽去。君以是日能到舟次一会，当为决终身之策，幸勿负约，使妾望穿两眸也。"黄生道："既蒙良约，敢不趋赴。"言毕，舒手欲握女臂，忽闻韩翁

---

① 阳侯、河伯——都是水神名。

② 宥（yòu）——宽恕，原谅。

酒醒呼茶，女急掩窗。黄生逡巡就寝，忽忽如有所失。从此合眼便见此女，顷刻不能忘情。此女亦不复启窗见生矣。舟行月余，方抵荆江，正值上水顺风，舟人欲赶程途，催生登岸。生虽徘徊不忍，难以推托。将酒钱赠了舟子，别过韩翁，取包裹上岸，复伫立凝视中舱，凄然欲泪。女亦微启窗棂，停眸相送。俄顷之间，扬帆而去，迅速如飞。黄生盼望良久，不见了船，不觉堕泪。旁人问其缘故，黄生哽咽不能答一语。正是：

不如意事常八九，可与人言无二三。

黄生呆立江岸，直至天晚，只得就店安歇。次早问了守帅府前投了名刺，刘公欣然接纳，叙起敬慕之意，随即开筵相待。黄生于席间，思念玉娥，食不下咽。刘公见其精神恍惚，疑有心事，再三问之，黄生含泪不言，但云："中途有病未痊。"刘公亦好言抚慰。至晚刘公亲自送入书馆，铺设极其华整，黄生心不在焉，郁郁而已。过了数日，黄生恐误玉娥之期，托言欲往邻都访一故友，暂假出外月余即返。刘公道："军务倥偬，政欲请教，且待少暇，当从尊命。"又过了数日，生再开言，刘公只是不允。生度不可强，又公馆守卫严密，夜间落锁，不便出入。一连踌躇了三日夜，更无良策。忽一日问馆童道："此间何处可以散闷?"馆童道："一墙之隔，便是本府后花园中，亭台树木，尽可消遣。"黄生命童子开了书馆，引入后园。游玩了一番，问道："花园之外，还是何处?"馆童道："墙外便是街坊，周围有人巡警。日则敲梆，夜则打更。老爷法度，好不严哩!"黄生听在肚里，暗暗打帐："除非如此如此。"是夜和衣而卧，寝不成寐。捱到五更，鼓声已绝，寂无人声，料此际司更的辛苦了一夜，必然困倦，此时不去，更待何时。近墙有石榴树一株，黄生攀援而上，耸身一跳，出了书房的粉墙，静悄悄一个大花园，园墙上都有荆棘。黄生心生一计，将石块填脚，先扒开那些棘刺，逾墙而出，并无人知觉，早离了帅府。趁此天色未明，拽开脚步便走。忙忙若丧家之狗，急急如漏网之鱼。有诗为证：

已效郗生入幕，何当干木逾垣①!

---

① 干木逾垣(yuán)——干木，战国初年魏国人，姓段干，名木。魏文侯给以爵禄官职，都不受。魏文侯去拜访他，他跳墙出去，避而不见。垣，墙。

岂有墙东窥宋①，却同月下追韩②。

次日馆中童子早起承值，叫声："奇怪！门不开，户不开，房中不见了黄秀才。"忙去报知刘公。刘公见说，吃了一惊，亲到书房看了一遍，一步步看到后园，见棘刺扒动，墙上有缺，想必那没行止的秀才，从此而去，正不知甚么急务。当下传梆升帐，拘巡警员役询问，皆云不知。刘公责治了一番。因他说邻邦访友，差人于襄邓各府逐县挨查缉访，并无踪影，叹息而罢。话分两头。

却说黄秀才自离帅府，挨门出城，又怕有人追赶。放脚飞跑，逢人问路。晚宿早行，径望涪州而进。自古道：无巧不成话。赶到涪州，刚刚是十月初三日。且说黄秀才在帅府中，担搁多日，如何还赶得上。只因客船重大，且是上水有风则行，无风则止。黄秀才从陆路短船，风雨无阻，所以赶着了。沿江一路抓寻，只见高樯巨舰，比次凑集，如鱼鳞一般，逐只挨去，并不见韩翁之舟。心中早已着忙，莫非忙中有错，还是再挨转去。方欲回步，只见面前半箭之地，江岸有枯柳数株，下面单单泊着一只船儿。上前仔细观看，那船上寂无一人，止中舱有一女子，独倚篷窗，如有所待。那女子独自在船中盼望，因有黄生之约，恐众人耳目之下，相见不便，在父亲前，只说爱那柳树之下泊船，僻静有趣。韩翁爱女，言无不从。此时黄生一见，其喜非小。

漫说洞房花烛夜，且喜他乡遇故知。

那玉娥望见黄生，笑容可掬。其船离岸尚远，黄生便欲跳上。玉娥道："水势甚急，须牵缆至近方可。"黄生依言，便举手去牵那缆儿，也是合当有事，那缆带在柳树根上，被风浪所激，已自松了。黄生去拿他时，便脱了结。你说巨舟在江涛汹涌之中，何等力气，黄生又是个书生，不是筋节的，一只手如何带得住，说时迟那时快，只叫得一声："阿呀！"但见舟逐顺流下水，去若飞电，若现若隐，瞬息之间，不知几里。黄生沿岸叫呼，众船上都往水神庙祭赛去了，便有来往舟只，那涪江水势又与下面不同，离川

---

① 墙东窥宋——宋，指宋玉，战国时楚国文学家。他对楚王说，邻家有一女子老是隔墙偷看他，对他有爱慕之意。

② 月下追韩——指萧何月下追韩信的故事。

江不远，瞿塘三峡，一路下来，如银河倒泻一般，各船过此，一个个手忙脚乱，自顾且不暇，何暇顾别人。黄生狂走约有一二十里，到空阔处，不见了那船。又走二十来里，料无觅处。欲待转去报与韩翁知道，又恐反惹其祸。对着江面，痛哭了一场。想起远路天涯，孤身无倚，欲再见刘公，又无颜面。况且盘缠缺少，有家难奔，有国难投："不如投向江流，或者得小娘子魂魄相见，也见我黄损不是负心之人。罢！罢！罢！"

人生自古谁无死，留与风流作话文。

黄秀才方欲投江，只听得背后一人叫道："不可，不可！"黄生回头看时，不是别人，正是维扬市上曾遇着请他玉马坠儿这个老叟。黄生见了那老叟，又羞又苦，泪如雨下。老叟道："郎君有何痛苦？说与老汉知道，或者可以分忧一二。"黄生道："到此地位，不得不说了。"便将初遇玉娥，及相约涪江、缆断舟行之事，备细述了一遍。老叟呵呵大笑，道："原来如此，些须小事，如何便拚得一条性命！"黄生道："老翁是局外之人，把这事看得小。依小生看来，比天更高，比海更阔，这事大得多哩！"老叟把十指一轮，说道："老汉颇通数学，方才轮算，尊可①命不该绝，郎君还有相会之期。此去前面一里之外，有一茅庵，是我禅兄所居，郎君但往借宿，徐以此事求之，彼必能相济。老汉不及奉陪。"黄生道："老翁若不同去，恐禅师未必相信，不肯留宿。"老叟道："郎君前所惠玉马坠儿，老汉佩带在身，我禅兄所常见，但以此为信可也。"说罢，就黄丝絛上解下玉马坠来，递与黄生。黄生接得在手，老叟竟自飘然去了。黄生为心事扰乱，依旧不曾问得姓名，懊悔无及。天色已晚，且自前去。约行一里之外，果然荒野中，独独有个茅庵，其门半掩。黄生挨身而入，佛堂中一盏琉璃灯，半明不灭。居中放个蒲团，一位高年胡僧与塑的西番罗汉无二，盘膝打坐，双眸紧闭，如入定之状。黄生不敢惊动，端跪于前。约有一个时辰，胡僧开眼看见，喝道："何物俗子，敢来混人！"黄生再拜奉上玉马坠，代老叟致意："今晚求借一宿。"胡僧道："一宿不难，但尘路茫茫，郎君此行将何底止？"黄生道："小生黄损正有心愿，欲求圣僧指迷。"遂将玉娥涪州之约，始终叙述。因叩首问

① 尊可——与对方谈话时，对人的尊称。

计。胡僧道:"俺出家人,心如死灰,哪管人间儿女之事!"黄生拜求不已。胡僧道:"郎君念既至诚,可通神明。但观郎君,必是仕宦中人品。大丈夫以致身青云,显宗扬名为本,此事须于成名之后,从容及之。"黄生又拜道:"小生举目无亲,口食尚然不周,哪有功名之念。适间若非老翁相救,已作江中之鬼矣。"胡僧道:"佛座下有白金十两,聊助郎君路费。且往长安,俟机缘到日,当有以报命耳。"说罢,依先闭目入定去了。黄生身体亦觉困倦,就蒲团之侧,曲肱而枕之,猛然睡去。醒将转来,已是黎明时候,但见破败荒庵,墙壁俱无,并不见坐禅胡僧的踪迹。上边佛像也剥落破碎,不成模样。佛座下露出白晃晃一锭大银锭,上凿有黄损二字。黄生叫声"惭愧",方知夜来所遇,真圣僧也。向佛前拜祷了一番,取了这锭银子,权为路费,径往长安。正是:人有逆天之时,天无绝人之路。

万事不由人计较,一生都是命安排。

话分两头。却说韩翁同舟人赛神回来,不见了船,急忙寻问,别个守船的看见,都说:"断了缆,被流水滚下去多时了,我们没本事救得。"韩翁大惊,一路寻将下来,闻岸上人所说,亦是如此。抓寻了两三日,并无影响。痛哭而回,不在话下。

再说扬州妓女薛琼琼鸨儿叫做薛媪,为女儿琼琼以弹筝充选,入宫供奉,已及二载。薛媪自去了这女儿,门户萧条,乃买舟欲往长安探女,希求天子恩泽。其舟行至汉水,见有一覆舟自上流而下,回避不迭,碰的一声,正触了船头。那只船就停止不行了。舟人疑覆舟中必有财物,遂牵近岸边,用斧劈开,其中有一女子。薛媪闻知,忙教救出,已是奄奄将尽,只有一丝未断。原来冬天水寒,但是下水便没了命。只因此女藏在中舱,船底遮盖,暖气未泄,所以不曾绝命。那船中的物件,因漂流得失了,便有存留,舟人都分散去讫。薛媪为去了女儿琼琼,正想没有个替代,见此女容貌美丽,喜不可言,慌忙将通身湿衣解下,置于絮被之内,自已将肉身偎贴。那女子得了暖气,渐渐苏醒。然后将姜汤粥食,慢慢扶持。又将好言抚慰,女子渐能言语,索取湿衣中锦囊。薛媪问其来历,女子答道:"奴家姓韩小字玉娥,随父往蜀。舟至涪州,父亲同舟人往赛水神,奴家独守舟中,偶因缆脱,漂没到此。"薛媪道:"可曾适人么?"玉娥道:"与维扬黄损秀才,曾有百年之约。锦囊中藏有花笺小词,即黄郎所赠也。"薛媪道:"黄秀才原是我女儿琼琼旧交，此人才貌双全，与小娘子正是一对良缘。小娘子不须忧虑，随老身同到长安，来年大比，黄秀才必来应举，那时待老身寻访他来，与娘子续秦晋之盟，岂不美乎！”玉娥道：“若得如此，便是重生父母。”自此玉娥，遂拜薛媪为义母。薛媪亦如己女相待。正是：

休言事急且相随，受恩深处亲骨肉。

不一日，行到长安，薛媪赁了小小一所房子，同玉娥住下。其时琼琼入宫进御，宠幸无比。晓得假母到来，无由相会，但遣人不时馈送些东西候问。玉娥又扃户①深藏，终日针指，以助薪水之费，所以薛媪日用宽然有余。光阴似箭，不觉岁尽春来。怎见得？有诗为证：

爆竹声中一岁除，春风送暖入屠苏。

千门万户曈曈日，总把新桃换旧符。

且说除夜，玉娥想着母死父离，情人又无消息，暗暗坠泪。是夜睡去，梦见天门大开，一尊罗汉从空中出现。玉娥拜诉衷情，罗汉将黄纸一书，从空掷下，纸上写：“维扬黄损佳音”六字。玉娥大喜，方欲开看，忽闻霹雳一声，蓦然惊觉，乃是人家岁朝开门，放火炮声响。玉娥想了一回，凄然不乐。其日新年，只得强起梳妆。薛媪往邻家拜年去了。玉娥垂下竹帘，立于门内，眼觑街市上人来人往，心中想道：“今年是大比之期，不知黄郎曾到长安否？若得他此地经过，重逢一面，应着夜来之梦，也不枉奴死里逃生。”方才转动念头，忽见一个胡僧当帘而立，高叫道：“募化有缘男女。”玉娥从帘中仔细一看，那胡僧面貌与夜来梦中所见罗汉无异，不觉悚然起敬。孤身女子，却又不好招接他。正在踌躇，那胡僧竟自揭帘而入。玉娥倒退几步，闪在一边。胡僧走入中庭，盘膝而坐，顶上现出毫光数道，直透天门。玉娥大惊，跪拜无数，禀道：“弟子堕落火坑，有夙缘未遂，望罗汉指示迷津，救拔苦海。”胡僧道：“汝诚念皈我，但尚有尘劫未脱，老僧赠汝一物，可密藏于身畔，不许一人知道，他日夫妇重逢，自有灵验。”当下取出一件宝贝，赠与玉娥，乃是玉马坠儿。玉娥收讫。即见一道金光，冲天而起，胡僧忽然不见。玉娥知是圣僧显化，望空拜谢。将玉马坠牢系襟带之上，薛媪回来，并不提起。

满怀心事无人诉，一炷心香礼圣僧。

① 扃(jiōng)户——关门。

再说黄损秀才，得胡僧助了盘缠，一径往长安应试。然虽如此，心上只挂着玉娥，也不去温习经史，也不去静养精神，终日串街走巷，寻觅圣僧，庶几一遇。早出晚回，终日闷闷而已。试期已到，黄生只得随例入场，举笔一挥，绝不思索。他也只当应个故事，哪有心情去推敲磨练。谁知那偏是应故事的文字容易入眼。正是：

不愿文章中天下，只愿文章中试官。

金榜开时，高高挂一个黄损名字，除授部郎之职。其时吕用之专权乱政，引用无籍小人，左道惑众，中外嫉之如仇。然怕他权势，不敢则声。黄损独条陈他前后奸恶，事事有据。天子听信，敕吕用之免官就第。黄生少年高第，又上了这个疏，做了天下第一件快心之事。哪一个不钦服他！真个名倾朝野。长安贵戚，闻黄生尚未娶妻，多央媒说合，求他为婿。黄生心念玉娥，有盟言在前，只是推托不允。那时薛媪也风闻得黄损登第，欲待去访他，倒是玉娥教他："且慢！贵易交，富易妻，人情乎，未知黄郎真心何如？"这也是他把细处。

话分两头，且说吕用之闲居私第，终日讲炉鼎之事，差人四下缉访名姝美色，以为婢妾。有人夸薛媪的养女，名曰玉娥，天下绝色，只是不肯轻易见人。吕用之道："只怕求而没有，哪怕有而难求。"当下差干仆数十人，以五百金为聘，也不通名道姓，竟撒向薛媪家中，直入卧房抢出玉娥，不由分说，抬上花花暖轿，望吕府飞奔而走。吓得薛媪软做一团，急忙里想不出的道理。后来晓得吕府中要人，声也不敢则了。欲待投诉黄损，恐无益于事，反讨他抱怨。只得忍气吞声，不在话下。且说玉娥到了府中，吕用之亲自卷帘，看见姿容绝世，喜不自胜。即命丫鬟养娘，扶至香房，又取出锦衣数箱，奇样首饰，教他装扮。玉娥只是啼哭，将首饰掷之于地，一件衣服也不肯穿。丫鬟养娘回复吕相公。吕相公只教："莫难为了他！好言相劝。"众人领命，你一句，我一句，只是劝他顺从。玉娥全然不理。正是：

万事可将权势使，寸心不为绮罗移。

姻缘自古皆前定，堪笑狂夫妄用机。

却说吕家门生故吏，闻得相公纳过新宠，都来拜贺，免不得做庆贺筵席。饮至初更，只见后槽马夫喘吁吁堂上禀道："适间有白马一匹，约长丈余，不知哪里来的，突入后槽，啮伤群马，小人持棍赶他，那马直入内宅去了。"吕用之大惊道："哪有此事？"即命干仆明火执杖，同着马夫于各房搜检。马屁也不闻得一个，都来回话。吕相公心知不祥之事，不肯信以为然，只怪马夫妄言，不老实，打四十棍，革去不用。众客咸不欢而散。吕用之乘着酒兴，径入新房。玉娥兀自哭哭啼啼。吕用之一般也会帮衬，说道："我富贵无比，你若顺从，明日就立你为夫人，一生受用不尽。"玉娥道："奴家虽是女流，亦知廉耻，曾许配良人，一女不更二夫，况相公珠翠成群，岂少奴家一人。愿赐矜怜，以全名节。"吕用之哪里肯听，用起拔山之力，抱向床头按住，亲解其衣。玉娥双手拒之，气力不加，口中骂声不绝。正在危急之际，忽有白马一匹，约长丈余，从床中奔出，向吕用之乱扑乱咬。吕用之着忙，只得放手，喝教侍婢上前。那白马在房中乱舞，逢着便咬，咬得侍婢十损九伤。吕用之惊惶逃窜。比及吕用之出了房门，那白马也不见了。吕用之明明晓得是个妖孽，暗地差人四下访求高人禳解。次日有胡僧到门，自言："善能望气，预知凶吉。今见府上妖气深重，特来禳解。"门上通报了用之，即日请进，甚相敬礼。胡僧道："府上妖气深重，主有非常之祸。"吕用之道："妖气在于何处？"胡僧道："似在房闱之内，待老僧细查。"吕用之亲自引了胡僧，各房观看，行至玉娥房头，胡僧大惊道："妖气在此！不知此房中是相公何人？"吕用之道："新纳小妾，尚未成婚。"胡僧道："恭喜相公，洪福齐天，得遇老僧。若成亲之后，相公必遭其祸矣。此女乃上帝玉马之精，来人间行祸者。今已到相公府中，若不早些发脱，祸必不免。"吕用之被他说着玉马之事，连呼为神人，请问如何发脱？胡僧道："将此女速赠他人，使他人代受其祸，相公便没事了。"吕用之虽然爱那女色，性命为重，说得活灵活现，怎的不怕？又问道："赠与谁人方好？"胡僧道："只拣相公心上第一个不快的，将此女赠之，一月之内，此人必遭其祸。相公可高枕无忧也。"吕用之被黄损一本劾奏①罢官，心中最恨的。那时便定了个主意，即忙作礼道："领教，领教。"吩咐干仆备斋相款，多取金帛厚赠。胡僧道："相公天下福人，老僧特来相救，岂敢受赐！"连斋也不吃，拂衣而去。

分明一席无稽话，却认非常禳祸功。

吕用之当时差人唤取薛媪到府说话，薛媪不敢不来。吕用之便道："你女儿年幼，不知礼数，我府中不好收用。闻得新进士黄损相公娶室，此

① 劾(hé)奏——臣子向君王上书进言揭发某人的罪状。

人与我有言，我欲将此女送他，解释其怨，须得你亲自送去，善言道达，必得他收纳方好。”薛媪叩首道：“相公钧旨，敢不遵依！”吕用之又道：“房中衣饰箱笼，尽作嫁资，你可自去收拾，竟自抬去，连你女儿也不消相见了。”薛媪闻言，正中其怀。中堂自有人引进香房。玉娥见薛媪到来，认是吕用之着他来劝解，心头突突的跳。薛媪向女儿耳边低说道：“你如今好了，相公不用，着我另送与一个知趣的人。”玉娥道：“奴家所以贪生忍耻，跟随到此，只望黄郎一会；若转赠他人，与陷身此地何异？奴家宁死，不愿为逐浪之萍，随风之絮也！”薛媪道：“方才说知趣的人儿，正是黄郎。房中衣饰箱笼，尽数相赠，快些出门，防他有翻悔之事。”玉娥道：“原来如此。”当下母子二人，忙忙的收拾停当。嘱咐丫鬟养娘，寄谢相公。唤下脚力，一道烟去了。

鳖鱼脱却金钩去，摆尾摇头再不来。

却说黄损闲坐衙斋，忽见门外来报：“有维扬薛妈妈求见。”黄生忙教请进。薛媪一见了黄生，连称：“贺喜！”黄生道：“下官何喜可贺？”薛媪道：“老身到长安，已半年有余，平时不敢来冒渎，今日特奉一贵官之命，送一位小娘子到府成亲。”黄生问道：“贵官是哪个？”薛媪道：“是新罢职的吕相公。”黄生大怒道：“这个奸雄，敢以美人局戏我！若不看你旧时情分，就把你叱咤一场。”薛媪道：“官人休恼！那美人非别，却是老身的女儿，与官人有瓜葛的。”黄生闻言，就把怒容放下了五分，从容问道：“令爱琼琼，久已入官供奉，以下更有谁人？与下官有何瓜葛？”薛媪道：“是老身新认的小女，姓韩名玉娥。”黄生大惊道：“你在哪里相会来？”薛媪便把汉江捞救之事，说了一遍。“近日被吕相公用强夺去，女儿抵死不从。不知何故，吩咐老身送与官人，权为修好之意。”黄生摇首道：“既被吕用之这厮夺去，必然玷污，岂有白白发出之理。又如何偏送与下官？”薛媪道：“只问我女儿便知。”黄生道：“莫非不是那维扬韩玉娥么？”薛媪道：“这是官人所赠花笺，请看便知端的。”那花笺只因被水浸湿过的，都绉了。黄生见之，提起昔日涪江光景，不觉惨然泪下。即刻命肩舆人从，同薛媪迎接玉娥到衙相会，两下抱头大哭。哭罢，各叙衷肠。玉娥举玉马坠，对生说道：“妾若非此物，必为吕贼所污，当以颈血溅其衣，不复得见君面矣。”黄生见坠，大惊道：“此玉马坠，原是吾家世宝，去年涪洲献与胡僧，芳卿何以得之？”玉娥道：“妾除夜曾得一梦，次日岁朝遇一胡僧，宛如梦中所见，将此坠赠我，嘱咐我夫妻相会，都在这个坠上。妾谨藏于身。那夜吕贼用强相犯，忽有白马从床头奔出，欲啮吕贼，吕贼惊惶逃去。后闻得也有个胡僧，对吕贼说：'白马为妖，不利主人。'所以将妾赠君，欲贻祸于君耳。"黄生道："如此说，你我夫妻重会，皆胡僧之力。胡僧皆神人，玉马坠真神物也！今日礼当谢之。"遂命设下香案，供养玉马坠于上，摆列酒脯之仪，夫妻双双下拜。薛媪亦从旁叩头。忽见一白马约长丈余，从香案上跃出，腾空而起。众人急出户看之，见云端里面站着一人，须眉可辨。那人是谁？

维扬市上初相识，再向涪江渡口逢。
今日云端来显相，方知玉马主人翁。

那人便是起首说，维扬市上相遇，请那玉马坠的老儿。

第三十三卷　十五贯戏言成巧祸

（宋本作《错斩崔宁》）

聪明伶俐自天生，懵懂痴呆未必真。
嫉妒每因眉睫浅，戈矛时起笑谈深。
九曲黄河心较险，十重铁甲面堪憎。
时因酒色亡家国，几见诗书误好人！

这首诗，单表为人难处。只因世路窄狭，人心叵测。大道既远，人情万端。熙熙攘攘，都为利来。蚩蚩蠢蠢①，皆纳祸去。持身保家，万千反复。所以古人云：颦有为颦，笑有为笑②。颦笑之间，最宜谨慎。这回书，单说一个官人，只因酒后一时戏笑之言，遂至杀身破家，陷了几条性命。且先引下一个故事来，权做个德胜头回。

却说故宋朝中，有一个少年举子，姓魏名鹏举，字冲霄，年方一十八岁，娶得一个如花似玉的浑家。未及一月，只因春榜动，选场开，魏生别了妻子，收拾行囊，上京应取。临别时，浑家吩咐丈夫："得官不得官，早早回

---

① 蚩蚩(chī)蠢蠢——愚蠢无知。

② 颦(pín)有为颦，笑有为笑——皱眉要有皱眉的理由，笑要有笑的原因。

来，休抛闪了恩爱夫妻！"魏生答道："功名二字，是俺本领前程，不索贤卿忧虑。"别后登程到京，果然一举成名，除授一甲第二名榜眼及第。在京甚是华艳动人，少不得修了一封家书，差人接取家眷入京。书上先叙了寒温及得官的事，后却写下一行，道是："我在京中早晚无人照管，已讨了一个小老婆，专候夫人到京，同享荣华。"家人收拾书程①，一径到家，见了夫人，称说贺喜。因取家书呈上。夫人拆开看了，见是如此如此，这般这般，便对家人道："官人直恁负恩！甫能②得官，便娶了二夫人。"家人便道："小人在京，并没见有此事。想是官人戏谑之言！夫人到京，便知分晓，不得忧虑！"夫人道："恁地说，我也罢了！"却因人舟未便，一面收拾起身，一面寻觅便人，先寄封平安家书到京中去。那寄书人到了京中，寻问新科魏榜眼寓所，下了家书，管待酒饭自回，不提。

却说魏生接书拆开来看了，并无一句闲言闲语，只说道："你在京中娶了一个小老婆，我在家中也嫁了一个小老公，早晚同赴京师也。"魏生见了，也只道夫人取笑的说话，全不在意。未及收好，外面报说：有个同年③相访。京邸寓中，不比在家宽转，那人又是相厚的同年，又晓得魏生并无家眷在内，直至里面坐下，叙了些寒温。魏生起身去解手，那同年偶翻桌上书帖，看见了这封家书，写得好笑，故意朗诵起来。魏生措手不及，通红了脸，说道："这是没理的事！因是小弟戏谑了他，他便取笑写来的。"那同年呵呵大笑道："这节事却是取笑不得的。"别了就去。那人也是一个少年，喜谈乐道，把这封家书一节，顷刻间遍传京邸。也有一班妒忌魏生少年登高科的，将这桩事只当做风闻言事的一个小小新闻，奏上一本，说这魏生年少不检，不宜居清要④之职，降处外任。魏生懊恨无及。后来毕竟做官蹭蹬不起，把锦片也似一段美前程，等闲放过去了。这便是一句戏言，撒漫了个美官。今日再说一个官人，也只为酒后一时戏言，断送了堂堂七尺之躯，连累两三个人，枉屈害了性命。却是为着甚的？有诗为证：

世路崎岖实可哀，旁人笑口等闲开。

---

① 书程——书是书信；程是铺程（也叫"铺陈"），指行李，旅行时带的铺盖。

② 甫能——才。

③ 同年——一同考上进士的人，彼此互称同年。

④ 清要——指地位高、职务重要的官职。

白云本是无心物，又被狂风引出来。

却说南宋时，建都临安，繁华富贵，不减那汴京故国。去那城中箭桥左侧，有个官人，姓刘名贵，字君荐，祖上原是有根基的人家。到得君荐手中，却是时乖运蹇①。先前读书，后来看看不济，却去改业做生意，便是半路上出家的一般。买卖行中，一发不是本等伎俩，又把本钱消折去了。渐渐大房改换小房，赁得两三间房子，与同浑家王氏，年少齐眉。后因没有子嗣，娶下一个小娘子，姓陈，是陈卖糕的女儿，家中都呼为二姐。这也是先前不十分穷薄的时，做下的勾当。至亲三口，并无闲杂人在家。那刘君荐，极是为人和气，乡里见爱，都称他刘官人。"你是一时运限不好，如此落莫，再过几时，定时有个亨通的日子!"说便是这般说，哪得有些些好处?只是在家纳闷，无可奈何!

却说一日闲坐家中，只见丈人家里的老王——年近七旬——走来对刘官人说道:"家间老员外生日，特令老汉接取官人娘子，去走一遭。"刘官人便道:"便是我日逐愁闷过日子，连那泰山②的寿诞，也都忘了。"便同浑家王氏，收拾随身衣服，打叠个包儿，交与老王背了。吩咐二姐:"看守家中，今日晚了，不能转回，明晚须索来家。"说了就去。离城二十余里，到了丈人王员外家，叙了寒温。当日坐间客众，丈人女婿，不好十分叙述许多穷相。到得客散，留在客房里宿歇。直到天明，丈人却来与女婿攀话，说道:"姐夫，你须不是这等算计，坐吃山空，立吃地陷。咽喉深似海，日月快如梭。你须计较一个常便!我女儿嫁了你，一生也指望丰衣足食，不成只是这等就罢了!"刘官人叹了一口气道:"是。泰山在上，道不得个上山擒虎易，开口告人难。如今的时势，再有谁似泰山这般看顾我的。只索守困，若去求人，便是劳而无功。"丈人便道:"这也难怪你说。老汉却是看你们不过，今日赍助你些少本钱，胡乱去开个柴米店，撰得些利息来过日子，却不好么?"刘官人道:"感蒙泰山恩顾，可知是好。"当下吃了午饭，丈人取出十五贯钱来，付与刘官人道:"姐夫，且将这些钱去，收拾起店面，开张有日，我便再应付你十贯。你妻子且留在此过几日，待有了开店日子，老汉亲送女儿到你家，就来与你作贺，意下如何?"刘官人谢了又谢，驮了钱一

---

① 时乖运蹇(jiǎn)——时运不顺。

② 泰山——岳父的别称。

径出门。到得城中，天色却早晚了，却撞着一个相识，顺路在他家门首经过。那人也要做经纪的人，就与他商量一会，可知是好。便去敲那人门时，里面有人应喏，出来相揖，便问："老兄下顾，有何见教？"刘官人一一说知就里。那人便道："小弟闲在家中，老兄用得着时，便来相帮。"刘官人道："如此甚好。"当下说了些生意的勾当。那人便留刘官人在家，现成杯盘，吃了三杯两盏。刘官人酒量不济，便觉有些朦胧起来，抽身作别，便道："今日相扰，明早就烦老兄过寒家，计议生理。"那人又送刘官人至路口，作别回家，不在话下。若是说话的同年生，并肩长，拦腰抱住，把臂拖回，也不见得受这般灾悔！却教刘官人死得不如：

《五代史》李存孝，《汉书》中彭越①。

却说刘官人驮了钱，一步一步挨到家中。敲门已是点灯时分，小娘子二姐独自在家，没一些事做，守得天黑，闭了门，在灯下打瞌睡。刘官人打门，他哪里便听见，敲了半晌，方才知觉。答应一声来了，起身开了门。刘官人进去，到了房中，二姐替刘官人接了钱，放在桌上，便问："官人何处挪移这项钱来，却是甚用？"那刘官人一来有了几分酒，二来怪他开得门迟了，且戏言吓他一吓，便道："说出来，又恐你见怪；不说时，又须通你得知。只是我一时无奈，没计可施，只得把你典与一个客人，又因舍不得你，只典得十五贯钱。若是我有些好处，加利赎你回来。若是照前这般不顺溜，只索罢了！"那小娘子听了，欲待不信，又见十五贯钱，堆在面前。欲待信来，他平白与我没半句言语，大娘子又过得好，怎么便下得这等狠心辣手！疑狐不决，只得再问道："虽然如此，也须通知我爹娘一声。"刘官人道："若是通知你爹娘，此事断然不成。你明日且到了人家，我慢慢央人与你爹娘说通，他也须怪我不得。"小娘子又问："官人今日在何处吃酒来？"刘官人道："便是把你典与人，写了文书，吃他的酒，才来的。"小娘子又问："大姐姐如何不来？"刘官人道："他因不忍见你分离，待得你明日出了门才来，这也是我没计奈何，一言为定。"说罢，暗地忍不住笑，不脱衣裳，睡在床上，不觉睡去了。那小娘子好生摆脱不下："不知他卖我与甚色样人家？我须先去

① 李存孝、彭越——李存孝，五代时李克用的义子，屡立战功，后因谗害，被车裂而死。彭越，汉朝的功臣，封为梁王，后来被刘邦杀掉，并诛三族。

爹娘家里说知。就是他明日有人来要我，寻到我家，也须有个下落。”沉吟了一会，却把这十五贯钱，一垛儿堆在刘官人脚后边。趁他酒醉，轻轻的收拾了随身衣服，款款的开了门出去，拽上了门。却去左边一个相熟的邻舍，叫做朱三老儿家里，与朱三妈宿了一夜，说道：“丈夫今日无端卖我，我须先去与爹娘说知。烦你明日对他说一声，既有了主顾，可同我丈夫到爹娘家中来，讨个分晓，也须有个下落。”那邻舍道：“小娘子说得有理，你只顾自去，我便与刘官人说知就理。”过了一宵，小娘子作别去了不提。正是：

鳌鱼脱却金钩去，摆尾摇头再不回。

放下一头。却说这里刘官人一觉，直至三更方醒，见桌上灯犹未灭，小娘子不在身边。只道他还在厨下收拾家伙，便唤二姐讨茶吃。叫了一回，没人答应，却待挣扎起来，酒尚未醒，不觉又睡了去。不想却有一个做不是的，日间赌输了钱，没处出豁，夜间出来掏摸些东西，却好到刘官人门首。因是小娘子出去了，门儿拽上不关，那贼略推一推，豁地开了。捏手捏脚，直到房中，并无一人知觉。到得床前，灯火尚明。周围看时，并无一物可取。摸到床上，见一人朝着里床睡去，脚后却有一堆青钱，便去取了几贯。不想惊觉了刘官人，起来喝道：“你须不近道理！我从丈人家借办得几贯钱来，养身活命；不争你偷了我的去，却是怎的计结！”那人也不回话，照面一拳，刘官人侧身躲过，便起身与这人相持。那人见刘官人手脚活动，便拔步出房。刘官人不舍，抢出门来，一径赶到厨房里。恰待声张邻舍，起来捉贼，那人急了，正好没出豁，却见明晃晃一把劈柴斧头，正在手边，也是人急计生，被他绰起，一斧正中刘官人面门，扑地倒了，又复一斧，斫倒一边。眼见得刘官人不活了，呜呼哀哉，伏惟尚飨①。那人便道：“一不做，二不休，却是你来赶我，不是我来寻你。”索性翻身入房，取了十五贯钱。扯条单被，包裹得停当，拽扎得爽利，出门，拽上了门就走，不提。

次早邻舍起来，见刘官人家门也不开，并无人声息，叫道：“刘官人，失晓了②。”里面没人答应。挨将进去，只见门也不关。直到里面，见刘官人

---

① 呜呼哀哉，伏惟尚飨——旧时祭奠死人的祭文里，末尾多用这两句话作结。这里借用来说刘官人死了的意思。

② 失晓——天亮了。

劈死在地。"他家大娘子，两日家前已自往娘家去了，小娘子如何不见？"免不得声张起来。却有昨夜小娘子借宿的邻家朱三老儿说道："小娘子昨夜黄昏时，到我宿歇，说刘官人无端卖了他，他一径先到爹娘家里去了，教我对刘官人说，既有了主顾，可同到他爹娘家中，也讨得个分晓。今一面着人去追他转来，便有下落。一面着人去报他大娘子到来，再作区处。"众人都道："说得是。"先着人去到王老员外家报了凶信。老员外与女儿大哭起来，对那人道："昨日好端端出门，老汉赠他十五贯钱，教他将来作本，如何便恁的被人杀了？"那去的人道："好教老员外大娘子得知，昨日刘官人归时，已自昏黑，吃得半酣，我们都不晓得他有钱没钱，归迟归早。只是今早刘官人家，门儿半开，众人推将进去，只见刘官人杀死在地，十五贯钱一文也不见，小娘子也不见踪迹。声张起来，却有左邻朱三老儿出来，说他家小娘子昨夜黄昏时分，借宿他家。小娘子说刘官人无端把他典与人了，小娘子要对爹娘说一声。住了一宵，今日径自去了。'如今众人计议，一面来报大娘子与老员外，一面着人去追小娘子。若是半路里追不着的时节，直到他爹娘家中，好歹追他转来，问个明白。老员外与大娘子，须索去走一遭，与刘官人执命。"老员外与大娘子急急收拾起身，管待来人酒饭，三步做一步，赶入城中，不提。

却说那小娘子，清早出了邻舍人家，挨上路去，行不上一二里，早是脚疼走不动，坐在路旁。却见一个后生，头带万字头巾，身穿直缝宽衫，背上驮了一个搭膊，里面却是铜钱，脚下丝鞋净袜，一直走上前来。到了小娘子面前，看了一看：虽然没有十二分颜色，却也明目皓齿，莲脸生春，秋波送媚，好生动人。正是：

野花偏艳目，村酒醉人多。

那后生放下搭膊，向前深深作揖："小娘子独行无伴，却是往哪里去的？"小娘子还了万福，道："是奴家要往爹娘家去，因走不上，权歇在此。"因问："哥哥是何处来？今要往何方去？"那后生叉手不离方寸①："小人是村里人，因往城中卖了丝帐，讨得些钱，要往褚家堂那边去的。"小娘子道："告哥哥则个，奴家爹娘也在褚家堂左侧，若得哥哥带挈奴家，同走一程，可知是好。"那后生道："有何不可！既如此说，小人情愿伏侍小娘子前

---

① 叉手不离方寸——就是双手拱在胸前行礼的意思。方寸，即心。

去。”两个厮赶着，一路正行，行不到二三里田地，只见后面两个人脚不点地，赶上前来。赶得汗流气喘，衣服拽开，连叫：“前面小娘子慢走，我却有话说知。”小娘子与那后生看见赶得蹊跷，都立住了脚。后边两个赶到跟前，见了小娘子与那后生，不容分说，一家扯了一个，说道：“你们干得好事！却走往哪里去？”小娘子吃了一惊，举眼看时，却是两家邻舍，一个就是小娘子昨夜借宿的主人。小娘子便道：“昨夜也须告过公公得知，丈夫无端卖我，我自去对爹娘说知。今日赶来，却有何说？”朱三老道：“我不管闲帐，只是你家里有杀人公事，你须回去对理。”小娘子道：“丈夫卖我，昨日钱已驮在家中，有甚杀人公事？我只是不去。”朱三老道：“好自在性儿！你若真个不去，叫起地方有杀人贼在此，烦为一捉，不然，须要连累我们。你这里地方也不得清净。”那个后生见不是话头，便对小娘子道：“既如此说，小娘子只索回去，小人自家去休！”那两个赶来的邻舍，齐叫起来说道：“若是没有你在此便罢，既然你与小娘子同行同止，你须也去不得！”那后生道：“却又古怪，我自半路遇见小娘子，偶然伴他行一程，路途上有甚皂丝麻线①，要勒掯我回去？”朱三老道：“他家有了杀人公事，不争放你去了，却打没对头官司！”当下怎容小娘子和那后生做主。看的人渐渐立满，都道：“后生你去不得。你日间不作亏心事，半夜敲门不吃惊。便去何妨！”那赶来的邻舍道：“你若不去，便是心虚。我们却和你罢休不得。”四个人只得厮挽着一路转来。

到得刘官人门首，好一场热闹！小娘子入去看时，只见刘官人斧劈倒在地死了，床上十五贯钱分文也不见。开了口合不得，伸了舌缩不上去。那后生也慌了，便道：“我恁的晦气！没来由和那小娘子同走一程，却做了干连人。”众人都和闹着。正在那里分豁不开，只见王老员外和女儿一步一颠走回家来，见了女婿身尸，哭了一场，便对小娘子道：“你却如何杀了丈夫？劫了十五贯钱，逃走出去？今日天理昭然，有何理说！”小娘子道：“十五贯钱，委是有的。只是丈夫昨晚回来，说是无计奈何，将奴家典与他人，典得十五贯身价在此，说过今日便要奴家到他家去。奴家因不知他典与甚色样人家，先去与爹娘说知，故此趁夜深了，将这十五贯钱，一垛儿堆在他脚后边，拽上门，到朱三老家住了一宵，今早自去爹娘家里说知。我

① 皂丝麻线——牵连、纠葛的意思。

去之时，也曾央朱三老对我丈夫说，既然有了主儿，便同到我爹娘家里来交割。却不知因甚杀死在此？”那大娘子道：“可又来！我的父亲昨日明明把十五贯钱与他驮来作本，养赡妻小，他岂有哄你说是典来身价之理？这是你两日因独自在家，勾搭上了人；又见家中好生不济，无心守耐，又见了十五贯钱，一时见财起意，杀死丈夫，劫了钱。又使见识，往邻舍家借宿一夜，却与汉子通同计较，一处逃走。现今你跟着一个男子同走，却有何理说，抵赖得过！”众人齐声道：“大娘子之言，甚是有理。”又对那后生道：“后生，你却如何与小娘子谋杀亲夫？却暗暗约定在僻静处等候一同去，逃奔他方，却是如何计结！”那人道：“小人自姓崔名宁，与那小娘子无半面之识。小人昨晚入城，卖得几贯丝钱在这里，因路上遇见小娘子，小人偶然问起往哪里去的，却独自一个行走。小娘子说起是与小人同路，以此作伴同行，却不知前后因依。”众人哪里肯听他分说，搜索他搭膊中，恰好是十五贯钱，一文也不多，一文也不少。众人齐发起喊来道：“是天网恢恢，疏而不漏。你却与小娘子杀了人，拐了钱财，盗了妇女，同往他乡，却连累我地方邻里打没头官司！”

当下大娘子结扭了小娘子，王老员外结扭了崔宁，四邻舍都是证见，一哄都入临安府中来。那府尹听得有杀人公事，即便升堂。便叫一干人犯，逐一从头说来。先是王老员外上去，告说：“相公在上，小人是本府村庄人氏，年近六旬，只生一女，先年嫁与本府城中刘贵为妻。后因无子，娶了陈氏为妾，呼为二姐。一向三口在家过活，并无片言。只因前日是老汉生日，差人接取女儿女婿在家，住了一夜。次日，因见女婿家中全无活计，养赡不起，把十五贯钱与女婿作本，开店养身。却有二姐在家看守。到得昨夜，女婿到家时分，不知因甚缘故，将女婿斧劈死了，二姐却与一个后生，名唤崔宁，一同逃走，被人追捉到来。望相公可怜见老汉的女婿，身死不明，奸夫淫妇，赃证现在，伏乞相公明断。”府尹听得如此如此，便叫陈氏上来：“你却如何通同奸夫，杀死了亲夫，劫了钱，与人一同逃走，是何理说？”二姐告道：“小妇人嫁与刘贵，虽是个小老婆，却也得他看承得好。大娘子又贤慧，却如何肯起这片歹心？只是昨夜丈夫回来，吃得半酣，驮了十五贯钱进门，小妇人问他来历，丈夫说为因养赡不周，将小妇人典与他人，典得十五贯身价在此，又不通我爹娘得知，明日就要小妇人到他家去。小妇人慌了，连夜出门，走到邻舍家里，借宿一宵。今早一径先往爹娘家去，教他对丈夫说，既然卖我有了主顾，可到我爹妈家里来交割。才走得到半路，却见昨夜借宿的邻家赶来，捉住小妇人回来，却不知丈夫杀死的根由。”那府尹喝道：“胡说！这十五贯钱，分明是他丈人与女婿的，你却说是典你的身价，眼见的没巴臂的说话了。况且妇人家，如何黑夜行走？定是脱身之计。这桩事须不是你一个妇人家做的，一定有奸夫帮你谋财害命，你却从实说来。”那小娘子正待分说，只见几家邻舍一齐跪上去告道：“相公的言语，委是青天。他家小娘子，昨夜果然借宿在左邻第二家的，今早他自去了。小的们见他丈夫杀死，一面着人去赶，赶到半路，却见小娘子和那一个后生同走，苦死不肯回来。小的们勉强捉他转来，却又一面着人去接他大娘子与他丈人，到时，说昨日有十五贯钱，付与女婿做生理的。今者女婿已死，这钱不知从何而去。再三问那小娘子时，说他出门时，将这钱一堆儿堆在床上。却去搜那后生身边，十五贯钱，分文不少。却不是小娘子与那后生通同谋杀？赃证分明，却如何赖得过？”府尹听他们言言有理，就唤那后生上来道：“帝辇之下①，怎容你这等胡行？你却如何谋了他小老婆，劫了十五贯钱，杀死他亲夫？今日同往何处？从实招来。”那后生道：“小人姓崔名宁，是乡村人氏，昨日往城中卖了丝，卖得这十五贯钱。今早偶然路上撞着这小娘子，并不知他姓甚名谁，哪里晓得他家杀人公事？”府尹大怒喝道：“胡说！世间不信有这等巧事！他家失去了十五贯钱，你却卖的丝恰好也是十五贯钱，这分明是支吾的说话了。况且他妻莫爱，他马莫骑，你既与那妇人没甚首尾，却如何与他同行共宿？你这等顽皮赖骨，不打，如何肯招？”当下众人将那崔宁与小娘子，死去活来，拷打一顿。那边王老员外与女儿并一干邻佑人等，口口声声，咬他二人。府尹也巴不得了结这段公案。拷讯一回，可怜崔宁和小娘子，受刑不过，只得屈招了。说是一时见财起意，杀死亲夫，劫了十五贯钱，同奸夫逃走是实。左邻右舍都指画了十字，将两人大枷枷了，送入死囚牢里。将这十五贯钱，给还原主，也只好奉与衙门中人做使用，也还不够哩。府尹叠成文案，奏过朝廷，部复申详，倒下圣旨，说：“崔宁不合奸骗人妻，谋财害命，依律处斩。陈氏不合通同奸夫，杀死亲夫，大逆不道，凌迟示众。”当下读了招状，大牢内取出二人来，当厅判一个斩字，一个剐字，押赴市曹，行刑示众。

① 帝辇(niǎn)之下——皇帝的车子经过的地方，指京都地区。

两人浑身是口，也难分说。正是：

哑子漫尝黄檗①味，难将苦口对人言。

看官听说，这段公事，果然是小娘子与那崔宁谋财害命的时节，他两人须连夜逃走他方，怎的又去邻舍人家借宿一宵？明早又走到爹娘家去，却被人捉住了？这段冤枉，仔细可以推详出来。谁想问官糊涂，只图了事，不想捶楚之下，何求不得。冥冥之中，积了阴骘，远在儿孙近在身。他两个冤魂，也须放你不过。所以做官的，切不可率意断狱，任情用刑，也要求个公平明允。道不得个死者不可复生，断者不可复续，可胜叹哉！

闲话休提。却说那刘大娘子到得家中，设个灵位，守孝过日。父亲王老员外劝他转身②，大娘子说道："不要说起三年之久，也须到小祥③之后。"父亲应允自去。光阴迅速，大娘子在家，巴巴结结，将近一年，父亲见他守不过，便叫家里老王去接他来，说："叫大娘子收拾回家，与刘官人做了周年，转了身去罢。"大娘子没计奈何，细思父言亦是有理，收拾了包裹，与老王背了，与邻舍家作别，暂去再来。一路出城，正值秋天，一阵乌风猛雨，只得落路，往一所林子去躲，不想走错了路。正是：

猪羊走屠宰之家，一脚脚来寻死路。

走入林子里去，只听他林子背后，大喝一声："我乃静山大王在此！行人住脚，须把买路钱与我。"大娘子和那老王吃那一惊不小，只见跳出一个人来：

头带乾红凹面巾，身穿一领旧战袍，腰间红绢搭膊裹肚，脚下蹬一双乌皮皂靴，手执一把朴刀。

舞刀前来。那老王该死，便道："你这剪径④的毛团！我须是认得你，做这老性命着与你兑了罢。"一头撞去，被他闪过空。老人家用力猛了，扑地便倒。那人大怒道："这牛子好生无礼！"连搠一两刀，血流在地，眼见得老王养不大了。那刘大娘子见他凶猛，料道脱身不得，心生一计，叫做脱

① 黄檗(bò)——即黄柏，落叶乔木，树皮可入药，味道极苦。

② 转身——改嫁的意思。

③ 小祥——旧时服丧满了一年叫做小祥。

④ 剪径——拦路抢劫。

空计。拍手叫道:"杀得好!"那人便住了手,睁圆怪眼,喝道:"这是你甚么人?"那大娘子虚心假气的答道:"奴家不幸丧了丈夫,却被媒人哄诱,嫁了这个老儿,只会吃饭。今日却得大王杀了,也替奴家除了一害。"那人见大娘子如此小心,又生得有几分颜色,便问道:"你肯跟我做个压寨夫人么?"大娘子寻思,无计可施,便道:"情愿伏侍大王。"那人回嗔作喜,收拾了刀杖,将老王尸首撺入涧中。领了刘大娘子到一所庄院前来,甚是委曲。只见大王向那地上,拾些土块,抛向屋上去,里面便有人出来开门。到得草堂之上,吩咐杀羊备酒,与刘大娘子成亲。两口儿且是说得着。正是:

明知不是伴,事急且相随。

不想那大王自得了刘大娘子之后,不上半年,连起了几主大财,家间也丰富了。大娘子甚是有识见,早晚用好言语劝他:"自古道:瓦罐不离井上破,将军难免阵中亡。你我两人,下半世也够吃用了,只管做这没天理的勾当,终须不是个好结果!却不道是梁园①虽好,不是久恋之家。不若改行从善,做个小小经纪,也得过养身活命。"那大王早晚被他劝转,果然回心转意,把这门道路撇了。却去城市间赁下一处房屋,开了一个杂货店。遇闲暇的日子,也时常去寺院中,念佛赴斋。忽一日在家闲坐,对那大娘子道:"我虽是个剪径的出身,却也晓得冤各有头,债各有主。每日间只是吓骗人东西,将来过日子。后来得有了你,一向不大顺溜,今已改行从善。闲来追思既往,正会枉杀了二个人,又冤陷了两个人,时常挂念,思欲做些功德,超度他们,一向不曾对你说知。"大娘子便道:"如何是枉杀了两个人?"那大王道:"一个是你的丈夫,前日在林子里的时节,他来撞我,我却杀了他。他须是个老人家,与我往日无仇,如今又谋了他老婆,他死也是不肯甘心的!"大娘子道:"不恁地时,我却哪得与你厮守?这也是往事,休提了!"又问:"杀那一个,又是甚人?"那大王道:"说起来这个人,一发天理上放不过去;且又带累了两个人,无辜偿命。是一年前,也是赌输了,身边并无一文,夜间便去掏摸些东西。不想到一家门首,见他门也不闩,推进去时,里面并无一人。摸到门里,只见一人醉倒在床,脚后却有一堆铜钱,便去摸他几贯。正待要走,却惊醒了。那人起来说道:这是我丈

① 梁园——即兔园,汉代梁孝王刘武所造,也叫"梁苑"。梁孝王好宾客,常在园中接待各方名士,因而有名。

人家与我做本钱的，不争你偷去了，一家人口都是饿死。起身抢出房门，正待声张起来。是我一时见他不是话头，却好一把劈柴斧头在我脚边，这叫做人急计生，绰起斧来，喝一声道，不是我，便是你，两斧劈倒。却去房中将十五贯钱，尽数取了。后来打听得他，却连累了他家小老婆，与那一个后生，唤做崔宁，冤枉了他谋财害命，双双受了国家刑法。我虽是做了一世强人，只有这两桩人命，是天理人心打不过去的！早晚还要超度他，也是该的。"那大娘子听说，暗暗地叫苦："原来我的丈夫也被这厮杀了，又连累我家二姐与那个后生无辜受戮。思量起来，是我不合当初做弄他两人偿命，料他两人阴司中，也须放我不过。"当下权且欢天喜地，并无他说。明日捉个空，便一径到临安府前，叫起屈来。那时换了一个新任府尹，才得半月。正值升厅，左右捉将那叫屈的妇人进来。刘大娘子到于阶下，放声大哭，哭罢，将那大王前后所为："怎的杀了我丈夫刘贵。问官不肯推详，含糊了事，却将二姐与那崔宁，朦胧偿命。后来又怎的杀了老王，奸骗了奴家。今日天理昭然，一一是他亲口招承。伏乞相公高抬明镜，昭雪前冤。"说罢又哭。府尹见他情词可悯，即着人去捉那静山大王到来，用刑拷讯，与大娘子口词一些不差。即时问成死罪，奏过官里。待六十日限满，倒下圣旨来，勘得："静山大王，谋财害命，连累无辜，准律：杀一家非死罪三人者，斩加等，决不待时①。原问官断狱失情，削职为民。崔宁与陈氏枉死可怜，有司访其家，谅行优恤。王氏既系强徒威逼成亲，又能伸雪夫冤，着将贼人家产，一半没入官，一半给与王氏养赡终身。"刘大娘子当日往法场上，看决了静山大王，又取其头去祭献亡夫并小娘子及崔宁，大哭一场。将这一半家私，舍入尼姑庵中，自己朝夕看经念佛，追荐亡魂，尽老百年而终。有诗为证：

善恶无分总丧躯，只因戏语酿殃危。
劝君出话须诚实，口舌从来是祸基。

---

① 决不待时——旧时处决死囚，多在秋后。"决不待时"，因为案情重大，立即处决，不要等到秋后的意思。

第三十四卷　一文钱小隙造奇冤

世上何人会此言，休将名利挂心田。
等闲倒尽十分酒，遇兴高歌一百篇。
物外烟霞为伴侣，壶中日月任婵娟。
他时功满归何处？直驾云车入洞天。

这八句诗，乃回道人所作。那道人是谁？姓吕，名岩，号洞宾，岳州河东人氏。大唐咸通中应进士举，游长安酒肆，遇正阳子钟离先生，点破了黄粱梦，知宦途不足恋，遂求度世之术。钟离先生恐他立志未坚，十遍试过，知其可度。欲授以黄白秘方，使之点石成金，济世利物，然后三千功满，八百行圆。洞宾问道："所点之金，后来还有变异否？"钟离先生答道："直待三千年后，还归本质。"洞宾愀然①不乐道："虽然遂我一时之愿，可惜误了三千年后遇金之人。弟子不愿受此方也。"钟离先生呵呵大笑道："汝有此好心，三千八百尽在于此。吾向蒙苦竹真君吩咐道：'汝游人间，若遇两口的，便是你的弟子。'遍游天下，从没见有两口之人，今汝姓吕，即其人也。"遂传以分合阴阳之妙。洞宾修炼丹成，发誓必须度尽天下众生，方可上升。从此混迹尘途，自称为回道人。回字也是二口，暗藏着吕字。尝游长沙，手持小小磁罐乞钱，向市上大言："我有长生不死之方，有人肯施钱满罐，便以方授之。"市人不信，争以钱投罐，罐终不满。众皆骇然。忽有一僧人推一车子钱从市东来，戏对道："人说我这车子钱共有千贯，你罐里能容之否？"道人笑道："连车子也推得进，何况钱乎？"那僧不以为然，想着："这罐子有多少大嘴，能容得车儿？明明是说谎。"道人见其沉吟，便道："只怕你不肯布施，若道个肯字，不愁这车子不进我罐儿里去。"此时众人聚观者极多，一个个肉眼凡夫，谁人肯信，都去撺掇那僧人。那僧人也道必无此事，便道："看你本事，我有何不肯？"道人便将罐子侧着，将罐口向着车儿，尚离三步之远，对僧人道："你敢道三声'肯'么？"僧人连叫三声："肯，肯，肯。"每叫一声"肯"，那车子便近一步。到第三个"肯"字，那车

① 愀(qiǎo)然——不愉快的样子。

儿却像罐内有人扯拽一般，一溜子滚入罐内去了。众人一个眼花，不见了车儿，发声齐喊道："奇怪！奇怪！"都来张那罐口，只见里面黑洞洞地。那僧人就有不悦之意，问道："你那道人是神仙，还是幻术？"道人口占八句道：

非神亦非仙，非术亦非幻。

天地有终穷，桑田经几变。

此身非吾有，财又何足恋。

苟不从吾游，骑鲸腾汗漫。

那僧人疑心是个妖术，欲同众人执之送官。道人道："你莫非懊悔，不舍得这车子钱财么？我今还你就是。"遂索纸笔，写一道符，投入罐内，喝声："出，出！"众人千百只眼睛，看着罐口，并无动静。道人说道："这罐子贪财，不肯送将出来，待贫道自去讨来还你。"说声未了，耸身望罐口一跳，如落在万丈深潭，影儿也不见了。那僧人连呼："道人出来！道人快出来！"罐里并不则声。僧人大怒，提起罐儿，向地下一掷，其罐打得粉碎，也不见道人，也不见车儿，连先前众人布施的散钱并不见一个，正不知哪里去了？只见有字纸一幅，取来看时，题得有诗四句道：

寻真要识真，见真浑未悟。

一笑再相逢，驱车东平路。

众人正在传观，只见字迹渐灭，须臾之间，连这幅白纸也不见了。众人才信是神仙，一哄而散。只有那僧人失脱了一车子钱财，意气沮丧，忽想着诗中"一笑再相逢，驱车东平路"之语，急急忙忙行到东平路上，认得自家的钱车，那钱物依然分毫不动。那道人立于车旁，举手笑道："相待久矣！钱车可自收去。"又叹道："出家之人，尚且惜钱如此，更有何人不爱钱者？普天下无一人可度，可怜哉！可痛哉！"言讫腾云而去。那僧人惊呆了半晌，去看那车轮上，每边各有一口字，二口成吕，乃知吕洞宾也，懊悔无及。正是：

天上神仙容易遇，世间难得舍财人。

方才说吕洞宾的故事，因为那僧人舍不得这一车子钱，把个活神仙，当面错过。有人论：这一车子钱，岂是小事，也怪那僧人不得，世上还有一文钱也舍不得的。依在下看来，舍得一车子钱，就从那舍得一文钱这一念推广上去。舍不得一文钱，就从那舍不得一车子钱这一念算计入来。不要把钱多钱少，看做两样。如今听在下说这一文钱小小的故事。列位看官们，各宜警醒，惩忿窒欲①，且休望超凡入道，也是保身保家的正理。诗云：

不争闲气不贪钱，舍得钱时结得缘。

除却钱财烦恼少，无烦无恼即神仙。

话说江西饶州府浮梁县，有景德镇，是个马头去处。镇上百姓，都以烧造磁器为业，四方商贾，都来载往苏杭各处贩卖，尽有利息。就中单表一人，叫做邱乙大，是个窑户一个做手。浑家杨氏，善能描画。乙大做就磁胚，就是浑家描画花草人物，两口俱不吃空。住在一个冷巷里，尽可度日有余。那杨氏年三十六岁，貌颇不丑，也肯与人活动②。只为老公利害，只好背地里偶一为之，却不敢明当做事。所生一子，名唤邱长儿，年十四岁，资性愚鲁，尚未会做活，只在家中走跳。忽一日杨氏患肚疼，思想椒汤吃，把一文钱教长儿到市上买椒。长儿拿了一文钱，才走出门，刚刚遇着东间壁一般做磁胚刘三旺的儿子，叫做再旺，也走出门来。那再旺年十三岁，比长儿倒乖巧，平日喜的是攧钱要子。——怎的样攧钱？也有八个六个，攧出或字或背，一色的谓之浑成。也有七个五个，攧去一背一字间花儿去的，谓之背间。——再旺和长儿，闲常有钱时，多曾在巷口一个空阶头上要过来。这一日巷中相遇，同走到当初要钱去处，再旺又要和长儿要子，长儿道："我今日没有钱在身边。"再旺道："你往哪里去？"长儿道："娘肚疼，叫我买椒泡汤吃。"再旺道："你买椒，一定有钱。"长儿道："只有得一文钱。"再旺道："一文钱也好要，我也把一文与你赌个背字③，两背的便都赢去，两字便输，一字一背不算。"长儿道："这文钱是要买椒的，倘或输与你了，把什么去买？"再旺道："不妨事，你若赢了是造化，若输了时，我借与你，下次还我就是。"长儿一时不老成，就把这文钱撇在地上。再旺在兜里也摸出一个钱丢下地来。长儿的钱是个背，再旺的是个字。这攧钱也有先后常规，该是背的先攧。长儿捡起两文钱，摊在第二手指上，把大拇指

① 惩忿窒欲——戒止忿怒、抑制欲念的意思。语见《易经·损卦》。

② 也肯与人活动——指和人发生不正当的男女关系。

③ 背字——古时用的铜钱，正面写着"××通宝"，就是本文所说的"字"；背面写着"一文"，就是本文所说的"背"。

掐住，曲一曲腰，叫声："背。"撷将下去，果然两背。长儿赢了。收起一文，留一文在地。再旺又在兜肚里摸出一文钱来，连地下这文钱拣起，一般样，摊在第二手指上，把大拇指掐住，曲一曲腰，叫声："背。"撷将下去，却是两个字，又是再旺输了。长儿把两个钱都收起，和自己这一文钱，共是三个。长儿赢得顺溜，动了赌兴，问再旺道："还有钱么？"再旺道："钱尽有，只怕你没造化赢得。"当下伸手在兜肚里摸出十来个净钱，捻在手里，啧啧夸道："好钱！好钱！"问长儿："还敢撷么？"又丢下一文来。长儿又撷了两背，第四次再旺撷，又是两字。一连撷了十来次，都是长儿赢了，共得了十二文。分明是掘藏一般。喜得长儿笑容满面，拿了钱便走。再旺哪肯放他，上前拦住，道："你赢了我许多钱，走哪里去？"长儿道："娘肚疼，等椒汤吃，我去去，闲时再来。"再旺道："我还有钱在腰里，你赢得时，我送你。"长儿只是要去，再旺发起喉急来，便道："你若不肯撷时，还了我的钱便罢。你把一文钱来骗了我许多钱，如何就去？"长儿道："我是撷得有采，须不是白夺你的。"再旺索性把兜肚里钱，尽数取出，约莫有二三十文，做一堆儿堆在地下道："待我输尽了这些钱，便放你走。"长儿是个小厮家，眼孔浅，见了这钱，不觉贪心又起；况且再旺抵死缠住，只得又撷。谁知风无常顺，兵无常胜。这番采头又轮到再旺了。照前撷了一二十次，虽则中间互有胜负，却是再旺赢得多。到结末来，这十二文钱，依旧被他复去。长儿刚刚原剩得一文钱。自古道：赌以气胜。初番长儿撷赢了一两文，胆就壮了，偶然有些采头，就连赢数次。到第二番又撷时，不是他心中所愿，况且着了个贪心，手下就有些矜持。到一连撷输了几文，去一个舍不得一个，又添了个吝字，气便索然。怎当再旺一股愤气，又且稍长胆壮，自然赢了。大凡人富的好过，贫的好过，只有先富后贫的，最是难过。据长儿一文钱起手时，赢得一二文也是够了，一连得了十二文钱，一拳头捻不住，就该住手回家。可笑长儿把这钱不看做傥来之物①，反认作自己东西，重复输去，好不气闷，痴心还想再像初次赢将转来。"就是输了，他原许下借我的，有何不可？"这一交，合该长儿撷了，忍不住按定心坎，再复一撷，又是二字，心里着忙，就去抢那钱，手去迟些，先被再旺抢到手中，都装入兜肚里去了。长儿道："我只有一文钱，要买椒的，你原说过赢时借我，怎的都收

① 傥来之物——偶然而来、无意而得的东西。

去了?”再旺怪长儿先前赢了他十二文钱就要走,今番正好出气。君子报仇,直待三年,小人报仇,只在眼前。怎么还肯把这文钱借他?把长儿双手挡开,故意的一跳一舞,跑入巷去了。急得长儿且哭且叫,也回身进巷扯住再旺要钱,两个扭做一堆厮打。

孙庞斗智谁为胜,楚汉争锋哪个强?

却说杨氏,专等椒来泡汤吃,望了多时,不见长儿回来,觉得肚疼定了,走出门来张看,只见长儿和再旺扭住厮打,骂道:“小杀才!教你买椒不买,倒在此寻闹,还不撒开。”两个小厮听得骂,都放了手。再旺就闪在一边。杨氏问长儿:“买的椒在哪里?”长儿含着眼泪回道:“那买椒的一文钱,被再旺夺去了。”再旺道:“他与我撕钱,输与我的。”杨氏只该骂自己儿子,不该撕钱,不该怪别人。况且一文钱,所值几何,既输了去,只索罢休。单因杨氏一时不明,惹出一场大祸,展转的害了多少人的性命。正是:

事不三思终有悔,人能百忍自无忧。

杨氏因等候长儿不来,一肚子恶气,正没出豁,听说赢了他儿子的一文钱,便骂道:“天杀的野贼种!要钱时,何不教你娘趁汉去?来骗我家小厮撕钱!”口里一头骂,一头便扯再旺来打。恰正抓住了兜肚,凿下两个栗暴。那小厮打急了,把身子来一挣,却挣断了兜肚带子,落下地来。索郎一声响,兜肚子里面的钱,撒了一地。杨氏道:“只还我那一文便了。”长儿得了娘的口气,就势抢了一把钱,奔进自屋里去。再旺就叫起屈来。杨氏赶进屋里,喝教长儿还了他钱。长儿被娘逼不过,把钱对着街上一撒。再旺一头哭,一头骂,一头捡钱。捡起时,少了六七文钱,情知是长儿藏下,拦着门只顾骂。杨氏道:“也不见这天杀的野贼种,恁地撒泼!”把大门关上,走进去了。再旺敲了一回门,又骂了一回,哭到自屋里去。母亲孙大娘正在灶下烧火,问其缘故。再旺哭诉道:“长儿抢了我的钱,他的娘不说他不是,他骂娘养汉,野杂的种,要钱时何不教你娘养汉。”孙大娘不听时,万事全休,一听了这句不入耳的言语,不觉:

怒从心上起,恶向胆边生。

原来孙大娘最疼儿子,极是护短,又兼性暴,能言快语,是个揽事的女都头。若相骂起来,一连骂十来日,也不口干,有名叫做绰板婆。他与邱家只隔得三四个间壁居住,也晓得杨氏平日有些不三不四的毛病,只为从无口面[①],不好发挥出来。一闻再旺之语,太阳里爆出火来,立在街头,骂道:“狗泼妇,狗淫妇!自己瞒着老公趁汉子,我不管你罢了,倒来谤别人。老娘人便看不像,却替老公争气。前门不进师姑,后门不进和尚,拳头上立得人起,臂膊上走得马过,不像你那狗淫妇,人硬货不硬,表壮里不壮,作成老公带了绿帽儿,羞也不羞!还亏你老着脸在街坊上骂人。便臊贱时,也不恁般般做作!我家小厮年幼,连头带脑,也还不够与你补空,你休得缠他!臊发时还去寻那旧汉子,是多寻几遭,多养了几个野贼种,大起来好做贼。”一声泼妇,一声淫妇,骂一个路绝人稀。杨氏怕老公,不敢揽事,又没处出气,只得骂长儿道:“都是你那小天杀的,不学好,引这长舌妇开口。”提起木柴,把长儿劈头就打,打得长儿头破血淋,嚎啕大哭。邱乙大正从窑上回来,听得孙大娘叫骂,侧耳多时,一句句都听在肚里,想道:“是哪家婆娘不秀气?替老公妆幌子,惹得绰板婆叫骂。”及至回家,见长儿啼哭,问起缘由,倒是自家家里招揽的是非。邱乙大是个硬汉,怕人耻笑,声也不啧,气忿忿地坐下。远远的听得骂声不绝,直到黄昏后,方才住口。邱乙大吃了几碗酒,等到夜深人静,叫老婆来盘问道:“你这贱人瞒着我做的好事!趁的许多汉子,姓甚名谁?好好招将出来,我自去寻他说话。”那婆娘原是怕老公的,听得这句话,分明似半空中响一个霹雳,战兢兢还敢开口?邱乙大道:“泼贱妇,你有本事偷汉子,如何没本事说出来?若要不知,除非莫为。瞒得老公,瞒不得邻里,今日教我如何做人?你快快说来,也得我心下明白。”杨氏道:“没有这事,教我说谁来?”邱乙大道:“真个没有?”杨氏道:“没有。”邱乙大道:“既是没有时,他们如何说你,你如何凭他说,不则一声?显是心虚口软,应他不得。若是真个没有,是他们诈说你时,你今夜吊死在他门上,方表你清白,也出脱了我的丑名。明日我好与他讲话。”那婆娘怎肯走动,流下泪来,被邱乙大三两个巴掌,掇出大门。把一条麻索丢与他,叫道:“快死快死!不死便是恋汉子了。”说罢,关上门儿进来。长儿要来开门,被乙大一顿栗暴,打得哭了一场睡去了。乙大有了几分酒意,也自睡去。单剩杨氏在门外好苦,上天无路,入地无门。千不是,万不是,只是自家不是,除却死,别无良策。自悲自怨了多时,恐怕天明,慌慌张张的取了麻索,去认那刘三旺的门首。也是将死

① 口面——口角,争吵。

的人,失魂颠智,刘家本在东间壁第三家,却错走到西边去,走过了五六家,到第七家。见门面与刘家相像,忙忙的把几块乱砖衬脚,搭上麻索于檐下,系颈自尽。可怜伶俐妇人,只为一文钱斗气,丧了性命。正是:

地下新添恶死鬼,人间不见画花人。

却说西邻第七家,是个打铁的匠人门首。这匠人浑名叫做白铁,每夜四更,便起来打铁。偶然开了大门撒溺,忽然一阵冷风,吹得毛骨竦然,定睛看时,吃了一惊。

不是傀儡场中鲍老①,竟像秋千架上佳人。

檐下挂着一件物事,不知是哪里来的?好不怕人!犹恐是眼花,转身进屋,点个火来一照,原来是新缢的妇人,咽喉气断,眼见得救不活了。欲待不去照管他,到天明被做公的看见,却不是一场飞来横祸,辩不清的官司。思量一计:“将他移在别处,与我便无干了。”耽着惊恐,上前去解这麻索。那白铁本来有些蛮力,轻轻的便取下挂来,背出正街,心慌意急,不暇致详,向一家门里撇下。头也不回,竟自归家,兀自连打几个寒噤,铁也不敢打了,复上床去睡卧,不在话下。

且说邱乙大,黑早起来开门,打听老婆消息,走到刘三旺门前,并无动静,直走到巷口,也没些踪影,又回来坐地寻思:“莫不是这贱妇逃走他方去了?”又想:“他出门稀少,又是黑暗里,如何行动?”又想道:“他若不死时,麻索必然还在。”再到门前去看时,地下不见麻绳,“定是死了刘家门首,被他知觉,藏过了尸首,与我白赖。”又想:“刘三旺昨晚不回,只有那绰板婆和那小厮在家,哪有力量搬运?”又想道:“虫蚁也有几只脚儿,岂有人无帮助?且等他开门出来,看他什么光景,见貌辨色,可知就里。”等到刘家开门,再旺出来,把钱去市心里买馍馍点心,并不见有一些惊慌之意。邱乙大心中委决不下,又到街前街后闲荡,打探一回,并无影响。回来看见长儿还睡在床上打鼾,不觉怒起,掀开被,向腿上四五下,打得这小厮睡梦里直跳起来。邱乙大道:“娘也被刘家逼死了,你不去讨命,还只管睡!”这句话,分明邱乙大教长儿去惹事,看风色。长儿听说娘死了,便哭起来,忙忙的穿了衣服,带着哭,一径直赶到刘三旺门首去,骂道:“狗娼根,狗淫妇!还我娘来!”那绰板婆孙大娘,见长儿骂上门,如何耐得,急赶出来,骂

---

① 鲍老——古代戏剧中的角色名,似为长袖郎当的滑稽角色。

道:"千人射的野贼种,敢上门欺负老娘么?"便揪着长儿头发,却待要打,见邱乙大过来,就放了手。这小厮满街乱跳乱舞,带哭带骂讨娘。邱乙大已耐不住,也骂起来。那绰板婆怎肯相让,旁边钻出个再旺来相帮,两下干骂一场,邻里劝开。邱乙大教长儿看守家里,自去街上央人写了状词,赶到浮梁县告刘三旺和妻孙氏人命事情。大尹准了状词,差了拘拿原被告,和邻里干证,到官审问。原来绰板婆孙氏平昔口嘴不好,极是要冲撞人,邻里都不欢喜;因此说话中间,未免偏向邱乙大几分,把相骂的事情,增添得重大了,隐隐的将这人命,射实在绰板婆身上。这大尹见众人说话相同,信以为实。错认刘三旺将尸藏匿在家,希图脱罪。差人搜检,连地也翻了转来,只是搜寻不出,故此难以定罪。且不用刑,将绰板婆拘禁,差人押刘三旺寻访杨氏下落,邱乙大讨保在外。这场官司好难结哩!有分教:

　　绰板婆消停口舌,磁器匠耽误生涯。

这事且搁过不提。再说白铁将那尸首,却撇在一个开酒店的人家门首。那店主人王公,年纪六十余岁,有个妈妈,靠着卖酒过日。是夜睡至五更,只听得叩门之声,醒时又不听得。刚刚合眼,却又闻得砰砰声叩响。心中惊异,披衣而起,即唤小二起来,开门观看。只见街头上,不横不直,挡着这件物事。王公还道是个醉汉,对小二道:"你仔细看一看,还是远方人,是近处人?若是左近邻里,可叩他家起来,扶了去。"小二依言,俯身下去认看,因背了星光,看不仔细。见颈边拖着麻绳,却认做是条马鞭,便道:"不是近边人,想是个马夫。"王公道:"你怎么晓得他是个马夫?"小二道:"见他身边有根马鞭,故此知得。"王公道:"既不是近处人,由他罢!"小二欺心,要拿他的鞭子,伸手去拾时,却拿不起,只道压了身底下,尽力一扯,那尸首直竖起来,把小二吓了一跳,叫道:"啊呀!"连忙放手。那尸扑的倒下去了。连王公也吃一惊,问道:"这怎么说?"小二道:"只道是根鞭儿,要拿他的,不想却是缢死的人,颈下扣的绳子。"王公听说,惊得魂飞天外,魄散九霄,叫道:"这没头官司,叫我如何吃得起?若到了官,如何洗得清?"便与小二商议,小二道:"不打紧,只教他离了我这里,就没事了。"王公道:"说得有理,还是拿到哪里去好?"小二道:"撇他在河里罢。"当下二人动手,直抬到河下。远远望见岸上有人,打着灯笼走来,恐怕被他撞见,不管三七二十一,撇在河边,奔回家去了,不在话下。

且说岸上打灯笼来的是谁,那人乃是本镇一个大户叫做朱常,为人奸诡百出,变诈多端,是个好打官司的主儿。因与一个隔县姓赵的人家争田,这一早要到田头去割稻,同着十来个家人,拿了许多扁挑索子镰刀,正来下船。那提灯的在前,走下岸来,只见一人横倒在河边,也认做是个醉汉,便道:"这该死的贪这样脓血!若再一个翻身,却不滚在河里,送了性命?"内中一个家人,叫做卜才,是朱常手下第一出尖的帮手,他只道醉汉身边有些钱钞,就蹲倒身,伸手去摸他腰下,却冰一般冷,缩手不迭,便道:"原来死的了!"朱常听说是死人,心下顿生不良之念,忙叫:"不要慌,拿灯来照看,是老的?是少的?"众人在灯下仔细打一认,却是个缢死的妇人。朱常道:"你们把他颈里绳子快解掉了,扛下艄里去藏好。"众人道:"老爹,这妇人正不知是甚人谋死的?我们如何倒去招揽是非?"朱常道:"你莫管他,我自有用处。"众人只得依他,解去麻绳,叫起看船的,扛上船,藏在艄里,将平基盖好。朱常道:"卜才,你回去,媳妇子叫五六个来。"卜才道:"这二三十亩稻,够什么砍,要这许多人去做甚?"朱常道:"你只管叫来,我自有用处。"卜才不知是甚意见,即便提了灯回去。不一时叫到,坐了一船,解缆开船。两人荡桨,离了镇上。众人问道:"老爹载这东西去有甚用处?"朱常道:"如今去割稻,赵家定来拦阻,少不得有一场相打,到告状结杀。如今天赐这东西与我,岂不省了打官司,还有许多妙处。"众人道:"老爹怎见省了打官司?又有何妙处?"朱常道:"有了这尸首时,只消如此如此,这般这般,却不省了打官司,你们也有些财采。他若不见机,弄到当官,定然我们占个上风。可不好么!"众人都喜道:"果然妙计!小人们怎省得?"正是:

算定机谋夸自己,排成巧计害他人。

这些人都是愚野村夫,晓得什么利害?听见家主说得都有财采,竟像瓮中取鳖,手到拿来的事,乐极了,巴不得赵家的人,这时便到河边来厮闹便好,银子既有得到手,官司又可以赢得。竟像生了翼翅的一般,顷刻就飞到了。此时天色渐明,朱常教把船歇在空阔无人居住之处,离田头尚有一箭之路。众人都上了岸,寻出一条一股好一股断的烂草绳。将船缆在一棵草根上,只留一个人在船上看守,众男女都下田割稻。朱常远远的立在岸上打探消耗。原来这地方叫做鲤鱼桥,离景德镇只有十里多远,再过去里许,又唤做太白村,乃是江南徽州府婺源县所管。因是两省交界之处，人人错壤而居。与朱常争田这人名唤赵完，也是个大富之家，原是浮梁县人户，却住在婺源县地方。两县俱置得有田产。那争的田，只得三十余亩，乃赵完族兄赵宁的。先把来抵借了朱常银子，却又卖与赵完，恐怕出丑，就揽来佃种，两边影射了三四年。不想近日身死，故此两家相争。这稻子还是赵宁所种。

说话的，这田在赵完屋脚跟头，如何不先割了，却留与朱常来割？看官有所不知，那赵完也是个强横之徒，看得自己大了，道这田是明中正契买族兄的，又在他的左近；朱常又是隔省人户，料必不敢来割稻，所以放心托胆。哪知朱常又是个专在虎头上做窠，要吃不怕死的魍魉，竟来放对，只在田中砍稻。早有人报知赵完。赵完道："这厮真是吃了大虫的心、豹子的胆，敢来我这里撩拨！想是来送死么！"儿子赵寿道："爹，自古道：来者不惧，惧者不来。也莫轻觑了他！"赵完问报人道："他们共有多少人在此？"答道："十来个男子，六七个妇女。"赵完道："既如此，也教妇人去。男对男，女对女，都拿回来，敲断他的孤拐子，连船都拔他上岸，那时方见我的手段。"即便唤起二十多人，十来个妇人，一个个粗脚大手，裸臂揎拳，如疾风骤雨而来。赵完父子随后来看。且说众人远远的望着田中，便喊道："偷稻的贼不要走！"朱常家人媳妇，看见赵家有人来了，连忙住手，望河边便跑。到得岸旁，朱常连叫快脱衣服。众人一齐卸下，堆做一处，叫一个妇人看守，复身转来，叫道："你来你来，若打输与你，不为好汉。"赵完家有个雇工人，叫做田牛儿，自恃有些气力，抢先飞奔向前。朱家人见他势头来得勇猛，两边一闪，让他冲将过来，才让他冲进时，男子妇人，一裹转来围住。田牛儿叫声："来的好！"提起升箩般拳头，拣着个精壮村夫，赶上一拳打去，只望先打倒了一个硬的，其余便如摧枯拉朽了。谁知那人却也来得，拳到面上时，将身子打一偏，那拳便打个空，反被众人围将拢来，将田牛儿围住，险些儿动不得。急起左拳来打，手尚未起，又被一人接住，两边扯开。田牛儿便施展不得。朱家人也不打他，推的推，扯的扯，倒像八抬八绰一般，脚不点地竟拿上船。那烂草绳系在草根上，有甚筋骨，初踏上船就断了。艄上人已预先将篙拦住，众人将田牛儿纳在舱中乱打。赵家后边的人，见田牛儿捉上船去，蜂拥赶上船抢人。朱家妇女，都四散走开，放他上去。说时迟，那时快，拦篙的人一等赵家男子妇人上齐船时，急掉转篙，望岸上用力一点，那船如箭一般，向河心中直荡开去。人众船轻，三四晃便翻将转来。两家男女四十多人,尽都落水。这些妇人各自挣扎上岸,男子就在水中相打,纵横搅乱,激得水溅起来,恰如骤雨相似。把岸上看的人眼都耀花了,只叫莫打,有话上岸来说。正打之间,卜才就人乱中,把那缢死妇人尸首,直掇过去,便喊起来道:“地方救护,赵家打死我家人了!”朱常同那六七个妇人,在岸边接应,一齐喊叫,其声震天动地。赵家的妇人,正绞挤湿衣,听得打死了人,带水而逃。水里的人,一个个吓得胆战心惊,正不知是哪个打死的,巴不能挣脱逃走,被朱家人乘势追打,吃了老大的亏,挣上了岸,落荒逃奔。此时只恨父母少生了两只脚儿。朱家人欲要追赶,朱常止住道:“如今不是相打的事了,且把尸首收拾起来,抬放他家屋里了,再处。”众人把尸首拖到岸上,卜才认做妻子,假意啼啼哭哭。朱常又教捞起船上篙桨之类,寄顿佃户人家;又对看的人道:“列位地方邻里,都是亲眼看见,活打死的,须不是诬陷赵完,倘到官司时,少不得要相烦做个证见,但求实说罢了。”这几句是朱常引人来兜揽处和的话。此时内中若有个有力量的,出来担当,不教朱常把尸首抬去赵家说和,这事也不见得后来害许多人的性命。只因赵完父子,平日是个难说话的,恐怕说而不听,反是一场没趣。况又不晓得朱常心中是甚样个意儿,故此并无一人招揽。朱常见无人招架,教众人穿起衣服,把尸首用芦席卷了,将绳索络好,四人扛着,望赵完家来。看的人随后跟来,观看两家怎地结局?

铜盆撞了铁扫帚,恶人自有恶人磨。

且说赵完父子随后赶来,远望着自家人追赶朱家的人,心中欢喜。渐渐至近,只见妇女家人,浑身似水,都像落汤鸡一般,四散奔走。赵完惊讶道:“我家人多,如何反被他们打下水去?”正说着,只见众人赶到,乱嚷道:“阿爹不好了!快回去罢。”赵完道:“你们怎地恁般没用?都被打得这模样!”众人道:“打是小事,只是他家死了人却怎处?”赵完听见死了个人,吓得就酥了半边,两只脚就像钉了,半步也行不动。赵寿与田牛儿,两边挟着胳膊而行,扶至家中坐下,半晌方才开言:“如何就打死了人?”众人把相打翻船的事,细说一遍,又道:“我们也没有打妇人,不知怎地死了?想是淹死的。”赵完心中没了主意,只叫:“这事怎好?”那时合家老幼,都丛在一堆,人人心中惊慌。正说之间,人进来报:“朱家把尸首抬来了。”赵完又吃这一吓，恰像打坐的禅和子①，急得身色一毫不动。自古道：物极则反，人急计生。赵寿忽地转起一念，便道："爹莫慌，我自有对付他的计较在此。"便对众人道："你们多向外边闪过，让他们进来之后，听我鸣锣为号，留几个紧守门口，其余都赶进来拿人，莫教走了一个。解到官司，见许多人白日抢劫，这人命自然从轻。"众人得了言语，一齐转身。赵完恐又打坏了人，吩咐："只要拿人，不许打人。"众人应允，一阵风出去。赵寿只留了一个心腹义孙赵一郎道："你且在此。"又把妇女妻小打发进去，吩咐不要出来。赵完对儿子道："虽然告他白日打抢，总是人命为重，只怕抵当不过。"赵寿走到耳根前，低低道："如今只消如此这般。"赵完听了大喜，不觉身子就健旺起来，乃道："事不宜迟，快些停当！"赵寿先把各处门户闭好，然后寻了一把斧头、一个棒槌、两扇板门，都已完备，方教赵一郎到厨下叫出一个老儿来。那老儿名唤丁文，约有六十多岁，原是赵完的表兄，因有了个懒黄病。吃得做不得，却又无男无女，挨在赵完家烧火，博口饭吃。当下那老儿不知头脑，走近前问道："兄弟有甚话？"赵完还未答应，赵寿闪过来，提起棒槌，看正太阳，便是一下。那老儿只叫得声阿呀，翻身跌倒。赵寿赶上，又复一下，登时了帐。当下赵寿动手时，以为无人看见，不想田牛儿的娘田婆，就住在赵完宅后，听见打死了人，恐是儿子打的，心中着急，要寻来问个仔细，从后边走出，正撞着赵寿行凶，吓得蹲倒在地，便立不起身，口中念声："阿弥陀佛！青天白日，怎做这事！"赵完听得，回头看了一看，把眼向儿子一颠，赵寿会意，急赶近前，照顶门一棒槌打倒，脑浆鲜血一齐喷出。还怕不死，又向肋上三四脚，眼见得不能够活了。只因这一文钱上起，又送了两条性命。正是：

含容终有益，任意是生灾。

且说赵一郎起初唤丁老儿时，不道赵寿怀此恶念，蓦见他行凶，惊得只缩到一壁角边去。丁老儿刚刚完事，接脚又撞个田婆来凑成一对，他恐怕这第三棒槌轮到头上，心下着忙，欲待要走，这脚上却像被千百斤石头压住，哪里移得动分毫。正在慌张，只见赵完叫道："一郎快来帮一帮。"赵一郎听见叫他相帮，方才放下肚肠，挣扎得动，向前帮赵寿拖这两个尸首，放在遮堂背后，寻两扇板门压好，将遮堂都起浮了窠臼。又吩咐赵一郎

---

① 禅和子——和尚。

道："你切不可泄漏，待事平了，把家私分一股与你受用。"赵一郎道："小人靠阿爹洪福过日的，怎敢泄漏？"刚刚停当，外面人声鼎沸，朱家人已到了。赵完三人退入侧边一间屋里，掩上门儿张看。且说朱常引家人媳妇，扛着尸首赶到赵家，一路打将进去。直到堂中，见四面门户紧闭，并无一个人影。朱常道："把尸首居中停下，打到里边去拿赵完这老亡八出来，锁在死尸脚上。"众人一齐动手，乒乒乓乓将遮堂乱打，那遮堂已是离了窠臼的，不消几下，一扇扇都倒下去，尸首上又压上一层。众人只顶向前，哪知下面有物。赵寿见打下遮堂，把锣筛起。外边人听见，发声喊，抢将入来。朱常听得筛锣，只道有人来抢尸首，急掣身出来，众人已至堂中，两下你揪我扯，搅做一团，滚做一块。里边赵完三人大喊："田牛儿！你母亲都被打死了，不要放走了人。"田牛儿听见，急奔来问："我母亲如何却在这里？"赵完道："他刚同丁老官走来问我，遮堂打下，压死在内。我急走得快，方逃得性命。若迟一步儿，这时也不知怎地了！"田牛儿与赵一郎将遮堂搬开，露出两个尸首。田牛儿看娘头时，已打开脑浆，鲜血满地，放声大哭。朱常听见，只道还是假的，急抽身一望，果然有两个尸首，着了忙，往外就跑。这些家人媳妇，见家主走了，各要挣脱逃走，一路揪扭打将出来。哪知门口有人把住，一个也走不脱，都被拿住。赵完只叫："莫打坏了人。"故此朱常等不十分吃亏。赵寿取出链子绳索，男子妇女锁做一堂。田牛儿痛哭了一回，心中忿怒，跳起身道："我把朱常这老王八，照依母亲打死罢了。"赵完拦住道："不可不可！如今自有官法究治，打死他做甚？"教众人扯过一边。此时已哄动远近村坊，地方邻里，无有不到赵家观看。赵完留到后边，备起酒席款待，要众人具个"白昼劫杀"公呈。那众人都是赵完的亲戚佃户，俱应承了。赵完即央人写了状词，邻里写了公呈，同往婺源县击鼓喊冤。正是：

强中更遇强中手，恶人须服恶人磨。

却说那婺源县大尹，姓李名正，字国材，山东历城县人。乃进士出身，为官直正廉明，雪冤辨奸，又且一清如水，分文不取。当下闻得击鼓喊冤，即便升堂，传集衙役皂快，喝教带进赵完一干人跪在丹墀下。大尹问道："你们有甚冤枉？从实说来。"赵完手持状词，口中只说："老爷救命。"大尹叫手下人拿上状词看了，见是人命重事。大尹又问邻佑道："你们是什么人？"邻里道："小人俱是赵完左右邻居。目击朱常在赵完家行凶，不得不来报明。”将呈子递上。大尹看了，就叫打轿，带领仵作一应衙役，往赵家检验。赵家已自摆设公案，迎接大尹。到了，坐定，叫仵作将三个死尸致命伤处，从实检验报来。仵作先将丁老儿、田氏看过，禀道：“这两个俱是打伤脑壳。”又将朱常的死妇遍身看过，禀道：“此妇遍身并无伤处，惟有颈下一条血痕，看来不是打死，竟是勒死的。”大尹道：“可俱是实?”仵作禀道：“小人怎敢混报?”大尹心下疑惑。”既是两下相殴，为何此妇身上毫无伤处?”遂唤朱常问道：“此妇是你什么人?”朱常禀道：“是小人家卜才的妻子。”大尹便唤卜才问道：“你的妻子可是昨日登时打死了?”卜才道：“是。”大尹问了详细，自走下来把三个尸首逐一亲验，仵作人所报不差，暗称奇怪。吩咐把棺木盖上封好，带到县里听审。大尹在轿上，一路思想，心下明白。回县坐下，发众犯都跪在仪门外。单唤朱常上去，道：“朱常，你不但打死赵家二命，连这妇人，也是你谋死的！须从实招来。”朱常道：“这是家人卜才的妻子余氏。实被赵完打下水死的，地方上人，都是见的，如何反是小人谋死？爷爷若不信，只问卜才便见明白。”大尹喝道：“胡说！这卜才乃你一路之人，我岂不晓得！敢在我面前支吾！夹起来。”众皂隶一齐答应上前，把朱常鞋袜去了，套上夹棍，便喊起来。那朱常本是富足之人，虽然好打官司，从不曾受此痛苦，只得一一吐实：“这尸首是浮梁江口不知何人撇下的。”大尹录了口词，叫跪在丹墀下。又唤卜才进来，问道：“死的妇人果是你妻子么?”卜才道：“正是小人妻子。”大尹道：“既是你妻子，如何把他谋死了，诈害赵完?”卜才道：“爷爷，昨日赵完打下水身死，地方上人，都看见的。”大尹把惊堂在桌上一连七八拍，大喝道：“你这该死的奴才！这是谁家的妇人，你冒认做妻子，诈害别人！你家主已招称，是你把他弄死。你若巧辩，快夹起来。”卜才见大尹像道士打灵牌一般，把气拍一片声乱拍乱喊，将魂魄都惊落了。又听见家主已招，只得禀道：“这都是家主教小人认作妻子，并不干小人之事。”大尹道：“你一一从实细说。”卜才将下船遇见尸首，定计诈赵完前后事细说一遍，与朱常无二。大尹已知是实，又问道：“这妇人虽不是你打死，也不该冒认为妻，诈害平人。那丁文、田婆却是你与家主打死的，这须没得说。”卜才道：“爷爷，其实不曾打死，就夹死小人，也不招的。”大尹也教跪在丹墀。又唤赵完并地方来问，都执朱常扛尸到家，乘势打死。大尹因朱常造谋诈害赵完事实，连这人命也疑心是真，又把朱常夹起来。朱常熬刑不起，只得屈招。大尹将朱常、卜才各打四十，拟成斩罪，下在死囚牢里。其余十人，各打二十板，三个充军，七个徒罪，亦各下监。六个妇人，都是杖罪，发回原籍。其田断归赵完，代赵宁还原借朱常银两。又行文关会浮梁县查究妇人尸首来历。那朱常初念，只要把那尸首做个媒儿，赵完怕打人命官司，必定央人兜收私处，这三十多亩田，不消说起归他，还要扎诈①一注大钱，故此用这一片心机。谁知激变赵寿做出没天理事来对付他，反中了他计。当下来到牢里，不胜懊悔，想道："这早若不遇这尸首，也不见得到这地位！"正是：

早知更有强中手，却悔当初枉用心。

朱常料道："此处定难翻案。"叫儿子吩咐道："我想三个尸棺，必是钉稀板薄，交了春气，自然腐烂。你今先去会了该房，捺住关会文书。回去教妇女们，莫要泄漏这缢死尸首消息。一面向本省上司去告准，挨至来年四五月间，然后催关去审，那时烂没了缢死绳痕，好与他白赖，一事虚了，事事皆虚，不愁这死罪不脱。"朱太依了父亲，前去行事，不在话下。

却说景德镇卖酒王公家小二因相帮撇了尸首，指望王公些东西，过了两三日，却不见说起。小二在口内野唱，王公也不在其意。又过了几日，小二不见动静，心中焦躁，忍耐不住，当面明明说道："阿公，前夜那话儿，亏我把去出脱了还好；若没我时，到天明地方报知官司，差人出来相验，饶你硬挣，不使酒钱，也使茶钱。就拌上十来担涎吐，只怕还不得了结哩！如今省了你许多钱钞，怎么竟不说起谢我？"大凡小人度量极窄，眼孔最浅，偶然替人做件事儿，侥幸得效，便道泼天大功劳，亏我扶持成就，竟想厚报；稍不如意，便要就翻转脸来了。所以人家用错了人，反受其荼毒。如小二不过一时用得些气力，便想要王公的银子，那王公若是个知事的，不拘多寡与他些也就罢了，谁知王公又是舍不得一文钱的悭吝老儿，说着要他的钱，恰像割他身上的肉，就面红颈赤起来了。当下王公见小二要他银子，便发怒道："你这人忒没理！吃黑饭，护漆柱②。吃了我家的饭，得了我的工钱，便是这些小事，略走得几步，如何就要我钱？"小二见他发怒，也就嚷道："呀！就不把我，也是小事，何消得喉急？用得我着，方吃得你的饭，赚得你的钱，须不是白把我用的。还有一句话，得了你工钱，只做得生

① 扎诈——讹诈。
② 吃黑饭，护漆柱——黑饭、漆柱，都是黑色的，比喻不明事理，心眼黑。

活，原不曾说替你拽死尸的。”王婆便走过来道：“你这蛮子，真个惫懒！自古道：茄子也让三分老。怎么一个老人家，全没些尊卑，一般样与他争嚷。”小二道：“阿婆，我出了力，不把银子与我，反发喉急，怎不要嚷？”王公道：“什么！是我谋死的？要诈我钱！”小二道：“虽不是你谋死，便是擅自移尸，也须有个罪名。”王公道：“你倒去首了我来。”小二道：“要我首也不难，只怕你当不起这大门户。”王公赶上前道：“你去首，我不怕。”望外劈颈就叔。那小二不曾提防，捉脚不定，翻斛斗直跌出门外，磕碎脑后，鲜血直淌。小二跌毒了，骂道：“这老忘八！亏了我，反打么！”就地下拾起一块砖来，望王公掷去，谁知数合当然，这砖不歪不斜，正中王公太阳，一交跌倒，再不则声。王婆急上前扶时，只见口开眼定，气绝身亡。跌脚叫苦，便哭起天来。只因这一文钱上，又断送了一条性命。

总为惜财丧命，方知财命相连。

小二见王公死了，爬起来就跑。王婆喊叫邻里，赶上拿转，锁在小二脚上。问王婆：“因甚事起？”王婆一头哭，一头将前情说出，又道：“烦列位与老身作主则个。”众人道：“这厮原来恁地可恶！先教他吃些痛苦，然后解官。”三四个邻佑上前来，一顿拳头脚尖，打得半死，方才住手。教王婆关闭门户，同到县中告状。此时纷纷传说，远近人都来观看。且说邱乙大正访问妻子尸首不着，官司难结，心思气闷。这一日闻得小二打王公的根由，“怎道这妇女尸首，莫不就是我的妻子么？”急走来问，见王婆锁门要去告状。邱乙大上前问了个详细，计算日子，正是他妻子出门这日，便道：“怪道我家妻子尸首，当朝就不见踪影，原来是他们丢掉了。到如今有了实据，绰板婆却自赖不得的了。”即忙赶到县前看来，只见王婆叫喊到县堂上。县主知是杀人大案，立刻出签拿了小二。不问众人，先教王婆问了备细。小二料道罪真难脱了，不待用夹，一一招承。打了三十，问成死罪，下在狱中。邱乙大算计妻子被刘三旺谋死，正是此日，这尸首一定是他撇下的。证见已确，要求审结。此时婺源县知会文书未到，大尹因没有尸首，终无实据。原发落出去寻觅。再说小二，初时已被邻里打伤，那顿板子，又十分利害。到了狱中，没有使用，又且一顿拳头，三日之间，血崩身死。为这一文钱起，又送一条性命。

见因贪白镪①，番自丧黄泉。

且说邱乙大从县中回家，正打白铁门首经过，只听得里边叫天叫地的啼哭。原来白铁自那夜担着惊恐，出脱这尸首，冒了风寒，回家上得床，就发起寒热，病了十来日，方才断命，所以老婆啼哭。眼见为这一文钱，又送一条性命。

化为阴府惊心鬼，失却阳间打铁人。

邱乙大闻知白铁已死，叹口气道："恁般一个好汉！有得几日，却又了帐。可见世人真是没根的！"走到家中看时，止有这个小厮，鬼一般缩在半边，要口热水，也不能够。看了那样光景，方懊悔前日逼勒老婆，做了这件拙事。如今又弄得不尴不尬，心下烦恼，连生意也不去做，终日东寻西觅，并无尸首下落。看看挨过残年，又早五月中旬。那时朱常儿子朱太已在按院告准状词，批在浮梁县审问，行文到婺源县关提人犯尸棺。起初朱太还不上紧，到了五月间，料得尸首已是腐烂，大大送个东道与婺源县该房，起文关解。那赵完父子因婺源县已经问结，自道没事，毫无畏惧，抱卷赴理。两县解子领了一干人犯、三具尸棺，道至浮梁县当堂投递。大尹将人犯羁禁，尸棺发置官坛候检，打发婺源回文，自不必说。不则一日，大尹吊出众犯，前去相验。那朱太合衙门通买嘱了，要胜赵完。大尹到尸场上坐下，赵完将浮梁县案卷呈上。大尹看了，对朱常道："你借尸索诈，打死二命，事已问结，如何又告？"朱常禀道："爷爷，赵完打余氏落水身死，众目共见；却买嘱了地邻忤作，妄报是缢死的。那丁文、田婆，自己情慌，谋害抵饰，硬诬小人打死。且不要论别件，但据小人主仆力量有限，赵家是何等势力，却容小人打死二命？况死的俱是七十多岁，难道恁地利害，只拣垂死之人来打？爷爷推详这上，就见明白。"大尹道："既如此，你当时就不该招承了。"朱常道："他那衙门情熟，用极刑拷逼，若不屈招，性命已不到今日了。"赵完也禀道："朱常当日倚仗假尸，逢着的便打，合家躲避；那丁文、田婆年老奔走不及，故此遭他毒手。假尸缢死绳痕，是婺源县太爷亲验过的，岂是忤作妄报。如今日久腐烂，巧言诳骗爷爷，希图漏网反陷。但求细看招卷，曲直立见。"大尹道："这也难凭你说。"即教开棺检验。天下有这等作怪的事，只道尸首经了许久，料已腐烂尽了，谁知都一毫不变，宛然

① 白镪——指银钱。

如生。那杨氏颈下这条绳痕,转觉显明,倒教忤作人没理会。你道为何?他已得了朱常的钱财,若尸首烂坏了,好从中作弊,要出脱朱常,反坐赵完。如今伤痕见在,若虚报了,恐大尹还要亲验。实报了,如何得朱常银子。正在踌躇,大尹早已瞧破,就走下来亲验。那忤作人被大尹监定,不敢隐匿,一一实报。朱常在旁暗暗叫苦。大尹将所报伤处,将卷对看,分毫不差,对朱常道:“你所犯已实,怎么又往上司诳告?”朱常又苦苦分诉。大尹怒道:“还要强辩!夹起来!快说这缢死妇人是哪里来的?”朱常受刑不过,只得招出:“本日早起,在某处河沿边遇见,不知是何人撇下。”那大尹极有记性,忽地想起:“去年邱乙大告称,不见了妻子尸首;后来卖酒王婆告小二打死王公,也称是日抬尸首,撇在河沿上去了。起衅至今,尸首没有下落,莫不就是这个么?”暗记在心。当下将朱常、卜才都责三十,照旧死罪下狱,其余家人问徒招保。赵完等发落宁家,不提。

且说大尹回到县中,吊出邱乙大状词,并王小二那宗案卷查对,果然日子相同,撇尸地处一般,更无疑惑。即着原差,唤到邱乙大、刘三旺干证人等,监中吊出绰板婆孙氏,齐到尸场认看。此时正是五月天道,监中瘟疫大作,那孙氏刚刚病好,还行走不动,刘三旺与再旺扶挟而行。到了尸场上,忤作揭开棺盖,那邱乙大认得老婆尸首,放声号恸,连连叫道:“正是小人妻子。”干证邻里也道:“正是杨氏。”大尹细细鞠问致死情由,邱乙大咬定:“刘三旺夫妻登门打骂,受辱不过,以致缢死。”刘三旺、孙氏,又苦苦折辩。地邻俱称是孙氏起衅,与刘三旺无干。大尹喝教将孙氏拶起。那孙氏是新病好的人,身子虚弱,又走行这番,劳碌过度,又费唇费舌折辩,渐渐神色改变。经着拶子①,疼痛难忍,一口气收不来,翻身跌倒,呜呼哀哉!只因这一文钱上起,又送一条性命。正是:

地狱又添长舌鬼,阳间少了绰板声。

大尹看见,即令放拶。刘三旺向前叫喊,喊破喉咙,也唤不转。再旺在旁哀哀啼哭,十分凄惨。大尹心中不忍,向邱乙大道:“你妻子与孙氏角口而死,原非刘三旺拳手相打。今孙氏亦亡,足以抵偿。今后两家和好,尸首各自领归埋葬,不许再告;违者,定行重治。”众人叩首依命,各领尸首埋葬,不在话下。

---

① 拶(zǎn)子——旧时夹手指的刑具。

且说朱常、卜才下到狱中，想起枉费许多银两，反受一场刑杖，心中气恼，染起病来，却又沾着瘟气，二病夹攻，不够数日，双双而死。只因这一文钱上起，又送两条性命。

未诈他人，先损自己。

说话的，我且问你：朱常生心害人，尚然得个丧身亡家之报；那赵完父子活活打死无辜二人，又诬陷了两条性命，他却漏网安享，可见天理原有报不到之处。看官，你可晓得，古老有几句言语么？是哪几句？古语道：

善有善报，恶有恶报。不是不报，时辰未到。

那天公算善报，个个记得明白。古往今来，曾放过哪个？这赵完父子漏网受用，一来他的顽福未尽；二来时候不到；三来小子只有一张口，没有两副舌，说了那边，便难顾这边，少不得逐节还你一个报应。闲话休提。且说赵完父子，又胜了朱常，回到家中，亲戚邻里，齐来作贺。吃了好几日酒。又过数日，闻得朱常、卜才，俱已死了，一发喜之不胜。田牛儿念着母亲暴露，领归埋葬不提。时光迅速，不觉又过年余。原来赵完年纪虽老，还爱风月，身边有个偏房，名唤爱大儿。那爱大儿生得四五分颜色，乔乔画画，正在得趣之时。那老儿虽然风骚，到底老人家，只好虚应故事，怎能够满其所欲？看见义孙赵一郎，身材雄壮，人物乖巧，尚无妻室，倒有心看上了。常常走到厨房下，挨肩擦背，调嘴弄舌。你想世上能有几个坐怀不乱的鲁男子，妇人家反去勾搭，他可有不肯之理。两下眉来眼去，不一日，成就了那事。彼此俱在少年，犹如一对饿虎，哪有个饱期，捉空就闪到赵一郎房中，偷一手儿。那赵一郎又有些本领，弄得这婆娘体酥骨软，魄散魂销，恨不时刻并做一块。约莫串了半年有余，一日，爱大儿对赵一郎说道："我与你虽然快活了这几多时，终是碍人耳目，心忙意急，不能够十分尽兴。不如悄地逃往远处，做个长久夫妻。"赵一郎道："小娘子若真肯向我，就在这里，也可做得长久夫妻。"爱大儿道："你便是心上人了，有甚假意？只是怎地在此就做的夫妻！"赵一郎道："昔年丁老官与田婆，都是老爹与大官人自己打死诈赖朱家的，当时教我相帮他扛抬，曾许事完之日，分一份家私与我。那个棒棍，还是我藏好。一向多承小娘相爱，故不说起。你今既有此心，我与老爹说，不要了那一份家，寻个所在住下，然后再央人说，要你为配，不怕他不肯。他若舍不得，那时你悄地竟自走了出来，他可敢道个不字么？设或不达时务，便报与田牛儿，同去告官，教他性命也自难保。”爱大儿闻言，不胜欢喜，道：“事不宜迟，作速理会。”说罢，闪出房去。次日赵一郎探赵完独自个在堂中闲坐，上前说道：“向日老爹许过事平之后，分一份家私与我。如今朱家了账已久，要求老爹分一股儿，自去营运，与我度日。”赵完答道：“我晓得了。”再过一日，赵一郎转入后边，遇着爱大儿，递个信儿道：“方才与老爹说了，娘子留心察听看，可像肯的。”爱大儿点头会意，各自开去不提。

且说赵完叫赵寿到一个厢房中去，将门掩上，低低把赵一郎说话，学与儿子，又道：“我一时含糊应了他，如今还是怎地计较？”赵寿道：“我原是哄他的甜话，怎么真个就做这指望？”老赵道：“当初不合许出了，今若不与他些，这点念头，如何肯息？”赵寿沉吟了一回，又生起歹念，乃道：“若引惯了他，做了个月月红，倒是无了无休的诈端①。想起这事，止有他一个晓得，不如一发除了根，永无挂虑。”那老儿若是个有仁心的，劝儿子休了这念，胡乱与他些小东西，或者免得后来之祸，也未可知。千不合，万不合，却说道：“我也有这念头，但没有个计策。”赵寿道：“有甚难处，明日去买些砒霜，下在酒中，到晚灌他一醉，怕道不就完事。外边人都晓得平日将他厚待的，决不疑惑。”赵完欢喜，以为得计。他父子商议，只道神鬼不知；哪晓得却被爱大儿瞧见，料然必说此事，悄悄走来覆在壁上窥听。虽则听着几句，不当明白，恐怕出来撞着，急闪入去。欲要报与赵一郎，因听得不甚真切，不好轻事重报。心生一计，到晚间，把那老儿多劝上几杯酒。吃得醉醺醺，到了床上，爱大儿反抱定了那老儿撒娇撒痴，淫声浪说。那老儿迷魂了，乘着酒兴，未免做些没正经事体。方在酣美之时，爱大儿道：“有句话儿要说，恐气坏了你，不好开口。若不说，又气不过。”这老儿正玩得气喘吁吁，借那句话头，就停住了，说道：“是哪个冲撞了你？如此着恼！”爱大儿道：“叵耐一郎这厮，今早把风话撩拨我，我要扯他来见你，倒说：‘老爹和大官人，性命都还在我手里，料道也不敢难为我。’不知有甚缘故，说这般满话。倘在外人面前，也如此说，必疑我家做甚不公不法勾当，可不坏了名声？那样没上下的人，怎生设个计策摆布死了，也省了后患。”那老儿道：“原来这厮恁般无礼！不打紧，明晚就见功效了。”爱大儿道：“明晚怎地就见功效？”那老儿也是合当命尽，将要药死的话，一五一十说出。

① 诈端——讹诈的借口。

那婆娘得了实言，次早闪来报知赵一郎。赵一郎闻言，吃那惊不小，想道："这样反面无情的狠人！倒要害我性命，如何饶得他过？"摸了棒槌，锁上房门，急来寻着田牛儿，把前事说与。田牛儿怒气冲天，便要赶去厮闹。赵一郎止住道："若先嚷破了，反被他做了准备。不如竟到官司，与他理论。"田牛儿道："也说得是。还到哪一县去？"赵一郎道："当初先在婺源县告起，这大尹还在，原到他县里去。"那太白村离县止有四十余里，二人拽开脚步，直跑至县中。正好大尹早堂未退，二人一齐喊叫。大尹唤入，当厅跪下，却没有状词，只是口诉。先是田牛儿哭禀一番，次后赵一郎将赵寿打死丁文、田婆，诬陷朱常、卜才情由细诉，将行凶棒槌呈上。大尹看时，血痕虽干，鲜明如昨，乃道："既有此情，当时为何不首？"赵一郎道："是时因念主仆情分，不忍出首。如今恐小人泄漏，昨日父子计议，要在今晚将毒药鸩害①小人，故不得不来投生。"大尹道："他父子私议，怎地你就晓得？"赵一郎急遽间，不觉吐出实话，说道："亏主人偏房爱大儿报知，方才晓得。"大尹道："你主人偏房，如何肯来报信？想必与你有奸么？"赵一郎被问破心事，脸色俱变，强词抵赖。大尹道："事已显然，不必强辩。"即差人押二人去拿赵完父子并爱大儿前来赴审。到得太白村，天已昏黑，田牛儿留回家歇宿，不提。

且说赵寿早起就去买下砒霜，却不见了赵一郎，问家中上下，都不知道。父子虽然有些疑惑，哪个虑到爱大儿泄漏。次日清晨，差人已至，一索捆翻，拿到县中。赵完见爱大儿也拿了，还错认做赵一郎调戏他不从，因此牵连在内。直至赵一郎说出，报他谋害情由，方知向来有奸，懊悔失言。两下辩论一番，不肯招承。怎当严刑煅炼，疼痛难熬，只得一一实招。只因他害了四命，情理可恨，赵完父子，各打六十，依律处斩。赵一郎奸骗主妾，背恩反噬；爱大儿通同奸骗：男女二人，各责四十，杂犯死罪，齐下狱中。田牛儿释放回家。一面备文，申报上司，提解见证。不一日，申奏刑部，详勘号札，四人俱依拟秋后处决。只因这一文钱，又断送了四条性命。虽然是冤各有头，债各有主，若不为这一文钱争闹，杨氏如何得死？没有杨氏尸首，连朱常这诈害一事，也就做不成了。总为这一文钱，却断送了

① 鸩（zhèn）害——用毒酒害人。鸩，传说中一种有毒的鸟，喝了用它的羽毛泡的酒能被毒死。

十三条性命。这段话叫做《一文钱小隙造奇冤》。奉劝世人，舍财忍气为上。有诗为证：

相争只为一文钱，小隙谁知奇祸连。
劝汝舍财兼忍气，一生无祸得安然。

第三十五卷　徐老仆义愤成家

犬马犹然知恋主，况于列在生人。为奴一日主人身，情恩同父子，名分等君臣。主若虐奴非正道，奴如欺主伤伦。能为义仆是良民，盛衰无改节，史册可传神。

说这唐玄宗时，有一官人姓萧，名颖士，字茂挺，兰陵人氏。自幼聪明好学，该博①三教九流，贯串诸子百家。上自天文，下至地理，无所不通，无有不晓。真个胸中书富五车，笔下句高千古。年方一十九岁，高掇巍科，名倾朝野，是一个广学的才子。家中有个仆人，名唤杜亮。那杜亮自萧颖士数龄时，就在书房中服事起来。若有驱使，奋勇直前，水火不避，身边并无半文私蓄。陪伴萧颖士读书时，不待吩咐，自去千方百计，预先寻觅下果品饮馔供奉。有时或烹瓯茶儿，助他清思；或暖杯酒儿，接他辛苦。整夜直服事到天明，从不曾打个瞌睡。如见萧颖士读到得意之处，他在旁也十分欢喜。那萧颖士般般皆好，件件俱美，只有两桩儿毛病。你道是哪两桩？第一件，乃是恃才傲物，不把人看在眼内。才登仕籍，便去冲撞了当朝宰相。那宰相若是个有度量的，还恕得过，又正冲撞了是第一个忌才的李林甫。那李林甫混名叫做李猫儿，平昔不知坏了多少大臣，乃是杀人不见血的刽子手。却去惹他，可肯轻轻放过？被他略施小计，险些连性命都送了。又亏着座主搭救，止削了官职，坐在家里。第二件，是性子严急，却像一团烈火。片语不投，即暴躁如雷，两太阳火星直爆。奴仆稍有差误，便加捶挞。他的打法，又与别人不同。有甚不同？别人责治家奴，定然计其过犯大小，讨个板子，教人行杖，或打一十，或打二十，分个轻重。惟有萧颖士，不论事体大小，略触着他的性子，便连声喝骂，也不用什么板子，

① 该博——学问或见闻广博。该，通“晐”，该博也作“晐博”。

也不要人行杖，亲自跳起身来一把揪翻，随分掣着一件家伙，没头没脑乱打。凭你什么人劝解，他也全不作准，直要打个气息。若不像意，还要咬上几口，方才罢手。因是恁般利害，奴仆们惧怕，都四散逃去，单单存得一个杜亮。论起萧颖士，止存得这个家人种儿，每事只该将就些才是。谁知他是天生的性儿，使惯的气儿，打溜的手儿，竟没丝毫更改，依然照旧施行。起先奴仆众多，还打了那个，空了这个。到得秃秃里独有杜亮时，反觉打得勤些。论起杜亮，遇着这般没理会的家主，也该学众人逃走去罢了，偏又寸步不离，甘心受他的责罚。常常打得皮开肉绽，头破血淋，也再无一点退悔之念，一句怨恨之言。打罢起来，整一整衣裳，忍着疼痛，依原在旁答应。说话的，据你说，杜亮这等奴仆，莫说千中选一，就是走尽天下，也寻不出个对儿。这萧颖士又非黑漆皮灯，泥塞竹管，是那一窍不通的蠢物，他须是身登黄甲，位列朝班，读破万卷，明理的才人，难道恁般不知好歹，一味蛮打，没一点仁慈改悔之念不成？看官有所不知，常言道得好，江山易改，禀性难移。那萧颖士平昔原爱杜亮小心驯谨，打过之后，深自懊悔道："此奴随我多年，并无十分过失，如何只管将他这样毒打？今后断然不可！"到得性发之时，不觉拳脚又轻轻的生在他身上去了。这也不要单怪萧颖士性子急躁，谁教杜亮刚闻得叱喝一声，恰如小鬼见了钟馗一般，扑秃的两条腿就跪倒在地。萧颖士本来是个好打人的，见他做成这个要打局面，少不得奉承几下了。

杜亮有个远族兄弟杜明，就住在萧家左边，因见他常打得这个模样，心下倒气不过，撺掇杜亮道："凡做奴仆的，皆因家贫力薄，自难成立，故此投靠人家。一来图个现成衣服，二来指望家主有个发迹之日，带挈风光，摸得些东西做个小小家业，快活下半世。像阿哥如今随了这措大①，早晚辛勤服事，竭力尽心，并不见一些好处，只落得常受他凌辱痛楚。恁样不知好歉的人，跟他有何出息？他家许多人都存住不得，各自四散去了。你何不也别了他，另寻头路？有多少不如你的，投了大官府人家，吃好穿好，还要作成趁一贯两贯。走出衙门前，谁不奉承，那边才叫'某大叔，有些小事相烦'。还未答应时，这边又叫'某大叔，我也有件事儿劳动'。真个应接不暇，何等兴头。若是阿哥这样肚里又明白，笔下又来得，做人且又温

① 措大——指穷困的读书人，含有轻视之意，也作"醋大"。

存小心，走到势要人家，怕道不是重用？你那措大，虽然中个进士，发利市就与李丞相作对，被他弄来，坐在家中，料道也没个起官的日子，有何撇不下，定要与他缠帐？”杜亮道：“这些事，我岂不晓得？若有此念，早已去得多年了，何待吾弟今日劝谕。古语云：良臣择主而事，良禽择木而栖。奴仆虽是下贱，也要择个好使头。像我主人，止是性子躁急，除此之外，只怕舍了他，没处再寻得第二个出来。”杜明道：“满天下无数官员宰相，贵戚豪家，岂有反不如你主人这个穷官？”杜亮道：“他们有的，不过是爵位金银二事。”杜明道：“只这两样尽够了，还要怎样？”杜亮道：“那爵位乃虚花之事，金银是臭污之物。有甚希罕？如何及得我主人这般高才绝学，拈起笔来，顷刻万言，不要打个稿儿。真个烟云缭绕，华彩缤纷。我所恋恋不舍者，单爱他这一件儿。”杜明听得说出爱他的才学，不觉呵呵大笑，道：“且问阿哥：你既爱他的才学，到饥时可将来当得饭吃，冷时可作得衣穿么？”杜亮道：“你又说笑话，才学在他腹中，如何济得我的饥寒？”杜明道：“原来又救不得你的饥，又遮不得你的寒，爱他何用？当今有爵位的人，尚然只喜趋权附势，没一个肯怜才惜学。你我是个下人，但得饱食暖衣，寻觅些钱钞做家，乃是本等；却这般迂阔，爱什么才学，情愿受其打骂，可不是个呆子！”杜亮笑道：“金银，我命里不曾带来，不做这个指望，还只是守旧。”杜明道：“想是打得你不爽利，故此尚要挨他的棍棒。”杜亮道：“多承贤弟好情，可怜我做兄的，但我主这般博奥才学，总然打死，也甘心服事他。”遂不听杜明之言，仍旧跟随萧颖士。不想今日一顿拳头，明日一顿棒子，打不上几年，把杜亮打得渐渐遍身疼痛，口内吐血，成了个伤痨症候。初日还强勉趋承，以后打熬不过，半眠半起。又过几时，便久卧床席。那萧颖士见他呕血，情知是打上来的，心下十分懊悔，指望还有好的日子。请医调治，亲自煎汤送药。挨了两月，呜呼哀哉！萧颖士想起他平日的好处，只管涕泣，备办衣棺埋葬。萧颖士日常亏杜亮服事惯了，到得死后，十分不便，央人四处寻觅仆从，因他打人的名头出了，哪个肯来跟随。就有个肯跟他的，也不中其意。有时读书到忘怀之处，还认做杜亮在旁，抬头不见，便掩卷而泣。后来萧颖士知得了杜亮当日不从杜明这班说话，不觉气咽胸中，泪如泉涌，大叫一声：“杜亮！我读了一世的书，不曾遇着个怜才之人，终身沦落。谁想你倒是我的知己，却又有眼无珠，枉送了你性命，我之罪也！”言还未毕，口中的鲜血，往外直喷。自此也成了个呕血之疾。将书籍尽皆焚化。口中不住的喊叫杜亮，病了数月，也归大梦①。遗命教迁杜亮与他同葬。有诗为证：

纳贿趋权步步先，高才曾见几人怜？
当路若能如杜亮，草莱②安得有遗贤？

说话的，这杜亮爱才恋主，果是千古奇人。然看起来，毕竟还带些腐气，未为全美。若有别桩希奇故事，异样话文，再讲回出来。列位看官稳坐着，莫要性急。适来小子道这段小故事，原是入话③，还未曾说到正传。那正传却也是个仆人。他比杜亮更是不同：曾独力与孤孀主母，挣起个天大家事，替主母嫁三个女儿，与小主人娶两房娘子，到得死后，并无半文私蓄，至今名垂史册。待小子慢慢的道来，劝谕那世间为奴仆的，也学这般尽心尽力做家做活，传个美名；莫学那样背恩反噬，尾大不掉的，被人唾骂。你道这段话文，出在哪个朝代？什么地方？原来就在本朝嘉靖爷年间，浙江严州府淳安县，离城数里，有个乡村，名曰锦沙村。村上有一姓徐的庄家，恰是弟兄三人。大的名徐言，次的名徐召，各生一子。第三个名徐哲，浑家颜氏，却倒生得二男三女。他弟兄三人，奉着父亲遗命，合锅儿吃饭，并力的耕田。挣下一头牛儿、一骑马儿。又有一个老仆，名叫阿寄，年已五十多岁，夫妻两口，也生下一个儿子，还只有十来岁，那阿寄就是本村生长，当先因父母丧了，又无力殡殓，故此卖身在徐家。为人忠谨小心，朝起晏眠，勤于种作。徐言的父亲大得其力，每事优待。到得徐言辈掌家，见他年纪老了，便有些厌恶之意。那阿寄又不达时务，遇着徐言弟兄行事有不到处，便苦口规谏。徐哲尚肯服善，听他一两句。那徐言、徐召是个自作自用的性子，反怪他多嘴擦舌，高声叱喝，有时还要奉承几下消食拳头。阿寄的老婆劝道：“你一把年纪的人了，诸事只宜退缩算。他们是后生家世界，时时新，局局变，由他去主张罢了；何苦的定要出口，常讨恁样凌辱！”阿寄道：“我受老主之恩，故此不得不说。”婆子道：“累说不听，

---

① 大梦——古人用此比喻人生。
② 草莱——指乡间。
③ 入话——说书人在讲主要故事之前，先讲一段小故事，引入正篇，这段引子叫“入话”。

这也怪不得你了！”自此阿寄听了老婆言语，缄口结舌，再不干预其事，也省了好些耻辱。正合着古人两句言语，道是：

闭口深藏舌，安身处处牢。

不则一日，徐哲忽地患了个伤寒症候，七日之间，即便了账。那时就哭杀了颜氏母子，少不得衣棺盛殓，做些功果追荐。过了两月，徐言与徐召商议道：“我与你各只一子，三兄弟倒有两男三女，一份就抵着我们两份。便是三兄弟在时，一般耕种，还算计不就，何况他已死了。我们日夜吃辛吃苦挣来，却养他一窝子吃死饭的，如今还是小事，到得长大起来，你我儿子婚配了，难道不与他婚男嫁女，岂不比你我反多去四份。意欲即今三股分开，撇脱了这条烂死蛇，由他们有得吃，没得吃，可不与你我没干涉了。只是当初老官儿遗嘱，教道莫要分开，今若违了他言语，被人谈论，却怎么处？”那时徐召若是个有人心的，便该劝徐言休了这念才是；谁知他的念头，一发起得久了，听见哥子说出这话，正合其意，乃答道：“老官儿虽有遗嘱，不过是死人说话了，须不是圣旨，违旨不得的。况且我们的家事，哪个外人敢来谈论！”徐言连称有理。即将田产家私，都暗地配搭停当，只拣不好的留与侄子。徐言又道：“这牛马却怎地分？”徐召沉吟半晌，乃道：“不难。那阿寄夫妻年纪已老，渐渐做不动了，活时倒有三个吃死饭的，死了又要赔两口棺木，把他也当作一股，派与三房里，卸了这干系，可不是好。”计议已定，到次日备些酒肴，请过几个亲邻坐下，又请出颜氏，并两个侄儿。那两个孩子，大的才得七岁，唤做福儿，小的五岁，叫做寿儿，随着母亲，直到堂前，连颜氏也不知为甚缘故。只见徐言弟兄立起身来道：“列位高亲在上，有一言相告，昔年先父原没甚所遗，多亏我弟兄，挣得些小产业，只望弟兄相守到老，传至子侄等辈分析。不幸三舍弟近日有此大变，弟妇又是个女道家，不知产业多少。况且人家消长不一，到后边多挣得，分与舍侄便好；万一消乏了，那时只道我们有甚私弊，欺负孤儿寡妇，反伤骨肉情义了。故此我兄弟商量，不如趁此完美之时，分作三股，各自领去营运，省得后来争多竞少，特请列位高亲来做主。”遂向袖中摸出三张分书来，说道：“总是一样配搭，至公无私，只劳列位着个花押。”颜氏听说要分开自做人家，眼中扑簌簌珠泪交流，哭道：“二位伯伯，我是个孤孀妇人，儿女又小，就是没脚蟹一般！如何撑持的门户？昔日公公原吩咐莫要分开，还是二位伯伯总管在那里，扶持小儿女大了，但凭胡乱分些便罢，决不敢争多竞少。”徐召道：“三娘子，天下无有不散筵席，就合上一千年，少不得有个分开日子。公公乃过世的人了，他的说话，哪里作得准。大伯昨日要把牛马分与你；我想侄儿又小，哪个去看养，故分阿寄来帮扶。他年纪虽老，筋力还健，赛过一个后生家种作哩。那婆子绩麻纺线，也不是吃死饭的。这孩子再耐他两年，就可下得田了，你不消愁得。”颜氏见他弟兄如此说话，明知已是做就，料道拗他不过，一味啼哭。那些亲邻看了分书，虽晓得分得不公道，都要做好好先生，哪个肯做闲冤家，出尖说话，一齐着了花押，劝慰颜氏收了进去，入席饮酒。有诗为证：

分书三纸语从容，人畜均分禀至公。
老仆不如牛马用，拥孤孀妇泣西风。

却说阿寄，那一早差他买东买西，请张请李，也不晓得又做甚事体。恰好在南村去请个亲戚，回来时里边事已停妥。刚至门口，正遇着老婆。那婆子恐他晓得了这事，又去多言多语，扯到半边，吩咐道：“今日是大官人分拨家私，你休得又去闲管，讨他的怠慢！”阿寄闻言，吃了一惊，说道：“当先老主人遗嘱，不要分开，如何见三官人死了，就撇开这孤儿寡妇，教他如何过活？我若不说，再有何人肯说？”转身就走。婆子又扯住道：“清官也断不得家务事，适来许多亲邻，都不开口；你是他手下人，又非甚么高年族长，怎好张主？”阿寄道：“话虽有理，但他们分的公道，便不开口；若有些欺心，就死也说不得，也要讲个明白。”又问道：“可晓得分我在哪一房？”婆子道：“这倒不晓得。”阿寄走到堂前，见众人吃酒，正在高兴，不好遽然问得，站在旁边。间壁一个邻家抬头看见，便道：“徐老官，你如今分在三房里了。他是孤孀娘子，须是竭力帮助便好。”阿寄随口答道：“我年纪已老，做不动了。”口中便说，心下暗暗道：“原来拨我在三房里，一定他们道我没用了，借手推出的意思。我偏要争口气，挣个事业起来，也不被人耻笑。”遂不问他们分析的事，一径转到颜氏房门口，听得在内啼哭。阿寄立住脚听时，颜氏哭道：“天阿！只道与你一竹竿到底白头相守，哪里说起半路上就抛撇了，遗下许多儿女，无依无靠！还指望倚仗做伯伯的扶养长大，谁知你骨肉未寒，便分拨开来。如今教我没投没奔，怎生过日？”又哭道：“就是分的田产，他们通是亮里，我是暗中，凭他们分派，哪里知得好歹。只一件上，已见他们的肠子狠了。那牛儿可以耕田，马儿可雇倩①与人，只见两件有利息的拿了去，却推两个老头儿与我，反要费我的衣食。”那老儿听了这话，猛然揭起门帘叫道：“三娘，你道老奴单费你的衣食，不及牛马的力么?”颜氏魆地里被他钻进来说这句话，倒惊了一跳，收泪问道：“你怎地说?”阿寄道：“那牛马每年耕种雇倩，不过有得数两利息，还要赔个人去喂养跟随。若论老奴，年纪虽老，精力未衰，路还走得，苦也受得。那经商道业，虽不曾做，也都明白。三娘急急收拾些本钱，待老奴出去做些生意，一年几转，其利岂不胜似马牛数倍！就是我的婆子，平昔又勤于纺织，亦可少助薪水之费。那田产莫管好歹，把来放租与人，讨几担谷子，做了桩主，三娘同姑儿们，也做些活计，将就度日，不要动那货本。营运数年，怕不挣起个事业？何消愁闷。”颜氏见他说得有些来历，乃道：“若是你如此出力，可知好哩。但恐你有了年纪，受不得辛苦。”阿寄道：“不瞒三娘说，老便老，健还好，眠得迟，起得早，只怕后生家还赶我不上哩。这倒不消虑得。”颜氏道：“你打帐做甚生意?”阿寄道：“大凡经商，本钱多便大做，本钱少便小做。须到外边去，看临期着便，见景生情，只拣有利息的就做，不是在家论得定的。”颜氏道：“说得有理，待我计较起来。”阿寄又讨出分书，将分下的家伙，照单逐一点明，搬在一处，然后走至堂前答应。众亲邻直饮至晚方散。

次日，徐言即唤个匠人，把房子两下夹断，教颜氏另自开个门户出入。颜氏一面整顿家中事体，自不必说；一面将簪钗衣饰，悄悄教阿寄去变卖，共凑了十二两银子。颜氏把来交与阿寄道：“这些少东西，乃我尽命之资，一家大小俱在此上。今日交付与你，大利息原不指望，但得细微之利就够了。临事务要斟酌，路途亦宜小心些！切莫有始无终，反被大伯们耻笑。”口中便说，不觉泪随言下。阿寄道：“但请放心，老奴自有见识在此，管情不负所托。”颜氏又问道：“何时起身?”阿寄回道：“今本钱已有了，明早就行。”颜氏道：“可要拣个好日?”阿寄道：“我出去做生意，便是好日了，何必又拣?”即把银子藏在兜肚之中，走到自己房里，向婆子道：“明早要出门去做生意，可将旧衣旧裳，打叠在这一处。”原来阿寄止与主母计议，连老婆也不通他知道。这婆子见蓦地说出那句话，也觉骇然，问道：“你往何处

① 雇倩——出租。

去？做甚生意？”阿寄方把前事说与。那婆子道：“阿呀！这是哪里说起！你虽然一把年纪，那生意行中，从不曾着脚，却去弄虚头，说大话，兜揽这帐。孤孀娘子的银两，是苦恼东西，莫要把去弄出个话靶，连累他没得过用，岂不终身抱怨。不如依着我，快快送还三娘，拚得早起晏眠，多吃些苦儿，照旧耕种帮扶，彼此倒得安逸。”阿寄道：“婆子家晓道什么？只管胡言乱语！哪见得我不会做生意，弄坏了事，要你未风先雨。”遂不听老婆，自去收拾了衣服被窝。却没个被囊，只得打个包儿，又做起一个缠袋，准备些干粮。又到市上买了一顶雨伞、一双麻鞋。打点完备，次早先到徐言、徐召二家说道：“老奴今日要往远处做生意，家中无人照管，虽则各分门户，还要二位官人早晚看顾。”徐言二人听了，不觉暗笑，答道：“这倒不消你叮嘱，只要赚了银子回来，送些人事与我们。”阿寄道：“这个自然。”转到家中，吃了饭食，作别了主母，穿上麻鞋，背着包裹雨伞，又吩咐老婆，早晚须要小心。临出门，颜氏又再三叮咛，阿寄点头答应，大踏步去了。

且说徐言弟兄，等阿寄转身后，都笑道：“可笑那三娘子好没见识，有银子做生意，却不与你我商量，倒听阿寄这老奴才的说话。我想他生长已来，何曾做惯生意？哄骗孤孀妇人的东西，自去快活。这本钱可不白白送落。”徐召道：“便是当初合家时，却不把出来营运，如今才分得，即教阿寄做客经商。我想三娘子又没甚妆奁，这银两定然是老官儿存日，三兄弟克剥下的，今日方才出豁。总之，三娘子瞒着你我做事，若说他不该如此，反道我们妒忌了。且待阿寄折本回来，那时去笑他。”正是：

云端看厮杀，毕竟孰输赢？
路遥知马力，日久见人心。

再说阿寄离了家中，一路思想：“做甚生理便好？”忽地转着道：“闻得贩漆这项道路，颇有利息，况又在近处，何不去试他一试？”定了主意，一直来至庆云山中。从来采漆之处，原有牙行，阿寄就行家住下。那贩漆的客人，却也甚多了，都是挨次儿打发。阿寄想道：“若慢慢的挨去，可不担搁了日子，又费去盘缠。”心生一计，捉个空扯主人家到一村店中，买三杯请他，说道：“我是个小贩子，本钱短少，守日子不起的。望主人家看乡里分上，怎地设法先打发我去。那一次来，大大再整个东道请你。”也是数合当然，那主人家却正撞着是个贪杯的，吃了他的软口汤，不好回得，一口应承。当晚就往各村户凑足其数，装裹停当，恐怕客人们知得嗔怪，到寄在邻家放下，次日起个五更，打发阿寄起路。那阿寄发利市，就得了便宜，好不喜欢。教脚夫挑出新安江口，又想道："杭州离此不远，定卖不起价钱。"遂雇船直到苏州。正遇在缺漆之时，见他的货到，犹如宝贝一般，不够三日，卖个干净。一色都是现银，并无一毫赊账。除去盘缠使用，足足赚对合①有余。暗暗感谢天地，即忙收拾起身，却又想道："我今空身回去，须是趁船，这银两在身边，反担干系；何不再贩些别样货去，多少寻些利息也好。"打听得枫桥籼米到得甚多，登时落了几分价钱，乃道："这贩米生意，量有几两赚钱。"籴②了六十多担籼米，一径到杭州出脱，那时乃七月中旬，杭州有一个月不下雨，稻苗都干坏了，米价腾涌。阿寄这载米，又值在巧里，每一担长了二钱，又赚十多两银子。自言自语道："且喜做来生意，颇颇顺溜，想是我三娘福分到了。"却又想道："既在此间，怎不去问问漆价？若与苏州相去不远，也省些盘缠。"细细访问时，比苏州更反胜。你道为何？原来贩漆的，都道杭州路近价贱，俱往远处去了，杭州倒时常短缺。常言道："货无大小，缺者便贵。"故此比别处反胜。阿寄得了这个消息，喜之不胜，星夜赶到庆云山。已备下些小人事，送与主人家，依旧又买三杯相请。那主人家得了些小便宜，喜逐颜开，一如前番，悄悄先打发他转身。到杭州也不消三两日，就都卖完了。算本利，果然比起先这一帐又多几两，只是少了那回头货的利息。乃道："下次还到远处去。"与牙人算清了账目，收拾起程。想道："出门好几时了，三娘必然挂念，且回去回复一声，也教他放心。"又想道："总是收漆，要等候两日；何不先到山中，将银子教主人家一面先收，然后回家，岂不两便。"定了主意，到山中把银两付与牙人，自己赶回家。正是：

先收漆货两番利，初出茅庐第一功。

且说颜氏自阿寄去后，朝夕悬挂，常恐他消折了这些本钱，怀着鬼胎。耳根边又听得徐言弟兄在背后颠唇簸嘴，愈加烦恼。一日正在房中闷坐，忽见两个儿子乱喊进来道："阿寄回家了。"颜氏闻言，急走出房，阿寄早已在面前。他的老婆也随在背后。阿寄上前，深深唱个大喏。颜氏见了他，

---

① 对合——对本，利钱与本钱相等。

② 籴(dí)——买进粮食。

反增着一个蹬心拳头①，胸前突突的乱跳，诚恐说出句扫兴话来，便问道："你做的是什么生意？可有些利钱？"那阿寄叉手不离方寸，不慌不忙的说道："一来感谢天地保佑，二来托赖三娘洪福，做的却是贩漆生意，赚得五六倍利息。如此如此，这般这般，恐怕三娘放心不下，特归来回复一声。"颜氏听罢，喜从天降，问道："如今银子在哪里？"阿寄道："留与主人家收漆，不曾带回，我明早就要去的。"那时合家都欢天喜地。阿寄住了一晚，次日清早起身，别了颜氏，又往庆云山去了。

且说徐言弟兄，那晚在邻家吃社酒醉倒，故此阿寄归家，全不晓得。到次日齐走过来，问道："阿寄做生意归来，趁了多少银子？"颜氏道："好教二位伯伯知得，他一向贩漆营生，倒觅得五六倍利息。"徐言道："好造化！恁样赚钱时，不够几年，便做财主哩。"颜氏道："伯伯休要笑话，免得饥寒便够了。"徐召道："他如今在哪里？出去了几多时？怎么也不来见我？这样没礼。"颜氏道："今早原就去了。"徐召道："如何去得恁般急速？"徐言又问道："那银两你可曾见见数么？"颜氏道："他说俱留在行家买货，没有带回。"徐言呵呵笑道："我只道本利已在手了，原来还是空口说白话，眼饱肚中饥。耳边倒说得热哄哄，还不知本在何处，利在哪里，便信以为真。做经纪的人，左手不托右手，岂有自己回家，银子反留在外人。据我看起来，多分这本钱弄折了，把这鬼话哄你。"徐召也道："三娘子，论起你家做事，不该我们多口，但你终是女眷家，不知外边世务，既有银两，也该与我二人商量，买几亩田地，还是长策。那阿寄晓得做甚生理？却瞒着我们，将银子与他出去瞎撞。我想那银两，不是你的妆奁，也是三兄弟的私蓄，须不是偷来的，怎看得恁般轻易！"二人一吹一唱，说得颜氏心中哑口无言，心下也生疑惑，委决不下，把一天欢喜，又变为万般闷愁。按下此处不提。

再说阿寄这老儿急急赶到庆云山中，那行家已与他收完，点明交付。阿寄此番不在苏杭发卖，径到兴化地方，利息比这两处又好。卖完了货，打听得那边米价一两三担，斗斛又大。想起杭州现今荒歉，前次粜客贩的去，尚赚了钱，今在出处贩去，怕不有一两个对合。遂装上一大载米至杭州，准准粜了一两二钱一石，斗斛上多来，恰好顶着船钱使用。那时到山中收漆，便是大客人了，主人家好不奉承。一来是颜氏命中合该造化，二

---

① 蹬心拳头——敲打心处的拳头，说明心中不安。

来也亏阿寄经营伶俐。凡贩的货物，定获厚利。一连做了几账，长有二千余金。看看挨着残年，算计道："我一个孤身老儿，带着许多财物，不是耍处！倘有差跌，前功尽弃。况且年近岁逼，家中必然悬望，不如回去，商议置买些田产，做了根本，将余下的再出来运算。"此时他出路行头，诸色尽备；把银两逐封紧紧包裹，藏在顺袋中。水路用舟，陆路雇马，晏行早歇，十分小心。非止一日，已到家中，把行李驮入。婆子见老公回了，便去报知颜氏。那颜氏一则以喜，一则以惧。所喜者，阿寄回来，所惧者，未知生意长短若何？因向日被徐言弟兄奚落了一场，这般心里比前更是着急。三步并作两步，奔至外厢，望见这堆行李，料道不像个折本的，心下就安了一半。终是忍不住，便问道："这一向生意如何？银两可曾带回？"阿寄近前见了个礼道："三娘不要性急，待我慢慢的细说。"把行李尽搬至颜氏房中，把那些银子逐封交与颜氏。颜氏见着许多银两，喜出望外，连忙开箱启笼收藏。阿寄方把往来经营的事说出。颜氏因怕惹是非，徐言当日的话，一句也不说与他知道，但连称："都亏你老人家气力了，且去歇息则个。"又吩咐："倘大伯们来问起，不要与他讲真话。"阿寄道："老奴理会得。"正话间，外面砰砰声叩门，原来却是徐言弟兄听见阿寄归了，特来打探消耗。阿寄上前作了两个揖。徐言道："前日闻得你生意十分旺相，今番又趁若干利息？"阿寄道："老奴托赖二位官人洪福，除了本钱盘费，干净趁得四五十两。"徐召道："阿呀！前次便说有五六倍利了，怎地又去了许多时，反少起来？"徐言道："且不要问他趁多趁少，只是银子今日可曾带回？"阿寄道："已交与三娘了。"二人便不言语，转身出去。

再说阿寄与颜氏商议，要置买田产，悄地央人寻觅。大抵出一个财主，生一个败子。那锦沙村有个晏大户，家私豪富，田产广多，单生一子名为世保，取世守其业的意思。谁知这晏世保，专于嫖赌，把那老头儿活活气死。合村的人道他是个败子，将晏世保三字，顺口改为献世保。那献世保同着一班无籍，朝欢暮乐，弄完了家中财物，渐渐摇动产业。道是零星卖来不够用，索性卖一千亩，讨价三千余两，又要一注儿交银。那村中富者虽有，一时凑不起许多银子，无人上桩。延至岁底，献世保手中越觉干逼，情愿连一所庄房，只要半价。阿寄偶然闻得这个消息，即寻中人去，讨个经账①,恐怕有人先成了去,就约次日成交。献世保听得有了售主,好不欢喜。平日一刻也不着家的,偏这日足迹不敢出门,呆呆的等候中人同往。且说阿寄料道献世保是爱吃东西的,清早便去买下佳肴美酝,唤个厨夫安排。又向颜氏道:“今日这场交易,非同小可。三娘是个女眷家,两位小官人又幼,老奴又是下人,只好在旁说话,难好与他抗礼;须请间壁大官人弟兄来作眼,方是正理。”颜氏道:“你就过去请一声。”阿寄即到徐言门首,弟兄正在那里说话。阿寄道:“今日三娘买几亩田地,特请二位官人来张主。”二人口中虽然答应,心内又怪颜氏不托他寻觅,好生不乐。徐言说道:“既要买田,如何不托你我,又教阿寄张主。直至成交,方才来说。只是这村中,没有什么零星田卖。”徐召道:“不必猜疑,少顷便见着落了。”二人坐于门首,等至午前光景,只见献世保同着几个中人,两个小厮,拿着拜匣,一路拍手拍脚的笑来,望着间壁门内齐走进去。徐言弟兄看了,倒吃一吓,都道:“咦!好作怪!闻得献世保要卖一千亩田,实价三千余两,不信他家有许多银子?难道献世保又零卖一二十亩?”疑惑不定。随后跟入,相见已罢,分宾而坐。阿寄向前说道:“晏官人,田价昨日已是言定,一依吩咐,不敢短少。晏官人也莫要节外生枝,又更他说。”献世保乱嚷道:“大丈夫做事,一言已出,驷马难追。若又有他说,便不是人养的了。”阿寄道:“既如此,先立了文契,然后兑银。”那纸墨笔砚,准备得停停当当,拿过来就是。献世保拈起笔,尽情写了一纸绝契,又道:“省得你不放心,先画了花约②何如?”阿寄道:“如此更好。”徐言兄弟看那契上,果是一千亩田、一所庄房,实价一千五百两。吓得二人面面相觑,伸出了舌头,半日也缩不上去,都暗想道:“阿寄生意总是趁钱,也趁不得这些!莫不是做强盗打劫的,或是掘着了藏?好生难猜。”中人着完花押,阿寄收进去交与颜氏。他已先借下一副天秤法马,提来放在桌上,与颜氏取出银子来兑,一色都是粉块细丝。徐言、徐召眼内放出火来,喉间烟也直冒,恨不得推开众人,通抢回去。不一时兑完,摆出酒肴,饮至更深方散。次日,阿寄又向颜氏道:“那庄房甚是宽大,何不搬在那边居住?收下的稻子,也好照管。”颜氏晓得徐言弟兄妒忌,也巴不能远开一步。便依他说话,选了新正初六,迁

---

① 经账——出卖田产时,载明田产的有关数据的清单。

② 花约——正式签约之前的草约。

入新房。阿寄又请个先生，教他两位小官人——大的名徐宽，次的名徐宏——读书。家中收拾得十分次第。那些村中人见颜氏买了一千亩田，都传说掘了藏，银子不计其数，连坑厕说来都是银的，谁个不来趋奉。再说阿寄将家中整顿停当，依旧又出去经营。这番不专于贩漆，但闻有利息的便做。家中收下米谷，又将来腾挪。十年之外，家私巨富。那献世保的田宅，尽归于徐氏。门庭热闹，牛马成群，婢仆雇工人等，也有整百，好不兴头！正是：

富贵本无根，尽从勤里得。

请观懒惰者，面带饥寒色。

那时颜氏三个女儿，都嫁与邻近富户。徐宽、徐宏也各娶配。一应婚嫁礼物，尽是阿寄支持，不费颜氏丝毫气力。他又见田产广多，差役烦重，与徐宽弟兄，俱纳个监生，优免若干田役。颜氏与阿寄儿子完了姻事。又见那老儿年纪衰迈，留在家中照管，不肯放他出门，又派个马儿与他乘坐。那老儿自经营以来，从不曾私吃一些好饮食，也不曾私自做一件好衣服，寸丝尺帛，必禀命颜氏，方才敢用。且又知礼数，不论族中老幼，见了必然站起。或乘马在途中遇着，便跳下来闪在路旁，让过去了，然后又行。因此远近亲邻，没一人不把他敬重。就是颜氏母子，也如尊长看承。那徐言、徐召，虽也挣起些田产，比着颜氏，尚有天渊之隔，终日眼红颈赤。那老儿揣知二人意思，劝颜氏各助百金之物。又筑起一座新坟，连徐哲父母，一齐安葬。那老儿整整活到八十，患起病来，颜氏要请医人调治，那老儿道："人年八十，死乃分内之事，何必又费钱钞。"执意不肯服药。颜氏母子，不住在床前看视，一面准备衣衾棺椁。病了数日，势渐危笃，乃请颜氏母子到房中坐下，说道："老奴牛马力已少尽，死亦无恨。只有一事，越分张主，不要见怪！"颜氏垂泪道："我母子全亏你气力，方有今日；有甚事体，一凭吩咐，决不违拗。"那老儿向枕边摸出两纸文书，递与颜氏道："两位小官人，年纪已长，日后少不得要分析，倘那时嫌多道少，便伤了手足之情。故此老奴久已将一应田房财物等件，均分停当，今日交付与二位小官人，各自去管业。"又叮嘱道："那奴仆中难得好人，诸事须要自己小心，切不可重托。"颜氏母子，含泪领命。他的老婆儿子，都在床前啼啼哭哭，也嘱咐了几句。忽地又道："只有大官人二官人，不曾面别，终是欠事，可与我去请来。"颜氏即差个家人去请。徐言、徐召说道："好时不直得帮扶我们，临死却来思想，可不扯淡！不去不去！”那家人无法，只得转身。却着徐宏亲自奔来相请，二人灭不个①侄儿面皮，勉强随来。那老儿已说话不出，把眼看了两看，点点头儿，奄然②而逝。他的老婆儿媳啼哭，自不必说。只这颜氏母子俱放声号恸，便是家中大小男女，念他平日做人好处，也无不下泪。惟有徐言、徐召反有喜色、可怜那老儿：

辛勤好似蚕成茧，茧老成丝蚕命休。
又似采花蜂酿蜜，甜头到底被人收。

颜氏母子哭了一回，出去支持殓殡之事。徐言、徐召看见棺木坚固，衣衾整齐，扯徐宽弟兄到一边，说道：“他是我家家人，将就些罢了！如何要这般好断送③？就是当初你家公公与你父亲，也没恁般齐整！”徐宽道：“我家全亏他挣起这些事业，若薄了他，内心上也打不过去。”徐召笑道：“你老大的人，还是个呆子！只是你母子命中合该有此造化，岂真是他本事挣来的哩。还有一件，他做了许多年数，克剥的私房，必然也有好些，怕道没得结果，你却挖出肉里钱来，与他备后事。”徐宏道：“不要冤枉坏人！我看他平日，一厘一毫，都清清白白交与母亲，并不见有什么私房。”徐召又说道：“做的私房，藏在那里，难道把与你看不成？若不信时，如今将那房中一检，极少也有整千银子。”徐宽道：“总有也是他挣下的，好道拿他的不成？”徐言道：“虽不拿他的，见个明白也好。”徐宽弟兄被二人说得疑疑惑惑，遂听了他，也不通颜氏知道，一齐走至阿寄房中，把婆子们哄了出去，闭上房门，开箱倒笼，遍处一搜，只有几件旧衣旧裳，哪有分文钱钞。徐召道：“一定藏在儿子房里，也去一检。”寻出一包银子，不上二两，包中有个账儿。徐宽仔细看时，还是他儿子娶妻时，颜氏助他三两银子，用剩下的。徐宏道：“我说他没有什么私房，却定要来看！还不快收拾好了，倘被人撞见，反道我们器量小了。”徐言、徐召自觉乏趣，也不别颜氏，径自去了。徐宽又把这事学向母亲，愈加伤感。令合家挂孝，开丧受吊，多修功果追荐。七④终之后，即安葬于新坟旁边。祭葬之礼，每事从厚。徐宽弟

① 灭不个——碍不过(情面)。
② 奄然——忽然，突然。
③ 断送——这里指衣衾棺木等物。用作名词。
④ 七——迷信习俗：人死后七天为一个“七”，共七个“七”，在四十九天里，逢“七”这天，烧纸诵经，超度亡灵。

兄，因念其生前如此忠义勤俭，并念其毫无私蓄，不忍要其老婆儿子伏役。祭葬已毕之后，赠以产业银两，约有千余金之数，令其妻子自己成家。里中将此事联名具呈，恳求旌奖。府县又加勘拟，申报上司，具疏奏闻。朝廷恩赐建坊，旌表其义。后来徐氏子孙繁衍，富甲①淳安。阿寄子孙亦颇昌盛。诗云：

年老筋衰并马牛，千金置产出人头。

托孤寄命真无愧，羞杀苍头不义侯②。

第三十六卷　蔡瑞虹忍辱报仇

酒可陶情适性，兼能解闷消愁。三杯五盏乐悠悠，痛饮翻能损寿。谨厚化成凶险，精明变作昏流。禹疏仪狄③岂无由？狂药使人多咎。

这首词名为《西江月》，是劝人节饮之语。今日说一位官员，只因贪杯上，受了非常之祸。话说这宣德年间，南直隶淮安府淮安卫，有个指挥姓蔡，名武。家资富厚，婢仆颇多。平昔别无所好，偏爱的是杯中之物，若一见了酒，连性命也不相顾，人都叫他做“蔡酒鬼”。因这件上，罢官在家。不但蔡指挥会饮，就是夫人田氏，却也一般善饮，二人也不像个夫妻，倒像两个酒友。偏生奇怪，蔡指挥夫妻都会饮酒，生得三个儿女，却又滴酒不闻。那大儿蔡韬，次子蔡略，年纪尚小。女儿倒有一十五岁，生时因见天上有一条虹霓，五色灿烂，正环在他家屋上，蔡武以为祥瑞，遂取名叫做瑞虹。那女子生得有十二分颜色，善能描龙画凤，刺绣拈花。不独女工伶俐，且有智识才能，家中大小事体，倒是他掌管。因见父母日夕沉湎，时常规谏，蔡指挥哪里肯依。

话分两头，且说那时有个兵部尚书赵贵，当年未达时，住在淮安卫间壁，家道甚贫，勤苦读书，夜夜直读到鸡鸣方卧。蔡武的父亲老蔡指挥，爱

① 甲——位居第一。用作动词。

② 苍头不义侯——苍头，奴仆。东汉初，彭宠自立为燕王，他的苍头子密趁其睡熟谋财害命，投降汉光武帝刘秀。刘秀封子密为不义侯。

③ 禹疏仪狄——仪狄，传说夏禹时造酒的人。禹饮了他造的酒，觉得很甘美，但他担心“后世必有以酒亡其国者”，于是疏远了仪狄，戒了美酒。

他苦学，时常送柴送米，资助赵贵。后来连科及第，直做到兵部尚书，思念老蔡指挥昔年之情，将蔡武特升了湖广荆襄等处游击将军①。是一个上好的美缺，特地差人将文凭送与蔡武。蔡武心中欢喜，与夫人商议，打点择日赴任。瑞虹道："爹爹，依孩儿看起来，此官莫去做罢！"蔡武道："却是为何？"瑞虹道："做官的一来图名，二来图利，故此千乡万里远去。如今爹爹在家，日日只是吃酒，并不管一毫别事。倘若到任上也是如此，哪个把银子送来？岂不白白里干折了盘缠辛苦，路上还要担惊受怕。就是没得银子趁，也只算是小事，还有别样要紧事体，担干系哩！"蔡武道："除了没银子趁罢了，还有甚么干系？"瑞虹道："爹爹，你一向做官时，不知见过多少了，难道这样事倒不晓得？那游击官儿，在武职里便算做美任，在文官上司里，不过是个守令官，不时衙门伺候，东迎西接，都要早起晏眠。我想你平日在家，单管吃酒，自在惯了，倘到那里，依原如此，岂不受上司责罚，这也还不算利害。或是汛地②盗贼生发，差拨去捕获；或者别处地方有警，调遣去出征，那时不是马上，定是舟中，身披甲胄，手执戈矛，在生死关系之际，倘若一般终日吃酒，岂不把性命送了？不如在家安闲自在，快活过了日子，却去讨这样烦恼吃！"蔡武道："常言说得好，酒在心头，事在肚里。难道真个单吃酒不管正事不成？只为家中有你掌管，我落得快活，到了任上，你替我不得时，自然着急，不消你担隔夜忧。况且这样美缺，别人用银子谋干，尚不能够；如今承赵尚书一片好意，特地差人送上大门，我若不去做，反拂了这段来意。我自有主意在此，你不要阻当。"瑞虹见父亲立意要去，便道："爹爹既然要去，把酒来戒了，孩儿方才放心。"蔡武道："你晓得我是酒养命的，如何全戒得，只是少吃几杯罢。"遂说下几句口号：

老夫性与命，全靠水边酉。
宁可不吃饭，岂可不饮酒。
今听汝忠言，节饮知谨守。
每常十遍饮，今番一加九。
每常饮十升，今番只一斗。
每常一气吞，今番分两口。

---

① 游击将军——领军镇守各要地的第三级武官。
② 汛地——军队的驻防之地。

每常床上饮，今番地下走。
每常到三更，今番二更后。
再要裁减时，性命不值狗。

且说蔡武次日即教家人蔡勇，在淮关写了一只民座船，将衣饰细软，都打叠带去。粗重家伙，封锁好了，留一房家人看守。其余童仆尽随往任所。又买了许多好酒，带路上去吃。择了吉日，备猪羊祭河，作别亲戚，起身下船。稍公扯起篷，由扬州一路进发。你道稍公是何等样人？那稍公叫做陈小四，也是淮安府人，年纪三十已外，雇着一班水手，共有七人，唤做白满、李鬍子、沈铁甏、秦小圆、胡蛮二、余蛤蚆、凌歪嘴。这班人都是凶恶之徒，专在河路上谋劫客商。不想蔡武今日晦气，下了他的船只。陈小四起初见发下许多行李，眼中已是放出火来，及至家小下船，又一眼瞧见瑞虹美艳，心中愈加消魂。暗暗算计："且远一步儿下手，省得在近处，容易露人眼目。"不一日，将到黄州，乃道："此去正好行事了，且与众兄弟们说知。"走到稍上，对众水手道："舱中一注大财事，不可错过，乘今晚取了罢。"众人笑道："我们有心多日了，因见阿哥不说起，只道让同乡分上，不要了。"陈小四道："因一路来，没个好下手处，造化他多活了这几日！"众人道："他是个武官出身，从人又众，不比其他，须要用心。"陈小四道："他出名的蔡酒鬼。有什么用？少停，等他吃酒到更深，放开手砍他娘罢了。只饶了这小姐，我要留他做个押舱娘子。"商议停当。少顷，到黄州江口泊住，买了些酒肉，安排起来。众水手吃个醉饱。扬起满帆，舟如箭放。那一日正是十五，刚到黄昏，一轮明月，如同白昼。至一空阔之处，陈小四道："众兄弟，就此处罢，莫向前了。"霎时间，下篷抛锚，各执器械，先向前舱而来。迎头遇着一个家人，那家人见势头来得凶险，叫声："老爷不好了！"说时迟，那时快，叫声未绝，顶门上已遭一斧，翻身跌倒。那些家人，一个个都抖衣而颤，哪里动弹得。被众强盗刀砍斧切，连排直杀去。且说蔡武自从下船之后，初时几日，酒还少吃，以后觉道无聊，夫妻依先大酌，瑞虹苦谏不止。那一晚与夫人开怀畅饮，酒量已吃到九分，忽听得前舱发喊。瑞虹急叫丫鬟来看，那丫鬟吓得寸步难移，叫道："老爷，前舱杀人哩。"蔡奶奶惊得魂不附体，刚刚立起身来，众凶徒已赶进舱。蔡武兀自蒙眬醉眼，喝道："我老爷在此，哪个敢？"沈铁甏早把蔡武一斧砍倒，众男女一齐跪下，道："金银任凭取去，但求饶命。"众人道："两件都是要的。"陈小四道："看同乡情上，饶他砍头，与他一个全尸首罢了。"即教快取索子，两个奔向后艄，取出索子，将蔡武夫妻二子，一齐绑起，止空瑞虹。蔡武哭对瑞虹道："不听你言，致有今日。"声犹未绝，都撺向江中去了。其余丫鬟等婢，一刀一个，杀个干净。有诗为证：

金印将军酒量高，绿林暴客逞雄豪。
无情波浪兼天涌，疑是胥江起怒涛。

瑞虹见合家都杀，独不害他，料必然来污辱。奔出舱门，望江中便跳。陈小四放下斧头，双手抱住道："小姐不要惊恐！还你快活。"瑞虹大怒，骂道："你这班强盗，害了我全家，尚敢污辱我么！快快放我自尽。"陈小四道："你这花容月貌，教我如何便舍得？"一头说，一头抱入后舱。瑞虹口中千强盗，万强盗，骂不绝口。众人大怒道："阿哥，哪里不寻了一个妻子，便受这贱人之辱！"便要赶进来杀。陈小四拦住道："众兄弟，看我分上饶他罢！明日与你赔情。"又对瑞虹道："快些住口，你若再骂时，连我也不能相救。"瑞虹一头哭，心中暗想："我若死了，一家之仇，哪个去报？且含羞忍辱，待报仇之后，死亦未迟。"方才住口，跌足又哭。陈小四安慰一番。众人已把尸首尽抛入江中，把船揩抹干净，扯起满帆，又驶到一个沙洲边，将箱笼取出，要把东西分派。陈小四道："众兄弟且不要忙，趁今日十五团圆之夜，待我做了亲，众弟兄吃过庆喜的酒，然后自由自在均分，岂不美哉！"众人道："也说得是。"连忙将蔡武带来的好酒，打开几坛，将那些食物东西，都安排起来，团团坐在舱中，点得灯烛辉煌，取出蔡武许多银酒器，大家痛饮。陈小四又抱出瑞虹坐而劝道："小姐，我与你郎才女貌，做夫妻也不辱没了你！今夜与我成亲，却图一个白头到老。"瑞虹掩着面只是哭。众人道："我众兄弟各人敬阿嫂一杯酒。"便筛过一杯，送在面前。陈小四接在手中，拿向瑞虹口边道："多谢众弟兄之情，你略略沾些儿。"瑞虹哪里睬他，把手推开。陈小四笑道："多谢列位美情，待我替娘子饮罢。"拿起来一饮而尽。秦小元道："哥不要吃单杯，吃个双双到老。"又送过一杯，陈小四又接来吃了。也筛过酒，逐个答还。吃了一会，陈小四被众人劝送，吃到八九分醉了。众人道："我们畅饮，不要难为新人。哥，先请安置罢。"陈小四道："既如此，列位再请宽坐，我不陪了。"抱起瑞虹，取了灯火，径入后舱。放下瑞虹，掩上舱门，便来与他解衣。那时瑞虹身不由主，被他解脱干净，抱向床中，任情取乐。可惜千金小姐，落在强徒之手。

暴雨摧残娇蕊，狂风吹损柔芽。
哪是一宵恩爱，分明夙世冤家。

不提陈小四。且说众人在舱中吃酒，白满道："陈四哥此时正在乐境了。"沈铁甏道："他们乐，我们却有些不乐。"秦小元道："有甚不乐？"沈铁甏道："皆是同样做事，他倒独占了第一件便宜。明日分东西时，可肯让一些么？"李鬎子道："你道是乐，我想这一件，正是不乐之处哩。"众人道："为何不乐？"李鬎子道："常言说的好，斩草不除根，萌芽依旧发。杀了他一家，恨不得把我们吞在腹内，方才快活，岂肯安心与陈四哥做夫妻？倘到人烟凑集之所，叫喊起来，众人性命，可不都送在他的手里。"众人尽道："说得是，明日与陈四哥说明，一发杀却，岂不干净。"答道："陈四哥今日得了甜头，怎肯杀他？"白满道："不要与陈四哥说知，悄悄竟行了。"李鬎子道："若瞒着他杀了，弟兄情上就倒不好开交。我有个两得其便的计儿在此：趁陈四哥睡着，打开箱笼，将东西均分，四散去快活。陈四哥已受用了一个妙人，多少留几件与他，后来露出事来，止他自己受累，与我众人无干。或者不出丑，也是他的造化。恁样又不伤了弟兄情分，又连累我们不着，可不好么？"众人齐称道："好。"立起身把箱笼打开，将出黄白之资，衣饰器皿，都均分了，只拣用不着的留下几件。各自收拾，打了包裹，把舱门关闭，将船驶到一个通官路之所泊住，一齐上岸，四散而去。

箧中黄白皆公器，被底红香偏得意。
蜜房割去别人甜，狂蜂犹抱花心睡。

且说陈小四专意在瑞虹身上，外边众人算计，全然不知，直至次日巳牌时分，方才起身来看，不见一人，还只道夜来中酒睡着。走至稍上，却又不在；再到前舱去看，哪里有个人的影儿？惊骇道："他们通往何处去了？"心内疑惑。复走到舱中，看见箱笼俱已打开。逐只检看，并无一物，止一只内存些少东西，并书帙之类，方明白众人分去，敢怒而不敢言。想道："是了，他们见我留着这小姐，恐后事露，故都悄然去了。"又想道："我如今独自个又行不得这船，住在此，又非长策，倒是进退两难。欲待上涯，便中觅个人儿帮行，到有人烟之处，恐怕这小姐喊叫出来，这性命便休了。势在骑虎，留他不得了，不如斩草除根罢。"提起一柄板斧，抢入后舱。瑞虹还在床上啼哭，虽则泪痕满面，愈觉千娇百媚。那贼徒看了，神荡魂迷，臂垂手软，把杀人肠子，顿时熔化。一柄板斧，扑秃的落在地下。又腾身上去，捧着瑞虹淫媾。那贼徒恣意轻薄了一回，说道："娘子，我晓的你劳碌了，待我去收拾些饮食与你好将息。"跳起身，往稍上打火煮饭。忽地又想起道："我若迷恋这女子，性命定然断送；欲要杀他，又不忍下手。罢，罢，只算我晦气，弃了这船，向别处过日。倘有采头，再觅一注钱财，原旧挣个船儿，依然快活。那女子留在船中，有命时便遇人救了，也算我一点阴骘。"却又想道："不好不好，如不除他，终久是个祸根。只饶他一刀，与他全尸罢。"煮些饭食吃饱，将平日所积囊资，并留下的些小东西，叠成一个大包，放在一边；寻一条索子，打个圈儿，赶入舱来。这时瑞虹恐又来污辱，已是穿起衣服，向着床里垂泪，思算报仇之策，不提防这贼徒来谋害。说时迟，那时快，这贼徒奔近前，左手托起头儿，右手就将索子套上。瑞虹方待喊叫，被他随手扣紧，尽力一收，瑞虹疼痛难忍，手足乱动，扑的跳了几跳，直挺挺横在床上便不动了。那贼徒料是已死，即放了手，速到外舱，拿起包裹，提着一根短棍，跳上涯，大踏步而去。正是：

虽无并枕欢娱，落得一身干净。

原来瑞虹命不该绝，喜得那贼打的是个单结，虽然被这一收时，气绝昏迷，才放下手，结就松开，不比那吊死的越坠越紧。咽喉间有了一线之隙，这点气回复透出，便不至于死。渐渐苏醒，只是遍体酥软，动弹不得，倒像被按摩的捏了个醉杨妃光景。喘了一回，觉的颈下难过，勉强挣起手扯开，心内苦楚，暗哭道："阿爹当时若听了我的言语，哪有今日？只不知与这伙贼徒，前世有甚冤业，合家遭此惨祸。"又哭道："我指望忍辱偷生，还图个报仇雪耻，不道这贼原放我不过。我死也罢了，但是冤沉海底，安能瞑目。"转思转哭，愈想愈哀。正哭之间，忽然稍上"扑通"的一声响亮，撞得这船晃上几晃，睡的床铺，险些撷翻。瑞虹被这一惊，哭也倒止住了。侧耳听时，但闻隔船人声喧闹，打号撑篙，这本船不见一些声息。疑惑道："这班强盗为何被人撞了船，却不开口？莫非那船也是同伙？"又想道："或者是捕盗船儿，不敢与他争论。"便欲喊叫，又恐不能了事。方在惶惑之际，船舱中忽然有人大惊小怪，又齐拥入后舱。瑞虹还道是这班强盗，暗道："此番性命休矣！"只听众人说道："不知是何处官府，打劫的如此干净？人样也不留一个！"瑞虹听了这句话，已知不是强盗了，挣扎起身，高叫："救命！"众人赶向前看时，见是个美貌女子，扶持下床，问他被劫情由。瑞虹未曾开言，两眼泪珠先下。乃将父亲官爵籍贯，并被难始末，一一细说，又道："列位大哥，可怜我受屈无伸，乞引到官司告理，擒获强徒正法，也是一点阴骘。"众人道："原来是位小姐，可恼受着苦了！但我们都做主不得，须请老爹来与你计较。"内中一个便跑去相请。不多时，一人跨进舱中，众人齐道："老爹来也！"瑞虹举目看那人面貌魁梧，服饰齐整，见众人称他老爹，料必是个有身家的，哭拜在地。那人慌忙扶住道："小姐何消行此大礼？有话请起来说。"瑞虹又将前事细说一遍。又道："求老爹慨发慈悲，救护我难中之人，生死不忘大德！"那人道："不必烦恼。我想这班强盗，去路还未远，即今便同你到官司告理，差人四处追寻，自然逃走不脱。"瑞虹含泪而谢。那人吩咐手下道："事不宜迟，快扶蔡小姐过船去罢。"众人便来搀扶。瑞虹寻了鞋儿穿起，走出舱门观看，乃是一只双开篷顶号货船。过得船来，请入舱中安息。众水手将贼船上家伙东西，尽力搬个干净，方才起篷开船。

你道那人是谁？原来姓卞名福，汉阳府人氏。专在江湖经商，挣起一个老大家业，打造这只大船。众水手俱是家人。这番在下路脱了粮食，装回头货回家，正趁着顺风行走，忽地被一阵大风，直打向到岸边去。稍公把舵务命推挥，全然不应，径向贼船上当稍一撞。见是座船①，恐怕拿住费嘴，好生着急。合船人手忙脚乱，要撑开去，不道又搁在浅处，牵扯不动，故此打号用力。因见座船上没个人影，卞福以为怪异，教众水手过来看。已后闻报，止有一个美女子，如此如此，要求搭救。卞福即怀不良之念，用一片假情，哄得过船，便是买卖了。哪里是真心肯替他伸冤理枉。那瑞虹起初因受了这场惨毒，正无门伸诉，所以一见了卞福，犹如见了亲人一般，求他救济，又见说出那班言语，便信以为真，更不疑惑。到得过船心定，想起道："此来差矣！我与这客人，非亲非故，如何指望他出力，跟着同走？虽承他一力当担，又未知是真是假。倘有别样歹念，怎生是好？"正在疑虑，只见卞福，自去安排着佳肴美馔，承奉瑞虹，说道："小娘子一定饿了，且吃些酒食则个。"瑞虹想着父母，哪里下得咽喉。卞福坐在旁边，甜言蜜语，劝了一回，乃开言道："小子有一句说话，不知小姐可肯听否？"瑞虹道："老客有甚见谕？"卞福道："适来小子一时义愤，许小姐同到官司告理，却不曾算到自己这船货物。我想那衙门之事，原是论不定日子的。倘或牵

① 座船——官船，官员所坐的船。

缠半年六月，事体还不能完妥，货物又不能脱去，岂不两下担搁。不如小姐且随我回去，脱了货物，然后另换一个小船，与你一齐下来理论这事，就盘桓几年，也不妨碍。更有一件，你我是个孤男寡女，往来行走，必惹外人谈议，总然彼此清白，谁人肯信？可不是无丝有线？况且小姐举目无亲，身无所依；小子虽然是个商贾，家中颇颇得过，若不弃嫌，就此结为夫妇。那时报仇之事，水里水去，火里火去，包在我身上，一个个缉获来，与你出气，但未知尊意若何？"瑞虹听了这片言语，暗自心伤，簌簌的泪下，想道："我这般命苦！又遇着不良之人。只是落在套中，料难摆脱。"乃叹口气道："父母冤仇事大，辱身事小。况此身已被贼人玷污，总如今就死也算不得贞节了。且到报仇之后，寻个自尽，以洗污名可也。"踌躇已定，含泪答道："官人果然真心肯替奴家报仇雪耻，情愿相从。只要发个誓愿，方才相信。"卞福得了这句言语，喜不自胜，连忙跪下设誓道："卞福若不与小姐报仇雪耻，翻江而死。"道罢起来，吩咐水手："就前途村镇停泊，买办鱼肉果品之类，合船吃杯喜酒。"到晚成就好事。

不则一日，已至汉阳。谁想卞福老婆，是个拈酸的领袖，吃醋的班头。卞福平昔极惧怕的，不敢引瑞虹到家，另寻所在安下。叮嘱手下人，不许泄漏。内中又有个请风光博笑脸的①，早去报知。那婆娘怒气冲天，要与老公厮闹。却又算计，没有许多闲工夫淘气。倒一字不提，暗地教人寻下掠贩的②，定了日期，一手交钱，一手交人。到了是日，那婆娘把卞福灌的烂醉，反锁在房。一乘轿子，抬至瑞虹住处。掠贩的已先在彼等候，随那婆娘进去，教人报知瑞虹说："大娘来了。"瑞虹无奈，只得出来相迎。掠贩的在旁，细细观看，见有十二分颜色，好生欢喜。那婆娘满脸堆笑，对瑞虹道："好笑官人，作事颠倒，既娶你来家，如何又撇在此，成何体面。外人知得，只道我有甚缘故。适来把他埋怨一场，特地自来接你回去，有甚衣饰快些收拾。"瑞虹不见卞福，心内疑惑，推辞不去。那婆娘道："既不愿同住，且去闲玩几日，也见得我亲来相接之情。"瑞虹见这句说得有理，便不好推托，进房整饰。那婆娘一等他转了身，便与掠贩的议定身价，教家人在外兑了银两，唤乘轿子，哄瑞虹坐下，轿夫抬起，飞也似走，直至江边一

① 请风光博笑脸的——拍马屁、讨好卖乖的人。

② 掠贩——靠抢骗方式贩卖人口的人。

个无人所在，掠贩的引至船边歇下。瑞虹情知中了奸计，放声号哭，要跳向江中。怎当掠贩的两边扶夹，不容转动。遂推入舱中，打发了中人、轿夫，急忙解缆开船，扬着满帆而去。且说那婆娘卖了瑞虹，将屋中什物收拾回去，把门锁上。回到家中，卞福还正酣睡。那婆娘三四个巴掌打醒，数说一回，打骂一回，整整闹了数日，卞福脚影不敢出门。一日捉空踅到瑞虹住处，看见锁了门户，吃了一惊。询问家人，方知被老婆卖去久矣。只气得发昏章第十一。那卞福只因不曾与瑞虹报仇，后来果然翻江而死，应了向日之誓。那婆娘原是个不成才的烂货，自丈夫死后，越发恣意把家业倾完，又被奸夫拐去，卖与烟花门户。可见天道好还，丝毫不爽。有诗为证：

忍耻偷生为父仇，谁知奸计觅风流。
劝人莫设虚言誓，湛湛青天在上头。

再说瑞虹被掠贩的纳在船中，一味悲号。掠贩的劝慰道："不必啼泣，还你此去丰衣足食，自在快活！强如在卞家受那大老婆的气。"瑞虹也不理他，心内暗想道："欲待自尽，怎奈大仇未报；将为不死，便成淫荡之人。"踌躇千万百遍，终是报仇心切，只得宁耐①，看个居止下落，再作区处。行不多路，已天晚泊船。掠贩的逼他同睡，瑞虹不从，和衣缩在一边。掠贩的便来搂抱，瑞虹乱喊杀人。掠贩的恐被邻船听得，弄出事来，放手不迭，再不敢去缠他。径载到武昌府，转卖与乐户王家。那乐户家里先有三四个粉头，一个个打扮的乔乔画画，傅粉涂脂，倚门卖俏。瑞虹到了其家，看见这般做作，转加苦楚。又想道："我今落在烟花地面，报仇之事，已是绝望，还有何颜在世！"遂立意要寻死路，不肯接客。偏又作怪，但是瑞虹走这条门路，就有人解救，不致伤身。乐户与鸨子商议道："他既不肯接客，留之何益！倘若三不知，做出把戏，倒是老大利害。不如转货与人，另寻一个罢。"常言道："事有凑巧，物有偶然。"恰好有一绍兴人，姓胡名悦，因武昌太守是他亲戚，特来打抽丰的，倒也作成寻觅了一大注钱财。那人原是贪花恋酒之徒，住的寓所，近着妓家，闲时便去串走，也曾见过瑞虹是个绝色丽人，心内着迷，几遍要来入马。因是瑞虹寻死觅活，不能到手。今番听得乐户有出脱的消息，情愿重价讨他。胡悦央人说合，对媒人说道：

---

① 宁耐——安心忍耐。

"你上心说成,除谢媒之外,另奉银一两,与你买茶吃。"万嘱千托,媒人应去了。胡悦眼巴巴望他回话,真如热盘上蚂蚁。媒人想他丰重谢仪去说,不想果是天就良缘,一说就成。

胡悦娶瑞虹到了寓所,当晚整备着酒肴,与瑞虹叙情。那瑞虹只是啼哭,不容亲近。胡悦再三劝慰不止,倒没了主意,说道:"小娘子,你在娼家,或者道是贱事,不肯接客;今日与我成了夫妇,万分好了,还有甚苦情,只管悲泣!你且说来,若有疑难事体,我可以替你分忧解闷。倘事情重大,这府中太爷,是我舍亲,就转托他与你料理,何必自苦如此。"瑞虹见他说话有些来历,方将前事,一一告诉,又道:"官人若能与奴家寻觅仇人,报冤雪耻,莫说得为夫妇,便做奴婢,亦自甘心。"说罢又哭。胡悦闻言答道:"原来你是好人家子女,遭此大难,可怜可怜!但这事非一时可毕,待我先教舍亲出个广捕到处挨缉;一面同你到淮安告官,拿众盗家属追比,自然有个下落。"瑞虹拜倒在地道:"若得官人如此用心,生生世世,衔结报效。"胡悦扶起道:"既为夫妇,事同一体,何必出此言!"遂携手入寝。哪知胡悦也是一片假情,哄骗过了几日,只说已托太守出广捕缉获去了。瑞虹信以为实,千恩万谢。又住了数日,雇下船只,打叠起身,正遇着顺风顺水,哪消十日,早至镇江,另雇小船回家。把瑞虹的事,搁过一边,毫不提起。瑞虹大失所望,但到此地间,无可奈何,遂吃了长斋,日夜暗祷天地,要来报仇。在路非止一日,已到家中。胡悦老婆见娶个美人回来,好生妒忌,时常厮闹。瑞虹总不与他争论,也不要胡悦同房,这婆娘方才少解。

原来绍兴地方,惯做一项生意:凡有钱能干的,便到京中买个三考吏名色,钻谋好地方去做个佐贰官①出来,俗名唤做"飞过海"。——怎么叫个"飞过海"?大凡吏员考满,依次选去,不知等上几年;若用了钱,挖选在别人前面,指日便得做官,这谓之"飞过海"。还有独自无力,四五个合做伙计,一人出名做官,其余坐地分账。到了任上,先备厚礼,结好堂官,叨揽事管,些小事体,经他衙里,少不得要诈一两五钱。到后觉道声息不好,立脚不住,就悄地逃之夭夭。十个里边,难得一两个来去明白,完名全节。所以天下衙官,大半都出绍兴。那胡悦在家住了年余,也思量到京干这桩

---

① 三考吏、佐贰官——三考吏,明代规定,吏员三年一考绩,再经过吏部考试,合格的就可授官。佐贰官,辅佐知县的官。

事体。更兼有个相知，现在当道，写书相约，有扶持他的意思，一发喜之不胜。即便处置了银两，打点起程。单虑妻妾在家不睦；与瑞虹计议，要带他同往京中，谋选彼处地方，访觅强盗踪迹。瑞虹已被哄过一次，虽然不信，也还希冀出外行走，或者有个真心觅盗，只得应允。胡悦大老婆恁地与老公相打相骂，胡悦全不作准。择了吉日，雇下船只，同瑞虹径自起程。一路无话，直至京师寻寓所，安顿了瑞虹。次日整备礼物，去拜那相知官员。谁想这官人一月前暴病身亡，合家慌乱，打点扶柩归乡。胡悦没了这个倚靠，身子就酥了半边。思想银子带得甚少，相知又死，这官职怎能弄得到手？欲待原复归去，又恐被人笑耻，事在两难，狐疑未决，寻访同乡一个相识商议。这人也是走那道儿的，正少了银两，不得完成，遂设计哄骗胡悦，包揽替他图个小就。设或短少，寻人借债。胡悦合该晦气，被他花言巧语，说得热闹，将所带银两一包儿递与。那人把来完成了自己官职，悄地一溜烟径赴任去了。胡悦止剩得一双空手，日逐时需，渐渐欠缺。寄书回家取索盘缠，老婆正恼着他，哪肯应付分文。自此流落京师，逐日东走西撞，与一班京花子合了伙计，骗人财物。一日商议要大大寻一注东西，但没甚为由，却想到瑞虹身上，要把来认作妹子，做个美人局。算计停当，胡悦又恐瑞虹不肯，生出一段说话哄他道："我向日指望到此，选得个官职，与你去遍访仇人；不道时运乖蹇，相知已死，又被那天杀的，盗去银两，沦落在此，进退两难。欲待回去，又无处设法盘缠。昨日与朋友们议得个计策，倒也尽通。"瑞虹道："是甚计策？"胡悦道："只说你是我的妹子，要与人为妾。倘有人来相看，你便见他一面。等哄得银两到手，连夜悄然起身，他们哪里来寻觅。顺路先到淮安，送你到家，访问强徒，也了我心上一件事情。"瑞虹初时本不欲得，次后听说顺路送归家，却方才许允。胡悦讨了瑞虹一个肯字，欢喜无限，教众光棍四处去寻主顾。正是：

安排地网天罗计，专待落坑堕堑人。

话分两头。却说浙江、温州府有一秀士，姓朱名源，年纪四旬以外，尚无子嗣。娘子几遍劝他娶个偏房。朱源道："我功名淹蹇，无意于此。"其年秋榜高登，到京会试。谁想福分未齐，春闱①不第，羞归故里；与几个同年相约，就在京中读书，以待下科。那同年中晓得朱源还没有儿子，也苦

---

① 闱(wéi)——科举时代称考场为闱。

劝他娶妾。朱源听了众人说话，教人寻觅。刚有了这句口风，那些媒人互相传说，几日内便寻下若干头脑，请朱源逐一相看择拣，没有个中得意。那众光棍缉着那个消息，即来上桩，夸称得瑞虹姿色绝世无双，古今罕有。哄动朱源期下日子，亲去相看。此时瑞虹身上衣服，已不十分整齐；胡悦教众光棍借来妆饰停当。众光棍引了朱源到来，胡悦向前迎接，礼毕就坐，献过一杯茶，方请出瑞虹站在遮堂门边。朱源走上一步，瑞虹侧着身子，道个万福。朱源即忙还礼。用目仔细一觑，端的娇艳非常，暗暗喝采道："真好个美貌女子！"瑞虹也见朱源人材出众，举止闲雅，暗道："这官人倒好个仪表，果是个斯文人物。但不知甚么晦气，投在网中。"心下存了个懊悔之念。略站片时，转身进去。众光棍从旁衬道："相公，何如？可是我们不说谎么？"朱源点头微笑道："果然不谬。可到小寓议定财礼，择吉行聘便了。"道罢起身，众人接脚随去，议了一百两财礼，朱源也闻得京师骗局甚多，恐怕也落了套儿，讲过早上行礼，到晚即要过门。众光棍又去与胡悦商议。胡悦沉吟半晌，生出一个计，恐瑞虹不肯。教众人坐下，先来与他计较道："适来这举人已肯上桩，只是当日便要过门，难做手脚。如今只得将计就计，依着他送你过去。少不得备下酒肴，你慢慢的饮至五更时分，我同众人便打入来，叫破地方，只说强占有夫妇女，就引你同来，声言要往各衙门呈告。想他是个举人，怕干碍前程，自然反来求伏。那时和你从容回去，岂不美哉！"瑞虹闻言，愀然不乐，答道："我前生不知作下甚业？以致今世遭如此大难！如何又作恁般没天理的事害人？这个断然不去。"胡悦道："娘子，我原不欲如此，但出于无奈，方走这条苦肉计。千万不要推托！"瑞虹执意不从。胡悦就双膝跪下道："娘子，没奈何将就做这一遭，下次再不敢相烦了。"瑞虹被逼不过，只得应允。胡悦急急跑向外边，对众人说知就里。众人齐称妙计，回复朱源，选起吉日，将银两兑足，送与胡悦收了。众光棍就要把银两分用，胡悦道："且慢着，等待事妥，分也未迟。"到了晚间，朱源叫家人雇乘轿子，去迎瑞虹，一面吩咐安排下酒馔等候。不一时，已是娶到。两下见过了礼，邀入房中。叫家人管待媒人酒饭，自不必说。

单讲朱源同瑞虹到了房中，瑞虹看时，室中灯烛炜煌，设下酒席。朱源在灯下细观其貌，比前更加美丽，欣欣自得，道声："娘子请坐。"瑞虹羞涩不敢答应，侧身坐下。朱源叫小厮斟过一杯酒，恭恭敬敬递至面前放下，说道："小娘子，请酒。"瑞虹也不敢开言，也不回敬。朱源知道他是怕羞，微微而笑。自己斟上一杯，对席相陪，又道："小娘子，我与你已为夫妇，有甚怕羞！多少饮一盏儿。小生候干。"瑞虹只是低头不饮。朱源想道："他是女儿家，一定见小厮们在此，所以怕羞。"即打发出外，掩上门儿，走至身边道："想是酒寒了，可换些热的饮一杯，不要拂了我的敬意。"遂自斟一杯，递与瑞虹。瑞虹看了这个局面，转觉羞惭，蓦然伤感。想起幼时父母何等珍惜，今日流落至此，身子已被玷污，大仇又不能报，又强逼做这般丑态骗人，可不辱没祖宗。柔肠一转，泪珠簌簌乱下。朱源看见流泪，低低道："小娘子，你我千里相逢，天缘会合，有甚不足，这般愁闷？莫不宅上有甚不堪之事，小娘子记挂么？"连叩数次，并不答应。觉得其容转戚。朱源又道："细观小娘子之意，必有不得已事，何不说与我知，倘可效力，决不推故。"瑞虹又不则声。朱源倒没个理会，只得自斟自饮。吃够半酣，听谯楼已打二鼓了。朱源道："夜深了，请歇息罢。"瑞虹也全然不睬。朱源又不好催逼，倒走去书桌上，取过一本书儿观看，陪他同坐。瑞虹见朱源殷勤相慰，不去理他，并无一毫愠怒之色，转过一念道："看这举人倒是个盛德君子，我当初若遇得此等人，冤仇申雪久矣。"又想道："我看胡悦这人，一味花言巧语，若专靠在他身上，此仇安能得报？他今明明受过这举人之聘，送我到此；何不将计就计，就跟着他，这冤仇或者倒有报雪之期。"左思右想，疑惑不定。朱源又道："小娘子请睡罢。"瑞虹故意又不答应。朱源依然将书观看。看看三鼓将绝，瑞虹主意已定。朱源又催他去睡，瑞虹才道："我如今方才是你家的人了。"朱源笑道："难道起初还是别家的人么？"瑞虹道："相公哪知就里。我本是胡悦之妾，只因流落京师，与一班光棍生出这计，哄你银子。少顷便打入来，抢我回去，告你强占良人妻女。你怕干碍前程，还要买静求安。"朱源闻言大惊道："有恁般异事！若非小娘子说出，险些落在套中。但你既是胡悦之妾，如何又泄漏与我？"瑞虹哭道："妾有大仇未报，观君盛德长者，必能为妾伸雪，故愿以此身相托。"朱源道："小娘子有何冤抑，可细细说来，定当竭力为你图之。"瑞虹乃将前后事泣诉，连朱源亦自惨然下泪。正说之间，已打四更。瑞虹道："那一班光棍，不久便到，相公若不早避，必受其累。"朱源道："不要着忙。有同年寓所，离此不远，他房屋尽自深邃。且到那边暂避过一夜，明日另寻所在，远远搬去，有何患哉！"当下开门，悄地唤家人点起灯火，径到同年寓所，敲开门户。那同年见半夜而来，又带着个丽人，只道是来历不明的，甚以为怪。朱源一一道出。那同年即移到外边去睡，让朱源住于内厢。一面叫家人们相帮，把行李等件，尽皆搬来，止存两间空房。不在话下。

且说众光棍一等瑞虹上轿，便逼胡悦将出银两分开。买些酒肉，吃到五更天气，一齐赶至朱源寓所，发声喊打将入去。只见两间空屋，哪有一个人影。胡悦倒吃了一惊，说道："他如何晓得？预先走了！"对众光棍道："一定是你们倒勾结来捉弄我的，快快把银两还了便罢。"众光棍大怒，也翻转脸皮，说道："你把妻子卖了，又要来打抢，反说我们有甚勾当，须与你干休不得！"将胡悦攒盘打够臭死。恰好五城兵马①经过，结扭到官，审出骗局实情，一概三十，银两追出入官。胡悦短递回籍。有诗为证：

牢笼巧设美人局，美人原不是心腹。
赔了夫人又打臀，手中依旧光陆秃。

且说朱源自娶了瑞虹，彼此相敬相爱，如鱼似水。半年之后，即怀六甲。到得十月满足，生下一个孩子，朱源好不喜欢，写书报知妻子。光阴迅速，那孩子早又周岁。其年又值会试，瑞虹日夜向天祷告，愿得丈夫黄榜题名，早报蔡门之仇。场后开榜，朱源果中了六十九名进士，殿试三甲，该选知县。恰好武昌县缺了县官，朱源就讨了这个缺，对瑞虹道："此去仇人不远，只怕他先死了，便出不得你的气。若还在时，一个个拿来沥血祭献你的父母，不怕他走上天去。"瑞虹道："若得相公如此用心，奴家死亦瞑目。"朱源一面差人回家，接取家小在扬州伺候，一同赴任，一面候吏部领凭②。不一日领了凭限来，辞朝出京。原来大凡吴、楚之地做官的，都在临清张家湾雇船，从水路而行，或径赴任所，或从家乡而转，但从其便。那一路都是下水，又快又稳；况带着家小，若没有勘合脚力③，陆路一发不便了。每常有下路粮船，运粮到京，交纳过后，那空船回去，就揽这行生意，假充座船，请得个官员坐舱，那船头便去包揽他人货物，图个免税之利，这也是

---

① 五城兵马——明朝时在北京设中、东、西、南、北五城兵马指挥司，主管京城治安等事务。

② 凭——凭照、证件。

③ 勘合脚力——持符节的伕马。勘合，即符契，古代调兵遣将用来验证真伪的凭证。上盖印信，剖为两半，分别交给调遣和被调遣的双方。军队到时，将两半相合，勘验印信，查证真伪。脚力，伕马。

个旧规。却说朱源同了小奶奶到临清雇船，看了几个舱口，都不称怀，只有一只整齐，中了朱源之意。船头递了姓名手本，磕头相见。管家搬行李安顿舱内，请老爷奶奶下船。烧了神福，船头指挥众人开船。瑞虹在舱中，听得船头说话，是淮安声音，与贼头陈小四一般无二。问丈夫什么名字，朱源查那手本写着："船头吴金稟叩。"姓名都不相同。瑞虹走到船舱边，听他声口越听越像。心中暗想，这声音明明是陈小四，为何手本上写着吴金。朱源扯瑞虹背后私认他面貌，又与陈小四无异；只是姓名不同，好生奇怪。欲待盘问，又没个因由。偶然这一日，朱源的座师船到，过船去拜访，那船头的婆娘进舱来拜见奶奶，送茶毕，瑞虹看那妇人：

虽无十分颜色，也有一段风流。

瑞虹有心问那妇人道："你几岁了？"那妇人答道："二十九岁了。"又问："哪里人氏？"答道："池阳人氏。"瑞虹道："你丈夫不像个池阳人。"那妇人道："这是小妇人的后夫。"瑞虹道："你几岁死过丈夫的？"那妇人道："小妇人夫妇为运粮到此，拙夫一病身亡。如今这拙夫是武昌人氏，原在船上做帮手，丧事中亏他一力相助，小妇人孤身无倚，只得就从了他，顶着前夫名字，完这场差使。"瑞虹问在肚里，暗暗点头。将香帕赏他。那妇人千恩万谢的去了。瑞虹等朱源上船，将这话述与他听了。眼见吴金即是陈小四，正是贼头。朱源道："路途不可造次，且耐着他到地方上施行，还要在他身上追究余党。"瑞虹道："相公所见极是明理；只是仇人相见，分外眼睁，这几日何如好过！"恨不得借滕王阁的顺风，一阵吹到武昌。

饮恨吞冤已数年，枕戈思报叹无缘。
同舟敌国今相遇，又隔江山路几千。

却说朱源舟至扬州，那接取大夫人的还未曾到，只得停泊码头等候。瑞虹心上一发气闷。等到第三日，忽听得岸上鼎沸起来。朱源叫人问时，却是船头与岸上两个汉子扭做一团厮打。只听得口口声声说道："你干得好事！"朱源见小奶奶气闷，正没奈何，今番且借这个机会，敲那贼头几个板子，权发利市。当下喝教水手："与我都拿过来。"原来这班水手，与船头面和意不和，也有个缘故。——当初陈小四缢死了瑞虹，弃船而逃，没处投奔，流落到池阳地面，偶值吴金这只粮船起运，少个帮手，陈小四就上了他的船。见吴金老婆像个爱吃枣儿汤①的，岂不正中下怀，一路行奸卖俏搭识上了。两个如胶似漆，反多那老公碍眼。船过黄河，吴金害了个寒症，陈小四假意殷勤，赎药调理。那药不按君臣②，一服见效，吴金死了。妇人身边取出私财，把与陈小四，只说借他的东西，断送老公。过了一两个七，又推说欠债无偿，就将身子白白的嫁了他。虽然备些酒食，暖住了众人，却也中心不伏。为此缘由，所以面和意不和。——听得舱里叫一声。"都拿过来。"蜂拥的上岸，把两个人一齐扣下船来，跪于将军柱边。朱源问道："为何厮打？"船头禀道："这两个人原是小人合本撑船伙计，因盗了资本，背地逃走，两三年不见面。今日天遣相逢，小人与他取讨，他倒图赖小人，两个来打一个。望老爷与小人做主。"朱源道："你二人怎么说？"那两个汉子道："小人并没此事，都是一派胡言。"朱源道："难道一些影儿也没有，平地就厮打起来？"那两个汉子道："有个缘故。当初小的们，虽然与他合本撑船，只为他迷恋了个妇女，小的们恐误了生意，把自己本钱收起，各自营运，并不曾欠他分文。"朱源道："你两个叫什么名字？"那两个汉子不曾开口，倒是陈小四先说道："一个叫沈铁甏，一个叫秦小圆。"朱源却待再问，只见背后有人扯拽，回头看时，却是丫鬟，悄悄传言，说道："小奶奶请老爷说话。"朱源走进后舱，见瑞虹双行流泪，扯住丈夫衣袖，低声说道："那两个汉子的名字，正是那贼头一伙，同谋打劫的人，不可放他走了。"朱源道："原来如此。事到如今，等不得到武昌了。"慌忙写了名帖，吩咐打轿，喝叫地方，等三人一串儿缚了，自去拜扬州太守，告诉其事。太守问了备细，且教把三个贼徒收监，次日面审。朱源回到船中，众水手已知陈小四是个强盗，也把谋害吴金的情节，细细禀知。朱源又把这些缘由，备写一封书帖，送与太守，并求究问余党。太守看了，忙出飞签，差人拘那妇人，一并听审。扬州城里传遍了这件新闻，又是盗案，又是奸淫事情，有妇人在内，哪一个不来观看。临审之时，府前好不热闹。正是：

好事不出门，恶事传千里。

却说太守坐堂，吊出三个贼徒，那妇人也提到了，跪于阶下。陈小四

① 爱吃枣儿汤——意思是爱勾勾搭搭，搞不正当的男女关系。

② 不按君臣——中医治病开药方，是按照"君臣佐使"的原则，君是主药，臣是辅药，如果不按主药、辅药的比例配方，就会把病人治坏或治死。

见那婆娘也到，好生惊怪，道："这厮打小事，如何连累家属？"只见太守却不叫吴金名字，竟叫陈小四。吃了这一惊非小，凡事逃那实不过，叫一声不应，再叫一声不得不答应了。太守相公冷笑一声道："你可记得三年前蔡指挥的事么？天网恢恢，疏而不漏。今日有何理说！"三个人面面相觑，却似鱼胶粘口，一字难开。太守又问："那时同谋还有李鬎子、白满、胡蛮二、凌歪嘴、余蛤蚆，如今在哪里？"陈小四道："小的幼习水趁食，不合误投歹船。至于谋劫之夜，小的睡熟，实不知情。及至醒时，众盗分帐各窜，只得奔投远方，偶遇吴金船上缺人，招留在船。后因吴金病死，他妻子赘我，顶名运船度日。"话未辩完，太守道："谁许闲话！只问你那几个贼徒，今在何处？"秦小圆说："当初分了金帛，四散去了。闻得李鬎子、白满随着山西客人，贩买绒货；胡蛮二、凌歪嘴、余蛤蚆三人，逃在黄州撑船过活。小的们也不曾相会。"太守又叫妇人上前问道："你与陈小四奸密，毒杀亲夫，遂为夫妇，这也是没得说了。"妇人方欲抵赖，只见阶下一班水手都上前禀话，如此如此，这般这般，说得那妇人顿口无言。太守大怒，喝教选上号毛板，不论男妇，每人且打四十，打得皮开肉绽，鲜血迸流。当下录了口词，三个强盗通问斩罪，那妇人问了凌迟①。齐上刑具，发下死囚牢里。一面出广捕，挨获白满、李鬎子等。太守问了这件公事，亲到船上答拜朱源，就送审词他看。朱源感谢不尽。瑞虹闻说，也把愁颜放下七分。

又过几日，大奶奶已是接到。瑞虹相见，一妻一妾，甚是和睦。大奶奶又见儿子生得清秀，愈加欢喜。不一日，朱源于武昌上任，管事三日，便差的当捕役缉访贼党胡蛮二等。果然胡蛮二、凌歪嘴在黄州江口撑船，手到拿来。招称："余蛤蚆一年前病死，白满、李鬎子现跟陕西客人，在省下开铺。"朱源权且收监，待拿到余党，一并问罪。省城与武昌县相去不远，捕役去不多日，把白满、李鬎子二人一索子捆来，解到武昌县。朱源取了口词，每人也打四十。备了文书，差的当公人，解往扬州府里，以结前卷。朱源做了三年县宰，治得那武昌县道不拾遗，犬不夜吠，行取御史，就出差淮扬地方。瑞虹嘱咐道："这班强盗，在扬州狱中，连岁停刑，想未曾决。相公到彼，可了此一事，就与奴家沥血祭奠父亲，并两个兄弟。一以表奴家之诚，二以全相公之信。还有一事，我父亲当初曾收用一婢，名唤碧莲，

① 凌迟——俗称"剐刑"，封建时代最残酷的一种死刑。

曾有六月怀孕；因母亲不容，就嫁出与本处一个朱裁为妻。后来闻得碧莲所生，是个男儿。相公可与奴家用心访问。若这个儿子还在，可主张他复姓，以续蔡门宗祀，此乃相公万代阴功。”说罢，放声大哭，拜倒在地。朱源慌忙扶起道：“你方才所说二件，都是我的心事。我若到彼，定然不负所托。就写书信报你得知。”瑞虹再拜称谢。

再说朱源赴任淮、扬，这是代天子巡狩，又与知县到任不同。真个：

号令出时霜雪凛，威风到处鬼神惊。

其时七月中旬，未是决囚之际。朱源先出巡淮安，就托本处府县访缉朱裁及碧莲消息，果然访着。那儿子已八岁了，生得堂堂一貌。府县奉了御史之命，好不奉承。即日香汤沐浴，换了衣履，送在军卫供给，申文报知察院。朱源取名蔡续，特为起奏一本，将蔡武被祸事情，备细达于圣聪。“蔡氏当先有汗马功劳，不可令其无后。今有幼子蔡续，合当归宗，俟其出效承袭。其凶徒陈小四等，秋后处决。”圣旨准奏了。其年冬月，朱源亲自按临扬州，监中取出陈小四与吴金的老婆，共是八个，一齐绑赴法场，剐的剐，斩的斩，干干净净。正是：

善有善报，恶有恶报。若还不报，时辰未到。

朱源吩咐刽子手，将那几个贼徒之首，用漆盘盛了，就在城隍庙里设下蔡指挥一门的灵位，香花灯烛，三牲祭醴，把几颗人头，一字儿摆开。朱源亲制祭文拜奠。又于本处选高僧做七七功德，超度亡魂。又替蔡续整顿个家事，嘱咐府县青目①。其母碧莲一同居住，以奉蔡指挥岁时香火。朱裁另给银两别娶。诸事俱已停妥，备细写下一封家书，差个得力承舍②，赍回家中，报知瑞虹。瑞虹见了书中之事，已知蔡氏有后，诸盗尽已受刑，沥血奠祭，举手加额，感谢天地不尽。是夜，瑞虹沐浴更衣，写下一纸书信，寄谢丈夫；又去拜谢了大奶奶；回房把门拴上，将剪刀自刺其喉而死。其书云：

贱妾瑞虹百拜相公台下：虹身出武家，心娴闺训。男德在义，女德在

---

① 青目——这里是特别照顾的意思。

② 承舍——衙门里传递公文信件的差役。

节；女而不节，与禽何异！虹父韬铃不戒①，曲糵②迷神。诲盗③亡身，祸及母弟，一时并命。妾心胆俱裂，浴泪弥年。然而隐忍不死者，以为一人之廉耻小，阖门之仇怨大。昔李将军④忍耻降虏，欲得当以报汉；妾虽女流，志窃类此。不幸历遭强暴，衷怀未申。幸遇相公，拔我于风波之中，谐我以琴瑟之好。识荆之日，便许复仇。皇天见怜，宦游早遂。诸奸贯满，相次就毙；而且明正典刑，沥血设餉。蔡氏已绝之宗，复蒙拔根见本，世禄复延。相公之为德于衰宗者，天高地厚，何以喻兹。妾之仇已雪而志以遂矣。失节贪生，贻玷⑤阀阅，妾且就死，以谢蔡氏之宗于地下。儿子年已六岁，嫡母怜爱，必能成立。妾虽死之日，犹生之年。姻缘有限，不获面别，聊寄一笺，以表衷曲。

大奶奶得知瑞虹死了，痛惜不已，殡殓悉从其厚。将他遗笔封固，付承舍寄往任上。朱源看了，哭倒在地，昏迷半晌方醒。自此患病，闭门者数日，府县都来候问。朱源哭诉情由，人人堕泪，俱赞叹其节孝，今古无比，不在话下。后来朱源差满回来，历官至三边总制。瑞虹所生之子，名曰朱懋，少年登第，上疏表陈生母蔡瑞虹一生之苦，乞赐旌表。圣旨准奏，特建节孝坊，至今犹在。有诗赞云：

报仇雪耻是男儿，谁造裙钗有执持。
堪笑硁硁⑥真小谅，不成一事枉嗟咨。

---

① 韬铃不戒——虽懂兵法，但没有戒备。古兵书中有《六韬》及《玉钤》篇，故用“韬钤”代称兵法。

② 曲糵——酿酒用的药引子，引申作酒的代称。

③ 诲盗——《易经·系辞》里有一句话叫“慢藏诲盗”，意思是不把财物藏好，让盗贼发现，就等于是告诉盗贼来偷东西。

④ 李将军——指西汉时的将军李陵。他在与匈奴作战时，因兵少无援，被俘投降。

⑤ 贻玷——留下污点。

⑥ 硁(kēng)硁——浅薄鄙陋之意。

第三十七卷　杜子春三入长安

想多情少宜求道，想少情多易入迷。

总是七情难断灭，爱河波浪更堪悲。

说话隋文帝开皇年间，长安城中，有个子弟姓杜，双名子春，浑家韦氏，家住城南，世代在扬州做盐商营运。真有万万贯家资，千千顷田地。那杜子春倚借着上祖资业，哪晓得稼穑艰难。且又生性豪侠，要学那石太尉①的奢华、孟尝君②的气概。宅后造起一座园亭，重价购取名花异卉，巧石奇峰，妆成景致。曲房深院中，置买歌儿舞女，艳妾妖姬，居于其内。每日开宴园中，广召宾客。你想那扬州乃是花锦地面，这些浮浪子弟，轻薄少年，却又尽多，有了杜子春恁样撒漫财主，再有哪个不来。虽无食客三千，也有帮闲几百。相交了这般无藉，肯容你在家受用不成？少不得引诱到外边游荡。杜子春心性又是活的，有何不可？但见：

轻车奴马，春野游行；走狗擎鹰，秋田较猎。青楼买笑，缠头哪惜千缗；博局呼卢，一掷常输十万。画船箫管，恣意逍遥；选胜探奇，任情散诞。风月场中都总管，烟花寨内大主盟。

杜子春将银子认做没根的，如土块一般挥霍。那韦氏又是掐得水出的女儿家，也只晓得穿好吃好，不管闲账。看看家中金银搬完，屯盐卖完，手中干燥，央人四处借债。扬州城中哪个不晓得杜子春是个大财主，才说得声，东也送至，西也送至，又落得几时脾胃。到得没处借时，便去卖田园，货屋宅。那些债主，见他产业摇动，都来取索。那时江中芦洲也去了，海边盐场也脱了，只有花园住宅，不舍得与人，倒把衣饰器皿变卖。他是用过大钱的，这些少银两，犹如吃碗泡茶，顷刻就完了。你想杜子春自幼在金银堆里滚大起来，使滑的手，若一刻没得银用，便过不去。难道用完了这项，却就罢休不成，少不得又把花园住宅出脱。大凡东西多的时节，

---

① 石太尉——石太尉，石崇，西晋人，做海外贸易致富，曾与贵戚王恺等斗富。

② 孟尝君——即田文，战国时齐国的相，门下有食客数千人。“孟尝君”是他的封号。

便觉用之不尽，若到少来，偏觉得易完。卖了房屋，身子还未搬出，银子早又使得干净。那班朋友，见他财产已完，又向旺处去了，谁个再来趋奉。就是奴仆，见家主弄到恁般地位，赎身的赎身，逃走的逃走，去得半个不留。姬妾女婢，标致的准了债去，貌丑的卖来用度，也各自散去了。单单剩得夫妻二人相向，几间接脚屋里居住，渐渐衣服凋敝，米粮大缺。莫说平日受恩的不来看觑他，就是杜子春自己也无颜见人，躲在家中。正是：

床头黄金尽，壮士无颜色。

杜子春在扬州做了许多时豪杰，一朝狼狈，再无面目存坐得住，悄悄的归去长安祖居，投托亲戚。原来杜陵、韦曲二姓，乃是长安巨族，宗支十分蕃盛，也有为官作宦的，也有商贾经营的，排家都是至亲至戚，因此子春起这念头。也不指望他资助，若肯借贷，便好度日。岂知亲眷们都道，子春泼天家计，尽皆弄完，是个败子，借贷与他，断无还日。为此只推着没有，并无一个应承。便十二分至戚，情不可却，也有周济些的，怎当得子春这个大手段，就是热锅头上，洒着一点水，济得甚事！好几日，饭不得饱吃，东奔西趁，没个头脑。偶然打向西门经过，时值十二月天气，大雪初晴，寒威凛烈。一阵西风，正从门圈子里刮来，身上又无棉衣，肚中又饿，刮起一身鸡皮栗子，把不住的寒颤，叹口气道："我杜子春岂不枉然！平日攀这许多好亲好眷，今日见我沦落，便不礼我，怎么受我恩的也做这般模样？要结那亲眷何用？要施那仁义何用？我杜子春也是一条好汉，难道就没再好的日子？"正在那里自言自语，偶有一老者从旁走过，见他叹气，便立住脚问道："郎君为何这般长叹？"杜子春看那老者，生得：

童颜鹤发，碧眼庞眉。声似铜钟，须如银线。戴一顶青蓝唐巾，披一领茶褐道袍，腰系丝绦，脚穿麻履。若非得道仙翁，定是修行长者。

杜子春这一肚子气恼，正莫发脱处，遇着这老者来问，就从头备诉一遍。那老者道："俗语有云：世情看冷暖，人面逐高低。你当初有钱是个财主，人自然趋奉你；今日无钱，是个穷鬼，便不礼你，又何怪哉！虽然如此，天不生无禄之人，地不长无根之草；难道你这般汉子，世间就没个慷慨仗义的人周济你的？只是你目下须得银子几何，才够用度？"子春道："只三百两足矣。"老者道："量你好大手段，这三百两干得甚事？再说多些。"子春道："三千两。"老者摇手道："还要增些。"子春道："若得三万两，我依旧到扬州去做个财主了。只是难讨这般好施主。"老者道："我老人家虽不甚富，却也一生专行好事，便助你三万两。”袖里取出三百文钱，递与子春聊备一饭之费。“明日午时，可到西市波斯馆①里会我，郎君勿误！”那老者说罢，径一直去了。子春心中暗喜道：“我终日求人，一个个不肯周济，只道一定饿死；谁知遇着这老者发个善心，一送便送我三万两，岂不是天上掉下来的造化！如今且将他赠的钱，买些酒饭吃了，早些安睡。明日午时，到波斯馆里，领他银子去。”走向一个酒店中，把三百钱都先递与主人家，放开怀抱，吃个醉饱，回至家中去睡。却又想道：“我杜子春聪明一世，懵懂片时。我家许多好亲好眷，尚不礼我；这老者素无半面之识，怎么就肯送我银子？况且三万两，不是当耍的，便作石头也老重一块。量这老者有多大家私，便把三万两送我？若不是见我嗟叹，特来宽慰我的，必是作耍我的，怎么信得他？明日一定是不该去。”却又想道：“我细看那老者，是个至诚的，我又不曾与他那求乞，他没有银子送我便罢了，说那谎话怎的？难道是舍真财调假谎，先送我三百文钱，买这个谎说？明日一定是该去，去也是，不去也是。”想了一会，笑道：“是了，是了！哪里是三万两银子，敢只把三万个钱送我，总是三万之数，也不见得。俗谚道得好：饥时一粒，胜似饱时一斗。便是三万个钱，也值得三十多两，够我好几日用度，岂可不去？”子春被这三万银子在肚里打搅，整整一夜不曾得睡。巴到天色将明，不想精神困倦，倒一觉睡去。及至醒来，早已日将中了，忙忙的起来梳洗。他若是个有见识的，昨日所赠之钱，还存下几文，到这早买些点心吃了去也好；只因他是松溜的手儿，撒漫的性儿，没钱便烦恼，及至钱入手时，这三百文又不在他心上了。况听见有三万银子相送，已喜出望外，哪里算计至此。他的肚皮，两日倒饿服了，却也不在心上，梳裹完了，临出门又笑道：“我在家也是闲，那波斯馆又不多远，做我几步气力不着，便走走去何妨。若见那老者，不要说起那银子的事，只说昨夜承叨铜钱，今日特来相谢，大家心照，岂不美哉！”原来波斯馆，都是四夷进贡的人，在此贩卖宝货，无非明珠美玉，文犀瑶石，动是上千上百的价钱，叫做金银窠里。子春一心想着要那老者的银子，又怕他说谎，这两只脚虽则有气没力的，一步步荡到波斯馆来，一只眼却紧紧望那老者在也不在。到得馆前，正待进

① 西市波斯馆——唐代长安有东西两市，商业极盛。波斯馆，是波斯国商人所开的铺馆。

门，恰好那老者从里面出来，劈头撞见。那老者嗔道："郎君为甚的爽约？我在辰时到此，渐渐的日影挫西，还不见来，好守得不耐烦！你岂不晓得秦末张子房曾遇黄石公①于圯桥之上，约后五日五更时分，到此传授兵书，只因子房来迟，又约下五日，直待走了三次，半夜里便去等候，方才传得三略之法，辅佐汉高祖平定天下，封为留侯。我便不如黄石公，看你怎做得张子房？敢是你疑心我没银子把你么？我何苦讨你的疑心。你且回去，我如今没银子了。"只这一句话，吓得子春面如土色，懊悔不及，恰像折翅的老鹤，两只手不觉直掉了下去，想道："三万银子到手快了，怎么恁样没福，倒熟睡了去，弄到这时候！如今他却不肯了。"又想道："他若也像黄石公肯再约日子，情愿隔夜打个铺儿睡在此伺候。"又想道："这老官儿既有心送我银子，早晚总是一般的，又吊什么古今，论什么故事？"又想道："还是他没有银子，故把这话来遮掩。"正在胡猜乱想，那老者恰像在他腹中走过一遭的，便晓得了，乃道："我本待再约个日子，也等你走几遭儿，则是你疑我道一定没有银子，故意弄这腔调。罢！罢！罢！有心做个好事，何苦又要你走，可随我到馆里来。"子春见说原与他银子，又像一个跳成拨着关捩子②直竖起来，急松松跟着老者径到西廊下第一间房内，开了壁厨，取出银子，一刬③都是五十两一个元宝大锭，整整的六百个，便是三万两，摆在子春面前，精光耀目。说道："你可将去，再做生理，只不要负了我相赠的一片意思。"你道杜子春好不莽赖，也不问他姓甚名谁，家居哪里，刚刚拱手，说得一声："多谢，多谢！"便领三十来个脚夫，竟把银子挑回家去。杜子春到明日绝早，就去买了一匹骏马、一付鞍辔，又做几件时新衣服，便去夸耀众亲家眷，说道："据着你们待我，我已饿死多时了。谁想天无绝人之路，却又有做方便的送我好几万银子。我如今依旧往扬州去做盐商，特来相别。有一首《感怀诗》在此，请政。"诗云：

九叩高门十不应，耐他凌辱耐他憎。
如今骑鹤扬州去，莫问腰缠有几星。

---

① 张子房曾遇黄石公——张子房即张良，刘邦的重要谋士，后来被封为留侯。他曾谋刺秦始皇，未中，逃亡至下邳，传说遇黄石公，得《太公兵法》。

② 关捩(liè)子——一种简单的半自动化的机关。

③ 一刬(chàn)——一概。

那些亲眷们一向讪笑杜子春这个败子，岂知还有发迹之日。这些时见了那首《感怀诗》，老大的好没颜色，却又想道："长安城中，哪有这等一舍便舍三万两的大财主？难道我们都不晓得？一定没有这事。"也有说他祖上埋下的银子，想被他掘着了。也有说道，莫非穷极无计，交结了响马强盗头儿，这银子不是打劫客商的，便是偷窃库藏的。都在半信半不信之间。这也不在话下。

且说子春，那银子装上几车，出了东都门，径上扬州而去。路上不则一日，早来到扬州家里，浑家韦氏迎着道："看你气色这般光彩，行李又这般沉重，多分有些钱钞。但不知哪一个亲眷借贷你的？"子春笑道："银倒有数万，却一分也不是亲眷的。"备细将西门下叹气，波斯馆里赠银的情节，说了一遍。韦氏便道："世间难得这等好人，可曾问他甚么名姓？等我来生也好报答他的恩德。"子春却呆了一晌，说道："其时我只看见银子，连那老者也不看见，竟不曾问得。我如今谨记你的言语，倘或后来再赠我的银子时节，我必先问他名姓便了。"那子春平时的一起宾客，闻得他自长安还后，带得好几万银子来，依旧做了财主，无不趋奉，似蝇攒蚁附一般，因而撺掇他重妆气象，再整风流。只他是使过上百万银子的，这三万两能够几时挥霍，不及两年，早已罄尽无余了。渐渐卖了马骑驴，卖了驴步走，熬枯受淡，度过日子。岂不知坐吃山空，立吃地陷，终是没有来路，日久岁长，怎生挨得！悔道："千错万错，我当初出长安别亲眷之日，送什么《感怀诗》，分明与他告绝了，如今还有甚嘴脸好去干求他？便是干求，料他也决不礼我。弄得我有家难奔，有国难投，教我怎处！"韦氏道："倘或前日赠银子的老儿尚在，再赠你些，也不见得。"子春冷笑道："你好痴心妄想！那个老儿生死若何？贫富若何？怎么还望他赠银子。只是我那夫妇还是肺腑骨肉，到底割不断的。常言傍生不如傍熟。我如今没奈何，只得还至长安去，求那亲眷。"正是：

要求生活计，难惜脸皮羞。

杜子春重到长安，好不卑词屈体，去求那众亲眷。岂知亲眷们如约会的一般，都说道："你还去求那顶尖的大财主，我们有甚力量扶持得你起？"只这冷言冷语，带讥带讪的，教人怎么当得！险些把子春一气一个死。忽一日打从西门经过，劈面遇着老者，子春不胜感愧，早把一个脸都挣得通红了。那老者问道："看你气色，像个该得一注横财的；只是身上衣服，怎么这般褴褛？莫非又消乏了？”子春谢道：“多蒙老翁送我三万银子，我只说是用不尽的，不知略撒漫一撒漫，便没有了。想是我流年不利，故此没福消受，以至如此。”老者道：“你家好亲好眷，遍满长安，难道更没周济你的？”子春听见说亲眷周济这句话，两个眉头，就攒着一堆，答道：“亲眷虽多，一个个都是一钱不舍的悭吝鬼，怎比得老翁这般慷慨？”老者道：“如今本当再赠你些才是，只是你三万银子不够用得两年，若活了一百岁，教我哪里去讨那百多万赠你？休怪休怪！”把手一拱，望西去了。正是：

须将有日思无日，休想今人似昔人。

那老者去后，子春叹道：“我受了亲眷们许多讪笑，怎么那老者最哀怜我的，也发起说话来。敢是他硬做好汉，送了我三万银子，如今也弄得手头干了。只是除了他，教我再望着哪一个搭救。”正在那里自言自语，岂知老者去不多远，却又转来，说道：“人家败子也尽有，从不见你这个败子的头儿，三万银子，恰像三个铜钱，霎霎眼就弄完了。论起你恁样会败，本不该周济你了，只是除了我，再有谁周济你的？你依旧饥寒而死，却不枉了前一番功果。常言道：杀人须见血，救人须救彻。还只是废我几两银子不着，救你这条穷命。”袖里又取出三百个铜钱，递与子春道：“你可将去买些酒饭吃，明日午时仍到波斯馆西廊下相会。既道是三万银子不够用度，今次须送你十万两。只是要早来些，莫似前番又要我等你。”且莫说那老者发这样慈悲心，送过了三万，还要送他十万，倒不亏杜子春好一副厚面皮，明日又自领受他的。当下子春见老者不但又肯周济，且又比先反增了七万，喜出望外，双手接了三百铜钱，深深作了个揖起来，举举手大踏步就走，一直径到一个酒店中，依然把三百个钱做一垛儿先付与酒家。走上酒楼，拣副座头坐下。酒保把酒肴摆将过来。子春一则从昨日至今，还没饭在肚里；二则又有十万银子到手，欢喜过望，放下愁怀，恣意饮啖。那酒家只道他身边还有铜钱，嗄饭案酒，流水搬来。子春又认做三百钱内之物，并亦不推辞，尽情吃个醉饱，将剩下东西，都赏了酒保。那酒保们见他手段来得大落，私下议道：“这人身上便褴褛，倒好个撒漫主顾！”子春下楼，向外便走。酒家道：“算明了酒钱去。”子春只道三百钱还吃不了，乃道：“余下的赏你罢，不要算了。”酒家道：“这人好混账，吃透①了许多东西，倒

① 透——这里是超过了的意思。

说这样冠冕话。”子春道:“却不干我事,你自送我吃的。”撇身又走,酒家上前一把扯住道:“说得好自在!难道再多些,也是送你吃的!”两下便争嚷起来。旁边走过邻里,都来相观,问:“吃透多少?”酒家把账一算,说:“还该二百。”子春呵呵大笑道:“我只道多吃了几万,恁般着忙!原来止得二百文,乃是小事,何足为道!”酒家道:“正是小事,快些数了走开。”子春道:“却今日带得钱少,我明日送来还你。”酒家道:“认得你是哪个,却赊与你?”杜子春道:“长安城中,谁不晓得我城南杜子春是个大财主?莫说这二百文,再多些决不少你的。若不相托,写个票儿在此,明日来取。”众人见他自称为大财主,都忍不住笑,把他上下打料。内中有个闻得他来历的,在背后笑道:“原来是这个败子,只怕财主如今轮不着你了。”子春早又听见,便道:“老丈休得见笑!今日我便是这个嘴脸,明午有个相识,送我十万银子,怕我不依旧做财主么?”众人闻得这话,一发都笑倒了,道:“你这人莫不是疯了?天下哪有送十万银子的,相识在哪里?”酒家道:“我也不管你有十万二十万,只还了我二百钱走路。”子春道:“要,便明日多赏了你两把,今日却一文没有。”酒家道:“你是甚么鸟人?吃了东西,不肯还钱。”当胸揪住,却待要打,子春正摔脱不开,只听有人说道:“莫打,有话讲理。”分开众人,挨身进来。子春睁睛观看,正好是西门老者,忙叫道:“老翁来得恰好!与我评一评理。”老者问道:“你们为何揪住这位郎君厮闹?”酒家道:“他吃透了二百钱酒,却要白赖,故此取索。”子春道:“老翁所赐三百文,先交付与他。然后饮酒,他自要多把东西与人吃,干我甚事?今情愿明日多还他些,执意不肯,反要打我。老翁,你且说谁个的理直?”老者向酒家道:“既是先交钱后饮酒,如何多把与他吃?这是你自己不是。”又对子春道:“你在穷困之乡,也不该吃这许多。如今通不许多说,我存得二百钱在此,与你两下和了罢。”袖里摸出钱来,递与酒家。酒家连称多谢。子春道:“又蒙老翁周全,无可为报。若不相弃,就此小饮三杯,奉酬何如?”老者微微笑道:“不消,改日扰你罢。”向众人道声请了,原复转身而去。子春也自归家。这一夜,杜子春心下想道:“我在贫窘之中,并无一个哀怜我的,多亏这老儿送我三万银子,如今又许我十万,就是今日,若不遇他来周全,岂不受这酒家罗唣。明日到波斯馆里,莫说有银子,就做没有,也不可不去。况他前次既不说谎,难道如今却又弄谎不成?”巴不到明日早,一径的投波斯馆来,只见那老者已先在彼,依旧引入西廊下房内,搬出二千个元宝锭，便是十万两，交付子春收讫，叮嘱道："这银子难道不许你使用，但不可一造的用尽了，又来寻我。"子春谢道："我杜子春若再败时，老翁也不必看觑我了。"即便雇了车马，将银子装上，向老者叫声聒噪，押着而去。

原来偷鸡猫儿到底不改性的，刚刚挑得银子到家，又早买了鞍马，做了衣服，去辞别他众亲眷，说道："多承指示，教我去求那大财主，果然财主手段，略不留难，又送我十万银子。我如今有了本钱，便住在城中，也有坐位了。只是我杜子春天生败子，岂不玷辱列位高亲？不如仍往扬州与盐商合伙，倒也稳便。"这个说话，明明是带着刺儿的。那亲眷们却也受了子春一场呕气，敢怒而不敢言。且说子春，整备车马，将那十万银子，载的载，驮的驮，径往扬州。韦氏看见许多车马，早知道又弄了些银子回来了，便问道："这行李莫非又是西门老儿资助你的？"子春道："不是那老，难道还有别人？"韦氏道："可曾问得名姓么？"子春睁着眼道："哎呀！他在波斯馆里搬出十万银子时节，明明记得你的吩咐，正待问他，却被他婆儿气，再四叮嘱我，好做生理，切不可浪费了，我不免回答他几句。其时一地的元宝锭，又要雇车雇马，看他装载；又要照顾地下，忙忙的收拾不迭，怎讨得闲工夫，又去问他名姓。虽然如此，我也甚是懊悔，万一我杜子春旧性发作，依先用完了，怎么又好求他？却不是天生定该饿死的。"韦氏笑道："你今有了十万银子，还怕穷哩！"原来子春初得银子时节，甚有做人家的意思，及到扬州，豪心顿发，早把穷愁光景尽皆忘了。莫说旧时那些帮闲不作家的朋友，又来撺哄；只那韦氏出自大家，不把银子放在眼里的，也只图好看，听其所为。真个银子越多，用度越广，不上三年，将这十万两荡得干干净净，倒比前次越穷了些。韦氏埋怨道："我教你问那老儿名姓，你偏不肯问，今日如何？"子春道："你埋怨也没用。那老儿送了三万，又送十万，便问得名姓，也不好再求他了。只是那老儿不好求，亲眷又不好求，难道杜子春便是这等坐守死了！我想长安城南祖居，尽值上万多银子。众亲眷们，都是图谋的，我既穷了，左右没有面孔在长安，还要这宅子怎么？常言道：有千年产，没千年主，不如将来变卖，且作用度，省得靠着米囤却饿死了。"这叫做杜子春三入长安，岂不是天生的一条痴汉！有诗为证：

莫恃黄金积满阶，等闲费尽几时来？
十年为侠成何济，万里投人谁见哀！

却表子春到得长安，再不去求众亲眷，连那老儿也怕去见他；只住在城南宅子里，请了几个有名的经纪①，将祖遗的厅房上座几所，下连基地，时价值银一万两，二面议定，亲笔填了文契，托他绝卖。只道这价钱是瓮中捉鳖，手到拿来；岂知亲眷们量他穷极，故意要死他的货，偏不肯买。那经纪都来回了。子春叹道："我杜子春直恁的薄命低！似这寸金田地，偏有卖主，没有受主。敢则经纪们不济，须自家出去寻个头脑。"刚刚到得大街上，早望见那老者在前面来了，连忙的躲在众人丛里，思量避他。岂知那老者却从背后一把曳住袖子，叫道："郎君，好负心也！"只这一声，羞得杜子春再无容身之地。老者道："你全不记在西门叹气之日了！老夫虽则凉薄，也曾两次助你好几万银子，且莫说你怎么样报我，难道喏也唱不得一个？见了我倒躲了去。我何不把这银子撂在水里，也砰地的响一声？"子春谢罪道："我杜子春，单只不会做人家，心肝是有的，宁不知感老翁大恩！只是两次银子，都一造的荡废，望见老翁，不胜惭愧，就恨不得立时死了。以此躲避，岂敢负心！"那老者便道："既是这等，则你回心转意，肯做人家，我还肯助你。"子春道："我这一次，若再败了，就对天设下个誓来。"老者笑道："誓倒不必设，你只把做人家勾当说与我听着。"子春又道："我祖上遗下海边上盐场若干所，城里城外冲要去处，居房若干间，长江上下芦洲若干里，良田若干顷，极是有利息的。我当初要银钱用，都滥贱的典卖与人了。我若有了银子，尽数取赎回来，不消两年，便可致富。然后兴建义庄，开辟义冢，亲故们羸老的养膳他，幼弱的抚育他，孤孀的存恤他，流离颠沛的拯救他，尸骸暴露的收埋他，我于名教②复圆矣。"老者道："你果有此心，我依旧助你。"便向袖里一摸，却又摸出三百个钱，递与子春，约道："明日午时到波斯馆里来会我，再早些便好。"子春因前次受了酒家之气，今番也不去吃酒；别了老者，一径回去。一头走，一头思想道："我杜子春天生莽汉，幸遇那老者两次赠我银子，我不曾问得他名姓，被妻子埋怨一个不了。如今这次，须不可不问。"只待天色黎明，便投波斯馆去。在门上坐了一会，方才那老者走来。此时尚是辰牌时分。老者喜道："今日来得恰好。我想你说的做人家勾当，若银子少时，怎济得事？须把三十万两

① 经纪——买卖双方的中间介绍人。
② 名教——封建社会的等级名分和礼教。

助你。算来三十万，要六千个元宝锭，便数也数得一日，故此要你早些来。”便引子春入到西廊下房内，只一搬，搬出六千个元宝锭来，交付明白，叮嘱道：“老夫一生家计，尽在此了；你若再败时节，也不必重来见我。”子春拜谢道：“敢问老翁高姓大名？府上哪里？”老者道：“你待问我怎的？莫非你思量报我么？”子春道：“承老翁前后共送了四十三万，这等大恩，还有甚报得？只狗马之心，一毫难尽。若老翁要宅子住，小子卖契尚在袖里，便敢相奉。”老者笑道：“我若要你这宅子，我只守了自家的银子却不好。”子春道：“我这杜子春贫乏了，平时亲识没有一个看顾我的，独有老翁三次周济。想我杜子春若无可用之处，怎肯便舍这许多银子？倘或要用我杜子春，敢不水里水里去，火里火里去。”老者点着头道：“用便有用你去处，只是尚早。且待你家道成立，三年之后，来到华山云台峰上，老君祠前双桧树下，见我便了。”有诗为证：

四十三万等闲轻，末路犹然讳姓名。

他日云台虽有约，不知何事用狂生？

却说子春把那三十万银子，扛回家去，果然这一次顿改初心，也不去整备鞍马，也不去制备衣服，也不去辞别亲眷，悄悄的雇了车马，收拾停当，径往扬州。原来有了银子，就天上打一个霹雳，满京城无有不知的。那亲眷们都也说道：“他有了三十万银子，一般财主体面；况又沾亲，岂可不去饯别？”也有说道：“他没了银子时节，我们不曾礼他，怎么有了银子便去饯别？这个叫做前倨后恭，反被他小觑了我们。”到底愿送者多，不愿送者少，少的拗不过多的，一齐备了送出东都门外，与杜子春饯别。只见酒到三巡，子春起来谢道：“列位高亲远送，小子信口掐得个曲儿，将回敬一杯，休得见笑。”你道是什么曲儿？原来都是叙述穷苦无处求人的意思，只教那亲眷们听着，坐又坐不住，去又去不得，倒是不来送行也罢了，何苦自讨这场没趣。曲云：

我生来的是富家，从幼的喜奢华，财物撒漫贱如沙。觑着囊资渐寡，看看手内光光乍，看看身上丝挂。欢娱博得叹和嗟，枉教人作话靶。

待求人难上难，说求人最感伤。朱门走遍自徬徨，没半个钱儿到掌。若没有城西老者宽洪量，三番相赠多情况，这微躯已丧路途旁。请列位高亲主张。

子春唱罢，拍手大笑，向众亲眷说声请了，洋洋而去。心里想道：“我当初没银子时节，去访那亲眷们，莫说请酒，就是一杯茶也没有；今日见我有了银子，便都设酒出门外送我。原来银子这般不可少的，我怎么将来容易荡费了！”一路上好生感叹。到得扬州，韦氏只道他止卖得些房价在身，不够撒漫，故此服饰舆马，比前十分收敛。岂知子春在那老者眼前，立下个做人家的誓愿，又被众亲眷们这席酒识破了世态，改转了念头，早把那扶兴不扶败的一起朋友，尽皆谢绝，影也不许他上门。方才陆续的将典卖过盐场客店，芦洲稻田，逐一照了原价，取赎回来。果然本钱大，利钱也大。不上两年，依旧泼天巨富。又在两淮南北，直到瓜州地面，造起几所义庄，庄内各有义田、义学、义冢。不论孤寡老弱，但是要养育的，就给衣食供膳他；要讲读的，就请师傅教训他；要殡殓的，就备棺椁埋葬他。莫说千里内外，感被恩德；便是普天下，哪一个不赞道："杜子春这等败了，还挣起人家。才做得家成，又干了多少好事，岂不是天生的豪杰！"原来子春牢记那老者期约在心，刚到三年，便把家事一齐交付与妻子韦氏，说道："我杜子春三入长安，若没那老者相助，不知这副穷骨头死在哪里。他约我家道成立，三年之外，可到华山云台峰上老君祠前，双桧树下，与他相见，却有用着我的去处。如今已是三年时候，须索到华山去走一遭。"韦氏答道："你受他这等大恩，就如重生父母一般，莫说要用着你，便是要用我时，也说不得了。况你贫穷之日，留我一个在此，尚能支持，如今现有天大家私，又不怕少了我吃的，又不怕少了我穿的，你只管放心，自去便了。"当日整治一杯别酒，亲出城西饯送子春上路。

竹叶杯中辞少妇，莲花峰上访真人。

子春别了韦氏，也不带从人，独自一个上了牲口，径往华山路上前去。原来天下名山，无如五岳。你道哪五岳？中岳嵩山、东岳泰山、北岳恒山、南岳霍山、西岳华山。

这五岳都是神仙窟宅。五岳之中，惟华山最高。四面看来，都是方的，如刀斧削成一片，故此俗人称为"削成山"。到了华山顶上，别有一条小路，最为艰险，须要攀藤附葛而行。约莫五十余里，才是云台峰。子春抬头一望，早见两株桧树，青翠如盖，中间显出一座血红的山门，门上竖着匾额，乃是"太上老君之祠"六个老大的金字。此时乃七月十五，中元令节，天气尚热，况又许多山路，走得子春浑身是汗，连忙拭净敛容，向前顶礼仙像。只见那老者走将出来，比前大是不同，打扮得似神仙一般。但见他：

戴一顶玲珑碧玉星冠，被一领织锦绛绡羽衣，黄丝绶腰间婉转，红云履足下蹒跚。项上银须洒洒，鬓边华发斑斑。两袖香风飘瑞霭，一双光眼露朝星。

那老者遥问道："郎君果能不负前约，远来相访乎！"子春上前纳头拜了两拜，躬身答道："我这身子，都是老翁再生的。既蒙相约，岂敢不来！但不知老翁有何用我杜子春之处？"老者道："若不用你，要你冲炎冒暑来此怎的！"便引着子春进入老君祠后。这所在，乃是那老子炼药去处。子春举目看时，只见中间一所大堂，堂中一座药灶，玉女九人环灶而立，青龙白虎分开左右。堂下一个大瓮，有七尺多高，瓮中有五尺多阔，满满贮着清水。西壁下铺着一张豹皮。老者教子春靠壁向东盘膝坐下，却去提着一壶酒，一盘食来。你道盘中是甚东西？乃是三个小石子。子春暗暗想道："这硬石子怎生好吃？"原来煮熟的，就如芋头一般，味尤甘美。子春走了许多山路，正在饥渴之际，便把酒食都吃尽了。其时红日沉西，天色傍晚，那老者吩咐道："郎君不远千里，冒暑而来，所约用你去处，单在于此。须要安神定气，坐到天明。但有所见，皆非实境。任他怎生样凶险，怎生样苦毒，都容你看，不可惊慌。"吩咐已毕，自向药灶前去，却又回头叮嘱道："郎君切不可忘了我的吩咐，便是一声也则不得的。牢记！牢记！"子春应允。刚把身子坐定，鼻息调得几口，早看见一个将军，长有一丈五六，头戴凤翅金盔，身穿黄金铠甲，带领着四五千人马，鸣锣举鼓，呐喊摇旗，拥上堂来，喝问："西边坐着的是谁？怎么不回避我？快通名姓。"子春全不答应。激得将军大怒，喝教人攒箭射来，也有用刀夹背斫的，也有用枪当心戳的，好不利害！子春谨记老者吩咐，只是忍着，并不做声。那将军没奈何他，引着兵马也自去了。金甲将军才去，又见一条大蟒蛇，长可十余丈，将尾缠住子春，以口相向，焰焰的吐出两个舌尖，抵入鼻子孔中。又见一群狼虎，从头上扑下，咆哮之声，振动山谷，那獠牙就如刀锯一般锋利，遍体咬伤，流血满地。又见许多凶神恶鬼，却是铜头铁角，狰狞可畏，跳跃而前。子春任他百般欺弄，也只是忍着。猛地里又起一阵怪风，刮得天昏地黑，大雨如注，堂下水涌起来，直漫到胸前。轰天的霹雳，当头打下，电火四掣，须发都烧。子春一心记着老者吩咐，只不做声。渐渐的雷收雨息，水也退去。子春暗暗喜道："如今天色已霁，想再没有甚么慌吓我了。”岂知前次那金甲大将军，依旧带领人马，拥上堂来，指着子春喝道：“你这云台山妖民，到底不肯通名姓，难道我就奈何不得你？”便令军士，疾去扬州，擒他妻子韦氏来到。说声未毕，韦氏已到，按在地上，先打三百杀威棒，打得个皮开肉绽，鲜血迸流。韦氏哀叫道：“贱妾虽无容德，奉事君子有年，岂无伉俪之情。乞赐一言，救我性命。”子春暗想老者吩咐，说是随他所见，皆非实境，安知不是假的？况我受老者大恩，便真是妻子，如何顾得？并不开言，激得将军大怒，遂将韦氏千刀万剐。韦氏一头哭，一头骂，只说：“枉做了半世夫妻，忍心至此！我死在九泉之下，誓必报冤。”子春只做不听得一般。将军道：“这贼妖术已成，留他何用？便可一并杀了。”只见一个军士，手提大刀，走上前来，向子春颈上一挥，早已身首分为两处。你看杜子春，刚才弄得成家，却又死于非命，岂不痛惜可怜！

游魂渺渺归何处？遗业忙忙付甚人？

那子春颈上被斫了一刀，已知身死，早有夜叉在旁，领了他魂魄竟投十地阎君殿下，都道：“子春是个云台峰上妖民，合该押赴酆都地狱，遍受百般苦楚，身躯靡烂。”原来被业风一吹，依然如旧。却又领子春魂魄，托生在宋州原任单父县丞叫做王勘家做个女儿。从小多灾多病，针灸汤药，无时间断。渐渐长成，容色甚美。只是说不出一句言语来，是个哑的。同乡有个进士，叫做卢珪，因慕他美，要娶为妻。王家推辞，哑的不好相许。卢珪道：“与我做媳妇，只要有容有德，岂在说话？便是哑，不强似长舌的。”却便下了财礼，迎娶过门，夫妻甚是相得。早生下儿子，已经两岁，生得眉清目秀，红的是唇，白的是齿，真个可爱！忽一日卢珪抱着抚弄，却问王氏道：“你看这样儿子，生得好么？”王氏笑而不答。卢珪怒道：“我与你结发三载，未尝肯出一声，这是明明鄙贱着我，还说甚恩情那里，总要儿子何用？”倒提着两只脚，向石块上只一扑，可怜掌上明珠，扑做一团肉酱。子春却忘记了王家哑女儿，就是他的前身，看见儿子被丈夫活活扑死了，不胜爱惜，刚叫得一个“噫”字，岂知药灶里迸出一道火光，连这所大堂险些烧了。其时天色已将明，那老者忙忙向前提着子春的头发，将他浸在水瓮里，良久方才火息。老者跌脚叹道：“人有七情，乃是喜怒忧惧爱恶欲。我看你六情都尽，惟有爱情未除。若再忍得一刻，我的丹药已成，和你都是仙了。今我丹药还好修炼，只是你的凡胎，却几时脱得？可惜老大世界，要寻个仙才，难得如此！”子春懊悔无地，走到堂上，看那药灶时，只见中间贯着手臂大一根铁柱，不知仙药都飞在哪里去了。老者脱了衣服，跳入灶中，把刀在铁柱上，刮得些药末下来，教子春吃了，遂打发下山。子春伏地谢罪，说道："我杜子春不才，有负老师嘱咐。如今情愿跟着老师出家，只望哀怜弟子，收道在山上罢。"老者摇手道："我这所在，如何留得你？可速回去，不必多言。"子春道："既然老师不允，容弟子改过自新，三年之后，再来效用。"老者道："你若修得心尽时，就在家里也好成道。若修心不尽，便来随我，亦有何益。慎之！勉之！"子春领命，拜别下山。不则一日，已至扬州。韦氏接着问道："那老者要你去，有何用处？"子春道："不要说起，是我不才，负了这老翁一片美情。"韦氏问其缘故，子春道："他是个得道之人，教我看守丹灶，嘱咐不许开言。岂知我一时见识不定，失口叫了一个'噫'字，把他数十年辛勤修合的丹药，都弄走了。他道我再忍得一刻，他的丹药成就，连我也做了神仙。这不是坏了他的事，连我的事也坏了？以此归来，重加修省。"韦氏道："你为甚却道这'噫'字？"子春将所见之事，细细说出，夫妻不胜嗟叹。自此之后，子春把天大家私，丢在脑后，日夕焚香打坐，涤虑凝神，一心思想神仙路上。但遇孤孀贫苦之人，便动千动百的舍与他，虽不比当初败废，却也渐渐的十不存一。倏忽之间，又是三年。一日对韦氏说道："如今待要再往云台求见那老者，超脱尘凡。所余家私，尽着够你用度，譬如我已死，不必更想念了。"那韦氏也是有根器的，听见子春要去，绝无半点留念，只说道："那老者为何肯舍这许多银子送你，明明是看你有神仙之分，故来点化，怎么还不省得？"明早要与子春饯行。岂知子春这晚题下一诗，留别韦氏，已潜自往云台去了，诗云：

骤兴骤败人皆笑，旋死旋生我自惊。
从今撒手离尘网，长啸一声归白云。

你道子春为何不与韦氏面别，只因三年斋戒，一片诚心，要从扬州步行到彼，恐怕韦氏差拨伴当跟随，整备车马送他，故此悄地出了门去。两只脚上，都走起茧子来，方才到得华州地面。上了华山，径奔老君祠下，但见两株桧树，比前越加葱翠。堂中绝无人影，连那药灶也没了踪迹。子春叹道："一定是我杜子春不该做神仙，师父不来点化我了。虽然如此，我发了这等一个愿心，难道不见师父就去了不成？今日死也死在这里，断然不回去了。"便住在祠内，草衣木食，整整过了三年。守那老者不见，只得跪在仙像前叩头，祈告云：

窃惟弟子杜子春，下土愚民，尘凡俗子。奔逐货利之场，迷恋身色之内。蒙本师慨发慈悲，指皈大道，奈弟子未断爱情，难成正果。遣归修省，三载如初。再叩丹台，一诚不二。洗心涤虑，六根净清无为；养性修真，万缘去除都尽。伏愿道缘早启，仙驭速临。拔凡骨于尘埃，开迷踪于觉路。云云。

子春正在神前祷祝，忽然祠后走出一个人来，叫道："郎君，你好至诚也！"子春听见有人说话，抬头一望，看时却正是那老者，又惊又喜，向前叩头道："师父，想杀我也！弟子到此盼望三年，怎的再不能一面？"老者笑道："我与你朝夕不离，怎说三年不见？"子春道："师父既在此间，弟子缘何从不看见？"老者道："你且看座上神像，比我如何？"子春连忙走近老君神像之前，定睛细看，果然与老者全无分别，乃知向来所遇，即是太上老君，便伏地请罪，谢道："弟子肉眼怎生认得？只望我师哀怜弟子，皈依大师。"老君笑道："我因怕汝处世日久，尘根不一，故假摄七种情缘，历历试汝。今汝心下已皆清净，又何言哉！我想汉时淮南王刘安，专好神仙，真感得八公①下界，与他修合丹药。炼成之日，合宅同升，连那鸡儿狗子，餂了鼎中药末，也得相随而去，至今鸡鸣天上，犬吠云间。既是你做神仙，岂有妻子偏不得道。我这有神丹三丸，特相授汝，可留其一，持归与韦氏服之，教他免堕红尘，早登紫府。"子春再拜，受了神丹，却又禀道："我弟子贫穷时节，投奔长安亲眷，都道我是败子，并无一个慈悲我的。如今弟子要同妻子韦氏，再往长安，将城南祖居舍为太上仙祠，祠中铸造丈六金身，供奉香火。待众亲眷聚集，晓喻一番，也好打破他们这重魔障。不知我师可容许我弟子否？"老君赞道："善哉！善哉！汝既有此心，待金像铸成之日，吾当显示神道，挈汝升天，未为晚也。"正是：

十年一觉扬州梦，赢得人间败子名。

话分两头，却说韦氏，自子春去后，却也一心修道，屏去繁华，将所遗家私尽行布施，只在一个女道士观中，投斋度日。满扬州人见他夫妻云游的云游，乞丐的乞丐，做出这般行径，都莫知其故。忽一日子春回来，遇着韦氏，两个俱是得道之人，自然不言而喻。便把老君所授神丹，付与韦氏服了，只做抄化模样，径赴长安去投见那众亲眷，呈上一个疏簿，说把城南

---

① 八公——神仙故事中的八个神仙。

祖居，舍作太上老君神庙，特募黄金十万两，铸造丈六金身，供奉殿上。要劝那众亲眷，共结善缘。其时亲眷都笑道："他两次得了横财，尽皆废败，这不必说了；后次又得一大注，做了人家，如何三年之后，白白的送与人去？只他丈夫也罢了，怎么韦氏平时既不谏阻，又把分拨与他用度的，亦皆散舍？岂不夫妻两个都是薄福之人，消受不起，致有今日。眼见得这座祖宅，还值万数银子，怎么又要舍作道院；别来募化黄金，兴铸仙像。这等痴人，便是募得些些，左右也被人骗去。我们礼他则甚！"尽都闭了大门，推辞不管闲事。子春夫妻含笑而归。那亲眷们都量定杜子春夫妻，断然铸不起金像的，故此不肯上疏。岂知半月之后，子春却又上门递进一个请帖儿，写着道：

子春不自量力，谨舍黄金六千斤，铸造老君仙像。仰仗众缘，法相院成，拟于明日奉像升座。特备小斋，启请大德，同观胜事，幸勿他辞！

那亲眷们看见，无不惊讶，叹道："怎么就出得这许多金子？又怎么铸造得这般神速？"连忙差人前去打听，只见众亲眷的请帖，家家都有了。大家说道："我们看一个杜子春亲送请帖，也不知杜子春有多少身子。"都道这事有些蹊跷。到次日，没一个不来。到得城南，只见人山人海，填街塞巷，合城男女，都来随喜。早望见门楼已都改造过了，造得十分雄壮，上头写着栲栳①大金字，是"太上行宫"四个字。进了门楼，只见殿宇廊庑，一刬的金碧辉煌，耀睛夺目，俨如天宫一般。再到殿上看时，真个黄金铸就的丈六天身，庄严无比。众亲眷看了，无不摇首咋舌道："真个他弄起恁样大事业！但不知这些金子是何处来的？"又见神座前，摆下一大盘蔬菜，一卮子酒，暗暗想道："这定是他办的斋了。纵便精洁，无过有一两器，不消一个人，便一口吃完了；怎么下个请帖，要遍斋许多人？"众亲道："好不古怪。"只见子春夫妇，但遇着一个到金像前瞻礼的，便捧过斋来请他吃些，没个不吃，没个不赞道甘美。那亲眷们正在惊叹之际，忽见金像顶上，透出一道神光，化做一朵白云，中间的坐了老君，左边坐了杜子春，右边坐了韦氏，从殿上出来，身到空里，约莫离地十余丈高。只见子春举手与众人

① 栲栳——用柳条或竹子编成的盛物器，也叫"笆斗"。

作别,说道:"横眼凡民,只知爱惜钱财,焉知大道。但恐三灾①横至,四大②崩摧,积下家私,抛于何处?可不惜哉!可不惜哉!"晓喻方毕,只听得一片笙箫仙乐,响振虚空,旌节导前,幡盖拥后,冉冉升天而去。满城士庶,无不望空合掌顶礼。有诗为证:

千金散尽罄无遗,一念皈依死不移。
慷慨丈夫终得道,白云朵朵上天梯。

第三十八卷 李道人独步云门

尽说神仙事渺茫,谁人能脱利名缰?
今朝偶读云门传,阵阵薰风透体凉。

话说昔日隋文帝开皇初年,有个富翁,姓李名清,家住青州城里,世代开染坊为业。虽则经纪人家,宗族倒也蕃盛,合来共有五六千丁,都是有本事,光着手赚得钱的。因此家家饶裕,远近俱称为李半州。一族之中,惟李清年齿最尊,推为族长。那李清天性仁厚,族中不论亲疏远近,个个亲热,一般看待,再无两样心肠。为这件上,合族长幼男女,没一个不把他敬重。每年生日,都去置办礼物,与他续寿。宗族已是大了,却又好胜,各自搜觅异样古物器玩、锦绣绫罗馈送。他生平省俭惜福,不肯过费,俱将来藏置土库中。逐年堆积上去,也不计其数。只有一件事,再不吝惜。你道是哪一件?他自幼行善,利人济物,兼之慕仙好道,整千贯价布施。若遇个云游道士,方外全真③,叩留至家中供养,学些丹术,讲些内养。谁想那班人都是走方光棍,一味说骗钱财,何曾有真实学问!枉自费过若干东西,便是戏法讨不得一个。然虽如此,他这点精诚,终是不改,每日焚香打坐,养性存心,有出世之念。

其年恰好齐头七十。那些子孙们,两月前便在那里商议,说道七十古

① 三灾——按佛教的说法分大小三灾。大三灾指火、水、风;小三灾指刀兵、饥馑、疫疠。

② 四大——道家以道、天、地、人为四大。佛教以地、水、火、风为四大。

③ 全真——本为道教的一个支派,后作为对一般道士的称呼。

稀之年，是人生最难得的，须不比平常诞日。各要寻几件希奇礼物上寿，祝他个长春不老。李清也料道子孙辈必然如此，预先设下酒席，分着一支一支的，次第请来赴宴。因对众人说："赖得你等勤力，各能生活，每年送我礼物，积至近万，衣装器具，华侈的东西，也无用处；我因不好拂尔等盛情，所以有受无却。然而一向贮在土库，未尝一阅，多分已皆朽坏了。费你等钱帛，做我的粪土，岂不可惜！今日幸得天曹尚未录我魂气，生日将到，料你等必然经营庆生之礼，甚非我的本意！所以先期相告，切莫为此！"子孙辈皆道："庆生的礼，自古叫做续寿。况兼七十岁，人生能有几次，若不庆贺，何以少展儿子孝顺之心？这可是少得的！"李清道："既你等主意定夺，只凭我所要的，将来送我何如？"子孙辈欣然道："愿闻尊命！"李清道："我要生日前十日，各将手指大麻绳百尺送我，总算起来约有五六万丈，以此续寿，岂不更为长远！"众人闻声，暗暗称怪，齐问道："太公吩咐，敢不奉命。但不知要他做甚？"李清笑道："且待你等都送齐了，然后使你等知之，今犹未可轻言也。"众子孙领了李清吩咐之后，真个一传十，十传百，都将麻绳百尺，赶在生日前交纳，地上叠得高高的，竟成一座绳山。只是不知他要这许多绳何用？

原来离着青州城南十里，有一座山叫做云门山，山顶上分做两个，俨如斧劈开的。青州城里人家，但是向南的，无不看见这山飞云度鸟，窳儿①内经过，皆历历可数。俗人又称为劈山。那山顶中间，却有个大穴，澒澒洞洞②的，不知多少深。也有好事的，把大石块投下，从不曾听见些声响。以此人都道是没底的。只见李清受了麻绳之后，便差人到那山上紧靠着穴，只竖起两个大橛子，架上辘轳。家里又唤打竹家伙的，做一个结结实实的大竹篮，又到铜铺里买上大小铜铃好几百个，也不知道弄出什么勾当？子孙辈一齐的都来请问，李清方才答道："我原说终使你等知之，难道我就瞒着去了。我自幼好道，今经五十余年，一无所得。常见《图经》载那云门山是神仙第七个洞府。我年已七十，便活在世上，也不过两三年了。趁今手足尚还强健，欲于生日这一日，借你等所送的麻绳，用着四根，悬在大竹篮四角，中间另是一根，系上铜铃，待我坐于篮内，却慢慢的绞下。若

---

① 窳(yǔ)儿——指山顶上的缺口。

② 澒(hòng)澒洞洞——深不可测的样子。

有些不虞去处，见我摇动中间这绳，或听见铃响，便好将我依旧盘上。万一有缘，得与神仙相遇，也少不得回来，报知你等。”说犹未毕，只见子孙辈都叩头谏道：“不可，不可！这个大穴里面，且莫说山精木魅，毒蛇怪兽，藏着多少；只是那一道乌黑的臭气，也把人熏死了。高年之人，怎么禁得这般利害？”李清道：“我意已决，便死无悔！你等若不容我，必然私自逃去，从空投下。不得麻绳竹篮，永无出来的日子。”内中也有老成的，晓得他生平是个执性的人，便道：“恭敬不如从命。只是这等天大的事，岂可悄然便去，须要遍告亲戚，同赴云门山相送。也使四海流传，做个美谈，不亦可乎！”李清道：“这却使得。”那李家一姓子孙，原有五六千，又去通知亲眷，同来拜送。只算一人一个，却不就是上万的人了。到得李清生辰这一日，无不陈了鼓乐，携了酒馔，一齐的捧着李清，竟往云门山去。随着去看的人，也不知有多少，几乎把青州城都出空了。不一时，到了云门山顶。众人举目四下一望，果然好景。但见：

众峰朝拱，列嶂环围。响泠泠流泉幽咽，密茸茸乱草迷离。崖边怪树参天，岩上奇花映日。山径烟深，野色过桥。青霭近冈形势远，松声隔水白云连。淅淅但闻林坠露，萧萧只听叶吟风。

那竹篮绳索等件，俱已整备停当。众亲眷们，都更递的上前奉酒。内中也有一样高年的说道：“老亲家，你好道之心，这般决烈，必然是神仙路上人，此去保无他虑；但我等做事也要老成，方无后悔。我想这等黑洞洞深穴，从来没人下去，怎把千金之体，轻投不测？今日既有竹篮绳索，不若先取一个狗来，放下去看。若是这狗无事，再把一个伶俐些家人下去，看道有甚么仙迹在那里。待他上来说了，方才送老亲家下去，岂不万全。”李清笑道：“承教，承教！只是要求道的，长拚个死，才得神仙可怜，或肯收为弟子。这个穴内，相传是神仙第七洞府，又不比砒霜毒药，怎么要试他利害？似此疑惑，便是退悔道心，怎能够超凡脱浊？我主意已定，好歹要下去走遭。不消列位高亲担忧。老汉信口诌得四句俚言，在此留别，望勿见笑！”众亲眷齐道：“愿闻珠玉。”李清随念出一首诗来，诗云：

久拚残命已如无，挥手云门愿不孤。

翻笑壶公①曾得道，犹烦市上有悬壶。

众人听了这诗，无不点头嗟叹，勉强解慰道："老亲家道心恁般坚固，但愿一下去，便得逢仙。"李清道："多谢列位祈祝，且看老汉缘法何如。"遂起来向空拜了两拜，便去坐在竹篮内，挥手与众亲眷子孙辈作别，再也不说甚话，一径的将麻绳轫轫轹轹放将下去。莫说众亲眷子孙辈，都一个个面色如土，连那看的人也惊呆了，摇头咋舌道："这老儿好端端在家受用倒不好，却痴心妄想，往恁样深穴中去求仙！可不是讨死吃么？"噫！李清这番下去了，不知几时才出世哩？正是：

神仙本是凡人做，只为凡人不肯修。

却说李清放下也不知有几千多丈，觉得到了底上，便爬出竹篮，去看那里面有何仙迹。岂知穴底黑洞洞的，已是不见一些高低；况是地下有水一般，又滑又烂。还不曾走得一步，早跌上一交。那七十岁老人家，有甚气力，才挣得起，又闪上一跌。只两交，就把李清跌得昏晕了去。那上面亲眷子孙辈，看看日色傍晚，又不见中间的麻绳曳动，又不听得铜铃响，都猜着道："这老人家被那阴湿的臭气相触，多分不保了。"且把辘轳绞上竹篮看时，只见一个空篮，不见了李清。其时就着了忙，只得又把竹篮放下。守了一会，再绞上来，依旧是个空篮。那伙看的人，也有嗟叹的，也有发笑的，都一哄走了。子孙辈向着穴中，放声大哭，埋怨道："我们苦苦谏阻，只不肯听，偏要下去。七十之人，不为寿夭，只是死便死了，也留个骸骨，等我们好办棺椁葬他。如今弄得尸首都没了，这事怎处？"那亲眷们人人哀感，无不洒泪。内中也有达者说道："人之生死，无非大数。今日生辰，就是他数尽之日，便留在家里，也少不得是死的。况他志向如此，纵死已遂其志，当无所悔。虽然没了尸首，他衣冠是有的，不若今晚且回去，明早请几个有法力的道士，重到这里，招他魂去。只将衣冠埋葬，也是古人一个葬法。我闻轩辕皇帝，得了大道，已在鼎湖升天去了，还留下一把剑，两只履，装在棺内，葬于桥山。又安知这老翁不做了神仙，也要教我们与他做个空冢。只管对着穴口啼啼哭哭，岂不惑哉！"子孙辈只得依允，拭了眼

① 壶公——传说东汉时，有一老翁名王壶公，在市上卖药，常悬一壶，卖完药，即跳入壶中。

泪，收拾回家。到明日重来山顶，招魂回去。一般的设座停棺，少不得诸亲众眷都来祭奠。过了七七四十九日，造坟下葬，不在话下。

且说李清被这两跌，晕去好几时，方才醒得转来，又去细细的摸看。原来这穴底，也不多大，只有一丈来阔，周围都是石壁，别无甚奇异之处。况且脚下烂泥，又滑得紧，不能举步，只得仍旧去寻那竹篮坐下，思量曳动绳索，摇响铜铃，待他们再绞上去。伸手遍地摸着，已不见了竹篮，叫又叫不应，飞又飞不出，真个来时有路，去日无门，教李清怎么处置？只得盘膝儿，坐在地下。也不知挨了几日，但觉饥渴得紧，一时难过，想道古人啮雪吞毡，尚且救了性命；这里无雪无毡，只有烂泥在手头，便去抓一把来咽下。岂知神仙窟宅，每遇三千年才一开底里，迸出泥来，叫做“青泥”，专是把与仙人做饭吃的，尽也有些味道，可解饥渴。吃了几口，觉得精神好些。却又去细细摸看，只见石壁擦底下，又有个小穴，高不上二尺，心下想道：“只管坐在泥中，有何了期！左右没命的人了，便这里面有甚么毒蛇妖怪，也顾不得，且是爬将进去，看个下落。”只因这番，直教黑茫茫断头之路，另见个境界风光；活喇喇拚命之夫，重开个铺行生理①。正是：

阎王未注今朝死，山穴宁无别道通？

李清不顾性命，钻进小穴里去，约莫的爬了六七里，觉得里面渐渐高了二尺来多，左右是立不直的，只是爬着地走。那老人家也不知天晓日暗，倦时就睡上一觉，饥时就把青泥吃上几口，又爬了二十余里。只见前面透出星也似一点亮光，想道：“且喜已有出路了。”再把青泥吃些，打起精神，一钻钻向前去，出了穴口，但见青的山，绿的水，又是一个境界。李清起来伸一伸腰，站一站脚，整衣拂履，望空谢道：“惭愧！今朝脱得这一场大难！”依着大路，走上十四五里，腹中渐渐饥馁，路上又没一个人家卖得饭吃。总有得买，腰边也没钱钞。穴里的青泥，又不曾带得些出来，看看走不动了。只见路旁碧靛青的流水，两岸覆着菊花，且去捧些来吃，岂知这水也不是容易吃的，仙家叫做“菊泉”，最能延年去病。那李清才吃得几口，便觉神清气爽，手脚都轻快了。又走上十多里，忽望见树顶露出琉璃瓦盖造的屋脊，金碧闪烁，不知甚么所在？飞捻的赶到那里去看，却是血红的观门，周围都是白玉石砌就台基座。共有九层，每一层约有一丈多

① 重开个铺行生理——重新开一个店铺，找出一条谋生之路。

高。又没个阶坡，只得攀藤扪葛，拚命吊将上去。那门儿又闭着，不敢擅自去扣，只得屏气而待。直等到一佛出世，二佛升天①，方才有个青衣童子开门出来，喝道："李清，你来此怎么？"李清连忙的伏地叩头，称道："青州染匠李清不揣凡庸，冒叩洞府，伏乞收为弟子，生死难忘！"那童子笑道："我怎好收留得你？且引你进去恳求我主人便了。"那青衣童子，入去不久，便出来引李清进去，到玉墀②之下，仰看壁上华丽如天宫一般，端的好去处。但见：

朱甍③耀日，碧瓦标霞。起百尺琉璃宝殿，甃九层白玉瑶台。隐隐雕梁镌玳瑁，行行绣柱嵌珊瑚。琳宫贝阙，飞檐长接彩云浮；玉宇琼楼，画栋每含苍雾宿。曲曲栏干围玛瑙，深深帘幕挂珍珠。青鸾玄鹤双双舞，白鹿丹麟对对游。野外千花开烂熳，林间百鸟啭清幽。

李清去那殿中看时，只见正居中坐着一位仙长，头戴碧玉莲冠，身披缕金羽衣，腰系黄绦，足穿朱舄④，手中执着如意，有神游八极之表。东西两旁，每边又坐着四位，一个个仙风道骨，服色不一。满殿祥云缭绕，香气氤氲，真个万籁无声，一尘不到，好生严肃。李清上前，逐位叩了头，依旧将这冒死投见的情节，表诉一遍。只见中间的仙长说道："李清，你未该来此，怎么就擅自投到？我这里没有你的座位，快回去罢！"李清便涕泣禀道："我李清一生好道，不曾有些儿效验，今日幸得到了仙宫，面见仙长，岂肯空手回去？我已是七十岁的人，左右回去，也没多几时活，难道还再来得成？情愿死便死在阶下，断然不回去了。"那仙长只是摇头不允。却得旁边的替他禀道："虽则李清未该到此，但他一片虔诚，亦自可怜！我今若不留他，只道神仙到底修不得的了。况我法门中，本以度人为第一功德。姑且收留门下，若是不堪受教，再遣他回去，亦未迟也！"那仙长才点着头道："也罢！也罢！姑容他在西边耳房暂住。"李清连忙拜谢。一头走到耳房里去，一头想道："我若没有些道气，怎得做仙家弟子？只是当初曾与子孙们约道，遇得仙时，少不得给假回去，报知你等。今我再三哀禀，又得旁

① 一佛出世，二佛升天——即一佛生，二佛死。形容时间很长。
② 玉墀(chí)——玉砌的台阶。墀，台阶。
③ 朱甍(méng)——朱红色的屋脊。
④ 朱舄(xì)——红鞋。

边这几位仙长相劝，才许收留，怎么又请回去？万一触忤了他，嗔责我尘缘未净，如何是好？且自安心静坐，再过几时，另作区处。”那李清走到西边耳房下，尚未坐定，只见一个老者，从门外进来，禀道：“蓬莱山霞明观丁尊师初到，西王母特启瑶池大宴，请群真同赴。”并不见有人陈设，早已几乘鹤驾鸾车，齐齐整整，摆列殿下。其时中间的仙长在前，两旁的八位在后，次第步出殿来。那李清也免不得随着那伙青衣童子，在丹墀里候送。只见仙长觑着李清吩咐道：“你在此，若要观山玩水，任意无拘；惟有北窗，最是轻易开不得的，谨记谨记！”说罢，各各跨上鸾鹤，腾空而起。自然有云霞拥护，箫管喧阗，这也不能备述。

岂知李清在耳房下，凭窗眺望，看见三面景致。幽禽怪鸟，四时有不绝之音；异草奇花，八节有长春之色。真个观之不足，玩之有余。渐渐转过身来，只见北窗斜掩，想道：“既是三面都好看得，怎么偏生一个北窗，却看不得？必定有甚奇异之处，故不把与我看。如今仙长已去赴会，不知多少程途，未必就回，且待我悄悄的开来看看。仙家哪里便知道了。”走向前轻轻把手一推，呀的一声，那窗早已开了。举目仔细一观，有恁般作怪的事！一座青州城正临在北窗之下。见州里人家，历历在目。又见所住高大屋宅，渐已残毁，近族旁支，渐已零落，不胜慨叹道：“怎么我出来得这几日，家里便是这等一个模样了？俗语道得好，家无住，屋倒柱。我若早知如此，就不到得这里也罢！何苦使我子孙恁般不成器，坏了我的门风。”不觉归心顿然而起。岂知叹声未毕，众仙长已早回来了。只听得殿上大叫：“李清！李清！”那李清连忙掩上北窗，走到阶下。中间的仙长大怒道：“我吩咐你不许偷开北窗，你怎么违命，擅自开了？又嗟叹懊悔，思量回去。我所以不肯收留者，正为你尘心不断故也。今日如何还容得你在此！使可速回，无得溷我洞府。”那李清无言可答，只是叩头请罪，哀告道：“我来时不知吃了多少苦楚，真个性命是毫厘丝忽①上挣来的。如今回去，休说竹篮绳索，已被家里人绞上；就是这三十多里小小穴道中，我老人家怎么还爬得过？”仙长笑道：“这不必忧虑，我另有个路径，教人指引你出去。”那李清方才放下了这条肚肠，起来拜谢出门。只见东手头一位，向着仙长不

① 毫厘丝忽——旧时作为重量中最轻最小的四个单位，这里比喻极其轻微之意。

知说甚话，仙长便唤李清："你且转来。"李清想道："一定的又似前番相劝，收留我了。"不胜欣然。急急走转去跪下，听候法旨。你道那仙长唤李清回来，说些甚么？说道："我遣便遣你回去，只是你没个生理，何以度日？我书架上有的是书，你可随意取一本去，若是要觅衣饭，只看这书上，自然有了。"李清口里答应，心里想道："原来仙长也只晓得这里的事，不晓得我青州郡里的事。我本有万金家计，就是子孙辈连年送的生日礼物，也有好几千，怎么刚出来得这两日，便回去没有饭吃了？"只是难得他一片好意，不免走近书架上，取了一本最薄的，过去拜谢。"那仙长问道："书有了么？"李清道："有了。"仙长道："既有了书，去罢！"李清正待出门，只见西手头一位，向着仙长，也不知说甚话，那仙长把头一点，又叫道："李清你且转来。"李清想道："难道这一番不是劝他收留我的？"岂知仍旧不是。只见仙长道："你回去，也要走好些路，才到得家里。便到了家里，也不能够就有饭吃，你可吃饱了去。"早有童子，拿出两个大芋头来，递与李清吃。原来是煮熟的鹅卵石，就似芋头一般，软软的嫩嫩的，又香又甜，比着云门穴底的青泥，越加好吃。再走过去拜谢。那仙长道："李清，你此去，也只消七十多年，还该到这里的。但是青州一郡，多少小儿的性命，都还在你身上！你可广行方便，休得堕落。我有四句偈语，把与你一生受用，你紧记着！"偈语云：

见"石"而行，听"简"而问。傍"金"而居，先"裴"而遁。

李清再拜受了这偈语，却教初来时原引进的童子送他回去。竟不知又走出个甚的路径来，总便不消得万丈麻绳，难道也没有一些险处？原来那童子指引的路径，全不是旧时来的去处，却绕着这一所仙院，倒转向背后山坡上去。只见一个所在，出得好白石头，有许多人在那里打他。李清问道："仙家要这石头何用？"童子道："这个是白玉，因为早晚又有一个尊师该来，故此差人打去，要做第十把交椅。"李清便问道："这个尊师，是甚么名姓？"童子道："连我们也只听得是这等说，怎么知道？便知道，也不好说得，恐怕泄漏天机，被主人见罪。"一头说，一头走，也行了十四五里，都是龟背大路，两旁参天的古树，间着奇花异卉，看不尽的景致，便再走两里，也不觉的。又走过一座高山，这路径渐渐僻小，童子把手指道："此去不上十里，就是青州北门了。"李清道："我前日来时，是出南门的，怎么今日却进北门？我生长在青州已七十岁了，哪晓得这座云门山是环着州城的。可知道开了北窗，便直看见青州城里。但不知哪一边是前路？哪一边是后路？可指示我，等我日后再来叩见仙长，只打这条路上来，却不省费许多麻绳吊去云门穴里去？”问未绝口，岂知飕飕的一阵风起，托地跳出一个大虫来，向着李清便扑。惊得李清魂胆俱丧，叫声：“苦也！”望后便倒，吓死在地。可怜。

身名未得登仙府，支体先归虎腹中。

说话的，我且问你：尝闻得古老传说，那青泥白石，乃仙家粮粮，凡人急切难遇，若有缘的尝一尝，便疾病不能侵，妖怪不能近，虎狼不能伤。这李清两件既已都曾饱食，况又在洞府中住过，虽则道心不坚，打发回去，却又原许他七十年后，还归洞府，分明是神仙了，如何却送在大虫口里？看官们莫要性急，待在下慢慢表白出来。那大虫不是平常吃人的虎，乃是个神虎，专与仙家看山守门的。是那童子故意差来把李清惊吓，只教他迷了来路，原非伤了性命。那李清死去半晌，渐渐的醒转来，口里只叫：“救命，救命！”慢慢挣扎坐起看时，大虫已是不见，连青衣童子也不见去向，跌足道：“罢了！罢了！这童子一定被大虫驮去吃了。可怜！可怜！”却又想道：“那童子是侍从仙长的，料必也有些仙气，大虫如何敢去伤他？决无此理。只是因甚不送我到家，半路就撇了去。”心下好生疑惑，爬将起来，把衣服整顿好了，忽地回头观看，又吃一惊：怎么那来路一划都是高山陡壁，全无路径？连称：“奇怪！奇怪！”口里便说，心中只怕又跳出一个大虫来，却不丧了这条老命，且自负命跑去。约莫走上四五里，却是三叉路口，又没一个行人来往，可以问信。看看日色傍晚，万一走差路头怎了！正在没摆布处，猛然看见一条路上，却有块老大的石头，支出在那里，因而悟道：“仙长传授我的偈语，有句道：‘见石而行。’却不是教我往这条路去？”果然又走上四五里，早是青州北门了。进了城门，觉得街道还略略可认，只是两边的屋宇，全比往时不同，莫测其故。欲要问人，偏生又不遇着一个熟的。渐渐天色又黑，只得赶回家去。岂知家里房子，也都改换，却另起了大门楼，两边八字墙，好不雄壮！李清暗道：“莫非错走到州前来了？”仔细再看：“像便像个衙门，端只是我家里。难道这等改换了，我便认不得。想我离家去，只在云门穴里，不知担搁了几日，也是有数的。后面钻出小穴来，总是今日这一日，怎么便有这许多差异的事？莫非州里见我不在，就把我家房子，白白的占做衙门？可道凡事也不问个主。只可惜今日晚了，拚到明日，打进状词，与他理会。随你官府，也少不得给官价还我。”只得寻个客店安歇，争奈身边一个钱也没有，不免解件衣服下来，换了一贯钱。还觉腹中是饱的，只买一角酒来吃了。便等去睡，终久心下徬徨，这夜如何睡得着。李清在床上翻来覆去，自嗟自叹，悔道：“我怎么倒去抱怨仙长？他明明说我回去将何度日，教我取书一本，别做生理。又道是我回去，就也未有饭吃，把两个煮熟的石子与我，岂不是预知已有今日了。”便去袖里把书一摸，且喜得尚在，只如今未有工夫去看。

待到天明，还了房钱，便遍着青州大街上都走转来，莫说众亲眷子孙没有一个，连那染坊铺面，也没一间留下的。只得赔个小心，逢人便问，岂知个个摇头，人人努嘴，都说道：“我们并不知道有甚李清，也并不曾见说云门山穴里有人下去得的。”只教李清茫然莫知所以。看看天晚，只得又向客店中安歇。到第二日，又向小巷儿里，东抄西转，也不曾遇着一个。但是问人，都与大街上说话一般。一发把李清弄呆了，想道：“我也怪前日出来的路径，有些差异，莫非这座青州城是新建的？不是我旧青州，故此没个熟人相遇。天下云门山只有一个，绝无两个。我何不出了南门，径到云门山上一看，若云门山无异，这便是我旧青州了。再慢慢的访问，好歹究出甚的缘故来。”忙忙的奔出南门，径往云门山去。将至山顶，早见一座亭子，想道：“这路径明明是云门山的，几时有个亭子在这里？且待我看是甚么亭？”原来题着：“烂绳亭。开皇四年立。”李清道：“是了！昔日樵夫曾遇见仙人下棋，他看得一局棋完，不知已过了多少年岁，这斧柄坐在身下，已烂坏了，至今世人传说烂柯的故事。多分是我众子孙，道我将这麻绳吊下云门穴底，也去遇了神仙，把绳都烂掉在山上，故建立这座亭子，名为烂绳亭。无非要四方流传，做个美谈的意思。看他后面写着开皇四年立，却不仍是今年的日月，怎么城里人家就是这等改换了，且再到上边去看。”只见当着穴口，竖个碑石，题道“李清招魂处”。李清吓了一跳道：“我现今活活的在此，又不曾死，要招我的魂做甚么？”又想了一想道：“是了是了！是我下到这般险处，提起竹篮上来，又不见了我，疑心道死了，故在此招我的魂。”回去又想一想道：“咦！莫非是我真个死了，今日是魂灵到此？”心下反徬徨起来，不能自决。想道：“既是招魂，必有个葬处，若是葬，必在祖茔左右，人家虽有改换之日，祖宗坟墓，却千年不改换的。何不再去祖坟上一看，或者倒有个明白。”下了云门山，一径的转过东门，远远望见祖坟上，山势活似一条青龙，从天上飞将下来的。想起："《葬经》上面有云：'山如凤翥①，或似龙蟠，一千年后当出仙官。'看我祖坟上有这般风水，怎么刚出得我一个，才遇见仙人，又被赶逐回家，焉能够升天日子。却不知这风水，毕竟应在哪个身上？"到了祖坟，不免拜了两拜。只见许多合抱的青松白杨，尽被人伐去。坟上的碑石，也有推倒的，也有打断的，全不似旧时模样。不胜凄感，叹道："我家众子孙，真个都死断了，就没一个来到坟上照管？"单有一个碑，倒还是竖着的，碑上字迹，仿佛可认，乃是"故道士李清之墓"七个字。李清道："既是招魂葬，无过把些衣冠埋在里面，料必是个空冢。只是碑石，已被苔藓驳蚀几尽，须不是开皇四年立的，可知我死已多时了。今日来家的，一定是我魂灵，故此幽冥间隔，众亲眷子孙，都不得与我相见。不然，这上千上万的人，怎么就没一个在的？"那李清满肚子疑心："只当青天白日，做梦一般。又不知是生，又不知是死，教我哪里去问个明白？"正在徬徨之际，忽听得隐隐的渔鼓简②响，走去看时，却是东岳庙前一个瞎老儿，在那里唱道情，向着人掠钱。方才想起："临出山时，仙长传授我的偈语，第二句道：'听简而问。'这个不是渔鼓简？我该问他的。且自站在一边，待众人散后，过去问他便了。"只见那瞎老儿，止掠得十来文钱，便没人肯出。内中一个道："先生，你且说唱起来，待我们敛足与你。"瞽者道："不成不成！我是个瞎子，倘说完了，都一溜走开，哪里来寻讨？"众人道："岂有此理！你是个残疾人，哄了你也不当人子。"那瞽者听信众人，遂敲动渔鼓简板，先念出四句诗来道：

暑往寒来春复秋，夕阳桥下水东流。
将军战马今何在？野草闲花满地愁。

念了这四句诗，次第敷衍正传，乃是"庄子叹骷髅"一段话文，又是道家故事，正合了李清之意。李清挤近一步，侧耳而听，只见那瞽者说一回，唱一回，正叹到骷髅皮生肉长，复命还阳，在地下直跳将起来。那些人也有笑的，也有嗟叹的，却好是个半本，瞽者就住了鼓简，待掠钱足了，方才

---

① 翥(zhù)——向上飞。

② 渔鼓简——唱道情时用来伴奏的两种简单的敲击乐器。简，用绳子串起来的两块竹板。

又说。——此乃是说平话①的常规。谁知众人听话时一团高兴，到出钱时，面面相觑，都不肯出手。又有身边没钱的，假意说几句冷话，佯佯的走开去了。刚刚又只掠得五文钱。那掠钱的人，心中焦躁，发起喉急，将众人乱骂。内中有一后生出尖揽事，就与那掠钱的争嚷起来。一递一句，你不让，我不让，便要上交厮打。把前后掠的十五文钱，撇做一地。众人发声喊，都走了。有几个不走的，且去劝厮打，单撇着瞽者一人。李清动了个恻隐之心，一头在地上捡起那十五文钱，交付与瞽者，一头口里叹道："世情如此硗薄，钱财恁般珍重！"瞽者接钱在手，闻他叹语，问道："你是兀谁？"李清道："老汉是问信的。你若晓得些根由，倒送你几十文酒钱。"瞽者道："问甚么信？"李清道："这青州城内，有个做染匠的李家，你可晓得么？"瞽者道："在下正姓李，敢问老翁高姓大名？"李清道："我叫做李清，今年七十岁了。"瞽者笑道："你怎么欺我瞎子，就要讨我的便宜。我也不是个小伙子，年纪倒比你长些，今年七十六岁了。只我嫡堂的叔曾祖，叫做李清。你怎么也叫做李清？"李清见他说话有些根由，便改着口道："天下尽有同名同姓的，岂敢讨你的便宜？我且问你，那令叔曾祖，如今到哪里去了？"瞽者道："这说话长哩。直在隋文帝开皇四年，我那叔曾祖正是七十岁，要到云门山穴里，访甚么神仙洞府，整修了许多麻绳，一吊吊将下去。你道这个穴里，可容易去得的，自然死了。原来我家合族全仗他一个的福。自他死后，家事都就零落；况又遭着兵火，遂把我阖族子孙，都灭尽了。单留得我一个现世报，还在这里，却又无男无女，靠唱道情度日。"李清暗忖道："原来都认我死在云门穴里了。"又问道："他吊下云门穴去，才只一年里面，怎么家事就这等零落得快？合族的人，也这等死亡得尽？"瞽者道："哎呀！敢是你老翁说梦哩。如今须不是开皇四年，是大唐朝高宗皇帝永徽五年了。隋文帝坐了二十四年天下，传与炀帝，也做了十四年，被宇文化及谋了位，因此天下大乱。却是唐太宗打了天下，又让与别人做皇帝，叫做高祖，坐了九年；太宗自家坐了二十三年；如今皇帝就是太宗的太子，又登基五年了。从开皇四年算起，共是七十二年。我那叔曾祖去世时节，我只有得五岁，如今现活七十六岁了，你还道快哩。"李清又道："闻得李家族里，有五六千丁，便隔得七十三年，也不该就都死灭，只剩得你一

① 说平话——就是"说书"。

个。”瞽者道:“老翁你怎知这个缘故?只因我族里人,都也有些本事,会光着手赚得钱的。不料隋炀帝死后,有个王世充造反,到我青州,看见我族里人,丁丁精壮,尽皆拿去当军。那王世充又十分不济,屡战屡败,遂把手下军马,都消折了。我那时若不亏着是个带残疾的,也留不到今日。”李清听了这一篇说话,如梦初觉,如醉方醒,把一肚子疑心,才得明白。身边只有三四十文钱,尽数送与瞽者,也不与他说明这些缘故,便作别转身,再进青州城来。

一路想道:“古诗有云:‘山中方七日,世上已千年。’果然有这等异事!我从开皇四年,吊下云门穴去,往还能得几日,岂知又是唐高宗永徽五年,相隔七十二年了。人世光阴,这样容易过的!若是我在里面多住几时,却不连这青州城也没有了。如今我的子孙已都做故人,自已住的高房大屋,又皆属了别姓,这也不必说起。只是我身边没有半分钱钞,眼前又别无熟识,可以挪借,教我把甚么度日?左右也是个死,那仙长何苦定要赶我回来怎的?”叹了几声,想了一会,猛然省道:“我李清这般懵懂,怎么思量还要做仙哩?我临出门时,仙长明明说我回家来,怕没饭吃,曾教我到他书架上拿本书去,如今现在袖里,何不取出书来,看道另做甚么生意?”你道这本书,是甚么书?原来是本医书,专治小儿的病症,也不多几个方子在上面。那李清看见,方才悟道:“仙长曾对我说,此去不消七十多年,依旧容我来到那里。我想这七十年,非比云门穴底下,须在人世上好几时,不是容易过的。况我老人家,从来药材行里,不曾着脚,怎便莽莽广广①的要去行医!且又没些本钱,置办药料;不如到药铺里寻个老成人,与他商量,好做理会。”刚刚走得三百余步,就有一个白粉招牌,上写着道:“积祖金铺出卖川广道地生熟药材。”当下李清看见,便大喜道:“仙长传授我的第三句偈语,说道:‘傍金而居。’这不是姓金的了?世称神仙未卜先知,岂不信哉!岂不信哉!”只见铺中坐的,还不上二十多岁,叫做金大郎。李清连忙向前,与他唱个喏,问道:“你这药材,还是现卖,也肯赊卖?”金大郎道:“别人家买药的,就要现钱才卖;只有行医开铺的,是长久主顾,但要药材,只上个帐簿取去,或一季或一月一算,总数还钱。叫做半赊半现。”李清便扯个谎道:“我原是个幼科医人,一向背着包,沿村走的。如今年纪老了,也

① 莽莽广广——莽撞。

要开个铺面，坐地行医，不知哪里有空房，可以赁住？乞赐指引。也好与贵铺做个主顾。”金大郎道：“就是我家隔壁，有一间空房。不见门上贴着‘招赁’两字么？只怕窄狭，不够居住。”李清道：“我老身别无家小，便一间也尽够了。只是铺前须要竖面招牌，铺内须要药箱药刀，各色家伙，方才像个行医的。这几件，都在哪里去置办？不知可也赊得否？”金大郎道：“我铺里尽有现成余下的在此，我一发都借了你去。待生意兴旺时，连那药帐，一总算还与我，岂不两得其便？”那李清亏得金大郎一力周旋，就在他药铺间壁住下。想起：“当初在云门山上，与亲族告别之时，曾有诗云：翻笑壶公曾得道，犹烦市上有悬壶。不意今日回来，又要行医，却不应了两句谶语。”遂在门前，横吊起一面小牌，写着“悬壶处”三个字。直竖起一面大牌，写着“李氏专医小儿疑难杂症”十个字。铺内一应什物家伙，无不完备。真个装一佛像一佛，自然像个专门的太医起来。

恰好这一年青州城里，不论大小人家，都害时行天气，叫做小儿瘟，但沾着的便死。那幼科就没请处，连大方脉的，也请了去。岂知这病，偏生利害，随你有名先生下的药，只当投在水里，眼睁睁都看他死了。只有李清这老儿古怪，不消自到病人家里切脉看病，只要说个症候，怎生模样，便随手撮上一帖药，也不论这药料，有贵有贱，也不论见效不见效，但是一帖，要一百个钱。若讨他两帖的，便道：“我的药，怎么还用两帖？”情愿退还了钱，连这一帖也不发了。那讨药的人，都也半信半不信。无奈病势危急，只得也赎一帖，回去吃看。你道有这等妙药？才到得小儿口里，病就好一半，一咽咽下肚里去，便全然好了。还有拿得药回去，小儿已是死了的，但要煎的药香，冲在那小儿鼻孔内，就醒将转来。这名头就满城传遍，都称他做李一帖。从此后，也不知医好了多少小儿，也不知赚过了多少钱钞。我想李清是个单身子，日逐用度有限，除算还了房钱药钱，和那什物家伙钱以外，赢余的难道似平时积攒生日礼一般，都烂着在家里？毕竟有个来处，也有个去处。原来李清这一次回来，大不比当初性子，有积无散。除还了金大郎铺内赊下各色家伙，并生熟药料的钱，其余只够了日逐用度，尽数将来赈济贫乏，略不留难。这叫做广行方便，无量功德。以此声名，越加传播。莫说青州一郡，遍齐鲁地方，但是要做医的，闻得李一帖名头，哪一个不来拜从门下，希图学些方术。只见李清再不看甚医书，又不亲到病人家里诊脉，凡遇讨药人来，收了铜钱便撮，止一帖药，又不多几样药味。也有说来病症是一样的，倒与他各样的药，也有说来病症是各样的，倒与他一样药。但见拿药去吃的，无有不效。众皆茫然，莫测其故，只得觅个空间，小心请教。李清道："你等疑我不曾看脉，就要下药。不知医道中，本以望闻问切①，目为神圣工巧②，可见看脉是医家第四等，不是上等。况小儿科与大方脉不同，他气血未全，有何脉息可以看得？总之，医者，意也。无过要心下明，指下明，把一个意思揣摩将去。怎么靠得死方子，就好疗病？你等俱看我的下药，便当想我所以下药的意思。那《大观本草》这部书，却不出在我山东的，你等熟读本草，先知了药性，才好用药。上者要看本年是甚司天，就与他分个温凉。二者看害病的是哪地方人，或近山或近水，就与他分个燥湿。三者看是甚等样人家，富贵的人，多分柔脆，贫贱的人，多分坚强，就与他分个消补。细细的问了症候，该用何等药味，然后出些巧思，按着君臣佐使，加减成方，自然药与病合，病随药去。所以古人将用药比之用兵，全在用得药当，不在药多。赵括③徒读父书，终致败灭，此其鉴也！"众等皆拜谢教而退。岂知李清身边，自有薄薄的一本仙书，怎肯轻易泄漏？正是：

小儿有命终须救，老子无书把甚看。

李清自唐高宗永徽五年，行医开铺起，真个光阴迅速，不觉过了第六年，又是显庆五年，龙朔三年，麟德二年，乾封二年，总章二年，咸亨四年，上元二年，仪凤三年，调露一年，永隆一年，开耀一年，一总共是二十七年了。这一年却是永淳元年，忽然有个诏书下来，说御驾亲幸泰山，要修汉武帝封禅的故事。你道如何叫做封禅？只为天下五座名山，称做五岳。五岳之中无如泰山，尤为灵秀，上通于天，云雨皆从此出。故有得道的皇帝，遇着天下太平，风调雨顺，亲到泰山顶上，祭祀岳神，刻下一篇纪功德的颂，告成天地。那碑上刻的字，都是赤金填的，叫做金书。碑外又有个白玉石的套子，叫做玉检。最是朝廷盛举。那天帝是不好欺的，颂上略有

---

① 望闻问切——中医诊断病情的四种方法：望气色，听声音，问病情，摸脉搏。

② 神圣工巧——中医书《难经》中对望闻问切的评价：望而知之谓之"神"，闻而知之谓之"圣"，问而知之谓之"工"，切脉而知之谓之"巧"。

③ 赵括——战国时赵国的名将赵奢的儿子。熟读其父所传兵法，自以为天下无敌，实际上并不会指挥作战，后来在与秦国交战时大败，被射死，世称"纸上谈兵"。

些不实，便起怪风暴雨，不能终事。这也不是汉武帝一个创起的，直从大禹以前，就有七十九代，都曾封禅。后来只有秦始皇和汉武帝两个，这怎叫得有道之君。无非要粉饰太平，侈人观听。毕竟秦始皇遇着大雨，只得躲避松树底下；汉武帝下山，也被伤了左足。故此武帝之后，再没有敢去封禅的。那唐高宗这次诏书，已是第三次了。青州地方，正是上泰山的必由去处，刺史官接了诏，不免点起排门夫，填街砌路，迎候圣驾。那李清既有铺面，便也编在人夫数内，催去着役。

其时青州自有了李清行医，羞得那幼科先生，都关了铺门，再没个敢出头的。若教他去做夫砌路，万一小儿们有个急病，一时怎么就请得他到，讨得药吃？因此合郡的人，都到州里去替他禀脱。少不得推几个能言会语的做头，向前禀道："现今行医的李清已是九十七岁近百的人，有甚么气力当夫？我们情愿替他出钱，另雇精壮少年应役，仍留他在铺里，也好保全我一州的小儿性命。"原来李清开铺这一年，依还说是七十岁。因此人只认他九十七岁，哪知他已是一百六十八岁了。从来律上凡七十以上的，即系是年老，准免差役。所以合郡的人，借这个名色，要与他雇工替役，仍留他在铺行医。岂知州刺史是岭南人，他那地方，最是信巫不信医的，说道："虽然李清已有九十七岁，想他筋力强健，尽好做工，怎么手里撮得药，偏修不得路？不见姜太公八十二岁，还要辅佐周武王，兴兵上阵。既做了朝廷的百姓，死也则索要做，躲避到哪里去？总便他会医小儿，难道偌大一座青州，只有他幼科一个？查他开铺以来，只得二十七年，以前的青州人家小儿，也不曾见都死绝了。怎么独独除下他一个名字，何以服众？"随他合郡的人，再三苦禀，只是不听，急得那许多人，就没个处置。都走到李清铺前商议，要央个紧要的分上，再去与州官说。李清道："多谢列位盛情！以我老朽看来，倒不去说也罢。你道一些小事，有何难听。那州官这等拘执，无过虑着圣驾亲来，非寻常上司之比。少有不当，便是砍头的罪过。故此只要正身着役。恐怕雇工的做出事来，以后不好查究。做官的肚肠，大概如此，断然不肯再听人说。但我揣度事势，这诏书也多分要停止的。在麟德二年一次，调露元年又一次。如今却是第三次。既是前两次不来，难道这一次又来得成。包你五日里面，就有决裂。不若且放下胆，凭他怎生样差拨便了！"众人听了这篇说话，都怪道："眼见得州里早晚就要佥了牌，分了路数，押夫着役，如火急一般，那老儿倒说得冰也似冷。若是诏书一日不停止，怕你一日不做夫！我们倒思量与他央个分上，保求顶替，他偏生自要去当。想是在铺里收钱不迭，只要到州里来领他二分一日的工食哩。”都冷笑一声，各自散去。岂知高宗皇帝这一次，已是决意要到泰山封禅，诏下礼部官，草定了一应仪注①，只待择个黄道吉日，御驾启行；忽然患了个痿痹的症候，两只脚都站不起来，怎么还去行得这等大礼？因此青州上司，隔不得三日之内，移文下来，将前诏停止。那合郡的人，方信李清神见，越加叹服。

原来山东地面，方术之士最多，自秦始皇好道，遣徐福载了五百个童男童女到蓬莱山，采不死之药。那徐福就是齐人。后来汉武帝也好道，拜李少君为文成将军，栾大为五利将军，日逐在通天台、竹宫、桂馆，祈求神仙下降。那少君栾大也是齐人。所以世代相传，常有此辈。一向看见李清自七十岁开医铺起，过了二十七年，已是近百的人，再不见他添了一些儿老态，反觉得精神颜色，越越强壮，都猜是有内养的。如今又见他预知过往未来之事，一定是得道之人，与董奉、韩康一般，隐名卖药。因此那些方士，纷纷然都来拜从门下，参玄访道，希图窥他底蕴。屡屡叩问李清，求传大道。李清只推着老朽，原没甚知觉，唯有三十岁起，便绝了欲，万事都不营心，图个静养而已，所以一向没病没痛，或者在此。方士们疑他隐讳，不肯轻泄。却又问道：“寿便养得，那过去未来之事，须不是容易晓得的。不知老师有何法术，就预期五日内当有停止诏书消息？”李清道：“我哪里真是活神仙，能未卜先知的人。岂不知孔夫子萍实商羊故事②！只是平日里，听得童谣，揣度将去，偶然符合。盖因童谣出于无心，最是天地间一点灵机，所以有心的试他，无有不验。我从永徽五年，在此开医铺起，听见龙朔年间，就有个童谣，料你等也该记得的。那童谣上说道：‘那泰山高，高几层？不怕上不得，倒怕不得登。三度征兵马，旁道打腾腾。□□□□□□□□□□□□□□□□□□三度去，登不得。’果然前两度已验，故知此回必无登理。大抵老人家闻见多，经验多，也无过因此识彼，难道有甚

① 一应仪注——全部仪式。

② 萍实商羊故事——都是孔子的传说故事。萍实，楚昭王渡江，有种东西像斗大，撞着他的船。他派人问孔子，孔子说这是“萍实”，可以吃，惟有霸者才能获这种东西。商羊，传说中的鸟名。齐国有一只脚的鸟，齐君派人问孔子，孔子说这种鸟叫做“商羊”，它一出现，天就要下大雨。

的法术不成!"这方士们见他不肯说,又常是收钱撮药,忙忙的没个闲暇,还有那伙要赈济的来打搅,以此渐渐的也散去了。明年高宗皇帝晏驾,却是武则天皇后临朝,坐了二十一年,才是太子中宗皇帝,坐了六年,又被韦皇后谋乱。却是睿宗皇帝除了韦后,也坐了六年,传位玄宗皇帝,初年叫做开元,不觉又过了九年,总共四十三年。满青州城都晓得李清,已是一百四十岁。一来见他医药神效如旧,二来容颜不老,也如旧日,虽或不是得道神仙,也是个高年人瑞。因此学医的,学道的,还有真实信他的,只在门下不肯散去。正是:

神仙原在阎浮界,骨肉还须夙世成。

话分两头,却说玄宗天子,也志慕神仙,尊崇道教,拜着两个天师,一个叶法善,一个邢和璞,皆是得道的,专为天子访求异人,传授玄素赤黄,及还婴溯流①之事。这一年却是开元九年,邢、叶二天师奏道:"现有三个真仙在世,一个叫做张果,是恒州条山人。一个叫做罗公远,是邢州人。一个叫做李清,是北海人。虽然在烟霞之外,无意世上荣华,若是朝廷虔心遣使聘他,或者肯降体而来,也未可知。"因此玄宗天子,差中书舍人徐峤去聘张果,太常博士崔仲芳去聘罗公远,通事舍人裴聘聘李清。三个使臣辞朝别圣,捧着玺书,各自去征聘不提。原来李清尘世限满,功行已圆,自然神性灵通,早已知裴舍人早晚将到,省起昔日仙长吩咐的偈语:"第四句说道:'先裴而遁。'这个'遁'字,是逃遁之遁,难道叫我逃走不成?明明是该尸解去了。"你道怎么叫做尸解?从来仙家成道之日,少不得该离人世,有一样白日飞升的谓之羽化,有一样也似世人一般死了的,只是棺中到底没有尸骸,这为之尸解。惟有尸解这门,最是不同。随他五行,皆可解去。以此世人却有不知道他是神仙的。

且说李清一个早起,教门生等休挂牌面,说道:"我今日不卖药了,只在午时,就要与汝等告别。"众门生齐吃一惊,道:"师父好端端的,如何说出这般没正经话来?况弟子辈久侍门下,都不曾传授得师父一毫心法,怎的就去了?还是再留几时,把玄妙与弟子们细讲一讲,那时师父总然仙去,道统流传,使后世也知师父是个有道之人。"李清笑道:"我也没甚玄秘

① 玄素赤黄、还婴溯流——道教的迷信方术:"玄素",炼黄白丹药。"赤黄",聚敛魂魄。"还婴",返老还童。"溯流",阴阳采补。

可传，也不必后人晓得。今大限已至，岂可强留。只是隔壁金大郎，又不在此，可烦汝等为我买具现成棺木，待我气绝之后，即便下棺，把钉钉上，切不可停到明日。我铺里一应家伙什物，都将来送与金大郎，也见得我与他七十年老邻老舍，做主顾的意思。”众门生一一领命，流水去买办棺木等件，顷刻都完。那金大郎也年八十九岁了，筋骨亦甚强健，步履如飞，挣了老大家业，儿孙满堂，人都叫他是金阿公。只有李清还在少年时看他老起来的，所以原呼他为大郎。那日起五更往乡间去了，所以不在。李清到了午时，香汤沐浴，换了新衣，走入房中。那些门生，都紧紧跟着。李清道："你们且到门首去，待我静坐片时，将心境清一清，庶使临期不乱。"问："金大郎回了，请来面别，也不枉一向相处之情。"众门生依言，齐走出门，就问金大郎，却还未回。隔了片时，进房观看李清，已是死了。众门生中，也有相从久的，一般痛哭流涕，也有不长进的，只顾东寻西觅，搜索财物。乱了一回，依他吩咐，即便入棺。原来这尸，也有好些异处。但见他一双手，两只脚，都交在胸前，如龙蟠一般。怎好便放下去？待要与他扯一扯直，岂知是个僵尸，就如一块生铁打成，动也动不得。只得将就抬入棺中，钉上材盖，停在铺里。李清是久名向知的，顷刻便传遍了半个青州城，主顾人家都来吊探。众门生迎来送往，一个个弄得口苦舌干，腰驼背曲。有诗为证：

百年踪迹混风尘，一旦辞归御白云。

羽盖霓旌何处在？空留药臼付门人。

却说通事舍人裴聘，一路乘传而来，早到青州境上。那刺史官已是知得，帅着合郡父老，香烛迎接。直到州堂开读诏书，却是征聘仙人李清。刺史官茫然无知，遂问众父老。父老们禀道："青州地方，但有个行小儿科的李清，他今年一百四十岁，昨日午时，无病而死。此外并不曾闻有甚仙人李清在那里。"裴舍人见说，倒吃了一惊，叹道："下官受了多少跋涉，赍诏到此，正聘行医的仙人李清，指望敦请得入朝，也叫做不辱君命。偏生不凑巧，刚刚的不先不后，昨日死了，连面也不曾得见。这等无缘，岂不可惜！我想汉武帝时，曾闻得有人修得神仙不死之药，特差中大夫去求他药方，这中大夫也是未到前，适值那人死了。武帝怪他去迟，不曾求得药方，要杀这大夫。亏着东方朔谏道：'那人既有不死之药，定然自己吃过，不该死了，既死了，药便不验，要这方也没用。'武帝方悟。今幸我天子神明，胜于汉武，纵无东方朔之谏，必不至有中大夫之恐。但邢、叶二天师既称他是仙人，自当后天不老，怎么会死？若果死，就不是仙人了。虽然如此，一百四十岁的人，无病而死，便不是仙人，却也难得。”即便吩咐州官，取左右邻不扶结状①，见得李清平日有何行谊，怎地修行的，于某年月某日时，已经身死，方好复命。刺吏不敢怠慢，即唤李清左近邻佑，责令具结前来，好送天使起身。那些邻舍领命出去。内中一个道：“我们尽是后生，不晓得他当初来历详细，如何具结？闻说止有金阿公是他起头相处的，必然知他始末根由。昨日往乡间去了，少不得只在今日明早便归，待他斟酌写一张同去呈递，也好回答。”众人齐称有理，同回家去。恰好金老儿从乡间归来，一个人背着一大包草头跟着，劈面遇见。众人迎住道：“好了，金阿公回也！你昨日不到乡间去，也好与你老友李太医作别。”金老儿道：“他往哪里去，要作别？”众人道：“他昨日午时，已辞世了。”金老儿道：“罪过！罪过！我昨日在南门遇见的，怎说恁样话咒他？”众人反吃一惊道：“人也死了，怎么你又看见？想是他的魂灵了。”金老儿也惊道：“不信有这等奇事！”也不回家，一径奔到李清铺里，只见摆着灵柩，众门生一片都带着白，好些人在那里吊问。金老儿只管摇首道：“怪哉！怪哉！”众门生向前道：“我师父昨日午时归天了，因为你老人家不在，这灵柩还停在此。”又递过一张单来道：“铺内一应什物家伙，遗命送与你做遗念的。金老儿接了单，也不观看，只叫道：“难道真个死了！我却不信。”众邻舍问道：“金阿公，你且说昨日怎的看见他来？”金老儿道：“昨日我出门虽早，未出南门，就遇了一个亲戚，苦留回去吃饭，直弄到将晚，方才别得。走到云门山下，已是午牌时分。因见了几种好草药，方在那里收采，撞见一个青衣童子，捧个香炉前走，我也不在其意。不上六七十步，便是你师父来，不知何故，左脚穿着鞋子，右脚却是赤的。我问他到哪里去？他说道：‘我因云门山上烂绳亭子里，有九位师父、师兄，专等我说话，还有好几日，未得回来哩。’他又在袖里取出一封书、一个锦囊，囊里像是个如意一般，递与我，教带到州里，好好的送甚裴舍人，不要误了他事。即今书与锦囊现在我处，如何却是死了？”便向袖中摸出来看。众门生起初疑心金老捣鬼，还不肯信，直待见了所寄东西，方才信道：“且莫论午时不午时，只是我师父，从不见出铺

① 不扶结状——众口一辞，证明无伪，对某一案件具结的状词。

门，怎有这东西寄送？岂不古怪！”众邻舍也道：“真也是希见的事！他已死了，如何又会寄东西？却又先晓得裴舍人来聘他，便做道魂灵出现，也没恁般显然！一定是真仙了。”金老儿问道：“什么裴舍人聘他？”众邻舍将朝廷差裴舍人征聘，州官知得已死，着令结状之事说出。金老儿道：“原来如此。如今他既有信物，何必又要结状。我同你们去叩见州官，转达天使。”众人依着金老儿说话，一齐跟来。金老儿持了书与锦囊，直至州中，将李清昨日遇见寄书的话禀知。州官也道奇异，即带一干人同去回复天使。那裴舍人正道此行没趣，连催州里结状，就要起身。只见州官引众人捧着书礼，禀是李清昨日午时，转托邻佑金老儿送上天使的，请自启看。裴舍人就教拆开书来，却是一通谢表。表上说道：

陛下玉书金格，已简于九清矣。真人降化，保世安民，但当法唐虞之无为，守文景之俭约。恭候运数之极，便登蓬阆之庭。何必木食草衣，刳心灭智，与区区山泽之流，学习方术者哉！无论臣初窥大道，尚未证入仙班；即张果仙尊，罗公远道友，亦将告还方外，皆不能久侍清朝，而共佐至理者也。昔秦始皇远聘安期生于东海之上，安期不赴，因附使者回献赤玉舄一双。臣虽不才，敢忘答效？谨以绿玉如意一枚，聊布鄙忱，愿陛下鉴纳。

裴舍人看罢，不胜叹异，说道：“我闻神仙不死，死者必尸解也。何不启他棺看？若果系空的，定为神仙无疑。却待我回朝去，好复圣上，连众等亦解了无穷之惑。”合州官民皆以为然。即便同赴铺中，将棺盖打开看时，棺中止有青竹杖一根、鞋一只，竟不知昨日尸首在哪里去了？倒是不开看也罢，既是开看之后，更加奇异。但见一道青烟，冲天而起，连那一具棺木，都飞向空中，杳无踪影。唯闻得五样香气，遍满青州，约莫三百里内外，无不触鼻。裴舍人和合州官民，尽皆望空礼拜。少不得将谢表锦囊，好好封裹，送天使还朝去讫。到得明年，普天下疫疠大作。只有青州但闻的这香气的，便不沾染。方知李清死后，为着故里，犹留下这段功果。至今云门山上立祠，春秋祭祀不绝。诗云：

观棋曾说烂柯亭，今日云门见烂绳。
尘世百年如旦暮，痴人犹把利名争。

第三十九卷　汪大尹火焚宝莲寺

削发披缁修道，烧香礼佛心虔。不宜潜地去胡缠，致使清名有玷。念佛持斋把素，看经打坐参禅。逍遥散诞胜神仙，万贯腰缠不羡。

话说昔日杭州金山寺，有一僧人，法名至慧，从幼出家，积资富裕。一日在街坊上行走，遇着了一个美貌妇人，不觉神魂荡漾，遍体酥麻，恨不得就抱过来，一口水咽下肚去。走过了十来家门面，尚回头观望，心内想道："这妇人不知是甚样人家？却生得如此美貌！若得与他同睡一夜，就死甘心！"又想道："我和尚一般是父娘生长，怎地剃掉了这几茎头发，便不许亲近妇人。我想当初佛爷，也是扯淡！你要成佛作祖，止戒自己罢了，却又立下这个规矩，连后世的人都戒起来。我们是个凡夫，哪里打熬得过！又可恨昔日置律法的官员，你们做官的出乘驷马，入罗红颜，何等受用！也该体恤下人，积点阴骘，偏生与和尚做尽对头，设立恁样不通理的律令！如何和尚犯奸，便要责杖？难道和尚不是人身？就是修行一事，也出于各人本心，岂是捉缚加拷得的！"又归怨父母道："当时既是难养，索性死了，倒也干净！何苦送来做了一家货，今日教我寸步难行。恨得这口怨气，不如还了俗去，娶个老婆，生男育女，也得夫妻团聚。"又想起做和尚的不耕而食，不织而衣，住下高堂清舍，烧香吃茶，恁般受用，放掉不下。一路胡思乱想，行一步，懒一步，慢腾腾的荡至寺中。昏昏闷坐，未到晚便去睡卧，心上记挂这美貌妇人，难得到手，长吁短叹，怎能合眼。想了一回，又叹口气道："不知这佳人姓名居止，我却在此痴想，可不是个呆子！"又想道："不难，不难，女娘弓鞋小脚，料来行不得远路，定然只在近处。拚几日工夫，到那答地方，寻访消息，或者姻缘有分，再得相遇，也未可知。那时暗地随去，认了住处，寻个熟脚①，务要弄他到手。"算计已定，盼望天明，起身洗盥，取出一件新做的绸绢褊衫，并着干鞋净袜，打扮得轻轻薄薄，走出房门，正打从观音殿前经过，暗道："我且问问菩萨，此去可能得遇。"遂双膝跪倒，拜了两拜。向桌上拿过签筒，摇了两三摇，扑的跳出一根，取起看

① 熟脚——时常来往的人。

时，乃是第十八签，注着上上二字。记得这四句签诀云：

天生与汝有姻缘，今日相逢岂偶然。
莫惜勤劳问贪懒，管教目下胜从前。

求了这签，喜出望外，道："据这签诀上，明明说只在早晚相遇，不可错过机会。"又拜了两拜，放下签筒，急急到所遇之处，见一妇人，冉冉而来。仔细一觑，正是昨日的欢喜冤家，身伴并无一人跟随。这时又惊又喜，想道菩萨的签，果然灵验，此番必定有些好处，紧紧的跟在后边。那妇人向着侧边一个门面，揭起斑竹帘儿，跨脚入去，却又掉转头，对他嘻嘻的微笑，把手相招。这和尚一发魂飞天外，喜之不胜。用目四望，更无一人往来，慌忙也揭起帘儿径钻进去问讯。那妇人也不还礼，绰起袖子望头上一扑，把僧帽打下地来，又赶上一步，举起尖趫趫小脚儿一踹，谷碌碌直滚开在半边，口里格格的冷笑。这和尚惟觉得麝兰扑鼻，说道："娘子休得取笑！"拾取帽子戴好。那妇人道："你这和尚，青天白日，到我家来做甚？"至慧道："多感娘子错爱，见招至此，怎说这话！"此时色胆如天，也不管他肯不肯，向前搂抱，将衣服乱扯。那妇人笑道："你这贼秃！真是不见妇人面的，怎的就恁般粗卤！且随我进来。"弯弯曲曲，引入房中。彼此解衣，抱向一张榻上行事。刚刚肤肉相凑，只见一个大汉，手提钢斧，抢入房来，喝道："你是何处秃驴？敢至此奸骗良家妇女！"吓得至慧战做一团，跪倒在地下道："是小僧有罪了！望看佛爷面上，乞饶狗命，回寺去诵十部《法华经》，保佑施主福寿绵长。"这大汉哪里肯听，照顶门一斧，砍翻在地。你道被他一斧，还是死也不死？原来想极成梦，并非实境。那和尚撒然惊觉，想起梦中被杀光景，好生害怕。乃道："偷情路险，莫去惹他，不如本分还俗，倒得安稳。"自此即蓄发娶妻，不上三年，痨瘵①而死。离寺之日，曾作诗云：

少年不肯戴儒冠，强把身心赴戒坛。
雪夜孤眠双足冷，霜天剃发髑髅寒。
朱楼美女应无分，红粉佳人不许看。
死后定为惆怅鬼，西天依旧黑漫漫。

---

① 痨瘵（zhài）——痨病。瘵，病，多指痨病。

适来说这至慧和尚，虽然破戒还俗，也还算做完名全节。如今说一件故事，也是佛门弟子。只为不守清规，弄出一场大事，带累佛面无光，山门失色。这话文出在何处？出在陕西南宁府永淳县，在城有个宝莲寺。这寺从前朝至今，累世相传，房廊屋舍，数百多间，田地也有上千余亩。钱粮广盛，衣食丰富，是个有名的古刹。本寺住持，法名佛显，以下僧众，约有百余，一个个都分派得有职掌。凡到寺中游玩的，便有个僧人来相迎，先请至净室中献茶，然后陪侍遍寺随喜一过，又摆设茶食果品，相待十分尽礼。虽则来者必留，其中原分等则。若遇官宦富豪，另有一般延款，这也不必细说。大凡僧家的东西，赛过吕太后的筵宴①，不是轻易吃得的！却是为何？那和尚们，名虽出家，利心比俗人更狠，这几瓯清茶，几碟果品，便是钓鱼的香饵。不管贫富，就送过一个疏簿，募化钱粮，不是托言塑佛妆金，定是说重修殿宇。再没话讲，便把佛前香灯油为名，若遇着肯舍的，便道是可扰之家，面前十般谄谀，不时去说骗。设遇着不肯舍的，就道是鄙吝之徒，背后百样诋毁，走过去还要唾几口涎沫。所以僧家再无个厌足之期。又有一等人，自己亲族贫乏，尚不肯周济分文，到得此辈募缘，偏肯整几两价布施，岂不是舍本从末的痴汉！有诗为证：

人面不看看佛面，平人不施施僧人。
若念慈悲分缓急，不如济苦与怜贫。

惟有宝莲寺与他处不同，时常建造殿宇楼阁，并不启口向人募化。为此远近士庶，都道此寺和尚善良，分外敬重，反肯施舍的、募缘的，倒胜数倍。况兼本寺相传有个子孙堂，极是灵应，若去烧香求嗣②的，真个祈男得男，祈女得女。你道是怎地样这般灵感？原来子孙堂两旁，各设下净室十数间，中设床帐，凡祈嗣的，须要壮年无病的妇女，斋戒七日，亲到寺中拜祷，向佛讨筶③。如讨得圣筶，就宿于净室中一宵，每房只宿一人。若讨不得圣筶，便是举念不诚，和尚替他忏悔一番，又斋戒七日，再来祈祷。那净

---

① 吕太后的筵宴——汉高祖（刘邦）死后，他的妻子吕雉听政，称为吕太后。有一次她请群臣吃酒，用军法劝酒，一人避酒逃去，被当场杀头。因此，后来就有这句谚语，表示这酒不是好吃的。

② 求嗣（sì）——求得后代。嗣，子孙。

③ 讨筶——一种占卜的形式。用两块挖空的木块，丢在地下，据其俯仰以定吉凶。

室中四面严密，无一毫隙缝，先教其跟来的仆从，四围点检一过。但凭拣择停当，至晚送妇女进房安歇，亲人仆从睡在门外看守。为此并无疑惑。那妇女回去，果然便能怀孕，生下男女，且又魁伟肥大，疾病不生。因有这些效验，不论士宦民庶眷属，无有不到子孙堂求嗣。就是邻邦隔县闻知，也都来祈祷。这寺中每日人山人海，好不热闹，布施的财物不计其数。有人问那妇女，当夜菩萨有甚显应。也有说梦佛送子的，也有说梦罗汉来睡的，也有推托没有梦的，也有羞涩不肯说的，也有祈后再不往的，也有四时不常去的。你且想：佛菩萨昔日自己修行，尚然割恩断爱；怎肯管民间情欲之事，夜夜到这寺中，托梦送子？可不是个乱话。只为这地方，原是信巫不信医的，故此因邪入邪，认以为真，迷而不悟，白白里送妻女到寺，与这班贼秃受用。正是：

分明断肠草，错认活人丹。

原来这寺中僧人，外貌假作谦恭之态，却倒十分贪淫奸恶。那净室虽然紧密，俱有暗道可入，俟至钟声定后，妇女睡熟，便来奸宿。那妇女醒觉时，已被轻薄，欲待声张，又恐反坏名头，只得忍羞而就。一则妇女身无疾病，且又斋戒神清；二则僧人少年精壮，又重价修合种子丸药，送与本妇吞服，故此多有胎孕，十发九中。那妇女中识廉耻的，好似哑子吃黄连，苦在心头，不敢告诉丈夫。有那一等无耻淫荡的，倒借此为由，不时取乐。如此浸淫，不知年代。也是那班贼秃恶贯已盈，天遣一位官人前来。那官人是谁？就是本县新任大尹，姓汪名旦，祖贯福建泉州晋江县人氏。少年科第，极是聪察。晓得此地夷汉杂居，土俗慓悍，最为难治。莅任之后，摘伏发隐①，不畏豪横，不上半年，治得县中奸宄②敛迹，盗贼潜踪，人民悦服。访得宝莲寺，有祈嗣灵应之事，心内不信，想道："既是菩萨有灵，只消祈祷，何必又要妇女在寺宿歇，其中定有情弊。但未见实迹，不好轻举妄动，须到寺亲验一番，然后相机而行。"择了九月朔日，特至宝莲寺行香。一行人从簇拥到寺前。汪大尹观看那寺周围，都是粉墙包裹，墙边种植古柳高槐，血红的一座朱漆门楼，上悬金书匾额，题着"宝莲禅寺"四个大字。山门对过一带照墙，傍墙停下许多空轿。山门内外，烧香的往来挤拥，看见

---

① 摘伏发隐——消灭隐患。

② 奸宄(guǐ)——坏人。内部坏人叫奸，外部坏人叫宄。

大尹到来，四散走去。那些轿夫，也都手忙脚乱，将轿抬开。汪大尹吩咐左右，莫要惊动他们。住持僧闻知本县大爷亲来行香，撞起钟鼓，唤齐僧众，齐到山门口跪接。汪大尹直至大雄宝殿，方才下轿。看那寺院，果然造得齐整，但见：

层层楼阁，叠叠廊房。大雄殿外，彩云缭绕罩朱扉；接众堂前，瑞气氤氲①笼碧瓦。老桧修篁，掩映画梁雕栋；苍松古柏，荫遮曲槛回栏。果然净土人间少，天下名山僧占多。

汪大尹向佛前拈香礼拜，暗暗祷告，要究求嗣弊窦。拜罢，佛显率众僧向前叩见，请入方丈坐下。献茶已毕，汪大尹向佛显道："闻得你合寺僧人，焚修勤谨，戒行精严，都亏你主持之功。可将年贯开来，待我申报上司，请给度牒与你，就署为本县僧官②，永持此寺。"佛显闻言，喜出意外，叩头称谢。汪大尹又道："还闻得你寺中祈嗣，最是灵感，可有这事么？"佛显禀道："本寺有个子孙堂，果然显应的！"汪大尹道："祈嗣的可要做甚斋醮？"佛显道："并不要设斋诵经，止要求嗣妇女，身无疾病，举念虔诚，斋戒七日，在佛前祷祝，讨得圣筶，就旁边净室中安歇，祈得有梦，便能生子。"汪大尹道："妇女家在僧寺安歇，只怕不便。"佛显道："这净室中，四围紧密，一女一室，门外就是本家亲人守护，并不许一个闲杂人往来，原是稳便的！"汪大尹道："原来如此。我也还无子嗣，但夫人不好来得。"佛显道："老爷若要求嗣，只消亲自拈香祈祷，夫人在衙斋戒，也能灵验。"汪大尹道："民俗都要在寺安歇，方才有效，怎地夫人不来也能灵验？"佛显道："老爷乃万民之主，况又护持佛法，一念之诚，便与天地感通，岂是常人之可比！"你道佛显为何不要夫人前来？俗语道得好，贼人心虚。他做了这般勾当，恐夫人来时，随从众多，看出破绽，故此阻当。谁知这大尹也是一片假情，探他的口气。当下汪大尹道："也说得是。待我另日竭诚来拜，且先去游玩一番。"即起身教佛显引导，从大殿旁穿过，便是子孙堂。那些烧香男女，听说知县进来，四散潜躲不迭。汪大尹看这子孙堂，也是三间大殿，雕梁绣柱，画栋飞甍，金碧耀目。正中间一座神厨，内供养着一尊女神，珠冠璎珞，绣袍彩帔，手内抱着一个孩子，旁边又站四五个男女，这神道便是

---

① 瑞气氤氲（yīnyūn）——吉祥之气很盛。氤氲，形容烟气很盛。

② 僧官——管理该地区的和尚的官员。

子孙娘娘。神厨上黄罗绣幔，两下银钩挂开，舍下的神鞋，五色相兼，约有数百余双。绣幡宝盖，重重叠叠，不知其数。架上画烛火光，照彻上下。炉内香烟喷薄，贯满殿庭。左边供的是送子张仙，右边便是延寿星官。汪大尹向佛前作个揖，四下闲走一回，又教佛显引去观宿歇妇女的净室。原来那房子是逐间隔断，上面天花顶板，下边尽铺地平，中间床帏桌椅，摆设得甚是济楚。汪大尹四遭细细看觑，真个无丝毫隙缝。就是鼠虫蚂蚁，无处可匿。汪大尹寻不出破绽，原转出大殿上轿。佛显又率众僧到山门外跪送。

汪大尹在轿上一路沉吟道："看这净室，周回严密，不像个有情弊的。但一块泥塑木雕的神道，怎地如此灵感？莫不有甚邪神，托名诳惑？"左想右算，忽地想出一个计策。回至县中，唤过一个令史，吩咐道："你悄地去唤两名妓女，假妆做家眷，今晚送至宝莲寺宿歇。预备下朱墨汁两碗，夜间若有人来奸宿，暗涂其头，明早我亲至寺中查勘。切不可走漏消息。"令史领了言语，即去接了两个相熟表子来家，唤做张媚姐、李婉儿。令史将前事说与。两个妓女，见说县主所差，怎敢不依？挨到傍晚，妓女妆束做良家模样，雇下两乘轿子，仆从扛抬铺盖，把朱墨汁藏在一个盒子中，跟随于后，一齐至宝莲寺内。令史拣了两间净室，安顿停当，留下家人，自去回复县主。不一时，和尚教小沙弥①来掌灯送茶。是晚祈嗣的妇女，共有十数余人，哪个来查考这两个妓女是不曾烧香讨笤过的。须臾间，钟鸣鼓响，已是起更时分，众妇女尽皆入寝。亲戚人等，各在门外看守。和尚也自关闭门户进去不提。

且说张媚姐掩上门儿，将银朱碗放在枕边，把灯挑得明亮，解衣上床，心中有事，不敢睡着，不时向帐外观望，约莫一更天气，四下人声静悄，忽听得床前地平下，格格的响，还道是鼠虫作耗，抬头看时，见一扇地平板，渐渐推过在一边，地下钻出一个人头，直立起来，乃是一个和尚，倒把张媚姐吓了一跳，暗道："原来这些和尚，设下恁般贼计，奸骗良家妇女，怪道县主用这片心机。"且不做声，看那和尚轻手轻脚，走去吹灭灯火，步到床前，脱卸衣服，揭开帐幔，挨入被中。张媚姐只做睡着。那和尚到了被里，腾身上去，张媚姐假作梦中惊醒，说道："你是何人？黄夜至此淫污。"举手推

① 小沙弥——刚出家的小和尚。

他下去。那和尚双手紧紧搂抱,说道:“我是金身罗汉,今特来送子与你。”口中便说,那和尚颇有本领,张媚姐是个宿妓,也还当他不起。趁他情浓深处,伸手蘸了银朱,向和尚头上,尽都抹到。这和尚只道是爱他,全然不觉。一连要了两次,方才起身下床,递过一个包儿道:“这是调经种子丸,每服三钱,清晨滚汤送下,连服数日,自然胎孕坚固,生育快易。”说罢而去。张媚姐身子已是烦倦,蒙眬合眼,觉得身边又有人挨来。这和尚更是粗卤,张媚姐还道是初起的和尚,推住道:“我玩了两次,身子疲倦,正要睡卧,如何又来?怎地这般不知餍足?”和尚道:“娘子莫错认了,我是方才到的新客,滋味还未曾尝,怎说不知餍足?”张媚姐看见和尚轮流来宿,心内惧怕,说道:“我身体怯弱,不惯这事,休得只管胡缠。”和尚道:“不打紧,我有绝妙春意丸在此,你若服了,就通宵玩耍,也不妨碍。”即伸手向衣服中,摸个纸包递与。张媚姐恐怕药中有毒,不敢吞服,也把银朱,涂了他头上。那和尚直到鸡鸣时候方去。原把地平盖好,不提。

再说李婉儿才上得床,不想灯火被蛾儿扑灭,却也不敢合眼。更余时候,忽然床后簌簌的声响,早有一人扯起帐子,钻上床来,挨身入被,把李婉儿双关抱紧,一张口就凑过来做嘴。李婉儿伸手去摸他头上,乃是一个精光葫芦,却又性急,便蘸着墨汁满头摩弄,问道:“你是哪一房长老?”这和尚并不答言。李婉儿年纪比张媚姐还小,性格风骚,又惊又喜,想道:“一向闻得和尚极有本事,我还未信,不想果然。”

云雨刚毕,床后又钻一个来,低低说道:“你们快活得够了,也该让我来玩玩,难道定要十分尽兴。”那和尚微微冷笑,起身自去。后来的和尚到了被中,轻轻款款,把李婉儿满身抚摸。李婉儿假意推托不肯,和尚捧住亲个嘴道:“娘子想是适来被他玩倦了,我有春意丸在此,与你发兴。”李婉儿咽下肚去,觉得香气透鼻,交接之间,体骨酥软,十分得趣。李婉儿虽然淫乐,不敢有误县主之事,又蘸了墨汁,向和尚头上周围摸到,说道:“倒好个光头。”和尚道:“娘子,我是个多情知趣的妙人,不比那一班粗蠢东西,若不弃嫌,常来走走。”李婉儿假意应承。云雨之后,一般也送一包种子丸药。到鸡鸣时分,珍重而别。正是:

偶然僧俗一宵好,难算夫妻百夜恩。

话分两头,且说那夜,汪大尹得了令史回话,至次日五鼓出衙,唤起百余名快手民壮,各带绳索器械,径到宝莲寺前,吩咐伏于两旁,等候呼唤。

随身止带十数余人。此时天已平明，寺门未开，教左右敲开。里边住持佛显知得县主来到，衣服也穿不及，又唤起十数个小和尚，急急赶出迎接。直到殿前下轿，汪大尹也不拜佛，径入方丈坐下。佛显同众僧叩见，汪大尹讨过众僧名簿查点。佛显教道人撞起钟鼓，唤集众僧。那些和尚都从睡梦中惊醒，闻得知县在方丈中点名，个个慌忙奔走。不一时都已到齐。汪大尹教众僧把僧帽尽皆除去。那些和尚怎敢不依，但不晓得有何缘故。当时不除，倒也罢了，才取下帽子，内中显出两个血染的红顶、一双墨涂的黑顶。汪大尹喝令左右，将四个和尚锁住，推至面前跪下，问道："你这四人为何头上涂抹红朱黑墨？"那四僧还不知是哪里来的，面面相觑，无言可对。众和尚也各骇异。汪大尹连问几声，没奈何，只得推称同伴中取笑，并非别故。汪大尹笑道："我且唤取笑的人来，与你执证。"即教令史去唤两个妓女。谁知都被那和尚们盘桓了一夜，这时正好熟睡。那令史和家人险些敲折臂膊，喊破喉咙，方才惊觉起身，跟至方丈中跪下。汪大尹问道："你二人夜来有何所见？从实说来。"二妓各将和尚轮流奸宿，并赠春意种子丸药，及朱墨涂顶，前后事一一细说。袖中摸出种子春意丸呈上。众僧见事已败露，都吓得胆战心惊，暗暗叫苦。那四个和尚，一味叩头乞命。汪大尹喝道："你这班贼驴！焉敢假托神道，哄诱愚民，奸淫良善！如今有何理说？"佛显心生一计，教众僧徐徐跪下，禀道："本寺僧众，尽守清规；止有此四人，贪淫奸恶，屡训不悛，正欲合词呈治，今幸老爷察出，罪实该死。其余实是无干，望老爷超拔。"汪大尹道："闻得昨晚求嗣的甚众，料必室中都有暗道。这四个奸淫的，如何不到别个房里，恰恰都聚在一处，入我彀①中，难道有这般巧事？"佛显又禀道："其实净室，惟此两间有个私路，别房俱各没有。"汪大尹道："这也不难，待我唤众妇女来问，若无所见，便与众僧无干。"即差左右，将祈嗣妇女，尽皆唤至盘问，异口同声，俱称并无和尚奸宿。汪大尹晓得他怕羞不肯实说，喝令左右搜检身边，各有种子丸一包。汪大尹笑道："既无和尚奸宿，这种子丸是何处来的？"众妇人个个羞得是面红颈赤。汪大尹又道："想是春意丸，你们通服过了。"众妇人一发不敢答应。汪大尹更不穷究，发令回去。那些妇女的丈夫亲属，在旁听了，都气得遍身麻木，含着羞耻，领回不提。佛显见搜出了众妇女种子

---

①　彀（gòu）——圈套。

丸，又强辩是入寺时所送。两个妓女又执是奸后送的。汪大尹道："事已显露，还要抵赖！"教左右唤进民壮快手人等，将寺中僧众，尽都绑缚，止空了香公道人，并两个幼年沙弥。佛显初时意欲行凶，因看手下人众，又有器械，遂不敢动手。汪大尹一面吩咐令史，将两个妓女送回。起身上轿，一行人押着众僧在前。那时哄动了一路居民，都随来观看。汪大尹回到县中，当堂细审，用起刑具。众和尚平日本是受用之人，如何熬得？才套上夹棍，就从实招称。汪大尹录了口词，发下狱中监禁，准备文书，申报上司，不在话下。

且说佛显来到狱中，与众和尚商议一个计策，对禁子凌志说道："我们一时做下不是，悔之无及！如今到了此处，料然无个出头之期。但今早拿时，都是空身，把甚么来使用？我寺中向来积下的钱财甚多，若肯悄地放我三四人回寺取来，禁牌①的常例②，自不必说，分外再送一百两雪花。"那凌志见说得热闹动火，便道："我们同辈人多，不由一人作主，这百金四散分开，所得几何，岂不是有名无实。如出得二百两与众人，另外我要一百两偏手，若肯出这数，即今就同你去。"佛显一口应承道："但凭禁牌吩咐罢了，怎敢违拗！"凌志即与众禁子说知，私下押着四个和尚回寺，到各房搜括，果然金银无数。佛显先将三百两交与凌志。众人得了银子，一个个眉花眼笑。佛显又道："列位再少待片时，待我收拾几床铺盖进去，也好睡卧。"众人连称："有理。"纵放他们去打叠。这四个和尚把寺中短刀斧头之类，裹在铺盖之中，收拾完备，教香公唤起几个脚夫，一同抬入监去。又买起若干酒肉，遍请合监上下，把禁子灌得烂醉，专等黄昏时候，动手越狱。正是：

打点劈开生死路，安排跳出鬼门关。

且说汪大尹，因拿出这个弊端，心中自喜，当晚在衙中秉烛而坐，定稿申报上司，猛地想起道："我收许多凶徒在监，倘有不测之变，如何抵当？"即写朱票，差人遍召快手，各带兵器到县，值宿防卫。约莫更初时分，监中众僧，取出刀斧，一齐呐喊，砍翻禁子，打开狱门，把重囚尽皆放起，杀将出来，高声喊叫："有冤报冤，有仇报仇，只杀知县，不伤百姓。让我者生，挡

① 禁牌——对禁子的尊称。

② 常例——指平时一般应送的贿赂。

我者死！"其声震天动地。此时值宿兵快，恰好刚到，就在监门口战斗。汪大尹衙中闻得，连忙升堂，县旁百姓听越狱，都执枪刀前来救护。和尚虽然拚命，都是短兵，快手俱用长枪，故此伤者甚多，不能得出。佛显知事不济，遂教众人住手，退入监中，把刀斧藏过，扬言道："谋反的止是十数余人，都已当先被杀，我等俱不愿反，容至当堂禀明。"汪大尹见事已定，差刑房吏带领兵快，到监查验，将应有兵器，尽数搜出，当堂呈看。汪大尹大怒，向众人说道："这班贼驴，淫恶滔天，事急又思谋反。我若莫有防备，不但我一人遭他凶手，连满城百姓，尽受荼毒①了。若不尽诛，何以儆后？"唤过兵快，将出的刀斧，给散与他，吩咐道："恶僧事虽不谐，久后终有不测，难以防制。可乘他今夜反狱，除一应人犯，留明日审问，其余众僧，各砍首级来报。"众人领了言语，点起火把，蜂拥入监。佛显见势头不好，连叫："谋反不是我等。"言还未毕，头已落地。须臾之间，百余和尚，齐皆斩讫，犹如乱滚西瓜。正是：

善恶到头终有报，只争来早与来迟。

汪大尹次日吊出众犯，审问狱中缘何藏得许多兵器？众犯供出禁子凌志等得了银子，私放僧人回去，带进兵器等情。汪大尹问了详细，原发到狱，查点禁子凌志等，俱已杀死。遂连夜备文，申详上司，将宝莲寺尽皆烧毁。其审单云：

看得僧佛显等，心沉欲海，恶炽火坑。用智设机，计哄良家祈嗣；穿墉穴地，强邀信女通情。紧抱着娇娥，兀的是菩萨从天降；难推去和尚，则索道罗汉梦中来。可怜嫩蕊新花，拍残狂蝶；却恨温香软玉，抛掷终风。白练受污，不可洗也。黑夜忍辱，安敢言乎！乃使李婉儿朱抹其顶，又遣张媚姐墨涅其颠。红艳欲流，想长老头横冲经水；黑煤如染，岂和尚颈倒浸墨池。收送福堂，波罗蜜自做甘受；陷入色界，磨兜坚有口难言。乃藏刀剑于皮囊，寂灭翻成贼虐；顾动干戈于圜棘，慈悲变作强梁。夜色正昏，护法神通开犴狴；钟声甫响，金刚勇力破拘挛。釜中之鱼，既漏网而又跋扈；柙中之虎，欲走圹而先噬人。奸窈窕，淫良善，死且不宥；杀禁子，伤民壮，罪欲何逃！反狱奸淫，其罪已重；戮尸枭首，其法允宜。僧佛显众恶大魁，粉碎其骨；宝莲寺藏奸之薮，火焚其巢。庶

---

① 荼(tú)毒——比喻毒害。荼是一种苦菜，毒指毒虫、毒蛇之类。

发地藏之奸，用清无垢之佛。

这篇审单一出，满城传诵，百姓尽皆称快。往时之妇女，曾在寺求子，生男育女者，丈夫皆不肯认，大者逐出，小者溺死。多有妇女怀羞自缢，民风自此始正。各省直州府传闻此事，无不出榜戒谕，从今不许妇女入寺烧香。至今上司往往明文严禁，盖为此也！后汪大尹因此起名，遂钦取为监察御史。有诗为证：

子嗣原非可强求，况于入寺起淫偷。
从今勘破鸳鸯梦，泾渭分源莫混流。

第四十卷　马当神风送滕王阁

山藏异宝山含秀，沙有黄金沙放光。
好事若藏人肺腑，言谈语话不寻常。

这四句诗，单说着自古至今，有那一等怀才抱德、韬光晦迹①的文人秀才，就比那奇珍异宝，良金美玉，藏于泥土之中；一旦出世，遇良工匠，切磋琢磨，方始成器。故秀才二字，不可乱称。秀者江山之秀，才者天下之才。但凡人胸中藏秀气，腹内有才识，出言吐语，自是一般，所以谓之不寻常。说话的，兀的说这才学则甚！因在下今日，要说一桩“风送滕王阁”的故事。那故事出在大唐高宗朝间，有一秀士，姓王名勃，字子安，祖贯山西晋州龙门人氏。幼有大才，通贯九经，诗书满腹。时年一十三岁，常随母舅游于江湖。一日从金陵欲往九江，路经马当山下，此乃九江第一险处。怎见得？有陆鲁望②《马当山铭》为证：

山之险莫过于大行，水之险莫过于吕梁，合二险而为一，吾又闻乎马当。

王勃舟至马当，忽然风涛乱滚，碧波际天，云阴罩野，水响翻空，那船将次倾覆。满船的人尽皆恐惧，虔诚祷告江神，许愿保护；惟有王勃端坐

① 韬(tāo)光晦(huì)迹——隐藏才能和踪迹，不使外露。韬，隐藏。晦，不明显。

② 陆鲁望——唐代诗人陆龟蒙，字鲁望。

船上，毫无惧色，朗朗读书。舟人怪异，问道："满船之人，死在须臾，今郎君全无惧色，却是为何?"王勃笑道："我命在天，岂在龙神！"舟人大惊道："郎君勿出此言！"王勃道："我当救此数人之命。"道罢，遂取纸笔，吟诗一首，掷于水中。须臾云收雾散，风浪俱息。其诗曰：

唐圣非狂楚，江渊异汨罗。
平生仗忠节，今日任风波。

此时满船人相贺道："郎君奇才，能动江神，乃得获安；不然，诸人皆不免水厄。"王勃道："生死在天，有何可避！"众人深服其言。少顷船皆泊岸，舟人视时，即马当山也。舟人皆登岸。王勃上岸，独自闲游。正行之间，只见当道路边，青松影里，绿桧阴中，见一古庙。王勃向前看时，上面有朱红漆牌金篆书字，写着："敕赐中原水府行宫。"王勃一见，就身边取笔，吟诗一首于壁上。诗曰：

马当山下泊孤舟，岸侧芦花簇翠流。
忽睹朱门斜半掩，层层瑞气锁清幽。

诗罢，走入庙中，四下看视，正个好座庙宇。怎见得？有诗为证：

碧瓦连云起，朱门映日开。
一团金作栋，千片玉为街。
帝子亲书额，名人手篆碑。
庇民兼护国，风雨应时来。

王勃行至神前，焚香祝告已毕，又赏玩江景多时。正欲归舟，忽于江水之际，见一老叟，坐于块石之上，碧眼长眉，须鬓皤然，颜如莹玉，神清气爽，貌若神仙。王勃见而异之，乃整衣向前，与老人作揖，老叟道："子非王勃乎?"王勃大惊道："某与老叟素不相识，亦非亲友，何以知勃名姓?"老叟道："我知之久矣！"王勃知老叟不是凡人，随拱手立于块石之侧。老叟命勃同坐，王勃不敢，再三相让方坐。老叟道："吾早来闻尔于船内作诗，义理可观。子有如此清才，何不进取，身达青云之上；而困于家食，受此旅况之凄凉乎?"王勃答道："家寒窘迫，缺乏盘费，不能特达，以此流落穷途，有失青云之望。"老叟道："来日重阳佳节，洪都阎府君①，欲作《滕王阁记》。子有绝世之才，何不竟往献赋，可获资财数千，且能垂名后世。"王勃道：

① 洪都阎府君——洪都，即江西南昌。阎府君，指阎伯屿，当时在洪州做都督。

"此到洪都,有几多路程?"老叟道:"水路共七百余里。"王勃道:"今已晚矣! 止有一夕,焉能得达?"老叟道:"子但登舟,我当助清风一帆,使子明日早达洪都。"王勃再拜道:"敢问老丈,仙耶神耶?"老叟道:"吾即中源水君,适来山上之庙,便是我的香火。"王勃大惊,又拜道:"勃乃三尺童稚,一介寒儒,肉眼凡夫,冒渎尊神,请勿见罪!"老叟道:"是何言也! 但到洪都,若得润笔之金,可以分惠。"王勃道:"果有所赠,岂敢自得。"老叟笑道:"吾戏言耳!"须臾有一舟至,老叟令王勃乘之。勃乃再拜,辞别老叟上船。方才解缆张帆,但见祥风缥缈,瑞气盘旋,红光罩岸,紫雾笼堤。王勃骇然回视,江岸老叟,不知所在,已失故地矣。只见:

风声飒飒,浪势淙淙。帆开若翅展,舟去似星飞。回头已失却千山,眨眼如趋百里。晨鸡未唱,须臾忽过鄱阳;漏鼓犹传,仿佛已临江右。这叫做:运去雷轰荐福碑,时来风送滕王阁。

顷刻天明,船头一望,果然已到洪都。王勃心下且惊且喜,吩咐舟人:"只于此相等。"揽衣登岸,徐步入城,看那洪都果然好景。有诗为证:

洪都风景最繁华,仿佛参差十万家。
水绿山蓝花似锦,连城带阁锁烟霞。

是日正是九月九日。王勃直诣帅府,正见本府阎都督果然开宴,遍请江左名儒、士夫秀士,俱会堂上。太守开筵命坐,酒果排列,佳肴满席,请各处名儒,分尊卑而坐。当日所坐之人,与阎公对席者,乃新除沣州牧学士宇文钧,其间亦有赴任官,亦有进士刘祥道、张禹锡等。其他文词超绝,抱玉怀珠者百余人,皆是当世名儒。王勃年幼,坐于座末。少顷,阎公起身,对诸儒道:"帝子旧阁,乃洪都绝景。是以相屈诸公至此,欲求大才,作此《滕王阁记》,刻石为碑,以记后来,留万世佳名,使不失其胜迹。愿诸名士勿辞为幸!"遂使左右朱衣吏人,捧笔砚纸至诸儒之前。诸人不敢轻受,一个让一个,从上至下,却好轮到王勃面前。王勃更不推辞,慨然受之。满座之人,见勃年幼,却又面生,心各不美,相视私语道:"此小子是何氏之子? 敢无礼如是耶!"此时阎公见王勃受纸,心亦怏怏。遂起身更衣,至一小厅之内。阎公口中不言,自思道:"吾有婿乃长沙人也,姓吴名子章,此人有冠世之才。今日邀请诸儒作此记,若诸儒相让,作此文以光显门庭也。是何小子,辄敢欺在堂名儒,无分毫礼让!"吩咐吏人,观其所作,可来报知。良久,一吏报道:"南昌故郡,洪都新府。"阎公道:"此乃老生常谈,谁人不会!”一吏又报道:“星分翼轸,地接衡庐。”阎公道:“此故事也。”又一吏报道:“襟三江而带五湖,控蛮荆而引瓯越。”阎公不语。又一吏报道:“物华天宝,龙光射斗牛之墟;人杰地灵,徐孺下陈蕃之榻。”阎公道:“此子意欲与吾相见也。”又一吏报道:“雄州雾列,俊彩星驰。台隍枕夷夏之邦,宾主接东南之美。”阎公心中微动,想道:“此子之才,信亦可人①!”数吏分驰报句,阎公暗暗称奇。又一吏报道:“落霞与孤鹜齐飞,秋水共长天一色。”阎公听罢,不觉以手拍几道:“此子落笔若有神助,真天才也!”遂更衣复出至座前。宾主诸儒,尽皆失色。阎公视王勃道:“观子之文,乃天下奇才也!”欲邀勃上座。王勃辞道:“待俚语成篇,然后请教。”须臾文成,呈上阎公。公视之大喜,遂令左右,从上至下,遍示诸儒。一个个面如土色,莫不惊伏,不敢拟议一字。其全篇刻在古文中,至今为人称诵。阎公乃自携王勃之手,坐于左席道:“帝子之阁,风流千古,有子之文,使吾等今日雅会,亦得闻于后世。从此洪都风月,江山无价,皆子之力也。吾当厚报。”正说之间,忽有一人,离席而起,高声道:“是何三尺童稚?将先儒遗文,伪言自己新作,瞒昧左右,当以盗论;兀自扬扬得意耶!”王勃闻言大惊。太守阎公举目视之,乃其婿吴子章也。子章道:“此乃旧文,吾收之久矣。”阎公道:“何以知之?”子章道:“恐诸儒不信,吾试念一遍。”当下子章遂对众客之前,朗朗而诵,从头至尾,无一字差错。念毕,座间诸儒失色,阎公亦疑,众犹豫不决。王勃听罢,颜色不变,徐徐说道:“观公之记问,不让杨修之学,子建之能,王平之阅市,张松②之一览。”吴子章道:“乃是先儒旧文,吾素所背诵耳。”王勃又道:“公言先儒旧文,别有诗乎?”子章道:“无诗。”道罢,王勃遂起身离席,对诸儒问道:“此文果新文旧文乎?后有诗八句,诸公莫有记之者否?”问之再三,人皆不答。王勃乃拂纸如飞,有如宿构。其诗曰:

---

① 可人——值得欣赏、赞美的人。

② 杨修、子建、王平、张松——都是三国时代博闻强记的几个才子。杨修,字德祖,聪慧好学,做曹操的主簿,常常能窥测出曹操的意旨。曹植,字子建,他曾在走七步路的时间里作成了一首诗。“王平”,疑为“正平”之误,祢衡,字正平,某次他和人出外游玩,看到蔡邕作的一篇碑文,回家之后,能一字不误地写出来。张松,刘璋的别驾,一次,杨修把曹操所著的兵书给他看,他看毕就能背诵无误。

滕王高阁临江渚，珮玉鸣銮罢歌舞。
画栋朝飞南浦云，珠帘暮卷西山雨。
闲云潭影日悠悠，物换星移几度秋。
阁中帝子今何在？槛外长江空自流！

诗罢呈上，太守阎公，并座间诸儒、其婿吴子章看毕。王勃道："此新文旧文乎？"子章见之，大惭惶恐而退。众宾齐起坐向阎公道："才人之作性，令婿之记性，皆天下罕有，真可谓双璧矣！"阎公曰："诸公之言诚然也！"于是吴子章与王勃互相钦敬，满座欢然。饮宴至暮方散。众宾去后，阎公独留勃饮。次日王勃告辞，阎公乃赐五百缣及黄白酒器，共值千金。勃拜谢辞归，阎公使左右相送下船，舟人解缆而行。勃但闻水声潺潺，疾如风雨。诘旦①，船复至马当山下，维舟泊岸。王勃将阎公所赠金帛，携至庙中，陈于中源水君之前，叩头称谢。起身，见壁上所题之诗，宛然如新。遂依前韵，复作诗一首：

好风一夜送轻舟，倏忽征帆达上流。
深感神功知夙契，来生愿得伴清幽。

王勃题诗已毕，步出南门，欲买牲牢酒礼以献，看岸边船已不见了，其舟人亦不知所在。正犹豫间，忽然祥云瑞霭，笼罩庙堂，香风起处，见一老人，坐于石矶之上，即前日所见中源水君。勃向前再拜，谢道："前得蒙上圣，助一帆之风，至于洪都，使勃得获厚利。勃当备牲牢酒礼，至于庙下，拜谢尊神，以表吾心。"老人见说，俯首而笑："子适来言供备牲牢者，何牢也？吾闻少牢者羊，大牢者牛。礼，诸侯无故不杀牛，大夫无故不杀羊。吾岂可以一帆风，而受子之厚献乎！吾水府以好生为德，杀生以祀，吾亦不敢享也，更不必费子措置。适来观子庙下留题，有伴我清幽之意，吾亦甚喜。但子命数未终，凡限未绝，更俟数年，吾当图相会耳。"王勃遂稽首拜谢道："愿从尊命！然勃之寿算前程，可得闻乎？"老叟道："寿算者阴府主之，不敢轻泄天机，而招阴祸。吾言子之穷通，无害也。吾观子之躯，神强而骨弱，气清体羸，况子脑骨亏陷，目睛不全，子虽有子建之才，高士之俊，终不能贵矣。况富贵乃神主之，人之一种一粟，皆由分定，何况卿相

① 诘(jié)旦——第二天早晨。诘：翌，次日。

乎？昔孔子大圣，为帝王师范，尚不免陈蔡之厄①，所谓秀而不实者也。子但力行善事，而自有天曹注福，穷通寿夭，皆不足计矣！子切记之！”于是与勃作别。叟行数步，复又走回，对王勃道：“吾有少意相托：子若过长芦之祠，当买钱帛，与我焚之。”王勃道：“此何由也？”老叟道：“吾昔负长芦之神薄债未偿，子可与吾偿之。”王勃道：“非勃不舍，适来观上圣殿上，金钱堆积如山，何不以此还之？”老叟道：“汝不知殿上之钱，皆是贪利酷求之人，害物私心之辈，损人益己，克众成家，偶一过此，妄求非祸，神不危而心自危之，所以求献于庙。此乃枉物，譬如吾之赃矣，焉敢用哉！”王勃再拜受教。老叟即化清风而去。王勃骇然，仍携金帛之类，离马当山，趁船径往长芦。每思神所说脑骨亏陷，目睛不全，终不能贵，心怀怏怏不乐。船至长芦，正思神叟所嘱，化财还债之言，忽然寒风大作，雪浪翻空，群鸦绕船，噪声不绝。其鸦或歇桅橹，或落船头，船不能进。满船人莫不惊骇畏惧。王勃亦自骇然，乃问舟人：“此是何处？”舟人道：“此是长芦地方。”王勃听了，方想江神之言，遂焚香默祷江神，候风息上岸，买金钱答还。祝毕，香烟未绝，群鸦皆散，浪息风平。于是一船人莫不欣喜。次日舟人以船泊岸，王勃买金钱十万下船，复至夜来风起之处焚化，船乃前进。后来罗隐先生到此，曾作八句诗道：

江神有意怜才子，倏忽威灵助去程。
一夕清风雷电疾，满碑佳句雪冰清。
直教丽藻②传千古，不但雄名动两京。
不是明灵佑祠客，洪都佳景绝无声。

王勃亲远任海隅，策骑往省，至一驿舍，欲求暂歇，方询问驿吏，忽闻驿堂上，一人口呼：“王君，久不拜见，今日何由至此？”王勃闻言大惊，视之略有面善，似曾相识，忘其姓名。只见其人道：“王君何忘乎？昔日洪府相会，学士宇文钧也。”勃大喜，乃整衣而揖，遂邀王勃同坐。叙话间，命驿吏献茶。茶罢，学士道：“某想洪府之乐，安知今日有海道之忧，岂不悲哉！”王勃道：“学士因何至此？”学士道：“钧累任教授，后越阙为右司谏官，唐天子欲征高丽，钧直谏，触犯龙颜，将钧迁于海岛。千里独行，方悲寂寞！何

① 陈蔡之厄——被围困在陈国和蔡国。

② 丽藻——文章华美，词藻雅丽。指《滕王阁记》这篇千古佳文。

期旅邸，得遇故人。某有《迁客诗》一首，为君诵之。”诗曰：

万里为迁客，孤舟泛渺茫。
湖田多种藕，海岛半收粮。
愿遂归秦计，劳收辟瘴方。
每思缄口者，帝德在君旁。

王勃道：“有犯无隐，事君之礼。学士虽为迁客，直声播于千古矣。”遂答诗一首。诗曰：

食禄只忧贫，何名是直臣！
能言真为国，获罪岂惭人。
海驿程程远，霜髯日日新。
史官如下笔，应也泪沾巾。

当夜二人互相吟咏，至半夜同宿于驿舍。次日学士置酒管待王勃毕，至第三日学士邀勃同行，俄然天色下雨，复留海驿。二人谈论，终日不倦。至第五日，方始天晴，二人同下海船，饮食宿卧，皆于一处。船开数日，至大洋深波之中，忽然狂风怒吼，怪浪波翻，其舟在水，飘飘如一叶，似欲倾覆，舟人皆大恐。学士宇文钧心中大惊，骇叹道：“远谪海隅，不想又遭风波，此实命也！”王勃面不改容，因述昔年马当山遇风始末，并叙中源水君，两次相遇之语，真个是死生有命，富贵在天。风波虽大，不足介意！谈论方终，却见波涛暂息，风浪不生，舟人皆喜。满船之人，忽闻水上仙乐飘然而至，五色祥云从天降下，浮于水面，看看来到王勃船边，众人皆惊。只见祥云影里，幢幡宝盖，绛节旌旗，锦衣对对，绣袄攒攒，花帽双双，朱衣簇簇，两行摆开。前面有数十人，皆仙娥玉女，仙衣灼灼，玉珮珊珊。前有一青衣女童，手执碧符，遂呼王勃道：“奉娘娘之命，特来召子。”王勃愕然，问女童道：“娘娘是何人也？”女童道：“乃掌天下水籍文簿，上仙高贵玉女吴彩鸾便是。今于蓬莱方丈，翠华居止，其内有马当山水君，举子文章贯古今，特来请子同往蓬莱方丈，作词文记，以表蓬莱之佳景。可速往，不可违娘娘之命。”王勃道：“与君人神异途，焉有相召之言？我闻生死分定于天，寿算乃阴府所主，岂有玉女召我作文？何召之有？吾实不从。”道罢，女童道：“君如不去，中源水君必自至矣。”道犹未了，只见一朵乌云，自东南角上而来，看看至近，到于船边，从空坠下。就水面之上，见一神人，头戴黄罗包巾，身穿百花绣袍，手仗除妖七星剑，高声大叫：“王勃！吾奉蓬莱仙女敕，召汝作文词，何不往也？况中源水君亦在蓬莱赴会。今众仙等之久矣。子亦有仙骨。况且昔日你曾庙下题诗，愿伴清幽，岂可忘之！”王勃猛然自思：“马当山中源水君曾言日后遇于海岛，岂非前定乎？”遂忻然道：“愿从命矣！”神人见说，遂召鬼卒，牵马来至舟侧。王勃甚喜，亦忘深渊，意为平地。乃回身与学士及满船之人相别，牵衣出舱，望水面攀鞍上马。但见乌云惨惨，黑雾漫漫，云霄隐隐，满船之人及宇文钧学士无不惊骇！同视王勃，不知所在。须臾，雾散云收，风平浪静，满船之人俱各无事，唯有王勃乃作神仙去矣！

从来才子是神仙，风送南昌岂偶然！
赋就滕王高阁句，便随仙仗伴中源。

图书在版编目（CIP）数据

醒世恒言/(明)冯梦龙著.—北京:华夏出版社，2013.8（2017.10 重印）

（中国古典文学名著丛书）

ISBN 978-7-5080-7504-4

Ⅰ.①醒…　Ⅱ.①冯…　Ⅲ.①话本小说-中国-明代　Ⅳ.①I242.3

中国版本图书馆 CIP 数据核字(2013)第 041318 号

醒世恒言

作　　者　[明] 冯梦龙　著
责任编辑　韩 平

出版发行　华夏出版社
经　　销　新华书店
印　　刷　三河市少明印务有限公司
装　　订　三河市少明印务有限公司
版　　次　2013 年 8 月北京第 1 版
　　　　　　2017 年 10 月北京第 3 次印刷
开　　本　880×1230　1/32 开
印　　张　19.25
字　　数　458 千字
定　　价　16.00 元

华夏出版社　地址:北京市东直门外香河园北里 4 号　邮编:100028
网址:www.hxph.com.cn　电话:(010)64663331(转)